한국의 전통주 주방문 ③

방향과 청향의 술

芳香　清香

下

한국의 전통주 주방문 ❸

방향과 청향의 술 下

2쇄 발행 : 2023년 4월 5일
초판 발행 : 2015년 11월 10일

지은이 : 박록담
펴낸이 : 김세권

펴낸곳 : 바룸출판사
출판등록 : 2013년 4월 18일(제2013-000121호)
주소 : 121-840 서울시 마포구 양화로 8길 15 (301호)
전화 : 02)333-1225
팩스 : 02)332-5763
이메일 : bonbook@daum.net

ISBN 979-11-87048-12-1
ISBN 979-11-87048-09-1(set)

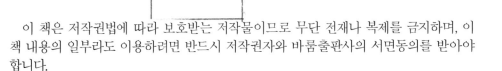
* 잘못 만들어진 책은 구입하신 서점에서 바꾸어 드립니다.
* 책값은 뒤표지에 있습니다.

청주류

한국의 전통주 주방문 3

방향과 청향의 술

芳香

清香

下

박록담 著

바룸

일러두기

1. 한글 표제 〈양주방〉과 한문 표제 〈양주방(釀酒方)〉은 각기 다른 문헌이다. 한글 표제 〈양주방〉은 1800년대에 쓰인 한글 필사본으로 전라도 지방의 문헌으로 알려져 있으며, 한문 표제 〈양주방(釀酒方)〉은 1700년대 말엽에 쓰인 한글 필사본으로 '연민 선생 소장본'이다. 이 둘이 혼동될 우려가 있어 한글 표제의 경우 〈양주방〉*으로 구분하여 표기하였다.

2. 전통주가 수록된 문헌 중에 〈주방(酒方)〉*으로 표기된 것이 두 가지이다. 하나는 1800년대 초엽에 쓰인 한글 필사본이며, 다른 하나는 1827년(또는 1887년)에 쓰인 한글 한문 혼용 필사본으로 임용기 소장본이다. 이를 구분하기 위해 한글 필사본인 경우 〈주방(酒方)〉*, 또는 〈주방〉*으로 표기하였다.

3. 〈주식방문〉과 〈쥬식방문〉은 별개의 문헌이다. 〈주식방문〉은 한글 붓글씨본이고, 〈쥬식방문〉은 한문 활자본이다.

차례

1. 회산춘 〈시의전서〉 2. 회산춘법 〈양주방〉

제2부
청주류

상원주

스토리텔링 및 술 빚는 법

우리나라 전통주에 대한 자료 집성을 해오면서 가끔씩 '혼동' 아닌 '혼돈'에 빠질 때가 있다. 여러 문헌에 자주 오르내리는 주방문(酒方文) 가운데 '국화주'와 '화향입주방'의 경계가 그러하여 그 분별에 하루 종일을 소비해야 했고, 여기에서 다루고자 하는 '상원주' 또한 별반 다르지 않을 거란 생각에 불안했다.

'상원주'는 <이씨(李氏)음식법>에서만 찾아볼 수 있는 주품이다. 처음에는 '상원(上元, 음력 정월 보름날)'에 마시는 술이 아닐까 하는 생각도 해봤다. 만약 '상원주'가 정월 대보름날과 관련이 있다면, 정월의 세시주(歲時酒)는 '세주(歲酒)', '귀밝이술(耳明酒, 癡聾酒)'과 함께 "또 다른 세시주의 등장"을 의미하기 때문이다.

그러나 한동안 주방문을 아무리 예의 주시하여도 주품명 '상원주'라는 의미를 명확히 알지 못하다가, 이 술이 정월 초순에 녹두로 누룩을 빚고 띄워서 만든 녹두누룩으로 빚는 '녹두주(菉酒豆)'라는 단서를 찾게 되었다. '녹두주'에 관한 자료를 찾아보니 <민천집설(民天集說)>에 '녹주두', <봉접요람>에 '녹두누룩술법', <온주법(醞酒法)>에는 '녹두주', <증보산림경제(增補山林經濟)>에 '녹두주법'이 등장했으나, 이들 문헌의 어떤 주방문에서도 '상원주'와 관련한 단초를 찾을 수 없어 적이 낙담하고 있었다.

그러다 동일한 방법으로 이루어지는 <양주방>*의 '백수환동주'를 떠올리게 되었다. <양주방>*의 주방문 말미에서 그 단서를 찾은 것이다. '백수환동주' 주방문에 "이 술의 이름은 '상천삼원춘(上天三元春)'이라고 하니 '하늘나라의 3가지 으뜸가는 봄'이라고 한다. 술맛이 입에 머금은 후에도 삼키기 아깝고, 사람에게 몹시 보익하여 온갖 병을 물리치고, 골수를 꽉 차게 하여 허약한 사람에게 좋으니 기운이 쇄한 이에게는 얻기 어려운 큰 약이다. 한 말에 '한 기(12년)의 수(壽)를 더한다.' 하였으니, 한 기는 열두 해다. 하늘나라에서도 비밀 방문(方文)하니 너무 헛되게 전하여 세상의 더러운 사람으로 하여금 배우게 하지 말라."고 하였다.

이로써 '상원주'가 '상천삼원춘' 또는 '상천삼원춘주(上天三元春酒)'를 지칭하는 '백수환동주'와 동일한 주품으로, 약칭 '상원주'로 부르게 된 것이라는 사실을 깨닫게 되었다. 즉, 정월 초순에 녹두로 누룩을 빚어 띄우면 대보름날쯤 발효가 끝나 녹두누룩이 만들어지는데, 이 녹두누룩을 갈무리해 두었다가 날씨가 더워지는 여름날에 술을 빚게 되면 술이 잘 쉬지 않고 향기가 뛰어난 술이 된다는 뜻으로 그 의미를 부여할 수 있겠다.

<이씨음식법>에는 '상원주'라고 하였으나, '녹두주'라고 되어 있는 <온주법>에서도 "삼칠 만에 드리우되, 빚기 다소(多少)는 임의로 하라. 냉수는 조금하고, 이는 한갓 술이 아니라 선미(仙味)니 센머리 다시 검고 빠진 이 다시 나느니라. 탕수도 채와 하라."고 하여 '상원주'와 '녹두주'가 동일한 목적으로 이루어진 주방문이라는 근거를 확보할 수 있었다. 술 빚는 방법에 있어서도 '찹쌀 1말과 녹두누룩 2되의 비율'이며, 찹쌀고두밥을 찬물(냉수)을 끼얹어 고두밥을 식히는 방법으로 미루어, <이씨음식법>의 '상원주'가 <양주방>*의 '백수환동주'와 동일한 방문으로 이루어졌음을 확인할 수 있었다.

또한 <이씨음식법>의 '상원주'는 <양주방>*의 '백수환동주'법을 그대로 옮긴 것으로 추정할 수 있으며, 그 단서는 이들 두 문헌의 발간 시기가 비슷하다는 사실이다.

따라서 술 빚는 방법에 대해서는 '백수환동주'와 '녹두주'를 참고하기로 한다.

다만, 주방문 말미에 "술 빚은 지 21일이 되어"라고 하였고, "날물기 일절 금하고 단단히 봉하여 서늘한 방에 두었다가 삼칠일 후에 드리우되, 다소는 임의로 하라. 이 술이 노인과 허약한 사람에게 좋으리라."고 명시되었는데, 필자가 경험하기로는 술 빚은 지 30일 훨씬 이후에 채주하되 술을 병에 담아 2~3개월 숙성시키면 그 향기가 말할 수 없이 좋았다.

필자는 지난 1987년 11월부터 전국을 돌며 소위 '밀주(密酒)'를 찾아다녔다. 13년간 133명의 '밀주자'를 만나 그 밀주 빚는 법을 전수받았다. 전주 지방에서 제법 유명세를 떨치고 있던 고(故)김남옥 여사가 빚는 '장군주(將軍酒)'에 녹두누룩이 사용된다는 사실을 접했지만, 불행히도 와병 중이어서 만나 뵙지는 못했다. 한동안 세월이 지난 뒤에야 전주 전통술박물관에서 '장군주'의 제조 시연하시는 모습을 뵙고 인사를 나눈 것이 전부였다.

전주 '장군주'는 혼양주법(混釀酒法)의 약용약주로 분류할 수 있다. 얘기인즉, 전주 '장군주'와 서울의 '향온주(香醞酒)'를 제외하고는 일제강점기 이후 이 땅에서 녹두누룩을 사용한 가양주나 밀주를 찾아볼 수 없었다는 얘기다. "이 술이 노인과 허약한 사람에게 좋으리라."고 하고, 또 "이 술이 하늘나라의 비밀 방문"하는 비법이 다름 아닌 '녹두누룩'이었음에랴.

"그래, 까짓것 '이 술이 노인과 허약한 사람에게 좋다.'고 하고, '하늘나라의 비밀 방문'이라니 훔쳐서라도 어디 한 번 건강하게 잘 살아보자."

상원주 <이씨(李氏)음식법>

> 누룩 재료 : 녹두 1말, 찹쌀 5되, 솔잎(적당량)
> 술 재료 : 찹쌀 1말, 녹두곡 2되, 냉수

누룩 빚는 법 :
1. 정월 상순에 녹두 1말을 물에 깨끗하게 씻어 불렸다가, 헹궈 건져서 맷돌에

갈고 물에 담가 불려서 거피한 후, 소쿠리에 건져서 물기를 빼놓는다.

2. 찹쌀 5되를 백세하여 물에 담가 불렸다가, 다시 씻어 건져서 물기를 뺀 후 작말한다.

3. 녹두를 시루에 안쳐서 익을 정도만 찌고, 익으면 퍼서 절구에 담고, 쌀가루를 쳐가면서 절굿공이로 찧는다.

4. 절굿공이로 떡을 치듯 찧되, 녹두가루와 쌀가루가 고루 섞이게 하여 뭉쳐질 정도가 되게 찧는다.

5. 녹두가루 찧은 것을 이화곡같이(달걀 크기로 약간 기름하게) 주먹으로 단단히 쥐어서 누룩밑을 빚는다.

6. (종이상자나 단지에) 솔잎을 깔고 그 위에 누룩밑을 격지격지 놓는데, 누룩밑이 서로 닿지 않도록 한다.

7. 다시 솔잎으로 덮고 그 위에 누룩밑을 한 켜 놓는 방식으로 솔잎과 함께 격지격지 놓고, 다시 솔잎으로 덮어 14일간 띄운다.

8. 솔잎을 걷어내고 누룩을 꺼내어 보면, 겉면에 누룩곰팡이가 자란 것을 볼 수 있는데, 칼이나 거친 솔을 이용하여 껍질을 벗겨낸다.

9. 껍질 벗긴 누룩을 3일간 거풍하여(햇볕에 말리고 바람을 쏘여 건조시켜) 냄새를 없앤 후 (가루로 빻아 종이봉투에 담아) 보관한다.

술 빚는 법 :

1. 여름에 찹쌀 1말을 백세하여 물에 담가 밤재워 불렸다가, 다시 씻어 건져서 물기를 빼놓는다.

2. 불린 쌀은 시루에 안쳐서 고두밥을 짓고, 고두밥이 익었으면 시루째 떼어 (수돗가에 가져다 놓고) 쳇다리 위에 올려놓는다.

3. 고두밥이 온기 없이 식을 때까지 냉수를 거듭 뿌려서 차게 식힌다.

4. 미리 준비한 녹두누룩을 고운 가루로 만들어 (깁체에 내려서) 놓는다.

5. 차게 식힌 고두밥에 정월에 띄운 녹두누룩 가루 2되를 합하고, 고루 치대어 술밑을 빚는다.

6. 술밑을 술독에 담아 안치고, 예의 방법대로 하여 단단히 밀봉한 후 서늘한

방에 두고 21일간 발효시킨다.

* 주방문 말미에 "술 빚은 지 21일이 되어"라고 하였고, "날물기 일절 금하고 단단히 봉하여 서늘한 방에 두었다가 삼칠일 후에 드리우되, 다소는 임의로 하라. 이 술이 노인과 허약한 사람에게 좋으리라."고 하였다.

샹원쥬

뎡월 샹슌에 녹두 흔 말을 갈아 거피ᄒ엿다가 겨우 싱긔 업슬 만치 ᄭ찌고 졈미 닷 되을 빅셰 ᄌ말ᄒ야 녹두 ᄭ찐 거슬 방아에 ᄭ찌으며 졈미 갈우을 ᄌᄌ 너허 합ᄒ거든 니화쥬 누룩갓치 ᄶ쥐여 솔엽에 ᄶ끼여 이칠일의 거풍ᄒ야 삼일 만에 볏혜 말이여 하월에 졈미 흔 말을 빅셰ᄒ야 담가다가 밥 지여 시루 우혜 체다 되 노코 찻물노 나리워 온긔 읍시 ᄎ치와 누룩 ᄌ말ᄒ야 두 되식 너허 비즈되 긱슈을 일금ᄒ고 단단이 봉ᄒ야 셔늘흔 방에 두엇다가 삼칠일 후 드리오되 다소는 임으로 ᄒ라. 이 슐리 노인과 허약흔 ᄉ람의게 죠흐니라.

상주(産酒)

<침주법(浸酒法)>의 '상주(産酒)'는 한글 표기와 한문 표기가 다르다는 것을 알 수 있다. 이러한 차이는 지방의 사투리, 곧 방언에서 오는 것이 아닌가 하는 생각을 갖기에 이른다. '쌀'을 '살'이라고 말하는 것이나 같은 것으로, 한자 표기가 마땅하지 않아서 그리된 것으로 여겨진다.

<침주법>의 '상주'의 주방문을 보면 문득 떠오르는 술이 한 가지가 있다. <산가요록(山家要錄)>의 '사두주'가 그것이다. 이 두 문헌의 주품명은 '상주'와 '사두주'로 전혀 다르면서도 주방문에 있어서는 거의 유사하기 때문이다. 심지어 덧술의 "사흘 만에 찹쌀 닷 되를 백세하여 쪄 식거든 그 술에 넣고, 저으라." 하는 부분까지 동일하다.

<산가요록>의 '사두주' 주방문을 보면 "멥쌀 4말로 백설기를 찌고 끓는 물 6말로 다시 죽을 쑤어, 누룩가루 8되와 밀가루 2되를 화합하여 밑술을 빚는다. 그리고 덧술은 찹쌀 6되를 시루에 안쳐서 고두밥을 짓고 차게 식기를 기다려서 밑술독에 담고, 술밑을 흔들어 휘저어 놓는다."고 하였다.

<침주법>의 주방문은 "쌀 너 말을 백세하여 익게 쪄 탕수 일곱 말에 골화 누룩 여덟 되와 진가루 한 되 드려 빚었다가 사흘 만에 찹쌀 닷 되를 백세하여 쪄 식거든 그 술에 넣고 저으라. 겨울이면 열흘이요, 여름이면 이레 만에 쓰느니라."고 하였다.

따라서 이 두 주방문의 차이는 밑술에 사용되는 쌀을 흰무리떡과 고두밥으로 익히는 차이가 있고, 밀가루의 양과 물의 양에서 각각 차이가 있다. 덧술의 쌀도 그 양에서 차이가 있다. <산가요록>에서는 물이 많다고 하였는데, <침주법>에서는 쌀의 양은 '사두주'보다 1되가 적게 사용되면서도 물의 양은 1말이 증가한 주방문을 보여주고 있다.

따라서 '사두주' 편에서 '상주'와 같은 주방문의 특징과 술 빚는 요령에 대하여 "밑술이 본술에 해당되고, 덧술은 맑은 술을 얻기 위해 최소한의 고두밥을 지어 덧술로 사용하는 방법을 추구하고 있다."고 밝힌 바 있다.

때문에 방문 말미에서 "물이 많다."고 한 것을 볼 수 있다. 이를 역으로 해석하면, 덧술의 고두밥은 알코올 도수를 높이기 위해 사용되는 것이 아니라는 뜻이다. 알코올 도수를 높이기 위한 조치는 누룩의 양이 8되나 사용됨으로써 이미 입증이 되었다고 할 수 있으며, 따라서 가능한 한 빠른 시간 내에 비교적 맛도 있고 맑은 술을 얻기 위해서는 밑술을 죽이나 떡 형태로 하였을 때이나, 맑은 술을 얻을 수 없다는 문제에 부딪친다.

그런 이유로 덧술을 고두밥으로 해야 할 필요가 있는데, 그 양을 많이 넣게 되면 발효에 따른 시간이 길어질 수밖에 없다. 하여, "편의상 고두밥으로 하되, 밑술의 쌀 양보다 훨씬 적은 최소한의 쌀을 부입하는데, 그것이 멥쌀보다는 찹쌀이 맛이 부드럽고 감칠맛이 좋다는 이유 때문에 선호된 것이다."고 설명하였다.

그런데 <침주법>의 '상주'는 흰무리떡이 아닌, 고두밥을 쪄서 끓는 물과 혼합하여 만든 진고두밥을 사용하는 것으로 되어 있다. 이러한 방법은 흰무리떡으로 하는 방법보다 간편하면서도 발효가 빨리 이루어지고, 알코올 도수가 높아져 수율이 좋다는 장점 때문에 선호된다.

하지만 주의할 일은 고두밥이 물을 다 먹기 전에 빨리 식힐 요량으로 자주 뒤집어서는 안 된다는 것이다. 고두밥이 물을 다 먹은 후에라야 퍼서, 넓게 펼쳐서 싸늘하게 식혀서 누룩과 버무려 넣어야 하고, 2일 정도 지나서 밑술이 활발하게 끓었을 때 차게 식힌 후에 덧술을 해 넣는데, 맑은 술을 얻기 위한 방문이므로 고두밥을 찔 때 찬물을 흩뿌려서 뜸을 잘 들인 무른 고두밥을 짓는 것이 중요하다.

이때의 고두밥은 '무른' 것이지 '질은' 고두밥이 결코 아니라는 것을 다시 한 번 강조해 둔다. 질어진 고두밥으로는 결코 단시간 내에 맑은 술을 얻을 수 없기 때문이다.

우리 술 빚는 법에서 <침주법>의 '상주'와 같이 술 빚는 법을 '상법(常法)'이라고 하는데, '예삿술 빚는 법'이라는 뜻이다.

밑술 과정으로 술 빚는 일을 그칠 수도 있고, 여의치 않거나 좀 더 나은 술이 필요하게 되면 다시 한 차례 덧술을 해 넣는데, 그 양을 최소한의 경제적인 방법을 택하는 것이다. 따라서 <침주법>의 '상주(産酒)'는 상법의 술, 곧 '상주(常酒)'라고 하는 표현이 더 어울릴 것 같다.

상주(産酒) <침주법(浸酒法)>
－너 말 빚이

> 술 재료 : 밑술 : 멥쌀 4말, 누룩 8되, 밀가루 1되, 물 7말
>   덧술 : 찹쌀 5되

술 빚는 법 :

* 밑술 :

1. 멥쌀 4말을 백세하여 (물에 담가 하룻밤 불렸다가, 다시 씻어 건져서) 가루로 빻는다.

2. 솥에 물을 붓고 시루를 올린 뒤, 끓여서 김이 나면 쌀가루를 안치고, 무리떡을 찐다.

3. 솥에 물 7말을 팔팔 끓여 무리떡에 골고루 나눠 붓고, 주걱으로 개어 무르

게 익은 담/죽을 만든다.

4. 담/죽을 (담은 그릇과 똑같은 크기의 그릇으로 뚜껑을 덮어 밤재워) 차게 식기를 기다린다.

5. 담/죽에 누룩 8되와 밀가루 1되를 한데 합하고, 고루 버무려 술밑을 빚는다.

6. 술밑을 술독에 담아 안친 후, 예의 방법대로 하여 3일간 발효시킨 후, 덧술을 준비한다.

* 덧술 :

1. 찹쌀 5되를 백세하여 (물에 담가 하룻밤 불렸다가, 다시 헹궈서) 물기를 빼놓는다.

2. 불린 쌀을 시루에 안치고 쪄서 고두밥을 짓는다.

3. 고두밥이 무르게 익었으면 퍼내고, 고루 펼쳐서 차디차게 식기를 기다린다.

4. 고두밥을 밑술독에 넣고, 고루 저어 술밑을 빚는다.

5. 술독을 예의 방법대로 하여 (차지도 덥지도 않은 곳에서) 겨울에는 10일, 여름에는 7일이면 익어 쓸 수 있다.

상쥬(産酒)—너 말

쑬 너 말을 빅셰ㅎ야 닉게 쪄 탕슈 닐곱 말애 골라 누룩 여듧 되와 진ᄀ로 혼 되 드비젓더가 사흘 만의 춥쌀 닷 되를 빅셰ㅎ야 쪄 식거든 그 수레 녀코 저으라 겨으리면 열흘이오 녀름이면 닐웨예 쓰ᄂ니라.

서미법주

필자는 우리 술 빚는 법에 대해 누차 강조해 왔다. 우리 술의 흔적은 주로 사찰과 그 주변에서 찾을 수 있으며, 사찰과 그 주변에서 빚어졌던 '법주(法酒)'가 후일 민가로 널리 퍼지면서 특히 조선시대에 이르러 가양주(家釀酒)로 정착하여 전성기를 구가하게 되었다.

우리 술의 기원을 고구려의 개국시조(開國始祖)인 주몽(朱蒙)의 탄생설화에서 찾고 있는데, 후일 술이 빚어졌던 흔적이나 유래, 설화들을 찾아보면 모두 사찰로 귀결되고 있음을 알 수 있다. 사찰에서 이뤄졌던 양주의 시작은 고려시대였으므로, 그 역사가 일천하지는 않다.

동양문화권에서 술 빚기에 사용되었던 최초의 양주 원료는 기장[黍]이었음이 정설로 전해 온다. 즉, "기장 '서(黍)' 자를 파자(破字)하면 '쌀(米)이 물(水)에 들어가 발효된다(入)'는 뜻이 된다."는 것이다. 농경시대가 열리면서 인류의 주식이 기장, 차조(秫)와 같은 잡곡이었고, 이들의 재배 역사와도 맞아떨어진다.

그런 점에서 '서미법주(黍米法酒)'의 등장은 여러 가지로 의미가 있다. 다만, '서미법주'의 흔적을 우리 기록에서 찾을 수 없고, 중국 문헌에서만 목격할 수 있다는 사실이 가슴 아플 뿐이다. <임원십육지(林園十六志, 高麗大本)>에 수록된 '서미법주'의 출전이 "<제민요술(齊民要術)>을 인용하였다."고 언급되어 있듯이 우리 방식의 양주법이 아니라는 점 때문이다.

우리 술 빚는 법의 흔적을 고식문헌과 전승가양주를 대상으로 추적하면서 필자가 내린 결론은 "술 빚는 일에도 규칙이 있으니, 이를 '주방문' 또는 '양주방', '양주법'이라 한다. 이 규칙에 따라 빚는 술을 궁중에서는 '내국법온' 또는 '내국향온'이라 하고, 사찰 주변을 비롯하여 민간에서는 '법주'라 한다. '내국법온'이나 '내국향온'이 민가로 흘러들어가 '향온주'와 '법주'가 되고, 사찰 주변의 '법주'가 민간의 가양주로 자리 잡으면서 '주방문'과 '양주방' 또는 '양주법'이 되었고, 이 법칙에 근거하여 '방문주(方文酒)'가 생겨났다. 그러나 각 지방에 따른 지리적·기후적 환경과 집집마다 술 빚는 이의 솜씨, 목적, 용도에 따라 다시 여러 가지 방법들이 생겨나게 되면서 급기야 '주방문'이나 '양주법'은 잊어버리고, 그저 사는 형편과 목적, 용도에 따라 술 빚는 방법만 가전비법으로 전승되어 오면서 술 이름만 남게 되었다."는 것이다.

그런 차원에서 '서미법주'의 주방문을 통해, 어쩌면 동양문화권의 재배 작물이었던 기장과 차조를 사용한 최초의 양주 형태를 추적해 볼 수도 있겠다는 생각이 들었다. <임원십육지(고려대본)>의 '서미법주' 주방문에는 다음과 같이 기록되어 있다.

"술 쌀은 모두 물이 맑을 때까지 깨끗하게 씻어야만 한다. 법주는 특히 정성을 들어야 하고 쌀 씻은 것이 깨끗하시 않으면 술에 검은 기운이 돈다. 고두밥을 찌고 뜸을 들여 펼쳐 널어 식혀서 누룩 물에 넣어 주물러 밥이 흐트러지게 한 후, 항아리에 담고 주둥이를 천으로 2겹 덮어둔다. 쌀이 삭으면 덧술을 한다."고 하고, "이후에는 이 술의 맛이 진하고 좋으며, 탁주로 마셔도 좋다. 술을 반쯤 떠 마시다가 다시 메기장쌀로 밥을 지어서 덧빚는데, 이것은 처음 빚을 때와 같은 방법으로 하지만, 물에 담근 누룩물을 넣지 않고, 다만 덧빚을 쌀만 늘려가면서 먼저처럼 항아리를 가득 채운다. 여름 내내 떠 마셔도 항아리 바닥이 드러나지 않는 것이 신기하다."고 하였다.

특히 "술 쌀은 모두 물이 맑을 때까지 깨끗하게 씻어야만 한다. '법주'는 특히 정성을 들여야 하고 쌀 씻은 것이 깨끗하지 않으면 술에 검은 기운이 돈다. 고두밥을 찌고 뜸을 들여 펼쳐 널어 식혀서"라는 부분은, 주원료의 전처리법과 술 빚기 이전의 가공방법에 대해 비교적 자세히 언급하고 있다.

또 "술을 반쯤 떠 마시다가 다시 메기장쌀로 밥을 지어서 덧빚는데, 이것은 처음 빚을 때와 같은 방법으로 하지만, 물에 담근 누룩 물을 넣지 않고, 다만 덧빚을 쌀만 늘려가면서 먼저처럼 항아리를 가득 채운다. 여름 내내 떠 마셔도 항아리 바닥이 드러나지 않는 것이 신기하다."고 한 부분은 중국의 술 빚기에서 자주 등장하고 있는 내용으로, 우리의 술 빚는 방법에서는 찾아보기가 드물다.

다만 밑술 쌀을 중심으로 매회 50%씩 쌀 양을 늘려가는 방법으로 덧술을 해넣는다는 점, 덧술과 2차 덧술은 물이나 누룩을 사용하지 않고 쌀만 덧술로 사용한다는 점에서는 우리 술 빚기와의 유사성을 찾을 수 있겠다.

서미법주 <임원십육지(林園十六志, 高麗大本)>

> 술 재료 : 밑술 : 메기장쌀 3말 3되, 누룩가루 3근 3냥, 물 3말 3되
> 덧술 : 메기장쌀 4말 5되
> 2차 덧술 : 메기장쌀 6말

술 빚는 법 :
* 밑술 :
1. 누룩을 빻아 햇볕에 말려 법제하여 두었다가, 3월 3일에 누룩가루 3근 3냥을 물 3말 3되에 담가 1주일간 불려두고 거품이 괴어오르기를 기다린다.
2. 메기장쌀 3말 3되를 (백세하여 물에 담가 불렸다가) 말갛게 헹궈서 건진 후 (물기를 빼서) 시루에 안쳐 고두밥을 짓는다.
3. 고두밥은 뜸을 들여서 무르게 익히고, 익었으면 퍼내어 고루 펼쳐서 차게 식

기를 기다린다.

4. 고두밥을 수곡에 넣고 고루 주물러, 밥알이 낱낱이 흩어지게 하여 술독에 담아 안친 후, 면보자기로 2겹을 덮고 발효시켜 익기를 기다린다.

* 덧술 :

1. 메기장쌀 4말 5되를 (백세하여 물에 담가 불렸다가) 말갛게 헹궈서 건진 후 (물기를 빼서) 시루에 안쳐 고두밥을 짓는다.
2. 고두밥은 뜸을 들여서 무르게 익히고, 익었으면 퍼내어 고루 펼쳐서 차게 식기를 기다린다.
3. 고두밥을 밑술과 합하고 고루 버무려, 밥알이 낱낱이 흩어지게 하여 술독에 담아 안친 후, 면보자기로 2겹을 덮고 발효시켜 익기를 기다린다.

* 2차 덧술 :

1. 메기장쌀 6말을 (백세하여 물에 담가 불렸다가) 말갛게 헹궈서 건진 후 (물기를 빼서) 시루에 안쳐 고두밥을 짓는다.
2. 고두밥은 뜸을 들여서 무르게 익히고, 익었으면 퍼내어 고루 펼쳐서 차게 식기를 기다린다.
3. 고두밥을 덧술과 합하고 고루 버무려, 밥알이 낱낱이 흩어지게 하여 술독에 담아 안친 후, 면보자기로 2겹을 덮고 발효시켜 익기를 기다린다.
4. 술이 익었으면 용수를 박아두고, 맑아지기를 기다려 채주하여 마신다.
5. 술이 반쯤 줄었으면 임의로 덧술을 하는데, 술독이 크고 작은 것에 상관없이 80% 정도가 찰 때까지 덧술을 해 넣고, 전과 같이 발효시켜 익으면 채주하여 마신다.

黍米法酒方

預剉麴曝之令極燥三月三日秤麴三斤三兩取水三斗三升浸麴經七日麴發細泡起然後取黍米三斗三升淨淘凡酒米皆欲極淨水淸乃止法酒尤宜存意淘米不得淨則酒黑炊作再餾飯攤使冷著麴汁中溺(悉/飯)令散兩重布盖饔口候米消盡

更炊四斗半米酘之(案,酘音頭酒再釀也)每酘皆溺令散第三酘炊米六斗自此以後每酘以漸加米饔無大小以滿爲限酒味醇美宜合酺飮食之飮半更炊米重酘如初不著水麴唯以漸加米還得滿饔竟夏飮之不能窮盡取爲神異矣. <齊民要術>.

서왕모유옥성향주

스토리텔링 및 술 빚는 법

'서왕모유옥성향주'는 주품명부터 어렵고 매우 생경하다. 이 예사롭지 않은 주품은 1700년대 초기 문헌인 <온주법(醞酒法)>에 등장하는데, 이후 어떤 문헌에서도 그 이름을 찾아볼 수가 없다. 때문에 철저하게 한 집안의 가양주로, 그 가문만의 전승비주로 뿌리내렸음을 짐작케 한다.

'서왕모유옥성향주'는 생경한 주품명만큼 술을 빚는 과정도 낯설어 독특하다고밖에 달리 표현할 말이 떠오르지 않는다. 나음은 <온주법>의 주방문을 그대로 옮긴 것이다.

"빅미 일두 빅셰ᄒ야 닉게 찌고 졈미 일두 빅셰작말ᄒ야 죽 쑤어 흔 듸 섯거 독의 너허 삼일 후 덧흐듸 쏘 빅미 일두 빅셰ᄒ야 익게 찌고 졈미 일두 빅셰작말ᄒ야 죽 쑤어 국말 이승 섯거 츠거든 젼술의 섯거 칠일 후 드리워 졈미 삼승 빅셰ᄒ야 닉게 쪄 쳥듀의 치와 너허 닉으면 빗과 마슬 다 이라지 못 ᄒᄂ니라."

'서왕모유옥성향주'는 <온주법>에 수록된 수십 종의 주방문 가운데서도 매우 독특하다. 먼저 주방문에 나와 있듯 밑술에는 누룩이 들어가지 않는다는 점이다.

누룩이 사용되지 않은 주원료를 술밑 또는 밑술이라고 할 수 있는지부터 생각해 봐야 하기 때문이다.

게다가 죽과 고두밥을 함께 독에 담아 안치고, 아무런 발효원이나 효소제의 도움 없이 삭히는 과정을 거쳐 이루어진 밑술은 붉고 푸른곰팡이가 눈에 띌 정도로 부패가 진행되어 쉰 냄새가 진동한다.

익히 알고 있듯이 '무국주'라는 주품은 다량의 쌀죽에 극히 소량의 누룩가루를 섞어 빚거나 쌀죽에 밀가루와 콩가루를 섞어 빚기도 하지만, <온주법>의 '서왕모유옥성향주'처럼 일체의 첨가물도 사용되지 않은 경우는 없다. 그리고 이렇게 삭힌(썩힌) 쌀에 다시 죽과 고두밥, 누룩을 섞어 화합하는 덧술 과정은 전례가 없다고 할 것이다.

여기에 <온주법>의 '서왕모유옥성향주'의 특징과 비법이 고스란히 담겨져 있다. 누룩이 없이 술독에서 삭은 밑술은 그 어떤 방법으로 쑨 죽보다 당화와 발효가 빨리 일어나는 것을 볼 수 있는데, 이렇게 삭힌 밑술에 다시금 호화도가 다른 찹쌀죽과 멥쌀고두밥을 누룩과 함께 덧술로 하면, 발효는 더욱 빨리 진행되어 결과적으로 농순한 술을 얻을 수 있다.

짧은 시간에 당화가 빨리 이루어진 술밑은 당 농도가 매우 높아질 수밖에 없고, 그 결과 옥빛처럼 푸른빛을 띤 향기 좋은 술이 된다. 여기에 다시 소량의 찹쌀고두밥을 섞어 발효시키는 등 술 빚는 방법이 매우 이채롭다 하겠다.

사실 2차 덧술의 경우, 발효라기보다는 청주를 숙성시키는 과정으로 볼 수 있는데, 필자가 경험한 바로는 소량의 찹쌀고두밥은 약간의 당화만 진행돼도 부드러운 맛과 함께 시각적으로 새로운 자극을 준다. 흡사 '부의주'나 '백화주', '녹파주'를 연상할 수 있는데, <온주법>의 '서왕모유옥성향주'는 이들 주품보다 훨씬 농순한 맛을 자랑하거니와 술에서 발현되는 향기는 꿀 향을 맡는 것과 같은 착각을 불러일으키기에 충분하다.

따라서 여과하지 않은 '동정춘'이나 '경액춘'에 더 가깝다는 표현이 맞을 것 같다. <온주법> 주방문 말미에서 "점미 삼승 백세하여 익게 쪄 청주에 채와 넣어 익으면 멋과 맛을 다 이라지 못하나니라."고 한 표현에서 짐작해보듯이 "서왕모(西王母)가 즐겼다."고 할 만큼 옥빛처럼 맑다 못해 푸른빛을 띠는 아름다운 술 빛깔과 단맛이 강한 농순한 술에서 느껴지는 풍부한 방향(芳香)이 사람이 마실 수 있는 술이 아님을 강조하기 위해 신성적 의미를 부여한 게 아닌가 추측해 보게 된다.

하지만 <온주법>의 '서왕모유옥성향주'와 같은 술 빚기는 결코 쉽지가 않거니와, 가장 유념해야 할 일은 술 빚을 쌀의 '백세(百洗)'이다.

매번 강조하거니와 술 빚기에 사용할 쌀은 쌀눈이 남지 않도록 철저하게 씻는 것은 기본이고, 익힌 죽이나 고두밥은 손이 시릴 정도로 차갑게 식혀서 빚는 것을 원칙으로 삼아야 실패하지 않는다는 사실을 꼭 명심해야 할 것이다.

서왕모유옥성향주 <온주법(醞酒法)>

> 술 재료 : 밑술 : 멥쌀 1말, 찹쌀 1말, 누룩가루 1되, 물 2~3말
>
> 　　　　 덧술 : 멥쌀 1말, 찹쌀 1말, 누룩가루 2되, 물 2~3말
>
> 　　　　 2차 덧술 : 찹쌀 3되

술 빚는 법 :

* 밑술 :

1. 찹쌀 1말을 백세하여 (물에 담가 불렸다가, 다시 씻어 건져 물기를 뺀 뒤) 작말한다.

2. 물(2~3말)을 끓이다가 따뜻해지면, 쌀가루를 넣고 주걱으로 고루 개어가면서 죽을 쑨 뒤, 넓은 그릇 여러 개에 퍼서 차게 식기를 기다린다.

3. 멥쌀 1말을 백세하여 (물에 담가 불렸다가, 다시 씻어 건져 물기를 뺀 뒤) 시루에 안쳐서 고두밥을 짓는다.

4. 멥쌀고두밥이 익었으면, 퍼내어 돗자리에 고루 펼쳐서 차게 식기를 기다린다.

5. 고두밥에 찹쌀죽과 한데 합하고, 고루 버무려 술독에 담아 안친 후 (예의 방법대로 하여) 3일간 지낸다(발효시킨다).

* 덧술 :
1. 찹쌀 1말을 백세하여 (물에 담가 불렸다가, 다시 씻어 건져 물기를 뺀 뒤) 작말한다.
2. 물(2~3말)을 끓이다가 따뜻해지면, 쌀가루를 넣고 주걱으로 고루 개어가면서 죽을 쑨 뒤, 넓은 그릇 여러 개에 퍼서 차게 식기를 기다린다.
3. 멥쌀 1말을 백세하여 (물에 담가 불렸다가, 다시 씻어 건져 물기를 뺀 뒤) 시루에 안쳐서 고두밥을 짓는다.
4. 멥쌀고두밥이 익었으면, 퍼내어 돗자리에 고루 펼쳐서 차게 식기를 기다린다.
5. 고두밥에 찹쌀죽과 누룩가루 2되를 합하고, 다시 밑술을 한데 고루 버무려 술밑을 빚는다.
6. 술밑을 술독에 담아 안친 후 (예의 방법대로 하여) 7일간 발효시킨다.

* 2차 덧술 :
1. 술이 익었으면 (용수 박아) 청주를 채주하여 독에 담아놓는다.
2. 찹쌀 3되를 백세하여 (물에 담가 불렸다가, 다시 씻어 건져 물기를 뺀 뒤) 시루에 안쳐서 고두밥을 짓는다.
3. 찹쌀고두밥이 익었으면, 퍼내어 돗자리에 고루 펼쳐서 차게 식기를 기다린다.
4. 청주를 담은 독에 고두밥을 담아 안치고, 예의 방법대로 하여 발효시킨다.

* <온주법>에 처음 등장하는 주품으로 밑술에는 누룩이 사용되지 않으며, 이 양주를 빚어 얻은 청주에 다시 소량의 찹쌀고두밥을 섞어 발효·숙성시키는 등 술 빚는 방법이 매우 이채롭다고 할 수 있다. 만약, 밑술의 누룩이 빠진 것이 아닌 의도적인 주방문이라면, 밑술의 쌀죽과 고두밥은 부식시켜 당화를 촉진시킬 목적이라고 여겨진다.
주방문 말미에 "익으면 빛깔과 맛을 다 이르지 못하나니라."고 하여 '서왕모유옥성향주'가 미품(美品)임을 얘기하고 있다.

셔왕모유옥셩향듀

빅미 일두 빅셰ᄒᆞ야 닉게 찌고 졈미 일두 빅셰작말ᄒᆞ야 쥭 쑤어 흔듸 섯거 독
의 너허 삼일 후 덧흐듸 쏘 빅미 일두 빅셰ᄒᆞ야 익게 찌고 졈미 일두 빅셰작
말ᄒᆞ야 쥭 쑤어 국말 이승 섯거 츠거든 젼술의 섯거 칠일 후 드리워 졈미 삼승
빅셰ᄒᆞ야 닉게 쪄 쳥듀의 치와 너허 닉으면 빗과 마슬 다 이라지 못 ᄒᆞᄂᆞ니라.

서향주

스토리텔링 및 술 빚는 법

'서향주(暑香酒)'에 대한 기록 역시 아직까지는 <양주집(釀酒集)>에 처음 등장한다. <양주집>에서도 '서향주'에 대한 그 어떤 특징이나 술맛에 대한 단초가 없어 단언할 수는 없다.

다만, 술 이름 첫 자에 '더위 서(暑)' 자가 붙어 있는 것으로 볼 때 봄철에 빚어 여름에 마시는 술이거나, 가운데 자에 '향(香)' 자를 사용한 것으로 보아 '하향주(荷香酒)'를 비롯 '순향주(醇香酒)', '경향옥액주', '만전향주(滿殿香酒)', '벽향주(碧香酒)', '인유향(麟乳香)' 등과 같이 향기를 중요시하는 주품에 속하지 않을까 여겨진다.

특히 술 이름 가운데 '향' 자가 들어가는 향주류(香酒類)의 술 빚기가 한결같이 밑술에 떡이나 죽을 사용하는 데다, 술 향기에서 공통점을 갖기 때문이다. 술 향기에서 느끼게 되는 공통점은 '과실향', '꽃향기'를 뜻하는 것으로, 밑술을 빚는 방법에 따라 사과 향기나 포도, 수박, 복숭아꽃, 자두꽃 향기 등 다르게 나타난다.

'서향주' 역시 밑술은 쌀가루를 끓는 물로 개어 범벅을 쑤어 차게 식힌 후, 누룩과 함께 진말을 섞어 빚는데, '술이 익으려면 7일이 걸린다.'고 하였다. 덧술은 고두밥에 끓인 물을 부어 식기를 기다렸다가 누룩과 함께 밑술을 넣고 버무려 '14일간 익힌다.'고 하였다.

<양주집>의 '서향주'와 비슷한 유의 주방문에서는 밑술의 발효기간이 3~4일인데 비해, '서향주'의 발효기간은 7일이나 된다. 이는 '서향주'의 특징을 말해 준다. '서향주'가 여름철에 빚는, 다시 말해 계절주의 성격을 나타내고 있음을 반증한다. 그 근거로 다른 주품들에 비해 밑술에 사용되는 누룩의 양이 비교적 많다는 사실과 함께 밀가루를 사용하고 있다는 점이다.

<양주집>의 '서향주'를 재현하기 위해 실내 온도 22~24도에서 빚어본 결과, 덧술의 발효기간이 12일로 기록보다 짧았으며 다른 주품보다 향기도 떨어졌다. 그 이유는 '서향주'의 경우, 덧술에도 누룩이 사용되고 특히 물의 양이 많다는 사실 때문이다. 물의 양이 많아지면 발효는 훨씬 빨리 잘 일어난다.

<양주집>의 '서향주'를 빚어본 요령을 말하자면, 밑술과 덧술의 쌀을 모두 하룻밤 불리는 과정을 거치는데, 이때 침지시간과 고두밥의 호화도에 따라 술의 발효상태나 향기와 맛, 알코올 도수 등이 달라진다는 것이다.

따라서 '서향주'가 여름철 술이라는 사실을 감안하면, 어떻게 처리해야 할지 답을 쉽게 구할 수 있다. 즉, 밑술의 쌀은 8시간 정도 불리고 다시 씻어 헹궈서 뜨물이 남지 않게 헹구되, 물을 충분히 뺀 후에 가루로 빻아야 한다. 범벅도 가능한 한 고르게 익힌 후에 차디차게 식혀서 사용하고, 누룩과 밀가루를 먼저 섞고 범벅에 합하되 지나치게 많이 혼화해서는 안 된다.

'서향주'를 실패하는 대부분의 경우는 밑술의 범벅이 차갑게 식지 않은 상태에서 술을 빚는 데 원인이 있다. 덧술은 밑술의 쌀보다 더 오랜 시간(10시간 정도) 불리도록 하고, 된고두밥을 쪄야 한다. 그러나 된고두밥은 물을 주지 않고 찐 고두밥을 말하며, 또한 끓는 물과 골고루 합하여 고두밥이 물을 다 먹을 때까지 뒤섞지 말아야 한다.

고두밥은 여름철일수록 가능한 한 차디차게 식혀서 사용해야 한다. 술을 직접 빚어보면 느낄 수 있겠지만 '서향주'는 누룩의 양이 많다는 것을 알게 된다.

따라서 더 좋은 술을 얻고자 한다면, 덧술을 3~4일 만에 하고, 덧술에 누룩을 넣지 말거나 5홉~1되 정도면 아주 넉넉하다. 그래야 술의 향기가 훨씬 풍부해지고 거친 맛도 줄어들어 깔끔하다는 느낌을 받을 수 있다.

서향주 <양주집(釀酒集)>

> 술 재료 : 밑술 : 멥쌀 2말, 누룩 3되, 진말 1되, 끓는 물 3말
> 덧술 : 멥쌀 4말, 누룩 2되, 끓는 물 6말

술 빚는 법 :

* 밑술 :

1. 멥쌀 2말을 백세하여 물에 담가 하룻밤 불렸다가 (새 물에 다시 씻어 맑게 헹궈 건져서 물기를 뺀 후) 세말한다(고운 가루로 빻는다).
2. 솥에 물 3말을 끓여 쌀가루에 고루 붓고, 주걱으로 고루 개어 담(범벅)을 만든 뒤, 차게 식기를 기다린다.
3. 차게 식은 담(범벅)에 누룩 3되와 진말 1되를 섞고, 고루 치대어 술밑을 빚는다.
4. 술독에 술밑을 담아 안치고, 예의 방법대로 하여 7일간 발효시킨다.

* 덧술 :

1. 멥쌀 4말을 백세하여 물에 담가 하룻밤 불렸다가 (새 물에 다시 씻어 맑게 헹궈 건져서 물기를 뺀 후) 시루에 안쳐서 고두밥을 짓는다.
2. 솥에 물 6말을 붓고 끓이다가, 고두밥이 익었으면 넓은 그릇에 퍼 담고, 끓는 물과 한데 합하여 차게 식기를 기다린다.
3. 차게 식은 고두밥에 누룩 2되와 밑술을 한데 섞고, 고루 버무려 술밑을 빚는다.
4. 술독에 술밑을 담아 안치고, 예의 방법대로 하여 14일간 발효시킨다.

暑香酒

白米 二斗 百洗ᄒ야 ᄒ로밤 자여 細末ᄒ야 ᄢ일인 믈 서 말이 둠기여 식거든 曲子 三升 眞末 一升 섯거 둣다가 七日 지나거든 白米 四斗 百洗ᄒ여 ᄒ로밤 자여 닉게 쪄 ᄢ일인 믈 엿 말이 골화 曲子 二升와 젼술이 섯거 둣다가 二七日 지나거든 ᄡ라.

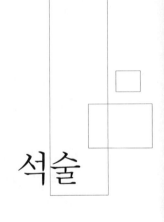

석술

고식문헌을 연구하다 보면 가끔 재미있는 주방문을 목격하게 되고, 그 재밌었던 기억들은 자연스럽게 술 빚는 과정으로 옮아가기 마련이다. 그 재밌는 실험들을 통해 혼자만의 쾌감과 성취감을 느끼게 되는데, '진짜 사는 것 같은 재미'라 할 만하다.

반면, 그러한 쾌감이나 성취감 뒤에 밀려드는 '찬물을 끼얹는 것 같은' 어두운 생각들과 주변의 힐난으로 가슴이 아파지곤 한다. '아무런 걱정 없이 그저 하고 싶은 일만 하고 살 수는 없을까?' 이런 현실과 이상 사이에서 갈등을 겪고 사는 게 사람 사는 일일진대, 이러한 고민거리가 늘 불만이다.

<양주방>*의 '석술'과 <온주법(醞酒法)>의 '서왕모유옥성향주'를 복원하는 과정도 그러했다. 두 주품의 방문이 공통점을 갖고 있었기 때문이다. <양주방>*의 '석술'은 술 빚기를 시도하고서도 결국 그 의미나 궁금증에 대한 답을 찾지 못한 채 술 빚기를 마쳐야만 했기에 주변의 질책과 힐난을 감수해야 했다.

<양주방>*의 '석술'은 깨끗이 씻고 또 씻어(백세하여) 불린 쌀을 소량의 끓는

물로 데쳐(설익힌 다음), 독에 담아 따뜻한 곳에 두어서 썩히는 것이 비법이다. 이렇게 썩힌 쌀을 다시 쪄서 술을 빚는데, 양조에 따른 물은 쌀을 데칠 때 시루 밑으로 빠져나온 물이 전부이다. <양주방>*의 '석술'은 술을 빚는 일이 매우 힘들기도 하거니와, 일반 고두밥으로 빚는 경우와는 다르다.

고두밥에서 올라오는 쉰 냄새는 불쾌함을 주기도 하거니와, 일반적인 방법으로 익힌 고두밥으로 빚는 경우보다 오히려 더 힘이 든다. 문제는 술을 빚을 때 고두밥이 인절미가 되지 않도록 해야 얻고자 하는 청주를 얻을 수 있으며, 알코올 도수도 어느 정도 높일 수 있다.

주방문 말미에도 "바쁘면 술 빚은 지 10일 후에 위를 걷어내고, 국자로 떠서 맑은 술을 떠서 쓴다. 술이 적거든 위에 뜬 것과 찌꺼기를 걸러서 쓰라."고 언급하고 있듯이 술 빚는 일이 다소 까다로워질 수 있다. 또한 이 방문대로 하여 얻을 수 있는 술의 양이 결코 많지 않다는 사실과 함께 의외로 향기가 좋아 마치 꿀물 같다는 느낌을 받게 된다.

발효가 끝난 술덧을 많이 들어내면, 술독 밑에 매우 맑은 청주가 고두밥과 함께 고여 있는데, 조심스레 떠서 고운체에 밭치면 예의 청주 '석술'을 얻을 수가 있다. 게다가 남은 술덧은 술체에 압착해 탁주를 거르면, 일반 단양주와는 전혀 다른 방향주(芳香酒)도 얻을 수 있다. 자신이 빚었으면서도 믿기지 않을 만큼 놀랄 것이다.

'석술'을 경험하고 나면, 나름 '석술'에 대한 의미가 "차마 삼키기 안타깝다"고 한 데서 유래한 '석탄향(惜呑香)'을 떠올려 봄과 동시에 '애석하다'는 의미의 '석술(惜酒)'이 아닐까 하는 생각이 자꾸 드는 건 어쩔 수 없었다.

석술 <양주방>*

술 재료 : 찹쌀 1말, 누룩가루 7홉, 물 5사발

술 빚는 법 :

1. 아침에 찹쌀 1말을 깨끗이 씻고 또 씻어(백세하여) 물에 담가 불렸다가, 식사 후에 (다시 씻어 헹궈) 건져서 시루에 담아 안치고 물기를 뺀다.
2. 쌀의 물이 빠질 만하거든 그릇(큰 자배기) 위에 쌀 시루를 올려놓는다.
3. 솥에 물 5사발을 끓이고, 주걱으로 쌀을 저어가며 끓는 물을 뿌려준 다음, 시루밑물과 시루의 쌀을 함께 술독에 담아 안친다.
4. 술독을 예의 방법대로 하여 방 아랫목에 단단히 덮어둔다.
5. 다음 날 쌀에서 쉰 냄새가 나고 맛이 시거든, 시루에 다시 밭쳐 물기가 빠지면 익게 쪄놓는다.
6. 시루에 밭쳤던 물을 한소끔 끓여 고두밥과 함께 소래기에 담아놓고 차게 식기를 기다린다.
7. 이튿날 고두밥에 가루누룩 7홉을 고루 섞어 술밑을 빚는다.
8. 술밑을 술독에 담아 안친 다음, 예의 방법대로 하여 21일 동안 발효시킨다.

* 주방문 말미에 "바쁘면 술 빚은 지 10일 후에 위를 걷어내고, 국자로 떠서 맑은 술을 떠서 쓴다. 술이 적거든 위에 뜬 것과 찌꺼기를 걸러서 쓰라."고 하였다.

셕술

졈미 혼 말 빅셰ᄒ야 아츰의 담가 막 붓거든 식후의 건져 실늬 담고 물 ᄲᅡ질 만하거든 물 다ᄉ 식긔를 마이 ᄭᅳ려 시로를 그릇 우희 노코 주걱으로 쏠을 져으며 물을 언져 시로 밋히 물ᄒ고 시로에 쏠ᄒ고 항의 너허 방 아ᄅᆡ목의 든든 이 덥허 다가 이튼날 쉰늬 나거든 시로의 도로 바쳐 물긔 ᄲᅡ지거든 닉게 쪄 노코 그 물을 흔소솜 ᄭᅳ려 쉰밥ᄒ고 ᄭᅳᆯᄂᆞᆫ 물ᄒ고 소라의 흔듸 퍼 두엇다가 이튼날 국말 칠홉을 고로고로 섯거 항의 너허 삼칠일 후 먹으듸 밧부거든 흔 열흘 후 우것고 구기로 쪄 쓰고 묽은 슐 적거든 우 ᄯᅳᆫ 것과 즈의란 드리워 쓰라.

석탄향·석탄주

스토리텔링 및 술 빚는 법

"음식 관련 고서(古書)에서나 찾아볼 수 있는 우리 술은 과연 몇 가지나 되고, 그 맛은 요즘 술맛과 비교해서 어떤 차이가 있을까?"

필자가 사라지고 맥이 끊긴 전통주 재현에 뜻을 두고, 맨 처음 덤벼든 술이 <술방문>과 <술 만드는 법>에 수록되어 있는 '석탄향(惜呑香)'이었다. 특별한 이유는 없었다. 단지 우리 전통음식 가운데 '석탄병(惜呑餠)'이란 떡을 맛본 경험이 있던 터라 술도 '석탄병' 못지않은 매력이 있을 거란 단순한 기대 때문이었다.

한 번, 두 번, 세 번, 실패는 거듭되었다. 술의 맛과 향에서 어떤 특징을 전혀 발견할 수 없었다. 그러다가 <임원십육지(林園十六志)>와 <음식방문(飮食方文)>의 술 빚는 법을 토대로 재현 작업을 다시 시작했다.

그 결과 <음식방문>과 <임원십육지>의 술 빚기는 <술방문>, <시의전서(是議全書)>, <조선무쌍신식요리제법(朝鮮無雙新式料理製法)>, <홍씨주방문> 등의 주방문과는 사뭇 다르다는 결론에 이르렀다. 다시 말해 <술방문>을 비롯한 대부분의 문헌에 수록된 '석탄향'은 밑술이 '죽'이고, <음식방문>과 <임원십육지>에 수록된 '석탄향'은 밑술이 '반생반숙(半生半熟)'임을 알게 되었다. <술방문>을 비롯한 대부분의 문헌들의 '석탄향'은 그 특징이 '죽'에 달려 있었다는 얘기다.

<임원십육지>의 '석탄향방(惜呑香方)'은 "멥쌀 2말을 가루로 하여 물 1말을 넣고 죽을 쑤어 누룩가루 1되와 함께 버무려둔다. 겨울에는 7일, 여름은 3일, 봄·가을은 5일 후에 찹쌀 1말을 시루에 푹 쪄서 밑술과 섞어 술을 빚으면, 1주일이 되면 술맛이 달고 잘 익어 입에 한 번 머금으면 삼키기가 아깝다."고 하였다.

<승부리안주방문>의 '석탄향주법'은 "빅미 이승 빅셰작말ㅎ여 믈 흔 말노 죽 쑤어 츠거든 국말 일승 섯거 너허 동졀 칠일 하졀 삼일 츈츄 오일 만의 졈미 일두 빅셰ㅎ여 닉게 쪄 식거든 밋술의 섯거 너허 칠일 만의 쓰노니라. 둘고 써 ㄱ장 죠흐니 입의 먹음어 츠마 슘키기 앗가오니라."고 하였다.

<홍씨주방문>의 '석탄향'도 "백미 두 되 백세작말하여 물 한 말에 죽 쑤어 식거든 국말 한 되 섞어 빚어 동절은 칠일이오, 춘추는 오일이오, 하절은 삼일 만에 점미 한 말 백세하여 익게 지어 술밑 섞어 넣어 칠일 만에 내면 맛이 달고 향기로와 먹으어 삼키기 아깝나라."고 하여 <승부리안주방문>과 동일한 주방문임을 알 수 있다.

'석탄향' 재현을 쓸 때만 하더라도 필자가 갖고 있던 고문서 사본으로는 <산림경제(山林經濟)>, <산림경제촬요(山林經濟撮要)>, <농정회요(農政會要)>, <부인필지(夫人必知)>, <임원십육지>, <증보산림경제(增補山林經濟)>, <술 만드는 법>, <양주집(釀酒集)>, <규합총서(閨閤叢書)>, <고려대규합총서 이본(高麗大閨閤叢書 異本)>, <음식방문>, <술방문>, <시의전서>, <역주방문(曆酒方文)>, <주방문(酒方文)>, <한국음식대관(韓國飲食大觀)> 등이 있었고, <양주(釀酒)>, <양주방(釀酒方)>, <침주법(浸酒法)>, <규중세화>와 <봉접요람>, <승부리안주방문> 등은 발굴되지도 않은 때였다.

이들 문헌들의 비교를 통해 '석탄주(惜呑酒)' 또는 '석탄향'은 밑술인 '죽'을 잘 쑤는 것이 중요하며, 여섯 차례의 실패 끝에 비로소 '사과 향기' 같은 향취, 꿀 같은 단맛, 그리고 혀끝에 착 달라붙는 감칠맛을 맛봄으로써 왜 이 술의 이름이 '석탄주' 또는 '석탄향'으로 불리게 되었는지 알게 되었다.

드디어 '석탄주' 재현에 도전한 지 11번째 만에 성공한 것이다. '석탄주'의 재현 작업에 사용된 쌀만도 13말 정도가 들어갔다.

이후 필자는 지금까지 추구해 온 전승가양주의 조사와 발굴 작업을 중단하고, 사라지고 맥이 끊긴 채 고문헌에 활자로만 박제(剝製)된 전통주의 복원(復元)과 재현(再現)에 몰두하였다. "석탄향과 같은 향기로운 술이라면 우리 전통주의 세계화도 가능하겠다."는 자신감과 새로운 목표를 세우게 된 것이다.

필자의 연구소에서 매년 4차례에 걸쳐 일반인을 대상으로 '석탄향'을 비롯한 20가지 '재현 전통명주 전시 및 시음회'를 가졌는데, 한결같이 "향기로운 술"이란 찬사를 아끼지 않았으며, 우리 전통주의 참맛과 향기에 새삼 놀라워했다.

술 빚는 방법과 관련해 '석탄주' 또는 '석탄향'을 수록하고 있는 문헌에서 나타난 주방문의 공통적인 특징을 찾아냈다. 하나는 주원료인 "쌀을 '백세(百洗)'하라."는 것이며, 또 하나는 "죽이 퍼지게 끓었으면, 다른 그릇에 퍼서 저절로 식기를 기다리라."였다.

처음에는 필자도 잘 모른 채 술을 빚어 넣고 이틀 후에 차게 식혀서 찬 곳에 두었다. 그 결과 '석탄향'은 정확히 7일 후에 오묘한 맛과 향기를 뿜었고, 다시 7일 후에는 보다 달고 부드럽고 깊은 맛을 안겨주었다. 지금까지는 한 번도 느껴보지 못한 술맛이었고, 향수(香水)와 같은 아름다운 방향(芳香)에 사로잡혔다. 탄성이 절로 날 정도였다.

필자가 늘 하는 말 중에 "이론에 막힌다."는 말이 있다 이 말의 참뜻은 다름 아니라 "어떤 술을 빚을 때는 그 술에 대한 한 가지 생각만으로 술을 빚으라."는 말이다. 술 빚기에 임하면서 그동안 터득했던 여러 가지 술 빚는 방법들이 '석탄주' 또는 '석탄향'을 빚는 방법에도 부지불식중에 적용되다 보니 술이 제대로 되질 않았다. 또 필자가 바라는 '석탄주' 또는 '석탄향'올 빚고사 한 데서 이름뿐인 '석탄주' 또는 '석탄향'이 빚어졌다. 이를테면 술이 자연스럽게 저절로 익기를 기다려주어야 함에도 불구하고, 술 빚는 사람의 의도대로 익히려고 한 탓에 본래의 술맛과 향이 나질 않았던 거다. 평소 어른들이 말씀하신 "술은 어떤 음식보다 빚는 사람의 성격을 닮아간다."는 교훈을 뼈저리게 느낄 수 있었다.

'석탄주' 또는 '석탄향'은 <규중세화>를 비롯하여 <봉접요람>, <술방문>, <승부리안주방문>, <시의전서>, <음식방문>, <임원십육지>, <조선무쌍신식요리

제법>, <주찬(酒饌)>, <한국민속대관(韓國民俗大觀)>, <홍씨주방문> 등 11개 문헌에서 그 주방문 기록을 찾을 수 있다. 이것으로 미뤄보건대 '석탄주' 또는 '석탄향'은 1800년대 개발되어 선풍적인 인기를 누렸던 술이었다는 추측이 가능하다.

또한 <규중세화>에는 '석탄향주법', <시의전서>에는 '성탄향', <술방문>과 <한국민속대관>에는 '석탄주', <봉접요람>을 비롯하여 <양주방>*과 <음식방문>, <임원십육지>, <조선무쌍신식요리제법>, <주찬>, <홍씨주방문>에는 '석탄향'으로 수록되어 있음을 볼 때 '석탄주'보다는 '석탄향'으로 지칭하는 게 바르며, 무엇보다 아름다운 향기가 특징임을 짐작케 한다.

일반적으로 다른 주품들이 문헌과 시대에 따라 약간씩의 차이를 보이고 있는 것과 마찬가지로 '석탄주' 또는 '석탄향'도 <양주방>*, <임원십육지>, <주찬>, 그리고 최근 발굴된 <규중세화>의 기록들을 보면 재료의 비율에서 차이를 보이고 있다.

예를 들면, <양주방>*과 <임원십육지>의 '석탄향'은 밑술의 쌀 양이 2말로, 다른 문헌의 10배에 해당하는 양이며, 덧술의 쌀 양보다 2배나 많다. <주찬>의 '석탄향'은 밑술의 물 양이 6되로, 오히려 4되나 적게 사용된다는 것이다.

특히 <규중세화>의 '석탕향법'은 "○○(너 말) 하라면 ○○○○(백미 오승 백세 작말)하야 물 ○○○○(한 말 끓여 가루에 고루 섞어 주걱으로 고루 개야서난) 좋게 식거든 가래누룩 너 되 섞어 둣다가, 나흘 만에 점미 너 말 백세하야 익의 찌고 그 밑에 덧퍼 여허 칠일 만에 탕수 너 말 부어 또 칠일 되면 용수 꽂고 ○(또) 칠일 만에 쓰라."고 하여 다른 문헌과는 많은 차이를 보이고 있다.

먼저, 밑술의 쌀 양에서 차이를 나타내고 있는 <임원십육지>와 <규중세화> 등 두 문헌의 기록이 <홍씨주방문>과 <술방문>보다 후기의 기록인 사실과 함께 <한국민속대관>과 <조선무쌍신식요리제법>을 제외한 대부분의 문헌들도 1800년대 초기에서 1800년대 말기까지 동시대의 기록들이라는 사실을 감안하면, 민간의 부녀자들 사이에서 경제적인 술 빚기 또는 간편한 방법을 추구하였거나, 주방문을 기록하는 과정에서 잘못 기록하였을 것이라는 추측을 할 수가 있으나 확실하지는 않다.

반면 <주찬>의 경우, 사용되는 용수의 양이 다른 문헌보다 4되나 적게 사용된다는 것인데, 이는 매우 큰 의미를 갖는다. 왜냐하면 <주찬>에 수록된 주방문의 경우 대개는 <술방문>이나 <음식방문>, <조선무쌍신식요리제법> 등 다른 문헌의 주방문들에 비해 비교적 용수의 양이 많다는 특징을 보여주고 있는데, '석탄향'만큼은 오히려 용수의 양을 적게 사용하고 있기 때문이다.

특히 <민천집설>에는 두 가지 주방문을 볼 수 있는데, 덧술에도 양주용수가 사용되는 경우와 밑술에 밀가루가 사용되는 경우로, 다른 문헌들과는 상당한 차이를 나타내고 있어 '석탄주' 또는 '석탄향'의 변화를 엿볼 수 있다.

따라서 '석탄주' 또는 '석탄향'이라 할지라도 술 빚는 이의 솜씨나 목적, 빚는 시기에 따라 재료의 가감이 허용되는 것을 볼 수 있는데, 추측이긴 하나 예의 기록은 하절기의 방문이 아닐까 생각된다. 또 <주찬>에서는 "석탄향(石炭香)"이라고도 기록되어 있는데, 이는 오기(誤記)로 여겨진다.

1. 석탄향주법 <규중세화>

> 술 재료 : 밑술 : 멥쌀(5되), 가루누룩 4되, 물 1말
> 덧술 : 찹쌀 4말, 끓여 식힌 물 4말

술 빚는 법 :

* 밑술 :

1. 4말 하려면, 멥쌀(5되)을 백세하고 (물에 담가 불렸다가, 다시 씻어 건져서 물기를 뺀 다음) 작말하여(가루로 빻아) 넓고 큰 그릇에 담아놓는다.
2. 물(1말)을 솥에 붓고 팔팔 끓여 쌀가루에 골고루 붓고, 주걱으로 고루 개어 범벅을 쑨다.
3. 범벅을 넓은 그릇 여러 개에 퍼서 차게 식기를 기다린다.
4. 차게 식은 범벅에 가루누룩 4되를 섞고, 고루 비무려 술밑을 빚는다.

5. 소독한 술독에 술밑을 담아 안치고, 예의 방법대로 4일간 발효시킨다.

* 덧술 :
1. 찹쌀 4말을 백세하여 (물에 담가 불렸다가, 다시 씻어 헹궈서 물기를 뺀 후) 시루에 안쳐서 고두밥을 짓는다.
2. 고두밥이 익었으면 퍼내 고루 펼쳐서 차게 식기를 기다린다.
3. 고두밥에 밑술을 합하고, 고루 버무려 술밑을 빚는다.
4. 술독에 술밑을 안치고, 예의 방법대로 7일간 발효시켜 술이 익기를 기다린다.
5. 끓여 식힌 물 4말을 술독에 붓고, 다시 7일간 숙성시킨다.
6. 끓여 식힌 물을 부은 지 7일 후에 용수를 박아두고, 맑아지길 기다려 채주한다.

* 밑술의 재료비율과 가공방법이 훼손되어 알 수 없다. 다른 기록의 '석탄주' 주방을 참고하고, 덧술의 비율을 고려하여 주방문을 작성하였으나 확신할 수 없다.
   후수하는 것이 특징으로, 다른 문헌의 '석탄주'보다 물의 양이 매우 많다는 것을 알 수 있다.

석탄향주법
○○(너 말) 하려면 ○○○○(백미 오승 백세작말)하야 물 ○○○○(한 말 끓여 가루에 고루 석어 주걱으로 고루 개)야서난 좋게 식거든 가래누룩 너 되 섞어 듯다가, 나흘 만에 점미 너 말 백세하야 익의 찌고 그 밑에 덧퍼 여허 칠일 만에 탕수 너 말 부어 또 칠일 되면 용수 꽂고 ○(또) 칠일 만에 쓰라.

2. 석탄향 <민천집설(民天集說)>

술 재료 : 밑술 : 멥쌀 2되, 누룩가루 5홉, 물 1동이
덧술 : 찹쌀 1말, 끓여 식힌 물 1말

술 빚는 법 :

* 밑술 :

1. 멥쌀 2되를 백을 세면서 백세하여 (물에 담가 불렸다가, 다시 씻어 건져서 물기를 뺀 후) 작말한다(가루로 빻는다).
2. 솥에 물 1동이를 붓고 끓이다가, 쌀가루를 풀어 합하고, 주걱으로 고루 저어가면서 팔팔 끓인 죽을 쑨다.
3. 죽이 익었으면 넓은 그릇에 퍼서 차게 식기를 기다린다.
4. 죽에 흰누룩가루 5홉을 넣고, 고루 버무려 술밑을 빚는다.
5. 술밑을 술독에 담아 안치고 예의 방법대로 하여 겨울에는 7일, 봄가을에는 5일, 여름에는 3일간 발효시킨다.

* 덧술 :

1. 찹쌀 1말을 백세하여 물에 담가 불렸다가 (다시 씻어 건져서 물기를 뺀다).
2. 불린 쌀을 시루에 안쳐서 고두밥을 짓고, 익었으면 퍼내어 고루 펼쳐서 차게 식기를 기다린다.
3. 고두밥에 밑술을 한데 합하고, 고루 버무려 술밑을 빚는다.
4. 술밑을 술독에 담아 안친 다음, 예의 방법대로 하여 (덥지도 차지도 않은 곳에서) 7일간 발효시켜 맑은 술을 취한다.

* 밑술에 사용되는 물의 양이 1동이이고, 누룩의 양이 흰누룩 5홉이다. 이는 다른 기록과는 다른 비율이다. 또한 <음식방문>의 '석탄향'은 밑술을 범벅을 만들고, 덧술에 끓여 식힌 물을 별도로 사용한다. 또 <주찬>의 석탄향은 밑

술의 비율이 멥쌀 2되, 누룩 1되, 물 2병(6되)라는 점에서 석탄향도 기록에 따라 다르다는 것을 알 수 있다.

惜呑香

白米百春百洗二升作末以水一盆攤粥候冷以白曲末五合調和入瓮堅封春秋經
五日夏則三日冬則七日開始其水皆爲四味復以米一斗百春作飯候冷入瓮七日
取清.

3. 석탄향(우방) <민천집설(民天集說)>

> 술 재료 : 밑술 : 멥쌀 3되, 누룩가루 1되 5홉, 밀가루 3홉, 물(3~6되)
> 　　　　 덧술 : 멥쌀 1말

술 빚는 법 :
* 밑술 :
1. 멥쌀 3되를 (백세하여 물에 담가 불렸다가, 다시 씻어 건져서 물기를 뺀 후)
   작말한다(가루로 빻는다).
2. 쌀가루에 끓는 물(3~6되)을 고루 섞고 주걱으로 고루 치대어 이떡(범벅)을
   만들고, 떡이 익었으면 넓은 그릇에 퍼서 차게 식기를 기다린다.
3. 떡에 누룩가루 1되 5홉과 밀가루 3홉을 합하고 (매우 오랫동안 힘껏 치대
   어) 술밑을 빚는다.
4. 술밑을 술독에 담아 안치고 예의 방법대로 하여 3일간 발효시킨다.

* 덧술 :
1. 멥쌀 1말을 백세하여 물에 담가 불렸다가 (다시 씻어 건져서 물기를 뺀다).
2. 불린 쌀을 시루에 안쳐서 고두밥을 짓고, 익었으면 퍼내어 고루 펼쳐서 차

게 식기를 기다린다.

3. 고두밥에 밑술을 한데 합하고, 고루 버무려 술밑을 빚는다.

4. 술밑을 술독에 담아 안친 다음, 예의 방법대로 하여 (덥지도 차지도 않은 곳에서) 7일간 발효시켜 숙성시킨다.

* 주방문에 "백미삼승작말 조(탄)병(끈끈한 떡)"이라고 하였으므로, 이를 물을 적게 사용하여 이긴 '진흙 같은 범벅'으로 해석하고, 물을 쌀 양을 감안하여 3~6되로 산정하여 주방문을 작성하였다.

惜吞香(又方)

白米三升作末造(攤)餅以曲末一升五合眞末三合調和釀至三日復以白米一斗作飯和本釀七日後成熟.

4. 석탄향법 <봉접요람>

> 술 재료 : 밑술 : 멥쌀 2되, 가루누룩 1되, 물 1말
> 　　　　 덧술 : 찹쌀 1말

술 빚는 법 :

* 밑술 :

1. 멥쌀 2되를 백세하여 (물에 담갔다가, 다시 씻어 헹궈 건져서 물기를 뺀 다음) 작말한다(가루로 빻는다).

2. 솥에 물 1말을 붓고 끓이다가 물이 따뜻해지면 쌀가루를 멍울 없이 풀어 넣고, 팔팔 끓여 죽을 쑨 후 넓은 그릇에 퍼서 가장 차게 식기를 기다린다.

3. 차게 식은 죽에 가루누룩 1되를 합하고, 고루 버무려 술밑을 빚는다.

4. 술밑을 술독에 담아 안치고, 예의 방법대로 하여 겨울은 7일, 춘추는 5일, 여

름은 3일간 발효시켜 익기를 기다린다.

* 덧술 :
1. 찹쌀 1말을 백세하여 (물에 담가 불렸다가, 다시 씻어 헹궈 건져서 물기를 뺀 후) 시루에 안쳐서 고두밥을 짓는다.
2. 고두밥이 익었으면 퍼내어 고루 펼쳐서 차게 식기를 기다린다.
3. 고두밥에 밑술을 한데 합하고, 날물기 없이 고루 힘껏 치대어 술밑을 빚는다.
4. 술밑을 술독에 담아 안치고, 예의 방법대로 하여 서늘한 곳에 앉혀서 14일간 발효시킨다.

* 주방문 말미에 "이칠일 만에 내면, 맛이 기특하고 향기 좋아 삼키기 아까와 명왈 '석탄향'이라 하니라."고 하여 주품명에 따른 설명을 덧붙였다.

셕탄향법
빅미 두 되 빅셰작말ᄒ여 물 ᄒᆫ 말의 쥭쑤 ᄀ쟝 ᄎ거든 ᄀ로누록 ᄒᆫ 되 셧거 비졋다가 겨울은 칠일 츈츄ᄂᆫ 오일 녀람은 삼일 만의 졈미 ᄒᆫ 말을 빅셰ᄒ여 익게 쪄 식거든 밋틔 셧거 비졋다가 이칠일 만의 ᄂᆡ면 맛시 긔특ᄒ고 향긔로와 숨키기 앗가와 명왈 셕탄향이라 ᄒ니라.

5. 석탄주법 <술방문>

술 재료 : 밑술 : 멥쌀 2되, 누룩가루 1되, 물 1말
　　　　　덧술 : 찹쌀 1말

술 빚는 법 :
* 밑술 :

1. 멥쌀 2되를 백세하여 (물에 담가 불렸다가, 다시 씻어 말갛게 헹궈 건져서 물기를 뺀 후) 작말한다.
2. 물 1말을 끓이다가 쌀가루를 풀어 넣고 팔팔 끓여 죽을 쑨다.
3. 죽은 푹 퍼지게 잘 익혀야 하며, 익었으면 넓은 그릇에 퍼서 차게 식기를 기다린다.
4. 차게 식은 죽에 누룩가루 1되를 섞고, 고루 버무려 술밑을 빚는다.
5. 술밑을 술독에 담아 안치고, 예의 방법대로 하여 봄·여름 3~4일, 가을·겨울 6~7일간 발효시킨다.

* 덧술 :
1. 찹쌀 1말을 백세하여 물에 담가 불린다(다시 씻어 말갛게 헹궈 건져서 물기를 뺀다).
2. 불린 쌀을 시루에 안쳐 고두밥을 짓고, 무르게 익었으면 돗자리에 퍼서 고루 펼쳐 차게 식기를 기다린다.
3. 차게 식은 고두밥에 밑술을 합하고, 고루 버무려 술밑을 빚는다.
4. 술밑을 술독에 담아 안치고, 예의 방법대로 하여 7일간 발효시킨다.
5. 7일 후에 용수를 박아 채주하여 마신다.

* 주방문에 "첫국(첫술, 本酒) 뜨고 나중에 물 부었다 먹어도 먹을 만하다."고 하여 후수를 할 수 있다고 하였다.

셕탄쥬법이라

빅미 두 되 죽말ᄒ여 탕슈 흔 말 붓고 죽 쑤어 식거든 가로누록 흔 되 셕거 너허다가 여람 봄의는 숨소일이요 가을 겨을은 육칠일우 만의 졈미 흔 말 빅세ᄒ여 담가다가 익게 쪄 그 밋슐과 흔틔 고로 쳐 넣은 칠일 만의 다시 긱슈 붓지 말고 용슈 질너 써 먹으면 맛시 향기롭고 긔특ᄒ고 입의 머금고 숨키기 앗가브나니라. 첫국 쓰고 나중은 물 부어다 먹어도 먹을 만하이라.

6. 석탄향주법 <승부리안주방문>

술 재료 : 밑술 : 멥쌀 2되, 누룩가루 1되, 물 1말
　　　　덧술 : 찹쌀 1말

술 빚는 법 :

* 밑술 :

1. 멥쌀 2되를 백세하여 (물에 담가 불렸다가, 다시 씻어 말갛게 헹궈 건져서 물기를 뺀 후) 작말한다.
2. 물 1말을 끓이다가 쌀가루를 풀어 넣고 팔팔 끓여 죽을 쑨다.
3. 죽은 푹 퍼지게 잘 익혀야 하며, 익었으면 넓은 그릇에 퍼서 차게 식기를 기다린다.
4. 차게 식은 죽에 누룩가루 1되를 섞고, 고루 버무려 술밑을 빚는다.
5. 술밑을 술독에 담아 안치고, 예의 방법대로 하여 여름철 3~4일, 봄·가을철 5일, 겨울철 7일간 발효시킨다.

* 덧술 :

1. 찹쌀 1말을 백세하여 물에 담가 불린다(다시 씻어 말갛게 헹궈서 물기를 뺀다).
2. 불린 쌀을 시루에 안쳐 고두밥을 짓고, 무르게 익었으면 돗자리에 퍼서 고루 펼쳐 차게 식기를 기다린다.
3. 차게 식은 고두밥에 밑술을 합하고, 고루 버무려 술밑을 빚는다.
4. 술밑을 술독에 담아 안치고, 예의 방법대로 하여 7일간 발효시킨다.
5. 7일 후에 용수를 박아 채주하여 마신다.

* 주방문 말미에 "달고 써 가장 좋으니, 입의 머금어 차마 삼키기 아까우니라." 고 하고, 후수를 할 수도 있다고 하였는데, 다른 문헌의 '석탄주'보다 누룩의 양이 많은 편이다.

셕튼향쥬법

빅미 이승 빅셰 작말ᄒ여 믈 흔 말노 죽 쑤어 ᄎ거든 국말 일승 섯거 너허 동 졀 칠일 하졀 삼일 츈츄 오일 만의 졈미 일두 빅셰ᄒ여 닉게 쪄 식거든 밋술 의 섯거 너허 칠일 만의 쓰노니라. 돌고 써 ᄀ장 죠흐니 입의 먹음어 ᄎ마 슴 키기 앗가오니라.

7. 성탄향 <시의전서(是議全書)>

> 술 재료 : 밑술 : 멥쌀 2되, 가루누룩 1되, 물 1말
>   덧술 : 찹쌀 1말

술 빚는 법 :
* 밑술 :
1. 멥쌀 2되를 백세하여 (뜨물이 없이 말갛게 헹궈 건져서 물기를 뺀 후) 세말 한다(고운 가루로 빻는다).
2. 솥에 물 1말을 붓고 끓이다가, 물이 따뜻해지면 쌀가루를 풀고 고루 개어 팔 팔 끓여 죽을 쑨 다음, 넓은 그릇에 퍼 담고 차게 식기를 기다린다.
3. 차게 식은 죽에 가루누룩 1되를 합하고, 고루 버무려 술밑을 빚는다.
4. 술밑을 술독에 담아 안친 다음, 예의 방법대로 하여 겨울철엔 7일, 여름철엔 3일간, 봄·가을엔 5일간 발효시킨다.

* 덧술:
1. 찹쌀 1말을 백세하여 (물에 담가 불렸다가 다시 씻어 건져서 물기를 뺀 후) 시루에 안쳐서 고두밥을 짓는다.
2. 고두밥이 익었으면 시루에서 퍼내고 (돗자리에 고루 펼쳐서) 차게 식기를 기다린다.

3. 고두밥에 밑술을 쏟아 붓고, 고루 버무려 술밑을 빚는다.

4. 술밑을 술독에 담아 안친 다음, 예의 방법대로 하여 7일간 발효시킨다.

* 주방문에 "맛이 달고 좋으니 입에 머금어 삼키기 아깝다."고 하였다.

셩탄향(聖嘆香)

빅미 이승 빅셰작말ᄒ여 물 훈 말노 쥭 쑤어 츠거든 가로누룩 훈 되 셕거 너허 동절은 칠일 하절은 삼일 츈츄은 오일 만에 졈미 일두 빅셰ᄒ여 무르게 쪄 식거든 밋슐 셕거 칠일 만에 쓰나니라. 달고 가장 조흐니 입의 먹음어 숨키기 앗가오니라.

8. 석탄향 <양주방>*

> 술 재료 : 밑술 : 멥쌀 2말(되), 가루누룩 1되, 물 1말
>   덧술 : 찹쌀 1말

술 빚는 법 :

* 밑술 :

1. 희게 쓿은 멥쌀 2말(되)을 (깨끗이 씻고 또 씻어 물에 담가 불렸다가, 다시 씻어 헹궈 건져서 물기를 뺀 후) 가루로 빻는다.

2. 물 1말에 쌀가루를 풀어 넣고 팔팔 끓여 죽을 쑨 뒤, 넓은 그릇에 퍼서 매우 차게 식기를 기다린다.

3. 쌀죽에 가루누룩 1되를 섞고, 고루 버무려 술밑을 빚는다.

4. 술밑을 술독에 담아 안치고, 예의 방법대로 하여 봄·가을엔 5일, 겨울엔 7일, 여름엔 3일간 발효시킨다.

* 덧술 :

1. 찹쌀 1말을 (깨끗이 씻고 또 씻어 물에 담가 불렸다가, 다시 씻어 헹궈 건져서 물기를 뺀 후) 시루에 안쳐서 고두밥을 푹 익게 짓는다.
2. 고두밥이 익었으면 퍼내고, 돗자리에 고루 펼쳐서 매우 차게 식기를 기다린다.
3. 밑술을 고두밥에 쏟아 붓고, 고루 버무려 술밑을 빚는다.
4. 술밑을 술독에 담아 안치고, 예의 방법대로 하여 7일간 발효시켜 익었으면 따라서 마신다.

* 정양완 역 <양주방>*에는 '석탄향'이 있으나, 최근 <양주방>의 원본으로 추측되는 한글 붓글씨본 <양주방>에는 '석탄향'이 보이지 않고 '선초향'이라고 하는 유사한 주품명을 볼 수 있다.
  따라서 진위 여부는 뒤로 미루기로 하고, 지금까지 정양완 역 <양주방>*에 수록된 '석탄향' 주방문 또한 여기에 수록하였다는 사실을 밝혀둔다.
* 주방문 말미에 "맛이 달고 매와 입에 머금었지 차마 삼키기 아깝다."고 하여 '석탄향'의 유래를 읽을 수 있다. 밑술의 쌀 양이 2말로 되어 있으나, 오기인 것으로 여겨지는데 확신할 수는 없다.

석탄향

희게 쓴 멥쌀 두 말을 가루로 만들어 물 한 말에 죽을 쑤어 채워서 가루누룩 한 되를 섞어 두어라. 봄가을엔 닷새, 겨울에 이레, 여름에는 사흘 만에 찹쌀 한 말을 폭 익게 지에밥을 쪄서 차게 채워라. 차디차지거든 먼저 한 술에 섞어 빚어 두어라. 이레 뒤에 따라 써라. 맛이 달고 매와 입에 머금었지 차마 삼키기 아깝다.

9. 석탄향 <음식방문(飮食方文)>

술 재료 : 밑술 : 멥쌀 2되, 누룩가루 1되, 물 2~3되
　　　　　덧술 : 찹쌀 1말, 끓여 식힌 물 1말

술 빚는 법 :

* 밑술 :

1. 멥쌀 2되를 (백세하여 물에 담가 불렸다가, 다시 씻어 건져서 물기를 뺀 후) 세말한다(고운 가루로 빻는다).
2. 솥에 물을 2~3되 붓고 끓여 쌀가루에 골고루 붓고, 주걱으로 고루 개어 반 생반숙(범벅)을 만든다.
3. 반생반숙(범벅)이 익었으면 넓은 그릇에 퍼서 차게 식기를 기다린다.
4. 반생반숙(범벅)에 누룩가루 1되를 넣고, 고루 치대어 술밑을 빚는다.
5. 술밑을 술독에 담아 안치고 예의 방법대로 하여 겨울에는 7일, 봄·가을에 는 5일, 여름에는 3일간 발효시킨다.

* 덧술 :

1. 찹쌀 1말을 백세하여 물에 담가 불린다(다시 씻어 건져서 물기를 뺀다).
2. 물 1말을 팔팔 끓여서 차게 식힌다.
3. 불린 쌀을 시루에 안쳐서 고두밥을 짓고, 익었으면 퍼내 고루 펼쳐서 차게 식기를 기다린다.
4. 고두밥에 밑술과 끓여 식힌 물 1말을 한데 합하고, 고루 버무려 술밑을 빚 는다.
5. 술밑을 술독에 담아 안친 다음, 예의 방법대로 하여 (덥지도 차지도 않은 곳 에서) 7일간 발효시킨다.

* 밑술에 사용되는 물의 양이 언급되어 있지 않으나, '반생반숙'이라는 기록과

함께 덧술에 끓여 식힌 물 1말이 사용된다는 내용에 착안하여 밑술의 물 양을 2~3되로 산정하였다.

* <음식방문>의 '석탄향'은 여느 문헌의 방문들과는 많은 차이를 보이고 있다. 밑술을 범벅으로 만들고, 덧술에 끓여 식힌 물을 별도로 사용한다는 점 등이 그렇다.

석탄향

빅미 두 되 세말ㅎ여 범벅을 반싱반슉ㅎ여 츠거든 곡말 흔 되 셧거 겨울은 칠일이오 가을과 봄은 오일이오 여름은 삼일 만의 겸미 일두 빅셰ㅎ여 담갓다가 닉게 쪄 치오고 쓸인 물 흔 말 슐밋 흔데 셧거 칠일 후의 쓰라.

10. 석탄향방 <임원십육지(林園十六志)>

> 술 재료 : 밑술 : 멥쌀 2말(되), 누룩가루 1되, 물 1말
>   덧술 : 찹쌀 1말

술 빚는 법 :

* 밑술 :

1. 멥쌀 2말(되)을 (백세하여 물에 담가 불렸다가, 뜨물이 없이 말갛게 헹궈 건져서 물기를 뺀 후) 세말한다(고운 가루로 빻는다).

2. 솥에 물 1말을 붓고 끓이다가 물이 따뜻해지면 쌀가루를 풀고 고루 저어 죽을 쑨다(쌀가루에 물을 끓여 골고루 나눠 붓고, 주걱으로 고루 개어 덩어리 없는 범벅을 쑤어야 한다. 반생반숙이 된다).

3. 죽(범벅)을 넓은 그릇에 퍼 담고, 차게 식기를 기다린다.

4. 차게 식은 죽(범벅)에 누룩가루 1되를 합하고, 고루 버무려 술밑을 빚는다.

5. 술밑을 술독에 담아 안친 다음, 예의 방법대로 하여 겨울철엔 7일, 봄·가을

엔 5일, 여름철엔 3일간 발효시킨다.

* 덧술 :
1. 찹쌀 1말을 (백세하여 물에 담가 불렸다가, 다시 씻어 건져서 물기를 뺀 후) 시루에 안쳐서 고두밥을 짓는다.
2. 고두밥이 익었으면 시루에서 퍼내고 (자리에 고루 펼쳐서) 차게 식기를 기다린다.
3. 고두밥에 밑술을 쏟아 붓고, 고루 버무려 술밑을 빚는다.
4. 술밑을 술독에 담아 안친 다음, 예의 방법대로 하여 7일간 발효시킨다.

* 밑술의 쌀 양이 2말로 물의 양보다 2배이다. 본 방문의 기록이 맞다면, 쌀의 양이 물의 양보다 많은데도 죽을 쑨다고 되어 있으므로, 범벅을 쑤는 것으로 풀이하였다. 다른 기록에는 밑술의 쌀 양이 2되로 되어 있다.

惜呑香方
白米二斗(升)細末水一斗作粥麴末一升和釀冬七日春秋五日夏三日粘米一斗爛烝交釀七日甘苦備俱含口不忍呑. <三山方>.

11. 석탄향 <조선무쌍신식요리제법(朝鮮無雙新式料理製法)>

술 재료 : 밑술 : 멥쌀 2되, 누룩가루 1되, 물 1말
　　　　 덧술 : 찹쌀 1말

술 빚는 법 :
* 밑술 :
1. 멥쌀 2되를 백세하여 (물에 담가 불렸다가, 다시 씻어 건져서 물기를 뺀 뒤)

세말한다.

2. 물 1말에 쌀가루를 넣고, 고루 저어가면서 오랫동안 끓여 죽을 쑨다.

3. 죽은 푹 퍼지게 잘 익혀야 하며, 익었으면 넓은 그릇에 퍼서 차게 식기를 기다린다.

4. 차게 식힌 죽에 법제한 누룩가루 1되를 섞어 잘 버무린다.

5. 밑술을 술독에 담아 안치고, 예의 방법대로 하여 7일간(여름 3일, 봄·가을 5일) 발효시킨다.

* 덧술 :

1. 찹쌀 1말을 백세한다(하룻밤 불렸다가, 다시 씻어 건져서 물기를 뺀다).

2. 불린 쌀을 시루에 안쳐서 고두밥을 짓는다(무르게 익었으면 퍼서 차게 식힌다).

3. 차게 식힌 고두밥에 밑술을 합하고, 고루 버무려 술밑을 빚는다.

4. 술밑을 술독에 담아 안치고, 예의 방법대로 하여 7일간 발효시킨다.

* 주방문 말미에 "달고 쓴맛이 갖추어 입을 다물고 참아 삼키지 못하여 '석탄향'이라 하나니라."고 하여 '석탄향'의 유래에 대해 밝히고 있다.

석탄향(惜呑香)

흔쌀 두 되를 세말하야 물 한 말에 죽을 수어 누룩가루 한 되를 한테 비저 겨울에는 니레, 봄과 가을에는 닷새, 여름레는 사흘 안에 찹쌀 한 말을 써서 한테 비젓다가 일면 달고 쓴맛이 갓추워 입을 담을고 참아 생키지 못하야 석탄향이라 하나니라.

12. 석탄향 <주찬(酒饌)>

> 술 재료 : 밑술 : 멥쌀 2되, 누룩 1되, 물 2병(6되)
>   덧술 : 찹쌀 1말

술 빚는 법 :

* 밑술 :

1. 멥쌀 2되를 백세하여 (물에 담가 불렸다가 다시 씻어 헹궈 건져서 물기를 뺀 뒤) 작말한 다음 넓은 그릇에 담아놓는다.
2. 솥에 물 2병을 끓이다가 물이 뜨거워지면 쌀가루를 풀어 넣고, 주걱으로 천천히 저어가면서 팔팔 끓는 죽을 쑨 후 넓은 그릇에 퍼서 차게 식기를 기다린다.
3. 죽에 누룩 1되를 합하고, 고루 버무려 술밑을 빚는다.
4. 술독에 술밑을 담아 안치고, 예의 방법대로 하여 5일(여름 3일, 겨울 7일)간 발효시킨다.

* 덧술 :

1. 찹쌀 1말을 백세하여 물에 담가 하룻밤 불렸다가 (다시 씻어 헹궈 건져서 물기를 뺀 뒤) 시루에 안쳐서 고두밥을 짓는다.
2. 고두밥이 익었으면 퍼내고, 고루 펼쳐 차게 식기를 기다린다.
3. 고두밥에 밑술을 합하고, 고루 버무려 술밑을 빚는다.
4. 술독에 술밑을 담아 안치고, 예의 방법대로 하여 7일간 발효시킨다.

* 주품명을 '석탄향(石炭香)'이라고 하였으나, '석탄향(惜呑香)'의 오기인 듯하다.

石炭香
白米二升百洗作末水二瓶作粥待冷曲一升調置不有他水氣冬七日春秋五日夏

三日浮精粘米一斗百洗浸宿翌日熟烝待冷本酒調釀合七日後垂之味甚烈美.

13. 석탄주 <한국민속대관(韓國民俗大觀)>

> 술 재료 : 밑술 : 멥쌀 2되, 누룩가루 1되, 물 1말
>   덧술 : 찹쌀 1말

술 빚는 법 :

＊밑술 :

1. 멥쌀 2되를 (백세하여 물에 담가 불렸다가, 다시 씻어 헹궈서 물기를 뺀 뒤) 가루 낸다(작말한다).

2. 물 1말로 끓이다가 쌀가루를 풀어 넣고 팔팔 끓여 퍼지게 죽을 쑨다.

3. 죽은 푹 퍼지게 익혀야 하며, 익었으면 넓은 그릇에 퍼서 차게 식기를 기다린다.

4. 차게 식힌 죽에 법제한 누룩가루 1되를 섞고, 고루 잘 버무려 술밑을 빚는다.

5. 술밑을 술독에 담아 안치고, 예의 방법대로 하여 7일간(여름 3일, 봄·가을 5일) 발효시킨다.

＊덧술 :

1. 찹쌀 1말을 (백세하여 하룻밤 불렸다가, 다시 씻어 건져서 물기를 뺀 다음) 시루에 안쳐 고두밥을 짓는다.

2. 고두밥은 무르게 찌고, 익었으면 넓은 자리에 펼쳐서 차게 식기를 기다린다.

3. 밑술에 차게 식힌 고두밥을 넣고, 고루 버무려 술밑을 빚는다.

4. 술밑을 술독에 담아 안치고, 예의 방법대로 하여 7일간 발효시킨다.

석탄주(惜呑酒)

백미 두 되를 가루 내어 물 한 말로 죽을 쑤어 차게 식으면 누룩가루 한 되를 같이 버무려둔다. 봄과 가을에는 5일, 여름에는 3일 겨울철에는 7일 만에 덧술을 한다. 찹쌀 한 말을 지에밥으로 잘 쪄 식힌 다음 밑술에 빚어 넣는다. 7일이면 익어서 그 독하고 단 맛이 한 번 품으면 삼키기 아깝다.

14. 성탄향 <홍씨주방문>

술 재료 : 밑술 : 멥쌀 2되, 누룩 1되, 물 1말
　　　　덧술 : 찹쌀 1말

술 빚는 법 :

* 밑술 :

1. 멥쌀 2되를 백세하여(백 번 씻어 매우 깨끗하게 하여 맑갛게 헹궈 불렸다가, 다시 씻어 건져서 물기를 뺀 다음) 작말한다(가루로 빻는다).
2. 물 1말을 솥에 붓고 불을 지펴서 끓이다가, 물 2되를 쌀가루에 풀어 아이죽을 만든 뒤, 나머지 물이 끓으면 아이죽을 넣고 팔팔 끓여 죽을 쑨다.
3. 죽이 끓어 퍼지게 익었으면, 넓은 그릇에 퍼서 차게 식기를 기다린다.
4. 죽에 누룩 1되를 섞고, 고루 버무려 술밑을 빚는다.
5. 소독한 술독에 술밑을 담아 안치고, 예의 방법대로 하여 여름이면 3일, 봄과 가을이면 5일, 겨울이면 7일간 발효시킨다.

* 덧술 :

1. 찹쌀 1말을 백세하여(백 번 씻어 매우 깨끗하게 하여) 맑갛게 헹궈서 불린다 (다시 물에 담가 하룻밤 불린다).
2. 다음날 아침에 불린 쌀을 (다시 씻어 건져서 물기를 뺀 다음) 시루에 안쳐서 고두밥을 짓는다.

3. 고두밥이 익었으면, 퍼내고 고루 펼쳐서 차게 식기를 기다린다.

4. 고두밥에 밑술을 합하고, 고루 버무려 술밑을 빚는다.

5. 소독한 술독에 술밑을 담아 안치고, 예의 방법대로 하여 7일간 발효시켜 술이 익기를 기다린다.

성탄향

백미 두 되 백세작말하여 물 한 말에 죽 쑤어 식거든 국말 한 되 섞어 빚어 동절은 칠일이오, 춘추는 오일이오, 하절은 삼일 만에 점미 한 말 백세하여 익게 지어 술밑 섞어 넣어 칠일 만에 내면 맛이 달고 향기로와 먹으어 삼키기 아깝니라.

석향주

스토리텔링 및 술 빚는 법

우리 술 관련 고식문헌에 수록된 주방문에 대한 연구를 해오면서 가끔씩 당황스러울 때가 있다. 예측할 수 없는 주품명과 그 주방문을 만났을 때, 특히 주품명은 같은데 전혀 다른 이름의 주방문을 만났을 때가 그렇다. 주로 한자 기록의 문헌보다 한글 기록의 문헌들에서 부딪히는 문제인데, 한글 표기와 한자 표기가 병행된 경우는 그나마 낫고, 한글 표기만 있는 경우가 더 난처할 때가 많다.

그 중에서도 다른 어떤 문헌보다 <온주법(醞酒法)>에서 이 같은 문제가 특히 자주 일어난다. <온주법>에만 수록된 다른 문헌이나 기록에서는 찾아볼 수 없는 독특한 주품 명칭도 그렇거니와 술 빚는 과정을 담고 있는 주방문에서도 황당할 때가 더러 있다.

<온주법>의 '석향주'를 만난 경험은 지금 생각해도 새롭기만 하다. '석향주'는 '서왕모유옥성향주', <양주방>*의 '석술'과 함께 복원 작업을 함께 시작했는데, 술 빚는 과정에서 공통점을 찾을 수 있어서 이들 주방문의 밑술 과정에서 만나게 된 '향분(香紛)'은 아직도 코끝이 실룩실룩하도록 만든다.

<온주법>의 '석향주' 주방문을 보면, 그 과정이 예사 주품들과는 확연하게 다르다는 것을 알 수 있다. 주방문에 따르면, 먼저 "멥쌀 2되를 백세작말한 후, 물 1말에 넣고 팔팔 끓여 죽을 쑨다. 죽이 익었으면 넓은 그릇에 퍼서 차게 식기를 기다렸다가, 누룩가루 1되를 섞고 고루 버무려 술밑을 빚는데, 봄과 가을엔 5일, 겨울은 7일, 여름에는 3일간 발효시킨다."고 하였다. 그리고 덧술은 "찹쌀 1말을 백세하여 물에 담가 불린 다음 고두밥을 짓고, 차게 식기를 기다려 밑술을 합하고, 7일간 발효시킨다."고 하였다.

주방문을 살펴보았듯이 '석향주'는 <온주법>의 '서왕모유옥성향주', <양주방>*의 '석술'과는 전혀 다르게 밑술을 죽으로 빚는 양주기법의 전형을 보여주고 있다. 특히 덧술은 주질 향상과 방향을 얻기 위해 밑술 양의 5배에 달하는 찹쌀을 쓰고, 물이나 누룩을 사용하지 않고 고두밥만으로 술을 빚는다는 점에서 가장 기본적인 원칙을 철저하게 고수하고 있음을 알 수 있다.

따라서 '석향주'의 주방문은 우리나라 전통 '청주'를 빚기 위한 전형적인 주방문이라고 할 수 있겠다. 덧붙여 방향(芳香)과 맑은 술, 특히 감칠맛을 살리기 위한 방법을 보여주고 있다는 점에서 중요한 자료이기도 하다.

문제는 '석향주' 주방문이 <시의전서(是議全書)>를 비롯하여 <술방문>, <한국민속대관(韓國民俗大觀)>, <봉접요람>, <양주방>*, <음식방문(飮食方文)>, <임원십육지(林園十六志)>, <조선무쌍신식요리제법(朝鮮無雙新式料理製法)>, <주찬(酒饌)>, <홍씨주방문>에 수록된 '석탄주' 또는 '석탄향', 그리고 '황금주'와도 주원료의 배합비율이 동일하며, 술을 빚는 과정 또한 '석탄주' 또는 '석탄향'과 동일하다는 사실이다.

또한 주방문 말미에도 "7일 만에 드리우면 맛이 감릴하여 기특하니라."고 하여 "석탄주"라는 술 이름을 연상할 수 있다. 결국 주품명을 '석향주'라고 하였으나, '석탄주' 또는 '석탄향'의 경상도 방언으로 말미암아 '석향주'로 불리게 되었을 거라는 추측을 해볼 수 있겠다.

사실 여부는 뒤로 미루고, 술을 빚는 방법에 대하여는 '석탄향' 또는 석탄주'를 참고하기 바란다.

석향주 <온주법(醞酒法)>

술 재료 : 밑술 : 멥쌀 2되, 누룩가루 1되, 물 1말
　　　　 덧술 : 찹쌀 1말

술 빚는 법 :

* 밑술 :

1. 멥쌀 2되를 백세하여 (물에 담가 불렸다가, 다시 씻어 말갛게 헹궈 건져서 물기를 뺀 후) 작말한다.
2. 물 1말을 끓이다가 쌀가루를 풀어 넣고 팔팔 끓여 죽을 쑨다.
3. 죽은 푹 퍼지게 잘 익히고, 익었으면 넓은 그릇에 퍼서 차게 식기를 기다린다.
4. 차게 식은 죽에 누룩가루 1되를 섞고, 고루 버무려 술밑을 빚는다.
5. 술밑을 술독에 담아 안치고, 예의 방법대로 하여 봄·가을 5일, 겨울은 7일, 여름에는 3일간 발효시킨다.

* 덧술 :

1. 찹쌀 1말을 백세하여 물에 담가 불린다(다시 씻어 말갛게 헹궈 건져서 물기를 뺀다).
2. 불린 쌀을 시루에 안쳐 고두밥을 짓고, 무르게 익었으면 퍼내 돗자리에 고루 펼쳐 차게 식기를 기다린다.
3. 차게 식은 고두밥에 밑술을 합하고, 고루 버무려 술밑을 빚는다.
4. 술밑을 술독에 담아 안치고, 예의 방법대로 하여 7일간 발효시킨다.
5. 7일 후에 용수를 박아 채주하여 마신다.

* 주방문에 "7일 만에 드리우면 맛이 감렬하여 기특하니라."고 하여 "석탄주"라는 술 이름을 연상할 수 있다. 따라서 주품명을 '석향주'라고 하였으나, '석탄주' 또는 '석탄향'으로 불리는 술의 주방문과 동일한 것으로 미뤄 어느 때

부턴가 경상도 방언으로 말미암아 '석향주'로 불리게 되었을 것으로 추측할 뿐이다.

셕향듀
빅미 일 승 빅셰ᄒ야 슬인 물 한 말의 쥭 쑤고 국말 일 승 셧거다가 겨을은 칠일 츈츄ᄂ 오일 여름은 삼일 만의 뎜미 일 두 빅셰ᄒ야 무이 쎠 ᄎ거든 밋슐의 셧거 칠일 만의 드리오면 마시 감녈ᄒ여 긔특ᄒ니라.

선초향주

스토리텔링 및 술 빚는 법

<양주방>*과 <홍씨주방문>의 '선초향'과 '선초향주'는 매우 생경한 주품명을 자랑한다. 물론, <양주방>*에는 '백단주'와 '층층지주'를 비롯하여 '당백화주', '청명향', '육병주', '만년향', '백수환동주', '경향옥액주' 등의 생경하거나 유일한 주품명을 볼 수 있고, <홍씨주방문>에 수록된 주품들의 경우에서도, '옥녹주', '동파삼일주', '사월주', '홀도주(혼돈주)', '황구주' 등 상당수가 처음 접하는 주품명이거나 '소곡주 별방문', '두견주 추후별방문' 등과 같이 별법들이 많이 등장함을 알 수 있다.

<양주방>*의 '선초향'과 <홍씨주방문>의 '선초향주'는 눈에 익은 주방문이다. '석탄주' 또는 '석탄향'의 술 원료의 배합비율이나 술 빚는 과정이 유사하거나 동일하기 때문이다.

즉, 두 문헌의 주방문 말미에 "마시 들고 미와 차마 닙의 먹음엇지 못ᄒᄂ니라." 와 "드리오면 달고 맵나니 가장 좋아 차마 입에 먹음이지 못하니라."고 하였다는 사실이다.

그런데 <홍씨주방문>에는 '성탄향'에 이어 '선초향주'의 주방문이 수록되어 있어 혼돈스럽다. '선초향주'가 '성탄향'의 사투리이거나 발음을 잘못하여 '선초향주'로 기록된 게 아닐까 하는 생각을 해보다가도, 이 두 주방문이 뭔가 다르기 때문에 의도적으로 두 주방문을 나란히 기록했을 거란 짐작도 해보게 된다.

그럼 과연 '선초향주'는 어떤 의미의 주품명이며, '성탄향'과는 어떻게 다른지를 규명해야 하는데, 솔직히 고백하건대 잘 모르겠다.

우선, <양주방>*의 '선초향'은 <홍씨주방문>에 '선초향주'와 다르다는 것을 알 수 있다. <양주방>*에서는 "빅미 두 되 작말ᄒᆞ야 물 ᄒᆞᆫ 되예 쥭 쑤어 국말 ᄒᆞᆫ 되예 섯거 두엇다가 츈츄의ᄂᆞᆫ 오일이오 겨울은 칠일 만이오 녀름은 삼일 만의 졈미 ᄒᆞᆫ 말 닉게 쪄 치와 젼술의 비져 두엇다가 칠일 후 드리워 쓰라."고 하여 밑술의 죽을 쑬 때 사용되는 양주용수의 양이 쌀 2되에 대하여 1되이고, <홍씨주방문>에서는 "백미 두 되 백세작말하여 물 한 말에 죽 쑤어 차거든, 누룩 한 되 섞어 넣어 춘추는 오일, 하 삼일, 동 칠일 만에 점미 한 말 옥같이 쓸어 밥(같이 지)에 쪄서 식거든 밑술에 버무려 독에 넣어 닷 칠일 지낸 후 드리오면 달고 맵나니"라고 하여 양주용수의 양이 쌀 2되에 대하여 1말이라는 점에서 차이가 있다는 것을 알 수 있다.

또한 <양주방>*에는 '석탄향'이나 '석탄주'가 등장하지 않는 것과 달리, <홍씨주방문>에는 '선초향주' 주방문 바로 앞서 수록된 '성탄향'을 볼 수 있는데, "백미 두 되 백세작말하여 물 한 말에 죽 쑤어 식거든, 국말 한 되 섞어 빚어 동절은 칠일이오, 춘추는 오일이오, 하절은 삼일 만에 점미 한 말 백세하여 익게 지어 술밑 섞어 넣어 칠일 만에 내면 맛이 달고 향기로와 먹으어 삼키기 아깝니라."고 하여 '선초향주' 주방문에 차이가 없음을 확인할 수 있다.

그런데도 '선초향주'와 '성탄향'으로 나란히 기록되어 있으니 이 두 주방문은 분명히 다른 주방문이겠다 싶으나 아무리 여러 차례 술을 빚어봐도 이들 두 주품의 맛이나 향기에 있어 큰 차이를 느낄 수 없었다. 굳이 두 주품의 재현에 따른 주질의 차이를 언급하자면, '선초향주'가 '석탄향'보다 더 부드럽고 단맛이 강하다는 점일 것이다.

그럼에도 불구하고 필자는 수차례 두 주방문의 원문을 옮겨놓고 자세히 분석

한 결과, 두 주방문이 서로 다른 주품으로 등장하게 된 배경, 즉 두 주방문의 차이를 굳이 규명해 보자면 "누룩 한 되"와 "국말 한 되", "점미 한 말 옥같이 쓸어 밥(같이 지)에 쪄서 식거든 밑술에 버무려"와 "점미 한 말 백세하여 익게 지어 술밑 섞어"라고 하는 대목에서 차이를 발견할 수 있다.

결국 문제는 "누룩 한 되"와 "국말 한 되"의 차이와 "점미 한 말 옥같이 쓸어 밥(지)에 쪄서 식거든 밑술에 버무려"와 "점미 한 말 백세하여 익게 지어 술밑 섞어"의 차이이다. 이미 다른 문헌의 '석탄향' 주방문에서 덧술의 고두밥은 차게 식혀서 사용하는 것으로 규명되어 있는 까닭에 덧술의 고두밥을 차게 식히느냐 아니냐 하는 문제는 논쟁거리가 될 수 없다는 결론이다. 왜냐하면 이미 '석탄향'에서 덧술을 빚는 방법으로 고두밥은 차게 식혀서 밑술과 혼화하는 것으로 정리되어 있기 때문에 "점미 한 말 옥같이 쓸어 밥 (지)에 쪄서 식거든 밑술에 버무려" 덧술을 한다고 되어 있는 부분은 '선초향주'나 '석탄향'이나 동일한 것으로 이해할 필요가 있다. 따라서 두 문헌에서 차이가 "누룩 한 되"와 "국말 한 되"라는 사실이며, 이러한 차이를 두고 어떻게 해석할 것이냐 하는 문제로 귀결된다고 할 것이다.

특히 같은 문헌에서 '누룩'과 '국말', 심지어 '말곡' 등 다양하게 표현된 경우가 있는데, 이러한 차이를 절대 간과해서는 안 된다. '누룩'은 비교적 거칠며 균일하지 않은 분쇄 누룩을 뜻한다. 반면, '국말'은 가루가 곱지도 거칠지도 않으나 비교적 균일한 가루누룩을 가리킨다. 그리고 '누룩'과 '국말'로 빚은 술의 차이는 발효기간은 물론이고 알코올 도수, 맛, 향기의 차이로 나타난다.

환언하면, '선초향'은 '석탄향'에서 파생되었거나 오기(誤記)에서 비롯된 차이일 것이라는 추측을 해볼 수 있으나, 단정하기는 힘들다는 것이다. 다만, '선초향'이나 '선초향주' 주방문을 통해서 누룩의 가루 상태가 고울수록 술맛은 쓰고 거칠며, 누룩의 가루 상태가 거칠수록 맛은 부드럽고 향기가 좋은 장단점으로 나타난다고 하는 점에서 '선초향' 또는 '선초향주'와 '석탄향'의 차이를 말할 수 있을 듯하다.

1. 선초향 <양주방>*

술 재료 : 밑술 : 멥쌀 2되, 누룩 1되, 물 1되

　　　　덧술 : 찹쌀 1말

술 빚는 법 :

* 밑술 :

1. 멥쌀 2되를 (백세하여 말갛게 헹궈 불렸다가, 다시 씻어 건져서 물기를 뺀 다음) 작말한다(가루로 빻는다).
2. 물 1되를 솥에 붓고 (불을 지펴서 끓이다가, 반 되를 쌀가루에 풀어 아이죽을 만든 뒤, 나머지 물이 끓으면 아이죽을 넣고) 팔팔 끓여 죽을 쑨다.
3. 죽이 눋지 않고 끓어 퍼지게 익었으면, 넓은 그릇에 퍼서 차게 식기를 기다린다.
4. 죽에 누룩 1되를 섞고, 고루 버무려 술밑을 빚는다.
5. 소독한 술독에 술밑을 담아 안치고, 예의 방법대로 하여 여름이면 3일, 봄과 가을이면 5일, 겨울이면 7일간 발효시킨다.

* 덧술 :

1. 찹쌀 1말을 준비한다(백세하여 옥같이 깨끗하게 하여 물에 담가 불렸다가, 다시 씻어 헹궈서 물기를 빼놓는다).
2. 불린 쌀을 시루에 안쳐서 고두밥을 짓는다.
3. 고두밥이 익었으면 퍼내고, 고루 펼쳐서 차게 식기를 기다린다.
4. 고두밥에 밑술을 합하고, 고루 버무려 술밑을 빚는다.
5. 소독한 술독에 술밑을 담아 안치고, 예의 방법대로 하여 7일간 발효시켜 술이 익기를 기다린다.

* 주방문 말미에 "마시 들고 미와 차마 닙의 먹읍엇지 못ᄒᄂ니라."고 하여 '석

탄향'이라는 주품명에 대한 유래에 대해 언급하고 있어, '석탄향'의 오기로 생각할 수 있으나 밑술의 제조과정이 다르다는 것을 알 수 있다. 주방문이 동일하다.

선초향
빅미 두 되 작말ᄒᆞ야 물 ᄒᆞᆫ 되예 쥭 쑤어 국말 ᄒᆞᆫ 되예 섯거 두엇다가 츈츄의ᄂᆞᆫ 오일이오 겨울은 칠일 만이오 녀름은 삼일 만의 졈미 ᄒᆞᆫ 말 닉게 ᄡᅥ 치와 젼술의 비져 두엇다가 칠일 후 드리워 쓰라. 마시 둘고 미와 차마 닙의 먹음엇지 못ᄒᆞᄂᆞ니라.

2. 선초향주 <홍씨주방문>

> 술 재료 : 밑술 : 멥쌀 2되, 누룩 1되, 물 1말
>
> 덧술 : 찹쌀 1말

술 빚는 법 :

* 밑술 :

1. 멥쌀 2되를 백세하여(백 번 씻어 매우 깨끗하게 하여 말갛게 헹궈 불렸다가, 다시 씻어 건져서 물기를 뺀 다음) 작말한다(가루로 빻는다).
2. 물 1말을 솥에 붓고(불을 지펴서 끓이다가, 2되를 쌀가루에 풀어 아이죽을 만든 뒤, 나머지 물이 끓으면 아이죽을 넣고) 팔팔 끓여 죽을 쑨다.
3. 죽이 끓어 퍼지게 익었으면, 넓은 그릇에 퍼서 차게 식기를 기다린다.
4. 죽에 누룩 1되를 섞고, 고루 버무려 술밑을 빚는다.
5. 소독한 술독에 술밑을 담아 안치고, 예의 방법대로 하여 여름이면 3일, 봄과 가을이면 5일, 겨울이면 7일간 발효시킨다.

* 덧술 :

1. 찹쌀 1말을 백 번 씻어 옥같이 깨끗하게 하여(백세하여) 물에 담가 하룻밤 불린다.

2. 다음날 아침에 불린 쌀을 (다시 씻어 건져서 물기를 뺀 다음) 시루에 안쳐 서 고두밥을 짓는다.

3. 고두밥이 익었으면, 퍼내고 고루 펼쳐서 차게 식기를 기다린다.

4. 고두밥에 밑술을 합하고, 고루 버무려 술밑을 빚는다.

5. 소독한 술독에 술밑을 담아 안치고, 예의 방법대로 하여 7일간 발효시켜 술 이 익기를 기다린다.

* 주방문 가운데 탈자 '밥 ○에'라는 파악이 힘든 글자를 '밥(같이 지에)'로 해 석하였다. '석탄주'의 오기이거나 방언격 표기라는 생각이 든다. 주방문이 동 일하다.

선초향주

백미 두 되 백세작말하여 물 한 말에 죽 쑤어 차거든 누룩 한 되 섞어 넣어 춘추는 오일, 하 삼일, 동 칠일 만에 점미 한 말 옥같이 쓸어 밥 (지)에 쪄서 식거든, 밑술에 버무려 독에 넣어 닷 칠일 지낸 후, 드리오면 달고 맵나니 가 장 좋아 차마 입에 먹음이지 못하니라.

선표향법

전통주와 관련해 주방문이 수록된 새로운 문헌이 발굴되었다는 소식을 듣게 되거나, 직접 필사본이라도 얻게 되면 반갑기가 그지없다. 특히 새로운 주품명이라도 한두 가지 발견할 경우 매우 흥분되기도 한다.

지난해 <음식방문니라>는 한글 붓글씨본의 고서가 출판되었다는 소식에 복사본이라도 구하고자 노력했으나 이러저러한 이유로 못 구하다가, 올해 제자가 구해준 복사본 덕분에 그 면목을 살필 수 있게 되었고, 이 책의 마지막 교정 과정에서 17품의 주방문들을 편입하게 되었다.

한글 표제 <음식방문니라>에는 비교적 생경한 '삼칠주법'을 비롯하여 '매화주법'은 말할 것도 없고, <음식방문니라>에만 수록된 것으로 밝혀지고 있는 '녹타주'를 비롯하여 '팔선주법', '선표향법', '잠절주법'을 볼 수 있다.

문제는 한글 표제 <음식방문니라>에 수록된 '선표향법'이라는 주품명과 주방문이다. <음식방문니라>에 수록된 '선표향법'의 주방문을 읽는 순간, 뇌리에 스치는 주품명이 '석탄향'이었기 때문이다.

우선 한문 표제의 <음식방문(飮食方文)>에 수록된 '석탄향'의 주방문을 보면, "빅미 두 되 세말ᄒ여 범벅을 반싱반슉ᄒ여 츠거든 곡말 ᄒ 되 셧거 겨을은 칠일이오, 가을과 봄은 오일이오, 여름은 삼일 만의 졈미 일두 빅셰ᄒ여 담갓다가 닉게 쪄 치오고 ᄭᆯ인 물 ᄒ 말 슐밋 ᄒ데 셧거 칠일 후의 쓰라."고 하였다.

반면 한글 표제의 <음식방문니라>에 수록된 '션표향법'의 주방문은 "빅미 두 되 빅세작말ᄒ야 물 한 말의 죽 쑤어 식게고 국말 ᄒ 되 셕거 츈추는 오일니뇨 하졀의는 삼일 만의 졈미 한 말 밥의 익게 쪄 식여 밋과 셕거 너헛다 칠일 만의면 쓰고 달고 밉고 그러ᄒ니라. 물을 쌀 수와 갓치 부히라."고 하였다.

결국 이 두 문헌의 주방문이 같은 방법으로 이루어지는 술임을 알 수 있고, 이들 문헌의 두 주방문에서 나타나는 한 가지 공통된 사실을 발견할 수 있다. <음식방문>에서는 다른 문헌들의 '석탄향' 덧술에 사용되지 않는 'ᄭᆯ인 물 ᄒ 말 슐밋 ᄒ데 셧거'라고 했으며, <음식방문니라>에서는 주방문 말미에 "물을 쌀 수와 갓치 부히라."고 기록되어 있다.

다시 말하면 다른 문헌의 '석탄향'에서는 밑술 외에 덧술에다 별도의 어떤 물도 사용하지 않는데 반해, <음식방문>의 '석탄향'에서는 밑술 외에 덧술에다 끓는 물 1말이 사용되고, <음식방문니라>의 '션표향법'에서는 밑술의 죽을 쑤는데, 물 1말이 나와 있는데도 불구하고 주방문 말미에 별도로 "물을 쌀 수(1말)와 같이 부으라."고 한 점이다.

이때 "물을 쌀 수와 같이"의 물 1말이 덧술 과정에 사용되는 것이라면, <음식방문>의 '석탄향'과 <음식방문니라>의 '션표향법'은 동일한 주방문으로, '션표향법'은 '석탄향'의 주방문을 옮기거나 베끼는 과정에서 잘못 기록한 게 아닐까 싶다.

왜냐하면 <음식방문>의 저술 연대가 1800년대 중엽으로, 신묘년(1891년)에 저술된 <음식방문니라>보다 훨씬 앞서기 때문이다. 또한 붓글씨체 세로로 내려 쓴 '석탄향'이란 글자를 '션표향'으로 잘못 보았을 가능성도 있기 때문이다.

물론 이는 단순히 개인 견해일 뿐 사실 여부는 뒤로하고, '션표향법'을 '석탄향', '석탄주' 편과 분류하여 수록하였음을 밝혀둔다. 특징 및 술 빚는 법에 관해서는 '석탄향', '석탄주', '션초향주' 편을 참고하길 바란다.

선표향법 <음식방문니라>

술 재료 : 밑술 : 멥쌀 2되, 누룩가루 1되, 물 1말
덧술 : 찹쌀 1말

술 빚는 법 :

* 밑술 :

1. 멥쌀 2되를 백세하여 (물에 담가 불렸다가, 다시 씻어 말갛게 헹궈 건져서 물기를 뺀 후) 작말한다.
2. 물 1말을 끓이다가 쌀가루를 풀어 넣고 팔팔 끓여 죽을 쑨다.
3. 죽은 푹 퍼지게 잘 익히고, 익었으면 넓은 그릇에 퍼서 차게 식기를 기다린다.
4. 차게 식은 죽에 누룩가루 1되를 섞고, 고루 버무려 술밑을 빚는다.
5. 술밑을 술독에 담아 안치고, 예의 방법대로 하여 봄·가을은 5일, 여름에는 3일간 발효시킨다.

* 덧술 :

1. 찹쌀 1말을 (백세하여 물에 담가 불렸다가, 다시 씻어 말갛게 헹궈 건져서) 시루에 안쳐 고두밥을 짓는다.
2. 고두밥이 무르게 익었으면, 퍼내 돗자리에 고루 펼쳐 차게 식기를 기다린다.
3. 차게 식은 고두밥에 밑술을 합하고, 고루 버무려 술밑을 빚는다.
4. 술밑을 술독에 담아 안치고, 예의 방법대로 하여 7일간 발효시킨다.
5. 7일 후에 용수를 박아 채주하여 마신다.

* 덧술의 쌀을 씻거나 불리라는 일체의 언급이 없다. 주방문 말미에 "쓰고 달고 밉고 그러ㅎ니라."고 하였으나, 주원료의 배합비율이나 술을 빚는 과정은 다른 문헌의 '석탄향'을 비롯하여 '선초향주', '석향주'와 동일하다는 것을 알 수 있다.

션표향법

빅미 두 되 빅세작말ᄒ야 물 한 말의 죽 쑤어 식게고 국말 흔 되 셕거 츈추는 오일니됴 하졀의는 삼일 만의 졈미 한말 밥의 익게 쪄 식여 밋과 셕거 너헛다 칠일 만의면 쓰고 달고 밉고 그러ᄒ니라. 물을 쌀 수와 갓치 부히라.

세신주

스토리텔링 및 술 빚는 법

'세신주(細辛酒)'는 1560년대 저술된 것으로 알려진 <수운잡방(需雲雜方)>을 비롯해 연대 미상의 <언서주찬방(諺書酒饌方)>과 <침주법(浸酒法)>, 1800년대 중엽의 문헌인 <역주방문(曆酒方文)>, 1925년대 <주방문조과법(造果法)>에 등장한다. '세신주'는 "맛이 매우 섬세하고 맵다."는 뜻을 담고 있는 주품이다.

<수운잡방>을 비롯해 연대 미상의 <언서주찬방>에 수록된 '세신주'의 주방문이 동일한 데 반해, <주방문조과법>, <침주법>, <역주방문>의 '세신주'는 주방문이 각각 다르다. 따라서 '세신주'는 <언서주찬방>과 <수운잡방>에서 유래한 것으로 추정되며, 세월이 흐르면서 술 빚는 사람의 취향이나 경제적 형편에 따라 각각 변화되었을 것으로 보인다.

'세신주'는 이양주법(二釀酒法)이다. <수운잡방>과 <언서주찬방>의 주방문을 보면, 밑술은 "멥쌀 5말을 백세세말하여 팔팔 끓는 물 10말을 쌀가루에 골고루 붓고, 고루 개어 죽(범벅)을 쑤고 차게 식기를 기다렸다가, 누룩 1말을 합하고 고루 버무려 술밑을 빚어 7(봄·가을 5일, 여름 4일)일간 발효시킨다."고 하였고,

덧술은 "멥쌀 10말을 백세하여 조석으로 물을 갈아가면서 3일간 불렸다가, 다시 씻어 헹구고 건져서 무른 고두밥을 짓는데, 고두밥을 찔 때에 물 5말을 뿌려가며 거듭 쪄서 익었으면 퍼내고 고루 펼쳐서 차게 식기를 기다린다. 고두밥에 밑술과 누룩 5되를 합하고, 고루 버무려 술밑을 빚고, 익었으면 내어 쓴다."고 한 것으로 미뤄 '청주' 주방문을 담고 있다.

'세신주'를 수록하고 있는 문헌 가운데 시대적으로 가장 앞선 <수운잡방>과 <언서주찬방>의 주방문을 분석해 보면, 쌀 양과 물 양이 동량으로 사용되고, 쌀 양의 10%에 해당하는 누룩으로 발효시키는 방법인데, 밑술의 2배되는 양의 쌀을 3일간 물에 담가 불린 후 고두밥을 쪄서 덧술을 해 넣는 독특한 방법을 이용하는가 하면, 밑술과 덧술에 동일하게 쌀과 누룩, 물이 사용되는 등 특별한 목적의 주방문을 보여주고 있다.

이를테면 가장 독특한 양주기법을 동원하면서도 안정적인 발효를 도모하기 위한 주방문이라는 뜻이다.

특히 누룩을 2차례 사용함으로써 덧술의 무난하면서도 안정적인 발효를 도모하여 날카로운 술맛이 나타나게 된다. 알코올 도수도 상당히 높을 것으로 추측된다. 밑술을 빚는 데 있어 반생반숙(半生半熟)법의 죽(범벅)을 사용하고, 밑술의 발효기간이 7일(봄·가을 5일, 여름 4일)간이라는 점에서 그 이유를 찾을 수 있겠다.

이 같은 경향은 1925년대 <주방문조과법>에서도 찾아볼 수 있다. 밑술이나 덧술에 밀가루를 사용하지 않고, 덧술은 밑술보다 많은 양의 쌀을 사용하되 적은 양의 끓는 물을 섞어 진고두밥을 만들어 사용하는 등 주질은 높이고, 발효기간을 짧게 가져가는 방문을 보여주고 있다.

또한 <수운잡방>과 <언서주찬방>의 '세신주' 주방문에서 주목되는 과정은, 덧술의 쌀을 3일간 불렸다가 다시 씻어서 고두밥을 짓는데, 이때 한 차례 쪄낸 고두밥에 쌀(고두밥)과 동량의 찬물을 뿌려서 다시 쪄낸다는 점이다.

이런 증미 방법은 고두밥을 무르고 균일하게 익히기 위한 것으로 수율이 높아지고 상대적으로 단맛이 많은 술을 얻을 수 있다는 장점이 있는 반면, 덧술의 발효가 더뎌지는 문제를 초래하기도 한다. 이를 보완하기 위해 덧술에도 누룩을 사용함으로써 발효가 안정적으로 잘 이뤄진다는 점에서 주목할 만하다.

　<수운잡방>과 <언서주찬방> 이후 문헌인 <역주방문>에서는 멥쌀 2말 5되(반생반숙법)와 가루누룩 2되, 밀가루 2되, 물 2말 5되로 빚은 밑술에 멥쌀 5말(고두밥)과 끓는 물 5말을 섞어 만든 진고두밥이 사용된다. 또한 밀가루를 사용함으로써 <수운잡방>이나 <언서주찬방>의 '세신주'보다 훨씬 부드럽고 깨끗한 맛의 '세신주'를 얻고 있다.

　<침주법>에서도 멥쌀 1말과 끓는 물 1말 5되로 만든 범벅에 가루누룩 1되, 밀가루 1되를 사용하고, 덧술은 백미 3말과 끓는 물 4말을 섞어 진고두밥을 만든다. 이때 소량의 누룩과 복숭아(꽃)잎 두세 줌을 사용하는 등 변형된 '세신주'의 주방문을 엿볼 수 있다.

　이처럼 <역주방문>과 <침주법>의 '세신주'는 후기로 내려오면서 점차 고급화로 치닫는 주방문을 보여준다. 알코올 도수가 높으면서도 날카로운 맛을 보다 순화시키기 위해 누룩의 양을 줄이고 있다. 특히 <침주법>의 경우, 가향재인 도화(桃花)를 사용하는 등의 기교가 두드러진다.

1. 세신주 <수운잡방(需雲雜方)>

술 재료 : 밑술 : 멥쌀 5말, 누룩 1말, 끓는 물 10말
　　　　　 덧술 : 멥쌀 10말, 누룩 5되, 물 5말

술 빚는 법 :

* 밑술 :

1. 멥쌀 5말을 백세하고(물에 담가 불렸다가, 다시 깨끗이 씻어 건져서) 세말하여(고운 가루로 빻아) 크고 넓은 그릇에 담아둔다.

2. 물솥에 물 10말을 붓고 팔팔 끓을 때 쌀가루에 골고루 붓고, 주걱으로 고루 개어 죽(범벅)을 쑨 다음 차게 식힌다.

3. 죽(범벅)에 누룩 1말을 합하고, 고루 버무려 술밑을 빚는다.
4. 술밑을 술독에 담아 안치고, 예의 방법대로 하여 7일(봄·가을 5일, 여름 4
   일)간 발효시킨다.

* 덧술 :
1. 멥쌀 10말을 백세하여 조석으로 물을 갈아가면서 3일간 불렸다가, 다시 씻
   어 헹구고 건져서 물기를 뺀 후 시루에 안쳐서 무른 고두밥을 짓는다.
2. 고두밥을 찔 때 물 5말을 뿌려가며 거듭 쪄서 무른 고두밥을 찌고, 익었으면
   퍼내 고루 펼쳐서 차게 식기를 기다린다.
3. 고두밥에 밑술과 누룩 5되를 합하고, 고루 버무려 술밑을 빚는다.
4. 술밑을 술독에 담아 안치고, 예의 방법대로 하여 발효시켜서 익었으면 내
   어 쓴다.

* '세신주'는 술맛이 약간 매운 술이라는 뜻이다.

細辛酒
白米五斗百洗細末湯水十斗作粥待冷曲一斗和入瓮春秋五日夏四冬七後白米
十斗百洗預浸三日朝夕更水全蒸水五斗酒飯重蒸甚熟待冷曲五升和前酒入瓮
熟用之.

2. 세신주 <언서주찬방(諺書酒饌方)>

술 재료 : 밑술 : 멥쌀 5말, 누룩가루 1말, 물 10말
         덧술 : 멥쌀 10말, 누룩가루 5되, 찬물 5말

술 빚는 법 :

* 밑술 :

1. 멥쌀 5말을 백세하고(물에 담가 불렸다가, 다시 씻어 헹궈 건져서 물기를 뺀 후) 작말하여(가루로 빻아) 넓은 그릇에 담아놓는다.
2. 솥에 물 10말을 붓고 끓이다가, 물이 더워지면 쌀가루를 풀어 넣고 고루 개어서 죽(범벅)을 쑨다.
3. 죽(범벅)을 넓은 그릇에 퍼서 (뚜껑을 덮은 채) 차게 식기를 기다린다.
4. 차게 식은 죽(범벅)에 누룩가루 1말을 섞고, 고루 치대어 술밑을 빚는다.
5. 술밑을 술독에 담아 안치고, 예의 방법대로 하여 봄·가을에는 5일, 여름에는 3일, 겨울에는 7일간 발효시킨다.

* 덧술 :

1. 멥쌀 10말을 백세하여 (물에 담가 불렸다가, 다시 씻어 헹궈 건져서 물기를 뺀 후) 시루에 안쳐 고두밥을 짓는다.
2. 고두밥에 (한 김 나면 고두밥을 뒤섞어주고) 찬물 5말을 뿌려, 다시 시루에 고쳐 안쳐서 무르게 찐다.
3. 고두밥이 익었으면 퍼내고, 고루 펼쳐서 가장 차게 식기를 기다린다.
4. 고두밥에 누룩가루 5되와 밑술을 한데 합하고, 고루 치대어 술밑을 빚는다.
5. 술밑을 술독에 담아 안치고, 예의 방법대로 두터이 싸매어 (21일간) 발효시킨다.

* 주방문 말미에 "그 빛깔과 맛이 가장 좋으니라."고 하였다.

셰신쥬(細辛酒)—白米十五斗 麴一斗半 水十五斗

빅미 단 말을 빅셰작말ᄒᆞ야 더운 믈 열 말로 섯거 쥭 수어 식거든 누룩ᄀᆞᄅ 흔 말을 섯거 독의 녀허 두듸 봄과 ᄀᆞ을흔 닷새오 녀름은 사흘이오 겨을흔 닐웬 만애 빅미 열 말을 빅셰ᄒᆞ야 ᄠᅵ고 믈 단 말로 밥애 ᄲᅳ려 고텨 므르게 ᄠᅧ ᄀᆞ장 식거든 누룩ᄀᆞᄅ 닷 되과 젼 미틔 섯거 녀코 두터이 ᄲᅡ미야 닉거든 ᄡᅳ면 그 빗과 마시 ᄀᆞ장 됴ᄒᆞ니라.

3. 세신주방 <역주방문(曆酒方文)>

술 재료 : 밑술 : 멥쌀 2말 5되, 가루누룩 2되, 밀가루 2되, 물 2말 5되
　　　　 덧술 : 멥쌀 5말, 끓는 물 5말

술 빚는 법 :

* 밑술 :

1. 멥쌀 2말 5되를 백세하고 (새 물에 담가 불렸다가, 다시 씻어 말갛게 헹궈 건져서) 작말하여(가루로 빻아) 넓은 그릇에 담아놓는다.

2. 물 2말 5되를 매우 오랫동안 팔팔 끓인 뒤, 쌀가루에 골고루 부어가면서 주걱으로 고루 개어 반생반숙(半生半熟)의 범벅을 만든다.

3. 범벅을 담은 그릇의 뚜껑을 덮고, 하룻밤 재워 차게 식기를 기다린다.

4. 범벅에 진말을 반죽하여 디뎌 띄운 가루누룩 2되와 밀가루 1되를 섞고, 고루 버무려 술밑(酒本)을 빚는다.

5. 소독하여 물기 없이 준비한 술독에 술밑을 담아 안치고, 술독 주둥이에 묻은 것을 깨끗하게 씻어낸다. 베보자기를 씌운 다음 뚜껑을 덮어 7일간 발효시킨다.

* 덧술 :

1. 멥쌀 5말을 백세하여 (물에 백 번 씻어 매우 깨끗하게 헹군 뒤, 새 물에 담가 불렸다가 다시 씻어 말갛게 헹궈서) 물기를 뺀다.

2. 솥에 물 5말을 붓고 팔팔 끓인다.

3. 불린 쌀을 시루에 안치고 쪄서 무른 고두밥을 짓고, 익었으면 넓은 그릇에 퍼 담는다.

4. 팔팔 끓고 있는 물 5말을 고두밥에 골고루 나눠 붓고, 고루 섞어 하룻밤 재워 고두밥이 물을 다 먹고 차디차게 식기를 기다린다.

5. 차게 식힌 고두밥을 밑술과 합하고, 고루 버무려 술밑을 빚는다.

6. 소독하여 물기 없이 준비한 술독에 술밑을 담아 안치고, (술독 주둥이에 묻은 것을 깨끗하게 씻어내고, 베보자기와 뚜껑을 덮어 따뜻한 곳에서) 7일간 발효시킨다.

細辛酒方

白米二斗五升白洗作末水二斗五升猛湯後以上白米末和匀其半則生又其半則熟按磨之經宿後淨洗瓮盎使無一滴水更取末曲末曲以其末踏成者二升眞末一升調匀於右二斗五升米末及二斗五升湯水納之瓮中卽酒本經一七日更以白米五斗百洗作飯猛湯水五斗和匀經一宿後調合於酒本過七日用之.

4. 세신주방 <주방문조과법(造果法)>

> 술 재료 : 밑술 : 멥쌀 2말, 누룩 2되, 끓는 물 2동이
> 덧술 : 멥쌀 4말, 누룩 2되, 끓는 물 2동이

술 빚는 법 :

* 밑술 :

1. 멥쌀 2말을 백세하여 새 물에 담가 밤재워 불렸다가, (다시 씻어 헹궈서) 작말한다(가루로 빻는다).
2. 솥에 물 2동이를 팔팔 끓여 쌀가루에 골고루 붓고, 주걱으로 고루 개어 담(범벅)을 쏜다.
3. 범벅을 그릇에 담고 (뚜껑을 덮어 밤 재워) 차게 식기를 기다린다.
4. 차게 식은 담(범벅)에 누룩 2되를 한데 섞고, 고루 치대어 술밑을 빚는다.
5. 술밑을 술독에 담아 안치고, 예의 방법대로 하여 4일간 발효시킨다.

* 덧술 :

1. 멥쌀 4말을 백세하여 (새 물에 담가 하룻밤 불렸다가, 다시 씻어 헹궈 건져 서 물기를 뺀 후) 시루에 안쳐 고두밥을 짓는다.
2. 솥에 물 2동이를 팔팔 끓이다가 고두밥이 익으면 그릇에 퍼 담고, 끓는 물을 고두밥에 골고루 부어 주걱으로 고루 섞어놓는다.
3. 고두밥이 물을 다 먹었으면 여러 개의 그릇에 나눠 담고, 차게 식기를 기다 린다.
4. 차게 식은 진고두밥에 누룩 2되와 밑술을 합하고, 고루 치대어 술밑을 빚는다.
5. 술밑을 술독에 담아 안치고, 예의 방법대로 하여 15일간 발효시킨다.

셰신쥬법
빅미 두 말 빅셰ᄒᆞ여 밤자여 작말ᄒᆞ여 믈 두 등희예 듐 기여 츠거든 누룩 두 되 섯거 둣다가 나흘만의 빅미 너 말 빅셰ᄒᆞ여 밤 자여 닉게 ᄶᅥ 더은 물 두 등 희예 골와 츠거든 ᄀᆞ든(든, 루) 누룩 두 되 밋술의 섯거 둣다가 보람만의 쓰라.

5. 세심주 <침주법(浸酒法)>
−네 말 빚이

> 술 재료 : 밑술 : 멥쌀 1말, 가루누룩 1되, 밀가루 1되, 끓는 물 1말 5되
>   덧술 : 찹쌀 3말, (누룩 3홉) 끓는 물 4말, 복숭아꽃가지 다량

술 빚는 법 :
* 밑술 :
1. 복숭아잎이 막 피어 노르스름한 빛이 생길 때, 멥쌀 1말을 백세하여 물에 담 가 불렸다가, 가루로 빻아 넓은 그릇에 담아놓는다.
2. 물 1말 5되를 팔팔 끓여 쌀가루에 골고루 나눠 붓고, 주걱으로 개어 반은 설 고 반은 익게 담(범벅)을 만든다.

3. (담(범벅)을 담은 그릇에 같은 크기의 그릇으로 뚜껑을 덮어 밤재워 차게 식기를 기다린다.)
4. 담(범벅)에 가루누룩 1되와 밀가루 1되를 합하고, 고루 버무려 술밑을 빚는다.
5. 술밑을 술독에 담아 안친 후, 예의 방법대로 하여 발효시키되 거품이 막 일어나면(술이 괴어오르면) 덧술을 준비한다.

* 덧술 :
1. 찹쌀 3말을 백세하여 물에 담가 하룻밤 불렸다가, 다시 헹궈서 물기를 빼놓는다.
2. 불린 쌀을 시루에 안치고 쪄서 고두밥을 짓고, 솥에 물 4말을 끓인다.
3. 고두밥이 무르게 익었으면 퍼내 넓은 그릇에 담고, 팔팔 끓고 있는 물 4말을 고두밥에 골고루 합한 뒤, 고두밥과 물이 차디차게 식기를 기다린다.
4. 고두밥과 물에 밑술(밑술이 과하게 익었으면 누룩 3홉을 넣는다.)을 한데 섞어 합하고, 고루 버무려 술밑을 빚는다.
5. 술밑을 술독에 담아 안친 후, 복숭아잎(꽃가지)을 가득 꽂아 채운다.
6. 술독은 예의 방법대로 하여 발효시켜, 복숭아잎이 시들고 술이 익기를 기다린다.

세심쥬(細辛酒)―옐 말
복셩닙피 막 픠여 노른 비치 이셜 제 빅미 흔 말 일빅 믈 시서 그른 밍그라 믈 마 닷 쬐 쓸혀 둠 기되 반을안 설고 반으란 닉게 기여 식거든 그른누록 흔 되와 진그른 흔 되롤 섯거더가 막 거푸미 쪄거든 춀빅미 서 말 일빅 믈 시서 흐른 쌤 재여 밥 닉게 쪄 믈 너 말 쓸혀 바배 골라 식거든 누록 업시 섯거 녀흐되 독 부우 쪠 복셩닙룰 것거 그듸기 고잣더가 그 닙피 니올거든 먹느니 미치 너모 니것거든 새 누록을 흔 홉식 셰여 녀흐라.

세심주

스토리텔링 및 술 빚는 법

학계에서 발표된 바에 따르면 <양주방>*은 전라도 지방의 반가에서 쓰인 주방문이라고 알려져 왔다. <양주방>*에는 80가지가 넘는 주방문이 수록되어 있는데, 1800년대 초기 기록이라는 설과 함께 1800년대 말기 기록이라는 두 가지 설이 있다.

반면 경상도 지방의 명문가에서 소장하고 있던 양주 관련 고문헌으로는 <수운잡방(需雲雜方)>과 <음식디미방>, <온주법(醞酒法)>, <양주방(釀酒方)>이 있다. 16세기 기록인 <수운잡방>을 제외하면 <음식디미방>은 한글 기록으로 시대가 가장 앞선 문헌이다. <온주법>과 <양주방>은 18세기 기록으로 알려지고 있다.

이들 문헌 중 전라도 지방의 문헌으로 알려진 <양주방>*과 함께 경상도 지방의 양주 관련 고문헌인 <온주법>은 서로 다른 지역에서 작성된 문헌임에도 공통점이 있다. 한글로 쓰인 기록이라는 사실 외에도 가장 독특하면서 다양한 방법의 주방문들로 구성되어 있다는 점이다. 특히 이들 문헌에서만 목격되는 주품명과 주방문들이 다수 기록되어 있다.

예를 들면, <온주법>에서 볼 수 있는 독특한 주품들로 '서왕모유옥성향주', '계 당주', '녹두주(녹되주)', '영향국년주', '감점주', '과하점미주', '정향주', '석향주', '밤 세향주', '신방주', '안정주', '청명불변주', '사미주' 등이 그것으로 16품이나 된다.

<양주방>*에서도 '해일주'를 비롯하여 '청명향', '당백화주', '벼락술', '육병주', '삼합주', '세심주', '소백주', '백단주', '매화술', '층층지주', '오두주', '햅쌀술', '향로주', '석술', '백수환동주', '경향옥액주', '창포술', '일두사병주', '오미자술', '혼돈주', '옥로 주', '만년향' 등 23품의 이들 문헌이 아니면 찾아볼 수 없는 특별한 주품들을 만 날 수 있다.

문제는 이 두 문헌이 모두 한글 기록이라는 점에서 이들 주품명의 사실적이고 구체적인 의미를 찾기가 어렵다는 데 있다.

여기에서 다루고자 하는 '세심주' 또한 같은 맥락에서 어려움이 따른다.

우선 <양주방>*의 '세심주' 주방문을 살펴보자. "흰 멥쌀 1말을 깨끗이 씻고 또 씻어 작말한 후, 끓는 물 1말 5되를 붓고 개어 범벅을 만든 뒤, 차게 식기를 기 다렸다가 빛깔이 좋은 가루누룩 1되를 섞고 3~4일간 발효시켜 밑술을 얻는다. 밑술이 막 괴어오를 때 흰 멥쌀 2말을 깨끗이 씻고 또 씻어 물에 담가 하룻밤 불 렸다가 고두밥을 짓는데, 끓는 물을 골고루 뿌려 섞고, 밤재워 차게 식었으면 밑 술을 한데 합하고, 고루 버무려 술밑을 빚는다. 이렇게 빚은 덧술은 10일간 발효 시킨다."고 하고, 주방문 말미에는 "겨울철에 빚는 술이니, 열흘 뒤에 가라앉거든 쓰라."고 하였다.

한편, 최근 발굴된 <양주(釀酒)>는 전주 전통술박물관 소장본으로 한글 붓글 씨로 쓰인 양주 관련 문헌이다. <양주>에 수록된 '세심주'에는 "빅미 흔 말 빅셰ㅎ 야 밤재여 ᄀ로 모아 물 두 말 쓸혀 기여 ᄎ거든 ᄀ로누록 너 되 진말 흔 되 교합ㅎ 야 둣다가 혹 엿 마리나 단 마리나 엿아홉 마리라도 각ː 쓸힌 물 두 말식 ㅎ고 밋 술의는 누록ᄀ로 눌너 혜여 각 칠 홉식 ᄒ라."고 하였다. 즉, 술을 빚는 방법이나 과 정은 <양주방>*과 동일하나, 주원료의 배합비율에서 차이가 있음을 알 수 있다.

이상의 주방문에서 보듯 '세심주'는 다른 주품들과 별다른 차이가 없지만, 어 떤 의미에서 주품명이 '세심주'인지 불분명하다. 그럼에도 불구하고 '세심주'의 주방문을 찬찬히 살펴보면 여느 주방문과 다소 다른 부분을 찾아볼 수 있다. 바로 덧술의 시기가 '밑술이 막 괴어오를 때'라는 대목이다. '밑술이 막 괴어오를 때' 덧술을 할 쌀을 씻어서 물에 담가 하룻밤 지낸 다음, 시루에 안쳐서 고두밥을 짓고, 끓는 물을 골고루 뿌려 섞어 밤재워 차게 식으면 밑술을 한데 합하고 고루 버무려 술밑을 빚는데, 이 시간이 24시간 내에 이루어진다는 것이다.

그런데 이와 같은 방법의 주방문을 <침주법(浸酒法)>의 '세신주'에서도 찾을 수 있다. 술 빚는 법도 매우 유사하다. 때문에 "혹시 '세신주'와 '세심주'가 동일한 주품명이 아니었을까?" 하는 생각을 해봤지만, 두 주품명으로 수록된 주방문에서 어떤 공통점을 찾기가 매우 힘들었다. 그렇다고 이 두 주품명이 서로 다른 술이라고 확신할 수도 없다는 게 솔직한 고백이다.

어찌됐든 '밑술이 막 괴어오를 때 덧술할 원료를 준비하여 술을 빚기까지의 시간이면 밑술은 어떤 상태가 될까?' 하는 것이 이 '세심주'의 특징과 주질을 결정짓는 요소라는 게 필자의 견해이다.

우리 술, 곧 전통 누룩을 사용해 술을 빚어본 사람이면 이미 경험했을 테지만, '세심주'의 주방문대로 술을 빚다 보면 덧술의 발효가 빠른 시간에 이뤄지고 품온의 상승도 가파르게 일어난다는 사실을 알게 된다. 동시에 술을 빚은 지 하루도 안 돼 술이 끓어올랐다 내려앉은 현상을 늦게 발견해 이미 산패된 것을 목격하거나, 비록 성공했다 하더라도 그 맛이 매우 독하고 쓰며 거칠다는 걸 경험해 봤을 것이다.

더욱이 문제는 주발효 시 품온이 가파르게 상승하는 데 따른 온도 관리가 힘들어진다는 점이다. 경험이 많은 숙련된 사람이 아니면 자칫 산패하거나 과숙된 술덧으로 인해 그 맛과 향이 반감되기 일쑤여서 대개는 꺼리는 주품이다. 주방문 말미에 "겨울철에 빚는 술이니, 열흘 뒤에 가라앉거든 쓰라."고 한 대목의 의미가 바로 여기에 있다. '세심주'는 겨울철이 아니면 술 빚기가 힘들다는 사실을 암시하고 있다. 겨울철이라야 술덧의 품온이 단시간에 가파르게 상승하는 것을 억제시킬 수 있고, 거친 맛이 아닌 부드럽고 방향이 풍부한 맛의 술을 얻을 수 있기 때문이다.

이러한 주방문을 이용한 술 빚기에서 유념할 점은 무엇보다 술 빚을 고두밥

을 가능한 한 차갑게 냉각시킨 후에 사용하고, 가능하다면 밑술의 온도도 낮출
수 있는 한 최대한으로 차게 식혀서 술 빚기에 임해야 한다. 그래야 실패가 없다.

1. 세심주 <양주(釀酒)>

> 술 재료 : 밑술 : 멥쌀 1말, 가루누룩 4되, 밀가루 1되, (끓는) 물 2말
> 　　　　 덧술 : (멥)쌀 6말이나 5말(또는 9말), 누룩가루 4되 2홉~4되(또는 6되
> 　　　　　　　　 3홉), 끓는 물 12~10말(또는 18말)

술 빚는 법 :

* 밑술 :

1. 멥쌀 1말을 백세하여 (물에 담가 밤재워 불렸다가, 다시 씻어 헹궈서 물기를
   뺀 후) 가루로 빻는다(넓은 그릇에 담아놓는다).
2. (넓은 그릇에) 쌀가루와 (끓는) 물 2말을 합하고, 주걱으로 고루 익게 개어
   범벅을 쑨 후, 차게 식기를 기다린다.
3. 범벅에 가루누룩 4되와 밀가루 1되를 한데 합하고, 고루 버무려 술밑을 빚
   는다.
4. 술밑을 술독에 담아 안치고, 예의 방법대로 하여 (3~4일간) 발효시킨다.

* 덧술 :

1. (멥)쌀 6말이나 5말(또는 9말)을 준비한다(백세하여 물에 담가 밤재워 불렸
   다가, 다시 씻어 헹궈서 물기를 빼놓는다).
2. (불린 쌀을 시루에 안쳐서 고두밥을 찌고) 쌀 1말당 물 2말씩 솥에 담아 물
   12~10말(또는 18말)을 팔팔 끓인다.
3. 고두밥이 익었으면 (넓은 그릇에) 퍼내고, 끓는 물 12~10말(또는 18말)을 골
   고루 퍼붓고, 고두밥이 물을 다 먹고 차게 식기를 기다린다.

4. 밑술에 쌀 1말당 누룩가루 7홉씩 4되 2홉~4되(또는 6되 3홉)를 한데 합하여 놓는다.

5. 고두밥이 차게 식었으면 밑술과 합하고, 고루 버무려 술밑을 빚는다.

6. 술밑을 술독에 담아 안치고, 예의 방법대로 하여 발효시킨다(익기를 기다린다).

셰심쥬

빅미 흔 말 빅셰ㅎ야 밤재여 ㄱ르 므아 물 두 말 슬혀 긔여 ㅊ거든 ㄱ르누록 너 되 진말 흔 되 교합ㅎ야 듯다가 혹 엿 마리나 단 마리나 엿아홉 마리라도 각: 슬힌 물 두 말식 ㅎ고 밋술의는 누록ㄱ르을 눌너 혜여 각 칠홉식 ㅎ라.

2. 세심주 <양주방>*

술 재료 : 밑술 : 멥쌀 1말, 가루누룩 1되, 끓는 물 1말 5되
　　　　 덧술 : 멥쌀 2말, 끓는 물(1말)

술 빚는 법 :

* 밑술 :

1. 흰 멥쌀 1말을 깨끗이 씻고 또 씻어(백세하여 물에 담가 불렸다가, 다시 씻어 건져서 물기를 뺀 후) 작말한다.

2. 끓는 물 1말 5되를 쌀가루에 골고루 붓고, 주걱으로 범벅을 개어 차게 식기를 기다린다.

3. 차게 식은 범벅에 (법제하여) 빛깔이 좋은 가루누룩 1되를 섞고, 고루 버무려 술밑을 빚는다.

4. 술독에 술밑을 담아 안치고, 예의 방법대로 하여 3~4일간 발효시킨다.

＊덧술 :

1. 술이 막 괴어오를 때 흰 멥쌀 2말을 깨끗이 씻고 또 씻어(백세하여) 물에 담
   가 하룻밤 불렀다가 (다시 씻어 건져서 물기를 뺀 후) 시루에 안쳐 고두밥
   을 짓는다.

2. 고두밥이 익었으면 퍼내고, 끓는 물(1말)을 골고루 뿌려 섞고, (뚜껑을 덮
   어) 밤재워 놓는다.

3. 고두밥이 물을 다 먹고 차게 식었으면 밑술을 한데 합하고, 고루 버무려 술
   밑을 빚는다.

4. 술독에 술밑을 담아 안치고, 예의 방법대로 10일간 발효시켜 술덧이 가라앉
   았으면 용수 박아 채주한다.

＊주방문 말미에 "겨울철에 빚는 술이니 열흘 뒤에 가라앉거든 쓰라."고 하였다.

세심쥬

빅미 흔 말 빅셰작말ᄒᆞ야 물 말가옷 ᄀᆞ장 ᄭᅳᆯ혀 닉게 ᄀᆡ야 마이 치와 빗조흔
국말 흔 되로 고로 섯거 너허 막 ᄭᅵᆯ 젹의 삼ᄉᆞ일이나 될 거시니 빅미 두 말을
빅셰침슈ᄒᆞ야 밤재여 닉게 ᄶᅥ 물을 마이 ᄭᅳᆯ혀 밥의 골나 두엇다가 물이 다ᄆᆞᆯ
거든 녀러 그ᄅᆞ시 치와 ᄀᆞ장 ᄎᆞ거든 슐밋ᄒᆡ 섯거 너허 두라. 겨울의 빗ᄂᆞᆫ 슐
이니 녈흘 후 ᄀᆞ라안거든 쓰라.

세향주

스토리텔링 및 술 빚는 법

"멥쌀 2말을 백세하여 물에 담가 하룻밤 불렸다가, 세말하여 물 3말을 끓여 쌀가루에 고루 붓고 개어 담(범벅)을 만든다. 차게 식기를 기다려 누룩 3되와 진말 1되를 섞는다. 7일 후에 멥쌀 4말을 백세하여 물에 담가 하룻밤 불렸다가, 고두밥을 짓는다. 물을 끓이다가 고두밥이 익었으면 끓는 물 6말을 합하여 차게 식거든, 누룩 2되와 한데 섞고 14일 후에 쓰라."

"백미 두 말을 일백 번 물에 씻어 하룻밤 재워 가루 만들어 물 3말 끓여 담 개되, 반은 설고 반으로는 익게 개어 가장 식거든, 가루누룩 2되와 진가루 한 되를 섞어 두었다가, 익거든 찰백미 닷 말을 일백 번 물에 씻어 하룻밤 재워 밥 익게 쪄 물 열 말 끓여 고두밥에 골화, 가장 차게 식거든 먼저 밑에 누룩 없이 섞으라. 가장 좋으니라."

<양주집(釀酒集)>의 '서향주(暑香酒)'와 <침주법(浸酒法)>의 '세향주(細香酒)' 주방문이다. 이 두 주방문이 매우 유사하기 때문에 이 두 문헌의 주방문이 서로 연관이 있다고 판단하게 되었다.

<양주집>의 '서향주'와 <침주법>의 '세향주' 주방문에서 보이는 차이는, 밑술에서 누룩과 밀가루의 양, 덧술에서 쌀과 물의 양과 누룩의 유무이다. 물론, 덧술의 차이는 매우 큰 것으로, 두 주방문이 동일한 것으로 보기는 어렵다. 다만, 여기서 주목할 점은 쌀 양에 비해 물의 양이 상대적으로 많다는 점이다. <침주법>의 '세향주'가 <양주집>의 '서향주'보다 훨씬 더 많음에도 불구하고, 덧술에서는 누룩 없이 빚는다는 사실이다. '세향주'와 '서향주'는 주품명도 유사하지만, 술의 원료 배합비율에서 나타나는 공통점은 물의 양이 많다는 것이다.

　　결국 이 두 주방문의 차이는 계절의 차이로 나타난다. '세향주'는 겨울철 술이고, '서향주'는 여름철 술이다. '세향주'는 물의 양이 쌀 양보다 곱절이나 많음에도 불구하고, 덧술에 누룩이 사용되지 않는다. 그 까닭은 '세향주'가 겨울철에 빚는 술이기 때문이다. 반대로 덧술에도 누룩을 사용하면 여름철에도 술 빚기가 가능한 주방문이 된다. 물론 이때의 누룩 양은 1되 정도면 충분하다.

　　하지만, '세향주'가 어떤 의미인지는 확신할 수 없다. '세향주'를 빚어 그 맛과 향기에 대한 경험을 얘기하자면, '세향주'는 <주방(酒方)>*이나 <주찬(酒饌)>의 '소곡주(小麯酒)'와 매우 유사하다. 술맛이 매우 깨끗하고 담백하며, 튀어나지 않은 깔끔하면서도 맑은 향기가 있다.

　　따라서 <침주법>의 '세향주'는 "깔끔하면서도 담백한 맛과 서늘한 향기의 술"이라는 의미를 부여하고 싶은 술이다.

　　필자의 입맛에는 너무 싱겁다고 할 정도로 담백하여 의도적으로 3개월 정도 방치했는데, 이렇게 숙성을 시킨 후에는 부드러워져서 마시기에 좋았다. 개인적으로는 술꾼들 사이에서 사랑 받을 만하다는 생각도 들었다.

　　<침주법>의 '세향주'는 밑술을 빚기가 유달리 힘들다. 쌀의 양이 많기 때문이기도 하거니와 범벅을 쑤기가 여간 힘들기 때문이다. 특히 끓는 물과 쌀가루를 섞을 때 조절을 잘못하면 밑술의 발효 시 끓어 넘치기 십상이므로, 쌀가루를 그릇 두개에 나눠 담고 물도 등분하여 범벅을 쑬 필요가 있다. 또한 범벅을 가장 차디차게 식힌 후에 누룩과 잘 혼화를 할 필요가 있으며, 밑술이 끓기 시작할 무렵에는 덧술 쌀을 씻어 불려야만 실패가 없다.

　　또한 덧술에서는 고두밥의 양보다 상대적으로 물의 양이 많기 때문에 잘 식지

않으므로, 하룻밤을 재워서 충분히 차게 식힌 후에 빚어야만 한다.

세향주 <침주법(浸酒法)>
－엿 말 빚이

> 술 재료 : 밑술 : 멥쌀 2말, 가루누룩 2되, 밀가루 1되 5홉, 끓는 물 3말
>   덧술 : 멥쌀 4말, 물 10말

술 빚는 법 :

* 밑술 :

1. 멥쌀 2말을 백세하여 물에 담가 하룻밤 불렸다가, 다시 씻어 헹궈서 물기를 빼놓는다.

2. 불린 쌀을 가루로 빻아 넓은 그릇에 담아놓는다.

3. 가마솥에 물 3말을 팔팔 끓여 쌀가루에 골고루 나눠 붓고, 주걱으로 골고루 개어 반은 익고 반은 설익은 담(범벅)을 만든다.

4. 담(범벅)을 개었던 그릇은 (똑같은 크기의 그릇으로 뚜껑을 덮어) 저절로 차디차게 식기를 기다린다.

5. 차게 식은 담(범벅)에 가루누룩 2되와 밀가루 1되 5홉을 합하고, 고루 버무려 술밑을 빚는다.

6. 술밑을 술독에 담아 안치고, 예의 방법대로 하여 술이 괴어오르기를 기다린다.

* 덧술 :

1. 특히 도정을 많이 한 멥쌀 4말을 백세하여 물에 담가 하룻밤 불렸다가, 다시 헹궈서 물기를 빼놓는다.

2. 불린 쌀을 시루에 안치고 쪄서 고두밥을 짓고, 솥에 물 10말을 끓인다.

3. 고두밥이 무르게 익었으면 퍼내어 넓은 그릇에 담고, 팔팔 끓고 있는 물을 고두밥에 골고루 끼얹은 뒤, 고두밥이 물을 다 먹기를 기다린다.
4. 고두밥을 넓은 그릇에 나눠 담고, 차디차게 식기를 기다린다.
5. 고두밥에 밑술을 한데 합하고, 고루 버무려 술밑을 빚는다.
6. 술밑을 술독에 담아 안친 후, 예의 방법대로 하여 (차지도 덥지도 않은 곳에서) 발효시키고, 술이 익기를 기다린다.

* 주방문에 밑술의 쌀은 '백미'라고 한 반면, 덧술의 쌀은 '찰백미'라고 하였는데, '특히 도정을 많이 한 멥쌀'로 해석하였다.

세향쥬(細香酒)—연 말

빅미 두 말 일빅 믈 시서 흐르 쌤 재여 ᄀ른 밍그라 믈 서 말 슬혀 둠 기되 반으란 셜고 반으란 닉게 기여 ᄀ장 식거든 ᄀ른누록 두 되와 진ᄀ른 흔 되를 섯거 둣다가 막 거푸미 셔거든 빅미 너 말을 일빅 믈 시서 흐르 쌤 재여 밥 닉게 쪄 믈 연말 글혀 바배 고르라. ᄀ장 식거든 몬져 미틔 누록 업시 섯그라. ᄀ장 죠흐니라.

소곡주 · 소국주

스토리텔링 및 술 빚는 법

우리나라에서 가장 인지도가 높은 전통주 가운데 한 가지인 '소곡주' 또는 '소국주'라고 부르는 이 주품명은 다양한 표기법에서 주목할 필요가 있다. '소곡주' 또는 '소국주'는 '小麴酒', '少麴酒', '小麯酒', '少麯酒', '小曲酒', '素麴酒', '素麯酒' 등 다양한 한문 표기법에서도 알 수 있듯이 '누룩을 적게 사용하여 빚은 술'이란 뜻에서 유래한 술 이름이다.

이러한 '소곡주' 또는 '소국주'는 매우 오랜 역사를 지닌 술로 전해 오고 있다. 일제강점기의 '주세법'에 의한 자가양주 금지와 해방 후의 서슬 퍼렇던 '양곡관리법'에 따른 밀주 단속 기간에도 예의 명맥을 이어온 술로, 서천 지방의 '한산 소곡주(韓山 素麴酒)'에서 그 전통의 면모를 찾아볼 수 있다.

한편, <박씨전>에 "신라가 고려에 항복하려고 하자, 경순왕(敬順王)의 장자였던 마의태자(麻衣太子)가 그를 추종하는 무리를 이끌고 개골산에 들어가 마의(麻衣)를 입고 나라를 잃은 설움을 술로 풀었는데, 그 맛이 '소곡주'와 같았다."고 하는 이야기가 설화로 전해 오고 있는 것으로 미뤄 삼국시대 때부터 명성을 얻었던 술로 추측되나, 그 어떤 사실적 기록이나 뚜렷한 근거는 없다.

다만 '소곡주' 또는 '소국주'를 빚는 과정에서 밑술을 '죽'과 '범벅', '백설기(흰무리)' 상태로 빚는 이양주(二釀酒)와 삼양주(三釀酒)가 양주 관련 전문서적과 고식문헌에 수록되어 있다는 사실에 비춰, 죽 또는 범벅, 흰무리떡 형태로 빚는 '법주'나 '방문주' 등과 함께 발달해 왔을 것이라는 추론이 가능할 뿐이다. 어찌됐든 '소곡주' 또는 '소국주'는 대표적인 계절주이자 청주류의 한 가지로 자리매김 되어 왔는데, 여러 가지 다양한 방법들이 있다.

우선 '소곡주' 또는 '소국주' 주방문이 소개된 옛 기록들을 조사해 본 결과 <감저종식법(甘藷種植法)>을 비롯하여 <고려대규합총서(高麗大閨閤叢書, 異本)>, <고사신서(攷事新書)>, <고사십이집(攷事十二集)>, <고사촬요(故事撮要)>, <규중세화>, <규합총서(閨閤叢書)>, <김승지댁주방문(金承旨宅廚方文)>, <농정회요(農政會要)>, <민천집설(民天集說)>, <봉접요람>, <부인필지(夫人必知)>, <산가요록(山家要錄)>, <산림경제(山林經濟)>, <산림경제촬요(山林經濟撮要)>, <수운잡방(需雲雜方)>, <술방>, <술 빚는 법>, <시의전서(是議全書)>, <양주방>*, <양주방(釀酒方)>, <양주집(釀酒集)>, <언서주찬방(諺書酒饌方)>, <역주방문(曆酒方文)>, <온주법(醞酒法)>, <요록(要錄)>, <우음제방(禹飮諸方)>, <음식디미방>, <음식방문(飮食方文)>, <음식방문니라>, <음식보(飮食譜)>, <의방합편(醫方合編)>, <임원십육지(林園十六志)>, <이씨(李氏)음식법>, <주방(酒方)>*, <주식방(酒食方, 高大閨壺要覽)>, <주정(酒政)>, <주찬(酒饌)>, <증보산림경제(增補山林經濟)>, <치생요람(治生要覽)>, <학음잡록(鶴陰雜錄)>, <한국민속대관(韓國民俗大觀)>, <해동농서(海東農書)>, <홍씨주방문> 등 총 43종의 문헌에 64차례나 수록되어 있었다.

우선, 반드시 짚고 넘어가야 할 분명한 한 가지 사실은, '소국주' 또는 '소곡주'에 대한 주품명 및 주방문은 위의 한글 문헌 21권에서 29회, 한문 문헌 22권에서 35회 수록되어 있다. 이 가운데 한글 표기 '소곡주'는 5회, '소국주'는 21회이고, 한문 표기 '小麴酒'는 6회, '少麴酒'는 4회, '小麯酒'는 12회, '少麯酒'는 8회, '小曲酒'는 3회, 그리고 '素麴酒'는 1회, 한글과 한문 혼용표기는 '소곡주(小麴酒)' 2회, '쇼국쥬(素麴酒)'와 '소국주(小菊酒)'가 각각 1회씩으로 분석되었다.

이로써 '소곡주'와 '소국주'가 거의 동등한 비율로 나타나고 있다는 사실을 확인할 수 있었으며, 표기방법도 다양하다는 것을 알 수 있는데, 문제는 현재까지도 민간에서 전승되고 있는 가양주 형태의 '한산 소곡주(韓山素麴酒)'에 대한 호칭이다. '한산 소곡주'에서는 '누룩 국(麴)' 자를 '곡'으로 부르고 있는 사실과 관련하여 '소국주' 또는 '소곡주'에 대한 명칭을 일원화시킬 필요가 있다는 것이다.

또한, '한산 소곡주'는 주·부재료의 사용과 간련하여 변형된 가양주로서 약용약주의 한 가지로 구분하는바, 일반적인 '소국주' 또는 '소곡주'와는 또 다른 주품으로 규정해야 옳기 때문이다.

따라서 '소국주' 또는 '소곡주'에 대한 사회적 합의, 곧 '소곡주'로 부를 것인지 아니면 '소국주'로 부를 것인지를 결정해야만 한다. 똑같은 주품에 대하여 다른 호칭이나 표기법이 다른 데서 자칫 혼란을 야기할 수 있기 때문이다.

따라서 필자는 '소곡주' 또는 '소국주'가 자전(字典)에서 어떻게 표기되고 기록되어 있든 간에 우리나라 사람들 가운데 절대다수가 '소곡주'로 부르고 있다는 점에서 그 명칭이나 표기법을 '소곡주'로 하는 것을 적극 주장하고 싶다.

이와 같은 주장을 펼치는 배경에는 우리나라 전통주를 수록하고 있는 조선시대 문헌 가운데 '과하주'와 함께 가장 높은 수록 빈도수를 보여주고 있는 주품은 '소곡주' 또는 '소국주'밖에 없다는 사실과 함께, '소곡주'야말로 우리 조상들의 뛰어난 양주기술을 자랑할 수 있는 주품이라는 사실에서이다.

조선시대 문헌에 수록된 '소곡주' 또는 '소국주'는 이양주가 주류를 이루고, 더러 삼양주가 몇몇 문헌에 전해 오고 있다.

필자가 조사·연구한 바에 따르면, 우리나라 문헌에 등장하는 전통 주품의 종류는 520여 종에 이르는데, 그 중 '과하주'에 이어 가장 다양한 주방문과 함께 등장 횟수가 가장 많은 주품명이 '소곡주' 또는 '소국주'라는 사실이다. 이는 '소곡주' 또는 '소국주'의 가능성과 함께 대중성을 암시하는 것으로, 현대의 양주인들에게 시사하는 바가 크다고 할 것이다.

국내의 양주 관련 최고(最古) 기록으로 알려진 <산가요록>의 '소국주(少麴酒)' 주방문을 보면, "米十五斗二升. 白米七斗五升 洗浸細末 湯水 作粥 待冷. 麴末七升 眞末五升 合造 待熟. 白米七斗七升 洗浸全蒸待冷. 麴末三升 磑出 前酒 合造(멥

쌀 7말 5되를 씻어 물에 담갔다가 곱게 가루를 내고 끓는 물로 죽(粥)을 쑨다. 식으면 누룩가루 7되, 밀가루 5되를 섞어 술을 빚는다. 익으면 멥쌀 7말 7되를 씻어 물에 담갔다가 푹 찐 다음에 식혀서 누룩가루 3되와 섞어 먼저 빚은 밑술로 덧술하여 빚는다)."고 하였다.

　<산가요록>의 '소국주' 주방문을 분석해 보면, 끓는 물과 쌀가루를 섞어 쑨 죽(반생반숙, 범벅)으로 술을 빚고, 술 빚기에 사용되는 쌀의 양이 총 15말(斗) 2되(升)인데, 밑술과 덧술의 쌀 양이 동일하고, 밑술은 죽(범벅)으로 하고 덧술은 고두밥으로 빚는다는 것과 누룩의 사용량은 1말(斗)로 그 비율이 6.66%에 그친다는 것을 알 수 있다.

　또한 한글 붓글씨본의 문헌으로 시대가 가장 앞선 <음식디미방>에서도 동일한 주방문을 엿볼 수 있으며, 연대 미상의 <언서주찬방>의 주방문에 수록된 '소국주(小麴酒) 또 한 법'을 볼 수 있는데, 그 내용이 <산가요록>과 <음식디미방>의 주방문과 동일하며, "누룩을 적게 사용하여 빚은 술"이란 의미를 확인할 수 있어, 이들 문헌의 주방문을 '소곡주' 또는 '소국주'의 원형으로 볼 수 있겠다.

　특히 <언서주찬방>에 수록된 '소국주(小麴酒)' 주방문은 "백미 흔 말 백셰작말ᄒ야 그르세 담고 믈 두 병을 ᄀ장 끌이여 골뢰 뗌뗌 브어 괴면 떡 ᄀ트니 선데 업시 개야 식거든 누룩 흔 되 진말 흔 되 섯거 고로 쳐 합거든 독에 녀허 닐웨 후제 백미 두 말 백셰ᄒ야 닉게 쪄 매 흔 말애 글흔 믈 두 병식 골와 식거든 그 밋술에 버무려 녀허 둣다가 세닐웬 만애 맑안ᄂ니 그제야 드리워 쓰라."고 하여 쌀 3말에 누룩 1되로 그 비율이 3.3%에 그친다는 걸 알 수 있다. 이는 <산가요록>이나 <음식디미방>에 수록된 주방문보다 누룩의 사용량이 훨씬 적으므로 '소국주'라는 주품명의 의미와 유래를 거듭 확인할 수 있다.

　종합해 보면 시대적으로 가장 앞선 이들 문헌들에 수록된 '소국주'는, 밑술을 쌀가루에 끓는 물을 섞어 설익히는 죽(범벅)이나 반생반숙(半生半熟) 형태의 '범벅'을 쑤어 차게 식힌 뒤 누룩가루와 밀가루를 섞어 빚고, 고두밥을 쪄서 식힌 다음에 밑술과 섞어 덧술을 하는 일반적인 이양주법을 따르고 있다.

　또한 필요에 따라 덧술에도 재차 누룩가루를 섞어 빚기도 하며, 쌀의 양 대비 누룩(가루)의 양이 6.66~3.33%밖에 되지 않는, 극히 적은 양의 누룩을 사용한다는 특징을 찾을 수 있다. 술을 빚는 시기나 양주기법이 특별한 것은 아님을 알 수 있다.

이후 1500년대 초 <수운잡방>의 '소국주(小麴酒)'와 '소국주 우법(小麴酒 又法)' 등 두 가지 삼양주법 주방문을 각각 다르게 표기하고 있는 것을 볼 수 있으며, 1700년대 말 <양주방>, 시대 미상의 <술방>에서도 각각 삼양주법의 주방문이 등장하는 것을 목격할 수 있다.

<술방>의 '소곡주' 주방문에는 "정월 첫 해일에 찹쌀 한 말 백세작말하여 구무떡 맨드러 살마 개어 곡말 한 말 넉되, 진말 한 말 한데 버무려 두엇다가 삼월의 백미 아홉 되 작말하여 먼저 현 술밑 서른두 구기씩 떠 부어 주물러 다 익은 후, 찹쌀 두 말 덧하여 이십일 만의 익나니라."고 하였다. 그런데 <수운잡방>의 '소국주'에서는 또 다른 두 가지 주방문을 확인할 수 있다. 밑술은 '범벅', 덧술은 '흰무리떡(백설기)', 2차 덧술은 '고두밥'으로 빚는 방법과 '죽'·'흰무리떡'·'흰무리떡'으로 빚는 방법이 그것이다.

또한 <술방>에서는 '구멍떡'·'범벅'·'고두밥'으로 빚는 법이, <양주방>에서는 '범벅'·'진고두밥'·'진고두밥'으로 빚는 법 등 변화된 주방문을 엿볼 수 있다. 즉, 밑술을 '죽(범벅)'·'흰무리떡'으로 빚는 이양주법보다 '범벅'·'구멍떡'·'흰무리떡'으로 다양하게 나타나고 있다. 주원료의 배합비율에 있어서도 쌀 양에 비해 누룩의 양이 3.33%, 4.54%, 35.9%, 2%로 조금씩 차이가 난다.

다시 말해 삼양주법의 '소곡주' 또는 '소국주'는 동일한 주방문을 목격할 수 없을 뿐만 아니라, 2차 덧술에서도 '범벅'을 사용하는가 하면, '진고두밥'이 아닌 '고두밥'만을 단독으로 사용하는 등 '소곡주'의 다양화가 이루어지기 시작했다. 실제로 1600년대 말에 이르러서는 더욱 다양한 방법의 '소곡주' 또는 '소국주'가 등장하기 시작한다. 그 예로 <치생요람>의 '소국주' 주방문을 보면, "멥쌀 1말을 깨끗하게 가려 필히 백세작말한다. 쌀가루를 체에 내려 남은 무거리를 정화수 1말과 섞어 끓이고, 그 물과 쌀가루를 고르게 섞는다. 식으면 누룩가루 1되 5홉을 고루 조화한다. 7일이 지나서는 또 곱게 가린 쌀 2말을 앞에서와 같이 100번을 씻고, 먼저 물(2말)을 끓인다. 불린 쌀을 쪄서 끓는 물(2말)과 고루 합하고, 차가워지기를 기다렸다가, 전술과 같이 빚어서 서로 고루 섞는다. 21일 뒤에 맑게 가라앉힌 다음 쓴다."고 하였다.

술 빚을 쌀의 '백세(百洗)'를 강조하고 있으며, 밑술은 1차 풀죽을 쑤어 다시 쌀가루와 섞어서 반생반숙의 범벅을 쑤는 방법으로 변화되었다. 밑술에 사용된 쌀보다 2배 더 많은 쌀로 고두밥을 짓고 다시 끓는 물로 한 차례 더 익힌 '진고두밥'을 사용하여 덧술을 한다는 것도 알 수 있다. 술 빚을 쌀의 '백세'와 관련해 <산가요록>에서는 '세침(洗浸)'이라고 하였으나, <언서주찬방>과 <음식디미방>에서는 '백세'라는 지칭을 사용하기 시작했다. 이 외에도 "깨끗하게 찧은 멥쌀 1말을 수를 세어가면서 백세하여"(<감저종식법>), "백삼십세하여"(<김승지댁주방문>), "희게 쓿은 멥쌀 2말을 씻고 또 씻어"(<양주방>*), "무수히 씻고 또 씻어 건져서"(<음식방문>), "잘 가린(선별한) 멥쌀 1말을 백 번을 세면서 씻어"(<의방합편>), "도정을 많이 하여 깨끗한 멥쌀 1말을 숫자를 세어가며 백세하여"(<주찬>), "도정을 많이 하여 깨끗한 멥쌀 1말을 숫자를 세어가며 백세하여"(<증보산림경제>) 등 쌀 씻기를 매우 강조하고 있으며, 대부분의 문헌에서도 쌀 씻는 법에 대해 '백세'를 기본으로 하고 있음을 확인할 수 있었다.

이처럼 '백세'를 강조한 배경은 '소곡주' 또는 '소국주'가 누룩을 적게 사용하여 빚는 술인 만큼 발효를 억지하는 쌀의 일반 영양성분을 제거하기 위한 조치였다는 것이다. 이는 옛 조상들의 양주기술이 현대양주의 모태가 되었다는 사실을 재확인할 수 있는 대목이다. 특히 <홍씨주방문>에서는 "정월 초 해일에 백미 닷 되 작말하여 물 서 말에 죽 쑤어 항에 퍼 두다가 식혀 더운 것 없거든 누룩가루 닷 홉, 진말 닷 홉 넣어 저어 두다가 이튿날 점미 서 말 익게 쪄 덩이로 뭉쳐 넣어 한데 내어두면 얼락녹으락하여 더 저어 두었다가 삼월에 물 퍼 쓰듯 하나니, 오래도록 맛이 더 맵고 향기로운 맛이 더 오니라."고 하여, 밑술에 '죽(粥)'을 쑤어 사용하고, 그 대신 누룩 사용 양이 1.3%로 더욱 줄었다. 이는 양주기술이 고도로 발전하였다는 사실을 확인할 수 있는 대목이다.

그리고 <홍씨주방문>의 '소국주' 덧술은 찹쌀로 바뀐 데다 술밑을 메주처럼 덩이로 뭉쳐서 술독에 안치는 특이한 방법으로 변화하였다. 또한 1700년대 말 <양주방>의 '소곡주(너 말 빚이, 닷 말 빚이, 엿 말 빚이)'를 보면, 멥쌀을 가루로 빻아 끓는 물과 섞어 범벅을 쑤어 차게 식힌 뒤, 가루누룩을 단독 또는 밀가루와 함께 섞어 밑술을 빚고, 덧술의 쌀 양은 2배, 3배, 4배로 각각 다르다. 술 빚는 법에서는 '진고두밥을 만들어 밀가루를 단독으로 사용하거나 누룩가루와 밀가루를 함께 사용하는 방법'과 '찹쌀로 지은 고두밥을 차게 식힌 뒤, 끓는 물을 섞고 차게 식혀서 사용하는 방법'으로 더욱 다양한 변화들을 꾀하고 있다. <양주방>의 '소곡주'는 밑술 빚는 방법은 동일한 과정을 거치지만 덧술 하는 방법에서 누룩과 밀가루 사용 여부, 고두밥의 냉각 여부에 따라 차이를 보이고 있다.

그런가 하면 1767년의 <증보산림경제>에는 '소곡주법(少麯酒法)' 외에 '소곡주 속법(少麯酒 俗法)'을 비롯하여 '별소곡주법(別少麯酒法)', '소곡주 별법(少麯酒 別法)', '비시소곡주법(非時少麯酒法)', '소곡주 별방문' 등 6가지 주방문을 수록하고 있다.

<증보산림경제>의 '소곡주법'에서는 밑술의 쌀 양에 비해 덧술의 쌀 양이 2배 또는 3배까지도 사용되고, 멥쌀가루를 체에 쳐서 남은 무거리를 물에 넣고 끓여서 풀죽을 쑨 뒤, 재차 쌀가루와 섞어 익힌 범벅을 만들어 사용하고 있으나, '소곡주 속법'에서는 밑술과 덧술의 쌀 양이 동일하며, 밑술을 수곡을 만들어 동도지를 사용 교반한 후, 찌꺼기를 제거한 누룩물을 사용한다. 쌀을 가루로 빻아 떡을 찌되, 80% 정도만 익게 쪄서 누룩물에 떡을 넣고 고루 버무려 술밑을 빚되, 차게 식힌 후에 술독에 담아 발효시키는 방법이다. 덧술도 뜨거운 고두밥을 밑술에 넣고 휘저어서 식히는 등 <산가요록>이나 <언서주찬방>, <음식디미방>과 같이 시대가 앞선 문헌에서는 목격되지 않았던 차별화된 방법이 보인다.

또한 '소곡주 별법'에서는 "정월 초승(亥日이면 더 좋다)에"라며, 술 빚는 시기를 언급하고 있다는 게 특징이다. 밑술과 덧술의 쌀 양이 동일하고, 술 빚는 방법은 '소곡주 속법'과 같되, 덧술을 매일 한 차례씩 저어주라고 되어 있다. '비시소곡주법'은 "제때가 아닌 때에 소곡주 빚는 법"이라는 부제(副題)와 함께 '소곡주 별법'과 동일하며 밑술과 덧술의 쌀 양이 같고, 덧술에 밀가루를 단독으로 사용한다. '별소곡주법'은 '소곡주 속법'과 동일한데 밑술과 덧술의 쌀 양이 동일하고, 덧술의 고두밥을 차게 식혀서 사용하는 방법이다.

한편, 1800년대의 전라도본으로 알려진 한글 붓글씨본 <양주방>에 '소국주' 외 '소소국주'가 등장하는데 '소국주'가 무리떡을 사용하여 밑술을 빚고 덧술은 물을 뿌려가며 찐 고두밥을 따뜻할 때 밑술과 섞어 발효시키는 전형적인 방법인 반면, '소소국주'는 밑술을 범벅으로 빚고, 덧술은 고두밥과 수곡을 만들어 사용한다는 점에서 많은 차이가 있다.

그런가 하면 1800년대 말엽의 한문 필사본이며 버클리대학 도서관 소장본으로 알려진 <주정>에도 '소국주(小麴酒)'의 두 가지 별법이 수록되어 있는데, '아소국주(兒小麴酒)' 주방문이 눈에 띈다. 이때 '아소국주'는 '소국주 10말 빚이'에 대해 그 양을 10%로 줄여서 빚는 1말 빚이라는 뜻이다.

이 외에도 <산림경제>를 비롯해 <감저종식법>, <고사신서>, <고사십이집>, <고사촬요>, <규중세화>, <농정회요>, <민천집설> '별법', <산림경제촬요>, <시의전서>, <역주방문>, <요록>, <의방합편>, <임원십육지>, <주방>*, <주식방(고대규곤요람)>, <주찬>, <증보산림경제>, <해동농서>, <학음잡록>, <한국민속대관> 등의 '소곡주'는 <증보산림경제>의 '소곡주법'과 동일한 주방문을 보여주고 있다.

그런데 <고려대규합총서>를 비롯하여 <규합총서>, <규합총서(영남대본)>, <김승지댁주방문>, <농정회요> '속법(俗法)', <민천집설> '4말 빚이', <봉접요람>, <부인필지>, <산림경제촬요> '속법', <술 빚는 법>, <양주방>*, <역주방문>, <우음제방>, <음식방문니라>, <음식보>, <임원십육지> '속법', <이씨음식법> 등의 '소곡주' 또는 '소국주'에서 나타나는 양주기법은 대개 미리 만들어둔 수곡에 흰무리떡(백설기)이 뜨거울 때 넣고 휘저어서 식힌 다음 발효시키고 있다. 덧술도 고두밥을 쪄서 식지 않았거나 뜨거울 때 밑술과 합하여 술밑을 빚고, 김이 새지 않게 단단히 밀봉하여 서늘한 곳에서 발효시키는 방법을 보여준다. 이처럼 주원료를 뜨거울 때나 따뜻할 때 누룩과 섞는 방법은 누룩의 양이 적게 사용된 데 따른 발효부진을 염두에 둔 것이다. 누룩의 양이 적게 사용될수록 정상적인 발효가 힘들어지기 때문이다.

이 밖에도 <주찬>에서는 덧술의 쌀을 익히지 않은 상태에서 끓는 물을 여러 차례 나누어 부어서 익히는 독특한 방법을 소개하고 있고, <역주방문>에서도 두 차례에 걸쳐 범벅을 사용하는 등 전례가 없는 독특한 방법들이 나타나고 있다.

지금까지 살펴보았듯이 다양한 문헌들의 주방문을 통해 찾은 '소곡주' 또는 '소국주'의 특징은 조선 중기 이후로 접어들면서 밑술이 '구멍떡'과 '범벅', '죽', '흰무리떡'으로 다양해졌다는 것, 술 빚는 시기가 한겨울인 '납월 그믐에서 정월 첫 해일'에 시작하는 것으로 정착되었다는 것, 밑술의 쌀 양과 덧술의 쌀 양이 동량이거나 최대 2배까지로 다른 주품들에 비해 덧술의 쌀 양이 많지 않다는 것이라 하겠다.

특히 조선 후기로 접어들면서부터 '흰무리떡'으로 빚는 사례가 많아졌음을 알 수 있는데, 밑술에서 '흰무리떡'이 뜨거울 때 수곡과 섞어 빚는 경우 덧술에서도 고두밥이 뜨거운 상태에서 밑술과 섞어 빚는 방법으로 정착해 가는 변화과정을 읽을 수 있다.

이러한 양주기법의 변화는 '소곡주' 또는 '소국주'의 맛과 향기에서 드러난다. '소곡주' 또는 '소국주'가 달고 향기로우면서 특히 맑고 깨끗한 술 빛깔을 얻기 위해 누룩을 적게 사용하고, 당화와 발효를 촉진하기 위해 밑술의 떡이나 덧술의 고두밥을 뜨거울 때 사용한다. 술밑의 과발효를 예방할 목적으로 추운 겨울철에 빚고, 찬 곳(저온발효)에서 발효시키는 방법으로 정착하게 된 것으로 판단된다. '소곡주' 또는 '소국주'는 대략 20여 가지 방법의 주방문을 찾아볼 수 있는데, '소곡주' 또는 '소국주'와 같이 밑술을 '죽'이나 '범벅', '흰무리떡'으로 하고, 고두밥으로 덧술을 해 넣는 술의 맛이 우리나라 사람들의 취향에 알맞고, 누구나 선호한다는 점에서 주목할 필요가 있다. 실제로 충남 한산 지방에 전승되고 있는 '한산 소곡주'가 좋은 예이다. 이 밖에도 <산림경제>, <언서주찬방>, <양주방>, <임원십육지>, <규합총서> 등의 여러 문헌에 수록된 '소곡주' 또는 '소국주'를 재현해 서너 차례 시음회를 가져본 결과, '한산 소곡주'와 같이 밑술을 흰무리떡으로 빚는 경우 감칠맛이 뛰어났다.

<산림경제> 등의 고서에 수록된 방법인 밑술을 범벅으로 빚는 경우는 쌉쌀한 듯하면서도 달콤한 맛과 진한 사과향 같은 독특한 방향(芳香)을 으뜸으로 꼽았다는 점에서 우리나라 전통주의 원형과 앞으로의 대중화 또는 세계화의 방향을 찾을 수 있을 거라 생각한다.

흔히들 쉽게 "우리 전통주는 빚을 때마다 맛과 향이 달라 주질의 안정화를 확보하기 어렵기 때문에 전통주는 대중화 나아가 세계화가 어렵다."고 하면서, 정작

"입국방식(粒麴方式)의 양주기술 등 선진 기술의 도입은 불가피한 일이다."고 얘기하는데, 우리나라 전통주 가운데 '소곡주' 또는 '소국주'만큼 대중적 인지도가 높은 주품도 드물거니와, 특히 양주시기와 관련하여 우리나라 전통주의 명품화를 위한 스토리텔링과 향후 방향을 살필 수 있다는 점에서도 '소곡주' 또는 '소국주'에 대한 관심을 가져야 할 때라고 생각한다. 그래서 더욱 '소곡주' 또는 '소국주'라는 주품명에 담긴 암시를 다시 되새겨 볼 필요가 있다.

첫째, 전통적으로 누룩을 '국자(麴子, 麯子)'라고 표기하지만, '국자(麴子)'라고 하지 않고 '곡자(麴子, 曲子)'라고 불러왔으므로, '소곡주'로 발음해야 옳다고 생각한다.

그 예로 <감저종식법>을 비롯하여 <농정회요>, <민천집설>, <봉접요람>, <산림경제>, <산림경제촬요>, <수운잡방>, <술방>, <언서주찬방>, <역주방문>, <음식디미방>, <음식방문>, <의방합편>, <주식방(고대규곤요람)>, <주찬>, <증보산림경제>, <학음잡록>, <한국민속대관> 등의 문헌에서 '소곡주' 또는 '소곡주(小麴酒)'로 표기하고 있다.

이러한 사례는 누룩이 중국에서 유입되었을 당시 '국(麴)' 또는 '국자(麴子)'로 표기해 오다가, 점차 누룩의 제조법이 병곡(餠麴) 형태로 정착되면서 우리식 표기법인 '곡(麴)' 또는 '곡자(麴子)'로 표기하게 되었고, '소곡주(素麴酒, 小麴酒)'로 지칭되었을 거라는 추측을 가능케 한다.

특히 현재까지 전승되고 있는 서천 지방의 '한산 소곡주'를 '한산 소국주'로 부르는 사람이 없다는 건 이를 반증하는 예라고 하겠다.

둘째, 누룩을 적게 사용하게 되면 술을 빚는 일이 힘들어질 뿐만 아니라 성공률 또한 낮아진다. 그럼에도 불구하고 '소곡주' 또는 '소국주'의 최적 양주시기가 연중 가장 추운 시기인 한겨울이라는 사실은 장기 저온발효와 숙성에서 부드러운 술맛과 좋은 방향, 아름다운 흥취를 위한 최적의 조건임을 증명한 것이다.

또한 지금까지 당연하게 여겨왔던 누룩의 과다사용에 따른 누룩취(누룩곰팡이 냄새)와 고온 속성발효, 저가 원료, 식품첨가물 등에 의한 양주기술이나 상품화가 아니라는 데 더 큰 의미가 있다.

이는 우리나라 전통주가 가까운 나라의 '사케'나 유럽의 '와인'과 '맥주' 등 이미 세계화된 명주들과 어떻게 경쟁할 것인지에 대한 명확한 답을 제시하고 있다고 생각한다.

끝으로 '소곡주' 또는 '소국주'를 빚을 때 특히 주의할 사항은 다음과 같다.

첫째, 쌀가루를 끓는 물로 익혀서 범벅(죽)으로 만들 때에 끓는 물의 양이 적은 경우일수록 두꺼운 질그릇을 사용하는 것이 좋다. 질그릇을 뜨거운 물로 튀겨서 살균과 소독을 하여 사용하면 오염도 예방할 수 있고, 범벅(죽)이 천천히 식기 때문에 시간이 걸리긴 하지만, 훨씬 부드러운 상태에서 술을 빚을 수 있어 힘이 덜 들게 된다.

둘째, 밑술을 흰무리떡으로 빚을 경우에는 떡을 퍼내서 한 김 나가게 식혀 사용하되, 지나치게 뜨거운 상태에서 수곡(누룩물)에 넣지 않도록 하고, 누룩과 섞을 때 가능한 오래 치대어 덩어리떡이 없어야 한다. 풀기 없이 삭도록 오랫동안 치대거나 휘저어서 차게 식힌 후에 술독에 안쳐야 실패가 없다.

셋째, 덧술의 진고두밥은 쪄낸 고두밥과 끓는 물이 가장 뜨거울 때 섞도록 하고, 주걱으로 자주 젓지 말아야 한다. 완전히 식힌 다음에 밑술과 화합하여 독에 안치고, 찬 곳에서 발효시키는 게 실패를 줄이는 비결이다.

1. 소곡주(小麯酒) <감저종식법(甘藷種植法)>

술 재료 : 밑술 : 멥쌀 1말, 누룩 1되 5홉, 물 2병
　　　　　덧술 : 멥쌀 2말, 끓는 물 4병

술 빚는 법 :
* 밑술
1. 깨끗하게 찧은 멥쌀 1말을 수를 세어가면서 백세하여(물에 백 번 씻어 새 물에 담가 불렸다가, 다시 씻어 말갛게 헹궈서 물기를 뺀 후) 작말한다(가루로 빻는다).

2. 쌀가루를 체에 쳐서 질동이에 담아놓고, 체 안에 남은 무거리는 버리지 말고 다른 그릇에 담아놓는다.
3. 깨끗한 물 2병에 무거리를 넣고 팔팔 끓여 만든 풀죽을 쌀가루에 붓고, 주걱으로 고루 개어 (반생반숙/범벅을 만들어 뚜껑을 덮고) 차게 식기를 기다린다.
4. 차게 식힌 범벅에 분쇄한 누룩(가루) 1되 5홉을 넣고 고루 버무려 술밑을 빚는다.
5. 술독에 술밑을 담아 안치고, 예의 방법대로 하여 7일간 발효시킨다.

* 덧술 :
1. 깨끗하게 도정한 멥쌀 2말을 수를 세어가면서 백세한다(새 물에 담가 불렸다가, 다시 씻어 건져서 물기를 빼놓는다).
2. 불린 쌀을 (시루에 안쳐서 고두밥을 찌고), 솥에 물 4병을 오랫동안 팔팔 끓인다.
3. (고두밥이 익었으면 퍼내어 넓은 그릇에 담아놓고) 끓고 있는 물 4병을 즉시 멥쌀(고두밥)에 골고루 뿌려주고, 주걱으로 고루 헤쳐서 풀어놓는다.
4. 고두밥이 물을 다 먹었으면, 그릇에 뚜껑을 덮어두고, 차게 식기를 기다린다.
5. 차게 식은 고두밥에 밑술을 섞고, 고루 버무려 술밑을 빚는다.
6. 술독에 술밑을 담아 안치고, 예의 방법대로 하여 7~8일간 발효시킨 후 맑아지기를 기다려 사용한다.

小麯酒
精鑿粳米一斗算籌百洗作末盛陶盆淨水二瓶合米末滓湯沸以湯水和末勻調候
冷和以碎麯一升五合至七日又以精鑿米二斗如前百洗先以水湯沸每一斗水二
瓶灑勻候冷以前釀雜調之入甕三七日澄淸後用之

2. 소국주(素麴酒) <고려대규합총서(高麗大閨閤叢書, 異本)>

> 술 재료 : 밑술 : 멥쌀 5되, 좋은 섬누룩 7홉, 냉수 8되
> 덧술 : 멥쌀 1말, 물 7~8되

술 빚는 법 :

* 밑술 :

1. 정월 첫 해일에 술독을 깨끗하게 씻어 말렸다가, 볏짚을 태운 연기로 소독을 한 뒤 그을음을 씻어내고, 냉수 8되를 술독에 담아놓는다.

2. 좋은 섬누룩 7홉을 술독에 넣고 3일간 불려 물누룩을 만들어놓는다.

3. 물누룩을 체에 밭쳐 찌꺼기를 제거한 누룩물을 만든 다음, 넓은 자배기에 담아놓는다.

4. 멥쌀 5되를 백세하고 (물에 담가 불렸다가, 다시 씻어 건져서 물기를 뺀 후) 작말하여 시루에 안쳐 설기(흰무리)를 찐다.

5. 설기를 찔 때 뚜껑을 열어보지 말고 무르게 푹 쪄서 익었으면, 더운 김에 슬슬 헤쳐서 뜨거운 김이 빠져 나가면 누룩 거른 물에 풀어 넣는다.

6. 술독은 베보자기로 살짝 덮어두고, 사흘 후에 동도지로 저어서 설기가 풀어지면 찬 곳에 덮어두었다가 2월쯤 맛을 보아 덧술을 한다.

* 덧술 :

1. 밑술이 달콤하면서도 쌉쌀하거든 멥쌀 1말을 백세한 후 하룻밤 불렸다가 (다시 씻어 건져서 물기를 뺀 후) 시루에 안쳐 고두밥을 짓는다.

2. 고두밥을 찔 때 냉수를 7~8되 정도 주어 늘어지게 푹 쪄서 매우 뜨거운 김이 빠지길 기다린다.

3. 고두밥을 더운 김에 밑술에 넣고, 동도지로 고루 휘저어 고두밥이 풀어지게 한다.

4. 덧술을 안친 지 세이레 후에 술독을 보아 술덧이 맑게 가라앉았으면 다 익

은 것이니 떠서 마신다.

* 주방문에 "항아리가 너무 크면 군내 나고, 작으면 술이 넘기를 잘 하니, 넉넉하고도 알맞은 항아리에 하라. 무릇 술이 바람 없고 따뜻한 곳에는 좋고, 불기운·햇볕은 일절 꺼리며, 온갖 술이 지에가 온기만 있어도 그릇되어 맛이 시나, 소국주는 누룩만 냉수에 담가 사흘 후 걸러 넣은 후는 밑과 지에를 다 끓는 김에 퍼 넣어야 된다. 그래서 술이 유달리 아리답고 빛이 냉수 같고 취하기도 늘 덜 한다."고 하였다.

쇼국쥬(素麴酒)

정월 첫 회일의 닝슈 여듧 되을 항의 붓고 됴흔 셤누록을 칠 홉을 믈의 담가다가 누록 담근 스흘 만의 누록을 졔 믈 죄죄 걸너 체예 밧고 빅미 닷 되을 빅셰 작말ᄒ야 흰믈리쩍 숀김 뵈지 말고 쪄 더온 김의 막 김 ᄂᆞᆫ 거슬 슬슬 펴 누록 거른 믈의 프러 너헛다가 스흘 만의 동도지로 프러지도록 져어 ᄎᆞ게 덥퍼 두어다가 이월즈음 마슬 보아 달콤ᄇᆞᆸ술ᄒ거든 빅미 흔 말 빅셰ᄒ야 ᄒᆞ로밤 지와 지예를 ᄢᆡᄂᆞ딕 믈 칠 승이나 팔 승이나 고로 ᄲᆡ려 가면 느러지게 씨씨 쪄 그 밋히 더온 김의 퍼붓고 동도지로 고로고로 프니게 뎌어 두엇다가 삼칠 만의 보면 말긋말긋 안거든 쩌 ᄡᅳ면 됴흐되 항이 너모 크면 군ᄂᆡ 나고 작으면 이 술이 넘기을 잘 ᄒᆞ니 넉넉이 알마진 항의 ᄒᆞ라. 범간 술이 무풍잔온 쳐의ᄂᆞᆫ 됴코 화긔 양긔ᄂᆞᆫ 일절 긔ᄒᆞ며 온갖 술이 지예가 온긔만 이서도 그릇되여 마시 싀나 쇼국쥬ᄂᆞᆫ 누록만 닝슈의 둠가 삼일 후 걸너 노흔 후ᄂᆞᆫ 밋과 지예을 다 쓸ᄂᆞᆫ 김의 퍼 너허야 되ᄂᆞ니 고로 술이 타별ᄒᆞ야 아릿답고 빗치 닝슈 ᄀᆞᆺ고 춰키도 노상 덜ᄒᆞᄂᆞ니라.

3. 소국주(少麴酒) <고사신서(攷事新書)>

> 술 재료 : 밑술 : 멥쌀 5되, 누룩 5홉, 밀가루 5홉, 물 3말
>
> 덧술 : 멥쌀 5되

술 빚는 법 :

* 밑술

1. 깨끗하게 찧은 멥쌀 1말을 백세하여(물에 백 번 씻어 새 물에 담가 불렸다가, 다시 씻어 말갛게 헹궈서 물기를 뺀 후) 작말한다(가루로 빻는다).

2. 쌀가루를 체에 쳐서 질동이에 담아놓고, 체 안에 남은 무거리는 버리지 말고 다른 그릇에 담아놓는다.

3. 깨끗한 물 2병에 무거리를 넣고 팔팔 끓여 만든 풀죽을 쌀가루에 붓고, 주걱으로 고루 개어 (반생반숙/범벅을 만들어 뚜껑을 덮고) 차게 식기를 기다린다.

4. 차게 식힌 범벅에 분쇄한 누룩(가루) 1되 5홉을 넣고 고루 버무려 술밑을 빚는다.

5. 술독에 술밑을 담아 안치고, 예의 방법대로 하여 7일간 발효시킨다.

* 덧술 :

1. 깨끗하게 도정한 멥쌀 2말을 백세한다(새 물에 담가 불렸다가, 다시 씻어 건져서 물기를 빼놓는다).

2. 불린 쌀을 (시루에 안쳐 고두밥을 찌고), 솥에 물 4병을 오랫동안 팔팔 끓인다.

3. 고두밥이 익었으면 퍼내어 넓은 그릇에 담아놓고, 끓고 있는 물 4병을 즉시 멥쌀에 골고루 뿌려주고, 주걱으로 고루 헤쳐서 풀어놓는다.

4. 고두밥이 물을 다 먹었으면 그릇에 뚜껑을 덮어두고, 차게 식기를 기다린다.

5. 차게 식은 고두밥에 밑술을 섞고, 고루 버무려 술밑을 빚는다.

6. 술독에 술밑을 담아 안치고, 예의 방법대로 하여 21일간 발효시킨 후, 맑아
   지기를 기다려 사용한다.

少麴酒

精鑿粳米一斗計(算)籌百洗作末盛陶盆淨水二瓶合米末淬湯沸以湯水和末勻
調候冷和以碎麴一升五合至七日又以精粳米二斗如前百洗先以水湯沸每一斗
水二瓶灑(酒)勻候冷以前釀雜調之入甕三七日澄淸後用之.

4. 소국주(少麴酒) <고사십이집(攷事十二集)>

> 술 재료 : 밑술 : 멥쌀 5되, 누룩 5홉, 밀가루 5홉, 물 3말
>   덧술 : 멥쌀 5되

술 빚는 법 :

* 밑술

1. 깨끗하게 찧은 멥쌀 1말을 백세하여(물에 백 번 씻어 새 물에 담가 불렸다가,
   다시 씻어 말갛게 헹궈서 물기를 뺀 후) 작말한다(가루로 빻는다).
2. 쌀가루를 체에 쳐서 질동이에 담아놓고, 체 안에 남은 무거리는 버리지 말
   고 다른 그릇에 담아놓는다.
3. 깨끗한 물 2병에 무거리를 넣고 팔팔 끓여 만든 풀죽을 쌀가루에 붓고, 주
   걱으로 고루 개어 (반생반숙/범벅을 만들어 뚜껑을 덮고) 차게 식기를 기다
   린다.
4. 차게 식힌 범벅에 분쇄한 누룩(가루) 1되 5홉을 넣고 고루 버무려 술밑을
   빚는다.
5. 술독에 술밑을 담아 안치고, 예의 방법대로 하여 7일간 발효시킨다.

* 덧술 :

1. 깨끗하게 도정한 멥쌀 2말을 백세한다(새 물에 담가 불렸다가, 다시 씻어 건 져서 물기를 빼놓는다).
2. 불린 쌀을 (시루에 안쳐서 고두밥을 찌고), 솥에 물 4병을 오랫동안 팔팔 끓 인다.
3. 고두밥이 익었으면 퍼내어 넓은 그릇에 담아놓고, 끓고 있는 물 4병을 즉시 멥쌀에 골고루 뿌려주고, 주걱으로 고루 헤쳐서 풀어놓는다.
4. 고두밥이 물을 다 먹었으면 그릇에 뚜껑을 덮어두고, 차게 식기를 기다린다.
5. 차게 식은 고두밥에 밑술을 섞고, 고루 버무려 술밑을 빚는다.
6. 술독에 술밑을 담아 안치고, 예의 방법대로 하여 21일간 발효시킨 후 맑아 지기를 기다려 사용한다.

少麴酒

精鑿粳米一斗計(算)籌百洗作末盛陶盆淨水二瓶合米末滓湯沸以湯水和末勻
調候冷和以碎麴一升五合至七日又以精鑿米二斗如前百洗先以水湯沸每一斗
水二瓶灑勻候冷以前釀雜調之入甕三七日澄淸後用之.

5. 소곡주(小麴酒) <고사촬요(故事撮要)>

> 술 재료 : 밑술 : 멥쌀 1말, 누룩 1되 5홉, 물 2병
>
>   덧술 : 멥쌀 2말, 끓여 식힌 물 4병

술 빚는 법 :

* 밑술

1. 멥쌀 1말을 백세하여(물에 백 번 씻어 새 물에 담가 불렸다가, 다시 씻어 말 갛게 헹궈서 물기를 뺀 후) 작말한다(가루로 빻는다).

2. 쌀가루를 체에 쳐서 질동이에 담아놓고, 체 안에 남은 무거리는 버리지 말고 다른 그릇에 담아놓는다.
3. 깨끗한 물 2병에 무거리를 넣고 팔팔 끓여 만든 풀죽을 쌀가루에 붓고, 주걱으로 고루 개어 (반생반숙/범벅을 만들어 뚜껑을 덮고) 차게 식기를 기다린다.
4. 차게 식힌 범벅에 분쇄한 누룩 1되 5홉을 넣고 고루 버무려 술밑을 빚는다.
5. 술독에 술밑을 담아 안치고, 예의 방법대로 하여 7일간 발효시킨다.

* 덧술 :
1. 깨끗이 도정한 멥쌀 2말을 백세한다(새 물에 불렸다 다시 씻어 건져 물기를 뺀다).
2. 불린 쌀을 (시루에 안쳐서 고두밥을 찌고), 솥에 물 4병을 오랫동안 팔팔 끓인다.
3. 고두밥이 익었으면 퍼내어 넓은 그릇에 담아놓고, 끓고 있는 물 4병을 즉시 고두밥에 골고루 뿌려주고, 주걱으로 고루 헤쳐서 풀어놓는다.
4. 고두밥이 물을 다 먹었으면, 그릇에 뚜껑을 덮어두고 차게 식기를 기다린다.
5. 차게 식은 고두밥에 밑술을 섞고, 고루 버무려 술밑을 빚는다.
6. 술독에 술밑을 담아 안치고, 7~8일간 발효시킨 후 맑아지기를 기다려 사용한다.

小麴酒

精鑿粳米一斗算籌百洗作末盛陶盆淨水二瓶合米末滓湯沸以湯水和末勻調候冷和以碎麴一升五合至七日又以精鑿米二斗如前百洗先以水湯沸每一斗水二瓶洒勻候冷以前釀雜調之入甕至三七日澄淸後用之.

6. 소곡주법 <규중세화>

술 재료 : 밑술 : 멥쌀 1말, 가루누룩 4되, 끓는 물(5되~1말)
　　　　　 덧술 : 멥쌀 3말, 끓는 물(1말 5되), 끓여 식힌 물 3되

술 빚는 법 :

* 밑술 :

1. 4말 하려면, 멥쌀 1말을 (백세하여 물에 담가 하룻밤 불렸다가, 다시 씻어 헹 궈서 물기를 뺀 뒤), 작말하여 넓고 큰 그릇에 담아놓는다.

2. 솥에 물(5되~1말)을 팔팔 끓여 쌀가루에 골고루 붓고, 주걱으로 고루 개어 범벅을 쑨다.

3. 범벅을 넓은 그릇에 퍼서 담고, 차게 식기를 기다린다.

4. 차게 식은 범벅에 가루누룩 4되를 섞고, 고루 힘껏 치대어 술밑을 빚는다.

5. 술밑을 독에 담아 안치고, 예의 방법대로 하여 밀봉하여 발효시키고, 술이 괴어오르기를 기다린다.

* 덧술 :

1. 멥쌀 3말을 백세하여 물에 담가 불렸다가 (다시 씻어 헹궈서 물기를 뺀 후) 시루에 안쳐서 고두밥을 짓는다.

2. 솥에 물(1말 5되)을 솟구치게 끓여서 넓은 그릇 여러 개에 퍼서 차게 식힌다.

3. 고두밥이 익었으면 퍼내고, 고루 헤쳐서 차게 식기를 기다린다.

4. 고두밥이 식었으면 식혀둔 물과 함께 밑술에 섞고, 고루 버무려 술밑을 빚는다.

5. 술밑을 독에 담아 안치고, 예의 방법대로 하여 6~7일간 발효시킨다.

6. 솥에 물(3되)을 솟구치게 끓여서 차게 식힌 후, 술덧에 붓고 다시 덮어두었 다가, 다시 7일 후에 술이 맑아지면 채주하여 마신다.

* 밑술과 덧술에 사용되는 물의 양도 나와 있지 않아, 방문 말미에 "덧할 때 또 탕수 서늘케 하여 자분자분하게 하라."는 기록을 참고하여 방문을 작성하였다.

소곡주법

너 말 하라면 백미 한 말 작말하야 되게 개어 서늘히 식거든 가래누룩 너 되 섞어 봉하여 두었다가 칠일 만에 백미 너 말 백세하여 담갔다가 익게 쪄 서늘케 식거든 그 밑술에 덧퍼 두었다가 칠일 만에 탕수 종하여 부어도 칠일 후 뜨라. 덧할 때 또 탕수 서늘케 하여 자분자분하게 하라.

7. 소국주 <규합총서(閨閣叢書)>

술 재료 : 밑술 : 멥쌀 5되, 누룩(섬) 7홉, 냉수 8되
　　　　　덧술 : 멥쌀 1말, 물 7~8되

술 빚는 법 :
* 밑술 :
1. 정월 첫 해일에 냉수 8되를 술독에 붓고, 섬누룩 7홉을 넣어 3일간 불렸다가 제물에 체로 걸러 밭친다.
2. 멥쌀 5되를 백세하고 (물에 담갔다가, 다시 씻어 건져서 물기를 뺀 후) 작말하여 시루에 안쳐서 흰무리를 짓는다.
3. 흰무리를 찔 때 시루를 열어보지 말고 찌고, 익었으면 슬슬 헤쳐서 더운 김에 수곡에 풀어 넣는다.
4. 술독은 예의 방법대로 하여 3일간 발효시킨 후, 동도지로 풀어지도록 휘저어 차게 덮어둔다.

* 덧술 :

1. 2월쯤 밑술의 맛을 보아 달콤씁쓸하면 멥쌀 1말을 백세하여 하룻밤 물에 담갔다가 (다시 씻어 건져서 물기를 뺀 후) 시루에 안쳐 고두밥을 짓는다.

2. 멥쌀을 찔 때 찬물을 7~8되가량 뿌려주면서 고두밥이 늘어지도록 무르게 푹 익힌다.

3. 고두밥을 펴서 슬슬 헤쳐서 더운 김에 밑술에 퍼 넣고 동도지로 풀어지게 고루 저어준다.

4. 술독은 예의 방법대로 하여 덮어 비교적 서늘한 곳에 두고 21일간 발효시켜 술이 말갛게 가라앉으면 채주하여 마신다.

* 주방문 말미에 "술독이 너무 크면 군내가 나고, 작으면 넘기를 잘하니 넉넉하고 알맞은 항아리에 빚어라. 대개 술이 다 바람 없고 잔잔한 따뜻한 데는 좋고, ○○ 냉기는 일절 꺼리며, 온갖 술이 다 술밥이 온기만 있어도 맛이 시니 그릇되나, 소국주는 누룩만 냉수에 담가 3일 후, 걸러놓은 후는 술밑과 지에를 다 끓는 김에 퍼 넣어야 된다. 그러므로 술이 특별하여 맛이 아리땁고 빛이 냉수 같고, 취하기도 늘 덜한다."고 하였다.

쇼국쥬

정월 첫 희일의 닝슈 여듧 되을 항의 붓고 됴흔 섬누록을 칠홉을 믈의 담가다가 누록 담근 스흘 만의 누록을 졔 믈 죄죄 걸너 쳬예 밧고 빅미 닷 되을 빅셰작말ᄒ야 흰믈리쎡 숀김 뵈지 말고 쪄 더온 김의 막 김 는 거슬 슬슬 펴 누록 거른 믈의 프러 너헛다가 스흘 만의 동도지로 프러지도록 져어 츠게 덥퍼 두어다가 이월 즈음 마슬 보아 달콤밥슬ᄒ거든 빅미 흔 말 빅셰ᄒ야 ᄒ로밤 지와 지예를 쪄는딕 믈 칠승이나 팔승이나 고로 쏵려 가면 느러지게 씨씨 쪄 그 밋히 더온 김의 퍼붓고 동도지로 고로고로 프니게 뎌어 두엇다가 삼칠 만의 보면 말긋말긋 안거든 쪄 쓰면 됴흐되 항이 너모 크면 군늬 나고 작으면 이 술이 넘기을 잘 ᄒᄂ니 넉넉이 알마진 항의 ᄒ라. 범간 술이 무풍잔온 쳐의는 됴코 화긔 양긔는 일절 긔ᄒ며 온갓 술이 지예가 온긔만 이서도 그릇

되여 마시 쇠나 쇼국쥬는 누룩만 닝슈의 둠가 삼일 후 걸너 노흔 후는 밋과
지예을 다 쓸는 김의 펴 너허야 되느니 고로 술이 타별ᄒᆞ야 아릿답고 빗치 닝
슈 ᄀᆞᆺ고 취키도 노샹 덜ᄒᆞ느니라.

8. 소곡주방문 <규합총서(閨閤叢書, 嶺南大本)>

술 재료 : 밑술 : 멥쌀 5되, 누룩가루 5홉, 밀가루 5홉, 물 3말
　　　　 덧술 : 찹쌀 3~4말

술 빚는 법 :

* 밑술 :

1. 정월 첫 해일에 멥쌀 5되를 (백세하여 새 물에 담가 불렸다가, 다시 씻어 말
   갛게 헹궈서 물기를 뺀 후) 작말한다(가루로 빻는다).
2. 깨끗한 물 3말에 쌀가루를 풀어 넣고 팔팔 끓여 죽을 쑤어 익었으면 항아리
   에 퍼 담고, 차게 식기를 기다린다.
3. 죽에 분쇄한 누룩가루 5홉과 밀가루 5홉을 넣고 고루 버무려 술밑을 빚는다.
4. 술독에 술밑을 담아 안치고, 예의 방법대로 하여 1일간 발효시킨다.

* 덧술 :

1. 이튿날 찹쌀 3~4말을 백세하여 (새 물에 담가 불렸다가, 다시 씻어 건져서
   물기를 빼서) 시루에 안쳐 고두밥을 짓는다.
2. 고두밥이 익었으면 퍼내고, 주걱으로 고루 헤쳐서 차게 식기를 기다린다.
3. 차게 식은 고두밥에 밑술을 섞고, 고루 버무려 덩어리로 뭉쳐서 술밑을 빚
   는다.
4. 술독에 술밑을 담아 안치고, 예의 방법대로 하여 발효시키는데, 술이 얼락녹
   을락하다가 3~4월이 되어 익기를 기다려 사용한다.

＊ 밑술을 한 다음날 덧술을 하는데, "졈미 셔너 말 닉게 쪄 덩어리 덩어리 뭉쳐 너허 한듸 두면"이라고 하였다. 이 과정이 밑술독에 고두밥을 뭉쳐서 넣는 것인지 밑술과 합한 후 덩어리로 뭉치는 것인지 알 수 없다. 또 주방문 말미에 "얼낙녹글낙ᄒ다가 삼사월은 물퍼 쓰듯 ᄒᄂ니라."고 하여, 술의 양이 매우 많이 난다는 것을 알 수 있으나. "을ᄑᆡ 오월 슌일일 필ᄉ 셔강슈일루"라고 하였는데, '소곡주' 주방문을 작성한 날짜가 아닌가 생각된다. <홍씨주방문>의 '소곡주 별방문'과 동일하다.

소곡쥬방문

정월 상ᄒᆡ일의 빅미 닷 되을 작말ᄒ여 물 셔 말의 쥭 쑤어 항의 너허 두엇다가 식거든 곡누룩말 닷 홉 진말 닷 홉 너허 ᄶᅵ어 두엇다가 닛흔날 졈미 셔너 말 닉게 쪄 덩어리 덩어리 뭉쳐 너허 한듸 두면 얼낙녹글낙ᄒ다가 삼사월은 물퍼 쓰듯 ᄒᄂ니라. 을ᄑᆡ 오월 슌일일 필ᄉ 셔강슈일루.

9. 소국주 <김승지댁주방문(金承旨宅廚方文)>
－ 10말 빚이

> 술 재료 : 밑술 : 멥쌀 5말, 누룩가루 3되, 밀가루 3되, 정화수 25병(쌀되)
> 　　　　 덧술 : 멥쌀 5말

술 빚는 법 :
＊ 밑술 :
1. 정월 첫 해일에 좋은 독에 쌀 계량하던 되(升)로 정화수 25병을 붓고, 좋은 누룩가루 3되와 밀가루 3되를 풀어 물누룩을 만들고 덮어놓는다.
2. 멥쌀 5말을 백삼십세하여 (물에 담가 불렸다, 다시 씻어 건져) 찧어 작말한다.
3. 쌀가루를 시루에 안치고 쪄서 흰무리떡을 찌는데, 떡이 고루 익었으면 퍼낸

다음 한 김 나가게 식힌다.

4. 물누룩을 체에 쏟아 붓고 손으로 비벼서 거른 후, 그 찌꺼기는 제거한 누룩물을 다시 독에 붓고, 버드나무 가지로 떡덩어리가 풀어질 때까지 한동안 휘저어 준다.

5. 술독은 예의 방법대로 하여 김이 새지 않게 싸맨 후, 서늘한 곳에서 2월까지 발효시켜 맛이 들 만하면 덧술을 해 넣는다.

* 덧술 :

1. 2월 되어 좋은 멥쌀 5말을 백삼십세하여 (물에 담가 불렸다가, 다시 씻어 건져서 물기를 뺀 후) 시루에 안쳐서 고두밥을 짓는다.

2. 고두밥이 익었으면, (넓은 그릇에 퍼내어 헤쳐 놓고, 뜨거운 기운이 나가게 한 다음) 따뜻할 때에 밑술독에 합해 넣는다.

3. 고두밥을 안친 술독은 버드나무가지로 저어준 후, 술독은 절대로 기운이 새어나가지 않도록 독 아가리를 단단히 봉하여 (서늘한 곳에서) 발효시킨다.

4. 가끔 술독을 열어보아 독 안의 술이 괸 자국을 깨끗한 마른수건으로 자주 닦아내고, 익기를 기다려 밥알이 뜨고 맑아졌으면 채주하여 마신다.

* 쌀 씻는 법에 대하여 밑술과 덧술에서 '빅미 닷 말을 빅셔 흔 번 씨셔'와 '(빅)셜 흔 번 비셔'로 "백삼십 번 씻어"라고 하였다.

쇼국쥬

열 말 비즈. 정월 첫 히일의 정화슈 쓸 된 되바가지 스믈닷셧 병 섭누룩 셔 되 진가로 셔 되 독의 푸러 너허 두고 빅미 닷 말을 빅셔 흔 번 씨셔 고로 져 되 가장 닉개 쪄 그 누룩물을 쳬로 걸너 그 독의 너코 ᄀ릇 찐 거슬 더으니로 셔로 혀 노고 독의 덤덤 너코 버드남글로 져어 다 푸러지도록 져은 후 김 나지 아니케 짜 두엇다가 이월 망후만 ᄒᆞ여 맛들거든 빅미 닷 말을 (빅)셜 흔 번 비셔 닉게 쪄 너흔 것을 그 독의 너흔 버들남글로 져어 두엇다가 각 보와 홍의 골면 ᄀ에 오르나려 군네 나니 ᄆᆞ른 힝쥬로 굿슬 쓰셔 다 닉어 밥이 뜨으고 묽거든 먹느니라.

10. 소곡주 속법(少麴酒 俗法) <김승지댁주방문(金承旨宅廚方文)>
－1말 빚이

술 재료 : 밑술 : 멥쌀 5되, 누룩가루 5홉, 밀가루 5홉, 끓여 식힌 물 3병
         덧술 : 멥쌀 5되

술 빚는 법 :

* 밑술 :

1. 먼저 좋은 누룩가루 5홉과 밀가루 5홉을 끓여 식힌 물 3병에 담가 물누룩을 만들고 밤재워 불린다.
2. 다음날 깨끗하게 찧은 멥쌀 5되를 (백세하여) 새 물에 담가 불렸다가 (다시 씻어 말갛게 헹궈서 물기를 뺀 후) 작말한다.
3. 쌀가루를 시루에 안쳐서 8분(八分, 80%) 정도 익게 찌고, 물누룩 그릇에 담고 손으로 주물러서 덩어리가 없이 풀어 술밑을 만들어놓는다.
4. 술밑을 체에 걸러 찌꺼기를 제거한 탁주를 만든 다음, 차게 식기를 기다린다.
5. 술독에 술밑을 담아 안치고, 예의 방법대로 하여 7일간 발효시킨다.

* 덧술 :

1. 깨끗하게 도정한 멥쌀 5되를 (백세하여) 물에 담가 불렸다가, (다시 씻어) 건져낸다(물기를 빼놓는다).
2. 불린 쌀을 (시루에 안쳐서 무르게 고두밥을 찌고), 고두밥이 익었으면 퍼내어 넓은 그릇에 담아놓는다(차게 식기를 기다린다).
3. (차게 식은) 고두밥을 밑술에 섞고, 고루 버무려 술밑을 빚는다.
4. 술독에 술밑을 담아 안치고, 예의 방법대로 하여 7일간 발효시킨 후, 개미(

浮蟻)가 뜨기를 기다려 사용한다.

* 특이하게 '밑술의 설기떡을 물누룩과 섞고 체에 걸러 누룩찌꺼기를 제거한 다음, 차게 식기를 기다린다.'고 하여 매우 생경한 방문이라 할 수 있다. 또 방문 말미에 "물기를 금하고 베보자기로 걸러 찌꺼기 없이 하여 둔다. 2월 초에 빚었으면 3월 삭망 후에 익는다. 5월까지 두어도 맛이 변하지 않고 술이 다 떨어질 때까지 따뜻한 곳을 피하면 끝까지 변하지 않는다."고 하였다.

11. 소곡주법(小麴酒法) <농정회요(農政會要)>

술 재료 : 밑술 : 멥쌀 1말, 누룩 1되 5홉, 물 2병
　　　　 덧술 : 멥쌀 2말, 끓는 물 4병

술 빚는 법 :

* 밑술 :

1. 멥쌀 1말을 백세하여(물에 백 번 씻어 새 물에 담가 불렸다가, 다시 씻어 말 갛게 헹궈서 물기를 뺀 후) 작말한다(가루로 빻는다).
2. 쌀가루를 체에 쳐서 질동이에 담아놓고, 체 안에 남은 무거리는 버리지 말 고 다른 그릇에 담아놓는다.
3. 깨끗한 물 2병에 무거리를 넣고 팔팔 끓여 풀죽을 쑤어 쌀가루에 붓고, 주걱 으로 고루 개어 (범벅을 만들어 뚜껑을 덮고) 차게 식기를 기다린다.
4. 범벅에 분쇄한 누룩(가루) 1되 5홉을 넣고 고루 버무려 술밑을 빚는다.
5. 술독에 술밑을 담아 안치고, 예의 방법대로 하여 7일간 발효시킨다.

* 덧술 :

1. 도정을 많이 하여 깨끗한 멥쌀 2말을 백세한다(새 물에 담가 불렸다가, 다시

씻어 건져서 물기를 빼놓는다).

2. 불린 쌀을 (시루에 안쳐 고두밥을 찌고), 물 4병을 오랫동안 팔팔 끓인다.

3. 고두밥이 익었으면 퍼내어 넓은 그릇에 담아놓고, 끓고 있는 물 4병을 즉시 멥쌀에 골고루 뿌려주고, 주걱으로 고루 헤쳐서 풀어놓는다.

4. 고두밥이 물을 다 먹었으면, 그릇에 뚜껑을 덮어 차게 식기를 기다린다.

5. 차게 식은 고두밥에 밑술을 섞고, 고루 버무려 술밑을 빚는다.

6. 술독에 술밑을 담아 안치고, 예의 방법대로 하여 21일간 발효시킨 후 맑아 지기를 기다려 사용한다.

小麴酒法

精鑿粳米一斗百洗作末盛陶盆另用淨水二瓶以米末餘滓合之湯沸以其湯水勻 調於米末候冷又和以碎麴一升五合納瓮至七日又以精鑿米二斗百洗先以水湯 沸洒勻候冷以前釀雜調之入瓮至三七日澄淸後用之每米一斗入水二瓶爲率.

12. 소곡주 속법(小麴酒 俗法) <농정회요(農政會要)>

> 술 재료 : 밑술 : 멥쌀 5되, 누룩 5홉, 밀가루 5홉, 끓여 식힌 물 3병
>   덧술 : 멥쌀 5되

술 빚는 법 :

* 밑술 :

1. 끓여서 식힌 물 3병에 좋은 누룩가루 5홉과 밀가루 5홉을 섞어 물누룩을 만들어놓는다.

2. 도정을 많이 하여 깨끗한 멥쌀 5되를 (백세하여) 새 물에 담가 불렸다가, 다시 씻어 말갛게 헹궈서 (물기를 뺀 후) 작말한다(가루로 빻는다).

3. 다음날 물누룩을 손으로 힘껏 주물러서 덩어리 없이 하고, 체에 걸러 찌꺼

기를 제거한 누룩물을 만든다.

4. 쌀가루를 (체에 쳐서) 시루에 안쳐 떡을 찌되, 80% 정도만 익게 쪄서 (뜨거운 김을 뺀 다음) 누룩물에 합한다.

5. 수곡과 떡을 고루 버무리는데, 멍울진 것이 다 풀어지지 않으면 체에 걸러 덩어리를 제거한 술밑을 빚고, 차게 식기를 기다린다.

6. 술밑을 술독에 담아 안치고, 예의 방법대로 하여 7일간 발효시킨다.

* 덧술 :

1. 많이 도정한 멥쌀 5되를 (백세하여) 새 물에 담가 불렸다가 (다시 씻어 건져서 물기를 빼놓는다).

2. 불린 쌀가루를 시루에 안쳐 고두밥을 찌되, 무르게 폭 익혀서 퍼내어 넓은 그릇에 담아놓고, 뜨거울 때 (뜨거운 김을 뺀 후) 밑술독에 합한다.

3. 고두밥을 손으로 고루 헤쳐서 풀어서 술밑을 빚는다.

4. 고두밥이 다 풀어지고 (온기가 식었으면), 예의 방법대로 하여 서늘한 곳에서 7일간 발효시킨다.

5. 술독을 열어 술독 안쪽 기벽면의 술이 괴어오른 자리를 깨끗한 마른수건으로 닦아내는데, 더 이상 흔적이 남지 않을 때까지 계속해 준다.

* 주방문 말미에 "2월 초에 빚으면 3월 보름 뒤에 비로소 익고, 5월이 되면 맛이 변한다. 이 술은 처음부터 끝까지 따뜻한 곳을 피해야 하고, 햇볕이 드는 곳도 피해야 한다. 봄 술로는 맛이 이보다 나은 것이 없다."고 하였다.

小麯酒 俗法

欲釀一斗則先以好麯末五合眞末五合浸於湯沸巳冷水三瓶之中經宿翌日取精鑿白米五升浸水漉出作末入甑內蒸八分熟取出以浸麯就其水中用于揉洗良久去麤滓又篩去細滓將蒸米末提麯水中亦以手揉之令無小核然後候冷納瓮過七日另用精鑿白米五升浸水蒸於甑內爛熟取出秉熱納前瓮中愼手攪勻置凉處又過七日後開見瓮內有浮漚痕用乾淨巾去拭之直至無痕乃止二月初釀之三月

望後方熟至五月則味致變盖此酒終始忌暖處亦忌日照處春酒之義無過於此者矣.

13. 소곡주(小麴酒) <민천집설(民天集說)>

술 재료 : 밑술 : 멥쌀 1말, 누룩 1되 5홉, 물 2병
　　　　 덧술 : 멥쌀 2말, 백비탕 2병(물 2말)

술 빚는 법 :

* 밑술 :

1. 멥쌀을 깨끗하게 찧어 1말을 준비하고 백세하여 (물에 담가 불렸다가, 다시 씻어 헹궈서 물기를 뺀 후) 작말한다.
2. 쌀가루를 체에 걸러 (무거리를 제거하고) 물 2병을 (오랫동안 끓여서) 백비탕처럼 만들어 섞고 풀죽(범벅)을 쑨 후, 차게 식기를 기다린다.
3. 풀죽(범벅)에 분쇄한 누룩 1되 5홉을 섞고, 고루 버무려 술밑을 빚는다.
4. 술밑을 술독에 담아 안치고, 예의 방법대로 하여 7일간 발효시킨다.

* 덧술 :

1. 멥쌀을 깨끗하게 찧어 2말을 준비하고, 백세하여 (물에 담가 불렸다가, 다시 씻어 헹궈서 물기를 뺀 후) 시루에 안쳐서 고두밥을 짓는다.
2. 물 2말을 오랫동안 팔팔 끓여 백비탕 2병이 되게 하여 그릇에 담아 차게 식힌다.
3. (고두밥이 익었으면, 시루에서 퍼내어 고루 펼쳐서 차게 식기를 기다린다.)
4. (고두밥에) 밑술과 끓여서 식힌 백비탕 2병을 섞고, 고루 버무려 술밑을 빚는다.
5. 술밑을 술독에 담아 안치고, 예의 방법대로 하여, 21일간 발효시킨다.
* 술 빚는 물에 대하여 밑술과 덧술에서 '탕비(湯沸)'라고 하여 '백비탕(白沸

湯)'을 사용하라고 한 것을 볼 수 있다.

小麴酒

粳米精鑿一斗, 算籌百洗漬作末盛陶盆以淨水二瓶, 合米末末滓湯沸, 以湯水
乃和米末, 均調候冷, 和以碎麴一升五合, 至七日後 以精鑿米二斗, 如前百洗,
先以水湯沸, 每一斗水二瓶, 洒均候冷, 以前釀合調之入瓮, 三七日, 澄淸(後用之.

14. 소곡주(小麴酒) <민천집설(民天集說)>
−적게 빚으려면(小釀)

술 재료 : 밑술 : 멥쌀 1되, 누룩가루 1홉, 정수 2되
　　　　덧술 : 멥쌀 2되, 백비탕 2되

술 빚는 법 :
* 밑술 :
1. 멥쌀을 깨끗하게 찧어 1되를 준비하고 백세하여 (물에 담가 불렸다가, 다시
　씻어 헹궈서 물기를 뺀 후) 작말한다.
2. 쌀가루를 체에 걸러 (무거리를 제거하고) 정수(깨끗한 물) 2되를 백비탕처
　럼 끓여 섞고, 풀죽(범벅)을 쑨 후 차게 식기를 기다린다.
3. 죽에 분쇄한 누룩가루 1홉을 섞고, 고루 버무려 술밑을 빚는다.
4. 술밑을 술독에 담아 안치고, 예의 방법대로 하여 7일간 발효시킨다.

* 덧술 :
1. 멥쌀을 깨끗하게 찧어 2되를 준비하고, 백세하여 (물에 담가 불렸다가, 다시
　씻어 헹궈서 물기를 뺀 후) 시루에 안쳐서 고두밥을 짓는다.
2. 물 2되를 오랫동안 팔팔 끓여 백비탕이 되게 하여 그릇에 담아 차게 식힌다.

3. (고두밥이 익었으면, 시루에서 퍼내어 고루 펼쳐서 차게 식기를 기다린다.)

4. (고두밥에) 밑술과 끓여서 식힌 백비탕 2되를 섞고, 고루 버무려 술밑을 빚는다.

5. 술밑을 술독에 담아 안치고, 예의 방법대로 하여 21일간 발효시킨다.

小麯酒(小釀)

粘米精鑿一斗(算籌)百洗浸作末盛淘盆以淨水二瓶合米末之滓沸以湯水乃和米末均調候冷和以碎麴一升五合至七日後以 精鑿米二斗水前百洗(○)以水湯沸每一斗水二瓶洒均候冷以前釀合調入瓮三七日淸(澄淸後用之) 如小釀則米一升淨水二升碎麴一合五勻七日後小米二升水二升以此雖之多少任意.

15. 소곡주법 <봉접요람>

> 술 재료 : 밑술 : 멥쌀 1말, 섬누룩 1되, 가루누룩 1되, 물 8탕기
>
> 　　　　덧술 : 찹쌀 1말, 물 1사발

술 빚는 법 :

* 밑술 :

1. 정월 초순에 멥쌀 1말을 백세하여 물에 담가 3일간 불려놓는다.

2. 쌀을 물에 담근 날 좋은 섬누룩 1되를 물 8탕기에 담가 불려서 물누룩을 만들어놓는다.

3. 쌀을 물에 담가 불린 지 3일이 되면, 불린 쌀을 (다시 씻어 헹궈) 건져서 (물기를 뺀 다음) 작말한다(가루로 빻는다).

4. 쌀가루를 시루에 안쳐서 백설기를 찌고, 물누룩을 체에 걸러 만든 누룩물을 준비한 술독에 담아 안친다.

5. 백설기떡이 익었으면 시루째 떼어 술독 앞에 놓고, 놋그릇으로 백설기떡을

퍼 술독에 넣은 후, 복숭아 나뭇가지로 휘저어 떡이 풀어지게 해놓는다.
6. 술밑을 안친 술독은 예의 방법대로 하여 푸른 보자기로 싸매고, 되나 양푼, 놋그릇으로 덮어 찬 곳에 앉혀놓는다.
7. 술밑이 채 식었으면, 가루누룩 1되를 사용하여 술그릇들을 씻어 다시 항아리에 담고 덮어서 3일간 발효시킨다.

* 덧술 :
1. 찹쌀 1말을 백세하여 (물에 담가 불렸다가, 다시 씻어 헹궈서 물기를 뺀 후) 시루에 안쳐서 고두밥을 짓는다.
2. 고두밥이 많이 익었으면 시루째 떼어 (쳇다리 위에 올려놓고, 주걱으로 뒤적여 놓은 다음) 찬물을 퍼붓고 흘려 고두밥이 차게 식기를 기다린다.
3. 찬물로 차게 씻어 식힌 고두밥에 밑술과 물 1사발을 한데 섞고, 고루 버무려 술밑을 빚는다.
4. 술밑을 술독에 담아 안치고, 예의 방법대로 하여 발효시키는데, 4일 만에 술독을 열어보면 술덧 위에 걸거든(딱지가 앉았거든) 이것을 걷어버리고 채주한다.

* 주방문 말미에 "밑에 맑은 것을 두고 쓰라. 오랠수록 맛이 좋으리라."고 하였다.

소곡주법
뎡월 초싱의 빅미 흔 말 빅셰ᄒ여 담그고 그날 조흔 셥누룩 흔 되 늘물 여듧 탕긔예 담가 두엇다가 사흘 만의 쌀을 건져 장말ᄒ여 익게 쪄 더운 김의 누룩 물을 걸너 독의 너코 쩍 바로 시로의셔 놋그릇스로 퍼 너허 복셩화 가지로 쩍을 푸러지도록 져허 푸른 보로 싸미고 되ᄋᄂ 양푼이ᄂ 놋그릇스로 덥퍼 흔듸 두어ᄀ며 쳐 식거든 가로누룩 흔 되나 다시 시항의 담고 덥퍼 두엇다가 삼일 만의 춥쌀 한 말 빅셰ᄒ여 무이 익게 쪄 시로치 노코 춘물을 밥이 ᄎ도록 흘여 ᄎ거든 밋슐과 물 흔 ᄉ발 섯거 너흐면 ᄉ일 만의 보면 우히 거는

거든 긔거슬 거더 드리우고 밋틔 말근 거슬 두고 쓰라.

오롤스록 맛시 조흐이라.

16. 소국주법 <부인필지(夫人必知)>

> 술 재료 : 밑술 : 멥쌀 5되, 섬누룩 7홉, 물 8되
>
> 덧술 : 멥쌀 1말, 살수물 7되

술 빚는 법 :

* 밑술 :

1. 정월 첫 해일에 섭치누룩 7홉을 냉수 8되에 담가 물누룩을 만들어두었다가, 3일 만에 주물러서 제물에 체에 밭쳐 찌꺼기를 제거한다.

2. 멥쌀 5되를 정히 씻어(백세하여 물에 담가 불렸다가, 다시 씻어 건져서 물기를 뺀 후) 작말한다.

3. 쌀가루를 시루에 안쳐서 흰무리를 짓고, 익었으면 퍼내 김이 식지 않게 하여 숟가락으로 떠서 누룩 우린 물에 넣고 주물러 덩어리 없이 풀어준다.

4. 3일 후에 동도지로 떡이 풀어지게 저어서 차게 식힌 다음, 술독에 담아 안친다.

5. 술독은 예의 방법대로 하여 서늘한 곳에서 30일가량 발효시킨다.

* 덧술 :

1. 2월쯤 술맛을 보아 맛이 달고 쌉쌀하면, 멥쌀 1말을 정히 씻어(백세하여 물에 담가 불렸다가, 다시 씻어 건져서 물기를 뺀 후) 시루에 안쳐서 고두밥을 짓는다.

2. (고두밥에서 한 김 나면, 물을 7되쯤 뿌려가면서 흠씬 익게 쪄낸다.

3. 고두밥은 (한 김 나게 식혀서) 더운 김에 밑술에 퍼 담고, 동도지로 저어 고

루 섞어준다.

4. 술독은 예의 방법대로 하여 21일간 발효시킨 뒤 채주한다.

* 주방문 말미에 "삼칠일 만에 뜨면 좋으되, 항이 크면 군내가 나느니라. 온갖
  술이 다 바람 없는 곳에 두어 화기와 양기를 일체 기하고(꺼리고), (날이) 더
  우면 맛이 변하되, 소곡주는 누룩만 냉수에 담아 3일 만에 거른 것을 쓰고,
  밑술(흰무리)과 덧술의 지에는 다 끓는 김에 하는 고로, 달기 냉수 같고 취
  기 덜하느니라."고 하였다.

소국쥬법

정월 첫 히일에 셥치 누룩 칠 홉을 닝슈 여덜 되에 담가 슴일 만에 제 국에
짜서 체에 밧치고 빅미 닷 되를 졍히 씨서 작말ᄒ야 손김 뵈지 말고 흰물이썩
쪄 더운 김에 슉가락으로 쓰더 누룩거든 물에 너어 두엇다가 삼일 만에 동으
로 벗은 복송화나무가지로 풀어지게 져어 차게 두엇다가 이월즘 맛 보아 달
곱 쌉살ᄒ거든 빅미 흔 말 졍히 씨서 물 일곱 되즘 섁려가며 흠쎅 쪄서 더운
김에 슐밋헤 퍼붓고 동도지로 져어 덥허두엇다가 삼칠일 만에 쓰면 조흐되,
항이 크면 군늬가 나ᄂ니라. 왼갓 슐이 다 바람 업ᄂ 곳에 두어 화긔와 양긔
를 일졀 긔하고 더우면 맛이 변ᄒ되, 소국쥬ᄂ 누룩만 닝슈에 담가 슴일 만에
걸은 후 밋과 지에를 다 쓸ᄂ 김에 ᄒᄂ 고로 말끼 닝슈갓고 취긔 덜ᄒᄂ니라.

17. 소국주(少麴酒) <산가요록(山家要錄)>
−쌀 15말 빚이

술 재료 : 밑술 : 멥쌀 7말 5되, 누룩가루 7되, 밀가루 5되, 끓는 물(7말 5되)
　　　　　덧술 : 멥쌀 7말 7되, 누룩가루 3되

술 빚는 법 :

* 밑술 :

1. 멥쌀 7말 5되를 씻어(백세하여) 물에 담가 불렸다가 (다시 씻어 건져서 물기를 뺀 뒤) 세말한 다음, 넓은 그릇에 담아둔다.
2. 쌀가루에 끓는 물(7말 5되)을 붓고 고루 저어 죽(범벅)을 만들고, 차게 식기를 기다린다.
3. 식은 죽에 누룩가루 7되와 밀가루 5되를 섞고, 고루 치대어 술밑을 빚는다.
4. 술독은 예의 방법대로 하여 3일간 발효시킨다.

* 덧술 :

1. 멥쌀 7말 7되를 깨끗이 씻어 백세하여 (물에 담가 불렸다가, 다시 씻어 건져서 물기를 뺀 뒤) 시루에 안쳐서 고두밥을 짓는다.
2. 고두밥이 익었으면 시루에서 퍼내고, 고루 펼쳐서 차게 식기를 기다린다.
3. 밑술을 체에 걸러(갈아) 고두밥과 함께 누룩가루 3되를 한데 합하고, 고루 힘껏 치대어 술밑을 빚는다.
4. 술독에 술밑을 담아 안치고, 예의 방법대로 하여 발효시킨다.

少麴酒

米十五斗二升.　白米七斗五升,洗浸,細末,湯水作粥,待冷.麴末七升,眞末五升,合造待熟.白米七斗七升,洗浸,全蒸,待冷.麴末三升,碾出前酒,合造.

18. 소곡주(小麴酒) <산림경제(山林經濟)>

술 재료 : 밑술 : 멥쌀 1말, 누룩(가루) 1되 5홉, 물 2병
　　　　　 덧술 : 멥쌀 2말, 끓여 식힌 물 4병

술 빚는 법 :

* 밑술

1. 멥쌀 1말을 백세하여 (물에 담가 불렸다, 다시 씻어 말갛게 헹궈서) 작말한다.
2. 쌀가루를 체에 쳐서 질동이에 담아놓고, 체 안에 남은 무거리는 버리지 말고 다른 그릇에 담아놓는다.
3. 깨끗한 물 2병에 무거리를 넣고 팔팔 끓여 만든 풀죽을 쌀가루에 붓고, 주걱으로 고루 개어 (반생반숙/범벅을 만들어 뚜껑을 덮고) 차게 식기를 기다린다.
4. 차게 식힌 범벅에 분쇄한 누룩(가루) 1되 5홉을 넣고 고루 버무려 술밑을 빚는다.
5. 술독에 술밑을 담아 안치고, 예의 방법대로 하여 7일간 발효시킨다.

* 덧술 :

1. 깨끗하게 도정한 멥쌀 2말을 백세한다(새 물에 불렸다, 다시 씻어 건져놓는다).
2. 불린 쌀을 (시루에 안쳐서 고두밥을 찌고), 솥에 물 4병을 오랫동안 팔팔 끓인다.
3. 고두밥이 익었으면 퍼내 넓은 그릇에 담아놓고, 끓고 있는 물 4병을 즉시 고두밥에 골고루 뿌려주고, 주걱으로 고루 헤쳐서 풀어놓는다.
4. 고두밥이 물을 다 먹었으면, 그릇에 뚜껑을 덮어두고 차게 식기를 기다린다.
5. 차게 식은 고두밥에 밑술을 섞고, 고루 버무려 술밑을 빚는다.
6. 술독에 술밑을 담아 안치고, 예의 방법대로 하여 7~8일간 발효시킨 후 맑아지기를 기다려 사용한다.

小麴酒

精鑿粳米一斗, 算籌百洗, 作末盛陶盆, 淨水二瓶, 合米末滓湯沸, 以湯水和末, 均調候冷, 和以碎麴一升五合, 至七日. 又以精鑿米二斗, 如前百洗, 先以水湯沸, 每一斗水二瓶, 洒均候冷, 以前釀雜調之入瓮, 至三七日, 澄淸後用之). <故事撮要>.

19. 소곡주법(少麴酒法) <산림경제촬요(山林經濟撮要)>

> 술 재료 : 밑술 : 멥쌀 1말, 누룩(가루) 1되 5홉, 끓는 물 2병
> 덧술 : 멥쌀 2말, 끓는 물 4병

술 빚는 법 :

* 밑술

1. 많이 찧은 멥쌀 1말을 백세하여 (물에 백 번 씻어 새 물에 담가 불렸다가, 다시 씻어 말갛게 헹궈서 물기를 뺀 후) 작말한다(가루로 빻는다).
2. 쌀가루를 체에 쳐서 질동이에 담아놓고, 체 안에 남은 무거리는 버리지 말고 다른 그릇에 담아놓는다.
3. 깨끗한 물 2병에 무거리를 넣고 팔팔 끓여 만든 풀죽을 쌀가루에 붓고, 주걱으로 고루 개어 (반생반숙/범벅을 만들어 뚜껑을 덮고) 차게 식기를 기다린다.
4. 차게 식힌 범벅에 분쇄한 누룩(가루) 1되 5홉을 넣고 고루 버무려 술밑을 빚는다.
5. 술독에 술밑을 담아 안치고, 예의 방법대로 하여 7일간 발효시킨다.

* 덧술 :

1. 깨끗하게 도정한 멥쌀 2말을 백세한다(새 물에 담가 불렸다가, 다시 씻어 건져서 물기를 빼놓는다).
2. 불린 쌀을 (시루에 안쳐서 고두밥을 무르게 찌고), 솥에 물(4병)을 오랫동안 팔팔 끓인다.
3. 고두밥이 익었으면 퍼내어 넓은 그릇에 담아놓고, 끓고 있는 물 4병을 즉시 고두밥에 골고루 뿌려주고, 주걱으로 고루 헤쳐서 풀어놓는다.
4. 고두밥이 물을 다 먹었으면, (그릇에 뚜껑을 덮어두고) 차게 식기를 기다린다.
5. 차게 식은 고두밥에 밑술을 섞고, 고루 버무려 술밑을 빚는다.

6. 술독에 술밑을 담아 안치고, 예의 방법대로 하여 7~8일간 발효시킨 후 맑아
  지기를 기다려 사용한다.

* 주방문 말미에 "물기를 금하고 베보자기로 걸러 찌꺼기 없이 하여 둔다. 2월
  초에 빚었으면 3월 삭망 후에 익는다. 5월까지 두어도 맛이 변하지 않고 술이
  다 떨어질 때까지 따뜻한 곳을 피하면 끝까지 변하지 않는다."고 하였다. <고
  사촬요>를 인용한 <산림경제>, <증보산림경제> 방문과 동일하다.

少麴酒法
精鑿粳米一斗百洗作末盛陶盆另用淨水二瓶以米末除滓合之湯沸以其湯水勻
調於米末候冷又和以碎麴一升五合納瓮至七日又以精鑿米二斗百洗爛烝先以
水湯沸酒勻候冷以前釀雜調之入瓮至三七日澄淸後用之(每米一斗入水二瓶
爲率).

20. 소곡주 속법(小麴酒 俗法) <산림경제촬요(山林經濟撮要)>
－1말 빚이

> 술 재료 : 밑술 : 멥쌀 5되, 누룩 5홉, 밀가루 5홉, 끓여 식힌 물 3병
>   덧술 : 멥쌀 5되

술 빚는 법 :
* 밑술
1. 먼저 좋은 누룩가루 5홉과 밀가루 5홉을 끓여 식힌 물 3병에 담가 물누룩
  을 만들고 밤재워 불린다.
2. 다음날 깨끗하게 찧은 멥쌀 5되를 (백세하여) 새 물에 담가 불렸다가, 다시
  씻어 말갛게 헹궈서 물기를 뺀 후 작말한다.

3. 쌀가루를 시루에 안쳐서 8분(八分, 80%) 정도 익게 찌고, 물누룩을 그릇에
   담아 손으로 주물러서 덩어리가 없이 풀어 술밑을 만들어놓는다.
4. 술밑을 체에 걸러 찌꺼기를 제거한 한 다음, 차게 식기를 기다린다.
5. 술독에 술밑을 담아 안치고, 예의 방법대로 하여 7일간 발효시킨다.

* 덧술 :
1. 깨끗하게 도정한 멥쌀 5되를 (백세하여) 물에 담가 불렸다가, (다시 씻어) 건
   져낸다(물기를 빼놓는다).
2. 불린 쌀을 (시루에 안쳐서 무르게 고두밥을 찌고), 고두밥이 익었으면 퍼내
   어 넓은 그릇에 담아놓는다(차게 식기를 기다린다).
3. (차게 식은) 고두밥을 밑술에 섞고, 고루 버무려 술밑을 빚는다.
4. 술독에 술밑을 담아 안치고, 예의 방법대로 하여 7일간 발효시킨 후, 개미가
   뜨기를 기다려 사용한다.

* 주방문 말미에 "물기를 금하고 베보자기로 걸러 찌꺼기 없이 하여 둔다. 2월
  초에 빚었으면 3월 삭망 후에 익는다. 5월까지 두어도 맛이 변하지 않고 술
  이 다 떨어질 때까지 따뜻한 곳을 피하면 끝까지 변하지 않는다."고 하였다.

小麴酒 俗法

欲釀一斗則先以好麴末五合眞末五合浸於湯沸已冷之水三瓶之中經宿翌日取
精鑿白米五升浸水灑出作末入甑內蒸八分熟取出以浸麴就其水中用手揉洗良
久去麤滓又篩去細滓將蒸米末投麴水中亦以手揉之令無少核然後候冷納瓮
過七日另用精鑿白米五升浸水蒸於甑內爛熟取出未熱納前瓮中愼手攪勻置冷
又過七日後開見瓮內有浮漚痕用乾淨巾拭去之直至無痕乃至二月初釀之三月
望後方熟至五月則味致變盖此酒終始忌暖處亦忌日照處(春酒之味無過於味.

21. 소곡주(小麴酒) <수운잡방(需雲雜方)>

술 재료 : 밑술 : 멥쌀 3말, 누룩 5되, 밀가루 5되, 끓는 물 3말
　　　　덧술 : 멥쌀 6말, 끓는 물 6말
　　　　2차 덧술 : 멥쌀 6말, 끓는 물 6말

술 빚는 법 :
* 밑술 :
1. 멥쌀 3말을 백세하여 (물에 담가 불렸다가, 다시 씻어 헹궈 건져서 물기를 뺀
   후) 세말하고(고운 가루로 빻아) 넓은 그릇에 담아둔다.
2. 쌀가루에 끓는 물 3말을 골고루 붓고, 주걱으로 고루 저어 죽(범벅)을 만들
   고, 차게 식기를 기다린다.
3. 식은 죽(범벅)에 누룩 5되와 밀가루 5되를 섞고, 고루 치대어 술밑을 빚는다.
4. 술독은 예의 방법대로 하여 발효시켜 익기를 기다린다.

* 덧술 :
1. 멥쌀 6말을 백세하여 (물에 담가 불렸다가, 다시 씻어 헹궈 건져) 세말한다.
2. 쌀가루를 시루에 안쳐서 설기떡을 찌고, 솥에 물 6말을 팔팔 끓인다.
3. 설기떡이 익었으면 넓은 그릇에 퍼내고, 끓는 물 6말을 붓고 주걱으로 개
   어 죽처럼 만든 후 (넓은 그릇 여러 개에 나눠 담고) 차게 식기를 기다린다.
4. 죽에 밑술을 퍼 넣고, 고루 버무려 술밑을 빚는다.
5. 술독에 술밑을 담아 안치고, 예의 방법대로 하여 발효시킨다.

* 2차 덧술 :
1. 멥쌀 6말을 백세하여 (물에 담가 불렸다 다시 씻어 헹궈 건져) 고두밥을 짓
   는다.
2. 솥에 물 6말을 팔팔 끓이고, 고두밥이 익었으면 끓는 물 6말을 고루 섞어놓

는다.

3. 고두밥이 물을 다 먹었으면, (그릇 여러 개에 나눠 담고) 차게 식기를 기다린다.

4. 진고두밥에 밑술을 합하고, 고루 버무려 술밑을 빚는다.

5. 술독에 술밑을 안치고, 예의 방법대로 발효시켜 익는 대로 용수박아 채주한다.

小麴酒

白米三斗百洗細末湯水三斗作粥待冷麴五升眞末五升和納瓮待熟白米六斗百洗細末熟蒸湯水六斗作粥待冷和前酒納瓮待熟白米六斗百洗全蒸湯水六斗和飯待冷和前酒納瓮待熟用之.

22. 소국주 우법(小麴酒 又法) <수운잡방(需雲雜方)>

술 재료 : 밑술 : 멥쌀 5말, 누룩 5되, 밀가루 5되, 끓는 물 6동이 반

　　　　덧술 : 멥쌀 5말

　　　　2차 덧술 : 멥쌀 5말

술 빚는 법 :

* 밑술 :

1. 정이월 안에 멥쌀 5말을 백세하여 (물에 불렸다가, 다시 씻어 헹궈) 작말한다.

2. 솥에 물 6동이 반을 팔팔 끓이다가, 멥쌀가루를 풀어 넣고 주걱으로 저어가면서 팔팔 끓는 죽을 쑨 다음, (넓은 그릇 여러 개에 나눠 담고) 차게 식기를 기다린다.

3. 멥쌀죽에 누룩 5되와 밀가루 5되를 합하고, 고루 버무려 술밑을 빚는다.

4. 술독에 술밑을 담아 안친 다음, 예의 방법대로 하여 7일간 발효시킨다.

* 덧술 :
1. 멥쌀 5말을 물에 백세하여 (물에 불렸다가, 다시 씻어 헹궈) 작말한다.
2. 쌀가루를 시루에 안쳐서 되게 익힌 다음, 멍울을 풀어서 차게 식기를 기다
   린다.
3. 차게 식은 설기떡을 밑술에 합하고, 고루 버무려 술밑을 빚는다.
4. 술독에 술밑을 담아 안치고, 예의 방법대로 하여 7일간 발효시킨다.

* 2차 덧술 :
1. 멥쌀 5말을 물에 백세하여 (물에 담가 불렸다가, 다시 씻어 헹궈서) 작말
   한다.
2. 쌀가루를 시루에 안쳐서 되게 익힌 다음, 멍울을 풀어서 차게 식기를 기다
   린다.
3. 차게 식힌 설기떡을 덧술에 합하고, 고루 버무려 술밑을 빚는다.
4. 술독에 술밑을 안치고, 예의 방법대로 하여 춥지도 덥지도 않은 곳에서 발
   효시킨다.

* 주방문 말미에 "모란과 장미가 필 무렵(4월 하순~5월 초순) 술이 익으면 맑
   은 술을 떠서 마신다. 술찌꺼기는 물에 타서 마시면 그 맛이 이화주와 같다.
   이는 보다 진한 향미의 술이다."고 하였다.

小麴酒 又法
正二月內白米五斗百洗作末湯水六盆半作粥待冷麴五升眞末五升和釀待七日
白米五斗作末乾蒸前酒和釀又待七日如前法和釀置不暖不寒處牧丹薔薇開時
澄淸不上槽用之其滓和水飮之如梨花酒香冽過之.

23. 소곡주 <술방>

술 재료 : 밑술 : 찹쌀 1말, 누룩가루 1말 4되(1되 4홉), 밀가루 1말(되)

덧술 : 멥쌀 9되

2차 덧술 : 찹쌀 2말

술 빚는 법 :

* 밑술 :

1. 정월 첫 해일에 찹쌀 한 말 백세작말하여 준비한다.

2. 찹쌀가루를 익반죽하여 구무떡을 만들어 끓는 물에 삶아낸다.

3. 삶은 떡을 주걱으로 개어 죽같이 만든 다음, 차게 식힌다.

4. 식힌 떡에 누룩가루 1말 4되(1되 4홉), 진말 1말(되)을 한데 섞고, 고루 버무
   려 술밑을 빚는다.

5. 술독에 술밑을 담아 안치고, 예의 방법대로 하여 3월 초까지 발효 숙성시
   킨다.

* 덧술 :

1. 삼월에 백미 9되를 작말하여 준비한다.

2. 쌀가루에 먼저 한 술밑 32구기씩 떠 부어 주물러 술밑을 빚는다.

3. 술밑을 술독에 담아 안친다.

4. 술독은 예의 방법대로 하여 (3~5일간) 발효시킨다.

* 2차 덧술 :

1. 덧술이 다 익은 후, 찹쌀 2말을 백세하여 (하룻밤 불렸다가) 새 물에 헹군
   후 건져서 물기를 뺀다.

2. 찹쌀을 시루에 안쳐서 고두밥을 짓고, 고루 펼쳐서 차게 식기를 기다린다.

3. 덧술에 고두밥을 섞고, 고루 버무려 술밑을 빚는다.

4. 술독에 술밑을 담아 안치고, 예의 방법대로 하여 20일간 발효시킨다.

소곡주

정월 첫 해일에 찹쌀 한 말 백세작말하여 구무떡 맨드러 살마 개어 곡말 한 말 넉되, 진말 한 말 한데 버무려 두엇다가 삼월의 백미 아홉 되 작말하여 먼 저 현 술밑 서른두 구기씩 떠 부어 주물러 다 익은 후 찹쌀 두 말 덧하여 이 십일만의 익나니라. 소국주법이라.

24. 소국주방문 <술 빚는 법>
－4말 빚이, 가을에 하는 법

> 술 재료 : 밑술 : 멥쌀 2말, 섬누룩가루 2되 8홉, 누룩 5홉 반, 정화수 4말
>   덧술 : 멥쌀 2말

술 빚는 법 :

* 밑술 :

1. 정월 첫 해일에 정화수 4말을 길어다 술독에 담는다.
2. 정화수에 좋은 섬누룩 2되 8홉을 넣고 물누룩을 만들어 3일간 불려놓는다.
3. 멥쌀 2말을 백세하여 (물에 담가 하룻밤 불렸다가, 다시 씻어 헹궈서) 작말 한다.
4. 멥쌀가루를 시루에 안쳐 떡을 찌고, 누룩 5홉 반을 섞는다.
5. 떡이 식지 않았을 때 술독의 물누룩에 한데 합하고, 복숭아나무 가지로 고 루 휘저어 덩어리진 것 없이 풀어놓는다.
6. 술독에 예의 방법대로 하여 찬 곳에 두고 이불로 싸서 발효시키되, 술맛이 달고 매울 때 덧술을 해 넣는데, 술 표면이 골마지 낀 것을 깨끗하게 걷어낸다.

* 덧술 :

1. 멥쌀 2말을 백세하여 (물에 담가 불렸다가, 다시 헹궈서 물기를 뺀 후) 시루
   에 안쳐서 고두밥을 짓는다.

2. 고두밥이 익었으면 밑술을 합하고, 고루 버무려 술밑을 빚는다.

3. 군내 없이 한(짚불 연기를 쏘여 소독하여 그을음을 닦아낸) 술독에 술밑을
   담아 안치는데, 복숭아나무 가지로 휘저어 섞는다.

4. 술을 다 안친 술독은 예의 방법대로 하여 3월까지 발효시켜 익기를 기다린다.

쇼국쥬방문

가을의 허난이라. 정월 초 히일 졍화슈를, 슐 너 말 허려면 죠흔 셤누룩 네칠
홉을 물의 담가 두엇다가, 슴일 되거든 빅미 두 말 빅셰 쟉말허여 흰무리 뼈
누룩물 반을 쳐 썩 식히지 안이코 퍼 너허, 망오리 업시 풀어 나지 안일만 찬
데 두어다가, 달고 비음허거든 쏘 빅미 두 말 빅셰허여 밥 지여 너흐되, 이불
죄 것고 군늬 업시 허여 졔 김의 너흐되 복셩화 가지로 밋 헐 젹과 우 헐 젹의
져어 두어다가, 슴월 망간 보면 우 말고 쌀낫치 쓰거든 쓰계 흐라.

25. 소국주 별방 <시의전서(是議全書)>

술 빚는 법 :

* 밑술 :

1. 정월 첫 해일에 멥쌀 5되를 백세하여 (물에 담가 불린 다음, 다시 씻어 건져
   서 물기를 뺀 뒤) 작말한다.

2. 물 3말을 끓이다가 따뜻해지면, 쌀가루를 넣고 주걱으로 고루 개어가면서

죽을 쑨 뒤, 넓은 그릇 여러 개에 퍼서 차게 식기를 기다린다.

3. 죽에 누룩가루와 밀가루 각 5홉씩 넣고, 고루 버무려 술밑을 빚는다.

4. 술독에 술밑을 담아 안치고, 예의 방법대로 하여 (따뜻한 곳에서) 하루 동안 발효시킨다.

* 덧술 :

1. 찹쌀 3말을 (백세하여 물에 담가 불렸다가, 다시 씻어 헹궈서 건져서 물기를 뺀 뒤) 시루에 안쳐서 고두밥을 짓는다.

2. 찹쌀고두밥이 익었으면, 퍼내어 돗자리에 고루 펼쳐서 차게 식기를 기다린다.

3. 찹쌀고두밥에 밑술을 부어가면서 고루 버무리는데, 술밑을 덩어리지게 뭉쳐서 술독에 담아 안친다.

4. 술밑이 남았으면, 술독 안의 술밑 위에 쏟아 붓는다.

5. 술독은 예의 방법대로 하여, 서늘하고 찬 데 자리 잡아 앉혀서 3~4월까지 발효시키는데, 술밑이 얼은 듯 녹은 듯하면서 익는다.

6. 술이 숙성되면 양이 많아 물을 퍼내 쓰듯 많이 나오는데, 오래도록 맵고 향기롭다.

* 기록에 본방(本方)의 '소국주'는 없이 '소국주 별방(別方)'만 수록되어 있다.

소국쥬 별방
정월 첫 희일에 빅미 닷 되 작말ᄒ여 ᄯᆯ힌 물 셔 말에 죽 쓔어 퍼셔 노핫다가 더운 김 업게든 곡말 닷 홉 진말 닷 홉 너허 져어 두엇다가 잇튼날 졈미 셔 말 닉게 쪄 덩이덩이 뭉쳐 너허 한듸 두면 얼락 녹으락 ᄒ여 삼사월이 되면 물 퍼 쓰듯 ᄒ나니 오릭도록 믭고 향긔로으니라.

26. 소국주 <양주방>*

－네 말 빚이

> 술 재료 : 밑술 : 멥쌀 2말, 섬누룩 2되 7홉, 진말 1되 3홉, 물 3말 5되
>
> 덧술 : 멥쌀 2말

술 빚는 법 :

* 밑술 :

1. 4말을 빚으려면 정월 초열흘에 희게 쓿어 준비한 멥쌀 2말을 (백세하여) 물에 담가 하룻밤 불려놓는다.

2. 쌀 불린 날 좋은 섬누룩(썩 좋지 못한 누룩) 2되 7홉과 밀가루 1되 3홉을 한데 섞고, 끓여 식힌 물 3말 5되에 개어 물누룩을 만들어놓는다.

3. 물에 불린 쌀을 다시 깨끗하게 씻어 (헹궈 건져서 물기를 뺀 후) 작말한 다음, 시루에 안쳐서 흰무리를 찐다.

4. 물누룩은 위의 맑은 물을 떠내고 찌꺼기는 주물러 고운체로 거르는데, 떠낸 물을 부어가면서 알뜰하게 걸러서 찌꺼기를 제거한 누룩물을 술독에 담아 안친다.

5. 흰무리가 익었으면 시루째 떼어놓고, 퍼서 더운 기운이 남았을 때 누룩물을 안친 독에 넣되, 덩이를 깨서 넣고 동도지로 수없이 휘저어 준다.

6. (6시간 정도 방치한) 술독을 단단히 봉하고, 찬 곳에 한 달(30일) 남짓 발효시킨다.

7. 때때로 동도지로 저어주고, 독 가장자리에 묻은 것은 행주로 깨끗하게 씻어 군내를 없앤다. 맛이 달다가 매운맛이 나거든 덧술을 해 넣는다.

* 덧술 :

1. 희게 쓿은 멥쌀 2말을 백세하여 하룻밤 물에 담갔다가, 다음날 건진다(다시 씻어 헹군 후, 물기를 뺀다).

2. 멥쌀을 시루에 안쳐 고두밥을 짓되, 주걱으로 뒤적여주고 찬물을 뿌려서 뜸을 들여, 무르게 익었으면 시루째 떼어 밑술독 앞에 놓고 더운 김에 독에 넣는다.
3. 고두밥과 밑술이 고루 섞이도록 동도지로 저어주고, 술독 안 벽면을 잘 씻어준다.
4. 술독은 잘 덮고, 이불로 여러 겹 잘 싸서 찬 곳에 두어 발효시킨다.
5. 술이 괴어오를 때 술독 가장자리에 묻은 거품은 자주 걷어내고, 단단히 덮어 후발효시킨다.

* 주방문 말미에 "몇 십일 뒤에 보면 술덧이 가라앉았다가 다시 떠오르고, 다시 가라앉으면 익었으므로, 두 번 가라앉은 후에 웃술을 뜨고 따라서 쓰라." 고 하였다.

쇼국쥬

너 말 비즈려 ᄒ면 빅미 두 말 빅셰작말ᄒ여 뎡월 초슌일 다므고 죠흔 섭누록 네칠홉 진말 되 서 홉 ᄒ듸 섯거 ᄯᆯ힌 물 서 말 닷 되예 담그듸 쓸과 흔날 담가 이튿날 쓸 건져 작말ᄒ야 무리 ᄶᅵ며 일변 누록 다믄 거슬 그ᄂᆞᆫ례로 거르듸 우을 가만가만 ᄶᅧ 노코 쳐진 거슬 마이 쥐물너 우 ᄯᆫ 물 쥬어가며 졍이 걸너 다시 밧쳐 곳쳐 되야 독 ᄂᆡ어 노코 무리 씬 거슬 시로 지 독 겻희 노코 더운 김의 펴 녀흐듸 굵은 덩이 ᄶᅥ 가며 녀흐며 뉴지로 져어 단단이 싸 찬듸 노핫다가 뉴지로 쌧째 져어 독가의 므든 거슬 힝즈로 죄 ᄶᅵ셔 군내 업시ᄒ야 삼십여 일 되면 마시다가 미온 맛 나거든 덧ᄒ듸 빅미 두 말 빅셰ᄒ야 밤 지여 닉게 ᄶᅧ 쥬걱으로 뒤며 믈 ᄲᅳ려 흐억이 ᄶᅧ 시로재 독 겻희 노코 더운 김의 고로고로 뉴지로 져으며 퍼 너코 다 골은 후 단단이 눌너 스면을 ᄊᆞᆺ고 마이 덥허 독을 잔득 싸 촌 듸 두어 닉이듸 올나려(오르나려) 괼제 ᄀᆞ 희 거품 므든 거슬 즈로 쓰셔 닉고 ᄃᆞᆫᄃᆞᆫ이 덥허 두엇다가 슈십일 후 보면 가라 안졋다가 도로 ᄯᅥ셔 ᄯᅩ 가라안ᄂᆞ니 두 번 가라안즌 후ᄂᆞᆫ 다 닉ᄂᆞ니 우흘 쓰고 드리서 쓰라.

27. 소국주 우일방 <양주방>*

−일명 약산춘

술 재료 : 밑술 : 멥쌀 2말, 섬누룩 2되, 진말 1되, 끓여 식힌 물 2말

덧술 : 멥쌀 2말

술 빚는 법 :

* 밑술 :

1. 정월 첫 신일에 물 2말을 소쿠라지게 끓여 차게 식힌 후, 밤이슬을 맞혀놓
   는다.

2. 좋은 섬누룩 2되, 밀가루 1되를 한데 섞어 물과 함께 술 빚을 독에 넣고, 동
   도지로 마구 휘저어 물누룩을 만들어놓는다.

3. 정월 첫 해일에 맑은 웃물을 말끔히 떠내고, 가라앉은 것은 떠둔 물을 쳐가
   면서 주물러 체에 밭쳐 누룩물을 만든 다음 술독에 다시 담아놓는다.

4. 희게 쓿은 멥쌀 2말을 씻고 또 씻어(백세하여) 물에 담가 밤재워 불려놓는다.

5. 불린 쌀을 다시 씻어 헹궈서 물기를 뺀 후, 작말하여 시루에 안쳐 흰무리를
   찐다.

6. 흰무리가 익었으면 시루째 떼어 밑술독 옆에 놓고, 더운 기운이 남게 식힌
   후 큰 덩이를 깨서 넣고 동도지로 수없이 휘저어 준다.

7. 술독을 예의 방법대로 하여 단단히 싸매고 마루에 앉혀 한 달(30일) 남짓
   발효시킨다.

8. 2월에 술독을 열어보아 독 가장자리에 묻은 것에서 군내가 나면 말끔하게
   씻어내고, 맛이 달거든 덧술을 해 넣는다.

* 덧술 :

1. 희게 쓿은 멥쌀 2말을 씻고 또 씻어(백세하여) 물에 담가 밤재워 불려놓는다.

2. 물에 불린 쌀을 다시 씻어 헹궈서 물기를 뺀 후, 시루에 안쳐 고두밥을 짓

는다.

3. 고두밥에서 한 김 나면 주걱으로 뒤적여주고, 찬물을 뿌려서 쪄서 무르게 익었으면, 시루째 떼어 밑술독 앞에 놓고 더운 김에 밑술독에 넣는다.

4. 고두밥과 밑술이 고루 잘 섞이도록 동도지로 수없이 휘저어 준다.

5. 술독은 잘 덮어 봉하고, 이불로 여러 겹 잘 싸서 찬 곳에서 발효시킨다.

6. 3, 4월에 술독을 다시 한 번 열어보아, 술독 가장자리에 묻은 거품은 자주 걷어내고, 단단히 덮어 30여 일간 후발효시킨다.

* 주방문 말미에 "덧술한 지 한 달 후에 술이 익어서 개미가 담뿍 뜨고 국이 뽀얗거든, 그대로 두었다가 개미가 가라앉았다 다시 뜨거든 쓰기 시작하여라. 일명 '약산춘'이라고 하며, 이 방법으로 빚어 방에 놓아 예사로 익혀도 좋고, 술밑이 달 때에 덧술을 하면 술맛이 약간 싱겁고, 매운 뒤에 덧술하면 더 준하다."고 하였다.

쇼국쥬 우일방

뎡월 히일 빅미 두 말 슐밋 ᄒᆞ디 쌀 ᄒᆞᆫ 말의 믈 ᄒᆞᆫ 말식 마련ᄒᆞ여 비즈디 믈을 마히 ᄭᅳᆯ혀 도로 지와 밤이슬 마쳐 비즐 항의 되야 노코 미 말의 죠흔 섭누록 ᄒᆞᆫ 되 진말 닷 홉식 그 믈의 픈 후 동뉴지로 동당이쳐 마이 져어 사흘 만의 그 웃물 묽은 것 제곰 ᄯᅳ고 쳐진 것 가는 체로 거르디 우 ᄯᅳᆫ 물 쥬어 가며 직직 걸러 다시 체예 바타 고쳐 되야 독의 부엇다가 이튼날 빅미 두 말 빅세ᄒᆞ야 둠가 밤 재여 작말ᄒᆞ여 무리 닉게 닉게 쪄 시로재 독 겻히 노코 굵은 덩이 ᄣᅥ 가며 너흐디 그 동뉴지로 프러지도록 져어 싸미야 마루의 두디 이월의 녀러보아 독 가의 무더 군늬 날가 시브거든 힝즈로 쓰셔 닉고 마시 달거든 빅미 두 말 빅세ᄒᆞ야 담가 밤 재여 닉게 쪄 쥬걱 뒤여 물 쥬어 긱 슐것을 녀 시로재 독 겻히 노코 퍼 브으며 그 동뉴지로 져어 ᄒᆞᆫ 합이 되게 ᄒᆞ여 두엇다가 삼ᄉᆞ월의 다시 ᄒᆞᆫ 슌 여러 보아 무든 것 쓰셔 닉디 덧튼 지 들이 남아야 밥낫치 위 담뿍 ᄯᅳ고 국이 보히다가 거오지 말고 ᄀᆞ마니 두어 밥낫치 가라안고 믈가 ᄒᆞᆫ 후 밥낫 다시 쪄 오르거든 시작ᄒᆞ야 쓰라. 일명은 악산츈이니 이 법

디로 비져 방의 노하 녜스로 익혀도 죠코 슐밋 다라서 덧트면 슐맛시 잠간 담
흐고 미온 후 덧트면 죠흐니라.

28. 소국주법 <양주방(釀酒方)>
－엿 말 빚이

술 재료 : 밑술 : 멥쌀 2말, 누룩 1되 7홉, 끓는 물 2말
        덧술 : 멥쌀 4말, 누룩 3홉, 밀가루 6홉, 끓는 물 4말

술 빚는 법 :
* 밑술 :
1. 멥쌀 2말 백세하여 (물에 담가 불렸다가, 다시 씻어 헹궈 건져서 물기를 뺀
   후 작말하여) 넓은 그릇에 담아놓는다.
2. 솥에 물 2말을 팔팔 끓여 (쌀가루에 골고루 붓고, 주걱으로 개어 범벅을 쑨
   후) 차게 식기를 기다린다.
3. 범벅을 넓은 그릇에 퍼서 담고, 차게 식기를 기다린다.
4. 차게 식은 범벅에 누룩 1되 7홉(정확하지 않음)을 한데 합하고, 고루 치대
   어 술밑을 빚는다.
5. 술밑을 독에 담아 안치고, 예의 방법대로 하여 7일간 발효시킨다.

* 덧술 :
1. 멥쌀 4말을 백세하여 (물에 담가 불렸다가, 다시 씻어 헹궈 건져서 물기를 뺀
   후) 시루에 안쳐서 고두밥을 짓는다.
2. 고두밥을 찔 때에 주걱으로 뒤집어주고 물을 뿌려 뜸을 들이고, 솥에 물 4
   말을 솟구치게 끓인다.
3. 고두밥이 익었으면 넓은 그릇에 퍼내고, 끓는 물 4말을 골고루 부어두었다가

고두밥이 물을 다 먹으면 차게 식기를 기다린다.

4. 고두밥이 식었으면 누룩 3홉, 밀가루 6홉과 함께 밑술에 섞고, 고루 버무려
   술밑을 빚는다.

5. 술밑을 독에 담아 안치고, 예의 방법대로 하여 발효시킨다.

소국쥬법

엿 말 비지. 빅미 두 말 빅세하야 물 두 말 쓸혀 닉게 기여 치 식거든 누룩 칠
홉되 섯거 일혜만의 빅미 너 말 빅세하야 쎌제 물 뿔혀 뒤저허 닉게 뼈 물 너
말 고뵈나기 쓸혀 더온김의 골라 식거든 누룩 서 홉 진ㄱ르 뉵 홉 밋술과 밥
과 섯거 너흐라.

29. 소국주법 <양주방(釀酒方)>

–닷 말 빚이

> 술 재료 : 밑술 : 멥쌀 1말, 가루누룩 2되, 끓는 물 2말
>   덧술 : 멥쌀 4말, 누룩 1되, 밀가루 7홉, 끓는 물 8말

술 빚는 법 :

* 밑술 :

1. 멥쌀 1말 백세하여 (물에 담가 불렸다가, 다시 씻어 헹궈 건져서 물기를 뺀
   후) 작말하여 넓은 그릇에 담아놓는다.

2. 솥에 물 2말을 팔팔 끓인다(쌀가루에 골고루 붓고, 주걱으로 개어 범벅을 쑨
   후 차게 식기를 기다린다).

3. 차게 식은 범벅에 가루누룩 2되를 섞고, 고루 버무려 술밑을 빚는다.

4. 술밑을 독에 담아 안치고, 예의 방법대로 하여 발효시켜 끓어오르기를 기
   다린다.

* 덧술 :

1. 밑술이 괴어오르거든 멥쌀 4말을 백세하여 (물에 담가 불렸다가, 다시 씻어 헹궈 건져서 물기를 뺀 후) 시루에 안쳐서 고두밥을 짓는다.

2. 고두밥이 익었으면 퍼내고, 고루 펼쳐서 차게 식기를 기다린다.

3. 솥에 물 8말을 끓여 고두밥에 골고루 나누어 붓고, 물이 잦아들기를 기다린다(고루 헤쳐서 차게 식기를 기다린다).

4. 고두밥이 (식었으면) 누룩 1되와 밀가루 7홉을 밑술에 한데 섞고, 고루 버무려 술밑을 빚는다.

5. 술밑을 독에 담아 안치고, 예의 방법대로 하여 발효시켜 술이 괴는 대로 떠서 마신다.

소국쥬법

닷 말 비지. 빅미 한 말 빅세 작말ᄒᆞ야 물 두 말 ᄭᅳᆯ혀 ᄀᆞᄅᆞ누룩 두 되 섯거 너허다가 괴난대로 ᄡᆞᆯ 너 말 빅세ᄒᆞ야 닉게 ᄧᅧ 치오고 물 여듦 말 ᄭᅳᆯ혀 더러는 밥의 고로고 더러는 너흘제 밋히 섯거 둣다가 괴ᄂᆞᆫ 대로 쓰라. 너흘제 누룩 한 되와 진ᄀᆞᄅᆞ 칠 홉을 고로 섯거 너흐라.

30. 소국주법 <양주방(釀酒方)>

-너 말 빚이

> 술 재료 : 밑술 : 멥쌀 1말, 가루누룩 2되, 끓는 물 5되
> 덧술 : 멥쌀 3말, 밀가루 1되, 끓는 물 3말, 냉수 1말 5되

술 빚는 법 :

* 밑술 :

1. 멥쌀 1말 백세하여 물에 담갔다가, 다음날 다시 씻어 헹궈서 가루로 빻는다.

2. 물 5되를 팔팔 끓여 쌀가루에 골고루 붓고, 주걱으로 고루 개어 범벅을 쑨다.

3. 범벅을 넓은 그릇에 퍼서 담고, 차게 식기를 기다린다.

4. 차게 식은 범벅에 가루누룩 2되를 섞고, 고루 버무려 술밑을 빚는다.

5. 술밑을 독에 담아 안치고, 예의 방법대로 발효시켜 술이 괴어오르기를 기다린다.

* 덧술 :

1. 밑술이 괴어오르면, 멥쌀 3말을 백세하여 물에 담갔다가, 다음날 다시 씻어 헹궈서 물기를 뺀 후 시루에 안쳐서 고두밥을 짓는다.

2. 솥에 물 3말을 솟구치게 끓이다가 고두밥이 익었으면 퍼내어 끓는 물을 골고루 붓고, 물이 잦아들면 고루 헤쳐서 차게 식기를 기다린다.

3. 고두밥이 식었으면 밀가루 1되와 함께 밑술에 섞고, 고루 버무려 술밑을 빚는다.

4. 술밑을 독에 담아 안치고, 예의 방법대로 하여 6~7일간 발효시킨다.

5. 냉수 1말 5되를 술덧에 붓고, 예의 방법대로 하여 두었다가 술이 맑아지면 채주하여 마신다.

* 주방문 말미에 "술이 예사 물장(보통의 묽은 빛깔의 맑은 장) 같으니 물 붓기를 그릇 짐작하여 부으라."고 하였다. 이로써 후수하는 법을 엿볼 수 있다. 또한 덧술에 누룩 대신 밀가루를 쓰고, 탕수가 아닌 냉수를 후수하는 것으로 되어 있는 점이 특이하나, 끓여 식힌 물을 사용하는 것이 더 바람직할 것으로 생각된다.

소국듀법

너 말 비지. 빅미 한 말 빅세ᄒᆞ야 담갓다가 이튿날 다시 헤워 작말ᄒᆞ야 물 닷 되 ᄡᆞᆯ혀 기여 식거든 ᄀᆞᆮ누룩 두 되 섯거 너헛다가 괴거든 빅미 셔 말 빅세ᄒᆞ야 담갓다가 이튿날 다시 헤워 닉게 뼈 물 서 말 ᄡᆞᆯ혀 밥의 골라 식거든 밋술의 진ᄀᆞᆯᄀᆞᆯ 한 되나 섯거 너허둣다가 엿시 일혜 만의 닝슈 말 닷 되를 부허 묽거든 쓰라. 술의 예스 물 쟝니가든 니물 붓기를 그를 짐작ㅎ야 부으라.

31. 소국주법 <양주방(釀酒方)>
－서 말 빚이

술 재료 : 밑술 : 멥쌀 1말, 가루누룩 8홉, 밀가루 4홉, 끓는 물 1말 5되
　　　　　덧술 : 멥쌀(2말), 가루누룩 8홉, 밀가루 3홉, 끓는 물 2말 8되
　　　　　2차 덧술 : 멥쌀 2말, 가루누룩 1되, 끓는 물 2말

술 빚는 법 :

* 밑술 :

1. 멥쌀 1말 백세하여 (물에 담가 불렸다가, 다음날 멥쌀을 다시 씻어 헹궈 건
   져서 물기를 뺀 후) 작말한다(가루로 빻는다).
2. 솥에 끓는 물 1말 5되를 팔팔 끓여 쌀가루에 나눠 붓고, 주걱으로 고루 개
   어 범벅을 쑨다.
3. 범벅을 넓은 그릇에 퍼서 담고, 차게 식기를 기다린다.
4. 차게 식은 범벅에 가루누룩 8홉과 밀가루 4홉을 한데 섞고, 고루 치대어 술
   밑을 빚는다.
5. 술밑을 독에 담아 안치고, 예의 방법대로 하여 발효시킨다.

* 덧술 :

1. 밑술이 괴어오르면 멥쌀(2말)을 (백세하여 물에 담가 불렸다가, 다시 씻어
   건져서 물기를 뺀 후) 시루에 안쳐서 고두밥을 짓는다.
2. 솥에 물 2말 8되를 숫구치게 끓여 고두밥에 고루 붓고, 주걱으로 고루 헤쳐
   두었다가 고두밥이 물을 다 먹고 차게 식기를 기다린다.
3. 진고두밥에 가루누룩 8홉과 밀가루 3홉을 밑술에 한데 섞고, 고루 버무려

술밑을 빚는다.
4. 술밑을 독에 담아 안치고, 예의 방법대로 하여 발효시킨다.

* 2차 덧술 :
1. 덧술이 괴어오르면 멥쌀 2말을 백세하여 물에 담가 하룻밤 불렸다가, 다시 씻어 건져서 (물기를 뺀 후) 시루에 안쳐서 고두밥을 짓는다.
2. 솥에 물 2말을 숫구치게 끓여 고두밥에 고루 붓고, 주걱으로 고루 헤쳐 두었다가, 고두밥이 물을 다 먹으면 차게 식기를 기다린다.
3. 진고두밥에 가루누룩 1되와 밑술을 한데 섞고, 고루 버무려 술밑을 빚는다.
4. 술밑을 독에 담아 안치고, 예의 방법대로 하여 발효시킨다.

* 주방문 중 덧술의 쌀 양과 가공법이 누락되었으나, 물의 양과 누룩, 밀가루 양이 언급되어 있고, 2차 덧술의 주재료 양과 누룩물의 양은 구체적으로 소개되어 있어 삼양주인 것은 분명하다. 다만, 부제에 '서 말 빚이'로 되어 있는데, 위 방문대로라면 최소한 '닷 말 빚이'가 되어야 한다. 따라서 '6말 빚이'보다 양은 적은데, 삼양주 방문이라는 것도 잘 이해되지 않는다.

소국듀법
셔 말 비지. 빅미 한 말 빅세 작말ᄒ야 슬힌 물 한 말 닷되예 ᄀ여 식거든 진ᄀᆞᄅ 너 홉 ᄀᆞᄅ누록 팔 홉 너허 섯거 비쳐 둣다가 이튼날 져어 닉게 ᄣ여 물 두 말 여덟 되를 슬혀 그 밥을 골라 식거든 ᄯᅩ ᄀᆞᄅ누록 팔 홉 진ᄀᆞᄅ 서 홉을 섯거 괴거든 ᄈᆞᆯ 두 말 빅세ᄒ야 담갓다가 이튼날 다시 ᄀᆞ셔 닉게 ᄣ여 슬인 물 두 말 골라 식거든 ᄀᆞᄅ누록 한 되 그 밋술의 호대 고로 섯거 비즈라.

32. 소국주(小菊酒) <양주집(釀酒集)>

> 술 재료 : 밑술 : 멥쌀 2말, 가루누룩 2되, 진가루 2되, 끓는 물 2동이
>
>   덧술 : 멥쌀 3말, 누룩 2되, 진가루 2되, 물 2동이

술 빚는 법 :

* 밑술 :

1. 멥쌀 2말을 백세하여 (물에 담가 불렸다가, 다시 씻어 헹궈 건져서 물기를 뺀 후)세말한다(고운 가루로 빻는다).

2. 물 2동이를 팔팔 끓여 쌀가루에 붓고, 고루 섞어서 담(범벅)을 갠 뒤 차게 식기를 기다린다.

3. 차게 식힌 담에 가루누룩 2되와 진가루 2되를 넣고, 고루 버무려 술밑을 빚는다.

4. 술독에 술밑을 담아 안치고 예의 방법대로 하여 5일간 발효시킨다.

* 덧술 :

1. 멥쌀 3말을 백세하여 (물에 담가 불렸다가, 다시 씻어 헹궈 건져서 물기를 뺀 후) 시루에 안쳐서 고두밥을 무르게 짓는다.

2. 고두밥이 익었으면 퍼내고, 고루 펼쳐서 차게 식기를 기다린다.

3. 고두밥에 누룩 2되, 진가루 2되, 물 2동이를 골고루 섞어 넣고 밑술을 합한 뒤, 제차 고루 버무려 술밑을 빚는다.

4. 술독에 술밑을 담아 안치고, 예의 방법대로 하여 15일간 발효시킨다.

* 주방문에 "백미 3말 백세하여 익게 쪄 누룩 두 되, 진가루 두 되, 물 두 동희예 골화 밋술의 섯거 녀……"라고 하였는데, 이때 '골화'는 '골고루 섞이도록 하여'라는 뜻으로 풀이된다. 또 '물을 적게 하고저 하거든 짐작하여 부으라'고 쓰여 있다. 주품명을 '소국주(小菊酒)'라 하였는데, 여기서 '국(菊)'은 '국(麴)'

의 오자(誤字)이다.

소국주(小菊酒)

白米 二斗 百洗細末ㅎ야 믈 두 동회 쓸여 둠 기여 차거든 ㄱ로누록 두 되 진
ㄱ로 두 되 섯거다가 五日 만의 白米 三斗 百洗ㅎ야 닉게 쪄 누록 두 되 진ㄱ
로 두 되 믈 두 동회예 골화 밋술의 섯거 녀 흔 보롬만의 쓰라. 또 믈을 젹게
ㅎ고져 ㅎ거든 짐쟉ㅎ여 부으라.

33. 소국주(小麴酒) <언서주찬방(諺書酒饌方)>

> 술 재료 : 밑술 : 멥쌀 1말, 누룩 1되, 진말 1되, 끓는 물 2병
>   덧술 : 멥쌀 2말, 끓는 물 4병

술 빚는 법 :

* 밑술 :

1. 멥쌀 1말을 백세하여 (물에 담가 불렸다가, 다시 씻어 헹궈 건져서 물기를 뺀
   후) 작말하여(가루로 빻아) 넓은 그릇에 담아놓는다.
2. 물 2병을 가장 뜨겁게 끓여 쌀가루에 골고루 나눠 붓고, 주걱으로 고루 개
   어 떡(범벅)을 만든다.
3. 떡(범벅)은 설익은 것 없이 하여 차게 식기를 기다린다.
4. 차게 식은 떡(범벅)에 누룩 1되와 진말 1되를 섞어 넣고, 조화되게 고루 치
   대어 술밑을 빚는다.
5. 술밑을 술독에 담아 안치고, 예의 방법대로 하여 7일간 발효시킨다.

* 덧술 :

1. 멥쌀 2말을 백세하여 (물에 담가 불렸다가, 다시 씻어 헹궈 건져서 물기를 뺀

후) 시루에 안쳐서 고두밥을 짓는다.

2. 솥에 물 4병을 팔팔 끓여서 고두밥이 익었으면 넓은 그릇에 퍼내고, 끓는 물을 고루 퍼 붓고 주걱으로 골고루 섞어놓는다.

3. 고두밥이 물을 다 빨아들이면, 고루 헤쳐서 차게 식기를 기다린다.

4. 불린 고두밥에 밑술을 합하고, 고루 버무려 술밑을 빚는다.

5. 술밑을 술독에 담아 안치고, 예의 방법대로 하여 21일간 발효시킨다.

6. 술이 맑게 가라앉았으면 채주하여 마신다.

쇼국쥬(小麴酒)―白米三斗 麴一升 眞末一升 水六瓶

빅미 흔 말 빅셰작말ᄒᆞ야 그르세 담고 믈 두 병을 ᄀ장 ᄭᅳᆯ히며 골릭 ᄭᅥᆷ; 브어 기면쩍 ᄀᄐ니 션 디 업시 기야 식거든 누룩 흔 되 진말 흔 되 섯거 고로 쳐 합거든 독에 녀허 닐웨 후제 빅미 두 말 빅셰ᄒᆞ야 닉게 ᄧᅧ 미 흔 말애 글흔 믈 두 병식 골와 식거든 그 밋술에 버므려 녀허 둣다가 세닐웬 만애 ᄆᆰ안ᄂᆞ니 그제야 드리워 쓰라.

34. 소국주(小麴酒) 또 한 법 <언서주찬방(諺書酒饌方)>

> 술 재료 : 밑술 : 멥쌀 7말 5되, 누룩가루 7되, 진말 5되, 물(7말 5되)
> 덧술 : 멥쌀 7말 5되, 누룩가루 3되

술 빚는 법 :

* 밑술 :

1. 멥쌀 7말 5되를 백세하여 (물에 담가 불렸다가, 다시 씻어 헹궈 건져서 물기를 뺀 후) 작말하여 그릇에 담아놓는다.

2. 물(7말 5되)에 쌀가루를 고루 풀고 솥에 안쳐서, 주걱으로 고루 저어주면서 가장 끓여 타지 않게 죽을 쑨다.

3. 죽은 설익은 것 없이 퍼지게 쑤고, 넓은 그릇에 담아 차게 식기를 기다린다.

4. 죽에 누룩가루 7되와 진말 5되를 섞어 넣고, 고루 치대어 술밑을 빚는다.

5. 술밑을 술독에 담아 안치고, 예의 방법대로 하여 (3~5일간) 발효시킨다.

* 덧술 :

1. 멥쌀 7말 5되를 백세하여 (물에 담가 불렸다가, 다시 씻어 헹궈 건져서 물기를 뺀 후) 시루에 안쳐서 고두밥을 짓는다.

2. 고두밥이 익었으면 퍼내고, 고루 펼쳐서 차게 식기를 기다린다.

3. 식은 고두밥에 밑술과 누룩가루 3되를 합하고, 고루 버무려 술밑을 빚는다.

4. 술밑을 술독에 담아 안치고, 예의 방법대로 하여 (21일간) 발효시킨 후 익었으면 채주하여 마신다.

쇼국쥬(小麯酒) 쏘 흔 법—白米十五斗 麴一斗 眞末五升

쏘 흔 법은 빅미 닐굽 말 닷 되를 빅셰작말ᄒ야 쥭 수워 츠거든 누룩ᄀᄅ 닐굽 되과진ᄀᄅ 닷 되과 섯거 독의 녀허 닉거든 쏘 빅미 닐굽 말 닷 되를 빅셰ᄒ야 닉게 뼈 츠거든 누룩ᄀᄅ 서 되와 젼술에 섯거 닉거든 쓰라.

35. 소곡주방(小曲酒方) <역주방문(曆酒方文)>

> 술 재료 : 밑술 : 멥쌀 5말, 누룩가루 5되, 밀가루 5되, 끓는 물 5말
>
> 덧술 : 멥쌀 10말, 끓는 물 10말

술 빚는 법 :

* 밑술 :

1. 멥쌀 5말을 백세하여 (매우 깨끗하게 헹군 뒤 새 물에 담가 불렸다가, 다시 씻어 말갛게 헹궈서) 작말하여(가루로 빻아) 넓은 그릇에 담아놓는다.

2. 물 5말을 팔팔 끓여 쌀가루에 고루 섞고, 주걱으로 고루 치대어 범벅을 만들어놓는다(넓은 그릇 여러 개에 나눠 차게 식기를 기다린다).

3. (차게 식은) 범벅에 누룩가루 5되와 밀가루 5되를 골고루 섞어 술밑을 빚는다.

4. 소독하여 물기 없이 준비한 술독에 술밑을 담아 안치고, (술독 주둥이에 묻은 것을 깨끗하게 씻어내고, 베보자기와 뚜껑을 덮어 따뜻한 곳에서) 익기를 기다린다.

* 덧술 :

1. 멥쌀 10말을 백세하여 (매우 깨끗하게 헹군 뒤 새 물에 담가 불렸다가, 다시 씻어 말갛게 헹궈서) 작말한다(넓은 그릇에 담아놓는다).

2. 물 10말을 오랫동안 팔팔 끓여 (쌀가루와 고루 섞고, 주걱으로 매우 치대어 범벅을 쑨 후, 넓은 그릇 여러 개에 퍼 담아) 차게 식기를 기다린다.

3. (범벅에) 밑술을 한데 합하고, 고루 버무려 술밑을 빚는다.

4. 소독하여 물기 없이 준비한 술독에 술밑을 담아 안치고, (술독 주둥이에 묻은 것을 깨끗하게 씻어내고, 베보자기와 뚜껑을 덮어) 발효시켜 익기를 기다린다.

小曲酒方

白米五斗百洗作末以猛煮水五斗和勻按磨之以曲末五升眞末五升調勻卽酒本待其釀更取白米十斗百洗作末以猛煮水十斗候其極冷納于酒本待釀熟用之.

36. 소곡주방(小曲酒方) <역주방문(曆酒方文)>

> 술 재료 : 밑술 : 멥쌀 5말, 가루누룩 1말, 물(2말), 정화수(3말)
>
> 　　　　　덧술 : 멥쌀 5말

술 빚는 법 :

* 밑술 :

1. 정월 첫 해일에 멥쌀 5말을 백세하여 (매우 깨끗하게 헹군 뒤, 새 물에 담가 불렸다가 다시 씻어 말갛게 헹궈 물기를 뺀 뒤) 작말한다(가루로 빻는다).

2. 쌀가루를 시루에 안쳐서 설기떡을 찌고, 익었으면 퍼낸다(한 김 나게 식힌다).

3. 가루누룩 1말을 떡이 잠길 정도의 물(2말)에 담갔다가, (충분히 불었으면) 건져서 다시 자루에 담아 정화수(3말)에 담가놓는다.

4. 누룩을 담든 물이 당홍빛이 돌면, 누룩자루를 건져내고 맑은 물이 나올 때까지 주물러 짜고 찌꺼기를 제거한 누룩물을 만든다.

5. 누룩물을 술독에 담아 안치고, 설기떡을 넣은 후 손으로 휘저어 (서늘한 곳에) 놓아 7일간 발효시킨다.

6. 7일 후에 동도지로 휘저어 떡이 풀어져 덩어리가 없어질 때까지 저어놓고, 재차 7일간 후발효시킨다.

* 덧술 :

1. 멥쌀 5말을 백세하여 (매우 깨끗하게 헹군 뒤 새 물에 담가 불렸다가, 다시 씻어 말갛게 헹궈서) 물기를 빼놓는다.

2. 불린 쌀을 시루에 안치고 쪄서 무른 고두밥을 짓는다(익었으면 퍼서 고루 펼쳐서 한 김 나게 식혀놓는다).

3. 고두밥에 밑술을 합하고, 고루 버무려 술밑을 빚는다.

4. 술독에 술밑을 담아 안친 다음 술독 주둥이에 묻은 것을 깨끗하게 씻어내고, 베보자기와 뚜껑을 덮은 뒤 김이 나가지 않게 단단히 싸맨다.

5. 술독을 차고 그늘진 창고에 앉혀두고 4월 중순까지 발효시켜 익기를 기다린다.

* 주방문 말미에 "4월까지 발효시켜 익은 뒤에 부의가 뜨면 채주한다."고 하고, "다른 병에 담아두면, 비록 여름이 되어도 맛이 변하지 않으며, 더욱 맑고 맛이 준열하다. 만일 여름을 경과하도록 하려면 술을 떠내지 않으면 더욱 좋다.

떡이나 밥의 분량을 좀 덜 넣게 되면 술맛이 덜하다."고 하였다. 따라서 덧술의 발효기간이 다른 주방문에 비해 매우 길다. 주발효 후에는 저온에서 발효시킨다는 뜻이다.

小曲酒方

正月上亥日白米五斗百洗作末蒸作餅同日以末曲子一升量水可潤右餠浸之極出納于細帒更浸井花水若出茶紅倒濾出淸水去其滓和均於右餠置之七日後以東桃枝極湯之卽以無塊及經七日又將白米五斗百洗蒸飯釀合上酒本絹帒勿酒氣安冷陰庫中四月間熟成浸卽用之盛於甁中雖經夏味不變而尤淸烈若欲經夏(仍)斟取尤美餠與飯略有所減酒味大減.

37. 소국주 <온주법(醞酒法)>

> 술 재료 : 밑술 : 멥쌀 2말, 누룩가루 1되 4홉, 밀가루 7홉, 끓는 물 2말
>   덧술 : 멥쌀 3말, 끓는 물 3말

술 빚는 법 :

* 밑술 :

1. 멥쌀 2말을 백세하여 (물에 담가 하룻밤 불렸다가, 다시 씻어 헹궈서) 작말한다.
2. 멥쌀가루를 시루에 안쳐 떡을 찌고, 물 2말을 팔팔 끓인다.
3. 떡이 익었으면 끓는 물과 한데 합하고, 주걱으로 고루 섞어 덩어리진 것 없이 풀어놓고, 밤재워 차게 식기를 기다린다.
4. 차게 식은 죽에 누룩가루 1되 4홉, 밀가루 7홉을 합하고, 고루 버무려 술밑을 빚는다.
5. 술밑을 술독에 담아 안치고, 예의 방법대로 하여 3일간 발효시킨다.

* 덧술 :

1. 멥쌀 3말을 백세하여 (물에 담가 불렸다가, 다시 헹궈서 물기를 뺀 후) 시루
   에 안쳐서 고두밥을 짓는다.
2. 솥에 물 3말을 팔팔 끓이고, 고두밥을 많이 쪄 익었으면 넓은 그릇에 퍼 담는다.
3. 즉시 끓고 있는 물 3말을 고두밥에 골고루 붓고, 주걱으로 고루 헤쳐 놓는다.
4. (고두밥이 물을 다 먹었으면 그릇 여러 개에 나눠 담고 온기가 차게 식기를
   기다린다.)
5. 물 먹인 고두밥에 밑술을 붓고, 고루 합하여 술밑을 빚는다.
6. 술밑을 술독에 담아 안치고, 예의 방법대로 하여 발효시켜 익기를 기다린다.

* 다른 기록인 <음식보>의 '소곡주' 주방문과 매우 유사하다.

쇼국쥬

빅미 이두 빅셰작말ᄒ야 ᄆ이 쪄 탕슈 이두 골나 ᄒ룻밤 존 후 국말 되 너 홉
진말 칠홉 섯거 삼일만의 빅미 삼두 빅셰ᄒ야 ᄆ이 쪄 탕슈 서 말 골나 누록
두 되 진말 흔 되 섯거 닉거든 쓰라.

38. 소국주(小麴酒) <요록(要錄)>

술 재료 : 밑술 : 멥쌀 3말, 누룩 5되, 밀가루 3되, 물 6사발(말)
　　　　　덧술 : 멥쌀 6말, 끓는 물 12사발(말)

술 빚는 법 :
* 밑술 :
1. 멥쌀 3말을 백세하여 물에 담갔다가 건져 작말한 다음, 넓은 그릇에 담아
   둔다.

2. 쌀가루에 물 6사발(말)을 붓고 고루 저어 아이죽을 만들고, 끓여서 죽을 쑨 다음 넓은 그릇에 나눠 담고 차게 식기를 기다린다.

3. 식은 죽에 누룩 5되와 밀가루 3되를 섞고, 고루 치대어 술밑을 빚는다.

4. 술독은 예의 방법대로 하여 (5~7일간) 발효시킨다.

5. 밑술이 되었으면(맛을 보아 달콤쌉쓸하면) 덧술을 준비한다.

* 덧술 :

1. 멥쌀 6말을 백세하고 (하룻밤 담가 불렸다가, 다시 씻어 건져서) 세말하여 넓은 그릇에 담아놓는다.

2. 쌀가루에 팔팔 끓고 있는 물 12사발(말)을 붓고, 주걱으로 고루 저어 죽(범벅)을 만들고, 넓은 그릇에 나눠 담고 차게 식기를 기다린다.

3. 식은 죽(범벅)에 밑술을 합하고, 고루 버무려 술밑을 빚는다.

4. 술독에 술밑을 담아 안치고, 예의 방법대로 발효시키고 익기를 기다려 채주하여 마신다.

* 밑술과 덧술에 사용되는 물의 양을 계량하는 도량형이 사발(沙鉢)로 되어 있는데, 아마도 말(斗)의 오기(誤記)인 듯하나 확신할 수는 없다.

小麴酒

白米三斗百洗爲末水六鉢作粥待冷麴五升眞末三升和納缸待熟白米六斗百洗細末熟蒸湯水十二鉢和合待冷均前納瓮待熟用之.

39. 소국주 <우음제방(禹飮諸方)>

술 재료 : 밑술 : 멥쌀 5말, 물누룩(누룩가루 5되, 밀가루 5되, 물 10말), 물 5되
　　　　　덧술 : 멥쌀 5말

술 빚는 법 :

* 밑술 :

1. 정월 첫 돌날(돼지날) 물 10말에 누룩가루 5되, 밀가루 5되를 합하고, 고루 섞어 물누룩을 만들어 술독에 담아 안치고 뚜껑을 덮어놓는다.

2. 다음날 멥쌀 5말을 백세하여 물에 담가 하룻밤 재웠다가 (다시 씻어 헹궈서 물기를 뺀 후) 작말한다.

3. 쌀가루를 굵은체로 쳐서 (시루에 안쳐서) 무리떡을 쪄낸다(떡을 덩어리진 것 없이 풀어놓는다).

4. 물누룩을 체에 걸러 찌꺼기를 제거하는데, 물(5되)을 더 추가하여 누룩을 깨끗하게 빨아낸 누룩물을 만들어 술독에 담아놓는다.

5. 흰무리떡이 따뜻할 때 누룩물을 안친 독에 넣고, 동도지로 무수히 휘저어 멍울을 다 풀어지게 한다.

6. 술밑을 안친 술독은 예의 방법대로 하여 단단히 싸매서 서늘한 곳에 앉혀서 30일간 발효시킨다.

* 덧술 :

1. 밑술 맛이 쌉쌀한 맛이 들었으면, 멥쌀 5말을 백세하여 물에 담가 하룻밤 재웠다가 (다시 씻어 헹궈서 물기를 뺀 후) 시루에 안쳐서 고두밥을 짓는다.

2. 고두밥이 무르게 익었으면 시루째 떼어 밑술독 옆에 놓고, 더운 김에(따뜻할 때) 퍼서 밑술에 넣는다(동도지로 휘저어 고두밥이 덩어리진 것 없이 풀어놓는다).

3. 술밑을 안친 독은 예의 방법대로 하여 단단히 싸매어 (서늘한 데) 두었다가, 30여 일이 지나 밥알이 뜨고 맑게 가라앉았으면 채주한다.

* 주방문 말미에 "추울 때 하는 술이며, 술독의 중배(술덧)가 얼면 해로워도(좋지 못해도) 살얼음 지는 것은 해롭지 아니하고, 더운 곳에는 두지 못한다. 술맛이 산뜻하며 시원하고 좋으니 여름까지 두어도 좋으니라."고 하였다.

쇼국쥬

정월 첫 돗날 빅미 닷 말 빅셰ᄒ야 ᄒ르밤 지와 작말ᄒᄃ 굴근 체로 쳐 무리 썩 쪄 술밋ᄒᄂ니 몬져 물 열 말의 누룩 ᄎ디 말고 박 ᄶ허 닷 되 진ᄀ로 닷 되 섯거 항의 너허 덥허 두고 누룩 돕으던 이튼날 쌀 담가 밤지와 ᄶ허 무리 썩 쪄 넛ᄂ니 누룩 돕은 물을 죄죄 거르고 물 닷 되나 ᄒ 말이나 더 잡아 누 룩을 죄죄 걸너 독의 붓고 썩을 더운 김의 퍼 너코 복셩화 나모가지로 동당 이로 무수이 쳐 망울을 죄죄 프러 너코 우흘 든든이 미여 서늘ᄒ 듸 두엇다가 돌이 지난 후 ᄡᄡ른 맛 들거든 빅미 닷 말 빅셰ᄒ여 돔가 ᄒ르밤 지와 무르게 닉게 닉게 쪄 시르지 독 겻히 노코 더운 김의 퍼 노코 든든이 싸 미야 두엇다 가 돌이나 지난 후 밥알히 ᄯ고 묽거든 쓰라. 치위에 ᄒᄂ 술이며 미 얼면 히 로와도 살어름 지는 거슨 히롭디 아니코 더운 듸ᄂ 못 두ᄂ니라. 술 마시 쳥밀 ᄒ고 됴ᄒ니 녀름ᄭ지 두어도 죠ᄒ니 누룩을 열 말의 닐곱 되ᄅ 잡아야 죠 코 물을 말 ᄒ 되식 잡아야 미오니 뎡월이 아니라 셧둘의도 ᄒᄂ니라. 쇼국듀 ᄂ 닉을 쩨 오슬 ᄂ리ᄂ 듸 조금 힝즈딜ᄒ라.

40. 소국주 <우음제방(禹飮諸方)>

술 재료 : 밑술 : 멥쌀 5말, 누룩가루 7되, 밀가루 5되, 물 11말 5되
　　　　덧술 : 멥쌀 5말

술 빚는 법 :

* 밑술 :

1. 정월 첫 돌날(돼지날) 물 11말에 누룩가루 7되, 밀가루 5되를 합하고, 고루 섞어 물누룩을 만들어 술독에 담아 안치고 뚜껑을 덮어놓는다.

2. 다음날 멥쌀 5말을 백세하여 물에 담가 하룻밤 재웠다가 (다시 씻어 헹궈서 물기를 뺀 후) 작말한다.

3. 쌀가루를 굵은체로 쳐서 (시루에 안쳐) 무리떡을 쪄낸다(떡을 덩어리진 것 없이 풀어놓는다).
4. 물누룩을 체에 걸러 찌꺼기를 제거하는데, 물 5되를 더 추가하여 누룩을 깨끗하게 빨아낸 누룩물을 만들어 술독에 담아놓는다.
5. 흰무리떡이 따뜻할 때 누룩물을 안친 독에 넣고, 동도지로 무수히 휘저어 멍울을 다 풀어지게 한다.
6. 술밑을 안친 술독은 예의 방법대로 하여 단단히 싸매서 서늘한 곳에 앉혀서 30일간 발효시킨다.

* 덧술 :
1. 밑술 맛이 쌉쌀한 맛이 들었으면, 멥쌀 5말을 백세하여 물에 담가 하룻밤 재웠다가 (다시 씻어 헹궈서 물기를 뺀 후) 시루에 안쳐서 고두밥을 짓는다.
2. 고두밥이 무르게 익었으면 시루째 떼어 밑술독 옆에 놓고, 더운 김에(따뜻할 때) 퍼서 밑술에 넣는다(동도지로 휘저어 고두밥이 덩어리진 것 없이 풀어놓는다),
3. 술밑을 안친 독은 예의 방법대로 하여 단단히 싸매어 (서늘한 데) 두었다가, 30여 일이 지나 밥알이 뜨고 맑게 가라앉았으면 채주한다.

* 주방문 말미에 "누룩을 (쌀) 열 말에 7되를 잡아야(넣어야) 좋고, 물을 한 말 한 되씩 잡아야 진하니, 정월이 아니라 섣달에도 하느니라."고 하였으므로 위 방문대로 주방문을 작성하였다. 또 "소국주는 익을 때 옷(싸맸던 옷, 이불)을 내리는데(벗기는데) 가끔 행주질하라."고 하였다. 술독이 다시 따뜻해지는 것을 예방하는 조치이다.

쇼국쥬
정월 첫 돗날 빅미 닷 말 빅셰ᄒ야 ᄒ르밤 지와 작말ᄒ되 굴근 체로 처 무리 썩 쪄 술밋ᄒᄂ니 몬져 물 열 말의 누록 ᄎ디 말고 박 씨허 닷 되 진ᄀᄅ 닷 되 섯거 항의 너허 덥허 두고 누록 둠으던 이튼날 쓸 담가 밤지와 씨허 무리

썩 쪄 넛ᄂ니 누록 둠은 물을 죄죄 거ᄅ고 물 닷 되나 흔 말이나 더 잡아 누록을 죄죄 걸너 독의 븟고 썩을 더운 김의 퍼 너코 복셩화 나모가지로 동당이로 무수이 쳐 망울을 죄죄 프러 너코 우흘 든든이 미여 서늘흔 뒤 두엇다가 둘이 지난 후 쓥슬흔 맛 들거든 빅미 닷 말 빅셰ᄒ여 둠가 ᄒ릇밤 지와 무르게 닉게 닉게 쪄 시릇지 독 겻희 노코 더운 김의 퍼 노코 든든이 싸 미야 두엇다가 둘이나 지난 후 밥알히 쓰고 묽거든 쓰라. 치위예 ᄒ는 술이며 미 얼면 히로와도 살어름 지는 거슨 히롭디 아니코 더운 뒤는 못 두ᄂ니라. 술 마시 쳥밀ᄒ고 됴ᄒ니 녀름ᄭ지 두어도 죠ᄒ니 누록을 열 말의 닐곱 되를 잡아야 죠코 물을 말 흔 되식 잡아야 미오니 졍월이 아니라 섯둘의도 ᄒᄂ니라. 쇼국듀ᄂ 닉을 쩌 오술 ᄂ리는 뒤 조금 힝ᄌ딜ᄒ라.

41. 소곡주 <음식디미방>

술 재료 : 밑술 : 멥쌀 7말 5되, 누룩가루 7되, 밀가루 5되, 더운(끓는) 물(15말)
　　　　 덧술 : 멥쌀 7말 7되, 누룩가루 3되

술 빚는 법 :

* 밑술 :

1. 멥쌀 7말 5되를 백세하여 물에 담가 불렸다가 (다시 씻어 헹궈서 건져 물기를 뺀 후) 작말한다(가루로 빻는나).
2. 더운 물(15말)을 (끓여) 쌀가루에 나눠 붓고, 주걱으로 골고루 개어 죽(범벅)을 쑨 뒤, 여러 개의 그릇에 나눠 담고 차게 식기를 기다린다.
3. 차게 식힌 죽에 누룩가루 7되와 밀가루 5되를 섞고, 고루 버무려 술밑을 빚는다.
4. 술밑을 술독에 담아 안친 다음 예의 방법대로 하여 (서늘한 곳에서) 발효시키고, 술이 익는 대로 덧술을 해 넣는다.

* 덧술 :

1. 멥쌀 7말 7되를 백세하여 (물에 담가 하룻밤 불렸다가, 다시 씻어 건져서 물
   기를 뺀 후) 시루에 안쳐서 고두밥을 짓는다.
2. 고두밥이 익었으면, 퍼내어 고루 펼쳐서 차게 식기를 기다린다.
3. 고두밥에 누룩가루 3되와 밑술을 합하고, 고루 버무려 술밑을 빚는다.
4. 술밑을 술독에 담아 안친 후, 예의 방법대로 하여 발효시키고 익기를 기다
   린다.

* 밑술에 사용되는 물의 양이 나와 있지 않아 상법의 술 빚기에서 죽(범벅)을
   쑤어 술을 빚는 주방문을 참고하였다.

쇼곡쥬

빅미 닐곱 말 닷 되 빅셰ᄒ여 믈 불워 쟉말ᄒ여 더운 믈 죽 숴 식거든 국말 닐
곱 되 진말 닷 되 섯거 비져 닉거든 빅미 닐곱 말 닐곱 되 빅셰ᄒ여 쩝 겨 식
거든 국말 서되예 밋술 다 내여 석그면 죠흐니라.

42. 소곡주 <음식방문(飲食方文)>

술 재료 : 밑술 : 찹쌀 3되, 섬누룩가루 1되, 물 7동이

　　　　　덧술 : 찹쌀 7되, 밀가루 7홉

술 빚는 법 :

* 밑술 :

1. 좋은 찹쌀 3되를 물에 무수히 씻고 (담가 불렸다가) 또 씻어 건져서 물기
   를 뺀다.
2. 물 7(홉) 동이를 쌀과 합한 후, 팔팔 끓여서 퍼지게 죽을 쑨다.

3. 죽이 익었으면, 물기 없는 넓은 그릇에 담아 (차게 식기를 기다린다).

4. 섬누룩 1되를 절구에 찧어 가루를 만들고, 체에 쳐서 (식은) 죽에 합하고, 주걱으로 동댕이쳐서 술밑을 빚는다.

5. 술독에 술밑을 담아 안치고, 예의 방법대로 하여 유지로 단단히 싸맨 후 차지도 덥지도 않은 곳에서 4~5일간 발효시킨다.

* 덧술 :

1. 찹쌀 7되를 무수히 쓿고(도정을 많이 하여) 무수히 씻어 (물에 담가 불렸다가, 다시 씻어 건져서 물기를 뺀 후) 시루에 안쳐서 고두밥을 짓는다.

2. 고두밥이 익었으면 물기 없는 깨끗한 그릇에 퍼내고, 고루 헤쳐서 차게 식기를 기다린다.

3. 고두밥에 밑술과 좋은 밀가루 7홉을 한데 합하고, 밑술을 체에 걸러놓는다.

4. 고두밥과 거른 밑술을 한데 합하고, 고루 버무려 술밑을 빚는다.

5. 술밑을 물기 없는 술독에 담아 안치고, 예의 방법대로 하여 단단히 싸매 서늘한 (실내, 방) 윗목에 앉혀서 7~8일간(21일 이상) 발효시킨다.

* 주방문에 술 빚는 모든 과정에서 일체의 날물기 없이 하라는 것을 수차례 반복하였다. 특히 말미에 "술을 빚은 지 7~8일 후에 (채주하여) 마시되, 술을 떠내는 그릇에도 조금의 물기 없이 하면 1년을 지내도 변하지 아니하니라."고 하였다.

소곡주

조흔 찹쌀 흔 말 닉에 서 되를 무슈히 쓸코 무슈히 씨셔 죽을 쑤되 물 칠 홉 동히를 잡아 죽을 녹난히 쑤고 죽 푸는 그릇시나 슐 비즈랴 흐는 돌이나 날물 긔를 조곰도 업시 흐야 말뇌여 가지고 죽을 슐 비즐 그릇셰 옴기고 섭누룩 한 되를 갈오 되게 씨허 쳬의 쳐 흔 되 푼 흐여 죽에 흔데 동딍이친 후 유지로 단단이 싸 미야 칩도 덥도 안 한 데 노하짜가 스오일 지닌 후 춥쌀 일곱 되를 무슈히 쓸코 무슈히 씨셔 슐밥을 쪄 플 졔도 푸는 그릇과 담는 그릇셰 조곰도

믈끠 업시ᄒ여 너른 그릇셰 퍼 셔늘ᄒ게 식여 조ᄒᆫ 진말 칠 홉을 고로고로 셧
거 슐밋 죽을 마른 체로 밧타 밥을 그 슐노 범우려 슐을 빗고 군믈은 반 졈
도 드리지 말고 단단이 싸ᄆᆡ야 셔늘ᄒᆫ 웃묵에 노하 두어 칠팔일 후 먹으되 슐
쩌닉는 그릇셰 조곰도 믈끠 업시 ᄒ면 일 연을 지닉여도 변미치 아니ᄒᆞ느이라.

43. 소국주법 <음식방문니라>

> 술 재료 : 밑술 : 멥쌀 5되, 섬누룩 7홉, 물 8되
>
> 덧술 : 멥쌀 1말, 살수물 7~8되

술 빚는 법 :

* 밑술 :

1. 정월 첫 해일에 물 8되를 좋은 섬누룩 7홉과 함께 술 빚을 독에 넣고, 물누
   룩을 만들어 3일간 불려놓는다.
2. 3일 후에 주물러 체에 밭쳐 누룩물을 만든 다음 술독에 다시 담아놓는다.
3. 희게 쓿은 멥쌀 5되를 백세하여 (물에 담가 불렸다가, 다시 씻어 헹궈서 물
   기를 뺀 후) 작말하고, 시루에 안쳐 흰무리를 찐다.
4. 흰무리떡은 김새지 않게 쪄서 익었으면, 슬슬 헤쳐서 뜨거운 기운이 가시게
   식힌 후, 큰 덩이를 깨서 풀어 넣고 예의 방법대로 하여 3일간 발효시킨다.
5. 술 빚은 지 3일 후에 술독을 열어보아 동도지로 수없이 휘저어 차게 식힌 후
   에 찬 곳에 두어 2월이 되기를 기다린다.

* 덧술 :

1. 밑술의 맛이 달콤쌉쌀하면, 희게 쓿은 멥쌀 1말을 백세하여 물에 담가 밤재
   워 불려놓는다.
2. 물에 불린 쌀을 (다시 씻어 헹궈서 물기를 뺀 후) 시루에 안쳐 고두밥을 짓

는다.

3. 고두밥에서 한 김 나면 (주걱으로 뒤적여주고) 찬물을 6~8되를 (두 차례에 걸쳐) 골고루 뿌려서 무르게 익힌다.
4. 고두밥이 푹 익었으면, 시루째 떼어 밑술독 앞에 놓고 더운 김에 밑술독에 퍼 넣는다.
5. 고두밥과 밑술이 고루 잘 섞이도록 동도지로 수없이 휘저어 준다.
6. 술독은 잘 덮어 봉하고, 이불로 여러 겹 잘 싸서 찬 곳에서 7일간 발효시킨다.
7. 술독을 다시 한 번 열어보아 술덧의 표면에 불긋불긋한 것(딱지)이 앉았으면 채주하여 마신다.

* 주방문 말미에 "술독이 크면 군내(곰팡이 냄새)가 나고, 작으면 넘치기를 잘하니 알맞은 독을 사용하라."고 하였다. 살수물 양이 너무 많다. 따라서 쌀되로 물을 계량하는 게 맞을 듯하다.

쇼국주법

졍월 첫 ᄒᆡ일의 ᄂᆡᆼ수 여덜 되을 항의 붓고 조흔 셥누룩 칠 홉을 물의 당거다가 누룩 당근 졔 ᄉᆞ흘만의 누룩을 졔물의 죄: 걸너 쳬의 밧치고 ᄇᆡᆨ미 닷 되을 ᄇᆡᆨ세 작말ᄒᆞ야 흰물의쎡을 숀짐 뵈지 말고 쪄 김니 오르거든 더운 김의 슬: 펴 누룩 거른 물의 푸러너헛다가 ᄉᆞ흘만의 동의로 버든 복ᄉᆞ나무가지로 푸러지도록 져허셔 ᄎᆞ게 두엇다가 니월짐 맛슬 보와 달곰쌉살ᄒᆞ거든 ᄇᆡᆨ미 한 말 ᄇᆡᆨ세ᄒᆞ야 하로밤 ᄌᆡ와 찌되 물은 칠 승니ᄂᆞ 팔 승이ᄂᆞ 고로:: ᄲᅮ려 느러지게 져셔 슐밋희 더운 김의 퍼붓고 동도지로 고로:: 푸러 덥펴두엇다 칠일만의 보면 불긋::헌 거시 안거든 그졔야 맛슬 보면 조흔니 항니 너무 크면 군미ᄂᆡ ᄂᆞ고 져그면 슐니 넘ᄂᆞ니 알맛즌 그릇시ᄒᆞ라.

44. 소국주방문 <음식보(飮食譜)>

술 재료 : 밑술 : 멥쌀 2말, 누룩가루 3되, 밀가루 1되 5홉, 끓는 물 4말
덧술 : 멥쌀 4말, 끓는 물 6말

술 빚는 법 :

* 밑술 :

1. 멥쌀 2말을 백세하여 물에 담가 하룻밤 불렸다가, 다시 7~8회 헹궈서 작말한다.
2. 멥쌀가루를 넓은 그릇에 담아 물 4말을 팔팔 끓여 쌀가루에 합하고, 주걱으로 골고루 개어 죽(범벅)을 쑤어 차게 식기를 기다린다.
3. 차게 식은 죽에 누룩가루 3되와 밀가루 1되 5홉을 합하고, 고루 버무려 술밑을 빚는다.
4. 술밑을 술독에 담아 안치고, 예의 방법대로 하여 5일간 발효시킨다.

* 덧술 :

1. 멥쌀(4말)을 백세한다(물에 담가 불렸다가, 다시 헹궈서 물기를 뺀다).
2. (불린 쌀을 시루에 안쳐서 고두밥을 짓고, 물 6말을 팔팔 끓인다.)
3. (고두밥이 익었으면 넓은 그릇에 퍼 담고, 끓고 있는 물 6말을 골고루 붓고 주걱으로 고루 헤쳐 놓는다.)
4. (고두밥이 물을 다 먹었으면 그릇 여러 개에 나눠 담고 온기가 차게 식기를 기다린다.)
5. 따뜻한 고두밥에 밑술을 붓고, 고루 합하여 술밑을 빚는다.
6. 술밑을 술독에 담아 안치고, 예의 방법대로 하여 발효시키면 5일 만에 뜰 수 있다.

* 주방문에 탈자가 많아 덧술의 멥쌀 양을 알 수 없으나, 다른 기록의 '소곡주'

방문을 참고하여 멥쌀의 양을 4말로 산정하여 주방문을 작성하였다.

쇼국쥬방문

빅미 두 말 빅셰호야 밤지난 후 다시 칠팔 슌 헤워 작말호여 물 너 말 쓸혀 이 죽 수워 식혀 국말 서 되 진말 흔 되 닷 홉 고 합호여 항의 너헛다가 오일 만의 빅(미 4말) 빅셰호아 ᄀ장 식어여 믈 엿 말 쓸혀 슬듀의 항호 후 밋술을 우히 부 시오일 만의 쓰ᄂ니라.

45. 소곡주(小曲酒) <의방합편(醫方合編)>

> 술 재료 : 밑술 : 멥쌀 1말, 누룩가루 1되 5홉, 끓는 물 2병
> 덧술 : 백미 2말, 끓는 물 4병

술 빚는 법 :

* 밑술 :

1. 잘 가린(선별한) 멥쌀 1말을 백 번을 세면서 씻어서(백세하여) 가루를 낸 다음, 자기 그릇에 담아놓는다.
2. 깨끗한 물 2병을 쌀가루와 합하여 아이죽을 만든다.
3. 아이죽을 솥에 담고 주걱으로 천천히 저어주면서 팔팔 끓인 죽을 쑨 다음, 넓은 그릇에 퍼서 차게 식기를 기다린다.
4. 죽에 간 누룩가루 1되 5홉을 섞고, 고루 버무려 술밑을 빚는다.
5. 술밑을 술독에 담아 안치고, 예의 방법대로 하여 3주간 발효시킨다.

* 덧술 :

1. 잘 찧은 쌀 2말을 앞에서와 같이 백세하여 준비한다(하룻밤 물에 담가 불렸다가, 다시 씻어 헹군다).

2. 쌀 1말당 물 2병을 팔팔 끓여 고루 뿌리고, 쌀이 식기를 기다린다(불린 쌀을 시루에 안쳐 고두밥을 짓고, 익었으면 끓는 물 4병을 고두밥에 고루 뿌려주고, 고두밥이 물을 다 먹고 식기를 기다린다).

3. 불린 쌀(물 먹인 고두밥)에 밑술을 합하고, 고루 버무려 술밑을 빚는다.

4. 술밑을 술독에 담아 안치고, 예의 방법대로 하여 3주간 발효시켜 술빛이 맑아지면 마신다.

* '소곡주'라는 주품명에 대하여 '소곡주(小曲酒)'라고 하였다. 여기서 '곡(曲)'은 '곡(麴)'의 약자이다.

小曲酒

精鑿粳米一斗簁籭白洗作末盛陶盆淨水二瓶合米末滓湯沸以湯水和末均和候冷和以曲碎一升五合至七日又以精鑿米二斗如前百洗先以水湯沸每一斗水二瓶調均後冷以前釀調之入瓮至三七日澄淸後用之.

46. 소국주 <이씨(李氏)음식법>

> 술 재료 : 밑술 : 멥쌀 5말, 섬누룩 9되, 밀가루 3되, 물 10말
>   덧술 : 묵은 쌀 5말, 진말 4되

술 빚는 법 :

* 밑술 :

1. 쌀 불리기 전날 좋은 섬누룩(썩 좋지 못한 누룩) 9되와 밀가루 3되를 물 10말에 섞어 물누룩을 만들어 3일간 불려놓는다.

2. 정월 첫 돌날(해일)에 멥쌀 5말을 백세하여 물에 담가 하룻밤 불려놓는다.

3. 물누룩을 만든 지 3일째 되는 날 베주머니에 누룩을 넣고 진이 빠지도록 주

물러 짜서 찌꺼기를 제거한 누룩물을 만들어 술독에 담아놓는다.

4. 불린 쌀을 (다시 새 물에 깨끗이 헹궈서 물기를 뺀 후) 작말하여 시루에 안쳐서 흰무리떡을 찐다.

5. 백설기가 익었으면 넓은 그릇에 퍼 담고, 덩어리를 잘게 부수어 뜨거운 김에 누룩물이 담긴 술독에 퍼 담는다.

6. 복숭아나무 가지로 술밑을 덩어리 없이 풀어지도록 휘젓고, 식기 전에 밀봉하여 반음반양한(오전에는 그늘지고 오후에는 볕이 드는) 곳에 앉혀두고 발효시킨다.

* 덧술 :

1. 2월 초순에 묵은 쌀 5말을 (백세하여 하룻밤 물에 담갔다가 건져서 다시 헹궈서 물기를 뺀 후) 시루에 안쳐서 고두밥을 짓는다.

2. 고두밥이 무르게 익었으면 시루에서 퍼내고, 더운 김에 밀가루 4되와 함께 밑술독에 합한다(독에 넣고, 밑술이 고루 섞이도록 동도지로 저어준다).

3. 술독은 날물기를 절대 들이지 말고 (여러 겹 잘 싸서 찬 곳에 두어) 발효시킨다.

* 밑술 주방문에 "봉ᄒᆞ야 반음반양ᄒᆞᆫ 곳듸"라고 하였는데, '반음반양ᄒᆞᆫ 곳듸'는 오전에는 그늘지고 오후에는 볕이 드는 곳'이라는 뜻이다.

소국쥬

졍월 첫 톳날 빅미 단 말 빅세ᄒᆞ야 하로밤 담아다가 쟝ᄇᆞᆯᄒᆞ야 흔무리 쪄셔 죠흔 셤누룩 아홉 되 진말 셔 되 쌀 다므기 젼 날 담아 숨일 만의 물 열 말 자바 베쥼치에 너코 진익이 ᄲᅢ지도록 걸너 가는 졔에 밧쳐 흔물리 썽이을 부스질너 더운 김의 너코 동으로 버든 복셩화 가지 큰 거스로 낫낫치 풀니게 져허 봉ᄒᆞ야 반음반양ᄒᆞᆫ 곳듸 노하다가 이월 쵸싱에 덧ᄒᆞ고 졍월 회간 ᄒᆞ면 이월 망간 덧슬 하고 덧 ᄒᆞᆯ 제 진말 넉 되 남짓 너코 진미 닷 말 지여 군 물긔 일금ᄒᆞ고 더운 긔운에 퍼 붓나이라.

47. 소국주방(小麴酒方) <임원십육지(林園十六志)>

> 술 재료 : 밑술 : 멥쌀 1말, 누룩(가루) 1되 5홉, 물 2병
>
> 덧술 : 멥쌀 2말, 끓는 물 4병

술 빚는 법 :

* 밑술 :

1. 도정을 많이 하여 깨끗한 멥쌀 1말을 숫자를 세어가며 백세하여 (새 물에 담가 불렸다가, 다시 씻어 말갛게 헹궈서 물기를 뺀 후) 작말한다(가루로 빻는다).
2. 쌀가루를 체에 쳐서 질동이에 담아놓고, 체 안에 남은 무거리는 버리지 말고 다른 그릇에 담아놓는다.
3. 깨끗한 물 2병에 무거리를 넣고 팔팔 끓여 풀죽을 쑤어 쌀가루에 붓고, 주걱으로 고루 개어 (범벅을 만들어 뚜껑을 덮고) 차게 식기를 기다린다.
4. 범벅에 분쇄한 누룩(가루) 1되 5홉을 넣고 고루 버무려 술밑을 빚는다.
5. 술독에 술밑을 담아 안치고, 예의 방법대로 하여 7일간 발효시킨다.

* 덧술 :

1. 잘 찧은 쌀 2말을 앞에서와 같이 백세하여 준비한다(하룻밤 물에 담가 불렸다가, 다시 씻어 헹군다).
2. 불린 쌀을 시루에 안쳐 고두밥을 짓고, 익었으면 쌀 1말당 물 2병을 팔팔 끓여 끓는 물 4병을 고두밥에 고루 뿌려주고, 고두밥이 물을 다 먹고 식기를 기다린다.
3. 불린 쌀(물 먹인 고두밥)에 밑술을 합하고, 고루 버무려 술밑을 빚는다.
4. 술밑을 술독에 담아 안치고, 예의 방법대로 하여 3주간 발효시켜 술 빛이 맑아지면 마신다.
5. 술독에 술밑을 담아 안치고, 예의 방법대로 하여 21일간 발효시킨 후 맑아

지기를 기다려 사용한다.

小麴酒方

精鑿粳米一斗計篲百洗作末盛陶盆另用淨水二瓶以米末餘滓合數沸後以其湯
水調米末候冷入碎麴一升五合搜勻納甕至七日又以精鑿米二斗如前百洗 每一
斗用沸湯二瓶酒勻候冷與前釀雜調之入甕至三七日澄淸後用之. <三山方>.

48. 소국주 속법(小麴酒 俗法) <임원십육지(林園十六志)>

> 술 재료 : 밑술 : 멥쌀 5되, 누룩가루 5홉, 밀가루 5홉, 끓여 식힌 백비탕 3병
>   덧술 : 멥쌀 5되

술 빚는 법 :
* 밑술 :
1. 오랫동안 끓여서 식힌 백비탕 3병에 좋은 누룩가루 5홉과 밀가루 5홉을 섞
   어 물누룩을 만들어놓는다.
2. 다음날 물누룩을 주물러서 덩어리가 없이 하고, 체에 걸러 찌꺼기를 제거한
   누룩물을 만든다.
3. 도정을 많이 하여 깨끗한 멥쌀 5되를 (백세하여) 새 물에 담가 불렸다가, 다
   시 씻어 말갛게 헹궈시 (물기를 뺀 후) 삭발한다(가루로 빻는다).
4. 쌀가루를 (체에 쳐서) 시루에 안쳐 떡을 익게 쪄서 (뜨거운 김을 뺀 다음)
   수곡에 합한다.
5. 수곡과 떡을 고루 버무리는데 멍울진 것을 다 풀어 덩어리를 제거한 술밑을
   빚고, 차게 식기를 기다린다.
6. 술밑을 술독에 담아 안치고, 예의 방법대로 하여 7일간 발효시킨다.

* 덧술 :

1. 깨끗하게 도정한 멥쌀 5되를 (백세하여) 새 물에 담가 불렸다가 (다시 씻어 건져서) 물기를 빼놓는다.

2. 불린 쌀을 시루에 안쳐 고두밥을 찌되, 무르게 푹 익혀서 퍼내어 넓은 그릇에 담아놓고, 뜨거울 때(뜨거운 김을 뺀 후) 밑술독에 합한다.

3. 고두밥을 손으로 고루 헤쳐 풀어서 술밑을 빚고, 고두밥이 다 풀어지고 온기가 식었으면, 예의 방법대로 하여 서늘한 곳에서 7일간 발효시킨다.

4. 술독을 열어보아 부의가 뜨고 술독 안쪽 기벽면의 술이 괴어오른 자리가 있으면, 깨끗한 마른수건으로 닦아낸다. 더 이상 흔적이 남지 않을 때까지 계속해 준다.

* 주방문 말미에 "2월 초에 빚으면 3월 보름 뒤에 비로소 익고, 5월이 되면 맛이 변한다. 이 술은 처음부터 끝까지 따뜻한 곳을 피해야 하고, 햇볕이 드는 곳도 피해야 한다. 봄 술로는 맛이 이보다 나은 것이 없다(쌀 1말에 누룩 4홉을 쓴다고도 한다)."고 하였다.

小麴酒 俗法

欲釀一斗則先用沸湯三瓶停冷盛盆浸好麴末五合(麥)麵五合經宿翌日取精鑿白米五升浸水灑出作末入甑烝熟取出聽用及就浸(麥)麵盆中用手揉洗良久去漉滓又篩去細滓將前蒸米末投麴水中更以手揉之令無少核然後候冷納瓮過七日另用精鑿白米五升浸水烝爛乘熟納前瓮中愼手攪匀置冷處又過七日後開見瓮內有浮漚痕用乾淨巾拭去之直至無痕乃止二月初釀之三月望後乃熟至五月則味變矣盖此酒終始忌暖處亦忌日照處春酒之味無過於此者矣. <增補山林經濟>.

49. 소국주방문 <주방(酒方)>*

술 재료 : 밑술 : 멥쌀 2말, 누룩 2되, 끓는 물 3말
　　　　　덧술 : 멥쌀 4말, 누룩 1되, 끓는 물 10말

술 빚는 법 :

* 밑술 :

1. 멥쌀 2말을 백세하여 (물에 담가 불렸다가, 다시 씻어 말갛게 헹궈서 물기를 뺀 후) 작말한다(가루로 빻는다).
2. 솥에 물 3말을 끓이다가 (뜨거워지면 1말 5되 정도를 쌀가루에 퍼붓고, 고루 개어 아이죽을 쑨다.) 쌀가루를 합하고 고루 저어주면서 팔팔 끓여 죽을 쑨다.
3. 죽이 익었으면 넓은 그릇 여러 개에 나눠 담고, 차디차게 식기를 기다린다.
4. 죽에 누룩 2되를 합하고, 고루 버무려 술밑을 빚는다.
5. 술밑을 술독에 담아 안치고, 예의 방법대로 하여 4일간 발효시켜 익기를 기다린다.

* 덧술 :

1. 멥쌀 4말을 백세하여 (물에 담가 불렸다가, 다시 씻어 건져서 물기를 뺀 후) 시루에 안쳐 고두밥을 짓는다.
2. 솥에 물 10말을 끓이다가 고두밥이 익었으면 퍼내어 넓은 그릇에 담아놓고, 끓고 있는 물 10말을 골고루 뿌려주고, 주걱으로 고루 헤쳐서 풀어놓는다.
3. 고두밥이 물을 다 먹었으면, 그릇 여러 개에 나눠 담고 차게 식기를 기다린다.
4. 물 먹인 고두밥에 누룩 1되와 밑술을 한데 섞고, 고루 버무려 술밑을 빚는다.
5. 술독에 술밑을 담아 안치고, 예의 방법대로 하여 20일간 발효시킨 후 맑아지기를 기다려 사용한다.

소국듀방문

빅미 두 말 빅셰작말ᄒ야 물 서 말의 쥭을 쒀 ᄀ장 ᄎ게 ᄒ야 누록 두 되를 녀
허 항의 비저 나흘 지낸 후의 빅미 너 말 빅셰ᄒ야 ᄲ 쓸흔 물 연말 밥의 골라
ᄎ거든 누록 흔 되 합ᄒ여 처엄 비존 항의 비즈 스므날 지낸 후의 쓰ᄂ니라.

50. 소국주법 <주식방(酒食方, 高大閨壺要覽)>

술 재료 : 밑술 : 멥쌀 1말, 누룩가루 1되 5홉, 밀가루 1되, 끓는 물(2병)
　　　　　덧술 : 멥쌀 3말, 끓는 물 4병

술 빚는 법 :

* 밑술 :

1. 납일이나 정월 초순에 멥쌀 1말을 백세하여 (물에 담가 불렸다가, 다시 씻어
   건져서 물기를 뺀 후) 작말한다.
2. 물솥의 시루에 쌀가루를 안쳐서 흰무리떡을 찐 뒤, 끓는 물(2병)에 풀어 차
   게 식기를 기다린다.
3. 식은 죽에 누룩가루 1되 5홉과 밀가루 1되를 합하고, 고루 버무려 술밑을
   빚는다.
4. 술독에 술밑을 안치고, 예의 방법대로 하여 찬 곳에 놓아두고 발효시킨다.
5. 술밑이 얼었다가 2~3월이면 밑술이 되는데, 술이 맵고 맑으면 덧술을 한다.

* 덧술 :

1. 멥쌀 3말을 백세하여 (물에 담가 불렸다가, 다시 씻어 건져서 물기를 뺀 뒤)
   시루에 안쳐서 고두밥을 짓는다.
2. 솥에 물 4병을 오랫동안 팔팔 끓이다가 고두밥이 익었으면 (퍼내어 넓은 그
   릇에 담아놓고) 끓고 있는 물을 즉시 고두밥에 고루 섞어 주걱으로 고루 헤

쳐서 놓는다.

3. 고두밥이 물을 다 먹었으면 그릇에 뚜껑을 덮어두고, 차게 식기를 기다린다.

4. 차게 식은 고두밥에 밑술을 섞고 고루 버무려 술밑을 빚는다.

5. 술독에 술밑을 담아 안치고 예의 방법대로 하여 발효시키는데, 날씨가 더워 지는 달이 되면 사용한다.

* 밑술의 물 양이 언급되어 있지 않아 다른 기록을 참고하여 주방문을 완성 하였다.

쇼국쥬법

너 말 비즈려 ᄒ면 나평날이나 정월 초싱의나 빅미 ᄒ 말 빅셰 작말ᄒ여 시 루의 막 부여 쪄 쓸흔 물 셰 병나 마이 츠거든 가로누룩 되 가웃 진말 ᄒ 되 쳐 너허 한듸 노하 두면 돌 갓치 어럿다가 이월이면 오싁 곰팡 쩌 마시 싀쳐 근ᄒ고 상이 업다가 삼월이면 술이 되여 쓰고 미와 맑거든 빅미 셔 말 빅셰 ᄒ여 닉게 쪄 한 말의 쓸흔 물 셰 병식 너허 한듸 두면 날이 더워 다리거든 드리오라 마시 셰츠게 밉고 쓰고 죠ᄒ니라 극열이라도 변미 아니ᄒ고 쇼쥬 되 쓰ᄂ니라.

51. 소국주(小麴酒) <주정(酒政)>

> 술 재료 : 밑술 : 멥쌀 5말(주발), 섬누룩가루 5되, 밀가루 5되, 물 10말(주발)
>
> 덧술 : 멥쌀 5말(50주발)

술 빚는 법 :

* 밑술 :

1. 한 제(쌀 10말이고 반 제는 5말이다.) 하고자 하면, 우선 주발을 사용하여 쌀

10말을 계량하고, 물도 10말을 길어다 술독에 붓는다.

2. 밀가루 5되와 누룩가루(섬누룩) 5되를 고루 섞어 물누룩을 만들어놓는다.

3. 물누룩을 만들어놓은 지 3일 후에 중간체를 사용하여 물누룩을 걸러서 찌 꺼기를 제거한 누룩물을 만들어놓는다.

4. 매우 깨끗이 도정한 멥쌀 5말을 (백세하여 물에 담가 불렸다가, 다시 씻어 헹궈 건져서 물기를 뺀 후) 작말한다.

5. 쌀가루를 시루에 안쳐서 흰무리떡을 되게 찐 다음, 뜨거울 때 덩어리를 쪼개 서 누룩물에 합하고, (덩어리를 남지 않게 하여) 술밑을 빚는다.

6. 술밑을 술독에 담아 안치고, 예의 방법대로 하여 바람이 없고 얼지도 않을 찬 곳에 두고 발효시켜서 술밑이 맑게 익기를 기다린다.

* 덧술 :

1. 매우 깨끗하게 도정한 멥쌀 5말을 물에 씻어 (백세하여 물에 담가 불렸다 가, 다시 씻어 헹궈 건져서 물기를 뺀 후) 시루에 안쳐서 고두밥을 짓는다.

2. 고두밥이 익었으면 퍼내고, (한 김 나게 하여) 뜨거울 때 밑술에 합한다(고 루 버무려 술밑을 빚는다).

3. 술밑을 술독에 담아 안치고, 바람이 없고 얼지도 않을 찬 곳에 두고 발효시 킨다.

4. 고두밥이 떠오르면 마시는데, 술이 다 익으면 그 맛과 형태가 매우 아름답다.

* 주방문 머리에 '한 제(一劑)'에 대하여 "쌀 10말을 한 제, 5말을 반 제라 한다 (十斗爲一劑 五斗爲半劑)."고 하였다.

小麴酒

欲釀 一劑(十斗爲一劑 五斗爲半劑) (取一碗) 先量 十斗未知厥數爲幾許碗 以其碗量冷水如十斗米數灌于雍 和眞末五升麳麴(섬누룩)五升 (米每斗眞末 五合麴末五合) 至弟三日以中篩釃麴水出滓 白米五斗 精(鑿)作末入甑蒸餅(흰 무리) 當其溫熱投片 麴水中是爲 酒本以待酶淸 白米五斗(白米二斗五升, 粘

米二斗五升則好) 精(鑿)屢洗 入甑蒸饋(지에밥)熟而熱而入諸酶 以待醅而浮
梁飮之 極美如成.

52. 소국주(小麴酒) <주정(酒政)>
−멥쌀/찹쌀 빚이

술 재료 : 밑술 : 멥쌀 5말(주발), 섬누룩가루 5되, 밀가루 5되, 물 10말(주발)
　　　　덧술 : 멥쌀 2말 5되(주발), 찹쌀 2말 5되

술 빚는 법 :
* 밑술 :
1. 한 제(한 제는 쌀 10말이고 반 제는 5말이다.) 하고자 하면, 우선 주발 한 개
　를 사용하여 쌀 10말에 대하여 물 10말을 길어다 술독에 붓는다.
2. 밀가루 5되와 누룩가루(섬누룩) 5되를 고루 섞어 물누룩을 만들어놓는다.
3. 물누룩을 만들어놓은 지 3일 후에 중간체에 걸러서 찌꺼기를 제거한 누룩
　물을 만들어놓는다.
4. 멥쌀 5말을 깨끗이 도정하여 (백세하여 물에 담가 불렸다가, 다시 씻어 헹궈
　건져서 물기를 뺀 후) 작말한다.
5. 쌀가루를 시루에 안쳐서 흰무리떡을 되게 찐 다음, 뜨거울 때 덩어리를 쪼개
　서 누룩물에 합하고 (덩어리가 남지 않게 하여) 술밑을 빚는다.
6. 술밑을 술독에 담아 안치고, 예의 방법대로 하여 바람이 없고 얼지도 않을
　찬 곳에 두고 발효시켜서 술밑이 맑게 익기를 기다린다.

* 덧술 :
1. 멥쌀 2말 5되와 찹쌀 2말 5되를 정하게 찧어 각각 물에 씻어 (백세하여 물
　에 담가 불렸다가 다시 씻어 헹궈서 물기를 뺀 후) 각각 시루에 안쳐서 고두

밥을 짓는다.

2. 고두밥이 익었으면 퍼내어 뜨거울 때 밑술에 합하되, 밑술을 반으로 나누어 각각 버무려서 술밑을 빚는다.

3. 술독에 멥쌀고두밥으로 버무린 술밑을 담아 안치고, 그 위에 찹쌀고두밥으로 버무린 술밑을 담아 안친다.

4. 술독은 예의 방법대로 하여 바람이 없고 얼지도 않을 찬 곳에 두고 발효시킨다.

5. 고두밥이 떠오르면 마시는데, 술이 다 익으면 그 맛과 형태가 매우 아름답다.

* 주방문에 "白米五斗(白米二斗五升, 粘米二斗五升則好)"라고 하여 '멥쌀 5말이지만 멥쌀 2말 5되, 찹쌀 2말 5되로 하면 더욱 좋다.'고 하였으므로, 이에 따른 주방문을 작성하였다.

小麴酒

欲釀 一劑(十斗爲一劑 五斗爲半劑) (取一碗) 先量 十斗未知厥數爲幾許碗 以其碗量冷水如十斗米數灌于雍 和眞末五升糜麴(섬누룩)五升 (米每斗眞末 五合麴末五合) 至弟三日以中篩釅麴水出滓 白米五斗 精鑿作末入甑蒸餠(흰 무리) 當其溫熱投片 麴水中是爲 酒本以待酶淸. 白米五斗(白米二斗五升, 粘米二斗五升則好) 精鑿屢洗 入甑蒸饋熟而熱而入諸酶 以待醳而浮梁飮之 極美如成.

53. 소곡주(小麴酒) <주찬(酒饌)>

> 술 재료 : 밑술 : 멥쌀 2말, 가루누룩(백곡) 2되, 밀가루 2되, 물 3말
>
> 덧술 : 멥쌀 4말, 끓는 물 5말 5되

술 빚는 법 :

* 밑술 :

1. 멥쌀 2말을 백세하여 (물에 담가 불렸다가, 다시 씻어 맑은 물이 나올 때까지 헹궈서) 소쿠리에 밭쳐 물기를 뺀다.
2. 가마솥에 물 3말을 끓이다가 쌀을 합하고, 소쿠라지게(팔팔) 끓여서 죽을 쑨 뒤, 넓은 그릇 여러 개에 나눠 담고 차게 식기를 기다린다.
3. 죽에 가루누룩 2되와 밀가루 2되를 합하고, 고루 버무려 술밑을 빚는다.
4. 술독에 술밑을 담아 안치고 예의 방법대로 하여 3일간 발효시킨다.

* 덧술 :

1. 멥쌀 4말을 백세하여 (물에 담가 불렸다가 다시 씻어 맑은 물이 나올 때까지 헹궈서) 소쿠리에 밭쳐 물기를 뺀 후 시루에 안쳐 무른 고두밥을 짓는다.
2. 고두밥이 익었으면 퍼낸다(고루 펼쳐서 차게 식기를 기다린다).
3. 물 6말을 솥에 붓고 오랫동안 끓여서 5말 5되가 되면, 넓은 그릇 여러 개에 나눠 담고 차게 식힌다.
4. 고두밥에 끓여 식힌 물을 합하고, 다시 밑술을 섞은 뒤 고루 버무려 술밑을 빚는다.
5. 술밑을 술독에 담아 안치고, 예의 방법대로 하여 21일간 발효시킨다.

* 주방문 말미에 "맛은 독하고 좋다."고 하였다.

小麴酒

白米二斗百洗水三斗猛煎末曲二升眞末二升合調七日後又白米四斗百洗烝飯
水六斗煎至五斗五升合釀本酒都合三七日用味烈甚好.

54. 소곡주(小麯酒) <주찬(酒饌)>

술 재료 : 밑술 : 멥쌀 1말, 누룩가루 1되 5홉, 정화수 1말
　　　　덧술 : 멥쌀 2말, 끓는 물 2말

술 빚는 법 :

* 밑술 :

1. 도정을 많이 하여 깨끗한 멥쌀 1말을 백세하여 (물에 담가 불렸다가 다시 씻어 헹궈서 물기를 뺀 후) 작말하여 체에 내린다.

2. 싸라기와 무거리는 정화수 1말과 합하고 묽은 죽을 쑨다.

3. 쌀가루에 끓는 죽을 섞고, 주걱으로 고루 개어 범벅을 쑨 후 넓은 그릇에 퍼서 차게 식기를 기다린다.

4. 죽에 누룩가루 1되 5홉을 섞고, 고루 버무려 술독에 담아 안쳐 예의 방법대로 하여 7일간 발효시킨다.

* 덧술 :

1. 곱게 쓿은 멥쌀 2말을 백세하여 (물에 담가 불렸다가 다시 씻어 헹궈서 물기를 뺀 후) 채반에 담아놓는다.

2. 먼저 솥에 물 2말을 백비탕으로 끓여서 매번 물 5되씩 나누어 4차례에 걸쳐 불린 쌀에 고르게 붓는다.

3. 끓는 물로 익힌 쌀을 차게 식을 때까지 기다린다.

4. 쌀을 밑술과 합하고, 고루 버무려 술밑을 빚는다.

5. 술독에 술밑을 담아 안치고 예의 방법대로 하여 21일간 발효시킨다.

小麯酒
精鑿粳米一斗美以百洗作末以正華水一斗合米末滓(쓸 가리안 하는 쪽)湯沸
其水和米末調均俟冷又以曲末一升五合和釀七日後又以精米如前百洗先以水

湯沸每一洗水五升灑均俟冷以前釀相和三七日澄淸後用之.

55. 소곡주법(少麴酒法) <증보산림경제(增補山林經濟)>

> 술 재료 : 밑술 : 멥쌀 1말, 누룩(가루) 1되 5홉, 물 2병
>
>   덧술 : 멥쌀 2말, 끓는 물 2병

술 빚는 법 :

* 밑술 :

1. 도정을 많이 하여 깨끗한 멥쌀 1말을 숫자를 세어가며 백세하여 (새 물에 담가 불렸다가 다시 씻어 말갛게 헹궈서 물기를 뺀 후) 작말한다(가루로 빻는다).

2. 쌀가루를 체에 쳐서 질동이에 담아놓는다. 체 안에 남은 무거리는 버리지 말고, 다른 그릇에 담아놓는다.

3. 깨끗한 물 2병에 무거리를 넣고 팔팔 끓여 풀죽을 쑤어 쌀가루에 붓고, 주걱으로 고루 개어 (범벅을 만들어 뚜껑을 덮고) 차게 식기를 기다린다.

4. 범벅에 분쇄한 누룩(가루) 1되 5홉을 넣고 고루 버무려 술밑을 빚는다.

5. 술독에 술밑을 담아 안치고, 예의 방법대로 하여 7일간 발효시킨다.

* 덧술 :

1. 도정을 많이 하여 깨끗한 멥쌀 2말을 숫자를 세어가며 백세하여 (새 물에 담가 불렸다가 다시 씻어 말갛게 헹궈서 물기를 뺀 후) 작말한다(가루로 빻는다).

2. 쌀가루를 체에 쳐서 질동이에 담아놓는다. 체 안에 남은 무거리는 버리지 말고, 다른 그릇에 담아놓는다.

3. 깨끗한 물 2병에 무거리를 넣고 팔팔 끓여 풀죽을 쑤어 쌀가루에 붓고, 주걱

으로 고루 개어 (범벅을 만들어 뚜껑을 덮고) 차게 식기를 기다린다.

4. 차게 식은 떡에 밑술을 섞고, 고루 버무려 술밑을 빚는다.

5. 술독에 술밑을 담아 안치고, 예의 방법대로 하여 21일간 발효시킨 후 맑아 지기를 기다려 사용한다.

少麴酒法

精鑿粳米一斗百洗作末盛另用淨水二甁以米末除滓合之湯沸以其湯水勻調於
米末候冷又和以碎麴一升五合納甕至七日又以精鑿米二斗百洗先以水(每一斗
水二甁)湯沸酒勻候冷以前釀雜調之入甕至三七日澄淸後用之每米一斗入水
二甁爲率.

56. 소곡주 속법(少麴酒 俗法) <증보산림경제(增補山林經濟)>

술 재료 : 밑술 : 멥쌀 5되, 누룩가루 5홉, 밀가루 5홉, 끓여 식힌 물 3병
　　　　 덧술 : 멥쌀 5되

술 빚는 법 :

* 밑술 :

1. 끓여서 식힌 물 3병에 좋은 누룩가루 5홉과 밀가루 5홉을 섞어놓고, 다음 날 주물러서 덩어리 없이 하고, 체에 걸러 찌꺼기를 제거한 누룩물을 만든다.

2. 도정을 많이 하여 깨끗한 멥쌀 5되를 (백세하여) 새 물에 담가 불렸다가 (다시 씻어 말갛게 헹궈서) 물기를 뺀 후 작말한다(가루로 빻는다).

3. 쌀가루를 (체에 쳐서) 시루에 안쳐 떡을 찌되, 80% 정도만 익게 쪄서 (뜨거운 김을 뺀 다음) 물누룩에 합한다.

4. 물누룩과 떡을 고루 버무리는데, 멍울진 것이 다 풀어지지 않으면 체에 걸러 덩어리를 제거한 술밑을 빚고, 차게 식기를 기다린다.

5. 술밑을 술독에 담아 안치고, 예의 방법대로 하여 7일간 발효시킨다.

* 덧술 :
1. 깨끗하게 도정한 멥쌀 5되를 (백세하여) 새 물에 담가 불린다(다시 씻어 건져서 물기를 빼놓는다).
2. 불린 쌀을 시루에 안쳐 고두밥을 찌되, 무르게 푹 익혀서 퍼내어 넓은 그릇에 담아놓고, 뜨거울 때(뜨거운 김을 뺀 후) 밑술독에 합한다.
3. 고두밥을 손으로 고루 헤쳐 풀어서 술밑을 빚는다.
4. 고두밥이 다 풀어지고 (온기가 식었으면) 예의 방법대로 하여 서늘한 곳에서 7일간 발효시킨다.
5. 술독을 열어보아 술독 안쪽 기벽면의 술이 괴어오른 자리를 깨끗한 마른수건으로 닦아내는데, 더 이상 흔적이 남지 않을 때까지 계속해 준다.

* 주방문 말미에 "2월 초에 빚으면 3월 보름 뒤에 비로소 익고, 5월이 되면 맛이 변한다. 이 술은 처음부터 끝까지 따뜻한 곳을 피해야 하고, 햇볕이 드는 곳도 피해야 한다. 봄 술로는 맛이 이보다 나은 것이 없다(쌀 1말에 누룩 4홉을 쓴다고도 한다)."고 하였다.

少麴酒 俗法

欲釀一斗則先以好麴末五合眞末五合浸於湯沸己冷水三瓶之中經宿翌日取精鑿白米三升浸水灑出作末入甑內蒸八分熟取出以所浸麴就其水中用手揉洗良久去麤滓又篩去細滓將蒸米木提麴水中亦以手揉之令無少核然後候冷納瓮過七日另用精鑿白米五升浸水蒸於甑內爛熟取出未熱納前瓮中愼手攪勻置凉處又過七日後開見瓮內有浮漚痕用乾拭淨巾去之直至無痕乃至二月初釀之三月望後乃熟至五月則味致變盖此酒終始忌暖處亦忌日照處春酒之義無過於此者矣 一云米一斗用麴四合.

57. 소곡주 별법(少麯酒 別法) <증보산림경제(增補山林經濟)>

−4말 빚이

> 술 재료 : 밑술 : 멥쌀 2말, 누룩가루 2되 8홉, 정화수 24대접(1대접 : 900㎖)
>
> 덧술 : 찹쌀 2말

술 빚는 법 :

* 밑술 :

1. 정월 초승에(해일이면 더욱 좋다) 좋은 독에 정화수 24대접을 붓고, 좋은 누룩가루 2되 8홉을 합한다.
2. 동쪽으로 뻗은 복숭아나무 가지(동도지)로 오랫동안 휘저어 물누룩을 만들고, 밀봉하여 3일간 지낸다.
3. 4일째 되는 날 물누룩을 체에 쏟아 붓고 손으로 비벼서 거른 후, 그 찌꺼기는 제거한 누룩물을 다시 독에 붓는다.
4. 멥쌀 2말을 백세하여 (물에 담가 불렸다가, 다시 씻어 건져서 물기를 뺀 후) 작말한다.
5. 쌀가루를 시루에 안치고 쪄서, 백병(흰무리떡)을 찌는데, 떡이 익었으면 뜨거울 때 독 안의 누룩물에 합한다.
6. 앞서 사용했던 동도지로 떡덩어리가 없어질 때까지 한동안 휘저어 준다.
7. 술독은 예의 방법대로 하여 밀봉한 후, 서늘한 곳에서 발효시킨다.

* 덧술 :

1. 2월 초승이 되어 좋은 찹쌀 2말을 (백세하여 물에 담가 불렸다가, 다시 씻어 건져서 물기를 뺀 후) 시루에 안쳐서 고두밥을 짓는다.
2. 고두밥이 익었으면 (넓은 그릇에 퍼내어 헤쳐놓고, 뜨거운 기운이 나가게 한 다음) 따뜻할 때 밑술독에 합해 넣는다.
3. 고두밥을 안친 술독은 예의 방법대로 하여 서늘한 곳에 앉혀두고, 매일 한

차례씩 동도지로 3~4일간 계속하여 저어준다.

4. 술독은 절대로 기운이 새어나가지 않도록 독 아가리를 두꺼운 종이로 단단히 봉하여 발효가 끝날 때까지 (햇볕이 들지 않는) 서늘한 곳에서 발효시킨다.

5. 가끔 술독을 열어보아 독 안의 술이 괸 자국을 깨끗한 마른수건으로 자주 닦아내고, 날씨가 추울 때는 독을 싸지 말고, 아주 춥지 않은 윗목에 놓아 익기를 기다린다.

* 주방문에 "백병은 속칭 '흰무리떡'을 가리킨다."고 하여 '설기떡'임을 알 수 있다.

少麴酒 別法

正月初生亥日尤好. 欲釀四斗米則先以好甕盛井華水二十四食器納好麴末二升八合以東桃枝良久攪之封待三日後傾出浸麴水篩上揉汁去其滓以其水復納於甕中以白米二斗作末蒸白餅秉熱投甕中麴水良久以前用桃枝攪之限以無塊封待二月初生以好粘米二斗蒸飯又秉熱納甕中每日一次式以前桃枝攪三四日以厚紙堅封甕口勿洒氣終始忌溫處時時以淨乾巾拭去甕中浮漚痕白餅卽俗俗稱白勿伊餅也. 天寒勿裏置上堗不甚冷處

58. 비시소곡주방(非時少麴酒方) <증보산림경제(增補山林經濟)>
－제때가 아닌 때 소곡주 빚는 법

술 재료 : 밑술 : 멥쌀 2말, 누룩가루 4되, 물 4말
　　　　　덧술 : 멥쌀 2말, 밀가루 5홉

술 빚는 법 :
* 밑술 :

1. (소독하여 준비한) 독에 물 4말을 붓고, 좋은 누룩가루 4되를 합하고, 1~2일간 불려 물누룩(수곡)을 만들어놓는다.
2. 2~3일째 되는 날 물누룩을 체에 쏟아 붓고 손으로 비벼서 거른 후, 그 찌꺼기는 제거한 누룩물을 만들어 다시 독에 붓는다.
3. 멥쌀 2말을 백세하여 (물에 담가 불렸다가 다시 씻어 건져서 물기를 뺀 후) 작말한다.
4. 쌀가루를 시루에 안치고 쪄서 백병(흰무리떡)을 찌는데, 떡이 익었으면 뜨거울 때에 독 안의 누룩물에 합한다.
5. 앞서 사용했던 동도지로 떡덩어리가 없어질 때까지 한동안 휘저어 준다.
6. 술독은 예의 방법대로 하여 밀봉한 후, 서늘한 곳에서 7일간 발효시킨다.

＊덧술 :
1. 좋은 멥쌀 2말을 백세하여 (물에 담가 불렸다가 다시 씻어 건져서 물기를 뺀 후) 시루에 안쳐서 고두밥을 짓는다.
2. 고두밥이 익었으면 (넓은 그릇에 퍼내어 헤쳐 놓고, 뜨거운 기운이 나가게 한 다음) 따뜻할 때에 밑술독에 합해 넣는다.
3. 고두밥을 안친 술독은 예의 방법대로 하여 서늘한 곳에 앉혀두고, 매일 한 차례씩 동도지로 3~4일간 계속하여 저어주어 술밑을 빚는다.
4. 술독은 밀봉하여 이불로 싸지 말고 따뜻하지도 서늘하지도 않은 방 안에 앉혀서 10일간 발효시킨다.
5. 술이 다 익었으면 독 윗부분의 맑은 술은 전부 떠내어 쓰고(따로 보관해 두고), 찌꺼기는 (한꺼번에 체나 자루에 담아 탁주를) 걸러서 따로 보관해 두고 사용한다.

＊주방문 말미에 "술밥을 더 넣을 때에 혹 밀가루 5홉을 넣으면 좋은데, 이는 '소곡주'를 쉽게 만드는 방법이다."고 하고, "제때에 빚은 '소곡주'는 차가운 곳에 놓아두고, 제때가 아닐 때 빚은 것은 방 안의 윗목에 술독을 놓아두고, 겉을 싸지 말아야 한다. 이것은 쌀 4말을 빚는 방법이다."고 하였다.

天寒後 非時少麴酒方

白米二斗百洗作末先以好麴末四升浸於四斗冷水中過一二日後以手揉之篩去
滓以其麴水納甕中以前作末白米蒸白餠(卽俗稱勿伊餠也) 蒸之乘熟置甕傍
取投於麴水中七日後又以白米二斗百洗蒸飯乘熱納甕 又過十日見之 則已落
成酒矣 撥甕上盡取全酒而用之 其醅則上槽納飯加上時或以眞末五合納之好
此是少麴酒易出之方也 當節小麴酒則置冷處而非時所釀則置甕於房內上邊
勿裏甕矣此是釀四斗之方也.

59. 별소곡주법(別少麴酒法) <증보산림경제(增補山林經濟)>

술 재료 : 밑술 : 멥쌀 5되, 누룩가루 5홉, 밀가루 5홉, 끓여 식힌 물 3병
　　　　　 덧술 : 멥쌀 5되

술 빚는 법 :

* 밑술 :

1. 섣달그믐이나 정월 첫 해일에 끓여서 식힌 물 3병에 좋은 누룩가루 5홉과
   밀가루 5홉을 섞어 물누룩을 만들어놓는다.

2. 다음날 물누룩을 주물러서 체에 걸러 찌꺼기를 제거한 누룩물을 만들어놓
   는다.

3. 도정을 많이 하여 깨끗한 멥쌀 5되를 (백세하여) 새 물에 담가 불렸다가 (다
   시 씻어 말갛게 헹궈서) 물기를 뺀 후 작말한다(가루로 빻는다).

4. 쌀가루를 시루에 안쳐 떡을 찌되, 80% 정도만 익혀서 (뜨거운 김을 뺀 다
   음) 누룩물에 합한다.

5. 누룩물에 떡을 고루 버무리는데, 멍울진 것이 다 풀어지지 않으면 체에 걸러
   덩어리를 제거한 술밑을 빚고, 차게 식기를 기다린다.

6. 술밑을 술독에 담아 안치고, 예의 방법대로 하여 7일간 발효시킨다.

* 덧술 :

1. 깨끗하게 도정한 멥쌀 5되를 (백세하여) 새 물에 담가 불렸다가 (다시 씻어 건져서) 물기를 빼놓는다.

2. 불린 쌀을 시루에 안쳐 고두밥을 찌되, 무르게 푹 익혀서 퍼내 넓게 펼쳐서 한 김 나게 식힌다(차게 식기를 기다린다).

3. 밑술에 고두밥을 합하고, 고루 치대어 술밑을 빚는다.

4. 술밑을 술독에 안치고, 예의 방법대로 하여 서늘한 곳에서 7~21일간 발효 시킨다.

* 쌀의 종류나 가공방법, 누룩과 물의 비율 등에 대한 언급이 없고, "다음 달 에 꽃이 필 때에 꺼내어 쓸 수 있다."고 하였다. <의방합편>을 참고하여 방 문을 작성하였다.

別少麴酒法

在下正月初亥日作本至第三日可之若早加於方沸盛怒之時則必沸溢難禁矣當
釀晦日作本力能出於花時矣.

60. 소국주(少麴酒) <치생요람(治生要覽)>

> 술 재료 : 밑술 : 멥쌀 1말, 누룩 5홉, 밀가루 5홉, 정화수 1말
>
> 덧술 : 멥쌀 2말, 끓는 물(1말)

술 빚는 법 :

* 밑술 :

1. 멥쌀 1말을 반드시 백세하여 (물에 백 번 씻어 새 물에 담가 불렸다가, 다시 씻어 말갛게 헹궈서 물기를 뺀 후) 작말한다(가루로 빻는다).

2. 쌀가루를 체에 쳐서 질동이에 담아놓고, 체 안에 남은 무거리는 버리지 말고 다른 그릇에 담아놓는다.
3. 깨끗한 정화수 1말을 팔팔 끓여 무거리를 넣고 만든 풀죽을 쌀가루에 붓고, 주걱으로 고루 개어 (반생반숙/범벅을 만들어 뚜껑을 덮고) 차게 식기를 기다린다.
4. 차게 식힌 범벅에 분쇄한 누룩가루 1되 5홉을 넣고 고루 버무려 술밑을 빚는다.
5. 술독에 술밑을 담아 안치고, 예의 방법대로 하여 7일간 발효시킨다.

* 덧술 :
1. 멥쌀 2말을 백세한다(새 물에 담가 불렸다가 다시 씻어 건져서 물기를 빼놓는다).
2. 솥에 물(1말)을 오랫동안 팔팔 끓이고, 불려둔 쌀을 (다시 씻어 말갛게 헹궈서 물기를 뺀 후) 시루에 안쳐 고두밥을 짓는다.
3. 고두밥이 익었으면 끓는 물을 골고루 합한다. 주걱으로 헤쳐서 고두밥이 물을 다 먹었으면 넓은 그릇 여러 개에 나눠 담아서 차게 식기를 기다린다.
4. 차게 식은 밥에 밑술을 합하고, 고루 버무려 술밑을 빚는다.
5. 술독에 술밑을 담아 안치고, 예의 방법대로 하여 21일간 발효시킨 후 맑아지기를 기다려 사용한다.

少麴酒

粳米 一斗必百洗作末井花水一斗合米末篩滓湯沸和米末候冷調曲末一升五合
七日又粳米百洗二斗蒸飯熟水晒均候冷以前釀相和三七澄淸用.

61. 소곡주(少麴酒) <학음잡록(鶴陰雜錄)>

> 술 재료 : 밑술 : 멥쌀 1말, 누룩(가루) 1되 5홉, 물 2병
> 덧술 : 멥쌀 2말, 끓는 물 4병

술 빚는 법 :

* 밑술 :

1. 깨끗하게 찧은 멥쌀 1말을 백세하여 (새 물에 담가 불렸다가, 다시 씻어 말
   갛게 헹궈서 물기를 뺀 후) 작말한다(가루로 빻는다).
2. 쌀가루를 체에 쳐서 질동이에 담아놓는다. 체 안에 남은 무거리는 버리지 말
   고, 깨끗한 물 2병에 무거리를 넣고 팔팔 끓여 풀죽을 쑨다.
3. 팔팔 끓는 풀죽을 쌀가루에 붓고, 주걱으로 고루 개어 (범벅을 만들어 뚜껑
   을 덮고) 차게 식기를 기다린다.
4. 범벅에 분쇄한 누룩(가루) 1되 5홉을 넣고 고루 버무려 술밑을 빚는다.
5. 술독에 술밑을 담아 안치고, 예의 방법대로 하여 7일간 발효시킨다.

* 덧술 :

1. 도정을 많이 하여 깨끗한 멥쌀 2말을 백세한다(새 물에 담가 불렸다가, 다시
   씻어 건져서 물기를 빼놓는다).
2. 불린 쌀을 (시루에 안쳐 고두밥을) 찌고, 물 4병을 오랫동안 팔팔 끓인다.
3. 고두밥이 익었으면 퍼내 넓은 그릇에 담아놓고, 끓고 있는 물 4병을 즉시 멥
   쌀에 골고루 뿌려주고, 주걱으로 고루 헤쳐서 풀어놓는다.
4. 고두밥이 물을 다 먹었으면, 그릇에 뚜껑을 덮어 차게 식기를 기다린다.
5. 차게 식은 고두밥에 밑술을 섞고, 고루 버무려 술밑을 빚는다.
6. 술독에 술밑을 담아 안치고, 예의 방법대로 하여 21일간 발효시킨 후 맑은
   술을 사용한다.

少麯酒

精鑿粳米一斗百洗作末盛另用淨水二瓶以米末除滓合之湯沸以其湯水勻調於
米末候冷又和以碎麯一升五合納瓮至七日又以精鑿米二斗百洗先以水(每一斗
水二瓶)湯沸洒勻候冷以前釀雜調之入甕至三七日澄淸後用之每米一斗入水
二瓶爲率

62. 소곡주(小麯酒) <한국민속대관(韓國民俗大觀)>

> 술 재료 : 밑술 : 멥쌀 5되, 누룩가루 5홉, 밀가루 5홉, 끓는(끓여 식힌) 물 3병
> 덧술 : 멥쌀 5되

술 빚는 법 :

* 밑술 :

1. 끓는(끓여 식힌) 물 3병을 항아리에 넣고 좋은 누룩가루 5홉과 밀가루 5홉
   을 섞어 물에 풀어 물누룩을 만들어 하룻밤 재워놓는다.

2. 멥쌀 5되를 (백세하여 물에 담가 불렸다가 다시 씻어 건져서 물기를 뺀 후)
   가루로 빻아 그릇에 담아놓는다.

3. 쌀가루를 시루에 안쳐서 설기떡을 찌고, 익었으면 퍼낸다(따뜻하게 식기를
   기다린다).

4. 독의 누룩을 손으로 주물러 풀어놓고, 오래 기다렸다가 체에 밭쳐서 찌꺼기
   를 제거한 누룩물을 만들어놓는다.

5. 누룩물에 따뜻한 설기떡을 넣고, 손으로 주물러 작은 알갱이가 없이 풀어서
   술밑을 빚고, 차게 식기를 기다린다.

6. 술밑을 술독에 담아 안치고, 예의 방법대로 하여 (찬 곳에 두어) 7일간 발
   효시킨다.

* 덧술 :

1. 멥쌀 5되를 잘 씻어 (백세하여 물에 담가 불렸다가, 다시 씻어 건져서 물기를 뺀 뒤) 시루에 안쳐서 고두밥을 짓는다.

2. 고두밥이 익었으면 (한 바가지씩 퍼내어) 뜨거울 때 술독에 담고, 손으로 휘저어 고두밥 덩어리를 풀어준다(고두밥은 한 바가지씩 퍼서 매우 뜨거운 김을 빼내고 따뜻하다고 느껴질 정도쯤 식었을 때 술독에 넣고, 그때마다 손으로 휘저어 뜨거운 김을 빼고 고두밥 뭉친 것을 풀어준다).

3. 술독은 예의 방법대로 하여 찬 곳에 두고, 14일간 발효시키면 익어 밥알이 위에 뜬다.

4. 술 위에 뜬 밥알을 떠서 따로 모아두고, 술을 깨끗한 천으로 걸러내면 소곡주가 완성된 것이다.

* '소곡주'의 특징은 본격적인 술을 담기 전에 누룩가루와 술밑을 만들고, 그 후에는 다시 누룩을 쓰지 않는 방법을 취하는 점이다. 또 다른 처방에선 섬누룩(좋지 않은 누룩)을 쓰라고 했으며, 어느 처방은 좋은 누룩을 쓰라고 되어 있어 조금 다르다. '소국주(小麴酒)'라 하기도 한다.

* 주방문에 '소곡주(小麴酒)'에 대하여, "어느 애주가는 우리나라 술을 대표하는 게 '소곡주'라고 말할 정도로 술맛이 뛰어난 술이었다."고 한다. 이 술은 조선 초기부터 가장 많이 알려진 술로 누룩을 적게 쓰는 데서 이름이 생긴 듯하다. 다른 술과는 누룩의 처리 방법이 다른 특이한 술이다. 고장에 따라서는 이 술을 탁주형(濁酒型)으로 빚어 '탁주'로 취급되기도 했으나, 손이 많이 가는 방법으로 '청주'를 빚기도 했다.

소곡주(小麴酒)

한 말을 빚으려면, 먼저 끓는 물 세 병을 식혀서 항아리에 넣고, 좋은 누룩가루 다섯 홉, 밀가루 다섯 홉을 넣어서 하룻밤을 재우고, 다음 날 백미 다섯 되를 물에 담갔다가, 건져내어 가루내고 시루에 올려서 쪄내고 항아리에 담는다. 물에 담가 둔 누룩은 손으로 으깨는데, 오래 후에 체에 밭쳐서 걸러내고, 이어서 누룩물 중에 찐 쌀밥을 넣어서 다시 손으로 으깨 작은 알맹이가 없도록 하고, 식혀서 항아리에 넣는다. 7일 후에 따로 백미 다섯 되를 잘 씻어 밥을 짓고, 뜨거울 때 항아리에 넣고 손으로 잘 저은 다음, 찬 곳에 놓고 14일이 지난 뒤에 항아리를 열어보면 밥알이 뜨게 된다. 이것을 깨끗한 천으로 걸러내면 완성되는 것이다. 2월 초에 빚으면 3월 15일에 익고, 5월이 되면 맛이 변하니 항상 따뜻한 곳을 피하고 햇볕을 피하면, 춘주의 맛이 무색할 정도다.

63. 소국주(小麴酒) <해동농서(海東農書)>

술 재료 : 밑술 : 멥쌀 1말, 누룩 1되 5홉, 물 2병
　　　　 덧술 : 멥쌀 2말, 끓는 물 4병

술 빚는 법 :

* 밑술 :

1. 잘 찧은 멥쌀 1말을 아주 깨끗하게 백세하여 (물에 백 번 씻어 새 물에 담가 불렸다가, 다시 씻어 말갛게 헹궈서 물기를 뺀 후) 작말한다(가루로 빻는다).
2. 쌀가루를 체에 쳐서 질동이에 담아놓는다. 체 안에 남은 무거리는 버리지 말고, 다른 그릇에 담아놓는다.
3. 깨끗한 물 2병에 무거리를 넣고 팔팔 끓여 풀죽을 쑤어 쌀가루에 붓고, 주걱으로 고루 개어 (범벅을 만들어 뚜껑을 덮고) 차게 식기를 기다린다.
4. 범벅에 분쇄한 누룩(가루) 1되 5홉을 넣고 고루 버무려 술밑을 빚는다.
5. 술독에 술밑을 담아 안치고, 예의 방법대로 하여 7일간 발효시킨다.

* 덧술 :

1. 도정을 많이 하여 깨끗한 멥쌀 2되(말)를 백세한다(새 물에 담가 불렸다가, 다시 씻어 건져서 물기를 빼놓는다).

2. 불린 쌀을 (시루에 안쳐 고두밥을) 찌고, 물 4병을 오랫동안 팔팔 끓인다.

3. 고두밥이 익었으면 퍼내어 넓은 그릇에 담아놓고, 끓고 있는 물 4병을 즉시 멥쌀에 골고루 뿌려주고, 주걱으로 고루 헤쳐서 풀어놓는다.

4. 고두밥이 물을 다 먹었으면, 그릇에 뚜껑을 덮어 차게 식기를 기다린다.

5. 차게 식은 고두밥에 밑술을 섞고, 고루 버무려 술밑을 빚는다.

6. 술독에 술밑을 담아 안치고, 예의 방법대로 하여 21일간 발효시킨 후 맑아 지기를 기다려 사용한다.

* '미도백세작말(美擣百洗作末)'이라는 단어가 처음 등장한다. '미도백세작말' 은 '쌀을 많이 도정하여 희고 깨끗한 쌀을 백세하여 가루로 빻는다.'는 뜻으 로 풀이된다. <고사촬요>를 인용하였다.

小麴酒

精鑿粳米一斗美擣百洗作末盛淘盆淨水二瓶合米末除滓湯沸以湯水和末勻調 候冷和以碎麴一升五合至七日又以精鑿米二(升, 斗의 誤記인 듯)如前百洗先以 水湯沸每一斗水二瓶洒勻候冷以前釀雜調之入甕至三七日澄淸後用之.(上同).

64. 소국주 별방문 <홍씨주방문>

술 재료 : 밑술 : 멥쌀 5되, 누룩 5홉, 밀가루 5홉, 물 3말
　　　　　덧술 : 찹쌀 3말

술 빚는 법 :

* 밑술 :

1. 정월 첫 해일에 멥쌀 5되를 (백 번 씻어 매우 깨끗하게 하여 말갛게 헹궈 불 렸다가, 다시 씻어 건져서 물기를 뺀 다음) 작말한다(가루로 빻는다).

2. 물 3말을 솥에 붓고(불을 지펴서 끓이다가, 따뜻한 물 1말을 쌀가루에 풀어) 아이죽을 만든다.
3. 아이죽을 (솥 안의 나머지 물이 끓으면) 넣고 팔팔 끓여 죽이 끓어 퍼지게 익었으면, 술독에 퍼서 온기가 남지 않게 식기를 기다린다.
4. 죽에 누룩 5홉, 밀가루 5홉을 섞어 고루 휘저어(버무려) 술밑을 빚는다.
5. 술밑을 담아 안친 술독은 예의 방법대로 하여 하루 동안 발효시켜 술이 괴어오르기를 기다린다.

* 덧술 :
1. 찹쌀 3말을 (백 번 씻어 매우 깨끗하게 하여 말갛게 헹궈서, 새 물에 담가 불린 후) 다음날 아침에 (다시 씻어 건져 물기를 뺀 후) 시루에 안쳐 고두밥을 짓는다.
2. (고두밥이 고루 익었으면 퍼내고, 고루 펼쳐서 차게 식기를 기다린다.)
3. 고두밥에 밑술을 합하고, 고루 버무려 술밑을 빚는다.
4. 소독한 술독에 술밑을 덩이로 뭉쳐서 담아 안치고, 예의 방법대로 하여 찬 곳에 두고 발효시킨다.
5. (날씨가 차서) 술이 얼다 녹다 하면 죽젓광이로 저어두었다가, 3월이 되면 채주하여 마신다.

* <홍씨주방문>의 '소국주'는 '본방문'이 없이 '별(別)방문'이 수록되어 있다. 본방은 기록이 훼손되어 일부분만 수록되었다고 하였다.

소국주 별방문
정월 초 해일에 백미 닷 되 작말하여 물 서 말에 죽 쑤어 항에 떠두다가 식혀 더운 것 없거든 누룩가루 닷 홉, 진말 닷 홉 넣어 저어 두다가 이튿날 점미 서 말 익게 쪄 덩이로 뭉쳐 넣어 한데 내어두면 얼락녹으락하여 더 저어 두었다가 삼월에 물 퍼 쓰듯 하나니, 오래도록 맛이 더 맵고 향기로운 맛이 더 조니라.

소백주

스토리텔링 및 술 빚는 법

<양주방>*은 19세기 전라도 지방에서 쓰인 것으로 추정되는 전통주 관련 한글 기록이다. <양주방>*에 수록된 주품명과 주방문들의 특징, 다른 문헌들과의 차별성, 특히 <온주법(醞酒法)>과의 공통점 또는 차이점에 대해 이미 언급한 바 있으므로, 여기서는 '소백주'라는 주품과 주방문의 특징, 술 빚는 법에 대해서만 언급하겠다.

'소백주' 역시 <양주방>*에서만 찾아볼 수 있는 유일한 주방문이다.

따라서 어떤 의미를 담고 있는 주품명인지 잘 알지 못한다. 다만, 주방문을 통해서 '소백주'가 어떤 종류의 술인가는 짐작할 수 있는데, 술맛이 '소주'에 가깝다는 것이다. '소주'를 '노주(露酒)' 또는 '백주(白酒)'라고도 하므로 "술 빛깔이 흰 탁주로 소주 같이 독한 맛이 난다."라는 뜻이 아닐까 싶다.

실제로 술을 빚어본 결과, '소백주'는 "소주보다 독한 술"이라는 느낌을 받았다. 즉, "발효주가 갖고 있어야 할 특징과 맛, 향기 등이 전혀 다른 술"이었다. 그 배경을 설명하자면, 수백 가지의 주품 가운데 오직 '소백주'에서만 밑술과 덧술 두 차례에 걸쳐 석임을 사용한다는 점이다.

주지하다시피 아직까지 '소백주'에서와 같이 두 차례에 걸쳐 석임을 사용하고 있는 주품이나 주방문은 전례가 없다. 또 '석임' 1되는 누룩 2~3되를 사용하는 것보다 발효 측면에서 훨씬 효과가 좋다. 또한 '석임'이 덧술에도 사용되는 경우, 누룩 양의 2배를 사용하는 것과 같은 효과가 나타나 오히려 주질은 떨어지게 된다.

물론 양주학적 측면에서 보면, '석임'은 곧 '밑술'을 뜻하고, '밑술'은 우량한 효모를 다량으로 증식하여 원활한 발효를 도모하는 데 그 목적이 있으므로, '석임'의 사용은 매우 합리적인 양주기술이라고 할 수 있다.

또한 '석임'의 사용은 누룩을 적게 사용하면서도 최적의 발효상태를 유지할 수 있고, 누룩 냄새(곰팡이 냄새)가 적고 알코올 도수도 높아지므로 경제성이 좋아진다. 그러나 음주라는 행위 자체가 알코올을 섭취하는 것만으로 흥취 있는 음주가 되는 것이 아니기에, 결국 기호를 충족시킬 수 있는 술이 못 된다는 얘기다.

'소백주'에서와 같이 '석임'의 사용이 과하면, 결과적으로는 누룩이나 효모를 필요 이상으로 사용하여 과발효를 초래하게 된다. 그렇게 빚은 술은 알코올 도수는 높은 반면, 맛이나 향기가 떨어지는 단점이 있다.

이를 좀 더 사실적으로 표현하면 술맛이 쓰기만 하고 다른 맛이나 향기를 즐길 수 없다는 것이다. 반복적인 재현 작업에서 '소백주'의 경우 알코올 도수가 22% 까지 생성되는 결과를 얻을 수 있었는데, 그저 밍밍한 맛과 쓴맛, 물맛까지도 느껴지는 술맛이었다.

급기야 몇 가지 실험도 해보았다. 밑술에만 '석임'을 사용하는 방법과 덧술에만 사용하는 방법을 써보았다. 밑술에만 '석임'을 사용한 경우에는 여느 주품들처럼 오미(五味)와 함께 다른 멥쌀로만 빚는 술들과 달리 비교적 부드러우면서 무겁고 진한 맛이 있었고, 사과와 포도 향기도 느낄 수 있었다.

그런가 하면 덧술에만 '석임'을 사용한 경우, 부드러운 맛보다는 칼칼한 남성적인 특성과 강하면서도 아주 날카로운 에스테르 향을 느낄 수 있었다.

따라서 '소백주'의 경우, 밑술에 한 차례만 석임을 사용하는 방법이 좋은 술맛을 낼 수 있는 비결이라는 생각이 들었다.

더불어 술을 빚을 때 유념해야 할 주의사항으로 다음 몇 가지를 재차 강조하고 싶다.

'소백주'를 빚는 방법으로, 밑술과 덧술에서 두 차례에 걸쳐 끓는 물을 사용하라고 되어 있다. 이러한 방법이 두 차례에 걸쳐 '석임'을 사용하게 된 배경이 되었을 거라고 보여진다. 즉, 밑술에서 멥쌀 1말을 백세작말하여 끓는 물 2병(6되)로 범벅을 쑤는 일이 결코 쉬운 일이 아니기 때문이다.

이 과정에서 반생반숙(半生半熟)의 개념이 아닌, 쌀가루 양의 50%는 설익고 나머지 50%의 쌀가루는 끓는 물로 설익혀서는 발효부진을 초래하는 아이죽 상태가 초래되기 쉽다. 이런 경우, 발효 중에 술독 밖으로 술밑이 끓어 넘치는 현상이 발생하므로, 누룩보다는 발효 효과가 강한 석임을 사용하게 된 것으로 이해된다.

덧술의 경우도 마찬가지로, 2말의 멥쌀고두밥을 끓는 물 4병(1말 3되)으로 골고루 익힌 진고두밥을 만들기가 만만치 않다. 2말의 고두밥 중 70% 정도는 진고두밥이 되고, 나머지 30% 정도는 끓는 물로 익힌 고두밥의 효과가 나타나지 않아 2차례에 걸친 재발효 또는 발효부진으로 나타나기 쉽다. 그래서 술덧의 원활한 발효를 도모하기 위해 밑술에 썼던 '석임'을 다시 쓰게 된 것이라는 것이 '소백주'의 주방문이다.

결국 이렇게 완성된 '소백주'는 순전히 "쓴맛뿐인 술"이 될 수밖에 없었고, 그 '쓴맛'을 줄이기 위해 상대적으로 누룩의 양을 줄이게 되었을 것이다.

우리 술 빚기는 이렇게 어렵다. 아니, 색다른 술 또는 차별화된 술을 빚기가 어렵다. 더욱이 새로운 술을 개발한다는 일이 얼마나 어려운 일인가를 새삼 깨닫게 해준 술이 '소백주'였다.

맛 좋은 '소백주'를 빚으려면 밑술의 범벅을 고르게 익히는 법을 알아야 하고, 덧술에서도 고른 '진고두밥'을 만드는 일에 주력하면 덧술의 석임을 사용하지 않고도 좋은 맛과 향기를 간직한 '소백주'를 얻을 수 있다.

소백주 <양주방>*

술 재료 : 밑술 : 멥쌀 1말, 가루누룩 5홉, 밀가루 7홉, 석임 1되, 끓는 물 2병
　　　　덧술 : 멥쌀 2말, 가루누룩 5홉, 밀가루 7홉, 석임 1되, 끓는 물 4병

술 빚는 법 :

＊밑술 :

1. 희게 쓿은 멥쌀 1말을 깨끗이 씻고 또 씻어 (백세하여 물에 담가 불렸다가, 다시 씻어 건져서 물기를 뺀 후) 작말한다.
2. 쌀가루에 끓는 물 2병을 골고루 나눠 붓고, 주걱으로 고루 개어 범벅을 만든 후 넓은 그릇에 나눠 담고 고루 헤쳐서 차게 식기를 기다린다.
3. 범벅에 가루누룩 5홉, 밀가루 7홉, 석임 1되를 분량대로 넣고, 고루 버무려 술밑을 빚는다.
4. 술독에 술밑을 담아 안치고, 예의 방법대로 하여 3일간 발효시킨다.

＊덧술 :

1. 희게 쓿은 멥쌀 2말을 깨끗이 씻고 또 씻어(백세하여) 물에 담가 밤재워 불렸다가 (다시 씻어 건져서 물기를 뺀 후) 시루에 안쳐 고두밥을 짓는다.
2. 고두밥이 익었으면 퍼내고, 차게 식기를 기다린다.
3. 고두밥에 끓는 물 4병을 붓고 고루 저어준 후, 넓은 그릇에 나눠 딤고 차게 식기를 기다린다.
4. 고두밥에 밑술과 가루누룩 5홉, 밀가루 7홉, 석임 1되를 넣고, 고루 버무려 술밑을 빚는다.
5. 술독에 술밑을 담아 안치고, 예의 방법대로 하여 (서늘한 곳에서) 발효시키되, 자주 열어보아 익었으면 용수 박아 채주한다.

소빅쥬

빅미 흔 말을 빅셰작말ᄒ야 물 두 병만 쓸혀 ᄀ장 닉게 기야 마이 츠거든 국
말 오 홉 진말 칠 홉 서김 섯거 너허 삼일 만의 빅미 두 말 빅셰ᄒ야 닉게 쪄
마이 치와 물 네 병을 고로 나누엇다가 츠거든 국말 오 홉 진말 칠 홉 서김
섯거 너헛다가 ᄌ로 보아 닉거든 쓰라.

속미주

스토리텔링 및 술 빚는 법

　　우리나라 사람들이 주식으로 삼는 쌀 가운데는 '조'도 있다. '조'를 '좁쌀'이라고
도 하는 까닭은 이 조를 사용해 밥과 떡, 죽을 만들어 주식(主食)으로 삼았기 때
문이다.

　　좁쌀을 한자어로 '속미(粟米)'라고 한 데서 '속미주(粟米酒)' 또는 '속주(粟酒)'
라고 부른다. 이 좁쌀이 주원료로 사용되는 술로, 제주도 지방에서는 '오메기떡'을
만들어 빚는 '오메기술'이 있는데, 옛 문헌인 <양주방(釀酒方)>에서는 다른 이름
인 '속주'로 등장한다.

　　'속미주'라는 주품명을 수록하고 있는 문헌으로는 <임원십육지(林園十六志, 高
麗大本)>를 들 수 있는데, 술을 빚는 방법이 매우 특이하다. <임원십육지(고려
대본)>의 '속미주' 주방문 머리에 <제민요술(齊民要術)>을 인용하여 "좁쌀 술
은 정월에만 빚을 수가 있고, 그 외의 달은 빚을 수 없다. 분국(笨麴)을 사용하고
신국(神麴)을 사용하지 않는다. 조로 술을 빚으나 차조가 가장 좋다. 누룩과 쌀
은 반드시 깨끗해야 한다."고 하여 '속미주'를 빚는 시기와 좁쌀을 가공하는 방법

에 대해 언급하고 있다.

<임원십육지(고려대본)>의 '속미주' 주방문을 보면, 술을 빚는 방법이 비교적 구체적으로 수록되어 있는데, 여느 주방문과는 다르다.

'속미주' 주방문에 "정월 초하루 해 뜨기 전에 물을 긷고 해 뜰 때 누룩을 볕에 말리며, 정월 보름날에 누룩을 빻아 준비한 물에 담근다."고 하여 술 빚을 물을 길어오는 시기에 대해서도 특별히 언급하고 있으며, 누룩의 법제에 관한 설명도 하고 있다. 이처럼 술을 빚기 전에 반드시 해야 할 기본적인 과정을 미리 언급한 까닭은 '속미주'가 여느 술 빚는 방법으로 빚는 술이 아님을 의미한다.

먼저, 음력 정월 이른 새벽에 물을 길어온다는 것은 물의 온도가 차갑고 순수한 물, 곧 '정화수(井華水)'를 말한다. 누룩을 햇볕에 말려 길어온 물에 담근다는 것은 햇볕에 내어 누룩취와 군내 등을 없애 살균하는 목적의 법제 과정과 함께 '속미주'가 수곡(水麴, 물누룩)으로 빚는 술임을 말해 준다.

이 외에도 주방문에는 "누룩가루 1말을 고봉으로 재고, 물 8말, 쌀 1석을 평두로 잰다. 항아리의 크기에 따라 비율로 더하고 가득 차게 넣는다."고 했다. 이는 술독의 크기에 따라 술 빚을 쌀의 양이 달라짐을 암시하고 있다. "쌀 양에 관계없이 모두 4등분하여 처음부터 술이 익을 때까지 4번 덧술한다. 미리 하룻밤 담가둔 쌀을 정월 그믐날 해질 무렵에 고두밥을 짓고 다시 뜸들이지 않는다."고 한 것은 차좁쌀도 백세하되 물에 담가 불리는 시간이 겨울철의 하룻밤으로, 10시간 정도 불린다는 얘기이다. 해질녘에 고두밥을 찌되 뜸을 들이지 않는다는 말은, 차좁쌀은 뜸을 들이게 되면 고두밥이 질어지기 때문이며, 날이 저물어 고두밥을 찐다는 것은 고두밥을 차게 식혀서 술을 빚어야 술이 시어지지 않기 때문이다.

술을 빚는 간격으로 "1주일마다 한 번 넣는데, 처음 방법대로 한다. 이렇게 4번 넣은 후 28일 후면 술이 익는다."고 언급하고 있다. '속미주'는 사양주(四釀酒)로 밑술과 3차례에 걸친 덧술을 하되, 술 빚을 쌀의 양이나 가공방법 등은 동일한 과정을 거친다는 것을 뜻하고, '속미주'가 56일 만에 익는 장기발효주라는 사실을 말해 주고 있다.

이렇듯 4차례에 걸친 술 빚기 과정에서 동일한 원료 배합비율 및 공정을 거치는 경우는 우리나라 전통주에서 찾아보기 힘든 특별한 방법이다. 이는 중국식 술 빚는 방법에 가깝다.

주방문 말미에 "항아리를 진흙으로 밀봉한다. 갈라진 곳이 보이면 다시 진흙으로 봉한다."고 한 대목 역시 중국의 '황주'나 '백주'를 빚는 방법으로 '중원인작호주법(中元人作好酒法)'을 떠올리게 한다. '속미주'가 중국의 <제민요술>에 수록된 '속미주'를 옮겨 온 기록이란 사실을 짐작해 볼 수 있다.

이처럼 중국의 술을 수록하고 있는 우리나라 문헌들이 있는데, <임원십육지>와 <오주연문장전산고(五洲衍文長箋散稿)>가 대표적이다.

'속미주'를 빚어본 결과 구수하면서도 매우 깔끔한 맛을 지니고 있었으나, 술 빛깔이 맑거나 깨끗하지 않았다. 누룩의 사용량과 함께 사용 횟수가 많은 데 그 원인이 있다 할 것이다.

또 다른 문제는 술이 숙성된 이후 오래지 않아 점차 산미가 강해지고 간장 냄새가 난다는 점이다. 이런 단점을 해결하기 위해 3차 덧술에서 고두밥만을 사용했더니 훨씬 좋은 결과를 얻을 수 있었다.

속미주방 <임원십육지(林園十六志, 高麗大本)>

술 재료 : 밑술 : 차좁쌀 2말 5되, 분국(흰누룩)가루 2되 5홉, 물 2말
         덧술 : 차좁쌀 2말 5되, 분국(흰누룩)가루 2되 5홉, 물 2말
         2차 덧술 : 차좁쌀 2말 5되, 분국(흰누룩)가루 2되 5홉, 물 2말
         3차 덧술 : 차좁쌀 2말 5되, 분국(흰누룩)가루 2되 5홉, 물 2말

술 빚는 법 :
* 밑술 :
1. 정월 그믐날 하루 전에 차좁쌀 2말 5되를 백세하여 물에 담가 하루 동안 불렸다가 (오후에 다시 씻어 헹궈서 물기를 뺀 후) 시루에 안쳐서 고두밥을 짓는다.

2. 고두밥이 익었으면 퍼내고, 고루 펼쳐서 차게 식기를 기다린다.

3. 고두밥에 물 2말과 분국(흰누룩)가루 2되 5홉을 한데 합하고, 고루 버무려 술밑을 빚는다.

4. 술독에 술밑을 담아 안치고, 예의 방법대로 하여 술독을 진흙으로 밀봉하되, 갈라진 곳이 보이면 다시 진흙으로 봉하여 (7일간) 발효시킨다.

* 덧술 :

1. 밑술 빚은 지 7일 후에 차좁쌀 2말 5되를 백세하여 물에 담가 하루 동안 불렸다가, (오후에 다시 씻어 헹궈서 물기를 뺀 후) 시루에 안쳐서 고두밥을 짓는다.

2. 고두밥이 익었으면 퍼내고, 고루 펼쳐서 차게 식기를 기다린다.

3. 고두밥에 물 2말과 밑술, 분국(흰누룩)가루 2되 5홉을 넣고, 고루 버무려 술밑을 빚는다.

4. 술독에 술밑을 담아 안치고, 예의 방법대로 하여 술독을 진흙으로 밀봉하되, 갈라진 곳이 보이면 다시 진흙으로 봉하여 (7일간) 발효시킨다.

* 2차 덧술 :

1. 덧술 빚은 지 7일 후에 차좁쌀 2말 5되를 백세하여 물에 담가 하루 동안 불렸다가, (오후에 다시 씻어 헹궈서 물기를 뺀 후) 시루에 안쳐서 고두밥을 짓는다.

2. 고두밥이 익었으면 퍼내고, 고루 펼쳐서 차게 식기를 기다린다.

3. 고두밥에 물 2말과 덧술, 분국(흰누룩)가루 2되 5홉을 넣고, 고루 버무려 술밑을 빚는다.

4. 술독에 술밑을 담아 안치고, 예의 방법대로 하여 술독을 진흙으로 밀봉하되 갈라진 곳이 보이면 다시 진흙으로 봉하여 (7일간) 발효시킨다.

* 3차 덧술 :

1. 2차 덧술 빚은 지 7일 후에 차좁쌀 2말 5되를 백세하여 물에 담가 하루 동

안 불렸다가 (오후에 다시 씻어 헹궈서 물기를 뺀 후) 시루에 안쳐서 고두밥을 짓는다.

2. 고두밥이 익었으면 퍼내고, 고루 펼쳐서 차게 식기를 기다린다.

3. 고두밥에 물 2말과 2차 덧술, 분국(흰누룩)가루 2되 5홉을 넣고, 고루 버무려 술밑을 빚는다.

4. 술독에 술밑을 담아 안치고, 예의 방법대로 하여 술독을 진흙으로 밀봉하되 갈라진 곳이 보이면 다시 진흙으로 봉하여 (7일간) 발효시킨다.

* 주방문 말미에 "좁쌀 술은 정월에만 빚을 수가 있고, 그 외의 달은 빚을 수 없다. 분국(笨麴)을 사용하고 신국(神麴)을 사용하지 않는다. 조로 술을 빚으나 차조가 가장 좋다. 누룩과 쌀은 반드시 깨끗해야 한다."고 하였다. 또 "주의할 점은 술을 담글 때 햇빛, 촛불이 비쳐서는 안 되므로 밤에만 담근다."고 하였다.

粟米酒方

粟米酒唯正月得作餘月悉不成用笨麴不用神麴粟米皆得作酒然靑穀米最佳治麴淘米必須細淨以正月一日日未出前取水日出卽晒麴至正月十五日擣麴作末卽浸之大率麴末一斗堆量之水入斗殺米一石米平量之隨甕大小率以此加以向滿爲度隨米多少皆平分爲四分後初至熟四炊而已預前經宿浸水令夜以正月晦日向慕炊釀正作饙耳不爲再餾飯欲熟時預前作泥置甕(邊)饙熟卽(擧)甑就甕下之速以酒杷就甕中攪作兩三遍卽以盆合甕口泥蜜封勿令漏氣看有裂處更泥封七日一酘皆如初法四酘畢四七二十八日酒熟此酒要須用夜不得白日四度酘者及初押酒時皆廻身暎火勿使燭明及度酒熟便堪飮. <齊民要術>.

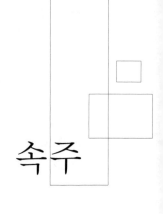

속주

우리 술 빚는 법을 연구하면서 옛 문헌의 중요성을 새삼 인식하게 된 여러 계기가 있었다. 그 중 하나가 바로 <양주방(釀酒方)>의 '속주(粟酒)' 주방문이다.

조를 속(粟)이라 하고, 좁쌀을 '속미(粟米)'라 하므로, 좁쌀로 빚는 술을 '속주' 또는 '속미주(粟米酒)'라 한다. 우리 술 빚는 법에서 조를 주원료로 하여 빚는 술은 제주 지방의 '오메기술'을 비롯해 해남 지방의 '속미소주(좁쌀소주)', 그리고 <양주방>에 언급된 '속주'라는 주품명에서 찾아볼 수 있다. 차좁쌀로만 빚는 사양주법(四釀酒法)의 '속미주'는 <임원십육지(林園十六志)>에 수록되어 있다.

조를 주원료로 하여 빚는 술 가운데 가장 널리 알려진 주품이 제주 지방의 '오메기술'이다. 지금까지 제주 지방의 '오메기술'이 언제부터 시작되었는지 그 연원이 잘 알려지지 않았다.

단지 대부분의 전문가들에 의해 언급된 '오메기술'은 "제주 지방에서 자연발생적으로 이루어진 양주법(釀酒法)으로, 차좁쌀로 오메기떡을 만들고 누룩과 섞어서 한 번 발효시키는 토속주(土俗酒)이다. 제주시 무형문화재로 지정된 탁주 '오

메기술'과 이 '오메기술'을 증류한 소주 '고소리술'이 있다."는 정도로만 얘기되어
왔다.

그런데 <양주방>의 '속주' 주방문을 살펴보게 되면, 제주 지방의 '오메기술'에
대한 유래와 변화 과정을 짐작할 수 있다.

<양주방>은 1700년대 초엽에 저술된 한글 필사본으로, 여기에 수록된 '속주'
주방문에는 차좁쌀 1말로 오메기떡을 빚고 (누룩 4되)와 떡 삶은 물 4되를 섞어
밑술을 빚는다. 다시 찹쌀 1~2말(또는 3~4말)로 만든 구멍떡과 떡 삶은 물 4되
를 합하여 덧술을 한 후, 재차 찹쌀 1말 ~1말 8되(또는 3말 6되)로 고두밥을 지
어 2차 덧술을 해 넣는다고 기록되어 있다. 이른바 삼양주법(三釀酒法)의 '속주'
주방문이다.

다만, 주방문에 누룩 양이 나와 있지 않아 제주 지방의 '오메기술'과 '잡곡주' 주
방문을 참고하여 누룩의 양을 산정하였음을 밝혀둔다. 이 '속주' 주방문에서 덧술
과 2차 덧술의 과정을 생략하면 바로 '오메기술'의 주방문이 된다.

결국 '오메기술'은 '속주' 주방문과 같은 중양주법에서 파생된 단양주(單釀酒)
로 술 빚는 과정이 간소화된 것임을 확인할 수 있다.

물론 제주 지방의 '오메기술'을 기본으로 한 차례의 덧술이나 2차례의 덧술을
한 것이 '속주'라고 추측할 수도 있다. 하지만 여산 지방의 '호산춘(壺山春)'을 비
롯해 '소곡주', '백하주' 등 삼양주법의 주방문이 이양주법으로 간소화된 경향은
흔히 찾아볼 수 있으나, 단양주법이 이양주법(二釀酒法)으로 고급화되거나 이양
주법이 삼양주법으로 복잡한 과정을 거치는 주방문은 매우 드물다는 사실을 감
안하면, 조선 후기에 이르러 '속주'가 간소화되면서 단양주법의 '오메기술'을 낳았
나는 추측을 하기에 이른다.

특히 제주 지방은 농토가 좁고 척박하여 찹쌀이나 멥쌀의 산출량이 다른 지방
에 비해 적었기에 내륙 지방의 멥쌀이나 찹쌀로 만들어 즐겨 먹던 구멍떡 대신
제주 지방에서는 차좁쌀로 만든 '오메기떡' 또는 '우메기떡'을 즐겨 먹었던 데서 '오
메기술'의 등장배경을 엿볼 수 있다.

이러한 까닭으로 '속주' 주방문의 간소화 또한 '오메기술'의 등장에 영향을 주었
고, 일제강점기의 자가양조 금지 정책 및 해방 후 식량관리법, 밀주 단속 등의 여

러 배경으로 인해 제주 지방 사람들에게 단양주법의 '오메기술'이 대중적인 술로 뿌리 내렸을 거라는 추측을 가능케 한다.

<양주방>의 '속주'는 차좁쌀과 찹쌀로만 빚는 삼양주로 매우 고급술이다. 밑술과 덧술의 제조과정이 동일하며, 쌀을 백세작말하여 익반죽한 후 도너츠 형태의 떡을 만들어 삶아 익히는데, 차좁쌀로 만들면 '오메기떡'이라 하고, 멥쌀이나 찹쌀로 만들면 경단류의 '구멍떡'이라 한다는 데서 그 특징을 찾을 수 있다. 그러나 그 과정이 결코 간단치 않다.

<양주방>의 '속주' 주방문에 언급된 2차 덧술에 대한 기록에는 "찹쌀 양의 많고 적음에 관계없이 처음 술밑 하듯 술거리를 준비하는데, (그 양을 덧술보다) 조금 적게 하여"라고 했으며, 말미에 "술을 거를 때 자루에 넣어 걸러내어 쓴다."고 했다.

이는 '속주'가 고급 탁주임을 뜻하며, 제주 지방의 '오메기술'이 탁주라는 사실과도 관련이 깊다는 걸 암시한다 하겠다. 무엇보다 구멍떡으로 빚는 술은 그 과정이 복잡하고 술의 양도 적은 편이어서 부유층과 사대부가에서 주로 행해졌던 양주법이라는 사실도 간과할 수 없다.

속주법 <양주방(釀酒方)>

술 재료 : 밑술 : 차좁쌀 1말, (누룩 4되), 떡 삶은 물 4되
　　　　　덧술 : 찹쌀 1~2말(또는 3~4말), 떡 삶은 물 4되
　　　　　2차 덧술 : 찹쌀 1말 ~1말 8되(또는 3말 6되)

술 빚는 법 :
* 밑술 :
1. 차좁쌀 1말을 (백세하여) 물에 담가 불렸다가 (다시 씻어 헹궈서 물기를 뺀 후) 가루로 빻는다.

2. 차좁쌀가루를 가는체에 쳐서 무거리를 제거하고, 뜨거운 물로 익반죽한다.

3. 반죽을 굵게(손바닥만 하게 크게) 오메기떡을 빚어 팔팔 끓는 물솥에 넣고 푹 무르게 삶는다.

4. 떡이 익으면 떠오르므로 건져 자배기에 담고, 떡이 한 김 나거든 식기 전에 손으로 많이 주물러놓는다.

5. 풀어놓은 떡을 방아에 찧되, (차게 식힌 떡 삶은) 물 4되와 (누룩) 4되를 한데 넣고, 많이 쳐서 덩어리 없는 술밑을 빚는다.

6. 술독에 술밑을 안치고, 예의 방법대로 하여 불한불열한(덥지도 차지도 않은) 곳에 앉힌다.

7. 술독을 섬(가마니)으로 덮어두었다가, 술밑에서 막 단맛이 생기면 고쳐(독을 휘저어) 둔다.

* 덧술 :

1. 찹쌀을 1~2말, 또는 3~4말을 많고 적음에 관계없이 (백세하여) 물에 담가 불렸다가, (다시 씻어 행궈서 물기를 뺀 후) 고운 가루로 빻는다.

2. 찹쌀가루를 가는체에 쳐서 무거리를 제거하고, 따뜻한 물로 익반죽한다.

3. 찹쌀가루 반죽을 한 주먹씩 떼어 구멍떡을 빚어 팔팔 끓는 물솥에 넣고 푹 무르게 삶는다.

4. 떡이 익으면 떠오르므로 건져 자배기에 담고, 떡이 한 김 나거든 식기 전에 주걱으로 치대어 인절미처럼 놓는다.

5. 떡이 차게 식기를 기다려 밑술과 합하고, 고루 버무려 술밑을 빚는다.

6. 술독에 술밑을 안치고, 예의 방법대로 하여 불한불열한(덥지도 차지도 않은) 곳에 앉힌다.

7. 술독을 섬(가마니)으로 덮어두었다가, 술밑에서 막 단맛이 생기거든 고쳐 (휘저어) 둔다.

* 2차 덧술 :

1. 찹쌀을 1말~1말 8되, 또는 3말 6되를 (백세하여 물에 담가 불렸다가, 다시

씻어 헹궈서 물기를 뺀 후) 고운 가루로 빻는다.

2. 찹쌀가루를 가는체에 쳐서 무거리를 제거하고, 뜨거운 물로 익반죽한다.
3. 찹쌀가루 반죽을 한 주먹씩 떼어 구멍떡을 빚어 팔팔 끓는 물솥에 넣고 푹 무르게 삶는다.
4. 떡이 익으면 떠오르므로 건져 자배기에 담고, 떡이 한 김 나거든 식기 전에 주걱으로 치대어 인절미처럼 해놓는다.
5. 떡이 차게 식기를 기다려 덧술과 합하고, 고루 버무려 술밑을 빚는다.
6. 술밑을 술독에 담아 안치고, 예의 방법대로 하여 불한불열한(덥지도 차지도 않은) 곳에 앉힌다.
7. 술독을 섬(가마니)으로 덮어 발효시킨다.
8. 두 번째 덧술한 지 1개월이나 지나면 술독을 열어보아 술 위에 기름이 뜨는데, 그 기름을 헤치고 보면 말갛게 술이 익은 것이니 내어 쓴다.

* 주방문에서 2차 덧술에 대해 "찹쌀 양의 많고 적음에 관계없이 처음 술밑 하듯 술거리를 준비하는데, (그 양을 덧술보다) 조금 적게 하여"라고 했다. 또 말미에 "술을 거를 때 자루에 넣어 걸러내어 쓴다."고 했다. 누룩 양이 나와 있지 않아 제주 지방의 '오메기술'을 참고하였다.

속쥬법

챠죠ᄡᆞᆯ을 담갓다가 ᄀᆞᄅᆞ마아 ᄀᆞᄂᆞᆫ ᄎᆡ예 쳐서 굵게 ᄡᅥᆨ을 만다라 물을 고뷔나게 ᄭᅳᆯ혀 그 ᄡᅥᆨ을 ᄉᆞᆯ마내여 그릇ᄉᆡ 담고 한 김 나거든 ᄶᅵ주물러 한 말 골커든 물 넉 되 부어 뒤저허 방하의 ᄡᅵ어 독의 너허 불한불열ᄒᆞᆫ데 섬의 너허 둣다가 막 달거든 고쳐 찹ᄡᆞᆯ 한 말 두 말 서너 말이나 다쇼간의 쳐음 밋ᄒᆞ야 너헛ᄒᆞ야 그 밋술의 너코 두 번 ᄒᆞ여 너ᄒᆞᆫ 거시 다 괴거든 ᄯᅩ 고쳐 세 번 ᄶᅵᄂᆞᆫ 죠금 적게ᄒᆞ야 너허 한 달이나 지나거든 보면 술 우희 기ᄅᆞᆷ이 ᄶᅵᄂᆞ니라. 그 기ᄅᆞᆷ 헛치고 보면 말ᄀᆞᆺᄂᆞ니라. 그ᄌᆡ야 내여 ᄡᅳ라. 바틀제 ᄌᆞ로의 너허 기줄러 ᄡᅳᄂᆞ니라.

송계춘

스토리텔링 및 술 빚는 법

'송계춘(松桂春)'은 <주찬(酒饌)>에 처음 등장하며, 이후 어떤 문헌에서도 목격되지 않는 유일한 방문이다. 어떤 목적에서 '송계춘'이란 주품명을 붙이게 되었는지에 대해서도 밝혀진 바가 없다.

'송계춘'이란 주품명을 자전풀이 그대로 해석하자면 "솔잎과 계피를 부재료로 넣어 빚은 춘주"라는 뜻이 가능한데, 본 방문에는 그 어떤 부재료도 명기되어 있지 않다. 그런 까닭에 '송계춘'의 주방문이 매우 이채롭다 할 만하다. 지금까지 보아왔던 주방문들과 비교해 보면, 덧술 빚기에 있어 분명하게 차별된다는 것을 알 수 있다.

주품명을 '송계춘'이라고 명명하게 된 이유가 아마도 덧술의 방문 때문이 아닌가 짐작해 본다. 찬자(撰者)가 잘못하여 부재료를 빠트린 것이 아니라면, 이 주방문의 특징과 술맛에 대해 추측할 수 있는 비법은 덧술의 방법과 그 과정에 있다고 보기 때문이다.

'송계춘' 주방문은 밑술을 반생반숙의 범벅으로 빚고 있다. 범벅으로 빚는 술의 특징, 특히 술맛과 향기 등에 대해서는 누차 설명한 바 있다. 따라서 밑술의 특징을 그대로 살릴 수 있는 덧술 방법을 강구하다 보니 '송계춘'이란 주품명을 붙이게 되었다는 추측이 가능하다. 이를테면, 밑술을 범벅으로 하여 빚고 보니 마치 솔잎과 계피를 넣어 빚은 술에서 찾을 수 있는 진한 향기와 함께 톡 쏘는 듯한 술맛이 느껴져, 그 맛과 향기를 유지하기 위한 방법으로 덧술을 죽 형태로 해서 술을 빚게 되었을 거라는 얘기이다. 덧술을 죽으로 빚게 되면, 알코올 도수가 높아지지 않음과 동시에 더 이상의 강한 향기를 얻을 수 없어 밑술의 특징이 그대로 살아나기 때문이다.

주방문에서 알 수 있듯이 '송계춘'은 덧술의 쌀 양보다 밑술의 쌀 양이 훨씬 많다. 이렇게 되면 실질적인 술맛이나 향기는 밑술에서 결정되고, 덧술은 밑술의 거칠고 싱거운 맛을 보완하기 위한 형식상의 절차에 불과하다고 볼 수 있다.

그럼에도 불구하고 아무리 생각해도 이해가 잘 안 되는 건, '삼등출(三蹬出)'이란 부제(副題)이다. '삼등출'을 단순히 '삼등짜리 술'로 이해해야 되는지, 아니면 다른 어떤 깊은 뜻이나 술에 대한 특징을 설명하고자 붙인 건지 도무지 알 수가 없다는 점이다.

<주찬>의 기록 가운데 '백화주(白花酒)'에 대해 "주방문중최위제일주야(酒方文中崔爲第一酒也)"라고 하여 '백화주'를 으뜸으로 꼽고 있긴 하나 '제이위(第二位)'의 주품에 대한 언급이나 부제가 없는 관계로 '삼등출'을 '제삼위(第三位)'의 주품으로 해석하기도 조심스럽다.

결론적으로 '송계춘'의 덧술 방문을 다른 주방문과 달리한 이유가 거기에 있다고 하겠다. 저간(這間)의 전통주 방문과 그에 따른 우리의 상식을 뒤엎는 엄청난 파격(破格)의 주방문을 보여주고 있는 셈이다.

필자의 이러한 가정이나 추측이 맞다면, 전통주의 제조법에 대한 찬자의 전문적인 지식과 우리 전통주에 대한 애정, 그리고 주품에 대한 판별능력, 더 나아가서는 <주찬>의 편찬 목적이나 그 과정에 따른 노력과 애정이 어느 정도였을지 감히 짐작할 수 있을 것 같다.

그래도 저어할 점은, <주찬>의 다른 주방문이나 방문마다의 수록 내용에서 잘못 표기되었거나 상식적으로 이해되지 않는 부분이 적잖다는 사실이다. 이는 찬자의 주방문에 대한 전문성을 의심케 한다는 점이라 하겠다.

제자들과 함께 '송계춘'을 복원하는 작업을 통해 필자의 추측이 맞을지 지켜보았는데, 술을 복원하는 과정 내내 불평불만이 쏟아져 나왔다. 얘기인즉 "이렇게 힘든 술을 어떻게 빚어서 마실 수 있겠느냐?"는 것이었다. 밑술을 빚는 작업만 꼬박 4시간이 걸려 술 빚기를 끝낼 수 있었다.

물론, 당일에 밑술 빚는 작업을 마쳐야만 했던 까닭도 보다 많은 시간이 소요된 배경이 되기도 했지만, 멥쌀 1말을 가루로 만들어서 끓는 물 9사발로 범벅을 쑤고, 누룩가루 1되로 그 많은 양의 범벅을 삭혀야 하는 데는 적잖은 노동을 필요로 했다.

3일 후의 덧술 작업은 다행히 한결 수월해 간단하게 끝낼 수 있었고, 술맛을 본 제자들은 감탄과 의구심을 연발했다. '송계춘'의 향기가 솔잎과 계피 향이 아닌 솔잎과 솜사탕 향기라는 게 그 이유였다. 술맛과 향기를 맡고서야 비로소 '송계춘'이라는 주품명에 얽힌 내력을 깨닫게 되었고, 춘주류에 대한 생각을 다시 갖게 하는 계기도 되었다. 비록 재현에 힘은 들었지만 '송계춘'은 고생할 만한 충분한 가치가 있는 주품이었다.

'송계춘'을 빚는 데 따른 주의사항은, 어떤 방법을 동원하든 밑술의 상태가 죽처럼 늘어지도록 치대주어야 한다는 것이다. 밑술의 성패가 송계춘의 성패로 직결되기 때문이다. 그 이상의 어떤 방법도 없다고 확신한다.

송계춘 <주찬(酒饌)>
—삼등출(三登出)

> 술 재료 : 밑술 : 멥쌀 1말, 누룩가루 1되, 밀가루 1되, 탕수 9사발
>
>   덧술 : 찹쌀 3되, 누룩가루 2~3홉, 물 3되

술 빚는 법 :

* 밑술 :
1. 멥쌀 1말을 백세하여 (물에 담가 불렸다가, 다시 씻어 헹궈 건져서 물기를 뺀 뒤) 작말한 후 넓은 그릇에 담아놓는다.
2. 솥에 물 9사발을 끓여 팔팔 끓을 때 쌀가루에 골고루 붓고, 주걱으로 고루 개어 범벅을 만든 다음 차게 식기를 기다린다.
3. 차게 식은 범벅에 누룩가루 1되와 밀가루 1되를 합하고, 고루 힘껏 치대어 술밑을 빚는다.
4. 술독에 술밑을 담아 안치고, 예의 방법대로 하여 3일간 발효시킨다.

* 덧술 :
1. 찹쌀 3되를 백세하여 (물에 담가 불렸다가, 다시 씻어 헹궈 건져서 물기를 뺀 뒤) 넓은 그릇에 담아놓는다.
2. 솥에 물 3되를 끓이다가 물이 뜨거워지면 불린 쌀을 넣고, 주걱으로 천천히 저어가면서 팔팔 끓는 죽을 쑨 다음 그릇에 퍼서 차게 식기를 기다린다.
3. 차게 식힌 죽에 누룩가루 2~3홉을 섞고, 고루 저어 술밑을 빚는다.
4. 밑술과 술밑을 합하고, 다시 고루 저어 술밑을 빚는다.
5. 술독에 술밑을 담아 안치고, 예의 방법대로 하여 발효시킨다.

松桂春

三登出. 白米一斗百洗作末蒸之湯水九碗調揮待冷曲末一升眞末一升交釀待
熟粘米三升最堅作粥待冷曲末二三合又入調釀本酒.

순향주

술을 빚는 사람이 반드시 알아두고 지켜야 할 원칙이 있는데, 이를 흔히 '육재 (六材)'라고 한다. 그리고 '육재' 외의 '기본적인 상식'도 있다. 이 두 가지 문제에 대해 <음식디미방>에서 상세히 수록하고 있는데, '순향주' 주방문이 그것이다.

'순향주'는 삼양주법(三釀酒法)의 '농순(濃醇)한 향기를 지닌 술'이라는 뜻으로 풀이된다. 그 이유는 술 빚는 주방문과 그 과정에서 찾을 수 있다.

우선, 앞서 언급한 '육재'와 '기본적인 상식'을 '순향주' 주방문에서 찾아보면, 방문 머리에 "술독은 가장 잘 구워지고 관독이 좋고, 노린 독도 좋다. 독 안팎을 아주 많이 씻고, 청솔가지를 많이 넣어 솥에 거꾸로 엎어서 쪄 식혀 술을 빚어 넣으라. 다른데 쓰던 독이면 여러 날 물을 부어 우린 후, 솔가지를 넣어 쪄서 쓴다."고 하여 술을 빚을 독의 선택과 소독법에 대해 언급하고 있다.

그리고 "추운 때면 짚으로 독의 몸을 감아 엮어 옷을 입히고, 독 밑에 두꺼운 널빤지를 놓고, 독을 놓으면 방구들이 더워져도 온기가 오르지 못하여 좋으므로, 무릇 술은 다 이렇게 한다."고 하여, 빚은 술을 담아 안쳐서 발효시키는 과정에서 술독을 관리하는 방법도 엿볼 수 있다.

방문 말미에는 "떡과 밥이 설익으면 나쁘고, 술밑이 설거나 넘기(탄 냄새) 냄새가 나거나 눋거나 하면 나쁘다."고 하여 술 빚을 쌀을 익히는 요령에 대해 언급하고 있다. 또 "술밑에 찹쌀이 많아도 좋고 적어도 좋고 없으면 멥쌀만 하여도 무난하다. 대강 쌀 한 말에 누룩 한 되, 밀가루 세 홉씩 넣되, 떡에 밥 두 말에 누룩가루와 밀가루가 이미 들어가 있으므로 밥에 두 말 분량을 덜 넣는다. 쌀이 많으나 적으나 이를 짐작하여 빚으면 된다."고 하여, 주원료의 사용비율에 따른 적정 배합율도 제시하고 있다.

끝으로 "술독을 두꺼운 종이나 기름종이로 싸맨다. 술이 괴어 넘치거든 시루를 깨끗이 씻어 술독에 엎어놓고 사이를 바른다. 다 괴거든 도로 떼고 싸맨다."고 한 대목은 술 빚는 일이 잘못되었을 때 일어나는 현상에 대처하는 방법으로 사실적인 '경험방'이라고 할 수 있다.

그런가 하면 술의 저장법에 대해서도 언급하고 있다. 그 방법은 "청주를 짜 넣을 술 단지나 병을 더운 물로 씻어 엎어두었다가 마르거든 술을 담고, 바쁘면 더운 물로 씻은 후에 술을 조금 넣어 흔들어 쏟고, 그 그릇에 넣으면 술맛이 변하지 않는다. 술을 떠내는 그릇은 물기 없이 씻어 독에 넣어두고 쓰면 변하지 않는다."고 하였다.

이 외에도 "봄·가을·겨울은 술이 좋고, 여름은 좋지 않다. 이 법을 잊지 않으면 반드시 지주(地酒, 맛 좋은 술)되나니, 이 법대로 하여야 한다. 이렇게 하되, 나쁘기는 종(下人)이 씻을 때 덜 씻거나 쌀을 덜어서 적게 한 것을 모르고 물을 법대로 부어서 그렇게 되니, 봐서 시키기에 종에게 처음부터 끝까지 맡겨 시킬 때 미리 경계한다."고 하여, 술을 빚는 사람이 반드시 지켜야 할 원칙과 함께 주방문마다의 주원료 배합비율을 지켜야 맛 좋은 술이 된다는 것을 강조하고 있다.

이 모든 주의사항은 오랜 세월 술을 직접 빚어본 사람이라면 항상 초래될 수 있는 문제점들의 해결방법이자 열쇠이며, 자칫 소홀해질 수 있는 술 빚는 이의 마음자세에 대한 지적이라 하겠다.

이러한 주의사항과 함께 술 빚는 이의 마음자세를 바탕으로 빚는 술이 '순향주'라는 것인데, '순향주'는 밑술이 멥쌀 4말을 기준으로 삼고, 여기에 누룩가루 6되와 진말 1되 8홉, 끓는 물 4말을 사용한다. 덧술은 멥쌀 6말, 누룩가루 4되, 진말 1되 2홉, 끓는 물 6말의 비율이다. 마지막으로 넣는 2차 덧술은 찹쌀 6되, 멥쌀 4되, 누룩가루 1되의 비율로 이루어진다. 멥쌀 11말 6되에 누룩가루는 10% 정도인 1말 1되가 사용되고, 진말은 2.5% 정도인 3되, 끓는 물은 10말이 사용되어 90% 미만의 비율을 보여주고 있다.

'순향주'라는 주품명을 얻게 된 배경에는 삼양주법이라는 사실과 함께 밑술을 백설기를 쪄서 사용하는 것과 밀접한 연관이 있다. 백설기를 쪄서 끓는 물로 다시 한 번 익히는 과정이 있는데, 이는 주로 '소곡주'의 주방문에서 볼 수 있는 방법이다. 백설기죽을 사용하는 방법으로, 여기에 고운 누룩가루와 밀가루를 섞어 밑술을 빚어 5일간 발효시킨다. 이때 주의할 일은 백설기에 끓는 물을 합하고 가능한 한 떡덩어리를 풀어놓는 것이다.

그리고 시간을 두고 스스로 차게 식을 때까지 기다려야 한다. 강제로 죽을 빨리 식히면 자칫 술밑의 발효과정에서 독 밖으로 끓어 넘치거나, 삭지 않은 떡이 독 밑에 가라앉아 산패를 초래할 수도 있기 때문이다.

이렇듯 밑술 과정을 잘 지켜서 술을 빚게 되면, 덧술부터는 큰 어려움은 없다. 다만 고두밥과 끓는 물을 합할 때, 고두밥 덩어리를 풀어 헤쳐 놓은 후에 끓는 물을 부으면 좋은데, 자꾸 뒤집거나 휘저어서는 안 된다. 고두밥 역시 하룻밤 재워 스스로 식을 때까지 기다려야 한다.

덧술의 성패는 이 과정에 달려 있다. 고두밥이 끓는 물을 고루 흡수하여 고르게 익은 진고두밥이 되어야 한다. 물론 차게 식었을 때 밑술과 합하고 고루 버무려 술밑을 빚어야 한다.

마지막으로 빚어 넣는 2차 덧술은 죽을 쑤는데, 죽은 고르게 익혀야 하고, 익었으면 강제로 식히지 말고, 밑술이나 덧술에서와 같이 하룻밤 재워 차게 식기를 기다려서 사용한다. 주방문의 "죽을 쑨 다음, 익었으면 불을 끄고, 솥뚜껑을 덮어 하룻밤 재워둔다."고 한 이유 역시 죽을 강제로 차게 식히려 애쓰지 말라는 얘기이다.

<음식디미방>의 '순향주' 주방문에서 배우게 된 가장 중요한 사실은 다름 아니라 무엇보다 술 빚을 원료를 강제로 차게 식히는 경우와 자연 상태에서 저절로

차게 식는 경우, 그 원료의 조직감이나 익은 상태가 다르다는 점이다.

　이는 술의 발효상태와 맛의 차이로 나타난다는 사실을 명심하면, 술은 은은하면서 부드러운 맛과 진한 향기로 답해 줄 거라 확신한다.

순향주 <음식디미방>

> 술 재료 : 밑술 : 멥쌀 4말, 누룩가루 6되, 진말 1되 8홉, 끓는 물 4말
> 　　　　 덧술 : 멥쌀 6말, 누룩가루 4되, 진말 1되 2홉, 끓는 물 6말
> 　　　　 2차 덧술 : 찹쌀 6되, 멥쌀 4되, 누룩가루 1되, 끓는 물 2놋동이

술 빚는 법 :

* 밑술 :

1. 멥쌀 4말을 물에 백세하여 (담가 불렸다가 다시 씻어 건져서 물기를 뺀 뒤) 작말한다.
2. 쌀가루를 시루에 안쳐서 시루떡을 찌고, 물 4말도 솥에 안쳐서 팔팔 끓인다.
3. 떡이 익었으면 퍼내어 넓은 그릇에 담고, 끓는 물을 골고루 나눠 부어 주걱으로 헤쳐서 풀어놓되, 켜켜로 하여 하룻밤 재워 차게 식기를 기다린다.
4. 누룩을 고운체에 쳐서 고운 가루 6되, 밀가루 1되 8홉과 함께 풀어놓은 떡에 넣고, 고루 버무려 술밑을 빚는다.
5. 술밑을 술독에 담아 안치고, 예의 방법대로 하여 5일간 발효시킨다.

* 덧술 :

1. 멥쌀 6말을 백세하여 (물에 담가 불렸다가, 다시 씻어 헹궈서 물기를 뺀 다음) 시루에 안쳐서 고두밥을 짓는다.
2. 물 6말을 솥에 붓고 많이 끓이다가 고두밥이 익었으면 큰 그릇 2개에 나누어 담고, 끓는 물 3말씩 끼얹어 하룻밤 재워 차게 식기를 기다린다.

3. 고두밥에 누룩가루 4되와 밀가루 1되 2홉을 넣고, 밤이 되기를 기다려 밑술을 한데 섞고, 고루 버무려 술밑을 빚는다.

4. 술밑을 술독에 담아 안친 다음, 예의 방법대로 하여 발효시키는데, 술이 익어 맑아지기를 기다린다.

* 2차 덧술

1. 찹쌀 6되, 멥쌀 4되를 희게 쓿어(도정을 많이 하여) 백세하여 (물에 담가 불렸다가 다시 밥주걱으로 휘저어 씻어 헹궈서 물기를 뺀 후) 세말한다(고운 가루로 빻는다).

2. 솥에 물 2놋동이를 붓고 끓이다가 (미지근하거나 약간 따뜻할 때 3~5되를 퍼서) 쌀가루에 부어 아이죽을 만들어놓는다.

3. 솥의 물이 팔팔 끓거든 만들어둔 아이죽을 붓고 주걱으로 고루 저어 죽을 쑨 다음, 익었으면 불을 끄고 솥뚜껑을 덮어 하룻밤 재워둔다.

4. 죽을 그릇에 퍼 담고, 누룩가루 1되와 함께 고루 버무려 술밑을 빚는다.

5. 새 술독에 술밑을 담아 안치고, 예의 방법대로 하여 두꺼운 종이로 밀봉하고 발효시켜 술이 익어 맑아지는 대로 채주한다.

* 주방문 머리에 "술독은 가장 잘 구워지고 관독이 좋고, 노란 독도 좋다. 독 안팎을 아주 많이 씻고, 청솔가지를 많이 넣어 솥에 거꾸로 엎어서 쪄 식혀 술을 빚어 넣으라. 다른 데 쓰던 독이면 여러 날 물을 부어 우린 후, 솔가지를 넣어 쪄서 쓴다. 추운 때면 짚으로 독의 몸을 감아 엮어 옷을 입히고, 독 밑에 두꺼운 널빤지를 놓고, 독을 놓으면 방구들이 더워져도 온기가 오르지 못하여 좋으므로, 무릇 술은 다 이렇게 한다."고 하여 술독의 선택과 관리에 힘쓸 것을 강조하고 있다.

또 주방문 말미에 "떡과 밥이 설익으면 나쁘고, 술밑이 설거나 넘기 냄새가 나거나 눈거나 하면 나쁘다. 술밑에 찹쌀이 많아도 좋고 적어도 좋고 없으면 멥쌀만 하여도 무난하다. 대강 쌀 한 말에 누룩 한 되, 밀가루 세 홉씩 넣되, 떡에 밥 두 말에 누룩가루와 밀가루가 이미 들어가 있으므로 밥에 두 말 분량을 덜 넣는다. 쌀이 많으나 적으나 이를 짐작하여 빚으면 된다. 술독을 두꺼운 종이나 기름종이로 싸맨다. 술이 괴어 넘치거든 시루를 깨끗이 씻어 술독에 엎어놓고 사이를 바른다. 다 괴거든 도로 떼고 싸맨다. 청주를 짜 넣을 술단지나 병이나 더운 물로 씻어 엎어두었다가, 마르거든 술을 담고, 바쁘면 더운 물로 씻은 후에 술을 조금 넣어 흔들어 쏟고, 그 그릇에 넣으면 술맛이 변하지 않는다. 술을 떠내는 그릇은 물기 없이 씻어 독에 넣어두고 쓰면 변하지 않는다. 써가며 밥보자기를 더운 물을 묻혀 짜버리고 독 안을 씻어내면 빈 독 냄새가 나지 않는다. 술이 맑게 괴거든 즉시 맑은 술을 다 긷고, 흐린 술을 고자(기름틀)에 짜는데, 병을 기름틀 목에 대어 받거나 혹은 기름종이로 싸매고 가운데 작은 구멍을 뚫어 받는다. 술은 김이 나가면 변한다. 술그릇을 땅에 놓으면 땅기운에 의해 술맛이 변하므로 상에 높이 놓아두고, 자주 옮기지 아니하면 변하지 않는다. 봄, 가을, 겨울은 술이 좋고, 여름은 좋지 않다. 이 법을 잊지 않으면 반드시 지주(맛 좋은 술)되나니, 이 법대로 하여야 한다. 이렇게 하되, 나쁘기는 종(하인)이 씻을 때 덜 씻거나 쌀을 덜어서 적게 한 것을 모르고 물을 법대로 부어서 그렇게 되니 봐서 시키기에 종에게 처음부터 끝까지 맡겨 시킬 때 미리 경계한다."고 하여 주원료의 처리과정과 비율을 유지하는 데 힘쓸 것을 강조하고 있음을 볼 수 있다.

슌향쥬법

술독이 ᄀ장 닉고 관독이 죠코 노른 독 ᄯᅩ혼 죠흐니라. 독 안밧글 ᄀ장 ᄆ이 씨어 쳥속가비룰 만이 녀허 소틔 각고로 업퍼 ᄶᅥ 시겨 녀흐라. 다른 디 쓰던 독이면 여러 날 믈 부서 우리운 후 솔녀허 ᄶᅧ 쓰라. 치운 ᄶᅢ면 집흐로 독 몸의 가마 엿거 옷 닙피고 독 미틔 두터온 널 노코 독을 노흐면 구들이 더워도 온긔 오릭지 못혀 죠흐니 무릿 술을 다 이리하라. 빅미 너 말 빅셰 작말혀여 시르쩍 닉게 ᄶᅧ 탕슈 너 말에 프러 쩍을 고로 새어 그르식 실고 믈 붓고 ᄯᅩ 그리 ᄶᅦ ᄶᅥ쩍과 믈을 섯거 둣다가 흐른밤 쟈여 처로 ᄎᆞᆫ 국말 엿 되 진말 혼 되 여듧 홉 섯거 그 쩍에 ᄀ장 고로 섯거 독의 녀허 둣다가 닷쇗만의 빅미 엿 말 빅셰혀여 밥 ᄶᅧ 그르세 갈라 담고 믹이 글힌 탕슈 엿 말 갈라 ᄶᅵ부어 밤 자혀

ᄀᆞᆯ누록 너 되 진 말 흔 되 두 홉 젼의 술을 그릇세 퍼두고 밤애 술 쪄코 누록 진 말 주여 노화 ᄀᆞ장 고로 석거 녀헛다가 채 닉어 ᄆᆞᆯ게 되거든 ᄎᆞᆸᄡᆞᆯ 엿 되 뫼ᄡᆞᆯ 너되 희게 쓸허 빅셰ᄒᆞᄃᆡ 박쥭으로 드노화 시서 셰 말ᄒᆞ여 놋동희로 둘 남즉기 듬 민ᄃᆞᄃᆡ 몬져 믈 글히고 춘믈에 굴를 프러 솟틔 믈 쓸흘 부어 이윽 게 저어 닉거든 솟두에 덥고 불쳐 둣다가 퍼 ᄒᆞᆮ밤 자여 ᄀᆞᆯ누록 흔 되 녀 허 고로 저서 그 술에 부엇다가 ᄆᆞᆯ거든 쓰라. 떡과 밥이 설면 사오납고 듬이 설거나 닛내거나 늣거나 ᄒᆞ면 사오나오니라 듬애 ᄎᆞᆸᄡᆞᆯ이 만ᄒᆞ여도 됴코 젹 어도 됴코 업스면 민ᄡᆞᆯ만 ᄒᆞ여도 무던ᄒᆞ니라. 대강 ᄡᆞᆯ 흔 말애 누록 흔 되 진 ᄀᆞᆯ 서 홉식 혀여 녀ᄒᆞᄃᆡ 떡에 밥 두 말앳 누록 진 말이 미리드러시매 밥애 두 말앳 시룰 덜 넛ᄂᆞ니라. ᄡᆞᆯ이 만ᄒᆞ나 젹그나 이룰 츄이ᄒᆞ여 비즈라. 술독을 두터온 죠희로나 유지로나 ᄡᆞ미라. 괼제 넘거든 실룰 죠히 시어 안즈노코 스 이룰 ᄇᆞ르라. 다 괴거든 도로 쩨고 사미라. 청쥬 ᄣᅡ 녀흘 준이나 병이나 더운 믈에 시어 어펏다가 ᄆᆞ르거든 녀코 밧브거든 더운 믈에 시슨 후 술을 죠곰 녀 허 휘둘러 솟고 그 그릇세 녀ᄒᆞ면 술마시 변치 아니ᄒᆞᄂᆞ니라. 술 쓰내는 그릇 슬 믈 긔업시 쓰서 독의 녀허두고 쓰면 변치 아니ᄒᆞᄂᆞ니라. 뻐 가며 독 안흘 밥 보희 더운 믈 무쳐 ᄣᅡᄇᆞ리고 쓰서내면 뷘 독내 아니 나ᄂᆞ니라. 술이 채 닉 거든 즉시 ᄆᆞᆯ근 술 다 깃고 흐린 술을 고즈의 ᄯᆞ 되병을 고즈목의 다혀 밧거 나 혹 단지어든 유지로 ᄡᆞ미고 가은대효근 궁글 쓸어 바드라. 술이 김나면 변 ᄒᆞᄂᆞ니라. ᄣᅢ해 노ᄒᆞ면 지긔예 술마시 변ᄒᆞᄂᆞ니 상의 놉즈기언저두고 즈조 옴 기지 아니ᄒᆞ면 변치아니ᄒᆞᄂᆞ니라. 봄ᄀᆞ을 겨을은 이 술이 죠코 녀름은 그르니 라. 이 법을 일치 아니면 필연 지쥐되ᄂᆞ니 이 법대로 ᄒᆞ노라. ᄒᆞᄃᆡ 사오납기는 죵이 시슬졔 데 싯거나 ᄡᆞᆯ을 업시 ᄒᆞ엿ᄂᆞ 거슬 모르고 믈을 법대로 부으매 그 러ᄒᆞ니 바셔 시기기비편 ᄒᆞ거든 흔죵으로 내 죵내 맛져 시기고 미리 경계ᄒᆞ라.

술방문

　<약방>은 한지를 두텁게 여러 겹으로 배접하여 병풍 식으로 접어 만든 기록물인데, 이름이 불분명해 편의상 명명한 것이다. 앞뒤 6쪽씩 모두 12쪽으로, 표지에는 '약방' 자만 확인할 수 있을 뿐 나머지 부분은 훼손되어서 확인할 수가 없다. 책의 사이즈는 가로 11.5cm, 세로 26cm 크기이다.

　이 기록물의 표지 2에서 본문 1쪽 앞부분에 걸쳐 "술방문"이라는 제하에 주방문이 한 가지 수록되어 있고, 이어 본문 1쪽 중간부터 음식방문이 수록되어 있다. 음식명에 따른 음식방문으로는 '강정' 방문을 비롯하여 '연사법', '빙사과', '냉면법', '겨란느르미법', '전골가진 것(갖은 전골)', '화채', '유란조란법', '장김치', '도미찜법' 등 10가지 음식이 수록되어 있다.

　또 본문 10쪽 끝부분에 "술방문"이 쓰여 있고, 표 4에 주방문이 기록되어 있는데, 중간 부분부터는 앞의 주방문을 바탕으로 응용하여 빚는 '별법' 형식의 2가지 방문이 간략하게 수록되어 있다. 이들 주방문은 특별한 점 없는, 가장 보편적인 주방문이면서도 이제까지 목격되지 않은 주방문이라는 점에서 관심을 갖게 한다.

즉, 한두 가지의 주방문에서 누룩의 종류가 달라지거나 섞어 사용하기도 하며, 덧술에서도 끓여 식힌 물을 사용한다는 점이다. 한두 가지의 주방문을 필요와 목적에 따라 변용하는 가장 손쉬운 양주방법을 추구하고 있음을 알 수 있다.

본문 1쪽의 주방문은 "밋 두 말 닷 되, 누룩 두 되, 진가로 한 되 너코 물은 스무 사발을 끓여 반색반숙하게 버무려 너코, 날수는 이십일 만에 덧하되, 멥쌀 서 말, 찹쌀 서 말 지에 쪄, 찰밥 메밥을 다 각각 큰 그르세 쏘다 물은 따로 끄려 육십 사발을 더 부으되, 제 수에서 더 붓지 말고 군물 붓지 말고 밋헤만 버무려 찰밥 한 켜 메밥 한 켜씩 두어 넛난이라. 지에밥의 물을 부어 덥허두면 밥이 퍼진 후 식이니라."고 하여 반생반숙의 범벅과 누룩 밀가루를 사용해 빚은 밑술에 멥쌀과 찹쌀을 동량으로 하여 고두밥을 짓고, 끓는 물 60사발을 사용해 진고두밥을 만들되 필요에 따라 그 양을 감할 수도 있다고 했다.

이를 뒷받침하는 사례로 <약방>의 본문 10쪽 끝부분에 수록된 술방문을 보면, 주원료의 배합비율을 줄이는 한편, 덧술의 쌀도 한 가지를 사용하고 있음을 알 수 있다. 필요에 따라 적은 양의 술을 빚기 위한 방법이라 할 수 있다.

또한 표 4에 주방문이 기록되어 있는데, 중간 부분부터 앞의 주방문을 바탕으로 응용하여 빚는 '별법' 형식의 2가지 방문이다. 그러나 가루누룩를 사용하고, 밑술과 덧술의 쌀 양을 늘려서 빚는 방법으로 바뀌었을 뿐, 술을 빚는 방법은 앞의 예와 동일하다는 점에서 조선시대 가양주법의 일단을 살필 수 있다고 판단된다.

<약방>에서 살필 수 있는 이상의 주방문들은 술의 필요량 또는 마실 사람의 취향을 반영하여 술을 빚는다는 전형적인 가양주법을 보여주고 있다. 이는 사실적이고 살아 있는 생활문화로서의 단면과 가치가 녹아져 있다고 할 것이다.

무엇보다 특기할 사실은 표 4에 다른 문헌에서는 보기 힘든 '관(官)' 자와 관을 상징하는 완찰(完察)이 사인 형식으로 주방문 사이에 표기되어 있다는 점이다. 이는 책을 만들 때 처음부터 의도적으로 완찰을 써 넣었음을 확신케 한다.

따라서 본 기록물은 관가에서 행사나 손님 접대 목적으로 빚는 술과 안주 음식을 기록한 문서로서, 점차 필요와 용도에 따른 주방문을 추가하게 되었음을 알 수 있다. 관가의 행사를 위탁받을 때 술과 음식발기 같은 것으로 여겨진다. 특히 주방문에 주품명이 없는 까닭은, 이 주방문이 공식적인 행사와 접대 목적으로 제조한 술이라는 것을 의미한다.

　다시 말하면, 이 기록물은 관가의 완찰이 수기 형식으로 쓰인 최초의 양조 관련 기록물로 대단한 의미와 학술적 가치를 지니고 있다고 보여진다.

　그런 의미에서 책 제목을 <약방>으로 칭하기에는 무리가 따른다. 수록 내용에 있어 주방문과 안주로 생각되는 음식 외에 다른 내용은 일체 수록되어 있지 않기 때문이다.

1. 술방문 <약방>

> 술 재료 : 밑술 : 멥쌀 2말 5되, 누룩 2되, 밀가루 1되, 끓는 물 20사발
> 　　　　덧술 : 멥쌀 3말, 찹쌀 3말, 끓는 물 60사발

술 빚는 법 :

* 밑술 :

1. 멥쌀 2말 5되를 (백세하여 물에 담가 불렸다가, 다시 씻어 헹궈 건져서) 작말한 다음, 넓고 큰 그릇에 담아놓는다.
2. 솥에 물 20사발을 팔팔 끓여 쌀가루에 골고루 붓고, 주걱으로 고루 개어 반생반숙의 범벅을 만든다.
3. (범벅을 그릇 여러 개에 나눠 담고 차게 식기를 기다린다.)
4. 차게 식은 범벅에 누룩 2되와 밀가루 1되를 합하고, 고루 버무려 술밑을 빚는다.
5. 술밑을 술독에 담아 안치고 (서늘한 곳에 앉혀두고) 20일간 발효시킨다.

* 덧술 :

1. 멥쌀 3말과 찹쌀 3말을 (각각 백세하여 하룻밤 불렸다가, 다시 씻어 새 물에 헹궈서) 각각 시루에 안쳐서 고두밥을 짓는다.

2. 솥에 물 60사발을 부어 팔팔 끓이고, 고두밥이 익었으면 각각의 고두밥을 넓고 큰 그릇에 퍼 담는다.

3. 끓는 물 60사발을 각각의 고두밥에 골고루 붓고, 주걱으로 고루 헤쳐서 고두밥이 물을 다 먹기를 기다린다.

4. 고두밥이 물을 다 먹었으면, 고루 펼쳐서 차게 식기를 기다린다.

5. 진밥과 찹쌀고두밥에 각각 밑술을 나눠서 합하고, 고루 버무려 술밑을 빚는다.

6. 술독에 술밑을 담아 안치되, 먼저 찹쌀고두밥 한 켜, 멥쌀고두밥 한 켜씩 켜켜로 담아 안치고, 예의 방법대로 하여 발효시킨다.

술방문

밋 두 말 닷 되 누룩 두 되 진가로 한 되 너코 물은 스무 사발을 끓여 반색반숙하게 버무려 너코 날수는 이십일 만에 덧하되, 멥쌀 서 말 찹쌀 서 말 지에 쪄 찰밥 메밥을 다 각각 큰 그르세 쏘다 물은 따로 끄려 육십 사발을 더 부으되, 제 수에서 더 붓지 말고 군물 붓지 말고 밋혜만 버무려 찰밥 한 켜 메밥 한 켜씩 두어 넛난이라. 지에밥의 물을 부어 덥허두면 밥이 퍼진 후 식이니라.

2. 술방문 <약방>

술 재료 : 밑술 : 멥쌀 1되, 누룩 1되, 끓는 물(1되)
　　　　　덧술 : 찹쌀 1말, 끓여 식힌 물 1말

술 빚는 법 :

* 밑술 :

1. 멥쌀 1되를 (백세하여 물에 담가 불렸다가, 다시 씻어 헹궈 건져서) 작말한 다음, 그릇에 담아놓는다.

2. 솥에 물(1되)을 팔팔 끓여 쌀가루에 골고루 붓고, 주걱으로 고루 개어 반생 반숙의 범벅을 만든다.

3. (범벅을 그릇 여러 개에 나눠 담고 차게 식기를 기다린다.)

4. 차게 식은 범벅에 누룩 1되를 합하고, 고루 버무려 술밑을 빚는다.

5. 술밑을 술독에 담아 안치고 예의 방법대로 하여 (서늘한 곳에 앉혀두고) 발효시켜 술이 괴어오르면 덧술을 준비한다.

* 덧술 :

1. 찹쌀 1말을 (각각 백세하여 하룻밤 불렸다가, 다시 씻어 새 물에 헹궈서) 각각 시루에 안쳐서 고두밥을 짓는다.

2. 고두밥이 익었으면, 고루 펼쳐서 차게 식기를 기다린다.

3. 찹쌀고두밥에 밑술을 합하고, 고루 버무려 술밑을 빚는다.

4. 술독에 술밑을 담아 안치고, 예의 방법대로 하여 21일간 발효시킨다.

5. 솥에 물 1말을 팔팔 끓여 차게 식힌 후 술맛을 보아가며 (술맛이 달면 적게, 맛이 쓰면 다 붓되 양을 조절하여) 술독에 붓는다.

6. 술독은 (3~7일간) 후숙시켜 술이 맑아졌으면 채주한다.

* 주방문 말미에 "삼칠일 만의 뜨되 물 ㅆ려 한 말 부어다 뜨되 그때 술맛 보아가며 부으라."고 하여 후수(後水)하는 방법에 대하여 언급하고 있음을 볼 수 있다.

술방문

쌀 한 되 빻아 범벅 개야 섬누룩/가루누룩 한 되 너허 버무려다 괸 후 찹쌀 한 말 덧하여 삼칠일 만의 뜨되 물 ㅆ려 한 말 부어다 뜨되 그때 술맛 보아가며 부으라.

3. 술방문 별법 <약방>

> 술 재료 : 밑술 : 찹쌀 1되, 누룩(가루누룩) 1되, 끓는 물(1되)
>   덧술 : 찹쌀 1말

술 빚는 법 :

* 밑술 :

1. 찹쌀 1되를 (백세하여 물에 담가 불렸다가, 다시 씻어 헹궈 건져서) 작말한 다음, 그릇에 담아놓는다.
2. 솥에 물(1되)을 팔팔 끓여 쌀가루에 골고루 붓고, 주걱으로 고루 개어 반생 반숙의 범벅을 만든다.
3. (범벅을 그릇 여러 개에 나눠 담고 차게 식기를 기다린다.)
4. 차게 식은 범벅에 누룩 1되를 합하고, 고루 버무려 술밑을 빚는다.
5. 술밑을 술독에 담아 안치고 예의 방법대로 하여 (서늘한 곳에 앉혀 두고) 발효시켜 술이 괴어오르면 덧술을 준비한다.

* 덧술 :

1. 찹쌀 1말을 (각각 백세하여 하룻밤 불렸다가, 다시 씻어 새 물에 헹궈서) 각각 시루에 안쳐서 고두밥을 짓는다.
2. 고두밥이 익었으면, 고루 펼쳐서 차게 식기를 기다린다.
3. 찹쌀고두밥에 밑술을 합하고, 고루 버무려 술밑을 빚는다.
4. 술독에 술밑을 담아 안치고, 예의 방법대로 하여 21일간 발효시킨다.
5. 술독은 (3~7일간) 후숙시켜 술이 맑아졌으면 채주한다.

* 주방문 말미에 "가로누룩과 섯거 하면 더 조코 밋도 찹쌀로 하면 감칠맛 잇 나니라."고 하였으므로, 별법의 주방문을 작성하였다.

술방문 별법

쌀 한 되 빻아 범벅 개야 섬누룩/가루누룩 한 되 너허 버무려다 괸 후 찹쌀 한 말 덧하여 삼칠일 만의 뜨되 물 끄려 한 말 부어다 뜨되 그때 술맛 보아 가며 부으라.가로누룩과 섯거 하면 더 조코, 밋도 찹쌀로 하면 감칠맛 잇나니라.

4. 술방문 우법 <약방>

> 술 재료 : 밑술 : 찹쌀 2되 5홉, 섬누룩 1되, 가루누룩 1되, 끓는 물(1되)
> 　　　　 덧술 : 찹쌀 2말

술 빚는 법 :

* 밑술 :

1. 찹쌀 2되 5홉을 (백세하여 물에 담가 불렸다가, 다시 씻어 헹궈 건져서) 작말한 다음, 그릇에 담아놓는다.
2. 솥에 물(1되)을 팔팔 끓여 쌀가루에 골고루 붓고, 주걱으로 고루 개어 반생 반숙의 범벅을 만든다.
3. (범벅을 그릇 여러 개에 나눠 담고 차게 식기를 기다린다.)
4. 차게 식은 범벅에 섬누룩 1되와 가루누룩 1되를 합하고, 고루 버무려 술밑을 빚는다.
5. 술밑을 술독에 담아 안치고 예의 방법대로 하여 (서늘한 곳에 앉혀두고) 발효시켜 술이 괴어오르면 덧술을 준비한다.

* 덧술 :

1. 찹쌀 2말을 (각각 백세하여 하룻밤 불렸다가 다시 씻어 새 물에 헹군 후) 각각 시루에 안쳐서 고두밥을 짓는다.
2. 고두밥이 익었으면, 고루 펼쳐서 차게 식기를 기다린다.

3. 찹쌀고두밥에 밑술을 합하고, 고루 버무려 술밑을 빚는다.

4. 술독에 술밑을 담아 안치고, 예의 방법대로 하여 21일간 발효시킨다.

5. 술독은 (3~7일간) 후숙시켜 술이 맑아졌으면 채주한다.

* '술방문' 주방문 말미에 "술 쌀 두 되가웃에 가로누룩 섯거 두 되쯤 넣고 하여다가, 덧 두 말쯤 하면 그것도 맛 조흐니라."고 하였으므로, '우법'의 주방문을 작성하였다.

술방문 우법

술 쌀 두 되가웃에 가로누룩 섯거 두 되쯤 넣고 하여다가 덧 두 말쯤 하면 그것도 맛 조흐니라.

신도주

한국인이 가장 많이 마시는 술은 '희석식 소주'와 '맥주'이다. 이 두 술이 우리나라 개화기에 본격적으로 정착하게 된 건 수백 년간 음주문화를 이끈 전승가양주가 '주세법' 도입에 의한 획일적 면허제도와 함께 일제강점기의 '자가양주 금지'라는 국가정책에 의해 밀려나면서부터이다.

이때부터 우리나라는 양주문화나 주품에 대한 정보가 차단된 채, 양주(釀酒)는 일부 면허를 받은 양주 회사의 전유물로 인식되었고, 소비자들은 그들이 공급하는 획일적이고 일방적인 정보와 술맛에 길들여지게 된다.

문제는 우리가 '와인'이나 '맥주', '위스키' 등 외국에서 유입된 양주(洋酒)에 대한 정보를 무비판적으로 수용한다는 데 있다. '양주 수입 1위 국가'라는 타이틀을 획득할 정도로 값비싼 '와인'과 '위스키'에 입맛을 길들였으며, 이제는 '사케'와 수입 '맥주'로 입맛을 바꿔가고 있다. 반면 우리 술에 대해서는 무지할 정도로 무관심하다.

실제로 '누보와인'에 대해서는 잘 알고 있으면서, 첫 수확한 햅쌀로 빚은 오례송편(松餅)과 같은 절식(節食)이자 절기주(節氣酒)의 한 가지인 추석 차례상의 제주(祭酒)로 사용해 왔던 술이자, 민족문화로서의 세시주(歲時酒)에 대해서는 "들어본 적도 없다."는 반응이다.

추석 차례상에 올리는 제주이자, 연중 맨 먼저 빚게 되는 전통주가 '신도주(新稻酒)', 곧 '햅쌀술'이다. '신도주'가 문헌에 등장한 것은 1800년대 문헌인 <양주방>*과 <이씨(李氏)음식법>, 일제강점기의 <조선무쌍신식요리제법(朝鮮無雙新式料理製法)>이다. '신도주'는 조선시대 후기에 등장한 술로, 조선시대 세시풍속의 정착과 함께 가양주 문화가 전성기를 구가하던 시기의 산물임을 짐작케 한다.

이는 서민들의 노래로 널리 알려진 '관등가(觀燈歌)'에도 '신곡주'가 등장하는 걸 봐서도 알 수 있다.

……칠월이라 백중날에 대웅신에 공양 예불할 제 우리 님은 어디 가셨노. 팔월이라 추석날에 '신곡주' 가지고 성묘하러 아니 가시는고……

노래 가사에서 보듯 '신곡주'는 추석 성묘에 사용되었으며, 민간에서 신곡인 오례쌀로 빚은 술이 절기주로 사용되었다는 사실을 확인할 수 있다.

<동국세시기(東國歲時記)>의 팔월 추석 풍속편에서는 "이날 사람들은 닭을 잡고 술을 빚어 온 동네가 취하고 배부르게 먹으면서 즐긴다.(黃鷄白酒四隣醉飽以樂之)"고 하고, 또 "술집에서는 햅쌀술을 빚어 팔며, 떡집에서는 햅쌀송편과 무와 호박을 넣은 시루떡을 만든다. 또 찹쌀가루를 찐 다음, 그것을 쳐서 떡을 만들고, 거기에 볶은 검은 콩가루나 누런 콩가루를 묻혀 파는데, 이것을 인절미라고 한다.(賣酒家造新稻酒 賣餠家造早稻松餠菁根南苽甑餠 又蒸糯米粉打爲糕熟黑豆黃豆之磨紛粘之名曰引餠以賣之)"고 하여, '신도주'는 주막에서도 '세시주'로 취급되었음을 알 수 있다.

또 <열양세시기(列陽歲時記)>의 중추(中秋) 풍속으로 "이날 아무리 궁벽한 시골의 가난한 집이라도 으레 모두 쌀로 술을 빚고 닭을 잡아먹는다. 안주나 과일도 분수에 넘치게 가득 차린다. 그래서 '더도 말고 덜도 말고 한가위만 같아라.'는 말도 있다.(是日難窮鄕下戶 例皆釀稻爲酒殺鷄爲饌 肴果之品侈然滿盤爲之 語曰

加也勿減也勿 但願長似嘉排日)"고 하여 '신도주'를 빚었다는 사실이 확인된다.

이러한 '햅쌀술' 또는 '신도주'에 대한 기록으로, 시대적으로 가장 앞선 <양주방>*의 '햅쌀술' 주방문을 보면, "햅쌀 1말을 가루 내어 흰무리떡을 찌고 끓인 물을 독에 붓고 흰무리떡 찐 것을 죽에 넣어 더울 때 고루 풀고, 다음날 햇누룩가루 3되와 밀가루 3홉을 섞어 버무려 넣었다가, 3일 후에 햅쌀 2말을 쪄서 식힌 후에 끓인 물 1말과 함께 밑술과 합하여 10일 후에 맑게 익으면 마신다."고 하였다.

<이씨음식법>의 '신도주'도 <양주방>*과 동일한 주방문을 수록하고 있는데, 이는 '신도주'가 세시주와 절기주로 뿌리 내리기 시작했음을 확인할 수 있다.

주지하다시피 우리 조상들은 추석을 연중 가장 큰 명절이자 축제로 승화시켜 왔는데, 이때 차례상에 올리는 제물은 가장 신선한 햇물을 진설하고, 천지신명에 대한 감사의 제를 올리는 명절 문화를 가꾸어왔다. 특히 추석 차례상에 올릴 제주는 햇곡식으로 장만하는 것을 원칙으로 여겼다.

따라서 추석 차례에 올릴 술을 빚기 위해 최소한 추석 한 달 전에 술을 빚어야만 하므로, 식량으로 쓸 벼보다 먼저 미리 파종하고 모내기를 해야 했다. 칠월 보름경이면 여러 논의 벼 가운데 가장 실하고 잘 여문 것으로 미리 거둬들여 별도로 보관해 두고, 그 쌀로 술을 빚을 정도로 술 빚기에 정성을 다했다.

연중 가장 풍성한 명절인 추석 차례상에 올릴 술인 만큼 맑고 깨끗한 '청주(淸酒)'를 얻기 위해서는 중양주(重釀酒)를 빚어야만 했던 것으로 보인다. 이처럼 준비와 노력, 특히 정성을 들인 술이 '신도주'라 하겠다.

한편 <양주방>*이나 <이씨음식법>보다 훨씬 후기 문헌인 <조선무쌍신식요리제법>에서는 '신도주'의 주방문이 기록되어 있지 않다. 조선시대 후기에 와서 집안마다 가전비법의 다양한 가양주가 정착되고 있어 '신도주' 빚는 법을 별도로 기록할 필요성을 못 느꼈을 거라 짐작된다.

'신도주'의 주방문을 보면, 여러 문헌에 등장하는 이양주법(二釀酒法)의 양주 과정과 별반 다르지 않다. 또한 '백화주'를 비롯하여 '방문주', '소곡주' 등과 같은 고급 청주를 얻고자 한 방문이라는 점도 알 수 있다.

'신도주'의 특징은, 술 빚기에 사용되는 쌀의 양과 물의 양이 동량이고, 쌀 양의 10%가 되는 누룩이 사용된다는 점과 잡균의 오염에 따른 대비와 함께 맑은 술을 얻기 위한 방법으로 밀가루가 1% 사용된다는 점이다. 이는 철저하게 의도된 주방문임을 짐작케 한다.

또한 멥쌀 1말을 백세작말하여 흰무리떡을 쪄서 한 차례 익힌 쌀가루를 끓는 물을 사용하여 한 차례 더 익히는 방법을 보여주고 있다. 이는 흰무리떡으로 빚는 술이 감칠맛은 있지만 떡이 잘 풀어지지 않는 문제점을 해결하기 위함이며, 달고 부드러운 술을 빚고자 한 목적으로 이루어진 밑술 제조 과정이라 할 수 있다. 특히 누룩도 햇밀로 만든 누룩을 사용함으로써 한 해의 술 빚기는 바로 '신도주'로부터 시작된다는 사실을 암시하고 있다.

'신도주'의 덧술은 햅쌀을 백세하여 하룻밤 불렸다가 고두밥을 짓는데, 이때 특별히 찬물을 뿌려서 뜸을 들인 무른 고두밥을 지어 차게 식혀서 사용하는 것으로 되어 있다.

이와 같은 방법은 무엇보다 멥쌀을 충분히 고르게 잘 익히는 데 그 목적이 있으며, 의도적으로 부드러운 맛, 특히 감칠맛이 좋은 술을 얻기 위한 방법이기도 하다는 점에서 선호된다.

'신도주'는 추석 차례상에 올리는 것이 주목적이지만, 차례에 참배하는 일가친척과 내외에서 찾아드는 손님 접대에도 쓰이는 잔치 술의 용도를 겸하고 있기 때문에 특별히 맛있게 빚어야만 했다.

이처럼 '신도주'의 의미는 처음으로 거둬들인 농산물을 이용해 빚는다는 점에서 신성함과 정성이 반영된 술이라 하겠다. 목적과 용도에 따라 그 맛이 매우 깨끗하고 맑으며, 깊은 맛과 약간의 방향을 느낄 수 있어야 하므로 특별한 주품이자 주방문을 보여주고 있다.

반면 1936년에 출간된 <조선무쌍신식요리제법>에는 술 재료나 주방분은 수록되어 있지 않으면서 "이 술은 공주 땅에서 햇벼가 나면 담그는데, 별로히 좋은 줄도 모르고, 술을 사오일 만에 뜨는 것이라, 마시면 배도 아프고 좋지 못하니, 무슨 술이 이레 안에 뜨리오, 오래 두면 어떠할른지 모르겠니라."라고 하여 '신도주'에 대한 부정적 견해를 싣고 있다.

아마도 '주세법'에 따른 '자가양주 금지'와 '밀주 단속'으로 술 빚기가 자유롭지 못한 상황에서 단양주법(單釀酒法) 또는 속성주법(速成酒法)의 '신도주'가 등장하였을 것으로 짐작되나 확신할 수는 없다.

1. 신도주 <양주방>*

술 재료 : 밑술 : 햅쌀 1말, 햇누룩가루 3되, 밀가루 3홉, 끓는 물 2말
　　　덧술 : 햅쌀 2말, 끓여 식힌 물 1말

술 빚는 법 :

* 밑술 :

1. 희게 쓿은 햅쌀 1말을 깨끗이 씻고 또 씻어 (백세하여 물에 담가 불렸다가, 다시 씻어 헹궈 건져서 물기를 뺀 후) 작말한다.

2. 쌀가루를 시루에 안쳐서 흰무리떡을 찌고, 솥에 물 2말을 팔팔 끓여서 술독에 담아놓는다.

3. 흰무리떡이 익었으면 퍼내어 술독에 넣고, 더운 김에 고루 풀어 덩어리가 없게 만들어놓는다.

4. 이튿날 퍼서 차게 식힌 다음 햇누룩가루 3되와 밀가루 3홉을 넣고, 고루 버무려 술밑을 빚는다.

5. 술밑을 술독에 담아 안치고, 단단히 싸매어 3일간 발효시킨다.

* 덧술 :

1. 희게 쓿은 햅쌀 2말을 깨끗이 씻고 또 씻어(백세하여) 물에 담가 하룻밤 불렸다가, (다시 씻어 헹궈 건져서 물기를 뺀 후) 시루에 안쳐서 고두밥을 짓는다.

2. 고두밥에서 한 김 나면, 물을 밥그릇으로 한 그릇쯤 뿌려서 고두밥을 무르게 뜸을 들인다.

3. 고두밥이 익었으면 퍼내 고루 펼쳐서 차게 식기를 기다리고, 물도 1말을 끓

여서 차게 식힌다.

4. 고두밥에 끓여 식힌 물과 밑술을 한데 섞고, 고루 버무려 술밑을 빚는다.

5. 술밑을 술독에 담아 안치고, 단단히 밀봉하여 예의 방법대로 10일간 발효시킨다.

6. 7일 후 맑은 청주를 다른 그릇에 떠내고, 다음으로 맑은 술을 또 다른 그릇에 떠낸다.

* 밑술과 덧술에서 '햅쌀'이라고 한 것으로 보아, '신도주'라는 주품명에 대한 유래를 알 수가 있다. 주방문 말미에 "맑거든 따라서 먹으면 맛이 맵고도 달다."고 하였다.

신도쥬

힌쌀 흔 말을 빅셰작말ㅎ야 무리쩍 쪄 쓸한 물 두 말만 독의 붓고 무리 찐 거슬 물의 퍼부어 더운 김의 고로 프러 덩이 쩌 두었다가 이튼날 조흔 힛 누록 서 되 진밀 서 홉 섯거 버무려 너허 삼일 만의 힛쌀 이 두 빅셰ㅎ야 담가 밤 지와 물 흔 식긔 쑤려가며 밥을 닉게 쪄 치오고 쓸한 물 흔 말을 츠게 시켜 밥과 흔가지로 밋술의 버무려 너헛다가 열흘 후 묽거든 드리워 먹으면 마시 밉고 둔이라.

2. 신도주 <이씨(李氏)음식법>

술 재료 : 밑술 : 멥쌀 1말, 햇누룩가루 3되, 밀가루 3홉, 끓는 물 2말
　　　　　덧술 : 햅쌀 2말, 끓여 식힌 물 1말

술 빚는 법 :

* 밑술 :

1. 희게 쓿은 멥쌀 1말을 (백세하여 물에 담가 불렸다가, 다시 씻어 건져서 작말하고) 시루에 안쳐서 흰무리떡을 찐다.
2. 물 2말을 팔팔 끓여서 술독에 붓고, 흰무리떡을 술독에 넣어 더운 김에 고루 풀어 덩어리를 없게 만든다.
3. 이튿날 퍼서 차게 식으면 햇누룩가루 3되와 밀가루 3홉을 넣고, 고루 버무려 술밑을 빚는다.
4. 술밑을 술독에 담아 안치고, (단단히 싸매어) 3일간 발효시킨다.

* 덧술 :
1. (희게 쓿은) 햅쌀 2말을 백세하여 하룻밤 물에 불린다(다시 씻어 건져서 물기를 뺀 후, 시루에 안쳐서 고두밥을 짓는다).
2. 솥에 물 1말을 끓여서 차게 식힌다.
3. 고두밥이 무르게 익었으면, 고루 펼쳐서 차게 식기를 기다린다.
4. 고두밥에 끓여 식힌 물과 밑술을 섞고, 고루 버무려 술밑을 빚는다.
5. 술밑을 술독에 담아 안치고, 단단히 밀봉하여 예의 방법대로 10일간 발효시킨다.
6. 술이 말갛게 가라앉았으면, 맑은 술을 떠내서 마신다.

* 주방문에는 불린 쌀을 고두밥으로 지어 차게 식히라는 언급이 없다. 같은 시기의 기록인 <양주방>*의 '햅쌀술'을 참고하여 주방문을 작성하였다. 말미에 "그 맛이 맵고도 달다."고 하였다.

신도쥬
힛쌀 흔 말을 희게 쓸어 흰 물리을 찌고 쓸힌 물 두 말만 독의 붓고 흰 물리 찐 것슬 퍼부어 더운 김의 덩이 업시 푸러 두어다가 잇튼날 치 식거든 흰 누룩 셔 되 진말 닷 홉 셕거 버무려 너허다가 숨스일 만의 힛쌀 두 말 빅셰ᄒᆞ야 담어다 잇튼날 쓸힌 물 흔 말 ᄎ게 식혀 슐밋과 버무려다가 열흘 후 말거든 두지워 먹으면 맛시 달고 미우이라.

3. 신도주 <조선무쌍신식요리제법(朝鮮無雙新式料理製法)>

신도주(新稻酒)

이 술은 공주싸에서 햇벼가 나면 당그는 것인데 별로히 조흔줄도 모르고 술을 사오일 만에 쓰는 것이라. 마시면 배도 압흐고 조치 못하니, 무삼 술 이니레 안에 쓰리요, 오래두면 엇더 할는지 모르노라.

신박주

스토리텔링 및 술 빚는 법

앞서 여름철 술 빚기에 대해 여러 사례를 들어 설명했던 대로 여름철 술 빚기가 어렵다는 것은 익히 알고 있는 사실이나, 그 원리와 이유를 알고 나면 이를 역이용하는 방법도 깨닫기 마련이다.

여름철 술 빚기가 어려운 이유 가운데 하나는, 술거리의 온도가 높다는 것이다. 술을 빚어두면 발효가 일어나면서 스스로 열(熱)을 내게 된다. 열이 나면서 발효가 활발해지기 마련이나 여름철 술의 성패가 발효에 따른 이 열 때문이다.

알코올 발효과정에서 열은 효모의 대사과정에 필연적으로 수반되는 현상이다. 열이 높을수록 알코올의 생산이 활발해지기 때문이다.

하지만 이 열이 과도하게 높아지면 발효원인 효모의 사멸을 초래하게 되고, 효모의 사멸은 곧 알코올 발효의 중지를 의미한다. 알코올 발효가 중지되면 초산균의 증식이나 침입을 초래하게 되고, 효모균의 역할을 다른 초산균이 수행하게 되므로 술이 시어진다고 말한다.

따라서 알코올 발효에 적당한 온도(이를 '품온品溫'이라고 함)를 유지할 필요가 있는데, 이 온도는 상대적으로 초산균의 침입이나 증식을 억제할 수 있는 온도를 뜻하기도 한다. 주원료의 기본적인 온도가 높으면 발효는 빠르고 원활하게 진행되기에 이 원리를 잘 응용하면 오히려 술을 실패하지도 않고 가장 효율적인 발효를 유도할 수 있다.

<산가요록(山家要錄)>의 '신박주(辛薄酒)' 주방문을 읽어보면, 여름철의 술 빚는 법을 어느 정도 간파할 수 있다. 주품명 바로 아래 "여름에 적합한 술(宜夏)"로, 그 양이 '쌀 3말 빚이'라는 것을 밝혀놓고 있다.

'쌀 3말 빚이'의 '신박주'는 그 "맛이 맵고(독하고) 엷다."는 의미이다. 술의 "맛이 맵고(독하고) 엷다."는 표현을 달리 해석하면 "알코올 도수는 높은데 맛은 싱겁다."는 뜻으로도 풀이할 수 있다.

술이 독한데 맛이 엷은 이유는, 주원료의 배합비율에서도 찾을 수 있다. 즉, '신박주'의 주방문을 보면, 밑술의 비율이 멥쌀 1말에 누룩가루 1되와 밀가루 5홉, 끓는 물 2말인데, 쌀은 끓는 물로 익히는 범벅 형태로 술 빚기가 진행된다는 것을 알 수 있다. 특히 반생반숙 형태의 범벅으로 빚는 술이 알코올 도수가 높은 편에 속하는데, 덧술의 멥쌀 2말에 살수 물 4사발은 매우 무른 고두밥을 사용하기 때문이라는 것이다.

다시 말하면, 쌀 3말에 끓는 물 2말의 비율은 물의 양이 많은 편에 속한다는 말이고, 더욱이 덧술의 고두밥을 무르게 지어 사용함으로써 발효가 필요 이상으로 빨라지게 된다. 거기다 여름철에 빚게 되면 이 진고두밥의 온도가 높아 발효는 더욱 빨라지고, 알코올 도수는 높지만 상대적으로 싱거운 맛의 술이 될 수밖에 없다.

더욱이 물의 양이 많게 되면 발효가 훨씬 빨리 진행되게 되는데, 덧술의 고두밥까지 무른 상태라면 여름철에는 더할 나위 없다 할 것이다. 특히 술을 빚는 시기가 여름철이라면 술은 필요 이상으로 발효가 빨리 일어나기도 하거니와 술이 익기까지의 시간도 상대적으로 짧아지기 마련이다.

이렇듯 빨리 끓고 짧은 기간에 익힌 술의 공통점은 그 맛이 독하고 쓰며, 높은 알코올 도수에도 불구하고 맛은 오히려 싱겁게 느껴진다는 것이다.

여기서 한 가지 궁금한 점은 <산가요록>의 '신박주'와 같은 술 빚기 형태이다.

달리 말하면 왜 이와 같이 알코올 도수는 높으면서 맛이 싱거운 술을 빚는가 하는 것이다. 그 이유는 의외로 단순하다.

여름철은 주변의 온도보다 습도가 높아 문제가 된다. 높은 습도는 효모 외 잡균의 활동이 왕성해진다는 것을 뜻하는데, 그 가운데서도 초산균이 문제가 되기 때문에 초산균의 증식이나 침입을 억제할 수 있는 방법을 동원해야 한다.

알코올 도수가 높으면 효모나 초산균의 활동을 억제할 수 있어 술의 장기 보관이 가능해진다. 또한 발효를 완전히 끝냄으로써 잔당을 남기지 않으면, 효모 등 미생물의 생육활동을 억제할 수 있게 된다. 자연히 술의 변질을 오랫동안 억제할 수 있게 되는 원리인 것이다.

하지만 이와 반대되는 경우도 있다. 대부분의 하절 주품들에서 나타나는 공통점으로, 양주용수를 적게 사용함으로써 잔당의 농도가 높은 술을 빚는 방법이다. 당 농도가 높으면 상대적으로 효모를 비롯한 미생물의 생육활동이 억제되어 오랜 시간 변질되지 않은 술을 즐길 수 있다.

신박주 <산가요록(山家要錄)>
–여름에 적합한 술(宜夏), 쌀 3말 빚이

> 술 재료 : 밑술 : 멥쌀 1말, 누룩가루 1되, 밀가루 5홉, 끓는 물 2말
>   덧술 : 멥쌀 2말, 물 4사발

술 빚는 법 :
* 밑술 :
1. 멥쌀 1말을 씻어(백세하여) 물에 담가 불렸다가 (다시 씻어 건져서 물기를 뺀 뒤) 세말하여 넓은 그릇에 담아놓는다.
2. 멥쌀가루에 끓는 물 2말을 붓고 고루 개어 죽(범벅)을 쑨 다음, 넓은 그릇에 퍼서 차게 식기를 기다린다.

3. 죽에 누룩가루 1되와 밀가루 5홉을 넣고, 고루 버무려 술밑을 빚는다.
4. 술독에 술밑을 담아 안치고, 예의 방법대로 하여 3일간 발효시킨다.

* 덧술 :
1. 멥쌀 2말을 씻어 (백세하여 물에 담가 불렸다가, 다시 씻어 건져서 물기를 뺀 뒤) 시루에 안쳐서 고두밥을 짓는다.
2. 고두밥에서 한 김 나면 물 4사발을 뿌리고 다시 쪄서 무르게 익히고, 고루 펼쳐서 차게 식기를 기다린다.
3. 밑술을 체에 걸러(갈아) 고두밥에 합하고, 고루 힘껏 치대어 술밑을 빚는다.
4. 술독에 술밑을 담아 안치고, 예의 방법대로 하여 3일간 발효시킨다.

* 주방문 말미에 "여름에 담그면 좋다."고 하였다.

辛薄酒

宜夏 米三斗 白米一斗, 洗浸, 細末, 湯水二斗, 和作粥, 待冷. 麴末一升, 眞末
五合, 和入. 三日, 白米二斗, 洗浸, 全蒸, 水四鉢洒之, 待冷. 碾出前酒, 和入甕,
經三日用之.

신방주

스토리텔링 및 술 빚는 법

'주방문(酒方文)'은 우리나라 술 빚는 방법에서 몇 가지 규칙이 있다는 말이다. 필자가 만들어낸 규칙이 아니라 수천 가지의 술 빚는 방법에서 찾아낸 것이라는 사실도 함께 언급하면서 말이다.

술을 빚는 방법으로서 '주방문'은 크게 '밑술 빚는 법'과 '덧술 빚는 법'으로 나뉘는데, 덧술을 빚는 방법을 예로 들면 다음과 같다.

첫째, 덧술은 밑술의 쌀 양과 비교하여 최소 동량이거나 2배, 4배, 5배, 최대 양을 10배까지 한다. 다시 말하면 밑술에 사용되는 쌀 양이 1말이면 덧술도 최소 1말은 되어야 하고, 가능하면 2배가 좋고, 4배면 더 좋고, 5배면 더더욱 좋고, 10배면 가장 좋다는 것이다. 그러나 10배 이상은 밑술이 덧술을 삭히지 못하므로 오히려 좋지 않다.

둘째, 덧술은 밑술의 쌀보다 호화도가 낮은 방법으로 한다. 즉 쌀을 가공하는 방법으로 8가지가 있는데, 호화도 순은 죽>개떡>인절미>물송편>구멍떡>범벅>백설기>고두밥이다. 덧술은 가능한 한 고두밥으로 빚는 것을 원칙으로 한다.

밑술을 백설기<범벅<구멍떡<물송편<죽으로 하였으면, 덧술은 고두밥<백설기<범벅<죽 또는 고두밥<백설기<물송편<개떡으로 하는 것이 좋다.

셋째, 덧술은 밑술의 물과 동일한 물을 사용해야 한다. 예를 들어 밑술을 빚을 때 죽이나 범벅을 사용했으면 덧술에서도 끓는 물이나 끓여 식힌 물을 사용해야 하고, 밑술을 빚을 때 날물(생수)을 사용했으면 덧술에서도 날물은 물론이고, 끓는 물이나 끓여 식힌 물을 사용할 수 있다.

넷째, 덧술은 고두밥(쌀)만으로 빚는 것이 가장 좋다. 물론 덧술에서 고두밥(쌀)과 물을 사용하는 방법이 그 다음이고, 고두밥(쌀)과 누룩, 밀가루, 물을 사용할 수 있으나 고두밥과 누룩만으로 빚는 것은 좋지 못하다.

이와 같은 술 빚는 규칙은 모두 1450년에 저술된 <산가요록(山家要錄)>을 비롯하여 1936년에 발간된 <조선무쌍신식요리제법(朝鮮無雙新式料理製法)>에 이르기까지 근 600년에 걸쳐 저술된 전통주 관련 고식문헌의 주방문에서 근거하였다. 또한 이러한 규칙에 의해 이루어진 주방문이 주류(主流)를 이루고 있다는 사실도 알 수 있었다.

<온주법(醞酒法)>의 '신방주'라는 주품명이 어떤 의미를 담고 있는지는 정확히 알 수 없으나, 이러한 술 빚는 법을 철저하게 지키고 있어 주방문을 면밀히 관찰하게 되었다.

그 결과 <온주법>의 '신방주'는 시대가 앞선 <산가요록>의 '신박주(辛薄酒)'에서 유래된 주품일 거라는 추측을 하게 되었다. <산가요록>의 '신박주' 주방문과 <온주법>의 '신방주' 주방문을 비교해 보면 밑술 과정이 동일하고 덧술에서는 물의 양이 다를 뿐이다. <산가요록>에서는 물 4사발을 고두밥을 찔 때 살수하는 물로 사용되나, <온주법>에서는 쪄낸 고두밥과 한데 섞는 양주용수로 사용되고 있다는 점에서 차이를 발견할 수 있다.

짐작컨대 경상도 지방의 토박이들 사이에서 '신박주'의 '박'의 발음을 '방'으로 하게 된 데서 '신방주'로 표기되었을 가능성을 생각해 볼 수 있다. 그리고 굳이 다른 이유를 붙인다면, 덧술에 사용되는 물의 양을 잘못 기록한 데서 양주방법의 변화 또는 편의성을 생각해 볼 수도 있을 듯하다.

왜냐하면 <산가요록>의 '신박주' 주방문 머리에는 "여름에는 쌀 3말이 적당하다(宜夏 米 三斗)."고 하여 여름철 양주법의 특징이 목격되나, <온주법>의 '신방주'는 여름철 주방문에서 벗어나기 때문이다. 어떻든 <온주법>의 '신방주'는 주원료의 비율에서 보듯 쌀 양 5말에 대하여 누룩은 밑술에서 한 차례만 사용되는데, 그 양은 4%에 그친다. 반면, 물의 양은 120%에 달한다. 그리고 밑술은 범벅, 덧술은 끓는 물로 다시 한 번 더 익힌 진고두밥이며, 밑술과 덧술에서 끓는 물을 사용하고 있다.

이처럼 <온주법>의 '신방주'는 주방문의 덧술 빚는 법에서 어긋나지 않는다는 것을 알 수 있다. 무엇보다 <온주법>의 '신방주'는 철저하게 기본적인 술 빚는 법에 의거한 주방문이며, 쌀과 누룩, 물 외의 어떠한 부재료도 사용하지 않고 있다. 이러한 주방문일수록 술 빚는 법이 힘들고 까다로울 수밖에 없다. 직접 술 빚는 실습을 통해 '신방주'의 유래를 짐작할 수 있었는데, '매운맛이 특징인 술'로 그 의미를 부여할 수 있을 것 같다. '매운맛'을 달리 표현하면 '독한 맛과 담백한 맛'이라고도 할 수 있다. 이런 맛은 밑술을 범벅으로 만들어 사용하고, 누룩은 쌀 양의 4% 밖에 사용되지 않은 반면, 물의 양은 상대적으로 많기 때문에 생긴다.

주지하다시피 쌀 양보다 물의 양이 많아지면 술맛이 독하거나 쓴맛이 많아지는데, '신방주'는 누룩의 양이 상대적으로 적게 사용된 만큼 누룩을 5% 이상 20% 정도를 사용한 술보다는 쓴맛이 적어진다.

<온주법>의 '신방주'에서 독한 맛, 즉 매운맛을 줄이려면, 덧술의 간격을 5일 정도로 하면 좀 더 부드러운 맛을 즐길 수 있고, 보다 확실한 방법은 덧술의 끓는 물의 양을 줄이는 방법이다.

신방주 <온주법(醞酒法)>

> 술 재료 : 밑술 : 멥쌀 1말, 누룩가루 2되, 끓는 물 2말
>
>   덧술 : 멥쌀 4말, 끓는 물 4말

술 빚는 법 :

* 밑술 :

1. 멥쌀 1말을 백세하여 (물에 담가 불렸다가, 다시 씻어 건져서) 작말한다.

2. 솥에 물 2말을 붓고 끓여 쌀가루와 합하고, 주걱으로 고루 개어 담(범벅)을 쑨 다음, (넓은 그릇에 퍼서) 차게 식기를 기다린다.

3. 담(범벅)에 누룩가루 2되를 한데 섞고, 고루 버무려 술밑을 빚는다.

4. 술독에 술밑을 담아 안치고, 예의 방법대로 하여 (3~5일간) 발효시킨다.

* 덧술 :

1. 멥쌀 4말을 백세하여 (물에 담가 불렸다가, 다시 씻어 헹궈서 물기를 뺀 후) 시루에 안쳐서 고두밥을 짓는다.

2. 솥에 물 4말을 끓이고 고두밥을 많이 쪄서 (무르게) 익었으면, 시루에서 퍼내어 넓은 그릇에 담아놓는다.

3. 고두밥에 끓는 물 4말을 합하고, 고루 개어 고두밥이 물을 다 먹기를 기다렸다가 고루 펼쳐서 차게 식기를 기다린다.

4. 고두밥에 밑술을 한데 합하고, 고루 버무려 술밑을 빚는다.

5. 술독에 술밑을 담아 안치고, (베보자기로 덮어 밀봉한 후, 덥지 않고 바람기 없는 곳에서) 17일간 발효시킨다.

신방쥬

빅미 일 두 빅셰 작말ᄒ야 믈 너 말의 듐을 익게 기야 식여 국말 이 승 셧거 괴거든 빅미 ᄉ 두 빅셰ᄒ야 무이 쪄 탕슈 너 말의 골나 ᄎ거든 밋술의 셧거 십칠일 만의 드리오라.

스토리텔링 및 술 빚는 법

<시의전서(是議全書)>의 '신상주'는 매우 독특한 주품명이나, 주방문을 살펴보면 눈에 익다는 것을 단번에 알아차릴 수 있다.

<음식방문(飮食方文)>을 비롯하여 <봉접요람>, <술방문>, <양주방>* 등의 '석탄향'과 <김승지댁주방문(金承旨宅廚方文)>과 <요록(要錄)> 등의 '황금주', 그리고 <주찬(酒饌)>의 '백탄향', <온주법(醞酒法)>의 '석향주', <홍씨주방문>의 '선초향주' 등의 주방문과 비슷하다. 따라서 '석탄향'을 비롯하여 '황금주', '백탄향', '석향주', '선초향주'와의 차이를 규명하는 게 우선일 것이다.

먼저 '석탄향'은 밑술을 죽으로 빚는다는 사실과 함께 "가루누룩"을 사용한다는 점에서 '백탄향'의 주방문과 다르다. '백탄향'은 밑술을 범벅으로 해 "가루누룩"으로 사용한다. 밑술을 '죽(粥)'으로 하여 "가루누룩"으로 빚는 '석탄향'과 다르고, 밑술을 죽이나 범벅으로 하여 "가루누룩"이나 "누룩가루"를 사용하여 빚는 '황금주'와도 구별된다.

또 '황금주'를 수록하고 있는 문헌들의 주방문을 살펴보면, <김승지댁주방문>

을 비롯해 <산가요록>과 <수운잡방(需雲雜方)>, <요록>, <음식디미방(飮食旨味方)> 등의 주방문에서는 밑술의 멥쌀가루를 '죽'을 쑤어서 사용하기도 하고, '범벅'을 만들어 술을 빚기도 하는 등 일정한 방법이 정해져 있지 않다. 단지 "누룩가루"를 사용한다는 점에서 '석탄주'와 다름을 확인할 수 있었다.

<온주법>의 '석향주'는 '석탄향'에서처럼 "가루누룩"이 아닌 "누룩가루"를 사용한다는 점에서 '석탄향'과 다르고, <홍씨주방문>의 '선초향주'는 "누룩"을 사용한다. 반면, <시의전서>의 '신상주'는 '석탄향'을 비롯하여 '황금주', '석향주', '선초향주'와는 또 다른 "섬누룩"을 사용한다는 점에서 차이를 발견할 수 있다.

결국 우리 술 빚는 법은 주원료의 양이 동일하고 술 빚는 과정이 똑같다고 할지라도 술 빚기에 사용되는 누룩의 종류나 가공형태에 따라 다르게 명명하고 있음을 알 수 있다.

"누룩"일 때는 '선초향주'로, "가루누룩"일 때는 '석탄향', "누룩가루"일 때는 '석향주' 또는 '황금주', "섬누룩"이 사용되면 주품명을 '신상주'로 다르게 명명한 것이다.

물론, 이와 같은 사례가 또 등장할지도 모르겠지만 아직까지는 이 정도에서 그친다는 점에서 혼란스러움이 덜하다는 게 솔직한 고백이다.

'신상주'를 비롯하여 '석탄향' 또는 '석탄주', 그리고 '황금주', '석향주', '선초향주' 등 5가지의 다른 주품명에 동일한 주원료의 배합비율과 유사한 주방문의 차이를 찾고자 얼마나 골몰했는지 모른다. 원문마다의 기록을 찾아가면서 글자 한 자 한 자 비교하고, 심지어 글자 수를 세기도 했던 그때를 생각하면 지금도 머릿속이 어지럽기만 하다.

신상주 <시의전서(是議全書)>

> 술 재료 : 밑술 : 멥쌀 2되, 섬누룩 1되, 물 1말
>   덧술 : 찹쌀 1말

술 빚는 법 :

* 밑술 :

1. 멥쌀 2되를 백세하여 물에 담갔다가 (뜨물이 없이 말갛게 헹궈 건져서 물기를 뺀 후) 작말한다(가루로 빻는다).

2. 솥에 물 1말을 붓고 끓이다가 (물이 따뜻해지면) 쌀가루를 풀고 고루 개어 팔팔 끓여 죽을 쑨 다음, 넓은 그릇에 퍼 담고 차게 식힌다.

3. 차게 식은 죽에 섬누룩 1되를 합하고, 고루 버무려 술밑을 빚는다.

4. 술밑을 술독에 담아 안친 다음, 예의 방법대로 하여 겨울철엔 7일, 여름철엔 3일간, 봄·가을엔 5일간 발효시킨다.

* 덧술 :

1. 찹쌀 1말을 씻어(백세하여) 물에 담가 하룻밤 불렸다가, 다시 씻어 건져서 물기를 뺀 후) 시루에 안쳐서 고두밥을 짓는다.

2. 고두밥이 무르게 익었으면 시루에서 퍼내고, (돗자리에 고루 펼쳐서) 차게 식기를 기다린다.

3. 고두밥에 밑술을 쏟아 붓고, 고루 버무려 술밑을 빚는다.

4. 술밑을 술독에 담아 안친 다음, 예의 방법대로 하여 7일간 발효시킨다.

* 주방문에 술 빚는 방법은 '석탄향'을 비롯하여 '백탄향', '황금주'와도 동일한 비율의 주방문으로 '섬누룩'이라는 점에서 누룩의 종류가 다를 뿐이다.

신샹쥬

빅미 두 되 빅셰ᄒ야 담갓다가 작말ᄒ야 물 ᄒᆞᆫ 말에 죽 쑤어 식혀 셤누룩 ᄒᆞᆫ 되 버믈여 겨을이면 칠일 츈츄 오일 하졀은 삼일 만에 졈미 일 두만 쓸어 담갓다가 ᄒᆞ로밤 지와 익게익게 쪄 밋슐 셕거 너헛다가 칠일 만에 쓰라.

신청주

스토리텔링 및 술 빚는 법

　국내 최초의 민간 전통주 교육기관 '박록담의 전통주 교실'을 개설, 전통주 빚는 방법을 교육과정으로 하여 우리 술 빚는 법을 교육해 온 지 15년을 맞았다.

　그동안 매번 강조해 온 내용 가운데 한 가지가 "우리 술 빚는 법의 절대 다수가 청주를 빚기 위한 주방문(酒方文)이 주류를 이루고 있다.

　전통가양주는 멥쌀과 찹쌀을 중심으로 보리쌀과 차조, 수수, 기장 등 우리 민족이 주식으로 삼아온 쌀로 빚는 술인데도 '미주(米酒)'라 하지 않고 '청주(淸酒)'라고 한다."는 주장이었다.

　이 주장의 배경에는 우리나라 전통주의 부가가치, 곧 상품가치를 드높여 세계 최고의 브랜드 가치를 구현할 수 있는 용어가 바로 '청주'라는 명칭에 달려 있다는 판단에서였다. 전통적으로나 역사적으로나 '청주'라는 의미는 단순히 "맑은 술"의 의미를 뛰어넘어 "지구상에서 가장 맑고 깨끗한 청향(淸香)을 간직한 술"이라는 뜻이 담겨 있기 때문이다.

　반면 우리나라 '주세법'에서는 전승가양주를 비롯하여 조선시대 고식문헌에 수록된 1천 가지가 넘는 전통 양조주에 관해 '탁주(濁酒)', '약주(藥酒)', '소주(燒酒)'로 분류해 놓고 있는 건 문제가 많다. 달리 말하면 전통주에는 '탁주'와 '소주'는 있어도 '탁주'의 상대 개념인 '청주'가 없다는 게 그 이유이다. 그 이유가 무엇일까? 우리나라 '주세법'에 청주가 있긴 하나 '주세법'상의 청주는 우리나라 전래 방식이 아닌, 일본에서 들여온 소위 '입국방식(粒麴方式)'으로 빚는 술을 '청주'로 분류하고 있다.

그런가 하면 우리나라 전통 방식인 자연발효법의 재래 누룩으로 빚는 전통주는 그 방법이나 역사, 전통, 유래와는 전혀 다른 의미인 '약주(藥酒)'로 분류되어 있다. 이 땅에서 수천 년 동안 뿌리내려 왔던 가양주와 그 문화의 근간이 되었던 '청주'가 '입국방식'의 신식 청주에 자리를 내준 지 100년이 넘었는데도 아직까지 그 위상을 되찾지 못하고 있다는 게 말이 되는가? 지금도 일제강점기의 너울을 뒤집어쓰고 있다는 사실을 어떻게 이해해야 하는가? 이러한 현실이 답답하고 도무지 이해가 되지 않는다.

같은 맥락에서 '신청주(新淸酒)'라는 주품명은 큰 의미를 갖는다. '신청주'라는 주품명이 뜻하는 의미와 배경에는 기존 전통주의 주류가 '청주'였음을 뜻하거니와 소위 '신식 청주'라고 하는 '입국방식'의 '청주'와는 다른 개념의 '신청주'임을 암시하고 있다는 판단에서다.

'신청주'라는 주품명은 <역주방문(曆酒方文)>에 수록되어 지금까지 유일한 기록으로 전해지고 있다. 개인적으로 <역주방문>의 '신청주' 등장 이전에는 인식하지 못했던, '청주'와 '약주' 등 주종 분류에 대한 인식을 새롭게 바꾼 계기가 되었다.

'신청주'가 기존의 '청주'와 제조방법에서 어떤 차이가 있는지 살펴봄으로써 <역주방문>이 쓰였던 1800년대 중엽 조선 사람들의 청주에 대한 인식을 조금이라도 이해할 수 있었으면 좋겠고, 당시 '신청주'를 빚는 방법의 묘미와 특징에 대해 이해의 폭을 넓히고자 한다.

<역주방문>의 '신청주'는 밑술과 덧술의 주원료인 쌀의 양이 동일하다. 쌀 양 4말에 누룩가루는 1되로 누룩 사용비율은 2.5%에 그치고, 양주용수는 2병으로 15%에 불과하다. 기존의 '청주'를 빚는 주방문들과는 매우 차이가 있는 배합비율

로 가장 두드러진 특징이라 할 수 있다.

먼저 술 빚는 과정과 방법을 살펴보자. 멥쌀 2말을 백세작말하여 익반죽을 만든 후, 한 주먹씩 떼어 구멍떡을 빚는다. 구멍떡을 빚는 대로 끓는 물에 넣고 삶아 떡이 익어서 떠오르면 그릇에 건져내 하룻밤 재워 차게 식기를 기다린다. 구멍떡에 가루누룩 1되를 섞고, 물러질 때까지 고루 치대어 술밑을 빚는다. 이 술밑을 소독하여 물기를 없이 하고 준비한 술독에 술밑을 담아 안쳐 발효시켜서 밑술이 익기를 기다린다.

여기서 문제는 한 번이라도 구멍떡으로 술을 빚은 경험이 있는 사람이라면, <역주방문>에 수록된 '신청주'의 밑술 과정이 얼마나 힘든 일인지를 단번에 알 수 있을 것이다. 멥쌀 2말을 가루로 빻아 그 많은 양을 익반죽하여 구멍떡을 빚고, 특히 1되밖에 안 되는 누룩가루를 사용하여 변패나 오염되지 않은 밑술을 빚는다는 건, 한 사람이 소화해 낼 수 있는 양이 아니다.

설령 잘해 내도 술이 성공적으로 발효될지에 대한 의문이 들기 마련이다. 누룩가루 1되는 그 흔적도 찾기 힘들 정도로 미미한 양이기 때문이다.

주지하다시피 밑술은 효모 증식에 그 목적이 있는데, 누룩 양에 비해 쌀 양이 상대적으로 많아지면 발효부진 또는 발효지연을 초래하기 쉽고, 자칫하면 오염원의 침입에 따른 변패를 일으킬 수 있기 때문이다.

이러한 원인들을 해소하기 위해서는 최소한 효소에 의한 당화 촉진과 효모에 의한 발효 활동을 인위적으로 도와줄 필요가 있다. 그 방법은 누룩가루와 구멍떡이 최대한 융화상태가 되도록 고루 치대주는 방법과 저온에서의 발효 방법밖에 없다. 그러자면 물리적인 압력과 힘을 써야 하므로 자연 술을 빚는 일이 힘들어질 수밖에 없다. 또한 의도적으로 온도를 낮추거나 찬 곳에서 발효시키는 등 발효를 지연시킬 필요가 있으며, 이 의도적인 발효지연이 덧술을 성공적으로 끌고 갈 수 있는 비결이기도 하다. 그리고 덧술은 찹쌀 2말로 고두밥을 짓고, 끓는 물 2병과 화합하여 고두밥이 물을 다 먹고 제 스스로 차게 식기를 가다렸다가 밑술과 섞어 버무린다. 이때 주의해야 할 일은 고두밥과 끓는 물을 화합할 때 고두밥이 다 잠기도록 고두밥 덩어리를 풀어주어야 한다는 것이다. 고두밥보다 물의 양이 적으므로 시간이 지날수록 물 밖으로 노출된 고두밥이 많아지므로 가끔씩 뒤집어주고, 물이 없어지면 뚜껑을 덮어 차게 식도록 기다려야 한다.

이 같은 덧술 방법에서 실패가 많거나 술맛이 쓰고 떫은맛이 나는 경우는 십중팔구 고두밥이 끓는 물과 고루 섞이지 않았기 때문이다.

'신청주'의 덧술은 밑술을 걸러서 사용한다. '신청주'와 같이 밑술을 걸러서 누룩찌꺼기를 제거한 탁주를 만들어 덧술에 사용하는 경우를 심심치 않게 발견하곤 하는데, 두 가지 장단점이 있다.

밑술을 걸러 누룩찌꺼기를 제거하게 되면, 무엇보다 술 빛깔이 맑고 밝아지고 누룩 냄새를 제거할 수 있다는 장점이 있다. 반면 단점은 밑술의 힘이 약해 덧술의 발효부진이나 감패를 초래할 수 있고, 무엇보다 감칠맛이 떨어진다는 것이다.

'청주'의 개념은 "쌀로 빚은 술"이라는 문화적 의미 외에 "술 빛깔이 맑고 밝으며, 깨끗하고 신선한 청향을 발현하는 술"이라는 데 의미가 있다. 그런 차원에서 <역주방문>의 '신청주'는 밑술을 걸러 사용한 데서 오는 맑고 밝은 술 빛깔과 함께 누룩 냄새를 제거함으로써, 상대적으로 청향(淸香) 등의 방향(芳香)을 발현하기 위해 의도적으로 작성된 주방문이라는 데 그 의미가 있다고 하겠다.

특히 '신청주'는 다른 주품들에 향기를 살리고자 밑술의 쌀 양을 덧술의 쌀 양과 동량으로 하는 한편, 구멍떡을 삶아서 사용함으로써 풍부한 방향을 얻고자 하였음을 알 수 있다. 또 전체 쌀 양의 2.5%밖에 안 되는 누룩을 사용함으로써, 누룩 냄새가 적은 술을 빚고자 하였다.

뿐만 아니라 누룩 색깔에 따른 술 색깔을 고려하여 덧술에서 누룩찌꺼기를 제거해 보다 밝은 술 빛깔과 함께 방향이 풍부한 청주를 빚고자 한 주방문이라는 점에서 그 특징과 주품명에 숨겨진 비밀을 풀 수 있었다.

<역주방문>의 '신청주'를 빚어보고 그 맛과 향기를 경험했던 바로는, 밑술의 누룩찌꺼기를 제거하지 않은 술이 보다 우리의 기호나 취향, 그리고 정서에 맞는 '청주'가 아닌가 하는 느낌이었다.

신청주 <역주방문(曆酒方文)>

술 빚는 법 :

* 밑술 :

1. 멥쌀 2말을 백세하고 (물에 백 번 씻어 매우 깨끗하게 헹군 뒤, 새 물에 담가 불렸다가 다시 씻어 말갛게 헹궈서) 작말하여 넓은 그릇에 담아놓는다.

2. 물 2말을 팔팔 끓이다가 (뜨거워지면 6되 정도를 떠서 쌀가루에 섞고, 고루 치대어 질지도 되지도 않은 익반죽을 만든 후) 한 주먹씩 떼어 구멍떡을 빚는다.

3. 구멍떡을 빚는 대로 끓는 물에 넣고 삶아서, 떡이 익어서 떠오르면 건져내어 (주걱으로 짓이겨 한 덩어리의 인절미처럼 만들어) 놓는다.

4. 떡 그릇에 (뚜껑을 덮어 마르지 않도록 하고) 하룻밤 재워 차게 식기를 기다린다.

5. 구멍떡(인절미처럼 만들어 차게 식은)에 가루누룩 1되를 섞고, 물러질 때까지 고루 치대어 술밑을 빚는다.

6. 소독하여 물기 없이 준비한 술독에 술밑을 담아 안친 다음, (술독 주둥이에 묻은 것을 깨끗하게 씻어내고, 베보자기와 뚜껑을 덮어 3~5일간) 발효시킨다.

* 덧술 :

1. 찹쌀 2말을 백세하여 (물에 백 번 씻어 매우 깨끗하게 헹군 뒤, 새 물에 담가 불렸다가 다시 씻어 말갛게 헹궈서) 물기를 뺀다.

2. 불린 쌀을 시루에 안치고 쪄서 무른 고두밥을 짓고, 솥에 물 2병을 붓고 끓인다.

3. 고두밥이 익었으면 퍼서 그릇에 담고, 끓는 물 2병을 고루 섞어두었다가 고두밥이 물을 다 먹고 차게 식기를 기다린다.
4. 밑술을 (체에 걸러) 위에 뜬 누룩찌꺼기를 제거한 후, 고두밥을 한데 섞고 고루 버무려 술밑을 빚는다.
5. 소독하여 물기 없이 준비한 술독에 술밑을 담아 안치고, (술독 주둥이에 묻은 것을 깨끗하게 씻어내고, 베보자기와 뚜껑을 덮어 따뜻한 곳에서) 7일간 발효시킨다.

* 주방문이 불분명하다. "위의 찹쌀밥과 물과 주본을 한데 섞어 잘 저어 화합한 후 3일이 경과한 후에 위에 떠올라 온 찌꺼기는 제거하고 7일이 경과한 후에 사용한다."고 하여 덧술 발효 3일 후 누룩찌꺼기를 제거하라고 되어 있다. 이런 방법이 '신청주법'인지는 모르겠으나, 술이 덜 익은 상태에서 여과하는 건 문제가 있으므로, 밑술을 여과하는 방법으로 주방문을 작성하였다.

新清酒
白米二斗白洗作末蒸成孔餅烹熟經一宿更取末曲一升挼磨之待其及釀以粘米二斗百洗作飯又以湯水二餅調合於酒本經二日後除去上浮(査/渣)滓七日後用之.

십일주

해가 바뀌는 시각, 책상에 앉아 '십일주(十日酒)'의 특징과 술 빚는 법 해설을 쓰고 있다. '십일주'를 빚어놓고 집에 돌아와 손발을 씻다 보니, 술을 빚으면서 느끼고 겪었던 모든 감각들이 다시 살아 꿈틀거려 그 생동감을 잊지 않기 위해 기록하려는 것이다.

사라지고 잊힌 우리 전통주를 복원하면서 깨달았던 경험 중에 지금처럼 살아 있을 때가 가장 기분이 좋고, 이때 그 기억들을 글로 옮겨 쓰는 느낌이 제일 좋다.

'십일주'는 <수운잡방(需雲雜方)>과 <술 만드는 법>에 수록된 주품으로 속성주(速成酒)에 속한다, 속성주는 '준순주(浚巡酒)'라고도 하는데, 10일 이내에 발효를 끝내서 채주나 음용이 가능한 술에 해당된다. 2000년도까지만 해도 우리 술의 속성주에는 '일야주(一夜酒)'를 비롯하여 '일일주(一日酒)', '삼일주(三日酒)', '칠일주(七日酒)', '구일주(九日酒)'가 있으며, '계명주(鷄鳴酒)'와 '벼락술'도 속성주에 포함된다고 알려져 왔다. 이들 속성주의 특징은 한결같이 홀숫날로 되어 있다. 우리나라 사람들의 기수선호사상(基數選好思想)이 양주(釀酒) 분야에까지 파고든 것이라 여겼다. 그러다가 <수운잡방>과 <술 만드는 법>에 수록된 '십일주'와 <주찬(酒饌)>의 '육일주(六日酒)', 그리고 최근 발굴된 <산가요록(山家要錄)>에 수록된 '사두주(四斗酒)'와 '육두주(六斗酒)', <홍씨주방문>의 '사월주'를 목격하면서 혼돈이 생겼다. 어찌 보면 주품명과 기수선호사상은 별개일 수도 있다는 생각이 들었다. 지금까지 고문헌을 바탕으로 조사한 바로는 '일일주' 32회, '삼일주' 45회, '칠일주' 27회, '삼해주' 50회 등 홀수 단위의 주품명이 등장하는 횟수도 많고 다양한 건 사실이다.

그리고 비록 횟수는 적긴 하지만 짝수 단위의 주품명도 '육일주' 1회, '육두주' 2회, '십일주' 2회, '사월주' 1회, '사미주' 1회, '육병주' 2회로 총 6종이 나온다. 따라서 기수선호사상과 주품명의 상관관계에 있어 이렇다 할 결론을 내리긴 어렵다.

어찌됐든 '십일주'는 "10일 만에 술을 익힌다."는 뜻에서 유래한 주품이다. <수운잡방>과 <술 만드는 법>의 주방문에서 주원료의 배합비율 등이 매우 유사한 부분이 있지만, '십일주'만의 두드러진 특징을 찾기는 어렵다. 밑술의 쌀 양보다 덧술의 쌀 양이 20%에 그친 경우가 있는가 하면, 밑술과 덧술의 쌀 양이 동량인 경우도 있다. 술 빚는 물도 쌀 양과 동량에 가깝거나 오히려 쌀 양보다 적게 사용되기도 한다.

또 <수운잡방>에서는 밑술과 덧술에 두 차례씩 누룩이 사용되는 것과 달리 <술 만드는 법>에서는 밑술에서만 누룩이 사용되고 있다.

한 가지 주품명에서 이렇듯 현저하게 다른 주방문은 유일하다고 할 정도로 드문 경우인데, 그 이유를 찾을 수 없다. 두 문헌의 '십일주' 주방문에서 찾을 수 있는 한 가지 중요한 사실은 덧술의 발효기간을 단축시키는 방법이다.

즉 '십일주'는 이양주(二釀酒)인 까닭에 10일이라는 기간이 결코 길다고 할 수 없으므로, 덧술의 발효기간을 최대한 짧게 끝내야 한다. 잘 알다시피 발효를 빨리 끝낼 수 있는 여러 방법 가운데 덧술의 쌀을 밑술보다 적게 사용하는 방법과 물의 양을 많이 사용하는 방법, 그리고 누룩을 두 차례 사용하는 방법, 덧술에 사용되는 쌀의 호화도를 높게 가져가는 방법이 있다.

<수운잡방>의 '십일주'가 이 조건들을 다 포함하고 있는데 반해, <술 만드는 법>의 '십일주'는 <수운잡방>과는 상반된 개념의 주방문이다. 또 <수운잡방>

의 '십일주'는 발효기간이 각각 5일인데, <술 만드는 법>은 각각 3일과 7일이라는 사실도 두 주방문의 차이를 극명하게 반영하고 있다.

다만 두 문헌의 '십일주'에서 한 가지 분명한 사실은 '십일주'의 주질이 밑술에서 결정된다는 점이다. 특히 단기간에 걸쳐 이뤄지는 멥쌀술의 맛은 거칠 수밖에 없으므로, 멥쌀술의 단점인 거친 맛을 줄이고 감칠맛을 부여하기 위해 밑술과는 달리 덧술에서는 찹쌀을 사용하고 있다.

이상으로 '십일주'를 통해 배운 건 술을 빚는 사람이 자신의 목적과 용도에 따른 맛과 향기를 구현할 수 있어야 한다는 점이다. <수운잡방>과 <술 만드는 법>의 '십일주' 주방문에서 새롭게 배운 우리 술 빚는 법이다.

1. 십일주 <수운잡방(需雲雜方)>

> 술 재료 : 밑술 : 멥쌀 1말, 좋은 누룩 2되, 병하수(시루밑물 적당량)
> 덧술 : 찹쌀(멥쌀) 2되, 누룩 1되, 정화수 2동이

술 빚는 법 :

* 밑술 :

1. 멥쌀 1말을 백세하여 (물에 담가 불렸다가, 다시 씻어 헹궈 건져서) 작말한다(가루로 빻는다).
2. 쌀가루를 체에 한 번 내린 후, 시루에 안쳐서 설기떡을 찐다.
3. 설기떡이 익었으면 (넓은 그릇에) 퍼내고 병하수(시루밑물)를 적당량 섞어 덩어리가 없게 풀고, 죽처럼 만들어 차게 식기를 기다린다.
4. 떡에 좋은 누룩 2되를 섞고, 고루 버무려 술밑을 빚는다.
5. 술독에 술밑을 담가 안치고, 예의 방법대로 봉하여 서늘한 곳에 두고 5일간 발효시킨다.

* 덧술 :

1. 찹쌀(멥쌀) 2되를 백세하여 (물에 담가 불렸다가, 다시 씻어 헹궈 건져서 물 기를 뺀 후) 시루에 안치고 무른 고두밥을 짓는다.
2. 고두밥이 익었으면 퍼내고, 고루 펼쳐서 차게 식기를 기다린다.
3. 차게 식은 고두밥에 누룩 1되를 섞고, 고루 버무려 술밑을 빚는다.
4. 정화수 2동이를 길어다 1동이가 되도록 오래 팔팔 끓여서 차게 식힌 후 밑 술을 걸러 탁주를 만들어놓는다.
5. 술독에 술밑을 담아 안친 후 거른 밑술을 붓고 고루 저어준 뒤, 예의 방법대 로 봉하여 따뜻한 곳에 5일간 발효시켰다가 채주한다.

* 주방문에 "5일 후 술독이 덥지 않도록 한다. 술독이 너무 더워지면 술독을 찬물에 담가두고, 여러 차례 물을 갈아주어 뜨거운 기가 없게 식혀주어야 한다."고 하였다. 이는 덧술의 쌀 2되가 발효를 시켜서 알코올 도수를 높이 기 위한 방법이 아닌, 술을 맑게 하고 맛을 부드럽게 하기 위한 목적으로 사 용되며, 그 방법으로 덧술의 발효가 왕성해지지 않도록 하는 술독 관리 과 정을 볼 수 있다.

十日酒

白米一斗百洗作末熟蒸以甑下水適中和均待冷好麴二升和合納甕封置涼處待 五日井花水二盆煎至一盆出前酒以此水添漉爲瓶白米粘米中二升百洗作爛飯 待冷麴一升和納甕次注漉酒封口又置溫處待五日用之若極熱時則酒甕沈水數 數改水愼勿令觸熱.

2. 십일주 <술 만드는 법>

술 재료 : 밑술 : 멥쌀 1되, 누룩가루 2되, 물 10식기
　　　　　덧술 : 찹쌀 1말

술 빚는 법 :

* 밑술 :

1. 멥쌀 1되를 백세하여 (물에 담가 불렸다가, 다시 씻어 건져서 물기를 뺀 뒤) 작말한다(가루로 빻는다).
2. 쌀가루에 물 10식기를 넉넉히 붓고, (멍울 없이 풀어서) 팔팔 끓여 죽을 쑤고, 소라에 퍼서 놓는다(죽이 차게 식기를 기다린다).
3. 죽에 누룩가루 2되를 섞고, 고루 버무려 술밑을 빚는다.
4. 술독에 술밑을 담아 안치고, 예의 방법대로 하여 3일간 발효시킨다.

* 덧술 :

1. 찹쌀 1말을 (백세하여 물에 담가 불렸다가, 다시 씻어 헹궈서 물기를 뺀 뒤) 시루에 안치고, 쪄서 고두밥을 짓는다.
2. 고두밥에서 한 김 나면 (찬물을 흠씬 뿌려서 무르게 찌고), 고두밥이 익었으면 퍼낸다(고루 펼쳐서 차게 식힌다).
3. 고두밥은 군물이 들어가지 않게 하여 밑술과 합하고, 고루 버무려 술밑을 빚는다.
4. 술밑을 술독에 담아 안친 다음, 예의 방법대로 하여 7일간 발효시킨다.

십일쥬

졈미 흔 말를 ᄒ랴면 빅미 흔 되를 빅셰작말ᄒ야 물은 열 식긔 넉넉이 쓸여 쇼라에 퍼셔 뿔가로와 곡말 흔 되를 풀어 항아리에 너허 숨 일 되거든 찹뿔 흔 말 지예를 쪄셔 군물은 치지 말고 밋불에 버무려 칠 일 후에 써 쓰나니 두 말를 ᄒ랴면 니와 갓트니라.

3. 십일주 <술 만드는 법>

−두 말 빚이

> 술 재료 : 밑술 : 멥쌀 2되, 누룩가루 4되, 물 20식기
>   덧술 : 찹쌀 2말

술 빚는 법 :

* 밑술 :

1. 멥쌀 2되를 백세하여 (물에 담가 불렸다가, 다시 씻어 건져서 물기를 뺀 뒤) 작말한다(가루로 빻는다).
2. 쌀가루에 물 20식기를 넉넉히 붓고, (멍울 없이 풀어서) 팔팔 끓여 죽을 쑤고, 소라에 퍼서 놓는다(죽이 차게 식기를 기다린다).
3. 죽에 누룩가루 4되를 섞고, 고루 버무려 술밑을 빚는다.
4. 술독에 술밑을 담아 안치고, 예의 방법대로 하여 3일간 발효시킨다.

* 덧술 :

1. 찹쌀 2말을 (백세하여 물에 담가 불렸다가, 다시 씻어 헹궈서 물기를 뺀 뒤) 시루에 안치고, 쪄서 고두밥을 짓는다.
2. 고두밥에서 한 김 나면 (찬물을 흠씬 뿌려서 무르게 찌고), 고두밥이 익었으면 퍼낸다(고루 펼쳐서 차게 식힌다).
3. 고두밥은 군물이 들어가지 않게 하여 밑술과 합하고, 고루 버무려 술밑을 빚는다.
4. 술밑을 술독에 담아 안친 다음, 예의 방법대로 하여 7일간 발효시킨다.

* 주방문 말미에 "두 말을 하려면 이와 같으니라."고 하였으므로, '두 말 빚이' 주방문을 작성하였다. 쌀과 물의 양을 2배로 하고 누룩가루의 양은 2되로 하는 방법도 있겠으나, 주품명이 '십일주'인 것을 감안하여 모든 원료의 비율

을 2배로 하였음을 밝혀둔다.

십일쥬

졈미 흔 말를 흐랴면 빅미 흔 되를 빅셰작말흐야 물은 열 식긔 넉넉이 쓸여
쇼라에 퍼셔 뿔가로와 곡말 흔 되를 풀어 항아리에 너허 슘 일 되거든 찹뿔
흔 말 지예를 쪄셔 군물은 치지 말고 밋물에 버무려 칠 일 후에 쩌 쓰나니,
두 말를 흐랴면 니와 갓트니라.

쌀 한 말에
지주 네 병 나는 술법

조선시대 당시 술을 빚었던 사람들의 절대 다수는 가정의 평범한 주부(主婦)들로, 지금처럼 미생물학이나 식품가공학, 발효학에 대한 전문적인 교육을 받아본 적이 없었을 것이다. 양주(釀酒)에 관해 문외한일 수밖에 없는 처지였음에도, 현대의 양주기술(釀酒技術)이 모델로 삼을 정도로 뛰어난 양주기술을 터득하고 있었다는 사실은 이미 여러 차례 언급한 바 있다.

조상 대대로 전승되어 온 가양주(家釀酒)를 빚어 왔던 오랜 경험과 더불어 우리 고유의 식문화라 할 수 있는 여타의 발효식품과 저장식품에 대한 노하우에서 기인한 것으로 여겨진다.

술은 절기 변화에 맞춰 목적과 용도에 따라 빚어야 했고, 특히 장기 보관이 어려운 여름철에도 그에 맞는 양주를 해야 했으므로, 자연스럽게 술을 빚는 기술이 발달할 수밖에 없는 조건이었다.

조선시대 문헌에 등장하는 주방문을 보면, 옛 사람들이 자유자재로 술 빚는 기술을 구사했다는 사실을 확인할 수 있다.

단적인 예로 <언서주찬방(諺書酒饌方)>에 등장하는 '쌀 한 말에 지주 네 병 나는 술법'이라는 주품의 주방문에서 옛 사람들의 능숙한 양주기술과 다양한 기법을 엿볼 수 있다.

'쌀 한 말에 지주 네 병 나는 술법'은 "쌀 1말로 빚은 술에서 지주(맛있는 술) 4병을 얻는 방법"이라는 의미를 담고 있다. 대개 '일두주', '삼두주', '사두주', '오두주', '육두주' 등은 쌀의 양에 따른 명칭이고, '오병주', '오호주' 등은 물의 양에 따른 명칭을 사용하는 게 일반적이다.

쌀과 물의 양을 함께 사용한 주품명은 <양주방>*의 '일두사병주(一斗四瓶酒)'와 <양주집(釀酒集)>의 '일두육병주'가 전부라고 할 수 있다.

'쌀 한 말에 지주 네 병 나는 술법'은 이양주(二釀酒)로서 발효기간이 10일 이내인 속성주(速成酒)에 속한다. '쌀 한 말에 지주 네 병 나는 술법' 역시 <양주방>*의 '일두사병주', <양주집>의 '일두육병주'와 크게 다를 바 없는 양주 과정을 보여주고 있다.

'쌀 한 말에 지주 네 병 나는 술법'과 <양주집>의 '일두육병주'의 차이는 재료 배합비율에서 '일두육병주'가 물 2병, 덧술의 찹쌀 2되가 더 많다는 것뿐이다. 그러나 두 주품의 주방문은 덧술을 빚는 과정에서 그 차이가 확연히 드러난다.

즉 '쌀 한 말에 지주 네 병 나는 술법'은 밑술이 막 괴어오를 때 찹쌀 1되에 물 1병을 섞어 죽을 쑤고, 차게 식혀 밑술과 합해 발효시키는 반면, '일두육병주'는 밑술을 안친 지 3~4일 후에 덧술을 하는데, 찹쌀 3되를 고두밥 짓고 물 2병으로 식혀서 사용한다는 점이다.

따라서 '쌀 한 말에 지주 네 병 나는 술법'은 덧술에 죽을 사용함으로써 술맛을 순하게 하고 그 양을 늘리기 위한 방법인데 반해, '일두육병주'의 덧술에 사용되는 찹쌀(3되)은 그저 감칠맛을 부여하고, 밥알을 띄워 마시기 위한 방문이라는 것이다. 바로 이것이 덧술에서 죽을 쑤어 사용하느냐 고두밥을 사용하느냐의 이유와 차이이다.

한편, 시대적으로 앞선 <언서주찬방>의 '쌀 한 말에 지주 네 병 나는 술법'을 보면, 밑술에서 밀가루와 함께 서김을 사용한 반면, 후기의 기록인 <양주방>*에서는 보다 간편한 방법으로 밀가루와 엿기름가루를 사용하고 있다.

'서김'과 '엿기름가루'는 그 역할이 매우 다른 것으로, 각각의 주방문에 따른 술맛과 향기에서 상당한 차이가 있다.

다시 말해 <언서주찬방>의 '쌀 한 말에 지주 네 병 나는 술법'에 따른 술맛이 <양주방>*의 '일두사병주'나 <양주집>의 '일두육병주'보다 알코올 도수도 높고 저장성도 좋다는 뜻이다. '쌀 한 말에 지주 네 병 나는 술법'의 덧술은 멥쌀술의 거친 맛을 부드럽게 해주기는 하지만, 주질보다는 오히려 술의 양을 늘리기 위한 방법임을 기억할 필요가 있다.

쌀 한 말에 지주 네 병 나는 술법 <언서주찬방(諺書酒饌方)>

> 술 재료 : 밑술 : 멥쌀 1말, 누룩가루 1되, 진말 1되, 좋은 서김 1되, 물 3병
> 덧술 : 찹쌀 1되, 물 1병

술 빚는 법 :

* 밑술 :

1. 멥쌀 1말을 백세하여 (물에 담가 불렸다가, 다시 씻어 헹궈 건져서 물기를 뺀 후) 작말하여 넓은 그릇에 담아놓는다.

2. 솥에 물 3병을 끓이다가 물이 따뜻해지면 1병을 쌀가루에 합하고, 주걱으로 고루 풀어 아이죽을 만들어 끓고 있는 물과 합한 다음 팔팔 끓여 푹 퍼진 죽을 쑨다.

3. 죽을 넓은 그릇에 퍼서 차게 식기를 기다린다.

4. 차게 식은 죽에 누룩가루 1되, 진말 1되, 가장 좋은 서김 1되를 한데 합하고, 고루 치대어 술밑을 빚는다.

5. 술밑을 술독에 담아 안치고, 예의 방법대로 싸매어 발효시켰다가, 이튿날 술이 막 괴어오르거든 덧술을 준비한다.

* 덧술 :
1. 찹쌀 1되를 (백세하여 물에 담가 불렸다가, 다시 씻어 헹궈서) 건져놓는다.
2. 솥에 물 1병에 붓고 끓이다가, 불린 쌀을 합하고 팔팔 끓여 죽을 쑨다.
3. 죽이 푹 퍼지게 익었으면, 넓은 그릇에 퍼서 차게 식기를 기다린다.
4. 차게 식은 죽을 밑술에 합하고, 예의 방법대로 하여 발효시키는데 (2~3일 후) 술이 막 익어서 맑게 가라앉으면 거른다.

* 주방문 말미에 "다만, 끓일 때 넘으니 처음의 그릇을 큰 것으로 하여 빚으라." 고 하였다. 범벅을 쑬 때 고루 익히도록 하고 많이 치대어주어야 끓일 때 넘치 는 것을 막을 수 있다.

쌀 흔 말애 지쥬 네 병 나는 술법—白米一斗 曲末一升 (眞末一升) 酒本一 升 粘米一升
빅미 흔 말을 빅셰작말ᄒ야 믈 세 병으로 쥭 수어 그르세 퍼셔 ᄀ장 ᄎ거든 누룩ᄀ른 흔 되와 진ᄀ른 흔 되와 ᄀ장 됴흔 서김 흔 되와를 흔디 섯거 독의 녀허 ᄲᅡ민야 잇다가 이튼날 막 괴거든 ᄎ쌀 흔 되를 믈 흔 병 브어 쥭 수어 식 거든 더터 막 니거 묽안쩌든 드리우라. 다만 끓일 제 넘ᄂ니 처엄의 그릇슬 큰 디 비즈라.

아소국주·소소국주

스토리텔링 및 술 빚는 법

<주정(酒政)>이라는 문헌이 존재한다는 사실은 이미 오래 전에 알고 있었다. 고(故) 이성우 교수의 <한국식경대전(韓國食經大典)>에 <주정>이라는 고문헌의 존재가 언급되었고, 현재 원본은 미국 캘리포니아대학교 도서관 소장본으로 알려져 있다. 필자는 국내의 학계 원로들은 물론이고 다양한 경로를 통해 <주정>의 복사본이라도 얻고자 여러 차례 시도해봤지만 그 목적을 이루지 못하고 있었다.

그러던 2013년 늦가을 무렵이었다. 전통주를 배워보겠다고 필자 연구소를 찾아온 이가 있었다. 한국에서 태어나 일찍이 미국으로 이민을 갔고, 거기서 건축설계사로 일하는 한보숙 씨였다. 미국에 오래 살다 보니 우리나라 전통문화에 대한 관심이 높았단다. 그녀가 연구소에서 6개월간 전통주를 공부한 후 다시 미국으로 돌아갈 때쯤 <주정>에 대한 이야기를 꺼냈다. 그녀는 "돌아가게 되면 한 번 알아보겠다."고 했지만, 큰 기대는 하지 않았다.

그런데 자신의 인맥을 총동원했는지 사진 촬영을 해서 그 사진 파일을 인편으로 직접 보내온 것이다. 그때 그 감동은 평생을 두고 절대 잊지 못할 뿐 아니라, 기대를 저버리지 말아야 한다는 의무감마저 들었다. "미국 캘리포니아대학교 도서관 측에서 자료 복사는 5쪽만 가능하다."고 해서 부득이하게 여러 사람을 동원한 분할 촬영을 부탁했다. 어차피 전체 복사는 불가능할 거라는 생각에 큰 기대는 하지 않았다.

<주정>은 본문 140매 정도의 분량이지만, 본문 50매 정도에 해당하는 부전(附箋)이 책 중간 중간에 끼어 있다. 일본인 천견윤태랑(淺見倫太郎)의 소장본이었다가, 1950년경 미국 캘리포니아대학교(버클리대학 동아시아도서관 소장이라고도 알려져 있다.) 측에 매각된 것으로 알려졌다.

<주정>은 중국 고문헌에 나오는 어연(御宴)·주금양(酒禁釀)·송주(送酒)·고주(沽酒)·음연(飮宴)·음주(飮酒)·벌음(罰飮)·주령(酒令)·감음(酣飮)·계주(戒酒) 등 우리나라 고대부터 근대까지의 술에 관한 내용들을 모두 발췌하여 재구성한 저술로 완간본이 아닌 원고본이다. 특히 술을 주제로 한 시(詩)가 주류를 이루고, 계속해서 내용을 수정 보완하느라 종이를 덧댄 부분(附箋)이 많다. 사실적인 주방문은 5품에 그친다.

주방문 가운데는 '건조(乾調, 되게)'와 '증반(흰무리)' '○麴(섬누룩, ○麴)' '지에밥' 등 한글이 표기되어 있다. 다른 문헌에서는 '증반(蒸飯)', '증병(蒸餠)', '주본(酒本)'이라고 한 것을 <주정>에서는 '증분(甑饋)', '증반(흰무리)', '매(酶)'라고 하는 등 다른 문헌에서는 잘 쓰이지 않았던 용어들을 만나게 된다.

<주정>에 수록되어 있는 5품의 전통주 가운데 첫 번째 수록된 '한 제(一劑, 10말) 빚이 소곡주(小麴酒)' 주방문 말미에서 '아소곡주(兒小麴酒)'라는 주방문을 찾아볼 수 있다. 한보숙 씨가 아니었다면, '아소곡주'에 대해서는 끝까지 알지 못했을 일이다. 그저 그녀의 성의와 노력이 고마울 따름이다.

<주정>에는 '소곡주(小麴酒, 小麴酒)' 외 '백일주', '두강주', '방문주', '두견주방' 등 다섯 가지 주품명만 수록된 것으로 알려져 왔다. 이들 주방문을 번역하는 과정에서 3가지 방법의 '소곡주'와 두 가지 방법의 '방문주'가 수록되어 있다는 사실을 확인할 수 있었다. 특히 '방문주 소주'는 유일한 주방문이기도 하다는 점에서 주목된다.

'소곡주'는 본디 멥쌀로만 두 차례 빚는 이양주법(二釀酒法)의 '한 제(一劑, 10말) 빚이'가 기본을 이루는 가운데, 주방문 중간에 덧술로 사용되는 멥쌀 5말에 대해 "멥쌀과 찹쌀을 섞어서 빚으면 더 좋다(白米二斗五升, 粘米二斗五升則好)."고 하였다.

그리고 다시 주방문 말미에 "양을 적게 하고자 하면, 한 제(쌀 1말이고 반 제는 5되이다.) 하려면, 쌀 1말에 대하여 물 1말과 누룩의 양을 비율로 나눈다(一斗水 與麴分數一劑 而量減凡). 여름이 지난 후에 빚는 것이 마땅하다. 추위가 풀리기 전 이른 봄에 빚는 것도 가능하다. 술독은 찬 곳에 두되, 바람이 들지 않고 얼지 않을 곳에 두면, 익으면 중춘에도 빚을 수 있다(凡往夏之酒宜 可以孟春釀之 而置甕於冷 而不風不凍之處 亦成以仲春釀之)."고 한 뒤 "이름하여 '아소곡주'라 한다(而名曰兒小麴酒)."고 하였다.

'아소곡주'의 술 빚는 법에 있어 "멥쌀과 찹쌀로 빚고자 하면 서로 반반씩 하여 각기 시루에 찌는 것이 옳다. 고두밥을 찔 때 물을 뿌려서 너무 되지 않고 부드럽게 찌고 익혀서 밑술에 투입하는데, 멥쌀고두밥을 먼저 넣고 찹쌀고두밥을 나중에 넣는다(白米粘米如欲相半 當以各甑蒸之 而蒸時給水 使饋不太剛乾而 出先投白米饋於甕 次投粘米饋)."고 하였다.

이른바 '아소곡주'라는 주품명은 멥쌀과 찹쌀을 섞어서 빚는 '한 제(10말) 빚이 소곡주'에서 그 양을 10%로 줄여 1말로 빚는 '어설픈 소곡주' 또는 '어린 소곡주'라는 뜻으로 풀이할 수 있겠다.

일상적인 술 빚기가 '한 제(10말) 빚이'였음을 감안하면, 술 빚는 데 따른 규모와 과정이 대충 짐작이 갈 것이다. 그러니 평소와 다르게 1말의 쌀로 술을 빚는 일이 어린아이들의 장난 같아 보였을지도 모른다.

익히 알다시피 술은 그 양이 많았을 때 발효도 잘 되고 맛과 향이 깊어진다는 건 기본이다. 따라서 10말로 빚는 술과 1말로 빚는 술에 대한 맛의 차이를 두고 아이(兒) 취급을 했을 법하다.

한편, <양주방>*에는 '소소국주'가, <주방(酒方, 임용기소장본)>에는 '아소국주방문'이 수록되어 있는데, <주정>의 '아소국주'와는 전혀 다르다.

우선, 지금까지 알려진 정양완 역 <양주방>*에는 '소소국주'가 등장하지 않았는데, 최근 발굴된 한글 붓글씨본 <양주방>에는 '소소국주'라는 주품명과 주방문을 찾을 수 있다.

한글 붓글씨본 <양주방>에는 밑술을 범벅으로 하고 국말을 사용한 것과 달리 덧술에서는 찹쌀을 사용하여 고두밥을 짓고 섬누룩과 끓여 식힌 물로 수곡을 만들고 체에 걸러 누룩물을 만들어 사용한다는 점에서 <주정>의 '아소곡주' 주방문과는 차이가 있다.

특히 밑술과 덧술의 누룩이 종류가 다르고, 또 덧술에서 수곡을 사용한다는 점에서 기존의 주방문들과는 많은 차이가 있다는 것을 알 수가 있다.

그리고 <주방(임용기소장본)>의 '아소국주방문'은 <주정>의 '아소국주'와 달리 밑술과 덧술의 쌀 양이 동량이고, 그 양이 4말로 매우 많은 편에 속한다. 또한 멥쌀 한 가지로 빚는 주방문을 보여주고 있다. 뿐만 아니라 멥쌀의 양이 8말이라는 점에서 일반 '소곡주'와 다를 바가 없는데도 굳이 '아소국주방문'이라는 주품명을 붙이게 된 배경이 사뭇 궁금하다.

<주방(임용기소장본)>의 '아소국주방문'과 같이 밑술과 덧술의 양을 동량으로 하는 주방문은 <김승지댁주방문(金承旨宅廚方文)>을 비롯해 <농정회요(農政會要)>, <민천집설(民天集說)>, <봉접요람>, <산가요록(山家要錄)>, <술 빚는 법>, <양주방>*, <언서주찬방(諺書酒饌方)>, <역주방문(曆酒方文)>, <우음제방(禹飮諸方)>, <음식디미방>, <이씨(李氏)음식법>, <임원십육지(林園十六志)>, <주정>, <증보산림경제(增補山林經濟)>, <한국민속대관(韓國民俗大觀)> 등에서도 목격할 수 있다. 또한 '아소국주방문'과 같이 밑술을 흰무리떡으로 하고, 누룩물을 사용하여 빚는 주방문은 특별하다고 볼 수 없다.

<주방(임용기소장본)>의 '아소국주방문'은 <주정>의 '아소국주'와 동일한 과정으로 이루어지는 주방문이라는 점에서 그 단초를 찾을 수 있다. 즉, 일반적으로 '소곡주'가 한겨울에 빚는 술이라면, 두 문헌의 '아소국주'는 사시사철 빚을 수 있는 술로 특히 양주용수의 양이 쌀의 양과 동량이거나 적게 사용된다는 점이다.

이러한 발상을 <주식방문>이라는 한글 필사본에서도 엿볼 수 있다. <주식방문>에는 오로지 두 가지 주방문을 수록하고 있을 뿐인데, '합주방문'과 '아달두견주방문'이 그것이다. <주식방문>의 '아달두견주방문'을 발견하지 못했을 때에

는 '아소곡주'의 의미에 대한 확신이 없었다. 더불어 <주정>에 수록된 '한 제(10말) 빚이 소곡주'와 '한 제(1말) 빚이 아소곡주' 주품의 비교를 통해 확신이 더 강해졌다. '한 제(10말) 빚이 소곡주'와 '한 제(1말) 빚이 아소곡주'의 맛과 향기 차이가 너무 크기 때문이다.

두 차례에 걸친 '한 제(10말) 빚이 소곡주'와 '한 제(1말) 빚이 아소곡주'의 양주 실험 결과, '한 제(10말) 빚이 소곡주'가 '김장김치'처럼 알코올 도수도 높고, 보다 진하고 풍부한 방향의 묵직한 맛이라면, '한 제(1말) 빚이 아소곡주'는 여린 '봄동나물'처럼 부드럽고 풋풋한 맛이다.

나는 이게 바로 우리만의 문화, 한국인다운 문화라고 생각한다. 한 가지 사실에 대해 그 본질을 꿰고 있던 옛 조상들의 의식과 오랜 경험을 바탕으로 한, 지혜가 번뜩이고 가장 독특하면서도 우리다움의 문화를 '아소곡주'라는 주품을 통해 체험해 보게 된 것이다.

끝으로 우리도 이제는 고유의 양주문화뿐 아니라 우리 것을 자랑스럽게 여겨야 한다고 생각한다. 우리 것에 대한 자부심이 공감대를 얻고 점차 확산되어야 할 것이다. 언제까지 선진국을 선망의 대상으로 여기고, 그들의 문화를 배우고 익히는 데만 혈안이 되어야 할까? 선진강국은 군사력이나 국토의 크기가 아닌, 자국 문화의 자긍심에서 오는 문화의 힘임을 강조하고 싶다.

1. 소소국주 <양주방>*
–두 말 빚이

술 재료 : 밑술 : 멥쌀 5되, 누룩가루 7홉, 물 8되
　　　　　덧술 : 찹쌀 2말, 물 28식기(주발)

술 빚는 법 :
* 밑술 :

1. 멥쌀 5되를 여러 번 찧어 희게 도정한 후 (백세하여 물에 담가 불렸다가, 다시 씻어 헹궈 건져서 물기를 뺀 후) 작말한다.
2. 물 8되를 팔팔 끓여서 쌀가루에 골고루 붓고 고루 개어 범벅을 쑨 후, 넓은 그릇에 퍼서 차게 식기를 기다린다.
3. 범벅에 누룩가루 7홉을 합하고, 고루 치대어 술밑을 빚는다.
4. 술밑을 술독에 담아 안치고, 예의 방법대로 하여 3~4일간 발효시켜서 술밑이 맑게 익기를 기다린다.

* 덧술 :
1. 물 2말 5되를 팔팔 끓여서 차게 식혀놓는다.
2. 섬누룩 2되에 식혀둔 물 가운데 5되가량을 퍼 담고 불려서 수곡을 만든 다음, 체에 걸러 누룩찌꺼기를 제거한 누룩물을 만들어놓는다.
3. (도정을 많이 한) 찹쌀 2말을 백세하여 (물에 담가 불렸다가, 다시 씻어 헹궈서) 물기를 빼놓는다.
4. 물을 뺀 쌀을 시루에 안쳐서 고두밥을 짓되 물을 많이 뿌려서 무르게 쪄낸다.
5. 고두밥이 익었으면 큰 그릇에 퍼 담고, 쓰고 남은 물 2말을 고두밥에 뿌려서 한데 어우러지게 한다.
6. (고두밥이 물을 다 먹었으면 여러 개에 나눠 담고 차게 식기를 기다린다.)
7. 물 먹인 고두밥을 밑술과 누룩물에 합하고, 골고루 골고루 버무려 술밑을 빚는다.
8. 술독에 술밑을 담아 안치고, 예의 방법대로 하여 10일간 발효시킨다.
9. 술이 다 익어 맑게 가리앉았으면 채주하여 마신다.

쇼쇼국쥬
두 말 ᄒ려면 빅미 닷 되 희게 쓸허 작말ᄒ여 물 여듧 되예 기여 식거든 국말 칠 홉 너허 삼ᄉ일의 닉거든 졈미 두 말 빅셰ᄒ여 담글 ᄶ 섭누록 두 되 탕슈 식여 담가두고 무이 쪄 밥 될만치 물 쑤리고 누록 죄죄 거로고 탕슈 되드리로 두 말 닷 되 밋부터 세되 슈 듸로 ᄒᄂ니라. 밋가지 열흘만 ᄒ면 되ᄂ니라.

2. 아소국주방문 <주방(酒方, 임용기소장본)>

술 재료 : 밑술 : 멥쌀 4말, 섬누룩 8되, 물 28식기(주발)
　　　　 덧술 : 멥쌀 4말, 물 28식기(주발)

술 빚는 법 :

* 밑술 :

1. 멥쌀 4말을 백 번 찧어 도정한 후 백세하여 물에 담가 하룻밤 불렸다가 (다시 씻어 헹궈 건져서 물기를 뺀 후) 작말한다.
2. 섬누룩 8되를 28식기(주발)에 고루 섞어 물누룩을 만들어 하룻밤 불려놓는다.
3. 다음날 물누룩을 중간체를 사용해 걸러서 찌꺼기를 제거한 누룩물을 만들어놓는다.
4. 쌀가루를 시루에 안쳐서 흰무리떡을 되게 찐 다음, 뜨거울 때 덩어리를 쪼개서 누룩물에 합하고, (덩어리를 남지 않게 하여) 술밑을 빚는다.
5. 술밑을 술독에 담아 안치고, 예의 방법대로 하여 바람이 없고 얼지도 않을 찬 곳에 두고 발효시켜서 술밑이 맑게 익기를 기다린다.

* 덧술 :

1. 백 번 찧어 도정을 많이 한 멥쌀 4말을 백세하여 (물에 담가 불렸다가, 다시 씻어 헹궈서) 시루에 안쳐서 고두밥을 짓는다.
2. 고두밥이 익었으면 퍼내 (한 김 나게 식혀) 뜨거울 때 냉수 38식기(주발)를 합하고, 고두밥이 물을 다 먹기를 기다린다.
3. 고두밥이 따뜻할 때 밑술독에 합하고, 골고루 섞어놓는다.
4. 술독은 예의 방법대로 하여 추울 때는 불한불열한 곳에 두고, 봄·가을에는 찬 곳에 두고 발효시킨다.
5. 술이 다 익어 맑게 가라앉았으면 채주하여 마신다.

* 주방문 말미에 "치운 때는 슐항(酒甕) 두기를 불한불열(不寒不熱)혼 듸 두고
춘츄(春秋)는 한듸 두어 그늘너라."고 하였다. 이로써 '아소국주'는 사시사철
빚는 주방문임을 알 수 있다.

야쇼국쥬방문

한 졔(一劑) 하랴면 빅미(白米) 너 말(四斗) 빅도빅셰(百搗百洗)하여 담(沈)
고 죠흔 셥누룩(好凡麯) 여달 되(八升) 담(沈)아다가 그 이튿날 쌀 作末ᄒ야
익게 무리쪄고 누룩물(麯水) 죄 짜지게 걸러 매두(每斗)의 일곱 식긔(七周
鉢)식 붓고 백무리 더운 김의 부어 두어다가 밋 되는 대로 덧하되, 빅미(白米)
너 말(四斗) 빅도빅셰(百搗百洗)하야 익게 쪄 더운 김이로 그릇시 담고 매두(每
斗)의 냉슈(冷水) 일곱 식긔(七周鉢)식 그 슐밥의 부어 그 물이 밥의 다 들거
든 그 슐밋 항(甕)의 부어 두어다가 맑는대로 쓰라. 치운 때는 슐항(酒甕) 두
기를 불한불열(不寒不熱)혼 듸 두고 춘츄(春秋)는 한듸 두어 그늘너라.

3. 아소국주 <주정(酒政)>
−1말 빚이, 적게 빚으려면(小釀)

> 술 재료 : 밑술 : 멥쌀 5되(주발), 섬누룩가루 5홉, 밀가루 5홉, 물 1말(주발)
> 덧술 : 멥쌀 2되 5홉(주발), 찹쌀 2되 5홉

술 빚는 법 :

* 밑술 :

1. 한 제(쌀 1말이고 반 제는 5되이다.) 하고자 하면, 우선 주발 한 개를 사용하
   여 쌀 1말에 대하여 물 1말을 길어다 술독에 붓는다.
2. 밀가루 5홉과 누룩가루(섬누룩) 5홉을 고루 섞어 물누룩을 만들어놓는다.
3. 물누룩을 만들어놓은 지 3일 후에 중간체를 사용하여 물누룩을 걸러서 찌

꺼기를 제거한 누룩물을 만들어놓는다.

4. 멥쌀 5되를 깨끗이 도정하여 (백세하여 물에 담가 불렸다가, 다시 씻어 헹궈 건져서 물기를 뺀 후) 작말한다.

5. 쌀가루를 시루에 안쳐서 흰무리떡을 되게 찐 다음, 뜨거울 때 덩어리를 쪼개서 누룩물에 합하고, (덩어리를 남지 않게 하여) 술밑을 빚는다.

6. 술밑을 술독에 담아 안치고, 예의 방법대로 하여 바람이 없고 얼지도 않을 찬 곳에 두고 발효시켜서 술밑이 맑게 익기를 기다린다.

* 덧술 :

1. 매우 깨끗하게 찧어 도정을 많이 한 멥쌀 2되 5홉과 찹쌀 2되 5홉을 각각 물에 씻어 (백세하여 물에 담가 불렸다가, 다시 씻어 헹궈서) 각각 시루에 안쳐서 고두밥을 짓는다.

2. 고두밥이 익었으면 퍼내어 (한 김 나게 식혀) 뜨거울 때 밑술에 합하되, 밑술을 반으로 나누어 각각 버무려서 술밑을 빚는다.

3. 술독에 멥쌀고두밥으로 버무린 술밑을 담아 안치고, 그 위에 찹쌀고두밥으로 버무린 술밑을 담아 안친다.

4. 술독은 예의 방법대로 하여 바람이 없고 얼지도 않을 찬 곳에 두고 발효시킨다.

5. 고두밥이 떠오르면 마시는데, 술이 다 익으면 그 맛과 형태가 매우 아름답다.

* 주방문에 "여름이 지난 후에 빚는 것이 마땅하다. 추위가 풀리기 전 이른 봄에 빚는 것도 가능하다. 술독은 찬 곳에 두되, 바람이 들지 않고 얼지 않을 곳에 두어 익으면 중춘에도 빚을 수 있다(往夏之酒宜 可以孟春釀之 而置甕於冷 而不風不凍之處 亦成以仲春釀之)."고 하여 술 빚는 시기에 대해 언급하였다. 또 소량으로 빚는 '소곡주'라는 의미로 "이름하여 '아들소곡주'라 한다(而名曰兒小麴酒)."고 하였다.

* <주식방문>에도 '두견주'를 소량으로 빚는 '아들두견주'가 등장한다.

小麴酒

小釀 一斗水與麴分數一劑 而量減凡 往夏之酒宜 可以孟春釀之 而置甕於冷
而不風不凍之處 亦成以仲春釀之. 而名曰兒小麴酒. (白米粘米如欲相半 當以
各甑蒸之 而蒸時給水 使饋不太剛乾而 出先投 白米饋於甕 次投粘米饋.)

아황주

스토리텔링 및 술 빚는 법

　알에서 갓 깨어난 거위 새끼는 노란 병아리처럼 깃털이 노랗다. '아황주(鵝黃酒)'는 "술 빛깔이 거위 새끼처럼 노랗다."고 하여 주품명을 붙이게 되었다.

　그런데 왜 하필이면 술 이름을 노란 병아리가 아닌 거위 새끼에 비유하게 되었을까? 노란 병아리와 거위 새끼를 비교해 볼 수 있는 기회가 없었던 필자로서는 노란 병아리 색깔은 누구라도 연상할 수 있지만 거위 새끼는 이미지가 잘 떠오르지 않았다.

　'아황주'에 대한 기록은 1450년에 출간된 <산가요록(山家要錄)>에 두 가지 주방문이 수록된 것을 시작으로, 1560년대 <수운잡방(需雲雜方)>, 1800년대 중엽 <역주방문(曆酒方文)>, 연대 미상의 한글 붓글씨본 <언서주찬방(諺書酒饌方)>에도 주방문이 수록되어 있다. 이것으로 미뤄볼 때 조선 초기에서 중기 이후까지 널리 빚어졌던 술임을 알 수 있으나, 이후 문헌이나 다른 기록에서는 찾아볼 수 없다는 점에서 안타까움이 남는다.

　다만 고려시대 대표적인 시인(詩人)이자 문장가이며, <동국이상국집(東國李相

國集)>, <국순전(麴醇傳)>으로 잘 알려진 이규보(李奎報, 1168~1241년)의 시(詩)에 '아황주'가 등장한다. 추측건대 '아황주'는 고려시대에 이미 반가의 가양주로, 사대부들과 시인묵객들 사이에서는 완상(玩賞)의 대상으로 자리 잡은 만큼 그 맛과 향기가 좋았을 것으로 생각된다.

'아황주'는 이양주법(二釀酒法)과 삼양주법(三釀酒法)이 있다. '아황주'에 대한 최초의 기록인 <산가요록>에는 밑술에 쌀가루를 동량의 끓는 물로 익히는 반생 반숙법의 죽(범벅)을 쑤어 빚은 후, 밑술 쌀 양의 2배에 달하는 쌀로 지은 고두밥에 끓는 물을 합하고, 차게 식기를 기다렸다가 누룩과 함께 밑술에 버무려서 빚는 전형적인 이양주법의 주방문을 보여주고 있다.

'별법(別法) 아황주'는 밑술에 쌀가루와 물을 섞어서 끓인 죽을 사용하고, 덧술은 고두밥을 단독으로 사용하여 빚는다. 이때 밑술의 쌀 양보다 덧술의 쌀 양이 50% 정도에 그친다는 점에서 본법과는 차이가 많다. 이 방법은 밑술의 맛이 싱겁고 밋밋하므로, 단맛을 부여하기 위한 주방문으로 여겨진다.

<산가요록>과 동일한 시대의 기록으로 추측되는 <언서주찬방>의 '아황주'는 <산가요록>과 비교해 주원료의 배합비율이 매우 유사하나, 밑술을 범벅이 아닌 죽으로 사용하고, 밑술과 덧술에 각각 사용되는 물의 양에서 차이가 있다. <역주방문> '아황주'의 술 빚는 방법은 <산가요록>과 동일하나 밑술과 덧술에 사용되는 쌀의 양이 동일하다는 점에서 <산가요록>과 차이가 있다.

끝으로 <수운잡방>의 '아황주'는 삼양주법이라는 점에서 <산가요록>을 비롯하여 <언서주찬방>이나 <역주방문>과는 차별화된다. 특히 밑술과 덧술, 2차 덧술에 이르기까지 세 차례에 걸쳐 죽을 쑤어 술을 빚는다는 점에서 매우 이채롭다고 할 수 있다.

또한 <수운잡방>의 '아황주'는 밑술에 멥쌀과 찹쌀을 섞어서 사용하고, 누룩은 밑술과 덧술에 두 차례 사용되며, 전체 쌀 양의 14.2%에 이른다. 이는 이양주법의 <산가요록>이 각각 10%, 6.6%, <언서주찬방>이 10%, <역주방문>이 13.3%의 누룩 사용비율보다 높은 편에 속한다.

이렇듯 문헌마다의 누룩 사용비율에 주목하는 까닭은 '아황주'라고 하는 주품명의 유래가 누룩의 사용비율과 밀접한 관련이 있다는 사실 때문이다.

주지하다시피 우리나라 술이 중국의 '황주(黃酒)'나 일본의 '사케'와 차별화되는 것은, 바로 밀로 빚어서 자연 상태에서 띄운 고유의 누룩 때문이다.

전통 누룩은 황곡균을 최상의 누룩으로 간주하는 만큼 '황주'나 '사케'와는 차별되는 색깔과 향취를 간직하는데, 누룩의 사용량이 많아질수록 누룩의 색깔이 진하게 배어나는 특성이 있다. 일반적으로 쌀 양에 비해 물 양이 많고, 누룩의 사용량이 쌀 양의 10%를 넘게 되면 노란빛을 띠기 때문이다.

또한 쌀 양에 비해 물의 양을 적게 사용하면, 상대적으로 약간 푸르스름한 빛깔을 나타내는데, '아황주'의 경우 <산가요록>의 '별법 아황주'를 제외하고는 모든 문헌의 주방문에서 누룩의 사용비율이 10% 이상 사용되고 있다.

결국 '아황주'의 주품명에 담긴 비밀은 누룩의 사용비율에 있으나 이게 그리 특별한 것은 아니다. 다시 말해 절대 다수의 주방문에서 나타나는 공통적인 특징이기 때문이다.

특히 쌀 양보다 물의 양이 많이 사용되고, 누룩을 쌀 양의 10% 이상 사용함으로써 나타나는 노란빛의 술 색깔은 '아황주' 외에도 <양주집(釀酒集)>의 '사시주', '칠일주', <수운잡방>의 '벽향주', '칠두오승주', '오두오승주' 등 다른 문헌의 여러 주방문에서도 흔하게 찾아볼 수 있다.

'아황주'를 빚을 때 유의할 점은 크게 두 가지이다. 밑술의 발효가 완전히 끝난 다음에 덧술을 해야 하고, 덧술은 반드시 밀봉해 발효시켜야 한다는 점이다. 산소 공급이 원활해지면 결코 '아황주' 고유의 술 색깔을 얻을 수 없기 때문이다.

1. 아황주 <산가요록(山家要錄)>

－쌀 9말 빚이

> 술 재료 : 밑술 : 멥쌀 3말, 누룩가루 6되, 끓는 물 6말
> 덧술 : 멥쌀 6말, 누룩가루 3되, 끓는 물 4말

술 빚는 법 :

* 밑술 :

1. 멥쌀 3말을 (백세하여) 물에 담가 불렸다가 (다시 씻어 건져서 물기를 뺀 후) 고운 가루로 빻는다(넓은 그릇에 담아놓는다).

2. 솥에 물 6말을 끓여 쌀가루에 붓고, 주걱으로 고루 개어 죽(범벅)을 쑨 다음, 차게 식기를 기다린다.

3. 죽(범벅)에 누룩가루 6되를 섞고, 고루 버무려 술밑을 빚는다.

4. 술밑을 술독에 담아 안치고, 예의 방법대로 하여 발효시키고 익기를 기다린다.

* 덧술 :

1. 멥쌀 6말을 (백세하여) 물에 담가 불렸다가 (다시 씻어 건져서 물기를 뺀 후) 시루에 안쳐서 고두밥을 짓는다.

2. 솥에 물 4말을 끓이다가 고두밥이 익었으면 넓은 그릇에 퍼 담고, 끓는 물 4말을 고두밥에 붓고 주걱으로 고루 헤쳐 놓는다.

3. 고두밥이 물을 다 빨아들였으면, (그릇 여러 개에 나눠 담고) 차게 식기를 기다린다.

4. 고두밥에 누룩가루 3되와 밑술을 한데 섞고, 고루 버무려 술밑을 빚는다.

5. 술밑을 술독에 담아 안치고, 예의 방법대로 하여 발효시키고 익기를 기다린다.

雅黃酒

米九斗. 白米三斗 浸水細末 湯水六斗 和作粥 待冷 匊末六升 和入瓮 待熟. 白米六斗 浸水全蒸 湯水四斗 洒之 待冷 匊末三升 和本酒納瓮 待熟用之.

2. 아황주 우법 <산가요록(山家要錄)>

−쌀 3말 빚이

> 술 재료 : 밑술 : 멥쌀 2말, 누룩가루 1되, 물 1말
>
>   덧술 : 찹쌀 1말

술 빚는 법 :

* 밑술 :

1. 멥쌀 2말을 (백세하여) 물에 담가 하룻밤 불렸다가 (다시 씻어 건져서 물기를 뺀 후) 고운 가루로 빻는다(넓은 그릇에 담아놓는다).
2. 솥에 물 1말을 끓이다가 물이 따뜻해지면 1말 정도를 떠서 쌀가루에 붓고, 주걱으로 고루 개어 아이죽을 만들어놓는다.
3. 솥의 나머지 물이 끓으면 아이죽을 한데 합하고, 주걱으로 천천히 저어주면서 팔팔 끓여 죽을 쑨 후 차게 식기를 기다린다.
4. 죽에 누룩가루 1되를 섞고, 고루 버무려 술밑을 빚는다.
5. 술밑을 술독에 담아 안치고, 예의 방법대로 하여 겨울철이면 7일, 여름철은 3일, 봄가을은 5일간 발효시킨다.

* 덧술 :

1. 찹쌀 1말을 (백세하여 물에 담가 하룻밤 불렸다가, 다시 씻어 건져서 물기를 뺀 후) 시루에 안쳐서 고두밥을 짓는다.
2. 고두밥이 무르게 익었으면, 시루에서 퍼내고 고루 펼쳐서 차게 식기를 기다린다.
3. 고두밥에 밑술을 쏟아 붓고, 고루 버무려 술밑을 빚는다.
4. 술독에 술밑을 담아 안치고, 예의 방법대로 하여 7일간 발효시킨다.

* '아황주 우법'은 밑술 쌀 양보다 덧술의 쌀 양이 적게 사용되는 경우로 매우

드물다. 술이 싱겁고 밋밋하므로 단맛을 부여하기 위한 주방문으로 여겨진다.

雅黃酒 又法

白米二豆 浸水經宿細末 水一斗 作粥 待冷 匊末一升 入瓮. 冬七 春秋五 夏三 粘米一斗 熟蒸待冷 和前酒入瓮 經七日後 開用.

3. 아황주 <수운잡방(需雲雜方)>

> 술 재료 : 밑술 : 멥쌀 1말 5되, 찹쌀 1말 5되, 누룩 1말, 탕수 4말
>
> 덧술 : 멥쌀 4말, 누룩 5되, 탕수 5말
>
> 2차 덧술 : 멥쌀 5말, 탕수 6말

술 빚는 법 :

* 밑술 :

1. 멥쌀 1말 5되와 찹쌀 1말 5되를 각각 백세하여 (물에 담가 불렸다가, 다시 깨끗이 씻어 건져서) 세말하여(고운 가루로 빻아) 넓은 그릇에 담아둔다.
2. 물솥에 물 4말을 붓고 팔팔 끓여 쌀가루에 골고루 붓고, 주걱으로 고루 개어 죽(범벅)을 쑨 다음, (그릇 여러 개에 나눠 담고) 차게 식기를 기다린다.
3. 죽(범벅)에 누룩 1말을 합하고, 고루 버무려 술밑을 빚는다.
4. 술밑을 술독에 담아 안치고, 예의 방법대로 하여 7일간 발효시킨다.

* 덧술 :

1. 멥쌀 4말을 백세하여 (물에 담가 불렸다, 다시 깨끗이 씻어 건져) 세말한다.
2. 물솥에 물 5말을 붓고, 팔팔 끓을 때 쌀가루에 골고루 붓고 주걱으로 고루 개어 죽(범벅)을 쑨 뒤, (넓은 그릇 여러 개에 나눠 담고) 차게 식기를 기다린다.

3. 죽(범벅)에 밑술과 누룩 5되를 합하고, 고루 버무려 술밑을 빚는다.

4. 술밑을 술독에 담아 안치고, 예의 방법대로 하여 7일간 발효시킨다.

* 2차 덧술 :

1. 멥쌀 5말을 백세하여 (물에 담가 불렸다가, 다시 깨끗이 씻어 건져서) 세말
   하여(고운 가루로 빻아) 넓은 그릇에 담아둔다.

2. 물솥에 물 6말을 붓고 팔팔 끓을 때 쌀가루에 골고루 부어 주걱으로 고루
   개어 죽(범벅)을 쑨 다음, (넓은 그릇 여러 개에 나눠 담고) 차게 식기를 기
   다린다.

3. 죽(범벅)에 덧술을 합하고, 고루 버무려 술밑을 빚는다.

4. 술밑을 술독에 담아 안치고, 예의 방법대로 발효시켜 술이 맑아지면 채주
   한다.

鵝黃酒

白米粘米各一斗五升百洗細末湯水四斗作粥待冷曲一斗和入瓮隔七日白米四
斗百洗細末湯水五斗作粥待冷曲五升和前酒入瓮又隔七日白米五斗百洗細末
湯水六斗作粥待冷出前酒無曲和入望淸用之無時節春秋極好.

4. 아황주 <언서주찬방(諺書酒饌方)>

술 재료 : 밑술 : 멥쌀 3말, 누룩가루 6되, 물 3말
　　　　　덧술 : 멥쌀 6말, 누룩가루 3되, 더운 물(6말)

술 빚는 법 :

* 밑술 :

1. 멥쌀 3말을 백세하여 (물에 담가 불렸다가, 다시 씻어 헹궈 건져서 물기를 뺀

후) 작말하여(가루로 빻아) 자배기에 담아놓는다.

2. 쌀가루를 물 3말에 고루 개어 솥에 안치고, 팔팔 끓여서 죽을 쑤어 차게 식기를 기다린다.

3. 차게 식은 죽에 누룩가루 6되를 섞고, 고루 치대어 술밑을 빚는다.

4. 술밑을 술독에 담아 안치고, 예의 방법대로 하여 발효시켜 익기를 기다린다.

* 덧술 :

1. 멥쌀 6말을 백세하여 (물에 담가 불렸다가, 다시 씻어 헹궈 건져서 물기를 뺀 후) 시루에 안쳐서 고두밥을 쪄낸다.

2. 고두밥이 익었으면 퍼내어 넓은 그릇에 담고, 더운(끓는) 물(6말)을 뿌려 고루 섞고, (고두밥이 물을 다 빨아들이면 고루 헤쳐서) 차게 식기를 기다린다.

3. 고두밥에 밑술과 누룩가루 3되를 합하고, 고루고루 버무려 술밑을 빚는다.

4. 술밑을 술독에 담아 안치고, 예의 방법대로 하여 단단히 싸매어 두었다가 익기를 기다려 채주한다.

아황쥬(鵝黃酒)―白米九斗 麴九升

빅미 서 말을 빅셰작말ᄒ고 물 서 말로 죽 수어 식거든 누록ᄀᄅ 엿 되를 섯거 녀허 니근 후에 빅미 연 말을 빅셰ᄒ야 ᄇᆞᆨ거든 닉게 ᄧ고 더운 믈로 ᄲᅳ려 식거든 누록ᄀᄅ 서 되를 섯거 전술의 버므려 단ᇰ이 ᄡᅡᄆᆡ야 둣다가 닉거든 쓰라.

5. 아황주방 <역주방문(曆酒方文)>

> 술 재료 : 밑술 : 멥쌀 3말, 누룩가루 5되, 물 3말
> 덧술 : 멥쌀 3말, 누룩가루 3되, 끓는 물(3말)

술 빚는 법 :

* 밑술 :
  1. 멥쌀 3말을 물에 백 번 씻어 매우 깨끗하게 헹군 뒤, 새 물에 담가 불렸다가 다시 씻어 말갛게 헹궈서 물기를 뺀 뒤 가루로 빻는다.
  2. 솥에 물 3말을 (끓여) 쌀가루에 골고루 붓고, 주걱으로 헤쳐서 멍울을 풀어 범벅을 쑨다.
  3. (범벅을 그릇 여러 개에 퍼서 차게 식기를 기다린다.)
  4. 죽에 누룩가루 5되를 한데 합하고, 고루 버무려서 술밑을 빚는다.
  5. 술밑을 술독에 담아 안치고, 술독 주둥이에 묻은 것을 깨끗하게 씻어내고 베보자기를 씌운 다음, 뚜껑을 덮어 (3~4일간) 발효시켜 익기를 기다린다.

* 덧술 :
  1. 멥쌀 3말을 물에 백 번 씻어 매우 깨끗하게 헹군 뒤, 새 물에 담가 불렸다가 다시 씻어 말갛게 헹궈서 물기를 뺀다.
  2. 불린 쌀을 시루에 안쳐서 무른 고두밥을 짓고, 물 (3말)을 팔팔 끓여 쪄낸 고두밥에 골고루 뿌려서 헤쳐 놓는다.
  3. 고두밥이 물을 다 먹고 진밥이 되었으면, 차게 식기를 기다린다.
  4. 진밥에 누룩가루 3되와 밑술을 쏟아 붓고, 고루 버무려 술밑을 빚는다.
  5. 술독에 술밑을 담아 안치고, (술독 주둥이에 묻은 것을 깨끗하게 씻어낸 후 베보자기와 뚜껑을 덮은 다음) 단단히 싸매서 발효시키는데, 익는 대로 채주한다.

鵝黃酒方

白米三斗百洗作末以三斗水和勻作粥以曲末五升釀熟後更以白米三斗浸水極潤濃作飯以熟水洒勻候冷以曲末三升和合釀於上酒本堅(褁)待熟用.

약산춘

스토리텔링 및 술 빚는 법

'약산춘(藥山春)'은 <감저종식법(甘藷種植法)>을 비롯해 <고사신서(攷事新書)>, <고사십이집(攷事十二集)>, <고사촬요(故事撮要)>, <농정회요(農政會要)>, <산림경제(山林經濟)>, <산림경제촬요(山林經濟撮要)>, <술방>, <음식디미방>, <임원십육지(林園十六志)>, <주찬(酒饌)>, <증보산림경제(增補山林經濟)>, <치생요람(治生要覽)>, <학음잡록(鶴陰雜錄)>, <해동농서(海東農書)> 등 15종의 문헌에 25차례나 등장한다.

그리고 <감저종식법>을 비롯하여 <고사신서>, <고사십이집>, <농정회요>, <산림경제>, <술방>, <임원십육지>, <증보산림경제>, <치생요람>, <해동농서>에는 대략 두 가지 주방문이 수록되어 있다.

'약산춘'이 처음 등장하는 문헌은 <고사촬요>로, 아홉 번째 판본은 1674년(현종 15년)에 간행된 무인자본(戊申字本)이다. <고사촬요>의 주방문을 보면, "이른 봄 정월의 첫 해일(亥日)에 흰쌀 5되를 깨끗하게 씻어 물에 담근다. 거친 누룩가루 5되를 물 5병에 담가둔다. 다음날 쌀을 가루 내어 쪄서 익혀 떡을 만든다.

물에 담근 누룩을 체에 밭쳐 찌끼를 버리고 새로 길은 물 10병에다 섞어 항아리에 넣는다. 동쪽으로 뻗은 복숭아나무 가지를 취하여 2, 3번 가로지르고 기름먹인 종이로 단단하게 봉하되, 또 베보자기로 봉하여 대청마루에 둔다. 거품이 뜨면 매일매일 걷어서 버린다. 2월 그믐쯤 쌀 5말을 전과 같이 정결하게 씻고 쪄서 밥을 만들어 첨가해 넣고, 봄이 되기를 기다린다. 이어 여름에 술 위에 개미 같은 것이 뜨고, 색이 짙고 맛이 매우 진해 톡 쏘는 맛이 있다. 쓸 때에도 물기가 들어가지 않게 한다. 이것은 10말을 빚는 경우로, 많고 적은 것은 이것을 대중해서 한다."고 하였다.

그런데 <고사촬요>보다 40여 년 후 기록인 <산림경제>의 '약산춘' 주방문을 보면, "정월 첫 해일(上亥日)에 흰쌀 5말을 깨끗이 씻어 물에 담그고, 굵게 찧은 좋은 누룩 5되를 물 5병에 담가놓는다. 이튿날 쌀을 빻아 쪄서 떡을 만들고, 물에 담근 누룩을 체로 밭쳐 찌꺼기를 버리고, 새로 길어 온 물과 거른 물을 합쳐 20병쯤 되게 하여 찐 떡이 식기 전에 버무려 독에 넣고, 동쪽으로 향한 버들가지를 꺾어다 술밑을 휘젓는다. 유지와 베보자기로 두세 겹 덮어 헛간(虛廳)에 둔다. 여러 날 되면 혹 거품이 뜨는 수가 있으니, 번번이 제거한다. 2월 그믐께 쌀 5말을 전처럼 깨끗이 씻어 쪄서 더 넣는다."고 하였다.

<고사촬요>의 주방문과 비교하면 밑술에 사용되는 쌀 양과 물의 양에서 차이가 있을 뿐, 술을 빚는 방법이나 과정은 동일하다는 것을 알 수 있다.

결국 <산림경제>의 '약산춘' 주방문은 <고사촬요>의 영향을 받았다고 볼 수 있으며, 이러한 주방문의 변화는 <감저종식법>을 비롯해 <고사신서>, <고사십이집>, <고사촬요>, <농정회요>, <산림경제>, <산림경제촬요>, <술방>, <음식디미방>, <임원십육지>, <주찬>, <증보산림경제>, <치생요람>, <학음잡록>, <해동농서> 등에도 그대로 수용되고 있음을 알 수 있다.

또한 <산림경제>에는 '약산춘 일방(一方)'이라는 주방문도 볼 수 있다. "쌀 1말에 누룩 3홉, 밀가루 3홉에 물 2병 반을 넣는다. 맛 좋은 술을 빚으려면 혹 3병을 섞어도 좋다. 10말을 담그려면 4말로 밑(本)을 만들고 6말로 첨가하는데, 첨가하는 쌀은 물에 담갔다가 이내 건져 물을 더 가하지 말고 그대로 쪄서 시루 안에 둔 채, 뜨거운 김이 조금 나가거든 바로 술밑이 있는 독에 넣어 동으로 향한 복숭아 가지로 술밑과 한데 섞어 힘껏 젓는다. 나머지는 모두 이상의 것과 같다.”고 하였다.

이와 같은 주방문은 <감저종식법>, <고사신서>, <농정회요>, <산림경제>, <술방>, <임원십육지>, <증보산림경제>, <치생요람>, <해동농서> 등에도 ‘약산춘 일방’, ‘약산춘 우방(又方)’, ‘약산춘 별법(別法)’, ‘약산춘 일운(一云)’, ‘약산춘 우일방(又一方)’ 등으로 수록되어 있다.

‘약산춘 일방’을 본방(本方)인 ‘약산춘’ 주방문과 비교해 보면, 밑술에 사용되는 누룩과 쌀의 양은 줄어들었고, 물의 양은 늘어났으며, ‘밀가루’가 추가로 사용되고, 덧술의 쌀 양은 늘어났으나 술을 빚는 과정은 동일하다는 것을 알 수 있다.

따라서 ‘약산춘’은 크게 두 가지 주방문을 중심으로 계승 발전되어 왔음을 추측할 수 있다. 본법 ‘약산춘’보다 ‘약산춘 일방’의 술 빚는 법이 더 까다롭고 힘들지만, 주질은 한층 뛰어나다는 사실을 확인할 수 있다.

그리고 대부분의 문헌에서 ‘약산춘’ 주방문 말미에 “봄이 가고 여름이 될 무렵, 하얀 개미(白蟻, 술에 동동 뜬 하얀 밥알)가 뜨고 노란 빛이 나면 쓴다. 맛이 매우 향긋하고 콕 쏜다. 술을 뜰 때 절대로 날물기가 들어가지 않게 해야 한다. 이 방문은 10말을 빚는 방법이니 빚을 어림에 따라 이것으로 어림잡아 하면 된다. 정월 첫 해일에 날씨가 따뜻하거든 떡과 밥을 식혀 독에 넣는다. 혹 날씨가 차면 해일(亥日)을 넘겨서 빚더라도 상관없다. 다만, 첨가할 때에 이날 불린 것을 헤아려야 한다. 오래 쓰게 하려면, 맑게 가라앉은(倒淸) 것을 사기 항아리에 담아 볕 안 드는 곳에 묻어두면 여름 석 달을 나더라도 맛이 변치 않는다.”고 하였다. 이는 <고사촬요>에서 제시한 방법이라는 점에서 <고사촬요>의 인용설을 뒷받침한다.

이상 여러 문헌을 통해 ‘약산춘’의 출처와 양주법의 변화과정을 살펴봄으로써 알게 된 사실은 다음과 같다.

‘약산춘’은 정월 첫 해일(上亥日)에 술을 빚기 시작하고, 2월 그믐께 덧술을 하여 봄이 되기를 기다렸다가, 여름에 접어들어 술 위에 개미 같은 것이 뜨면 채주하여 마시는 것으로 되어 있어, 덧술 간격이 대략 한 달 이상(40~50일) 정도이고, 덧술의 발효기간은 두 달(60일) 이상인 저온 장기발효주라는 것이다.

‘약산춘’은 서울을 대표하는 명주로 알려져 왔다. ‘약산춘’이라는 주품명에 얽힌 유래는 <고사십이집>을 비롯해 <고사신서>, <임원십육지>의 '약산춘방(藥山春方)'에 "卽 徐忠肅公 渚所造公家于藥峴 故名 藥山春(서충숙공 가문의 가양주인데 공의 집이 약현에 있었으므로 '약산춘'으로 고쳐 부르게 되었다)."고 한 기록을 근거로 들고 있다.

그런데 한 가지 의문점이 사라지질 않는다. 약현(藥峴)이라는 지명(地名)으로 인해 '약산춘'으로 고쳐 부르게 되었다는 사실과 관련해 '약산춘' 이전의 주품명이 무엇이었을까 하는 궁금증이다.

이 궁금증을 해소할 수 있는 기록이 전라도 지방의 한 반가(班家)의 여인에 의해 저술된 것으로 밝혀진 1837년간(1800년대 말이라는 주장도 있다.) 한글 붓글씨본 <양주방>*이다.

<양주방>*에 수록된 '소곡주 또 한 방문'에 "덧술한 지 한 달 후에 술이 익어서 개미가 담뿍 뜨고 국이 뽀얗거든, 그대로 두었다가 개미가 가라앉았다 다시 뜨거든 쓰기 시작하여라. 일명 '약산춘(藥山春)'이라고 하며, 이 방법으로 빚어 방에 놓아 예사로 익혀도 좋고, 술밑이 달 때에 덧술을 하면 술맛이 약간 싱겁고, 매운 뒤에 덧술하면 더 준하다."고 하여, '약산춘'의 주방문이 '소곡주'에서 파생된 술이라는 사실을 확인할 수 있다.

<양주방>*의 '소곡주 또 한 방문'은 섬누룩 2되, 진말 1되, 끓여 식힌 물 2말로 수곡을 만들어두었다가, 멥쌀 2말을 백세작말하여 백설기를 쪄서 뜨거울 때 수곡과 섞어 밑술을 빚은 후, 멥쌀 2말로 고두밥을 지어 따뜻할 때 밑술독에 넣고 휘저어 발효시키는 과정을 거쳐 이루어지는 주방문이다. 주원료의 양이 줄었고 밀가루가 사용된 것을 제외하면, 배합비율이나 양주과정이 1716년간 <산림경제>의 '약산춘'과 동일하다는 것을 알 수 있다.

또한 '약산춘'이 1674년간 <고사촬요>에 처음 등장하는 것과는 달리, '소곡주(少麴酒)'의 등장 시기는 '약산춘'보다 훨씬 앞선 1450년대 간행된 <산가요록>이라는 사실에서 '약산춘'이 '소곡주'의 이명(異名) 또는 별칭(別稱)이라는 추측을 할 수 있다.

이러한 추측의 또 다른 근거로 <김승지댁주방문>과 <농정회요>, <산림경제촬요>, <임원십육지>, <음식디미방>, <증보산림경제>의 '소곡주 속법(少麴酒

俗法)', <민천집설(民天集說)>의 '소국주(小麴酒)-4말 빚이', <술 빚는 법>의 '소국주방문' <양주방>*과 <우음제방(禹飮諸方)>, <한국민속대관(韓國民俗大觀)>의 '소곡주', <역주방문(曆酒方文)>의 '소곡주방(小曲酒方)'이 '약산춘' 주방문과 동일한 양주방법을 나타내고 있음을 확인할 수 있다.

이처럼 '소곡주'가 '약산춘'으로 불리게 된 배경을 찾음으로써, '약산춘'의 의미와 특징을 제대로 이해할 수 있을 것으로 생각된다.

한편, <임원십육지>의 '동파주방(東坡酒方)' 주방문에는 "밑술은 매우 맵고 약간은 쓰다가 덧술을 3번 하면 고르게 된다. 떡은 맹렬하고 누룩은 온화하니 넣은 것은 반드시 자주 맛을 보면서 더하고 빼는데 먹어보아 기준을 삼는다."고 하고, "술이 되고 나서 3일 만에 넣어서 9일 동안 3번 넣으니 모두 15일 뒤에 정해진다. 정해지고 나서 1말의 물을 붓는데, 반드시 끓여서 식힌 물을 붓는다. 빚는 것과 넣은 것은 반드시 차게 하여 넣는데, 이것은 염주(炎州)에서 시행되는 주령(酒令)이다. 물을 부은 지 5일이 되면 술을 걸러서 3말 반을 얻는데, 이것이 나(東坡, 곧 동파주경의 저자)의 술 빚는 법이다."고 하였다.

하지만 이효지 등의 <임원십육지> '정조지(鼎俎志)' 번역본에는 "물을 부은 지 5일이 되면 술을 걸러서 3말 반을 얻는데, '이것이 서충숙공의 술을 빚는 법'이다."고 하여 오역된 것을 볼 수 있다.

왜냐하면 <임원십육지>에 수록된 "동파주방이 서충숙의 술을 빚는 법이다."고 한다면, <김승지댁주방문>과 <농정회요>, <산림경제촬요>, <임원십육지>, <음식디미방>, <증보산림경제>의 '소곡주 속법', <민천집설>의 '소국주', <술 빚는 법>의 '소국주방문', <양주방>*과 <우음제방>, <한국민속대관>의 '소곡주', <역주방문>의 '소곡주방'이 '약산춘' 주방문과 동일한 양주방법을 나타내고 있다는 사실을 어떻게 이해해야 할지 모르겠기 때문이다.

그런데 우연하게도 '약산춘'이라는 주품명에 얽힌 유래를 언급하고 있는 <고사신서>를 비롯해 <고사십이집>, <임원십육지>의 저자가 서명응과 서유구로 한 가계(家系)라는 점에서 <고사신서>에 이르러 갑자기 '약산춘'의 유래에 대해 언급하고 있다는 점에서 의문이 생긴다.

서성(徐省, 1588~1631)은 서명응(1716~1787년)의 선조로, 앞선 시대의 인 물이기 때문에 서성의 어머니 이씨가 빚었다는 '약산춘'은 이미 존재했을 터이고, 서명응과 서호수, 서유구 등이 <고사촬요>의 증보 작업에 참여했음에도 <고사촬요>에는 전혀 언급하지 않다가, 서명응의 저술인 <고사신서>와 서유구(1764~1845)의 <임원십육지>에 이르러 갑자기 '약산춘'의 유래를 언급하게 된 배경이 적이 의문스럽다는 것이다.

특히 '약산춘'이 처음 등장하는 기록이 1674년간 <고사촬요>인데, <고사촬요>에서는 서충숙공 가문과의 연계에 대한 언급이 전혀 없다는 사실이 이에 대한 의구심을 더욱 증폭시킨다.

<고사촬요> 이후에 간행된 대부분의 문헌들에서 <고사촬요>를 인용한 것과는 달리, <고사십이집>을 비롯해 <고사신서>, <임원십육지>의 '약산춘' 주방문이 <고사촬요>와 동일한데도 '약산춘'의 출전에 대한 언급은 전혀 없으면서 '약산춘'의 유래에 대해서는 상세하게 밝혀놓은 것과는 대조적이다.

또한 <고사촬요>의 집필 기간과 출판에 따른 판각, 보급 등의 전반적인 제작 과정을 고려하면, '약산춘'은 1554년 훨씬 이전부터 세간에 알려진 주품이었다는 것을 알 수 있다. 그러니 '약산춘'이라는 주품명의 유래에 대한 의구심은 당연하다고 할 것이다.

어떻든 서울의 명주로 알려진 '약산춘'의 유래에 등장하는 서충숙공(徐忠肅公)은 서성(徐渻)을 가리키는데, 그의 호가 약봉(藥峯)이었으며, 약현(藥峴)에 살았는데, 조선 초기 명신 서거정(徐居正)의 현손 서해(1537~1559)와 청풍군수를 지낸 이고(李股)의 외동딸인 고성 이씨 사이에서 태어났다. 율곡 이이(李珥)와 송익표의 문하(門下)에서 수학(修學)하였고, 장성해서는 문과에 급제하여 6도 관찰사와 4조 판서를 지낸 명신(名臣)이 되었다.

더욱이 서성의 자식 4명은 6정승(政丞)과 3제학(提學)을 지내는 등 명문 일가를 이루었는데, 그 배경에는 서성의 모친 고성 이씨의 헌신이 깔려 있었다.

전하는 말로 고성 이씨는 청맹과니였으며, 서성의 나이 3세 되던 해 남편을 여의고 가세가 기울자, 과부로 살면서도 자식 서성의 교육을 위해 경상도 안동에서 올라와 서울 중림동(약현, 藥峴)에 집을 짓고 술과 약과를 빚어 자식의 뒷바라지를 했다고 한다. 술과 약과 맛이 좋아 장안의 유명세를 얻게 되면서, 고성 이씨가 빚은 술이 '약산춘'이라는 이름으로 불리게 된 것이라 한다.

한편, 술과 약과를 만들어 자식을 뒷바라지해서 명신으로 만든 고성 이씨는 후일 신사임당(1504~1551), 장계향(1598~1690)과 더불어 '조선 3대 현모'로 추앙 받기에 이른다.

고성 이씨가 빚었다는 '약산춘'은 음력 정월에 빚는 술이자, 쌀 양에 비해 누룩의 양이 3~5%밖에 사용되지 않은 데다, 밑술의 발효기간이 40~50일에 이르고, 덧술의 발효기간은 두 달(60일) 이상인 저온 장기발효주라는 점에서 '약산춘'의 양주과정이 얼마나 까다롭고 힘든지를 짐작할 수 있을 것이다.

특히 '약산춘'처럼 밑술을 백설기(흰무리떡)를 만들어 사용하고, 3~5%밖에 되지 않는 적은 양의 누룩을 사용하여 40~50일에 걸쳐 발효시키는 장기발효주는 극히 드물다는 점에서 '약산춘'이 조선의 서울을 대표하는 명주(名酒)로 자리 잡게 되었을 것이고, '소곡주'나 '동파주방'을 뛰어넘어 춘주(春酒)의 반열에 오르는 영광을 차지하게 되었을 거라 확신하기에 이른다.

1. 약산춘 <감저종식법(甘藷種植法)>

> 술 재료 : 밑술 : 멥쌀 5말, 누룩 5되, 냉수 5병, 길어온 물 15병
>   덧술 : 멥쌀 5말

술 빚는 법 :
* 밑술 :
1. 정월 첫 해일에 멥쌀 5말을 정세하여(아주 깨끗하게 씻어) 물에 담가 하룻밤 불려놓는다.
2. 좋은 누룩 5되를 거칠게 빻아 냉수 5병에 넣고, 풀어서 물누룩을 만들어놓는다.
3. 다음날 불린 쌀을 (다시 씻어 말갛게 헹궈서 물기를 뺀 후) 가루로 빻아 시

루에 안쳐서 떡을 찐 다음 잘게 풀어놓는다(온기가 남게 식기를 기다린다).

4. 물누룩을 체에 걸러 찌꺼기를 제거한 누룩물을 만들고, 새로 길어온 물 15병과 섞어 20병을 준비한다.

5. 떡이 식기 전에 누룩물에 합하고, 고루 버무려 술밑을 빚는다.

6. 술밑을 술독에 담아 안치고, 동도지(東桃枝)로 휘저어 준다.

7. 술독은 예의 방법대로 하여 유지로 3겹을 싸고, 베보자기로 덮어 허청(바깥 창고, 차고 서늘한 곳)에서 발효시켜 익기를 기다린다.

8. 혹 술밑 위에 흰 거품이 뜨면 그때마다 건져내서 깨끗하게 제거한다.

* 덧술 :

1. 2월 하순쯤 멥쌀 5말을 정세하여(아주 깨끗하게 씻어) 물에 담가 하룻밤 불린 다음, (다시 씻어 말갛게 헹궈서 물기를 뺀 후) 시루에 안쳐서 고두밥을 짓는다.

2. 고두밥이 익었으면 퍼낸다(고루 펼쳐서 차게 식기를 기다린다).

3. 고두밥이 식기 전에 밑술을 합하고, 고루 버무려 술밑을 빚는다.

4. 술밑을 술독에 담아 안치고, 예의 방법대로 하여 유지로 3겹을 싼 후 베보자기로 덮어 허청(차고 서늘한 곳)에서 발효시켜 익기를 기다린다.

5. 봄이 가고 여름이 될 무렵, 하얀 개미(白蟻, 술에 동동 뜬 하얀 밥알)가 뜨고 노란 빛이 나면 쓴다.

* 주방문 말미에 "술맛이 깊고 강한 매운맛이 돌면 익은 것이니, 구기로 떠낼 때 날물이 들어가지 않도록 한다. 이 방문은 10말을 빚는 법이나, 많이 빚고자 하거나 적게 빚고자 하려면 이 비율에 따라 하라."고 하였다. 또 주방문 말미에 "정월 첫 해일에 날씨가 따뜻하거든 떡과 밥을 식혀 독에 넣는다. 혹 날씨가 차면 해일(亥日)을 넘겨서 빚더라도 상관없다. 다만 첨가할 때에 밑술 빚는 날을 맞추어(12일 후) 한다."고 하였다.

藥山春

卽徐忠肅公渚所造公家于藥峴改名藥山春. 正月上亥白米五斗淨洗浸水好麴
麤擣五升以五瓶水浸之翌日作末蒸熟作餠篩浸麴法滓將前浸幷新汲水漉之合
爲二十瓶調蒸餠乘熱入瓶取東向桃枝攪之再三覆油紙布袱置虛廳日久或有
浮漚每每拯去至二月晦間五斗米如前淨洗蒸飯以添待春末夏初間蟻浮色濃後
用之味甚薰烈酌用時勿今入生水氣此乃十斗釀酒法所釀多少以此推之. 正月
上亥或暄則餠及飯候冷入甕或日寒則過亥日釀之無妨但添釀視此退日欲久用
則倒清盛入砂缸埋不見陽處則雖經三夏味不變.

2. 약산춘(일운) <감저종식법(甘藷種植法)>

> 술 재료 : 밑술 : 멥쌀 4말, 누룩 1되 2홉, 밀가루 1되 2홉, 냉수 10병
>   덧술 : 멥쌀 6말

술 빚는 법 :

* 밑술 :

1. 정월 첫 해일에 멥쌀 4말을 아주 깨끗하게 씻어 물에 담가 불린다.
2. 거칠게 빻은 누룩 1되 2홉, 밀가루 1되 2홉을 냉수 10병에 넣고, 풀어서 물
   누룩을 만들어놓는다.
3. 불린 쌀을 (다시 씻어 말갛게 헹궈서) 가루로 빻아 시루에 안쳐서 떡을 찐
   다음, 잘게 풀어놓는디(온기가 남게 식기를 기다린다).
4. 물누룩을 체에 걸러 찌꺼기를 제거한 누룩물을 만들어 준비한다.
5. 떡이 식기 전에 누룩물에 합하고, 고루 버무려 술밑을 빚어 술독에 담아 안
   치고, 동도지(東桃枝)로 휘저어 준다.
6. 술독은 예의 방법대로 하여 유지로 싸고, 베보자기로 덮어 허청(바깥창고,
   차고 서늘한 곳)에서 발효시켜 익기를 기다린다.
7. 혹 술밑 위에 흰 거품이 뜨면 그때마다 건져서 깨끗하게 제거한다.

* 덧술 :
1. 2월 하순쯤 멥쌀 6말을 아주 깨끗하게 씻어 물에 담가 불린 다음, (다시 씻어 말갛게 헹궈서 물기를 뺀 후) 시루에 안쳐서 고두밥을 짓는다.
2. 고두밥이 익었으면 시루째 떼어 뜨거운 김이 나가기를 기다렸다가, 고두밥이 따뜻할 때 밑술독에 합한다.
3. 고두밥이 따뜻할 때 동도지(東桃枝)를 이용하여 휘저어 술밑을 빚는다.
4. 술독을 예의 방법대로 3겹의 유지로 싸고, 베보자기로 덮어 발효시켜서 익기를 기다린다.
5. 봄이 가고 여름이 될 무렵 하얀 개미(白蟻)가 뜨고 노란 빛이 나면 쓴다.

* 주방문에 "쌀 1말에 누룩 3홉, 밀가루 3홉에 물 2병 반을 넣는다. 맛 좋은 술(旨酒)을 빚으려면 혹 3병을 섞어도 좋다. 10말을 담그려면 4말로 밑(本)을 만들고 6말로 첨가한다. 첨가하는 쌀은 물에 담갔다가 이내 건져 물을 더 가하지 말고, 그대로 쪄서 시루 안에 둔 채 뜨거운 김이 조금 나가거든 바로 술밑이 있는 독에 넣어 동으로 향한 복숭아나무 가지로 술밑과 한데 섞어 힘껏 젓는다. 나머지는 모두 이상의 것과 같다."고 하였다. 여기서 '약산춘'은 밑술의 쌀 양에 비해 덧술의 쌀 양이 150%로, 독특한 비율을 보이고 있으며, '동도지(東桃枝)'를 사용하여 교반해 주는 것을 볼 수 있다. 예로부터 '동도지'는 부정(不淨)을 막는 수단으로 사용해 온 관습이 있다.

藥山春(一云)

每一斗用麴三合真末三合入水二瓶半亦爲旨酒或用三瓶猶好欲十斗則以四斗爲本以六斗添釀而添釀米沈水拯出更不調水而蒸之仍置甑中待熱氣少出納酒本瓷中以東向桃枝幷酒本力攪之其餘同上.

3. 약산춘 <고사신서(攷事新書)>

－卽 徐忠肅公 消所造公家于藥峴改名 藥山春

> 술 재료 : 밑술 : 멥쌀 5말, 누룩 5되, 냉수 5병, 길어온 물 15병
>
> 덧술 : 멥쌀 5말

술 빚는 법 :

* 밑술 :

1. 정월 첫 해일에 멥쌀 5말을 아주 깨끗하게 씻어 물에 담가 불린다.
2. 좋은 누룩을 거칠게 빻아 5되를 냉수 5병에 넣고 풀어서 수곡을 만들어놓는다.
3. 다음날 불린 쌀을 (다시 씻어 말갛게 헹궈서 물기를 뺀 후) 가루로 빻아 시루에 안쳐서 떡을 찐 다음 잘게 풀어서 놓는다(온기가 남게 식기를 기다린다).
4. 수곡을 체에 걸러 찌꺼기를 제거한 누룩물을 만들고, 새로 길어온 물 15병과 섞어 20병을 만들어 준비한다.
5. 떡이 식기 전에 누룩물에 합하고, 멍울 없이 고루 버무려 술밑을 빚는다.
6. 술밑을 술독에 담아 안치고, 동도지(東桃枝)로 휘저어 준다.
7. 술독은 예의 방법대로 하여 유지로 3겹을 싸고, 베보자기로 덮어 허청(바깥 창고, 차고 서늘한 곳)에서 발효시켜 익기를 기다린다.
8. 혹 술밑 위에 흰 거품이 뜨면 그때마다 건져서 제거한다.

* 덧술 :

1. 2월 그믐쯤 멥쌀 5말을 아주 깨끗하게 씻어 물에 담가 불린 다음, (다시 씻어 말갛게 헹궈서 물기를 뺀 후) 시루에 안쳐서 고두밥을 짓는다.
2. 고두밥이 익었으면 퍼낸다(고루 펼쳐서 차게 식기를 기다린다).
3. 고두밥이 온전히 식기 전에 밑술을 합하고, 고루 버무려 술밑을 빚는다.

4. 술밑을 술독에 담아 안치고, 예의 방법대로 하여 유지로 싸고 베보자기로 덮어 허청(차고 서늘한 곳)에서 발효시켜 익기를 기다린다.

5. 봄 하순이나 여름 초순이 될 무렵 하얀 개미(白蟻, 술에 동동 뜬 하얀 밥알)가 뜨고 농익어 노란 빛이 나면 쓴다.

* 또 주방문 말미에 "정월 첫 해일에 날씨가 따뜻하거든 떡과 밥을 식혀 독에 넣는다. 혹 날씨가 차면 해일(亥日)을 넘겨서 빚더라도 상관없다. 다만 첨가할 때에 밑술 빚는 날을 맞추어(12일 후) 한다."고 하였다.

藥山春

卽徐忠肅公渚所造公家于藥峴改名藥山春. 正月上亥白米五斗淨洗浸水好麴麤擣五升以五瓶水浸之翌日作末蒸熟作餠篩浸麴法滓將前浸幷新汲水漉之合爲二十瓶調蒸餠乘熱入瓶取東向桃枝攪之再三覆油紙布袱置虛廳日久或有浮漚每每拯去至二月晦間五斗米如前淨洗蒸飯以添待春末夏初間蟻浮色濃後用之味甚薰烈酌用時勿今入生水氣此乃十斗釀酒法所釀多少以此推之. 正月上亥或日暄則餠及飯候冷入甕. 或日寒則過亥日釀之無妨但添釀視此退日欲久用則倒淸盛入砂缸埋不見陽處則雖經三夏味不變.

4. 약산춘(일운) <고사신서(攷事新書)>

> 술 재료 : 밑술 : 멥쌀 4말, 누룩 1되 2홉, 밀가루 1되 2홉, 냉수 2병 반~3병
> 덧술 : 멥쌀 6말

술 빚는 법 :
* 밑술 :
1. 정월 첫 해일에 멥쌀 4말을 아주 깨끗하게 씻어 물에 담가 불린다.

2. 거칠게 빻은 누룩 1되 2홉, 밀가루 1되 2홉을 냉수 10병에 넣고, 풀어서 수곡을 만들어놓는다.

3. 불린 쌀을 (다시 씻어 말갛게 헹궈서 물기를 뺀 후) 가루로 빻아 시루에 안쳐서 떡을 찐 다음 잘게 풀어놓는다(온기가 남게 식기를 기다린다).

4. 수곡을 체에 걸러 찌꺼기를 제거한 누룩물을 만들어 준비한다.

5. 떡이 식기 전에 밀가루 1되 2홉과 함께 누룩물에 합하고, 고루 버무려 술밑을 빚는다.

6. 술밑을 술독에 담아 안치고, 동도지(東桃枝)로 휘저어 준다.

7. 술독은 예의 방법대로 하여 유지로 싸고, 베보자기로 덮어 허청(바깥창고, 차고 서늘한 곳)에서 발효시켜 익기를 기다린다.

8. 혹 술밑 위에 흰 거품이 뜨면 그때마다 건져서 제거한다.

* 덧술 :

1. 2월 하순쯤 멥쌀 6말을 아주 깨끗하게 씻어 물에 담가 불린 다음, (다시 씻어 말갛게 헹궈서 물기를 뺀 후) 시루에 안쳐서 고두밥을 짓는다.

2. 고두밥이 익었으면 시루째 떼어 뜨거운 김이 나가기를 기다렸다가, 고두밥이 따뜻할 때 밑술독에 합한다.

3. 고두밥이 따뜻할 때 동도지(東桃枝)를 이용하여 휘저어 술밑을 빚는다.

4. 술독을 예의 방법대로 하여 3겹의 유지로 싸고, 베보자기로 덮어 허청(차고 서늘한 곳)에서 발효시켜 익기를 기다린다.

5. 봄이 가고 여름이 될 무렵 하얀 개미(白蟻, 술에 동동 뜬 하얀 밥알)가 뜨고 노란 빛이 나면 쓴다.

藥山春(一云)

每一斗用麴三合真末三合入水 二瓶半亦爲旨酒或用三瓶猶好欲十斗則以四斗爲本以六斗添釀而添釀米沈水拯出更不調水而蒸之仍置瓴中待熱氣少出納酒本瓮中以東向桃枝幷酒本力攪之其餘. 同上.

5. 약산춘 <고사십이집(攷事十二集)>

－卽 徐忠肅公 消所造公家于藥峴改名 藥山春

> 술 재료 : 밑술 : 멥쌀 5말, 누룩 5되, 냉수 5병, 길어온 물 15병
>   덧술 : 멥쌀 5말

술 빚는 법 :

* 밑술 :

1. 정월 첫 해일에 멥쌀 5말을 아주 깨끗하게 씻어 물에 담가 불린다.
2. 좋은 누룩을 거칠게 빻아 5되를 냉수 5병에 넣고, 풀어서 수곡을 만들어놓
   는다.
3. 다음날 불린 쌀을 (다시 씻어 말갛게 헹궈서 물기를 뺀 후) 가루로 빻아 시
   루에 안쳐서 떡을 찐 다음 잘게 풀어서 놓는다(온기가 남게 식기를 기다
   린다).
4. 수곡을 체에 걸러 찌꺼기를 제거한 누룩물을 만들고, 새로 길어온 물 15병
   과 섞어 20병을 준비한다.
5. 떡이 식기 전에 누룩물에 합하고, 고루 버무려 술밑을 빚는다.
6. 술밑을 술독에 담아 안치고, 동도지(東桃枝)로 휘저어 준다.
7. 술독은 예의 방법대로 하여 유지로 3겹을 싸고, 베보자기로 덮어 허청(바깥
   창고, 차고 서늘한 곳)에서 발효시켜 익기를 기다린다.
8. 혹 술밑 위에 흰 거품이 뜨면 그때마다 건져서 제거한다.

* 덧술 :

1. 2월 그믐쯤 멥쌀 5말을 아주 깨끗하게 씻어 물에 담가 불린 다음, (다시 씻
   어 말갛게 헹궈서 물기를 뺀 후) 시루에 안쳐서 고두밥을 짓는다.
2. 고두밥이 익었으면 퍼낸다(고루 펼쳐서 차게 식기를 기다린다).
3. 고두밥이 온전히 식기 전에 밑술을 합하고, 고루 버무려 술밑을 빚는다.

4. 술밑을 술독에 담아 안치고, 예의 방법대로 하여 유지로 싸고 베보자기로 덮어 허청(차고 서늘한 곳)에서 발효시켜 익기를 기다린다.

5. 봄 하순이나 여름 초순이 될 무렵 하얀 개미(白蟻, 술에 동동 뜬 하얀 밥알)가 뜨고 농익어 노란 빛이 나면 쓴다.

* 주방문 머리에 "서충숙공 가문의 가양주인데 공의 집이 약현에 있었으므로 '약산춘'으로 고쳐 부르게 되었다."고 하였다. 주방문 말미에는 "봄이 가고 여름이 될 무렵, 하얀 개미(白蟻, 술에 동동 뜬 하얀 밥알)가 뜨고 노란 빛이 나면 쓴다. 맛이 매우 향긋하고 톡 쏜다. 술을 뜰 때 절대로 날물기가 들어가지 않게 해야 한다. 이 방문은 10말을 빚는 방법이니 빚을 어림에 따라 이것으로 어림잡아 하면 된다. 또 정월 첫 해일에 날씨가 따뜻하거든 떡과 밥을 식혀 독에 넣는다. 혹 날씨가 차면 해일(亥日)을 넘겨서 빚더라도 상관없다. 다만 첨가할 때 이날 물린 것을 헤아려야 한다. 오래 쓰게 하려면, 맑게 가라 앉은(倒淸) 것을 사기 항아리에 담아 볕 안 드는 곳에 묻어두면 여름 석 달을 나더라도 맛이 변치 않는다."고 하여 술 빚는 시기에 대해 강조하였다. <고사촬요>와 동일한 방문이다.

藥山春

卽徐忠肅公渻所造公家于藥峴改名藥山春. 正月上亥白米五斗淨洗浸水好麴
麤搗五升以五瓶水浸之翌日作末蒸熟作餠篩浸麴法滓將前浸幷新汲水漉之合
爲二十瓶調蒸餠乘熱入瓶取東向桃枝攪之再三覆油紙布裌置虛廳日久或有
浮漚每每拯去至二月晦間五斗米如前淨洗蒸飯以添待春末夏初間蟻浮色濃後
用之味甚薰烈酩用時勿今入生水氣此乃十斗釀酒法所釀多少以此推之. 正月
上亥或日暄則餠及飯候冷入甕. 或日寒則過亥日釀之無妨但添釀視此退日欲
久用則倒淸盛入砂缸埋不見陽處則雖經三夏味不變.

6. 약산춘(일운) <고사십이집(攷事十二集)>

술 재료 : 밑술 : 멥쌀 4말, 누룩 1되 2홉, 밀가루 1되 2홉, 냉수 10병
　　　　덧술 : 멥쌀 6말

술 빚는 법 :

* 밑술 :

1. 정월 첫 해일에 멥쌀 4말을 아주 깨끗하게 씻어 물에 담가 불린다.

2. 거칠게 빻은 누룩 1되 2홉, 밀가루 1되 2홉을 냉수 10병에 넣고, 풀어서 수
   곡을 만들어놓는다.

3. 불린 쌀을 (다시 씻어 말갛게 헹궈서 물기를 뺀 후) 가루로 빻아 시루에 안
   쳐서 떡을 찐 다음 잘게 풀어놓는다(온기가 남게 식기를 기다린다).

4. 수곡을 체에 걸러 찌꺼기를 제거한 누룩물을 만들어 준비한다.

5. 떡이 식기 전에 누룩물에 합하고, 고루 버무려 술밑을 빚는다.

6. 술밑을 술독에 담아 안치고, 동도지(東桃枝)로 휘저어 준다.

7. 술독은 예의 방법대로 하여 유지로 싸고, 베보자기로 덮어 허청(바깥창고.
   차고 서늘한 곳)에서 발효시켜 익기를 기다린다.

8. 혹 술밑 위에 흰 거품이 뜨면 그때마다 건져서 제거한다.

* 덧술 :

1. 2월 하순쯤 멥쌀 6말을 아주 깨끗하게 씻어 물에 담가 불린 다음, (다시 씻
   어 말갛게 헹궈서 물기를 뺀 후) 시루에 안쳐서 고두밥을 짓는다.

2. 고두밥이 익었으면 시루째 떼어 뜨거운 김이 나가기를 기다렸다가, 고두밥이
   따뜻할 때 밑술독에 합한다.

3. 고두밥이 따뜻할 때 동도지(東桃枝)를 이용하여 휘저어 술밑을 빚는다.

4. 술독을 예의 방법대로 하여 3겹의 유지로 싸고, 베보자기로 덮어 허청(차고
   서늘한 곳)에서 발효시켜 익기를 기다린다.

5. 봄이 가고 여름이 될 무렵 하얀 개미(白蟻, 술에 동동 뜬 하얀 밥알)가 뜨고 노란 빛이 나면 쓴다.

藥山春(一云)

每一斗用麴三合眞末三合入水二甁半亦爲旨酒或用三甁猶好欲十斗則以四斗爲本以六斗添釀而添釀米沈水拯出更不調水而蒸之仍置甄中待熱氣少出納酒本瓮中以東向桃枝幷酒本力攪之其餘. 同上.

7. 약산춘 <고사찰요(故事撮要)>

> 술 재료 : 밑술 : 멥쌀 5되, 누룩 5되, 냉수 5병, 길어온 물 10병
>
>   덧술 : 멥쌀 5말

술 빚는 법 :

* 밑술 :

1. 이른 정월 첫 해일에 멥쌀 5되를 아주 깨끗하게 씻어 물에 담가 불린다.
2. 거칠게 빻은 누룩가루 5되를 냉수 5병에 넣고, 풀어서 수곡을 만들어놓는다.
3. 불린 쌀을 (다시 씻어 말갛게 헹궈서 물기를 뺀 후) 가루로 빻아 시루에 안쳐서 떡을 찐 다음, 잘게 풀어놓는다(온기가 남게 식기를 기다린다).
4. 수곡을 체에 걸러 찌꺼기를 제거한 누룩물을 만들고, 새로 길어온 물 10병과 섞어 15병을 만들어 술독에 담아 안친다.
5. 술밑(떡)을 술독에 담아 안치고, 동도지(東桃枝)로 휘저어 준다(떡을 덩어리가 없게 풀어준다).
6. 술독은 예의 방법대로 하여 유지로 싸고, 베보자기로 덮어 허청(바깥창고, 차고 서늘한 곳)에서 발효시켜 익기를 기다린다.
7. 혹 술밑 위에 흰 거품이 뜨면 그때마다 건져서 제거한다.

* 덧술 :

1. 2월 하순쯤 멥쌀 5말을 아주 깨끗하게 씻어 물에 담가 불린 다음, (다시 씻어 말갛게 헹궈서 물기를 뺀 후) 시루에 안쳐서 고두밥을 짓는다.

2. 고두밥이 익었으면 퍼낸다(고루 펼쳐서 식기를 기다린다).

3. 고두밥이 차게 식기 전에 밑술을 합하고, 고루 버무려 술밑을 빚는다.

4. 술밑을 술독에 담아 안치고, 예의 방법대로 하여 유지로 싸고, 베보자기로 덮어 허청(차고 서늘한 곳)에서 발효시켜 익기를 기다린다.

5. 봄이 가고 여름이 될 무렵 하얀 개미(白蟻, 술에 동동 뜬 하얀 밥알)가 뜨고, 색이 짙어 톡 쏘는 맛이 나면 쓴다.

6. 술이 익은 후 날물을 조심하여 떠서 마신다(술 뜨는 전용 국자나 바가지를 이용한다).

* 주방문 말미에 "봄이 가고 여름이 될 무렵, 하얀 개미(白蟻, 술에 동동 뜬 하얀 밥알)가 뜨고 노란 빛이 나면 쓴다. 맛이 매우 향긋하고 톡 쏜다. 술을 뜰 때 절대로 날물기가 들어가지 않게 해야 한다. 이 방문은 10말을 빚는 방법이니 빚을 어림에 따라 이것으로 어림잡아 하면 된다."고 하고, 또 "정월 첫 해일에 날씨가 따뜻하거든 떡과 밥을 식혀 독에 넣는다. 혹 날씨가 차면 해일(亥日)을 넘겨서 빚더라도 상관없다. 다만 첨가할 때 이날 물린 것을 헤아려야 한다. 오래 쓰게 하려면 맑게 가라앉은(倒淸) 것을 사기 항아리에 담아 볕 안 드는 곳에 묻어두면 여름 석 달을 나더라도 맛이 변치 않는다."고 하였다.

藥山春

正月上亥白米五斗淨洗浸水好麴麤擣五升以五瓶水浸之翌日作末蒸熟作餅篩浸麴法滓將前浸幷新汲釀之合爲二十瓶調蒸餅入瓷取東向桃枝攪之再三覆油紙與布袱置虛廳日久或有浮漚每每拯去至二月晦間五斗米如前淨洗蒸飯以添待春末夏初間蟻浮色濃後用之味甚薰烈酌用時勿令入生水氣. 此乃十斗釀法所釀多少以此推之. 正月上亥或日暄則餅及飯候冷入甕. 或日寒則過亥日釀之無妨但添釀視此退日欲久用則倒淸盛入砂缸埋不見陽處則雖經三夏味不變.

8. 약산춘법 <농정회요(農政會要)>
−10말 빚이

> 술 재료 : 밑술 : 멥쌀 5말, 누룩 5되, 냉수 20병(길어온 물 15병)
> 덧술 : 멥쌀 5말

술 빚는 법 :

* 밑술 :

1. 정월 첫 해일에 멥쌀 5말을 정세하여(아주 깨끗하게 씻어) 물에 담가 불린다.
2. 거칠게 빻은 누룩 5되를 냉수 5병에 넣고, 풀어서 물누룩을 만들어놓는다.
3. 불린 쌀을 (다시 씻어 말갛게 헹궈서 물기를 뺀 후) 가루로 빻아 시루에 안쳐서 떡을 찐 다음 잘게 풀어놓는다(온기가 남게 식기를 기다린다).
4. 물누룩을 체에 걸러 찌꺼기를 제거한 누룩물을 만들고, 새로 길어온 물 15병과 섞어 20병을 준비한다.
5. 떡이 식기 전에 누룩물에 합하고, 고루 버무려 술밑을 빚는다.
6. 술밑을 술독에 담아 안치고, 동도지(東桃枝)로 휘저어 준다.
7. 술독은 예의 방법대로 하여 유지로 3겹을 싸고, 베보자기로 덮어 허청(바깥 창고, 차고 서늘한 곳)에서 발효시켜 익기를 기다린다.
8. 혹 술밑 위에 흰 거품이 뜨면 그때마다 건져서 깨끗하게 제거한다.

* 덧술 :

1. 2월 하순쯤 멥쌀 5말을 정세하여(아주 깨끗하게 씻어) 물에 담가 하룻밤 불린 다음, (다시 씻어 말갛게 헹궈서 물기를 뺀 후) 시루에 안쳐서 고두밥을 짓는다.
2. 고두밥이 익었으면 퍼낸다(고루 펼쳐서 온기가 남게 식기를 기다린다).
3. 고두밥이 식기 전에 밑술을 합하고, 고루 버무려 술밑을 빚는다.
4. 술밑을 술독에 담아 안치고, 예의 방법대로 하여 유지로 싼 후 베보자기로

덮어 허청(차고 서늘한 곳)에서 발효시켜 익기를 기다린다.

5. 늦봄이나 여름이 될 무렵 하얀 개미(白蟻, 술에 동동 뜬 하얀 밥알)가 뜨고 노란 빛이 나면 쓴다.

* 주방문에 "맛이 매우 향긋하고 톡 쏜다. 술을 뜰 때 절대로 날물기가 들어가 지 않게 해야 한다. 이 방문은 10말을 빚는 방법이니 빚을 어림에 따라 이것 으로 어림잡아 하면 된다."고 하였다. 또 주방문 말미에 "정월 첫 해일에 날씨 가 따뜻하거든 떡과 밥을 식혀 독에 넣는다. 혹 날씨가 차면 해일(亥日)을 넘 겨서 빚더라도 상관없다. 다만 첨가할 때에 밑술 빚는 날을 맞추어(12일 후) 한다. 오래 쓰려면 맑게 가라앉은(倒淸) 것을 사기 항아리에 담아 볕 안 드는 곳에 묻어두면, 여름 석 달을 나더라도 맛이 변치 않는다."고 하였다.
* 쌀 씻는 법에 대해 밑술과 덧술에서 다 같이 '정세'라고 하였다. <산림경제> 와 동일하다.

藥山春法

欲釀十斗正月上亥白米五斗淨洗浸水用好麴麤擣五升以五瓶水浸之翌日取出浸水米作末蒸熟作餅亦篩所浸麴去滓將前浸水並新汲水漉麴汁合爲二十瓶調蒸餅乘熱入瓮取東向桃枝攪之再三覆油紙布袱置虛廳日久或有浮漚每每拭去之至二月晦間五斗米如前淨洗蒸飯以添之待春末夏初間蟻浮色濃後用之味甚薰烈酌用時勿令入生水氣要多釀以此法推之. 正月上亥或日暄則餅及飯候冷入瓮或日寒則過亥日釀之無妨但添釀視此退日要久用將酒倒淸入砂缸埋不見陽處則雖經三夏味不變矣.

9. 약산춘 우방 <농정회요(農政會要)>

술 재료 : 밑술 : 멥쌀 4말, 누룩 3되, 밀가루 3되, 냉수 25병
         덧술 : 멥쌀 6말

술 빚는 법 :
* 밑술 :
1. 정월 첫 해일에 멥쌀 4말을 정세하여(아주 깨끗하게 씻어) 물에 담가 불린다.
2. 거칠게 빻은 누룩 3되, 밀가루 3되를 냉수 25병에 넣고, 풀어서 물누룩을
   만들어놓는다.
3. 불린 쌀을 (다시 씻어 말갛게 헹궈서 물기를 뺀 후) 가루로 빻아 시루에 안
   쳐서 떡을 찐 다음 잘게 풀어놓는다(온기가 남게 식기를 기다린다).
4. 물누룩을 힘껏 주물러 체에 거르고, 찌꺼기를 제거한 누룩물을 만들어 준
   비한다.
5. 떡이 식기 전에 누룩물에 합하고, 고루 버무려 술밑을 빚는다.
6. 술밑을 술독에 담아 안치고, 동도지(東桃枝)로 휘저어 준다.
7. 술독은 예의 방법대로 하여 유지로 싸고, 베보자기로 덮어 허청(바깥창고,
   차고 서늘한 곳)에서 발효시켜 익기를 기다린다.
8. 혹 술밑 위에 흰 거품이 뜨면 그때마다 건져서 제거한다.

* 덧술 :
1. 2월 하순쯤 멥쌀 6말을 정세하여(아주 깨끗하게 씻어) 물에 담가 불린 다
   음, (다시 씻어 말갛게 헹궈서 물기를 뺀 후) 시루에 안쳐서 고두밥을 짓는다.
2. 고두밥이 익었으면 시루째 떼어 뜨거운 김이 나가기를 기다렸다가, 고두밥이
   따뜻할 때 밑술독에 합한다.
3. 고두밥이 따뜻할 때 동도지(東桃枝)를 이용하여 휘저어 술밑을 빚는다.
4. 술독을 예의 방법대로 하여 유지로 싸고, 베보자기로 덮어 허청(차고 서늘한

곳)에서 발효시켜 익기를 기다린다.

5. 봄이 가고 여름이 될 무렵, 하얀 개미(白蟻, 술에 동동 뜬 하얀 밥알)가 뜨고 노란 빛이 나면 쓴다.

* 본방과의 차이점은 누룩과 밀가루의 양이 적은 반면, 쌀과 물의 양은 본방보다 많이 사용된다는 점이다. 또 본방은 수곡을 거를 때 별도의 냉수를 합하고, 별법의 '약산춘'은 처음부터 누룩을 섞어 만든 수곡을 사용한다는 점에서 차이가 있다.

藥山春 又方
每米一斗用麴三合眞末三合入水二瓶半亦爲旨酒或用三瓶猶好欲釀十斗則以四斗爲本以六斗添釀而添釀之米沈水拯出更不調水而蒸之仍置甑中待其熱氣少出便納酒本瓮中以東向桃枝並酒本力攪之餘法同上.

10. 약산춘 <산림경제(山林經濟)>

술 재료 : 밑술 : 멥쌀 5말, 누룩 5되, 냉수 5병, 길어온 물 15병
　　　　　덧술 : 멥쌀 5말

술 빚는 법 :
* 밑술 :
1. 정월 첫 해일에 멥쌀 5말을 아주 깨끗하게 씻어 물에 담가 불린다.
2. 거칠게 빻은 누룩 5되를 냉수 5병에 넣고, 풀어서 수곡을 만들어놓는다.
3. 불린 쌀을 (다시 씻어 말갛게 헹궈서 물기를 뺀 후) 가루로 빻아 시루에 안쳐서 떡을 찐 다음, 잘게 풀어놓는다(온기가 남게 식기를 기다린다).
4. 수곡을 체에 걸러 찌꺼기를 제거한 누룩물을 만들고, 새로 길어온 물 15병

과 섞어 20병을 준비한다.

5. 떡이 식기 전에 누룩물에 합하고, 고루 버무려 술밑을 빚는다.

6. 술밑을 술독에 담아 안치고, 동도지(東桃枝)로 휘저어 준다.

7. 술독은 예의 방법대로 하여 유지로 싸고, 베보자기로 덮어 허청(바깥창고. 차고 서늘한 곳)에서 발효시켜 익기를 기다린다.

8. 혹 술밑 위에 흰 거품이 뜨면 그때마다 건져서 제거한다.

* 덧술 :

1. 2월 하순쯤 멥쌀 5말을 아주 깨끗하게 씻어 물에 담가 불린 다음, (다시 씻어 말갛게 헹궈서 물기를 뺀 후) 시루에 안쳐서 고두밥을 짓는다.

2. 고두밥이 익었으면 퍼낸다(고루 펼쳐서 차게 식기를 기다린다).

3. 고두밥이 식기 전에 밑술을 합하고, 고루 버무려 술밑을 빚는다.

4. 술밑을 술독에 담아 안치고, 예의 방법대로 하여 유지로 싼 다음 베보자기로 덮어 허청(차고 서늘한 곳)에서 발효시켜 익기를 기다린다.

5. 봄이 가고 여름이 될 무렵 하얀 개미(白蟻, 술에 동동 뜬 하얀 밥알)가 뜨고 노란 빛이 나면 쓴다.

* 주방문 말미에 "정월 첫 해일에 날씨가 따뜻하거든 떡과 밥을 식혀 독에 넣는다. 혹 날씨가 차면 해일(亥日)을 넘겨서 빚더라도 상관없다. 다만 첨가할 때에 밑술 빚는 날을 맞추어(12일 후) 한다."고 하였다.

藥山春

正月上亥日, 白米五斗. 淨洗沈水. 好麴麤擣五升, 以五瓶水沈之, 翌日作末. 蒸熟作餅, 篩浸麴去滓, 將前浸並新汲漉之. 合爲二十瓶, 調蒸餅乘熱入瓮. 取東向桃枝攪之. 再三覆油紙與布袱, 置虛廳日久. 或有浮漚, 每每極去, 至二月晦間. 五斗米如前淨洗, 蒸飯以添, 待春末夏初間, 蟻浮色濃後用之. 味甚薰烈, 酌用時, 勿令入生水氣. 此乃十斗釀法. 所釀 多少, 以此推之. 正月上亥, 或日暄, 則餅及飯候冷入瓮. 或日寒, 則過亥日釀之無妨. 但添釀, 視此退日. 欲久用. 則倒清盛入砂缸, 埋不見陽處. 則雖經三夏, 味不變. 上同.

11. 약산춘 우방 <산림경제(山林經濟)>

술 재료 : 밑술 : 멥쌀 4말, 누룩 3되, 밀가루 3되, 냉수 25병(30병)
　　　　덧술 : 멥쌀 6말

술 빚는 법 :

* 밑술 :

1. 정월 첫 해일에 멥쌀 4말을 아주 깨끗하게 씻어 물에 담가 불린다.
2. 거칠게 빻은 누룩 3되, 밀가루 3되를 냉수 25병(30병)에 넣어 수곡을 만든다.
3. 불린 쌀을 (다시 씻어 말갛게 헹궈서 물기를 뺀 후) 가루로 빻아 시루에 안 쳐서 떡을 찐 다음, 잘게 풀어놓는다(온기가 남게 식기를 기다린다).
4. 수곡을 체에 걸러 찌꺼기를 제거한 누룩물을 만들어 준비한다.
5. 떡이 식기 전에 누룩물에 합하고, 고루 버무려 술밑을 빚는다.
6. 술밑을 술독에 담아 안치고, 동도지(東桃枝)로 휘저어 준다.
7. 술독은 예의 방법대로 하여 유지로 싸고, 베보자기로 덮어 허청(바깥창고, 차고 서늘한 곳)에서 발효시켜 익기를 기다린다.
8. 혹 술밑 위에 흰 거품이 뜨면 그때마다 건져서 제거한다.

* 덧술 :

1. 2월 하순쯤 멥쌀 6말을 아주 깨끗하게 씻어 물에 담가 불린 다음, (다시 씻어 말갛게 헹궈서 물기를 뺀 후) 시루에 안쳐서 고두밥을 짓는다.
2. 고두밥이 익었으면 시루째 떼어 뜨거운 김이 나가기를 기다렸다가, 고두밥이 따뜻할 때 밑술독에 합한다.
3. 고두밥이 따뜻할 때 동도지(東桃枝)를 이용하여 휘저어 술밑을 빚는다.

4. 술독을 예의 방법대로 하여 유지로 싸고, 베보자기로 덮어 허청(차고 서늘한 곳)에서 발효시켜 익기를 기다린다.

5. 봄 가고 여름 될 무렵 하얀 개미가 뜨고 노란 빛이 나면 쓴다.

藥山春 又方

每一斗, 用麴三合, 眞末三合, 入水二瓶半. 亦爲旨酒, 或用三瓶猶好, 欲十斗, 則以四斗爲本, 以六斗添釀. 而添釀米, 沈水極出, 更不調水而蒸之, 仍置甑中, 待其熱氣少出, 便納酒本瓮中, 以東向桃枝, 幷酒本力攪之. 餘皆同上.

12. 약산춘법 <산림경제촬요(山林經濟撮要)>
−10말 빚이

> 술 재료 : 밑술 : 멥쌀 5말, 누룩 5되, 냉수 5병, 길어온 물 15병
>   덧술 : 멥쌀 5말

술 빚는 법 :

* 밑술 :

1. 정월 첫 해일에 멥쌀 5말을 아주 깨끗하게 씻어 물에 담가 불린다.

2. 좋은 누룩 5되를 곱게 빻아 냉수 5병에 넣고, 풀어서 수곡을 만들어 밤재 위 놓는다.

3. 다음날 불린 쌀을 (다시 씻어 말갛게 헹궈서 물기를 뺀 후) 가루로 빻아 시루에 안쳐서 떡을 찐 다음, 잘게 풀어놓는다(온기가 남게 식기를 기다린다).

4. 수곡을 체에 걸러 찌꺼기를 제거한 누룩물을 만들고, 새로 길어온 물 15병과 섞어 20병을 준비한다.

5. 떡이 식기 전에 누룩물에 합하고, 고루 버무려 술밑을 빚는다.

6. 술밑을 술독에 담아 안치고, 동도지(東桃枝)로 휘저어 준다.

7. 술독은 예의 방법대로 하여 유지로 3겹을 싸고, 베보자기로 덮어 허청(바깥 창고, 차고 서늘한 곳)에서 발효시켜 익기를 기다린다.
8. 혹 술밑 위에 흰 거품이 뜨면 그때마다 건져서 제거한다.

* 덧술 :
1. 2월 그믐쯤 되어 멥쌀 5말을 정세하여 (아주 깨끗하게 씻어 물에 담가 불렸다가, 다시 씻어 말갛게 헹궈서 물기를 뺀 후) 시루에 안쳐서 고두밥을 짓는다.
2. 고두밥이 익었으면 퍼낸다(고루 펼쳐서 차게 식기를 기다린다).
3. 고두밥을 (차게 식기 전에) 밑술을 합하고, 고루 버무려 술밑을 빚는다.
4. 술밑을 술독에 담아 안치고, 예의 방법대로 하여 (유지로 싼 다음 보자기로 덮어) 차고 서늘한 곳에서 발효시켜 익기를 기다린다.
5. 늦봄이나 초여름이 될 무렵 하얀 개미(白蟻, 술에 동동 뜬 하얀 밥알)가 뜨고 술 빛이 진해지면 채주하여 마신다.

* 주방문 말미에 "봄이 가고 여름이 될 무렵 하얀 개미(白蟻, 술에 동동 뜬 하얀 밥알)가 뜨고 노란 빛이 나면 쓴다. 맛이 매우 향긋하고 콕 쏜다."고 하고 "빚을 때 생수를 많이 하려면 어림에 따라 이 법에 하면 된다."고 하였다.

藥山春法

欲釀十斗正月上亥白米五斗淨洗浸水用好麴麤搗五升以五瓶水浸之翌日取出浸水米作末蒸乾作餅亦篩所浸麴去滓將前浸並新汲水漉麴汁合爲二十瓶調蒸餅乘熱入瓮取東向桃枝攪之再三覆油紙布袱置虛廳日久或有浮漚每每拭去之至二月晦間以五斗米如前淨洗蒸飯以添之待春末夏初間蟻浮色濃後用之味甚薰烈酌用時勿令入生水氣要多釀以此法推之.

13. 약산춘 <술방>

술 재료 : 밑술 : 멥쌀 5말, 누룩 5되, 물 20병
　　　　덧술 : 멥쌀 5말

술 빚는 법 :

* 밑술 :

1. 정월 첫 해일에 좋은 누룩을 많이 찧어, 5되를 잠길 정도의 물 5병에 담가
　물누룩을 만들어놓는다.
2. 멥쌀 5말을 백세하여 물에 담가 불려둔다.
3. 다음날 쌀을 새 물에 헹궈서 물기를 뺀 후 작말한다.
4. 누룩은 제물에 주물러 체에 밭쳐 찌꺼기를 제거한 다음, 새 물 15병을 쳐가
　면서 알뜰하게 빨아 누룩물 20병을 마련한다.
5. 쌀가루는 시루에 안쳐서 설기를 찌고, 떡이 더운 김에 누룩물을 섞고 고루
　버무려 덩어리가 없이 하여 술독에 담아 안친다.
6. 동향으로 뻗은 복숭아 나뭇가지로 두세 번 저어준 뒤, 식기를 기다린다.
7. 고운 베보자기로 술독을 덮어 여러 겹으로 싸서 허청에 두어 발효시킨다.
8. 밑술은 여러 날 두어 술독에서 거품이 일거든 매번 씻어낸다.

* 덧술 :

1. 이월 해일에 멥쌀 5말을 백세하여 불렸다가, 다시 헹궈서 물기를 뺀다.
2. 멥쌀을 시루에 안쳐서 무른 고두밥을 짓는다.
3. 물 3말을 팔팔 끓여서 고두밥을 섞고, 고루 버무려 차게 식기를 기다린다.
4. 고두밥과 밑술을 합하고, 고루 버무려 술밑을 빚는다.
5. 술독에 술밑을 담아 안치고, 예의 방법대로 하여 발효시킨다.
6. 독에서 구더기가 뜨고 술 빛깔이 진하며, 맛이 매우 깊고 달면 채주한다.

약소츈

열말 슐을 비즈려 흐면, 졍월 첫 히일 빅미 닷 말 빅셰흐여 물의 담으고 죠흔
누룩을 츄이 찌여 닷 되를 다숫 병 물의 담고, 잇튼날 담어딘 쏠을 작말흐여
익게 쪄 썩 믄들고, 담은 누룩을 체의 밧타 거지흐고, 젼의 담은 슐과 식물의
누룩즙을 걸너 합흐여 스무 병을 찐 썩의 더운 김의 셕거 독의 너코, 동향홀
복숑화가지로 두세 번 져어 식지로 덥고, 가난뵈로 쓸지 삼봉흐여 헛청의 두
고, 날이 오릐야 쓴 버큼이 잇거든 미양 씨쩌바리고, 이월 희간의 닷 말 쏠노
젼과 갓치 빅셰흐여 밥을 쪄 셕흐여 츈흐간의 구덕이 쓰면 빗치 농하고 맛시
심이 훈금흐거든 쓰되, 날물긔를 죠심흐고, 만일 비즈려 흐거든 이 법딕로 더
흐면 죠흐되 졍월 첫 히일이 날이 혹 더웁거든 썩과 밥을 식혀 너을 거시오,
날이 치우면 히일을 지닉여 비져도 무방흐되, 덧홀졔는 그 날을 보아 챠ㅣ물니
고 슐을 오릭 두랴면, 도청흐여 스항의 너어 볏 업ᄂᆞᆫᄃᆡ 무더 두면, 여름이 지
닉여도 맛시 변치 안니 흐ᄂᆞ니라.

14. 약산춘 또 한 법 <술방>

> 술 재료 : 밑술 : 멥쌀 4말, 누룩 3되, 진말 3되, 물 25~30병
>
>   덧술 : 멥쌀 6말

술 빚는 법 :

* 밑술 :

1. 정월 첫 해일에 좋은 누룩을 많이 찧어 3되를 잠길 정도의 물 5병에 불린다.
2. 멥쌀 4말을 백세하여 물에 담가 불려둔다.
3. 다음날 쌀을 새 물에 헹궈서 물기를 뺀 후 작말한다.
4. 누룩은 제물에 주물러 체에 밭쳐 찌꺼기를 제거한 다음, 새 물 20~25병을
   쳐가면서 알뜰하게 빨아 누룩물 25~30병을 마련한다.

5. 쌀가루는 설기를 찌고, 떡이 더운 김에 밀가루 3되와 함께 누룩물에 섞는다.

6. 술밑을 독에 담아 안친 후, 동도지로 두세 번 저어준 뒤 식기를 기다린다.

7. 고운 베보자기로 술독을 덮어 여러 겹으로 싸매고 허청에 두어 발효시킨다.

8. 밑술은 여러 날 두어 술독에서 거품이 일거든 매번 씻어낸다.

* 덧술 :

1. 이월 해일에 멥쌀 6말을 백세하여 불렸다가, 다시 헹궈서 물기를 뺀다.

2. 멥쌀을 시루에 안쳐서 무른 고두밥을 짓는다.

3. 고두밥은 시루째 놓고 뜨거운 김을 빼서 따뜻하게 식기를 기다린다.

4. 고두밥을 밑술독에 넣어 합하고, 동도지로 고루 버무려 술밑을 빚는다.

5. 술독에 술밑을 담아 안치고, 예의 방법대로 하여 발효시킨다.

6. 독에서 구더기가 뜨고 술 빛깔이 진하며, 맛이 매우 깊고 달면 채주한다.

* 기록에 "매 두의 (쌀에) 누룩 서 홉, 진말 서 홉, 물 두 병 반이라도 지독한 술
  되고, 물 세 병이라도 조코"라고 하였다. 또 "덧술할 고두밥을 찔 때 물을 주
  지 말고 찌라."고 하여 '약산춘'이라도 정한 법이 있는 것이 아니라, 여러 가
  지 방법으로 빚어왔음을 알 수 있다. 따라서 밑술 쌀 4말에 누룩은 1되 2홉
  이 사용된다.

약산츈 쏘 훈 법

믹 두의 누룩 서 홉 진말 서 홉 물 두 병 반이라도 지독흔 슐 되고, 물 셰 병이
라도 죠코, 열 말을 비즈려거든 너 말 미히 엿 말 덧홀 덧흐는 쌀은 물의 담가
다가 건져 물 쥬지 말고 쪄, 인흐여 실우 쇽의셔 죠곰 김늬여 바로 슐밋 독의
붓고 동도지로 슐밋거지 힘쎠 져어 둘그는 법은 다 우희와 갓흐니라.

15. 약산춘 <음식디미방>

> 술 재료 : 밑술 : 멥쌀 5말, 누룩 5되, 물 5병, 새로 길어온 물 15병
>   덧술 : 멥쌀 5말

술 빚는 법 :

* 밑술 :

1. 정월 첫 해일에 좋은 누룩을 거칠게 빻아 5되를 장만하여 물 5병에 담가 하룻밤 재워 수곡을 만들어놓는다.
2. 정월 첫 해일에 멥쌀 5말을 백세하여(물에 깨끗하게 씻어) 하룻밤 담가 불렸다가, (다음날 다시 씻어 건져 물기를 뺀 뒤) 작말한다(가루로 빻는다).
3. 쌀가루를(쌀가루에 물을 뿌려 체에 한 번 내린 후) 시루에 안쳐서 설기떡을 찌고, 익었으면 퍼내어 잘게 풀어 차게 식기를 기다린다.
4. 수곡을 체에 밭치되 새 물 15병을 길어다 부어가면서 주물러 짜서 찌꺼기를 버리고, 누룩물 20병을 만들어놓는다.
5. 설기떡에 누룩물을 합하고, 술독에 담아 안쳐 동도지로 3~4차례 휘저어 고루 섞어 술밑을 빚는다.
6. 술독은 유지로 싸고 베보자기로 덮어 대청에 두고, 오랜 후에 거품이 일어나고 익기를 기다린다.

* 덧술 :

1. 이월 그믐쯤 멥쌀 5말을 백세하여 (물에 깨끗하게 씻어 하룻밤 담가 불렸다가, 다음날 다시 씻어 건져서 물기를 뺀 뒤) 시루에 안쳐서 고두밥을 짓는다.
2. 고두밥이 무르게 익었으면 퍼낸다(고루 펼쳐서 차게 식기를 기다린다).
3. 고두밥에 밑술을 합하고, 고루 버무려 술밑을 빚는다.
4. 술독에 술밑을 담아 안치고, 예의 방법대로 하여 발효시킨다. 4월 초순까지 익힌다.

* 주방문 말미에 "사월 초승에 쓰면 맛이 가장 훈열하고 떠낼 때 날물기운 금
하라. 이것이 열 말 빚이다. 다소는 추이하여 하라. 정월 첫 해일에 덥거든 떡
과 밥을 많이 차게 하고, 많이 춥거든 해일이 아니라도 온화한 날 하기 무방
하니라. 오래 두고저 하거든 드리워 항에 넣어 볕을 뵈지 아니하면 여름을 지
나도 변치 아니하느니라."고 하였다.

약산춘

정월 첫 희일의 빅미 닷 말 빅세ᄒᆞ여 믈의 둠으고 됴히 누록 추히 찌허 닷 되
룰 다ᄉᆞᆺ 병의 둠으고 이튼날 둠은 ᄡᆞᆯ 작말ᄒᆞ여 ᄯᅥᆨ 민들고 둠은 누록을 체로
바타 즈의란 ᄇᆞ리고 젼 믈과 새 믈 기러 합ᄒᆞ여 스므 병을 밍ᄃᆞ라 ᄯᅥᆨ 섯거 독
의 녀코 동으로 버든 복셩나모 가지로 서너 번 져어 유지로 ᄡᆞ고 뵈보ᄒᆞ로
더퍼 쳥의 두고 오랜 후에 거픔이 잇거든 ᄆᆞ일 거더 ᄇᆞ리고 이월 그믐쯰 빅미
닷 말 젼ᄀᆞ치 시서 밥 ᄡᅧ 덧터 둣다가 ᄉᆞ월 초경의 ᄡᅳ면 마시 ᄀᆞ장 훈녈ᄒᆞ듸
ᄡᅳ낼 제 늘믈긔운을 금ᄒᆞ라 이거시 열 말 비디니라 쇼는 츄이ᄒᆞ여 ᄒᆞ라 정월
첫 희일이 덥거든 ᄯᅥᆨ과 밥을 무이 ᄎᆞ게 ᄒᆞ고 무이 칩거든 희일이 아니라도 온
화ᄒᆞᆫ 날 ᄒᆞ기 무방ᄒᆞ니라 오래 두고져 ᄒᆞ거든 드리워 항의 녀허 볏츨 뵈지 아
니ᄒᆞ면 녀룸을 지내도 변치 아닌ᄂᆞ니라

16. 약산춘방 <임원십육지(林園十六志)>
—卽 徐忠蕭公 淯所造公家于藥峴 (改)名 藥山春

> 술 재료 : 밑술 : 멥쌀 5말, 누룩 5되, 냉수 5병, 길어온 물 15병
>
>   덧술 : 멥쌀 5말

술 빚는 법 :

* 밑술 :

1. 정월 첫 해일에 멥쌀 5말을 정세하여(아주 깨끗하게 씻어) 물에 담가 불린다.
2. 좋은 누룩을 거칠게 빻아 5되를 냉수 5병에 넣고, 풀어서 수곡을 만들어놓는다.
3. 다음날 불린 쌀을 (다시 씻어 말갛게 헹궈서 물기를 뺀 후) 가루로 빻아 시루에 안쳐서 떡을 찐 다음, 잘게 풀어서 놓는다(온기가 남게 식기를 기다린다).
4. 수곡을 체에 걸러 찌꺼기를 제거한 누룩물을 만들고, 새로 길어온 물 15병과 섞어 20병을 준비한다.
5. 떡이 식기 전에 누룩물에 합하고, 고루 버무려 술밑을 빚는다.
6. 술밑을 술독에 담아 안치고, 동도지(東桃枝)로 휘저어 준다.
7. 술독은 예의 방법대로 하여 유지로 3겹을 싸고, 베보자기로 덮어 허청(바깥 창고, 차고 서늘한 곳)에서 발효시켜 익기를 기다린다.
8. 혹 술밑 위에 흰 거품이 뜨면 그때마다 건져서 제거한다.

* 덧술 :
1. 2월 그믐쯤 멥쌀 5말을 아주 깨끗하게 씻어 물에 담가 불린 다음, (다시 씻어 말갛게 헹궈서 물기를 뺀 후) 시루에 안쳐서 고두밥을 짓는다.
2. 고두밥이 익었으면 퍼낸다(고루 펼쳐서 차게 식기를 기다린다).
3. 고두밥이 온전히 식기 전에 밑술을 합하고, 고루 버무려 술밑을 빚는다.
4. 술밑을 술독에 담아 안치고, 예의 방법대로 하여 유지로 싼 다음 베보자기로 덮어 허청(차고 서늘한 곳)에서 발효시켜 익기를 기다린다.
5. 봄 하순이나 여름 초순이 될 무렵 하얀 개미(白蟻, 술에 동동 뜬 하얀 밥알)가 뜨고 농익어 노란 빛이 나면 쓴다.

* 주방문 머리에 "서충숙공 가문의 가양주인데, 공의 집이 약현에 있었다. 옛 이름은 '약산춘'이다(卽徐忠肅公消所造家于藥峴(改)名藥山春)."고 하여 '故名藥山春'이라고 되어 있으나, "서충숙공 가문의 가양주인데, 공의 집이 약현에 있었으므로 이름을 '약산춘'으로 고쳐 부르게 되었다(卽徐忠肅公消所造家于藥峴(改)名藥山春)."로, '(改)名藥山春'이라고 해야 옳을 것 같다.

* 주방문 말미에 "봄이 가고 여름이 될 무렵 하얀 개미(白蟻, 술에 동동 뜬 하얀 밥알)가 뜨고 노란 빛이 나면 쓴다. 맛이 매우 향긋하고 콕 쏜다. 술을 뜰 때 절대로 날물기가 들어가지 않게 해야 한다. 이 방문은 10말을 빚는 방법이니 빚을 어림에 따라 이것으로 어림잡아 하면 된다.
* 술 빚는 시기와 방법으로 "정월 첫 해일에 날씨가 따뜻하거든 떡과 밥을 식혀 독에 넣는다. 혹 날씨가 차면 해일(亥日)을 넘겨서 빚더라도 상관없다. 다만 첨가할 때 이날 물린 것을 헤아려야 한다. 오래 쓰게 하려면, 맑게 가라앉은 (倒清) 것을 사기 항아리에 담아 볕 안 드는 곳에 묻어두면 여름 석 달을 나더라도 맛이 변치 않는다."고 하였다. <고사촬요>와 동일하다.

藥山春方

卽徐忠肅公淯所造家于藥峴(改)名藥山春. 正月上亥白米五斗淨洗浸水好麴麤擣五升以五瓶水浸之翌日先將米作末蒸熟作餠次篩浸麴去滓將前浸水並新汲水和合爲二十瓶調蒸(飯/餠)乘熱入瓮取東向桃枝攪之再三覆油紙布袱置虛廳日久或有浮漚每每拯去至二月晦間五斗米如前淨洗丞飯以添待春末夏初間蟻浮色濃後用之味甚薰烈酌用時勿令入生水氣此乃十斗釀法所釀多少以此推類. 正月上亥或日暄則餠及飯候冷入甕或日寒則過亥日釀之無妨但添釀視此退日欲久用則倒清入砂缸埋不見陽處則雖經三夏味不變.

17. 약산춘 일운 <임원십육지(林園十六志)>

술 재료 : 밑술 : 멥쌀 4말, 누룩 3되, 밀가루 3되, 냉수 25~30병
　　　　덧술 : 멥쌀 6말

술 빚는 법 :
* 밑술 :

1. 정월 첫 해일에 멥쌀 4말을 정세하여(아주 깨끗하게 씻어) 물에 담가 불린다.
2. 거칠게 빻은 누룩 3되, 밀가루 3되를 냉수 25~30병에 넣고 풀어서 수곡을 만들어놓는다.
3. 불린 쌀을 (다시 씻어 말갛게 헹궈서 물기를 뺀 후) 가루로 빻아 시루에 안쳐 떡을 찐 다음, 잘게 풀어놓는다(온기가 남게 식기를 기다린다).
4. 수곡을 체에 걸러 찌꺼기를 제거한 누룩물을 만들어 준비한다.
5. 떡이 식기 전에 누룩물에 합하고, 고루 버무려 술밑을 빚는다.
6. 술밑을 술독에 담아 안치고, 동도지(東桃枝)로 휘저어 준다.
7. 술독은 예의 방법대로 하여 유지로 싸고, 베보자기로 덮어 허청(바깥창고, 차고 서늘한 곳)에서 발효시켜 익기를 기다린다.
8. 혹 술밑 위에 흰 거품이 뜨면 그때마다 건져서 제거한다.

* 덧술 :
1. 2월 하순쯤 멥쌀 6말을 정세하여(아주 깨끗하게 씻어) 물에 담가 불린 다음, (다시 씻어 말갛게 헹궈서 물기를 뺀 후) 시루에 안쳐서 고두밥을 짓는다.
2. 고두밥이 익었으면 시루째 떼어 뜨거운 김이 나가기를 기다렸다가, 고두밥이 따뜻할 때 밑술독에 합한다.
3. 고두밥이 따뜻할 때 동도지(東桃枝)를 이용하여 휘저어 술밑을 빚는다.
4. 술독을 예의 방법대로 하여 유지로 싸고, 베보자기로 덮어 허청(차고 서늘한 곳)에서 발효시켜 익기를 기다린다.
5. 봄이 가고 여름이 될 무렵 하얀 개미(白蟻, 밥알)가 뜨고 노란 빛이 나면 쓴다.

* 본방과의 차이점은 누룩과 밀가루의 양이 적은 반면, 쌀과 물의 양은 본방보다 많이 사용된다는 점이다. 또 본방은 수곡을 거를 때 별도의 냉수를 합하고, 별법은 처음부터 누룩을 섞어 만든 수곡을 사용한다는 점에서 차이가 있다.

藥山春 一云

一云. 每一斗用麴三合真麴三合入水二瓶半亦爲旨酒或用三瓶亦好 欲釀十斗
則以四斗爲本以六斗添釀而添釀米浸水拯出更不調水而烝之仍置甑中待熱氣
少出納酒本瓮中以東向桃枝並酒本力攪之其餘同上. <三山方>.

18. 낙(약)산춘 <주찬(酒饌)>

술 재료 : 밑술 : 멥쌀 5말, 누룩가루 5되, 물 5병, 새로 길어온 물 10병
　　　　 덧술 : 멥쌀 5되(말)

술 빚는 법 :
* 밑술 :
1. 정월 첫 해일 1일 전에 물 5병에 누룩가루 5되를 담가 하룻밤 불려둔다.
2. 정월 첫 해일에 멥쌀 5말을 백세하여 물에 하룻밤 불렸다가, (다시 씻어 헹
   궈 건져서 물기를 뺀 후) 작말한다.
3. 쌀가루를 시루에 안쳐 백설기를 짓고, 누룩은 체에 밭쳐 찌꺼기를 제거한다.
4. 백설기가 익었으면 퍼내고, 고루 펼쳐서 덩어리가 없게 하여 차게 식기를 기
   다리고, 물 10병을 새로 길어온다.
5. 차게 식은 백설기와 누룩물, 길어온 물 10병을 한데 섞고, 고루 힘껏 치대어
   멍울이 없는 술밑을 빚는다.
6. 술밑을 술독에 담아 안치고, 동도지로 여러 번 휘저어 준 다음, 유면(油綿,
   기름 먹인 베보자기)과 보자기로 단단히 봉해서 찬 곳에 둔다.
7. 술이 발효되면서 거품이 괴면, 그때마다 걷어준다.

* 덧술 :
1. 2월 말경이 되면 멥쌀 5되(말)를 백세하여 하룻밤 불렸다가, (다시 씻어 헹
   궈 건져서 물기를 뺀 후) 시루에 안쳐서 고두밥을 짓는다.

2. 고두밥이 익었으면 퍼내고, 고루 펼쳐서 차게 식기를 기다린다.

3. 밑술에 고두밥을 합하고, 고루 버무려 술밑을 빚는다.

4. 술독에 술밑을 담아 안치고, 예의 방법대로 하여 늦봄이나 초여름까지 발효시킨다.

* 주방문 말미에 "날씨가 따뜻하면 떡과 밥을 차게 식히고, 날씨가 추우면 해일이 지나 빚어도 무방하다. 오래 두고 마시려면 오지병에 넣어 햇볕이 들지 않는 곳에 묻어두는데, 여름 3개월이 지나도 맛이 변하지 않는다."고 하였다.
* 덧술의 쌀 양이 5되로 되어 있는데, 5말의 오기(誤記)인 듯하다.

樂山春

元月上亥日白米五斗淨潔沈水麤曲末五升以五瓶水沈之翌搗沈米作末而作餅熟烝篩沈曲去滓以新汲水十瓶相調入瓮取東向桃枝攪之再三後以油帋堅封久以布袱加封置虛廳或有浮漚每每拯去至二月晦間五斗米如前淨潔烝飯以添待春末夏初浮蟻色濃味甚薰烈用時勿令生水氣入之此乃十斗釀法其多少則以此推之. 正月上亥日暄煖則飯及餅待冷或日寒則過亥日釀之亦無妨欲久用則入陶瓶埋不見陽處則雖經三夏其味不變.

19. 약산춘법 <증보산림경제(增補山林經濟)>
-10말 빚이

> 술 재료 : 밑술 : 멥쌀 5말, 누룩 5되, 냉수 5병, 길어온 물 15병
>   덧술 : 멥쌀 5말

술 빚는 법 :

* 밑술 :

1. 정월 첫 해일에 멥쌀 5말을 정세하여(아주 깨끗하게 씻어) 물에 담가 불린다.

2. 거칠게 빻은 누룩 5되를 냉수 5병에 넣고, 풀어서 수곡을 만들어놓는다.

3. 불린 쌀을 (다시 씻어 말갛게 헹궈서 물기를 뺀 후) 가루로 빻아 시루에 안쳐서 떡을 찐 다음, 잘게 풀어놓는다(온기가 남게 식기를 기다린다).

4. 수곡을 체에 걸러 찌꺼기를 제거한 누룩물을 만들고, 새로 길어온 물 15병과 섞어 20병을 준비한다.

5. 떡이 식기 전에 누룩물에 합하고, 고루 버무려 술밑을 빚는다.

6. 술밑을 술독에 담아 안치고, 동도지(東桃枝)로 휘저어 준다.

7. 술독은 예의 방법대로 하여 유지로 싸고, 베보자기로 덮어 허청(바깥창고, 차고 서늘한 곳)에서 발효시켜 익기를 기다린다.

8. 혹 술밑 위에 흰 거품이 뜨면 그때마다 건져서 제거한다.

* 덧술 :

1. 2월 하순쯤 멥쌀 5말을 정세하여(아주 깨끗하게 씻어) 물에 담가 불린 다음, (다시 씻어 말갛게 헹궈서 물기를 뺀 후) 시루에 안쳐서 고두밥을 짓는다.

2. 고두밥이 익었으면 퍼낸다(고루 펼쳐서 차게 식기를 기다린다).

3. 고두밥이 식기 전에 밑술을 합하고, 고루 버무려 술밑을 빚는다.

4. 술밑을 술독에 담아 안치고, 예의 방법대로 하여 유지로 싸고, 베보자기로 덮어 허청(차고 서늘한 곳)에서 발효시켜 익기를 기다린다.

5. 봄이 가고 여름이 될 무렵 하얀 개미(白蟻, 술에 동동 뜬 하얀 밥알)가 뜨고 노란 빛이 나면 쓴다.

* 주방문에 "맛이 매우 향긋하고 콕 쏜다. 술을 뜰 때 절대로 날물기가 들어가지 않게 해야 한다. 이 방문은 10말을 빚는 방법이니 빚을 어림에 따라 이것으로 어림잡아 하면 된다."고 하고, 또 방문 말미에 "정월 첫 해일에 날씨가 따뜻하거든 떡과 밥을 식혀 독에 넣는다. 혹 날씨가 차면 해일(亥日)을 넘겨서 빚더라도 상관없다. 다만 첨가할 때에 밑술 빚는 날을 맞추어(12일 후) 한다. 오래 쓰려면 맑게 가라앉은(倒淸) 것을 사기 항아리에 담아 볕 안 드는

곳에 묻어두면, 여름 석 달을 나더라도 맛이 변치 않는다."고 하였다.

* 쌀 씻는 법에 대해 밑술과 덧술에서 다 같이 '정세(淨洗)'라고 하였다. <산림경제>의 '약산춘' 주방문과 동일하다.

藥山春法

欲釀十斗正月上亥白米五斗淨洗浸水好麴麤擣五升以五瓶水浸之翌日取出浸水米作末蒸熟作餅亦篩所浸麴去滓將前浸並新汲水漉麴汁合爲二十瓶調蒸餅乘熱入瓮取東向桃枝攪之再三覆油紙布袱置虛廳日久或有浮漚每每拭去之至二月晦間五斗米如前淨洗蒸飯以添之待春末夏初間蟻浮色濃後用之味甚薰烈酌用時勿令入生水氣要多釀以此法推之. 正月上亥或日暄則餅及飯候冷入甕或日寒則過亥日釀之無妨但添釀視此退日要久用將酒倒淸入砂缸埋不見陽處則雖經三夏味不變矣.

20. 약산춘 우방 <증보산림경제(增補山林經濟)>

> 술 재료 : 밑술 : 멥쌀 4말, 누룩 3되, 밀가루 3되, 냉수 25~30병
>   덧술 : 멥쌀 6말

술 빚는 법 :

* 밑술 :

1. 정월 첫 해일에 멥쌀 4말을 정세하여(아주 깨끗하게 씻어) 물에 담가 불린다.
2. 거칠게 빻은 누룩 3되, 밀가루 3되를 냉수 25~30병에 넣고, 풀어서 수곡을 만들어놓는다.
3. 불린 쌀을 (다시 씻어 말갛게 헹궈서 물기를 뺀 후) 가루로 빻아 시루에 안쳐서 떡을 찐 다음, 잘게 풀어놓는다(온기가 남게 식기를 기다린다).
4. 수곡을 체에 걸러 찌꺼기를 제거한 누룩물을 만들어 준비한다.

5. 떡이 식기 전에 누룩물에 합하고, 고루 버무려 술밑을 빚는다.

6. 술밑을 술독에 담아 안치고, 동도지(東桃枝)로 휘저어 준다.

7. 술독은 예의 방법대로 하여 유지로 싸고, 베보자기로 덮어 허청(바깥창고, 차고 서늘한 곳)에서 발효시켜 익기를 기다린다.

8. 혹 술밑 위에 흰 거품이 뜨면 그때마다 건져서 제거한다.

* 덧술 :

1. 2월 하순쯤 멥쌀 6말을 정세하여(아주 깨끗하게 씻어) 물에 담가 불린 다음, (다시 씻어 말갛게 헹궈서 물기를 뺀 후) 시루에 안쳐서 고두밥을 짓는다.

2. 고두밥이 익었으면 시루째 떼어 뜨거운 김이 나가기를 기다렸다가, 고두밥이 따뜻할 때 밑술독에 합한다.

3. 고두밥이 따뜻할 때 동도지(東桃枝)를 이용하여 휘저어 술밑을 빚는다.

4. 술독을 예의 방법대로 하여 유지로 싸고, 베보자기로 덮어 허청(차고 서늘한 곳)에서 발효시켜 익기를 기다린다.

5. 봄이 가고 여름이 될 무렵 하얀 개미(白蟻, 술에 동동 뜬 하얀 밥알)가 뜨고 노란 빛이 나면 쓴다.

* 본방과의 차이점은 누룩의 양이 적은 반면 밀가루가 사용되고, 쌀과 물의 양은 본방보다 많이 사용된다는 점이다. 또 본방은 수곡을 거를 때 별도의 냉수를 합하고, '우방(又方)'은 처음부터 누룩을 섞어 만든 수곡을 사용한다는 점에서 차이가 있다.

藥山春 又方

每米一斗用麴三合真末三合入水二甁半亦爲旨酒或用三甁猶好欲釀十斗則以四斗爲本以六斗添釀而添釀之米沈水拯出更不調水而蒸之仍置甑中待其熱氣少出便納酒本瓮中以東向桃枝並酒本力攪之其餘同上

21. 약산춘 <치생요람(治生要覽)>

술 재료 : 밑술 : 멥쌀 5말, 누룩 5되, 냉수 5병, 길어온 물 15병
　　　 덧술 : 멥쌀 5말

술 빚는 법 :

* 밑술 :

1. 정월 첫 해일에 멥쌀 5말을 아주 깨끗하게 씻어 물에 담가 불린다.

2. 좋은 누룩을 거칠게 빻아 5되를 냉수 5병에 넣고, 풀어서 수곡을 만들어놓
   는다.

3. 다음날 불린 쌀을 (다시 씻어 말갛게 헹궈서 물기를 뺀 후) 가루로 빻아 시
   루에 안쳐서 떡을 찐 다음, 잘게 풀어서 놓는다(온기가 남게 식기를 기다린
   다).

4. 수곡을 체에 걸러 찌꺼기를 제거한 누룩물을 만들고, 새로 길어온 물 10병
   과 섞어 15병을 준비한다.

5. 떡이 식기 전에 누룩물에 합하고, 고루 버무려 술밑을 빚는다.

6. 술밑을 술독에 담아 안치고, 동도지(東桃枝)로 휘저어 준다.

7. 술독은 예의 방법대로 하여 유지로 3겹을 싸고, 베보자기로 덮어 차고 서늘
   한 곳에서 발효시켜 익기를 기다린다.

8. 혹 술밑 위에 흰 거품이 뜨면 그때마다 건져서 깨끗하게 제거한다.

* 덧술 :

1. 2월 그믐쯤 멥쌀 5말을 아주 깨끗하게 씻어 물에 담가 불린 다음, (다시 씻
   어 말갛게 헹궈서 물기를 뺀 후) 시루에 안쳐서 고두밥을 짓는다.

2. 고두밥이 익었으면 퍼낸다(고루 펼쳐서 차게 식기를 기다린다).

3. 고두밥이 온전히 식기 전에 밑술을 합하고, 고루 버무려 술밑을 빚는다.

4. 술밑을 술독에 담아 안치고, 예의 방법대로 하여 유지로 싼 다음 베보자기

로 덮어 허청(차고 서늘한 곳)에서 발효시켜 익기를 기다린다.

5. 봄 하순이나 여름 초순이 될 무렵 하얀 개미(白蟻, 술에 동동 뜬 하얀 밥알)가 뜨고 농익어 노란 빛이 나면 쓴다.

* 주방문 말미에 "술을 사용할 때 '날물을 넣어 거른 술을' 오래 두고자 하면, 술을 도자기병에 담아 그늘지고 찬 곳에 묻어두면 여름이 되어도 변하지 않는다."고 하였다.

藥山春

元月上亥白米五斗浸水曲末五升浸水五瓶翌日作末蒸作餠篩沈曲去滓以新水十瓶相調入瓮取東向桃枝攪再三油紙堅封布袱加封置冷虛或有浮漚每極去二月晦間五斗米如前蒸飯以添待春夏初蟻浮色濃味烈用時勿令生水入欲久用則入陶瓶埋隱處經夏不變.

22. 약산춘 <학음잡록(鶴陰雜錄)>
−10말 빚이

> 술 재료 : 밑술 : 멥쌀 5말, 누룩 5근, 냉수 5병, 길어온 물 15병
> 　　　　 덧술 : 멥쌀 5말

술 빚는 법 :
* 밑술 :
1. 정월 첫 해일에 멥쌀 5말을 정세하여(아주 깨끗하게 씻어) 물에 담가 불린다.
2. 거칠게 빻은 누룩 5근을 냉수 5병에 넣고, 풀어서 수곡을 만들어놓는다.
3. 다음날 불린 쌀을 (다시 씻어 말갛게 헹궈서 물기를 뺀 후) 가루로 빻아 시루에 안쳐서 떡을 찐 다음, 잘게 풀어놓는다(온기가 남게 식기를 기다린다).

4. 수곡을 체에 걸러 찌꺼기를 제거한 누룩물을 만들고, 새로 길어온 물 15병과 섞어 20병을 준비한다.
5. 떡이 식기 전에 누룩물에 합하고, 고루 버무려 술밑을 빚는다.
6. 술밑을 술독에 담아 안치고, 동도지(東桃枝)로 휘저어 준다.
7. 술독은 예의 방법대로 하여 유지로 싸고, 베보자기로 덮어 허청(바깥창고, 차고 서늘한 곳)에서 발효시켜 익기를 기다린다.
8. 혹 술밑 위에 흰 거품이 뜨면 그때마다 건져서 깨끗하게 제거한다.

* 덧술 :
1. 2월 하순쯤 멥쌀 5말을 정세하여(아주 깨끗하게 씻어) 물에 담가 불린 다음, (다시 씻어 말갛게 헹궈서 물기를 뺀 후) 시루에 안쳐서 고두밥을 짓는다.
2. 고두밥이 익었으면 퍼낸다(고루 펼쳐서 차게 식기를 기다린다).
3. 고두밥이 식기 전에 밑술을 합하고, 고루 버무려 술밑을 빚는다.
4. 술밑을 술독에 담아 안치고, 예의 방법대로 하여 유지로 싼 다음 베보자기로 덮어 허청(차고 서늘한 곳)에서 발효시켜 익기를 기다린다.
5. 봄이 가고 초여름이 될 무렵 하얀 개미(白蟻, 술에 동동 뜬 하얀 밥알)가 뜨고 노란 빛이 나면 쓴다.

* 주방문에 "맛이 매우 향긋하고 콕 쏜다. 술을 뜰 때 절대로 날물기가 들어가지 않게 해야 한다. 이 방문은 10말을 빚는 방법이니 빚을 어림에 따라 이것으로 어림잡아 하면 된다."고 하였다. 또 주방문 말미에 "정월 첫 해일에 날씨가 따뜻하거든 떡과 밥을 식혀 독에 넣는다. 혹 날씨가 차면 해일(亥日)을 넘겨서 빚더라도 상관없다. 다만 첨가할 때에 밑술 빚는 날을 맞추어(12일 후) 한다. 오래 쓰려면 맑게 가라앉은(倒清) 것을 사기 항아리에 담아 볕 안 드는 곳에 묻어두면, 여름 석 달을 나더라도 맛이 변치 않는다."고 하였다.
* 쌀 씻는 법에 대해 밑술과 덧술에서 다 같이 '정세'라고 하였다. <산림경제>의 '약산춘' 주방문과 동일하나 누룩의 양이 5되(五升)가 아닌 5근(五斤)이라는 점에서 차이가 있다.

藥山春

欲釀十斗正月上亥白米五斗淨洗浸水好麴麤搗五升以五瓶水浸之翌日取出浸
水米作末蒸熟作餅亦篩所浸麴去滓將前浸並新汲水漉麴汁合爲二十瓶調蒸
餅乘熱入瓮取東向桃枝攪之再三覆油紙布袱置虛廳日久或有浮漚每每拭去
之至二月晦間五斗米如前淨洗蒸飯以添之待春末夏初間蟻浮色濃後用之味甚
薰烈酌用時勿令入生水氣要多釀以此法推之.正月上亥或日暄則餅及飯候冷入
甕或日寒則過亥日釀之無妨但添釀視此退日要久用將酒倒淸入砂缸埋不見陽
處則雖經三夏味不變矣.

23. 약산춘 우방 <학음잡록(鶴陰雜錄)>

> 술 재료 : 밑술 : 멥쌀 4말, 누룩 3되, 밀가루 3되, 냉수 25~30병
>
> 덧술 : 멥쌀 6말

술 빚는 법 :

* 밑술 :

1. 정월 첫 해일에 멥쌀 4말을 정세하여(아주 깨끗하게 씻어) 물에 담가 불린다.

2. 거칠게 빻은 누룩 3되, 밀가루 3되를 냉수 25~30병에 넣고, 풀어서 수곡을
   만들어놓는다.

3. 불린 쌀을 (다시 씻어 말갛게 헹궈서 물기를 뺀 후) 가루로 빻아 시루에 안
   쳐서 떡을 찐 다음, 잘게 풀어놓는다(온기가 남게 식기를 기다린다).

4. 수곡을 체에 걸러 찌꺼기를 제거한 누룩물을 만들어 준비한다.

5. 떡이 식기 전에 누룩물에 합하고, 고루 버무려 술밑을 빚는다.

6. 술밑을 술독에 담아 안치고, 동도지(東桃枝)로 휘저어 준다.

7. 술독은 예의 방법대로 하여 유지로 싸고, 베보자기로 덮어 허청(바깥창고,
   차고 서늘한 곳)에서 발효시켜 익기를 기다린다.

8. 혹 술밑 위에 흰 거품이 뜨면 그때마다 건져서 깨끗하게 제거한다.

* 덧술 :

1. 2월 하순쯤 멥쌀 6말을 정세하여(아주 깨끗하게 씻어) 물에 담가 불린 다음, (다시 씻어 말갛게 헹궈서 물기를 뺀 후) 시루에 안쳐서 고두밥을 짓는다.
2. 고두밥이 익었으면 시루째 떼어 뜨거운 김이 나가기를 기다렸다가 고두밥이 따뜻할 때 밑술독에 합한다.
3. 고두밥이 따뜻할 때 동도지(東桃枝)를 이용하여 휘저어 술밑을 빚는다.
4. 술독을 예의 방법대로 하여 유지로 싸고, 베보자기로 덮어 허청(차고 서늘한 곳)에서 발효시켜 익기를 기다린다.
5. 봄이 가고 여름이 될 무렵 하얀 개미(白蟻, 술에 동동 뜬 하얀 밥알)가 뜨고 노란 빛이 나면 쓴다.

* 본방과의 차이점은 누룩과 밀가루의 양이 적은 반면, 쌀과 물의 양은 본방보다 많이 사용된다는 점이다. 또 본방은 수곡을 거를 때 별도의 냉수를 합하고, 별법의 약산춘은 처음부터 누룩을 섞어 만든 수곡을 사용한다는 점에서 차이가 있다.

藥山春 又方

每米一斗用麴三合真末三合入水二瓶半亦爲旨酒或用三瓶猶好欲釀十斗則以四斗爲本以六斗添釀而添釀之米沈水拯出更不調水而蒸之仍置甑中待其熱氣少出便納酒本瓮中以東向桃枝並酒本力攪之其餘同上.

24. 약산춘 <해동농서(海東農書)>

−10말 빚이

술 재료 : 밑술 : 멥쌀 5말, 누룩 5되, 냉수 5병, 길어온 물 15병
　　　　덧술 : 멥쌀 5말

술 빚는 법 :

* 밑술 :

1. 정월 첫 해일에 멥쌀 5말을 정세하여(아주 깨끗하게 씻어) 물에 담가 불린다.
2. 거칠게 빻은 누룩 5되를 냉수 5병에 넣고, 풀어서 수곡을 만들어놓는다.
3. 불린 쌀을 (다시 씻어 말갛게 헹궈서 물기를 뺀 후) 가루로 빻아 시루에 안
　쳐서 떡을 찐 다음, 잘게 풀어놓는다(온기가 남게 식기를 기다린다).
4. 수곡을 체에 걸러 찌꺼기를 제거한 누룩물을 만들고, 새로 길어온 물 15병
　과 섞어 20병을 준비한다.
5. 떡이 식기 전에 누룩물에 합하고, 고루 버무려 술밑을 빚는다.
6. 술밑을 술독에 담아 안치고, 동도지(東桃枝)로 휘저어 준다.
7. 술독은 예의 방법대로 하여 유지로 싸고, 베보자기로 덮어 허청(바깥창고,
　차고 서늘한 곳)에서 발효시켜 익기를 기다린다.
8. 혹 술밑 위에 흰 거품이 뜨면 그때마다 건져서 제거한다.

* 덧술 :

1. 2월 하순쯤 멥쌀 5말을 정세하여(아주 깨끗하게 씻어) 물에 담가 불린 다
　음, (다시 씻어 말갛게 헹궈서 물기를 뺀 후) 시루에 안쳐서 고두밥을 짓는다.
2. 고두밥이 익었으면 퍼낸다(고루 펼쳐서 차게 식기를 기다린다).
3. 고두밥이 식기 전에 밑술을 합하고, 고루 버무려 술밑을 빚는다.
4. 술밑을 술독에 담아 안치고, 예의 방법대로 하여 유지로 싼 다음 베보자기
　로 덮어 허청(차고 서늘한 곳)에서 발효시켜 익기를 기다린다.

5. 봄이 가고 여름이 될 무렵 하얀 개미(白蟻, 술에 동동 뜬 하얀 밥알)가 뜨고 노란 빛이 나면 쓴다.

* 쌀 씻는 법에 대해 밑술과 덧술에서 다 같이 '정세'라고 하였다. <고사촬요>, <산림경제>의 '약산춘' 주방문과 동일하다.

藥山春

正月上亥白米五斗淨洗浸水好麴麤擣五升以五瓶水浸之翌日作末蒸熟作餅篩
浸麴去滓將前浸並新汲水漉之合爲二十瓶調蒸餅乘熱入瓷取東向桃枝攪之
再三覆油紙布袱置虛廳日久或有浮漚每每拯去之至二月晦間五斗米如前淨洗
蒸飯以添待春末夏初間蟻浮色濃後用之味甚薰烈酌用時勿令入生水氣此乃十
斗釀酒法所釀多少與推之.

25. 약산춘 우방 <해동농서(海東農書)>

술 재료 : 밑술 : 멥쌀 4말, 누룩 3되, 밀가루 3되, 냉수 25~30병
　　　　 덧술 : 멥쌀 6말

술 빚는 법 :
* 밑술 :
1. 정월 첫 해일에 멥쌀 4말을 정세하여(아주 깨끗하게 씻어) 물에 담가 불린다.
2. 거칠게 빻은 누룩 3되, 밀가루 3되를 냉수 25~30병에 넣고 풀어서 수곡을 만들어놓는다.
3. 불린 쌀을 (다시 씻어 말갛게 헹궈서 물기를 뺀 후) 가루로 빻아 시루에 안 쳐서 떡을 찐 다음, 잘게 풀어놓는다(온기가 남게 식기를 기다린다).
4. 수곡을 체에 걸러 찌꺼기를 제거한 누룩물을 만들어 준비한다.

5. 떡이 식기 전에 누룩물에 합하고, 고루 버무려 술밑을 빚는다.

6. 술밑을 술독에 담아 안치고, 동도지(東桃枝)로 휘저어 준다.

7. 술독은 예의 방법대로 하여 유지로 싸고, 베보자기로 덮어 허청(바깥창고, 차고 서늘한 곳)에서 발효시켜 익기를 기다린다.

8. 혹 술밑 위에 흰 거품이 뜨면 그때마다 건져서 제거한다.

* 덧술 :

1. 2월 하순쯤 멥쌀 6말을 정세하여(아주 깨끗하게 씻어) 물에 담가 불린 다음, (다시 씻어 말갛게 헹궈서 물기를 뺀 후) 시루에 안쳐서 고두밥을 짓는다.

2. 고두밥이 익었으면 시루째 떼어 뜨거운 김이 나가기를 기다렸다가, 고두밥이 따뜻할 때 밑술독에 합한다.

3. 고두밥이 따뜻할 때 동도지(東桃枝)를 이용하여 휘저어 술밑을 빚는다.

4. 술독을 예의 방법대로 하여 유지로 싸고, 베보자기로 덮어 허청(차고 서늘한 곳)에서 발효시켜 익기를 기다린다.

5. 봄이 가고 여름이 될 무렵 하얀 개미(白蟻, 술에 동동 뜬 하얀 밥알)가 뜨고 노란 빛이 나면 쓴다.

* 본방과의 차이점은 누룩과 밀가루의 양이 적은 반면, 쌀과 물의 양은 본방보다 많이 사용된다. 또 본방은 수곡을 거를 때 별도의 냉수를 합하고, 우방의 '약산춘'은 처음부터 누룩을 섞어 만든 수곡을 사용한다는 점이다.

藥山春 又方

每米一斗用麴三合眞末三合入水二甁半亦爲旨酒或用三甁猶好欲十斗則以四斗爲本以六斗添釀而添釀之米沈水拯去更不調水而蒸之仍置甑中待其熱氣少出便納酒本瓮中以東向桃枝並酒本力攪之餘同(上同).

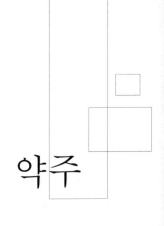

약주

‘약주(藥酒)’라고 하면, 정확히는 “약성(藥性)을 갖는 술”로 ‘약용약주(藥用藥酒)’의 줄임말을 의미한다. 그러나 우리나라 음주문화에서는 ‘술의 높임말’ 또는 ‘귀한 술’ 등을 일컫는 상징적인 표현으로 더 폭넓게 쓰이고 있다.

‘약주’의 유래로 두 가지 설이 전해오는데, 그 한 예는 이렇다. 전통주의 전성기였던 조선시대에는 가문마다 반주와 제주, 손님 접대 목적으로 가양주 문화가 꽃을 피웠다. 부모와 노인, 손님 접대에 반주를 내놓는 것을 예와 도리, 인정으로 여겼다.

이때 반주 양이 2~3잔 정도로 소화 흡수와 몸을 따뜻하게 하는 효과가 있어 ‘소화제’와 같은 약으로 인식되었다. 특히 노인들의 경우 건강을 돕는 ‘백약지장(百藥之長)’의 효과가 있는 것으로 밝혀지면서 부모나 어른들에게 대접하는 모든 술이 건강을 돕는 ‘약주’로 불리게 되었다. 하여 “약주 대접하다”, “약주 한잔 하자”는 말이 일반화되었다고 한다.

다음은 ‘약주’와 관련한 또 다른 얘기이다. 조선 중기 때 유학자(儒學者) 서성(徐

俉, 1588~1631)이 현재의 서울특별시 중구 중림동의 약현(藥峴)에 살았다. 그의 아호(雅號)가 약봉(藥峰)인 것도 그가 살았던 지명에서 유래한 것이라고 한다. 그의 어머니 이씨가 '약산춘(藥山春)'이란 청주를 잘 빚어 서울 지역의 명주(名酒)로 회자되었다고 한다. 이에 세상 사람들이 "약현에 사는 약봉의 어머니가 빚은 약산춘의 맛이 좋다."고 하는 사실이 널리 알려지면서 맛 좋은 술을 '약주'라 부르게 되었다는 것이다. 이때의 '약주'는 '약산춘'의 약칭(略稱)이라 할 수 있다.

그런데 약봉의 어머니 이씨가 빚은 '약산춘'의 맛이 얼마나 좋았던지 이 '약산춘'을 어깨너머로 보고 배운, 이른바 약식(略式) '약산춘'이 '약주'라는 이름으로 빚어지기 시작했다는 것이다. '약산춘'에 비해 쌀의 양을 적게 써서 소량씩 빚고 빨리 익혀 마시는 속성주법의 술이 '약주'가 되었다는 이야기다.

이와 같이 '약주'에 관한 설이 널리 확산되어 하나의 문화로 자리 잡으면서 '약주'라는 주품명도 생겨나게 되었다. <간본규합총서(刊本閨閣叢書)>를 비롯해 <고사촬요(故事撮要)>, <반찬등속>, <양주방(釀酒方)>, <음식책(飮食冊)>, <조선고유색사전(朝鮮固有色辭典)>, <한국민속대관(韓國民俗大觀)> 등에서 '약주' 주방문을 목격할 수 있다. 또한 <간본규합총서>와 <한국민속대관>에서는 '약산춘'과 유사한 과정의 주방문이 발견되었다.

<양주방>에서는 '부제(副題)'에 "가루 밑 아니하고 빚는 법"이라고 하여, 상법의 '약주' 주방문은 <고사촬요>나 <간본규합총서>와 같이 밑술을 빚을 때 쌀을 가루로 빻아서 죽이나 떡을 만들어 빚었다는 것을 알 수 있다.

'약산춘' 주방문은 수곡(水麴)에 백설기를 지어 밑술을 만들고, 한 달가량 발효시킨 뒤, 덧술은 멥쌀고두밥을 지어 넣고, 한 달여 발효시키는 장기발효주인데 반해, <간본규합총서>를 비롯한 대부분의 문헌에 수록된 '약주' 주방문에서는 21일간 발효시키는 것으로 되어 있다. <한국민속대관>에서는 "이틀 후면 마실 수 있다."고 하여 '약주'가 탁주(濁酒)라는 암시를 주고 있다. <한국민속대관>의 '약주'가 '탁주'라고 하는 근거는 2일이라는 발효기간으로는 도저히 완숙된 맛과 맑은 청주(淸酒)를 얻을 수 없기 때문이다.

또한 <한국민속대관>의 '약주' 주방문은 <간본규합총서>와 동일한 주방문이다. 죽이나 백설기에 누룩을 혼합해 넣는 일반적인 방법의 밑술에다 찹쌀고두밥에 끓는 물과 냉수를 합하여 덧술을 빚는 혼용법으로, 특히 덧술의 발효기간이 2일이라는 사실과 관련해 속성주로서의 주방문을 보여주고 있다.

1613년에 간행된 <고사촬요>는 '약주'를 수록하고 있는 문헌 가운데는 가장 시대가 앞선 기록으로 당시의 '약주'는 밑술을 죽을 쑤어 사용하고, 덧술은 고두밥을 사용하는 전형적인 양주과정을 보여주고 있다.

이후 <양주방>에서는 밑술과 덧술에 두 차례 고두밥을 사용하는 방법으로 바뀌었고, 누룩과 끓인 물 외에 '밀가루'와 '모주(또는 술)'가 사용되는 등 과학적이고 합리적인 양주기법을 보여주고 있다.

<음식책>에서는 단양주법(單釀酒法)으로 간소화되고, '밀가루'와 '흰콩 한 줌'이 사용되는 등 획기적인 변화를 나타내고 있다.

그리고 <반찬등속>에는 "약쥬는 흔 되 찹살슐을 흐어 고인 후의 쏘 슈을 흐되 찹슐로 셜기 쪄셔 가우누룩으로 흐여 너라."고 하여 약식 주방문을 엿볼 수 있는데, 특히 밑술도 찹쌀로 빚는 것으로 판단되나, 밑술 쌀의 가공방법, 누룩 양과 덧술 쌀 양 등 구체적인 방법이 언급되어 있지 않다. 또한 덧술 방법에서 찹쌀로 설기를 찌라고 하였으므로, 덧술 쌀 양이 많지 않을 것으로 판단되어 5되를 산정하였으며, 덧술의 가루누룩은 설기떡이 당화되지 않을 경우에 대비한 것으로 여겨져, 그 양을 밑술의 누룩 양보다 적게 산정하였음을 밝혀둔다.

이처럼 '약주'는 문헌마다 각각 다른 주방문과 양주기법을 나타내고 있어 '약주' 주방문의 원형을 찾기가 어렵다. 따라서 '약주'가 '약산춘'의 약칭이자 약식 주방문으로 이루어졌다는 설은 근거가 부족하다고 판단된다.

따라서 '약주'의 제조법이나 유래는 어떠한 특정 주방문에 의한 제조방법이나 규칙이 있는 것이 아니라, 필요에 따라 응용과 변화를 거듭해 온 술이라는 사실을 확인할 수 있으며, 우리나라 음주문화의 한 가지로 '술의 높임말' 또는 '귀한 술' 등을 일컬어 상징적인 표현으로 폭넓게 쓰여 왔다고 보는 게 더 가깝다 할 수 있겠다.

1. 약주 <간본규합총서(刊本閨閤叢書)>

술 재료 : 밑술 : 멥쌀 시승(市升) 2되 5홉(5되), 누룩가루 5홉, (밀가루), 끓는 물 7식기(주발)

덧술 : 찹쌀 시승(市升) 5되(1말), 물 1사발, 냉수 7주발, (가향·약재 적당량)

술 빚는 법 :

* 밑술 :

1. 멥쌀 시승(市升) 2되 5홉(5되)을 백세하여 (물에 담가 불렸다가, 다시 새 물에 깨끗이 헹궈서 물기를 뺀 후) 작말한다.

2. 쌀가루를 시루에 안쳐 설기떡을 찌거나, 솥에 물 7식기(주발)를 폭폭 끓여 쌀가루를 풀어 넣어 젓지 말고 불을 조금 넣어 (범벅/반생반숙으로) 익힌다.

3. 설기떡은 시루에서 퍼내고, 물 7식기(주발)를 폭폭 끓여 합해 덩어리진 것 없이 하여 차게 식기를 기다린다(범벅/반생반숙은 골고루 개어 죽처럼 되었으면, 그릇에 퍼내고 마르지 않게 뚜껑을 덮어 하룻밤 재워 차게 식기를 기다린다).

4. 설기떡 또는 범벅을 햇볕에 널어 법제한 누룩가루 5홉(市升)을 넣고, 고루 치대어 술밑을 빚는다(밀가루를 조금 넣기도 한다).

5. 술독에 술밑을 담아 안치고, 예의 방법대로 하여 봉하여 발효시킨다(일기가 차면 방에 두되 새끼로 똬리를 만들어 괴고, 일기가 매우 차면 거적에 싸두고, 일기가 더우면 찬 곳에 두어 술이 맑게 고이면 덧술한다).

* 덧술 :

1. 찹쌀 시승(市升) 5되(1말)를 백세하여 (물에 담가 불렸다가, 다시 새 물에 깨끗이 헹궈서 물기를 뺀 후) 시루에 안쳐 고두밥을 짓는다.

2. 고두밥에 물 1사발쯤 골고루 뿌려준 다음, 다시 뜸을 들여 얇게 고루 헤쳐

서 하룻밤 재워 식힌다.

3. 고두밥에 밑술과 냉수 7주발을 합하고, 고루 버무려 술밑을 빚는다.

4. 짚불 쏘인 술독에 술밑을 담아 안치고, 21일간 발효시킨 후 촛불을 켜서 항에 넣어보아 불이 꺼지지 않으면 채주한다.

* 주방문 말미에 "화향 약재도 덤으로 넣으라."고 하였다. 이로써 전통가양주는 계절이나 목적에 따라 꽃 등의 가향재와 한약재를 추가하기도 한다는 걸 알 수 있다.

약쥬

뫱쌀 두 되가옷(시승)슬 빅셰작말흐야 빅설기을 찌기도 허고 혹 솟헤 물을 일곱 식긔만 폭; 슬혀 가로을 붓고 졋지는 말고 불을 조곰 너흔 후 이윽헌 후에야 골고로 져허 퍼늬야 흐로밤 직와 식혀 발늬인 국말 반 되(시승)을 너허 골고로 범으려 비(진물 조곰 더지도 흐고)항에 너허 봉흐야 두 되 일긔가 츠면 방에 두되 식긔로 쏘 아리을만 달아 고이고 일긔가 미오 츠면 거젹에 쏜두고 일긔가 더우면 흔듸 두어 말쎄 고이거든 츕쌀 닷 되(시승)을 빅셰흐야 지여을 찐 후에 물 흔 스발만 주어 다시 불을 조곰 너허 쁠드려 알게 헤쳐 밤지야 식힌 후 닝슈 일곱 쥬발에 지여와 밋츨 흔듸 범으려 집불 쏘인 항에 너코 봉흐야 삼칠일 후 불을 켜너허 불이 쩌지; 안니허면 다 익엇는이라(화향 약재도 임의로 너흐라).

2. 약주 <고사촬요(故事撮要)>
－<구주법(救酒法)>

> 술 재료 : 밑술 : 멥쌀 1되 5홉, 누룩가루 3되, 물 4말(되)
>   덧술 : 찹쌀 1말

술 빚는 법 :

* 밑술 :

1. 멥쌀 1되 5홉을 백세하여 (물에 담가 하룻밤 불렸다가, 다시 씻어 말갛게 헹 귀 건져서 물기를 뺀 후) 작말한다.
2. 물 4말을 끓이다가 쌀가루를 풀어 넣고 팔팔 끓여 죽을 쑨다.
3. 죽은 푹 퍼지게 잘 익혀 넓은 그릇에 퍼서 차게 식기를 기다린다.
4. 차게 식은 죽에 좋은(법제하여 마련한) 누룩가루 3되를 섞고, 고루 버무려 술밑을 빚는다.
5. 술밑을 술독에 담아 안치고, 예의 방법대로 여름 3일, 겨울 5일간 발효시킨다.

* 덧술 :

1. 찹쌀 1말을 백세하여 물에 하룻밤 담가 불린다(다시 씻어 말갛게 헹귀 건져 서 물기를 뺀다).
2. 불린 쌀을 시루에 안쳐 고두밥을 짓는다(무르게 익었으면 돗자리에 퍼서 고 루 펼쳐 차게 식기를 기다린다).
3. (차게 식은 고두밥에) 밑술을 합하고, 고루 버무려 술밑을 빚는다.
4. 술밑을 술독에 담아 안치고, 예의 방법대로 하여 3~4일간 발효시킨다.
5. 4일 후에 용수를 박아 채주하여 마시는데 맛이 매우 진하다.

* 주방문에 "맛이 매우 좋고 진하다."고 하였으나 방문대로 빚어본 결과 매우 싱거운 맛이었다. 술 빚는 물의 양이 쌀을 되는 되로 4말인 듯하다. 다른 기 록에는 없다.

藥酒

白米一升五合白洗經宿作末湯水四斗作粥待冷好麴末三升和合入瓮夏則三日 冬則五日後粘米一斗白洗經宿蒸飯本酒和合入瓮待熟分四注之則一注出四升 合十六升美好. <救酒法>.

3. 약주 <반찬ᄒᆞ는등속>

> 술 재료 : 밑술 : 찹쌀 1되, 누룩(1되), (끓여 식힌) 물(5되)
>
> 덧술 : 찹쌀(5되), 가루누룩(2홉~5홉)

술 빚는 법 :

* 밑술 :

1. 찹쌀 1되를 준비한다(백세하여 물에 담가 불렸다가, 다시 씻어 건져서 물기를 뺀 후 가루로 빻는다).
2. (솥에 물 5되를 붓고 찹쌀가루를 풀어서 팔팔 끓는 죽을 쑨다.)
3. (죽이 퍼지게 익었으면, 넓은 그릇에 퍼서 차게 식기를 기다린다.)
4. (죽에 누룩(1되)을 한데 섞고 고루 치대어 술밑을 빚는다.)
5. 술밑을 술독에 담아 안친 후, 예의 방법대로 하여 2~3일간 발효시킨 후, 술이 맑아지기를 기다린다.

* 덧술 :

1. 찹쌀(5되)을 (백세하여 물에 담가 불렸다가, 다시 씻어 건져서 물기를 뺀 후) 거친 가루로 빻는다.
2. 끓는 물솥에 시루를 안치고, 찹쌀가루를 체에 쳐서 안치고, 설기떡을 찐다.
3. 떡이 무르게 익었으면, 넓은 그릇에 퍼서 차게 식기를 기다린다.
4. 체에 쳐서 만든 고운 가루누룩과 밑술을 떡에 합하고 고루 치대어 술밑을 빚는다.
5. 술밑을 술독에 담아 안친 후, 예의 방법대로 하여 2~3일간 발효시킨 후, 서늘한 곳에 술독을 옮겨두고 숙성되기를 기다린다.
6. 술이 숙성되었으면 용수를 박아두었다가 맑아지면 채주한다.

* 덧술을 하는 이양주(二釀酒)로 판단되나 밑술 쌀의 가공방법, 누룩 양과 덧

술 쌀 양 등 구체적인 방법이 언급되어 있지 않다. 따라서 상법을 참고하였다. 다만, 덧술 방법에서 찹쌀로 설기를 찌라고 하였으므로, 덧술 쌀 양이 많지 않을 것으로 판단되어 5되를 산정하였으며, 덧술의 가루누룩은 설기떡이 당화되지 않을 경우에 대비한 것으로 여겨져, 그 양을 밑술의 누룩 양보다 적게 산정하였다.

약쥬
약쥬는 흔 되 찹살술을 흐어 고인 후의 쏘 슐을 흐되 찹슐로 셜기 쪄셔 가우 누룩으로 흐여 너라.

4. 약주법 <양주방(釀酒方)>
─가루밀 아니하고 빚는 법

술 재료 : 밑술 : 멥쌀 1말, 누룩가루 2되, 밀가루 1되, 끓인 물 1병 반, 모주(또는
　　　　　　　　술) 약간
　　　　　덧술 : 멥쌀 2말, 끓인 물 3병 반(1말 1되 5홉)

술 빚는 법 :
* 밑술 :
1. 멥쌀 1말을 백세하여 물에 담기 불렸다가 (다시 씻어 건져서 물을 뺀 후) 시루에 안쳐서 고두밥을 짓는다.
2. 고두밥은 물을 뿌려서 뜸을 들여서 익게 찌고, 익었으면 넓은 그릇에 퍼 담아 차게 식기를 기다린다.
3. 물 1병 반(4되 5홉)을 팔팔 끓여 넓은 그릇에 담고 차게 식힌다.
4. 고두밥에 누룩가루 2되, 밀가루 1되, 좋은 모주 8숟가락, 끓여 식힌 물 1병 반과 함께 합하고, 고루 버무려 술밑을 빚는다.

5. 술독에 술밑을 담아 안치고, 예의 방법대로 하여 7일(이레)간 발효시키면 맛이 있는 술이 된다.

* 덧술 :
1. 멥쌀 2말을 백세하여 (물에 담가 불렸다가, 다시 씻어 건져서 물을 뺀 후) 시루에 안쳐서 고두밥을 짓는다.
2. 물 3병 반을 팔팔 끓여 넓은 그릇에 담아 차게 식힌다.
3. 고두밥이 익었으면 퍼내고, 고루 펼쳐서 차게 식기를 기다린다.
4. 고두밥에 밑술과 끓여 식힌 물을 한데 섞고, 고루 버무려 술밑을 빚는다.
5. 술밑을 독에 담아 안치고, 예의 방법대로 하여 삼칠일간(21일) 발효시킨다.

* 주방문 말미에 "심지불하여 술독에 넣으면, 술이 덜 익었으면 꺼지고, 다 익었으면 꺼지지 아니하느니라."고 하였다. 부제에 '가루밑 아니하고 빚는 법'이라고 하여, 상법의 '약주' 빚기가 <고사촬요>나 <간본규합총서>와 같이 밑술을 빚을 때 쌀을 가루로 빻아서 죽이나 떡을 만들어 빚는다는 것을 알 수 있다.

ᄀᆞ른밋 아니코 빈난 약쥬법
빅미 한 말 빅 번 시서 담갓다가 물 뿌려 닉게 쪄 ᄭᅳᆯ힌 물 병 반과 각 그릇시 두어 식은 후의 누룩ᄀᆞ른 두 되 진말 한 되 죠흔 모쥬여나 술 약간이나 지예 ᄒ 약간 석근 후 ᄭᅳᆯ혀 식인 물 부어 항의 너허 닐헤 지나거든 맛시 인ᄂᆞ니, ᄯᅩ 빅미 두 말 빅세ᄒᆞ야 닉게 쪄 ᄭᅳᆯ한 물 세 병과 다 식은 후 비졋던 술밋과 섯거 비저 삼칠일후 익ᄂᆞ니, 심지불ᄒᆞ야 독이 녀흐면 덜 닉어시면 쩌지고 다 닉어시면 쩌지디 아니ᄒᆞᄂᆞ니라.

5. 약주의 지주 방문주로 담그는 법 <음식책(飮食冊)>

주방문을 해독하기 어렵다. '사십일주'와 '팔십일주' 등 주방문 두 가지가 섞여 쓰여졌다는 느낌을 감출 수 없다. 특히 이들 주방문을 이용해 인삼과 송순을 섞어 가향(佳香)·약주(藥酒)를 빚는 요령을 설명하고 있다.

주방문 머리에 누룩을 법제하는 방법에 대해 자세하게 언급되어 있다. 또 특기할 것은 흰콩을 사용하는 방법이 소개되어 있으나, 해독이 어려운데 주방문 말미에 후주하는 방법을 볼 수 있다.

악쥬의 지쥬 방문쥬로 담는 법

악쥬 흔 말 밋치면 누룩은 두 되을 녀으되 일일 잘 빗히 바리이고 밤이면 이슬도 맛치고 무수이 흐여 졍겨 움물이나 아무 무이든지 단물을 지려다가 술에만 즈바 흐여 너으되 누룩 너을 졔 밀가로 셰 홉만 넛코 날콩 흔 즘만 너코 간 우 덥흔 지 이십일 되거든 용슈 박아 듯면 이것시 소위 스십일쥬라 흐니 미리 쌀 흔 말 졍이 쓸코 졍이 씨셔 간슐 밋치 씨셔 식혀 펴 노앗다가 쳐음 슐밋흐듯 싼 물을 잡지 말고 이 슐 쓴 악쥬젼국을 도쳥흐여 슐노 물을 슴아 인슴이나 숑슴이나 조흔 슴 흔 손이나 반즈이가 슐밋 흔 스발 넛코 슴 몃 불 넛코 쏘 슐밋 넛코 슴 넛코 닷 되 시룻씩 밋쌀을 졍이 히게 쓰려 씨셔 단물을 빅비탕 쓸여 츠게 식혀 슐밋도 식은 후의 누룩흐고 미으 펴 물 치지 말고 범빅만치 쳐셔 그르세 담아 겨울이면 얼지 안케 잘 간수흐여 이십 일이 되거든 춥쌀 서 말만 지어 쎠셔 차게 식혀 슐밋흐고 지어흐고 흔듸 범으려 우을 더풀 졔도 단물을 길너다가 빅비탕 쓸여 식혀셔 물은 한동안 치드시 흐여 이십 일 후에 쏘 춥쌀 슴 두을 지어 쎠셔 차게 식혀 밋흐고 흔되 우 더풀 졔도 물노 말고 만쳇든 악쥬로 덥펴 쏘 이십일 만에 듯면 냥차합이 팔십일쥬니 누룩도 처음이나 나종을 갓치 잡아 흐라.

슐은 견혀 누룩과 물노 가는 법이니 누룩 물을 극틱흐되 이럿트 치셩흐여 흐려 흐면 누룩을 집에셔 쓸 만침 즈바 흐되 밀가로을 집의셔 갈오든지 스드라 흐여도 집픔으로 스셔 다시 가는 체의 쳐셔 초복이나 즁복의 잡아 쑥을 덥고 쌀아 잘 씌어 괴똥닉가 나고 속의 놀은 진과 붓근 곰팡 안거든 말니어 씌여 흐면 슐이 의심업시 잘 되난니라.

슐을 이리흐여 젼국은 죄죄 다 듯고 찹쌀 흔두 되만 물 흔 동의 자바 쥭 쓔어 식히지 말고 더운 김에 뇽슈 쎄이고 누룩 셔 홉만 녀어 쥭흐고 흔딕 셕거 슘수일만 되면 이거슨 익기슐이라고 쏘 쓸 만흐니 손쳥 적이 슈응은 할 만흐니라.

6. 약주 <조선고유색사전(朝鮮固有色辭典)>

야쿠슈. 약주.

밀누룩, 멥쌀, 찹쌀 등을 혼합하여 양조한 술로, 다른 술에 비해 품질이 양호하고, 뛰어난 점은 과실주와 비슷한 맛을 가지고 있다는 것이다. 주정분은 10 내지 20%이다. 누르스름하고 투명한 색을 띠고 있다. 내구성이 부족하고 저장하기 어렵기 때문에 대부분은 겨울에 이용할 술로서 양조된다. 황해도 이남, 특히 경성 및 경성 부근에서는 주류 중에서 진귀한 것으로 널리 애용되며, 연회와 제사에 빠뜨려서는 안 되는 것으로 되어 있다.

7. 약주 <한국민속대관(韓國民俗大觀)>

> 술 재료 : 밑술 : 멥쌀 2되 5홉, 좋은 누룩가루 5홉, 물 7식기
> 덧술 : 찹쌀 5되, 냉수 7주발

술 빚는 법 :
* 밑술 :
1. 멥쌀 2되 5홉을 잘 씻고 (백세하여 물에 담가 불렸다가, 다시 씻어 건져서 물기를 뺀 후) 가루로 빻는다.

2. 쌀가루를 시루에 안치고 쪄서 백설기를 짓거나, 끓는 물 7식기에 쌀가루를 젓지 말고 두었다가 쌀가루가 익어 범벅이 되었으면 골고루 저어서 퍼낸다.

3. 백설기(범벅)는 그릇의 뚜껑을 덮고, 하룻밤 재워 차게 식기를 기다린다.

4. 백설기(범벅)에 좋은 누룩가루 5홉을 합하고, 골고루 버무려 술밑을 빚는다.

5. 술밑을 술독에 담아 안치고, 예의 방법대로 하여 밀봉한 다음 날씨가 차면 새끼로 똬리를 만들어 괴고 거적을 둘러 방에 두되, 일기가 더우면 밖에 두어 술이 끓어오르기를 기다린다.

* 덧술 :

1. 찹쌀 5되를 잘 씻어 (백세하여 물에 담가 불렸다가, 다시 씻어 헹궈서 물기를 뺀 후) 시루에 안쳐서 고두밥을 짓는다.

2. 고두밥에 찬물 1사발을 뿌려서 무르게 찌고 익었으면, 하룻밤 재워서 차게 식기를 기다린다.

3. 고두밥에 밑술과 냉수 7주발을 합하고, 고루 버무려 술밑을 빚는다.

4. 술밑을 그릇(술독)에 담아 안치고, 예의 방법대로 하여 2일간 발효시킨다.

* 주방문에 "멥쌀과 누룩으로 밑술을 담그고, 그 위에 찹쌀을 쪄서 덮어서 만들었는데, 각 가정마다 비법이 많았고, 거기에다 인삼이나 다른 초근목피를 넣어 빚기도 하였다."고 하여 약주의 개략적인 설명을 덧붙이고 있다. <간본 규합총서>와 동일한 주방문을 싣고 있다.

약주(藥酒)

멥쌀 두 되 반을 잘 씻고 가루 내어 백설기로 찌거나 솥에 물을 일곱 식기만 끓여서 가루를 넣고 젓지 않고 물을 조금 넣은 후 익으면 골고루 저어서 퍼낸다. 하룻밤 재워 식힌 다음, 좋은 누룩가루 반 되를 넣어 골고루 버무린 후 항아리에 넣고 봉해 둔다. 일기가 차면 방에 두되, 새끼로 똬리를 만들어 괴고 일기가 차면 거적을 둘러친다. 일기가 더우면 밖에 두어 술이 맑게 괴면, 찹쌀 닷 되를 잘 씻어 찐 다음, 물 한 사발만 부어 다시 불을 조금 넣어 하룻밤 재워 식힌다. 냉수 일곱 주발에 찐 찰밥과 밑술을 혼합하여 짚불을 쐰 항아리에 넣고, 봉하여 이틀 후면 마실 수 있다.

여가주

스토리텔링 및 술 빚는 법

　'여가주(呂家酒)'는 매우 특이한 주방문이다. 아니 어떤 문헌이나 기록에서도 찾아볼 수 없는 <산가요록(山家要錄)> 유일의 기록이다.

　어떤 연유로 '여가주'라는 주품명을 얻게 되었는지 알 수 없지만, "여(呂)씨 집안의 가양주(家釀酒)"라는 뜻으로 풀이되며, 그 주방문이 매우 특이하여 옮겨 싣게 된 것이 아닌가 추측하고 있다.

　<산가요록>에는 '여가주' 외에도 '손처사하일주(孫處士夏日酒)'와 '향온주조양식(香醞酒造釀式)'이라고 하여 <산가요록>에 수록된 여느 주품명과 다른 유형의 주품명과 주방문을 접할 수 있다.

　<산가요록>의 '여가주'는 한 번 빚는 단양주(單釀酒)임에도 매우 복잡다단한 공정을 거친다. '여가주'라는 주품명의 술 빚기에 도전하면서 "왜 이렇게 복잡한 과정을 거치는 것일까? 그 이유가 어디에 있을까?" "쌀을 데치고 다시 불리고, 또 중탕하고 재차 끓이는 과정을 통해서 얻고자 하는 궁극적인 목적은 과연 무엇일까?" 등 갖가지 궁금증이 꼬리에 꼬리를 물고 이어졌다. 그러나 한두 차례 실습으

로는 도무지 해답을 찾을 수 없었다.

실패를 거듭하면서도 주방문을 분석 연구한 끝에 드디어 어렵게 '여가주'의 특징을 찾아낼 수 있었다. 그건 바로 쌀을 가공하는 방법과 그 과정에 있어 보였다. 주방문에서 보듯 "찹쌀 5말을 씻어 팔팔 끓는 물에 담갔다가, 건져내어 잠시 식힌다."고 하였다.

이는 밥쌀보다 좀 더 깨끗하게 씻고, 찬물에 불리는 일반적인 방법 대신 백세하지 않고 "끓는 물에 담가 불렸다가 건져내어 식히고, 다시 끓는 물 1동이와 합하여 밀봉해서 따뜻한 곳에 싸매두고 3일을 지낸다. 쌀을 안친 지 3일 지나서 술독을 열어보면, 쌀이 썩은 듯하여 (구린) 냄새가 심하고 물맛이 시큼하면, 중간체에 비벼 걸러서 쌀즙을 만든다."고 하였다.

'여가주'의 특징은 이렇듯 복잡한 공정에 있으므로 그 어떤 과정보다 중요하다고 생각되는데, 문제는 따뜻한 물에 불렸다가 건져서 식히고, 다시 밀봉하여 3일간 쌀을 부식시키는 과정을 밟는 이유가 무엇이냐는 것이다.

이와 같은 과정을 반복하게 되면 찹쌀이 부식되면서 싸라기가 많이 발생하고 특히 냄새도 매우 고약해지기 시작한다. 이는 쌀이 매우 많이 부식되었다는 것을 뜻한다. 부식된 쌀은 다시 깨끗한 물에 헹궈서 냄새를 빼고 고두밥을 짓거나 죽을 쑤어서 사용하는 것이 순서인데, 고두밥 형태이든 죽의 형태이든 술을 빚어놓고 보니 여의치가 않았다.

고두밥을 짓자니 싸라기가 너무 많아서 떡처럼 되기 십상이고, 죽을 쑤자니 온전한 쌀 때문에 죽을 고르게 익히기가 쉽지 않아 두 가지 방법에서 술맛이 뒤틀려 실패를 거듭하게 되었다. 술맛이 쓰면서도 싱겁게 느껴지고, 특히 부유물이 많이 떠서 매우 지저분한 느낌을 주었다.

이러한 이유로 주방문에 '쌀을 가는체에 내려서 쌀즙을 만들고, 중탕하듯 쪄서 끓이라.'고 한 까닭을 알게 되었다. 이렇게 쌀즙을 중탕하듯 살짝 찌고, 다시 끓여서 죽을 쑨 후, 넓은 그릇에 퍼서 차디차게 식기를 기다린다.

참고로 이때 쌀즙을 다시 한 번 더 가는체에 자연스럽게 걸러 무거리가 없이 하면 더욱 좋다.

<산가요록>의 '여가주'는 쌀즙을 한 번 중탕하듯 익히고 다시 끓는 과정을 거

치기 때문에 일반 죽처럼 많이 퍼지거나 부피가 많이 늘어나지는 않는다. 쌀이 부식되었기 때문이다.

끝으로 "차게 식은 쌀죽에 누룩가루 3되를 합하여 고루 버무려서 술밑을 빚고 술독에 담아 안쳐서 발효시키되, 술이 익는 대로 두었다가 열어보면 술찌꺼기가 없이 저절로 맑아진다."고 하였다. 찹쌀을 가루로 만들어 중탕한 후, 다시 끓였으니 건더기가 있을 리 없다.

물론, 처음에는 누룩찌꺼기가 떠오르지만 이내 다시 가라앉는다. 누룩찌꺼기가 다시 가라앉으면 발효가 끝나 간다는 것을 뜻하며, 이산화탄소의 발생이 이내 중단되므로, 떠올랐던 부유물은 다시 가라앉게 되어 술은 맑아진다.

이렇게 부식이 많이 된 쌀의 사용은 전분 외 미량의 다양한 영양성분들의 추출이 용이하도록 하여 당화와 발효를 촉진시키는 한편으로, 발효가 잘 이루어지는 데서 생성되는 다양한 향기성분을 갖게 된다. 특히 찹쌀술은 잔당이 많이 남기 십상인데, 잔당을 줄이면서 향기를 살리는 방법이 '여가주'에 있다고 할 수 있겠다.

<산가요록>의 '여가주'는 다른 주품에 비해 다른 술보다 빨리 발효가 끝나고 일찍 맑아진다는 것을 알 수 있는데, 여느 술과는 향기가 다르다는 것을 알 수 있다. 특별하다 싶을 정도로 맑고 신선한 방향(芳香)을 느낄 수 있다.

완성된 '여가주'는 용수를 박지 않은 상태에서도 바로 떠 마실 수 있을 정도로 비교적 맑은 술이 위로 고이는데, 맛은 매우 담담하고 약간의 누룩취가 있으나 아름다운 방향으로 가려진다.

<산가요록>의 '여가주'를 수차례 빚어보면서 들었던 생각과 느낌은 마치 '유과를 만들기 위한 방법에서 유래한 주방문이 아닐까?' 하는 것이었다. 또 쌀 갈무리를 잘못해 곰팡이가 피거나 쉰 냄새가 나도록 부패했을 때 '부패한 찹쌀을 버리기가 아까워 술을 빚고자 찾게 된 방법이 아니었을까?' 하는 느낌을 감출 수 없었다. 찹쌀은 멥쌀보다 부패가 잘 일어나고, 값도 비싸 아깝다는 생각을 하게 되는 건 어쩌면 지극히 당연했을 것이다.

언젠가 필자도 쌀가루를 분쇄해 냉장고에 보관해 두었는데, 어느 날 그 쌀가루가 썩어서 붉고 검은 곰팡이가 핀 적이 있었다. 술 빚을 준비를 다 해놓은 상태여

서 부패된 쌀가루로 떡을 만들어 밑술을 빚을 수밖에 없었다. 술을 빚는 동안 역겨운 냄새와 함께 빛깔도 괴이했으나, 뜻밖에도 완성된 밑술의 향기가 매우 좋았던 것으로 기억한다.

나중에 안 사실이지만 여러 문헌에서도 일부러 쌀을 부식시켜 술을 빚는 주방문들이 여럿 있었다. 그 이유가 부드러운 맛과 아름다운 방향을 얻기 위한 목적이었다는 사실을 알게 된 후 <산가요록>의 '여가주'도 같은 맥락임을 이해하게 되었다.

이렇듯 다양한 주방문과 주품의 등장은 전통주의 장래를 위해서도 매우 다행스러운 일이다. 하지만 그 과정이 너무나 복잡하고 까다로워 술 빚기를 꺼리게 된다면 문제가 있다. 아무리 맛과 향기가 좋은 주품이라도 접근이 용이하지 못해 사라지고 맥이 끊긴 전통주가 한두 가지가 아닌 현실을 감안해 보면, '여가주' 또한 대중화되지 못하고 한 개인 또는 한 집안의 가양주에 그친 데는 그만한 이유가 있다고 할 것이다.

여가주 <산가요록(山家要錄)>
－쌀 2말 빚이

술 재료 : 찹쌀 5말, 누룩가루 3되, 물 1분(동이)

술 빚는 법 :

1. 찹쌀 5말을 씻어(백세하여) 팔팔 끓는 물에 담갔다가, 건져내어 잠시 식힌다.
2. 끓는 물에 데친 쌀을 다시 끓는 물 1동이와 합하고, 술독에 담아 안치고 따뜻한 온돌방에 솜옷(솜이불)으로 싸매서 둔다.
3. 3일 지나서 술독을 열어보아 쌀이 썩은 듯하고 물맛이 시큼하면, 체에 걸러서 쌀즙을 내린다.
4. 쌀즙을 (중탕하듯) 찌고, 다시 끓여 죽을 쑤어서 차디차게 식기를 기다린다.

5. 끓여서 식힌 쌀죽에 누룩가루 3되를 합하고, 고루 버무려서 술밑을 빚는다.

6. 술밑을 술독에 담아 안친 후 예의 방법대로 하여 발효시키고, 술이 익는 대로 두었다가 열어보면 술찌꺼기가 없이 저절로 맑아진다.

* 어떤 기록에서도 찾아볼 수 없는 매우 특이한 주방문이다.

呂家酒

米二斗. 粘米二斗 洗浸于極湯 暫歇氣. 熟水一盆 中置溫突 裹襦衣. 三日出 則其味腐爛 水味亦酸 以篩漉. 米汁 蒸之 其熟水 又沸待冷. 麴末三升 和入瓮待熟. 則无滓而自淸.

연일주

스토리텔링 및 술 빚는 법

우리 술 빚는 법이 다양하다는 건 수차례 언급한 바 있다. 그 다양한 방법 가운데 이양주법(二釀酒法)으로 가장 빠른 기간에 덧술을 하는 '연일주(連日酒)'가 있다. '연일주'는 자전적 풀이 그대로 "밑술 빚은 다음 날 연이어 덧술을 한다."는 뜻에서 유래한 주품명이다.

'연일주'에 대한 기록은 <정일당잡지(貞一堂雜識)>, <주찬(酒饌)>, <쥬식방문>에서 찾아볼 수 있다. 세 문헌에 수록된 '연일주'는 주원료의 배합비율에 상당한 차이를 나타내고는 있지만, 동일한 방법으로 빚는다는 사실은 확인할 수 있다.

대개 '연일주'를 비롯한 중양주(重釀酒)는 밑술과 덧술의 술 빚는 간격이 최소 2~3일 또는 3~7일이고, 최대 12일~36일 간격이 주류를 이룬다. 그 이유는 밑술을 빚는 목적과 밀접한 관련이 있다.

즉, 밑술을 빚는 목적이라 함은 우량한 효모를 최대한 증식시켜 원활한 발효를 도모하기 위함이다. 이때 누룩을 최소한으로 사용해 효모를 증식시키는 방법을 도모함으로써, 누룩곰팡이 냄새를 최소화하고 술의 맛과 향취를 좋게 하여 기호도를 높이면서 알코올 도수를 최대한으로 끌어올려야 한다.

술은 기호식품으로 무엇보다 향취가 좋아야 하고, 맛과 색깔, 알코올 도수 등에 따라 선호도가 크게 달라지기 때문이다.

우리 술은 와인이나 맥주와 달리 주로 멥쌀과 찹쌀 등 전분이 주성분인 곡물을 주원료로 하며, 지리적 환경과 계절풍의 기후 조건으로 인해 누룩곰팡이를 이용한 발효효소제로 누룩을 사용함으로써 당화와 발효를 도모하는 병행복발효법(並行復醱酵法)을 추구해 왔다.

때문에 누룩 사용에 따른 누룩 냄새가 최대의 단점으로 지적되고 있다. 누룩 속의 효모를 최대한 증식시키는 한편, 우량한 효모를 배양하기 위한 최소한의 시간이 필요한데, 그 시간이 짧을수록 밑술을 빚는 목적을 달성할 수 없게 된다.

그런데도 '연일주'의 덧술을 빚는 기간이 하루 동안이라는 시간밖에 주어지지 않는다는 데서 그 특징을 찾을 수 있다. '연일주'와 같이 밑술과 덧술의 간격이 하루밖에 되지 않는 경우는 증류식 소주 주방문에서 목격된다. <김승지댁주방문(金承旨宅廚方文)>의 '소주 괴는(고으는) 법'과 <양주집(釀酒集)>의 '소주(燒酒)' <조선쌍무신식요리제법(朝鮮無雙新式料理製法)>의 '또 소주 고는 법' 등이 그것이다.

그런가 하면 '연일주'의 또 다른 특징이자 차별성이 있다. 밑술은 쌀가루를 끓는 물로 익히는 반생반숙법(半生半熟法)의 '죽(범벅, 泥)'과 끓인 죽(粥)을 만들어 사용한 반면, 덧술은 고두밥에 냉수를 섞어 사용한다는 점이 다른 주품들과의 차이점이라 할 수 있다.

<주찬>의 주방문 말미에 "겨울에는 탕수, 여름에는 냉수를 쓴다."고 하여 '연일주'의 특징을 언급하고 있는데, 그 이유에 대한 설명은 없다. 대개의 전통주 주방문에서 밑술에 끓는 물이나 탕수(끓여서 식힌 물)를 사용하는 경우, 덧술에서도 끓는 물이나 탕수(끓여서 식힌 물)를 사용하는 것을 원칙으로 한다. 더러 냉수를 사용하여 고두밥을 차게 식혀서 사용하는 경우도 있는데, '연일주'와 같이 냉수와 고두밥을 섞어서 사용하는 경우는 매우 드물다.

따라서 쪄낸 고두밥에 냉수를 섞어 차게 식혀서 사용하는 데는 단순히 고두밥의 냉각 시간을 단축시키기 위한 방법이 아닌, 어떤 다른 분명한 의도가 있음을

알 수 있다. 그 단초를 <정일당잡지>의 주방문 말미에서 찾을 수 있다.

<정일당잡지> 주방문 말미에 "이칠일 만에 내면 냉수 같고, 삼칠일 만에 두면 더 좋으리라."고 하여 '냉수'같이 맑고 깨끗한 술 빛깔을 얻기 위한 목적임을 밝히고 있다.

주지하다시피 밑술에 끓는 물이나 탕수(끓여서 식힌 물)를 사용하는 경우, 덧술에서도 끓는 물이나 탕수(끓여서 식힌 물)를 사용하는 게 원칙으로, 그 이유는 덧술의 안전한 발효 때문이다.

입국(粒麴)이나 개량 누룩, 그리고 배양 효모를 사용하는 양주법과 달리 전통 누룩을 사용하는 양주법에서는 특히 오염이나 잡균의 증식 등에 대비하는 등 신경을 써야 한다. 전통 누룩은 배양균을 사용했을 때보다 당화와 발효력이 떨어지기 때문이다. 특히 여름철 생수는 잡균의 증식과 오염 확률이 높은 까닭에 의도적으로 끓는 물이나 탕수 사용을 원칙으로 삼았던 것이다.

따라서 '연일주'에서는 생수 사용에 따른 오염균의 침입과 증식에 대해 어떻게 대처하고 있는지를 살펴봄으로써 옛 사람들의 뛰어난 양주기술과 선험적 지혜를 배울 수 있다.

그리고 우리는 그 답이 다름 아닌 '연일주'라는 주품명에 있다는 사실을 기억할 필요가 있다.

다시 말해 범벅이나 죽으로 빚는 술의 경우, 발효가 가장 활발해지는 시기가 발효를 시작한 지 하루나 이틀 사이이다. 이 기간에 덧술을 하게 되면 다른 어떤 때보다 술의 발효가 활발하고 빨리 잘 일어나는 것을 확인할 수 있다. 효모 증식이 정점에 이르렀을 때 냉수로부터 초래되는 잡균의 오염은 간단히 극복해 낼 수 있다는 사실을 경험적으로 터득하고 있었다는 얘기다.

다만 '연일주'와 같은 술 빚는 요령은 다양하고 오랜 경험이 축적된 사람이라야 가능하다는 것도 잊지 말아야 한다. '연일주'의 경우 덧술의 발효가 일반적인 주품과는 다르게 빨라지는 만큼 품온의 상승도 빨라질 수밖에 없어 그에 따른 술독 관리에 보다 신경을 써야 한다. 자칫 품온의 과다 상승으로 인한 산패를 초래하기 쉽고, 제때 냉각을 시켰다고 하더라도 후발효 중 산패하는 일이 잦기 때문이다.

1. 연일주 <정일당잡지(貞一堂雜識)>

술 재료 : 밑술 : 멥쌀 1말 5되, 누룩가루 1되, 밀가루 2되, 끓는 물 1말 8되

　　　　덧술 : 멥쌀 3말, 냉수 1말~1말 2되

술 빚는 법 :

* 밑술 :

1. 멥쌀 1말 5되를 백세하여 (물에 담갔다가, 다시 씻어 건져서 물기를 뺀 후) 작말한다(넓은 그릇에 담아둔다).
2. 솥에 물 1말 8되를 솟구치게 끓여 쌀가루에 붓고, 주걱으로 고루 개어 범벅을 만들고 차디차게 식기를 기다린다.
3. 식은 범벅에 누룩가루 1되와 밀가루 2되를 합하고, 고루 치대어 술밑을 빚는다.
4. 술독에 술밑을 담아 안치고, 예의 방법대로 하여 여름은 서늘한 곳에 두고 발효시켜 술이 괴어오르기를 기다린다.

* 덧술 :

1. 멥쌀 3말을 백세하여 뜨물 없이 헹궈서 물에 담가 하룻밤 불렸다가 (다시 씻어 건져서 물기를 뺀 후) 시루에 안쳐서 고두밥을 짓는다.
2. 고두밥이 익었으면 소래기에 퍼 담고, 냉수 1말~1말 2되를 고두밥에 부어 주걱으로 고루 헤쳐 두고 차게 식기를 기다린다.
3. 물을 먹은 진고두밥에 밑술을 한데 합하고, 고루 버무려 술밑을 빚는다.
4. 술독에 술밑을 안치고, 냉수 2되로 술 빚었던 그릇을 씻어내 술밑 위에 붓는다.
5. 술밑을 안친 독은 예의 방법대로 하여 봄에는 찬 곳에 두고, 겨울은 온기 있는 곳에 두고 14일~21일간 발효시킨다.

* 여느 주방문과는 다르게 밑술은 끓는 물을 사용하고, 덧술은 냉수로 빚는다.
  누룩의 양이 매우 적은 편이나, 덧술 간격이 짧은 까닭과 관련이 있다.

년일쥬

서 말 비즈랴 ᄒ면 ᄇᆡ미 말가옷 ᄇᆡ셰 작말ᄒ야 물 ᄒᆞᆫ 말 여듧 되 고붓지게 ᄡᆞ
혀 ᄭᅳᆯᄂᆞᆯ 물 ᄉᆞᆯ흘 적 ᄭᅳᆯ니 닉게 ᄭᅵ야 ᄆᆞ이 츠거든 누룩ᄀᆞ로 ᄒᆞᆫ 되 진말 이 승
너허 처 너허 두엇다가 멀거케 괴거든 ᄇᆡ미 삼 두 ᄇᆡ셰ᄒ여 죄 ᄡᅥ서 둠갓다가
이튼날 닉게 쪄 닝슈 ᄒᆞᆫ 말의 말 두 되 잡아 밥의 골나 섯거 식거든 밋슐의
버므려 너코 믈 남겨 그릇 부싀여 부어 봄은 ᄒᆞᆫᄃᆡ 두고 겨ᄋᆞᆯ은 온긔 잇는 ᄃᆡ
두어 이칠 만의 ᄂᆡ면 닝슈 ᄀᆞᆺ고 삼칠만 두면 더 됴흐니라.

2. 연일주 <주찬(酒饌)>

> 술 재료 : 밑술 : 멥쌀 3되, 가루누룩 7홉, 밀가루 2되, 끓여 식힌 물 5병
> 　　　　덧술 : 멥쌀 2말, (겨울엔 끓여 미지근한 탕수) 2말 4되

술 빚는 법 :

* 밑술 :

1. 멥쌀 3되를 백세하여 (물에 담가 불렸다가, 다시 씻어 헹궈 건져서 물기를 뺀
   뒤) 작말한 다음, 넓은 그릇에 담아놓는다.
2. 솥에 물 5병을 팔팔 끓여서 쌀가루에 골고루 붓고, 주걱으로 휘저어서 죽(범
   벅)을 쑨 다음 차게 식기를 기다린다.
3. 죽(범벅)에 가루누룩 7홉과 밀가루 2되를 섞고, 고루 치대어 술밑을 빚는다.
4. 술독에 술밑을 담아 안치고, 예의 방법대로 하여 하루 동안 발효시킨다.

* 덧술 :

1. 밑술이 끓어오르면 멥쌀 2말을 백세하여 (물에 담가 불렸다가, 다시 씻어 헹궈 건져서 물기를 뺀 뒤) 시루에 안쳐서 무른 고두밥을 짓는다.
2. 고두밥이 익었으면 넓은 그릇에 퍼 담고, 물(겨울엔 끓여 미지근한 탕수) 2말 4되를 고두밥에 골고루 부어 고루 저어 섞어놓는다.
3. 고두밥이 물을 다 먹었으면, 뚜껑을 덮어서 저절로 차게 식기를 기다린다.
4. 고두밥에 밑술을 합하고, 고루 버무려 술밑을 빚는다.
5. 술독에 술밑을 담아 안치고, 예의 방법대로 하여 14일간 발효시킨다.

* 덧술 빚을 때 겨울에는 탕수, 여름에는 냉수를 쓴다. 누룩의 양이 매우 적은 편이나, 덧술 간격이 짧은 까닭과 관련이 있다.

連日酒
白米三升百洗經宿作末水五瓶猛煎同調揮攪待冷末曲七合眞末二升調釀醱醅
後白米二斗百洗熟烝水二斗四升灑調披開待冷合釀本酒二七日後垂之而用調
入之水冬則湯水夏則冷水調飯置於寒冷.

3. 연일주법 <쥬식방문>

술 재료 : 밑술 : 멥쌀 1말, 누룩가루 1되, 밀가루 1되, 물 1말
　　　　 덧술 : 멥쌀 2말, 냉수(1말)

술 빚는 법 :
* 밑술 :
1. 멥쌀 1말을 정히 씻어 (백세하여 물에 담가 불렸다가, 다시 씻어 건져서 물기를 뺀 후) 작말한다(넓은 그릇에 담아둔다).
2. 솥에 물 1말을 끓이다가 쌀가루를 풀어 넣고, 주걱으로 고루 개어가면서 끓

여 풀떼(범벅) 같은 된죽을 쑤고, 차디차게 식기를 기다린다.

3. 식은 죽에 누룩가루 1되와 밀가루 1되를 합하고, 고루 치대어 술밑을 빚는다.

4. 술독에 술밑을 담아 안치고, 예의 방법대로 하여 여름은 서늘한 곳에 둬 (1~2일간) 발효시켜 술이 익어 멀겋게 식기를 기다린다.

* 덧술 :

1. 멥쌀 2말을 정히 씻어 (백세하여 뜨물 없이 헹궈서 물에 담가 하룻밤 불렸다 가, 다시 씻어 건져서 물기를 뺀 후) 시루에 안쳐서 고두밥을 짓는다.

2. 고두밥이 익었으면 소래기에 퍼 담고, 고두밥에 냉수(8되)를 붓고, 주걱으로 고루 헤쳐 두고 차게 식기를 기다린다.

3. 진고두밥에 밑술을 한데 합하고. 고루 버무려 술밑을 빚는다.

4. 술독에 술밑을 안치고, 냉수(2되)로 술 빚었던 그릇을 씻어내 술밑에 붓는다.

5. 술밑을 안친 독은 예의 방법대로 하여 봄에는 찬 곳에 두고, 겨울은 온기 있 는 곳에 두고 14일~21일간 발효시킨다.

* 덧술에 사용되는 냉수의 양이 나와 있지 않다. <정일당잡지>에는 쌀 3말당 1말~1말 2되, <주찬>의 '연일주'에는 2말 4되가 사용된다. 누룩의 양이 매우 적은 편이나, 덧술 간격이 짧은 까닭과 관련이 있다.

연일쥬법

빅미 한 말을 정히 씨셔 작말ㅎ야 물 한 말의 죄죄 푸러 풀떼 쑤어 치우고 누룩가로 한 되 진가로 한 되 버무려 두어다가 멀거케 삭거든 빅미 두 말을 정히 씨셔 술밥을 쪄 더운 쩌 곳 닝슈의 푸러 치우고 밋슐과 치디여 비져 노코 그럿 부시여 늣코 봄이면 한디 두고 겨울이면 온 처의 두어 이칠일 만의도 먹고 삼칠일이 되면 더 조흐니라.

연해주

스토리텔링 및 술 빚는 법

<요록(要錄)>의 '연해주(燕海酒)'는 다른 기록에서는 찾아볼 수 없는 유일한 주방문이다. '연해주'라는 주품명이 어떤 의미를 담고 있는지는 일체 알려진 바가 없다. '연해주'가 <요록> 이전이나 이후의 문헌에서도 다뤄진 적이 없는 까닭은 독특한 주방문에 있지 않을까 하고 추측해 볼 따름이다.

이를테면 <산가요록(山家要錄)>의 '여가주(呂家酒)'나 <언서주찬방(諺書酒饌方)>의 '합자주(榼子酒)' 등과 같이 술을 빚는 과정이 복잡다단하기 때문에 '연해주'를 빚을 줄 아는 사람 외에는 꺼렸을 것이라는 가정이 가능하다. 모르긴 해도 대다수의 사람들은 보다 손쉽고 빠른 시간 안에 발효도 잘 되고, 맛과 향기도 좋고 양도 많이 나오는 술 빚기를 원할 것이다.

그러나 단언컨대 세상에 그런 술은 없다. 술 빚는 일이나 그 과정에 특별히 관심이 많거나, 아무 걱정 없이 술 빚는 일을 즐기는 사람이 아니면 '연해주' 같은 술을 빚는다는 건 몹시 귀찮기 마련이다.

주방문에서 알 수 있듯이 '연해주'는 일반 주품들과는 달리 밑술을 빚는데 멥쌀과 찹쌀을 섞어 사용하고 백세하여 3일간 불렸다가 작말하는 것으로 되어 있다. 쌀을 오랫동안 불림으로써 의도적으로 부식시켜 가루로 빻는 것이다. 부식된 쌀가루에 끓는 물 10말로 개어 범벅을 쑤는데, 물의 양이 많아 범벅을 쑤기는 어렵지 않다. 범벅도 비교적 잘 익는데, 문제는 이렇게 되면 일반 주품들과는 달리 밑술의 상태가 매우 불량해져 덧술을 해 넣더라도 발효가 부진할 수 있다.

때문에 '연해주'는 밑술에 사용되는 누룩의 양이 매우 많다. 쌀 3말에 누룩가루가 8되나 사용되는 경우는 매우 드물다. 누룩의 양을 많이 사용함으로써 예측되는 덧술의 발효부진에 대비하기 위함이라 한들 굳이 이렇듯 '위험스런' 방법을 취하게 된 배경은 무엇일까? 그 이유가 궁금했다. 그리고 그 궁금증이 '연해주'를 빚어보게 된 이유가 되었다.

'연해주'는 매우 부드러운 맛을 자랑한다. 술맛이 특히 부드럽다는 것은 술의 알코올 도수가 그리 높지 않거나, 여러 차례 덧술을 해 오랜 기간 발효시켜 매우 깊은 맛을 간직할 때 느낄 수 있다.

그러나 '연해주'는 장기발효주가 아니다. 덧술 쌀 7말에 끓는 물 10말로 빚은 밑술을 섞어 빚은 주품치고는 단맛도 있고, 비교적 부드럽다는 느낌을 준다. 게다가 사과와 포도향 같은 방향도 풍부한 편이다.

다른 한편으로는 술맛이 비교적 싱겁고, 누룩 냄새가 많이 느껴지고, 약간의 떫은맛과 느끼함도 느껴진다는 게 단점이다. 밑술의 쌀을 3일간이나 불려서 사용한 까닭에 잔당이 지나치게 많은 밑술을 사용한 데 따른 효모의 육성이 불량해진 점, 또 상대적으로 누룩을 많이 사용한 점에서 예측했던 결과이긴 하나 생각보다 훨씬 맛이 떨어진 주질에 실망감이 앞선 게 사실이었다.

알코올 도수가 좀 더 높았으면 좋겠다는 생각이 들었는데, 덧술의 쌀을 찹쌀이 아닌 멥쌀을 사용함으로써 술맛이 다소 싱겁다는 느낌을 보완할 수 있었다.

연해주 <요록(要錄)>

술 재료 : 밑술 : 멥쌀 2말, 찹쌀 1말, 누룩가루 8되, 밀가루 2되, 끓는 물 10말
　　　　 덧술 : 멥쌀(또는 찹쌀) 7말

술 빚는 법 :

* 밑술 :

1 멥쌀 2말과 찹쌀 1말을 함께 섞고, 백세하여 물에 3일간 담갔다가 다시 씻어
　건져서 음건한다(물기를 뺀다).

2. 음건한(물기를 뺀) 쌀을 가루로 빻은 다음, 넓은 그릇에 담아둔다.

3. 쌀가루에 물 10말을 팔팔 끓여서 나눠 붓고, 주걱으로 골고루 개어 죽(범벅)
　을 쑤어 차게 식기를 기다린다.

4. 죽(범벅)에 누룩가루 8되와 밀가루 2되를 한데 합하고, 고루 버무려 술밑
　을 빚는다.

5. 술독에 술밑을 담아 안치고, 예의 방법대로 하여 7일간 발효시킨다.

* 덧술 :

1. 멥쌀(또는 찹쌀) 7말을 준비한다(백세하여 하룻밤 물에 불렸다가, 다시 씻
　어 건져서 물기를 뺀다).

2. (불린) 쌀을 시루에 안쳐서 무른 고두밥을 무르게 짓는다.

3. (고두밥이 익었으면 퍼내고, 고루 펼쳐서 차게 식기를 기다린다).

4. 밑술을 고두밥과 합하고, 고루 버무려 술밑을 빚는다.

5. 술밑을 술독에 담아 안친 다음, 예의 방법대로 하여 발효시킨다.

燕海酒
白米二斗粘米一斗百洗浸水三日陰乾(春)末水十斗甚湯作粥待冷麴末八升眞
末二升合造七日後米七斗全蒸出前酒本和納瓮.

오두오승주

스토리텔링 및 술 빚는 법

<수운잡방(需雲雜方)>에 '칠두오승주(七斗五升酒)'와 우법(又法) 등 두 가지 방문이 수록되어 있다. 별법의 주방문을 보면 주품명이 '오두오승주(五斗五升酒)' 라는 사실과 함께 몇 가지 재미있는 사실을 알게 된다.

첫째, 삼양주(三釀酒)로서 흔치 않게 세 번에 걸쳐 누룩을 사용한다는 점이다. 3회에 걸친 누룩 사용은 무엇보다 안전한 발효와 함께 마르니(건조하게 찐 떡)로 찐 무리떡으로 빚는 술의 발효가 결코 용이하지 않다는 것을 암시한다.

둘째, 3회에 걸쳐 끓는 물을 사용한다는 점이다. 이는 마르니로 찐 무리떡의 호화도를 높여 발효를 원활하게 이끌고자 하는 데 그 목적이 있다.

셋째, 3회에 걸쳐 사용하는 끓는 물이 누룩 양의 10배라는 점이다. 물의 양이 많아지면 발효가 빨리 진행된다는 사실과 함께 목적한 바의 수율을 얻고자 계산된 안배라고 볼 수 있다.

넷째, 3회에 걸쳐 멥쌀을 사용한다는 점이다. 멥쌀술은 찹쌀술에 비해 감칠맛이 떨어지지만 알코올 도수를 높일 수 있고, 깔끔하고 시원한 맛을 준다.

다섯째, 밑술과 덧술에서 각각 누룩과 물의 양의 차이가 있을 뿐 제조방법이 동일하다는 점이다. 밑술과 덧술, 2차 덧술의 주원료 가공방법이 동일하다는 사실은 '오두오승주'가 도수를 높이기 위한 삼양주법이 아니라, 부드럽고 감칠맛이 뛰어난 술을 빚기 위한 목적임을 알 수 있다.

이 같은 방문은 매우 드문 경우로 '삼해주'에서나 찾아볼 수 있다. 특히나 더 특별한 것은 마르니로 찐 떡인 무리떡(설기)을 다시 끓는 물과 합함으로써 죽을 만들어 술을 빚는다는 점이다.

때문에 밑술과 덧술의 발효기간이 각각 4일밖에 되지 않는다. '삼해주'의 경우, 마르니로 찐 무리떡을 식힌 후, 생수 또는 끓여 식힌 물을 누룩과 함께 사용하는 방법이 일반적이며, 발효기간이 12일 또는 36일이다.

삼양주의 특징은 첫째, 맑고 향이 좋은 술을 얻기 위해 누룩의 양을 가능한 한 최소량으로 하며, 백곡을 사용한다는 것이다. 그런데 <수운잡방>의 '오두오승주'는 누룩을 3회에 걸쳐 사용하고, 그 양이 쌀 5말에 6되 5홉이나 되는 매우 많은 양의 누룩을 사용한다. 그 까닭이 가능한 한 빨리 발효시키기 위한 목적 외에도 안전한 발효를 통해 저장성을 최대한으로 높이기 위한 방편으로 이해된다.

둘째, 끓는 물의 사용은 안전한 발효를 도모하기 위한 목적으로 애용되는 방법 가운데 하나이다. 그런데 방문에서와 같이 이미 호화시킨 원료와 합해 찐 떡을 다시 죽으로 만드는 방법은, 알코올 생성이 목적이 아니라 효모 증식이 주목적이라고 이해하면 된다. 이는 용수를 가능한 한 많이 사용하면서도 어떻게 하면 안전한 발효를 도모할 수 있을 것인가에 대한 해답이 우수한 효모를 최대한 증식시키는 데 있다는 사실을 잘 알고 있다는 뜻이기도 하다.

셋째, 우연의 일치인지 의도적인지는 모르겠으나 주방문을 보면, 누룩 양의 열 배나 되는 양주용수를 사용하고 있는데, 이는 본 방문이 유일하지 않을까 생각된다. 이러한 사실이 특별한 의미를 지니는 건 아니지만, 앞서 언급한 효모 증식을 통한 안전한 발효와 무관하지 않다는 점이다.

넷째, 삼양주의 경우 대부분이 주품의 향상을 위한 방문이라고 단언해도 틀림이 없다. 때문에 쌀의 양을 가능한 한 많이 사용하든지, 아니면 찹쌀을 사용하는 예가 많다. 그런데 <수운잡방>의 '오두오승주'는 3회에 걸쳐 순수하게 멥쌀만을 사용하고 있다. 이 점도 연구해 볼 필요가 있다.

본 방문을 통해서 배우게 된 것은, 본법이라고 할 수 있는 '칠두오승주'에서 얻은 주질의 단점 또는 맛, 향기, 양, 발효기간 등 아쉽게 느낀 부분에 대한 보완책이자, 좀 더 수월한 술 빚기를 위한 방편으로 이해해야 한다는 사실이다.

<수운잡방>의 '오두오승주'는 쌀 5말, 양주용수 6말 5되가 사용된 술 빚기에서 5말 5되의 청주(淸酒)를 얻을 수 있는 만큼 손수 빚어봄으로써 그 맛과 향기를 음미할 일이다.

우(又) 칠두오승주 <수운잡방(需雲雜方)>
―오두오승주(五斗五升酒)

> 술 재료 : 밑술 : 멥쌀 1말, 누룩가루 1되 3홉, 끓는 물 1말 3되
>
> 덧술 : 멥쌀 1말, 누룩가루 1되 7홉, 끓는 물 1말 7되
>
> 2차 덧술 : 멥쌀 3말, 누룩가루 4되 5홉, 끓는 물 3말 5되

술 빚는 법 :

* 밑술 :

1. 멥쌀 1말을 백세하여 (물에 담가 불렸다가, 다시 씻어 헹궈서) 작말하고 시루에 안치고 설기를 찐다.

2. 솥에 물 1말 3되를 끓여 뜨거울 때 설기떡에 붓고, 고루 섞어 죽을 쑨 뒤 차게 식기를 기다린다.

3. 차게 식은 죽에 누룩가루 1되 3홉을 섞고, 고루 버무려 술밑을 빚는다.

4. 술밑을 술독에 담아 안치고, 예의 방법대로 하여 4일간 발효시킨다.

* 덧술 :

1. 멥쌀 1말을 백세하여 (물에 담가 불렸다가, 다시 씻어 헹궈서) 작말하고 시

루에 안치고 설기를 찐다.

2. 솥에 물 1말 7되를 끓여 뜨거울 때 설기떡에 붓고, 고루 섞어 죽을 쑨 뒤 차게 식기를 기다린다.

3. 죽에 밑술과 누룩가루 1되 7홉을 섞고, 고루 버무려 술밑을 빚는다.

4. 술밑을 술독에 담아 안치고, 예의 방법대로 하여 4일간 발효시킨다.

* 2차 덧술 :

1. 멥쌀 3말을 백세하여 (물에 담가 불렸다가, 다시 씻어 헹궈서) 작말하고 시루에 안쳐 설기를 찐다.

2. 솥에 물 3말 5되를 끓여 뜨거울 때 설기떡에 붓고, 차게 식기를 기다린다.

3. 죽에 밑술과 누룩가루 4되 5홉을 섞고, 고루 버무려 술밑을 빚는다.

4. 술밑을 술독에 담아 안치고, 예의 방법대로 하여 발효시켜 채주한다.

又 七斗五升酒

洗末蒸粥待冷和曲日數爲次一如前法米水麵數如左　一次白米一斗(作末)熟水一斗三升曲末一升三合　二次白米一斗(作末)熟水一斗七升曲末一升七合　三次白米三斗(作末)熟水三斗五升曲末三升五合.

오두주

스토리텔링 및 술 빚는 법

'오두주(五斗酒)'는 <산가요록(山家要錄)>을 비롯해 <수운잡방(需雲雜方)>, <양주방>*에 수록되어 있다. '오두주'는 술 이름이 암시하듯 술에 사용되는 주원료인 쌀의 양에서 술 이름을 따왔다. 그렇다면 과연 '오두주'라는 주방문은 술 빚는 방법이나 그 과정에서는 특별한 점을 찾기 어려운 걸까?

그래서 그 특징을 찾고자 주방문을 분석해 보았는데, 두 가지 형태로 나뉜다는 것을 알 수 있었다. 첫째는 이양주법(二釀酒法)과 삼양주법(三釀酒法)이 있고, 둘째는 밑술을 죽으로 빚는 방법과 범벅(죽)으로 빚는 방법, 백설기(흰무리떡)로 빚는 방법이 있다는 것이다.

다시 말해 <산가요록>, <수운잡방>, <양주방>*에 수록된 '오두주'는 주방문이 제 각각으로 공통점을 찾을 수 없으며, 기본적인 원칙이라고 할 수 있는 '술 빚는 법(酒方文)'과는 거리가 먼 주품이라는 사실이다.

이를테면 <산가요록>의 '오두주'는 삼양주법인데도 밑술과 덧술, 2차 덧술에 이르기까지 전 과정을 죽을 쑤어서 사용하고, 누룩과 물이 3차례에 걸쳐 사용된다. 또한 쌀 양보다 물의 양이 훨씬 많다는 점, 특히 2차 덧술의 쌀 양이 덧술보다 적게 사용되는 데도 굳이 죽을 쑤어서 사용하는 목적을 찾을 수 없다. 사정이 이러하니 <산가요록>의 주방문에서 쌀 양의 단위를 뜻하는 '오두주'로 주품명을 부여하게 된 어떤 이유나 의도를 발견할 수 없다.

<수운잡방>의 '오두주' 또한 가장 일반적인 술 빚는 원칙(酒方文)에서 벗어나 있다. 밑술에 사용되는 쌀의 양이 '5두(五斗)'로, 백설기(흰무리떡)를 쪄서 차게 식으면 끓여서 식힌 물과 함께 버무리는데 누룩 1말이 사용된다. 이는 다른 주품에 비해 누룩의 양이 많으며, 덧술로 사용되는 쌀의 양은 10%밖에 안 되는 5되(升)이고, 찹쌀고두밥을 지어서 사용하고 있으나, 이는 감칠맛을 얻고자 하는 목적과 의도 외의 덧술을 하는 본 목적과는 거리가 멀다는 점이다. 또한 엄밀하게는 '오두오승주'이다. 그런데도 굳이 '오두주'라는 주품명을 쓸 하등의 이유를 찾을 수 없다는 판단이다.

세 문헌 중 시대적으로 가장 후기의 기록인 <양주방>*의 '오두주'는 가장 일반적인 술 빚는 과정을 보여주고 있다. 밑술은 범벅을 쑤어서 사용하고, 덧술은 고두밥에 끓는 물을 섞어서 만든 진고두밥 형태로 술밑을 빚지만, 누룩을 밑술보다 많이 사용한다는 점에서 차이가 있다.

특히 주목되는 점은 주방문 말미에 "열흘 뒤에 좋은 술 다섯 동이가 나온다."는 대목이다. 주방문에 따르면, 밑술과 덧술에 사용되는 물의 양이 8말인데도 "좋은 술이 5동이가 나온다."고 하는 건 상식 밖의 일이다.

왜냐하면 술 빚기에 사용되는 물의 양보다 적은 양의 술이 얻어질 수 없기 때문이다. 결국 언급된 '좋은 술'은 청주(淸酒)를 뜻하거나 <양주방>*의 '오두주'에 사용되는 물의 양을 계량하는 도량형은 쌀을 계량하는 말(두)이 사용되었을 것이라는 추측을 할 수 있다.

이렇듯 동일한 명칭의 주품명에 각각 다른 주방문이 존재한다는 사실은, 양주 관련 고식문헌에 수록된 주방문은 결국 한 가문의 가양주에 그 뿌리를 두고 발달해 왔으며, 세대를 거치면서 술 빚는 사람(酒人, 大母)의 기술과 술의 목적, 용도에 따른 다양한 형태의 주방문이 등장하게 되었을 것이라는 추측을 가능케 한다.

다양한 시도를 통해 양주기술이 발달했을 것으로 여겨지나, 이러한 주품들이 대중성을 띠지 못하고, 많은 사람들에게 사랑받지 못한 채 문헌 속의 활자로 박제된 배경이 무엇이었을까를 생각해 볼 필요가 있다.

명주(名酒)는 역사성과 전통성, 고유성을 바탕으로 정통성을 표방하면서 끊임없는 새로움을 추구함과 동시에 대중성을 확보할 수 있어야 한다는 과제를 안고 있다.

순간적 충동이나 근시안적 시류(時流)에 편승하거나, 지나치게 편의성을 추구하다 보면 본질을 훼손하는 실수를 범하게 되기 때문이다.

1. 오두주 <산가요록(山家要錄)>
－쌀 5말 빚이

> 술 재료 : 밑술 : 멥쌀 1말, 누룩가루 3되 5홉, 물 2말
> 덧술 : 멥쌀 2말 7되, 누룩 2되, 끓는 물 3말
> 2차 덧술 : 멥쌀 1말 3되, 누룩 1되, 끓는 물 3말

술 빚는 법 :

* 밑술 :

1. 멥쌀 1말을 (백세하여 물에 담가 불렸다가, 다시 씻어 건져서 물기를 뺀 후) 세말한다.
2. 물 2말을 끓이다가 쌀가루를 붓고 죽을 끓인 뒤, 넓은 그릇에 퍼서 차게 식기를 기다린다.
3. 죽에 누룩 3되 5홉을 섞고, 고루 버무려서 술밑을 빚는다.
4. 술독에 술밑을 담아 안치고, 예의 방법대로 하여 7일간 발효시킨다.

* 덧술 :

1. 멥쌀 2말 7되를 (백세하여 물에 담가 불렸다가, 다시 씻어 건져서 물기를 뺀

후) 세말한다.

2. 물 3말을 끓이다가 쌀가루를 합하고, 고루 저어주면서 죽을 쑤어 차게 식기를 기다린다.

3. 죽에 누룩 2되와 밑술을 합하고, 고루 버무려 술밑을 빚는다.

4. 술독에 술밑을 담아 안치고, 예의 방법대로 하여 익기를 기다린다.

* 2차 덧술 :

1. 멥쌀 1말 3되를 (백세하여 물에 담가 불렸다가, 다시 씻어 건져서 물기를 뺀후) 세말한다.

2. 물 3말을 끓이다가 쌀가루를 합하고, 고루 저어주면서 죽을 쑤어 차게 식기를 기다린다.

3. 죽에 누룩 1되와 덧술을 합하고, 고루 버무려 술밑을 빚는다.

4. 술독에 술밑을 담아 안치고, 예의 방법대로 하여 10일간 발효시킨다.

五斗酒

米五斗. 白米一斗 細末. 水二斗 作粥 待冷. 麴三升五合 和入瓮. 七日. 白米二斗七升 細末. 水三斗 作粥 待冷. 麴二升 和入. 又七日. 白米一斗三刀 細末. 水三斗 作粥 待冷. 麴一升 和入. 十日後 開用之.

2. 오두주 <수운잡방(需雲雜方)>

술 재료 : 밑술 : 멥쌀 5말, 누룩가루 1말, 끓여 식힌 물 10말
　　　　　　 덧술 : 찹쌀 5말

술 빚는 법 :

* 밑술 :

1. 멥쌀 5말을 백세하여 (물에 담가 불렸다가, 다시 씻어 헹궈 건져서) 세말한
   다(고운 가루로 빻는다).
2. 쌀가루를 체에 한 번 내린 후, 시루에 안쳐서 설기떡을 찐다.
3. 설기떡이 익었으면 퍼내어 덩어리가 없게 풀고, 돗자리에 고루 펼쳐서 차게
   식기를 기다린다.
4. 물 10말을 끓여서 차게 식혀놓는다.
5. 차게 식은 설기떡에 끓여 식혀둔 물 10말을 합하고 덩어리 없는 죽을 만든
   뒤, 누룩가루 1말을 섞어 버무려서 술밑을 빚는다.
6. 술독에 술밑을 담아 안치고, 예의 방법대로 하여 3일간 발효시킨다.

* 덧술 :
1. 같은 날 찹쌀 5말을 (백세하여) 물에 담가 3일간 불렸다가, (다시 씻어 헹궈
   건져서 물기를 뺀 후) 시루에 안쳐서 고두밥을 짓는다.
2. 고두밥을 찔 때 쌀 담갔던 물을 뿌려가면서 고두밥을 무르게 쪄낸다.
3. 고두밥이 익었으면 퍼내고, 고루 펼쳐서 차게 식기를 기다린다.
4. 고두밥을 밑술독에 합하고, 주걱으로 덩어리가 없이 풀어지게 휘저어 술밑
   을 빚는다.
5. 술독을 예의 방법대로 하여 맑게 익기를 기다려 주자에 올려 짠다.

* '오두오승주(五斗五升酒)'이다. 덧술 쌀 5되는 술맛을 부드럽고 양을 늘리기
   위한 방편이다.

五斗酒
白米五斗百洗細末熟蒸解塊待冷水十斗沸湯待冷注作粥好麴末一斗和納甕同
日粘米五升沈水第三日拯出酒沈水蒸飯待冷納甕待淸上槽.

3. 오두주 <양주방>*

술 재료 : 밑술 : 멥쌀 1말, 누룩가루 2되, 끓는 물 2(1)말
　　　　 덧술 : 멥쌀 4말, 누룩가루 4되, 끓는 물 6(3)말

술 빚는 법 :

* 밑술 :

1. 희게 쓿은 멥쌀 1말을 깨끗이 씻고 또 씻어 (백세하여 물에 담가 불렸다가, 다시 씻어 헹궈 건져서 물기를 뺀 후) 작말하여 놋동이에 담아놓는다.
2. 물 2말을 팔팔 끓여 쌀가루에 붓고, 주걱으로 골고루 개어서 죽(범벅)을 만든 뒤, 넓은 그릇에 퍼서 매우 차게 식기를 기다린다.
3. 쌀 범벅에 누룩가루 2되를 섞고, 고루 버무려 술밑을 빚는다.
4. 술밑을 술독에 담아 안치고, 예의 방법대로 하여 2일간 발효시킨다.

* 덧술 :

1. 희게 쓿은 멥쌀 4말을 깨끗이 씻고 또 씻어 (백세하여 물에 담가 불렸다가, 다시 씻어 헹궈 건져서 물기를 뺀 후) 시루에 안쳐서 고두밥을 짓는다.
2. 고두밥이 무르게 익었으면 퍼내어 넓은 그릇에 담고, 끓는 물 6말을 붓고 주걱으로 고루 개어놓는다.
3. 고두밥이 물을 다 먹었으면, 고두밥을 고루 펼쳐서 매우 차게 식기를 기다린다.
4. 밑술을 고두밥에 쏟아 붓고, 누룩가루 4되를 합하고 고루 버무려 술밑을 빚는다.
5. 술밑을 술독에 담아 안치고, 예의 방법대로 하여 10일간 발효시켜 익었으면 따라서 마신다.

* 주방문 말미에 "열흘 뒤에 좋은 술 다섯 동이가 나온다."고 하였는데, 여기서

주방문대로라면 '오두'와 '오병'을 동일한 양으로 본 것으로 생각된다.

오두쥬

빅미 흔 말 빅셰작말ᄒᆞ야 쓸힌 물 두 말의 쥭 쑤어 ᄎᆞ거든 누룩ᄀᆞ로 두 되로 섯거 너흔 삼일 만의 빅미 ᄉᆞ두 빅셰ᄒᆞ야 닉게 쪄 쓸힌 물 녓 말노 골라 ᄎᆞ거든 누룩ᄀᆞ로 넉 되를 밋술의 섯거 너흐라. 열흘 만의 죠흔 술 다ᄉᆞᆺ 동희 나ᄂᆞ니라.

오병주

스토리텔링 및 술 빚는 법

‘오병주(五甁酒)’는 <술 만드는 법>을 비롯해 <양주방>*, <양주방(釀酒方)>, <양주집(釀酒集)>, <음식방문(飮食方文)>, <음식보(飮食譜)>, <주방문초(酒方文抄)> 등에 등장한다. 술을 빚는 데 사용되는 물의 양이 오병(五甁)이라는 데서 유래한 주품명임을 알 수 있다. ‘오병주’와 매우 유사한 주품명으로 ‘오호주’가 있으며, ‘일두사병주’와 ‘일두육병주’ 등도 술 빚기에 사용된 물의 양에 따른 주품명이다.

다만, <주방문초>의 ‘오병주’는 다른 문헌의 주방문과는 매우 다르다. 술 빚기에 사용되는 양주용수의 양이 7말로 매우 많다. 물 7말을 병(甁)으로 환산하면 14병에 해당되므로 ‘오병주’의 개념에서 크게 벗어난다.

자주 언급한 바와 같이 이와 같은 주품들의 경우 대개는 술에 사용되는 재료, 곧 쌀의 양이나 용수 단위에 따른 것으로, 문헌마다 재료를 처리하는 방법들이 다양하게 나타난다는 것을 알 수 있다.

<술 만드는 법>을 비롯해 여러 문헌에 등장하는 ‘오병주’는 한결같이 이양주(二

釀酒)이면서 속성주(速成酒)라는 사실에도 불구하고, 다른 주품들과는 다른 몇 가지 특징들을 찾아볼 수 있다.

첫째, '오병주'는 밑술과 덧술에 사용되는 용수의 양이 3병과 2병 또는 4병과 1병 등으로 합계 5병이 쓰이는데, <양주방>의 경우 밑술과 덧술에서 각각 2병씩 사용되고 있다.

둘째, 일반적인 이양주법에서는 밑술과 덧술의 비율에서 덧술의 원료 양은 밑술과 비교했을 때 최소 동량이거나 2배, 4배, 5배, 10배로 사용되는 등 공통된 일정한 형식이 있다.

그러나 '오병주'는 모든 문헌의 주방문에서 보다시피 밑술에 사용되는 쌀 양의 10% 또는 20%, 40%, 50%씩 더 적게 사용되고 있다.

셋째, 밑술에서는 끓는 물을 사용하는 한편 쌀을 가루로 빻아 찐 떡인 흰무리나 죽, 범벅(담)을 만들어 사용하고, 덧술에서는 주원료인 쌀을 가루로 빻지 않고 물과 함께 끓여서 만든 죽을 사용하는 방법이 주류를 이루는데, <양주집>에서는 밑술에서와 같이 쌀을 가루로 빻아 범벅(담)을 사용하고, <음식방문>에서는 덧술에도 누룩가루를 사용하고 있다.

넷째, '오병주'는 밑술의 쌀 양으로 1말이 사용되며, 쌀 양의 10% 또는 7%의 누룩과 밀가루가 동일하게 사용되는 공통점을 보이는 반면, <양주집>에서는 '엿기름가루'가 사용되고, <음식방문>에서는 '석임'을 사용하고 있다.

다섯째, '오병주'는 속성주이다. 이양주법이면서도 밑술의 발효기간은 대략 1일, 2일 또는 3~4일이고, 덧술의 발효기간도 6일을 넘지 않는다. '오병주'가 이양주이면서 속성주로 분류되는 까닭은 덧술의 쌀 양이 밑술보다 적고, 밑술과 같은 방법이거나 밑술의 쌀보다 호화도가 높다는 사실 때문이다.

이러한 '오병주'의 특징은 '오호주'에서도 똑같이 나타난다. 병(瓶)과 호(壺)가 동일한 용기(用器)라는 사실을 확인할 수 있는 중요한 자료가 된다고 하겠다.

전통주를 빚어본 사람이면 알겠지만, '오병주'와 같은 주방문은 술 빚기에 앞서 깊이 생각해 볼 여지가 있다. '오병주'는 이양주의 형식을 취하고는 있지만, 술 빚기에 소요되는 총 발효기간이 10일 이내에 발효를 끝내고 채주(採酒)를 한다는 사실에서, 알코올 도수가 낮아 냉장보관을 한다 치더라도 장기보관이 어렵기 때문에 단기간에 마셔야만 한다.

주지하다시피 덧술을 죽이나 범벅으로 빚을 경우 알코올 도수가 높아지지 않는 대신, 술맛이 부드러워지고 양이 늘어난다는 장점이 있다. 특히 덧술도 죽이나 범벅으로 할 경우 발효기간이 더욱 단축된다. 결국 발효기간이 짧은 술에서 공통적으로 나타나는 특징인 쓴맛 때문에 술맛이 거칠게 느껴질 수 있다. 달면서도 강렬한 맛은 미숙주(未熟酒)에서 찾을 수 있는 특징으로, 숙성되면 강렬한 맛은 사라지고 부드럽기는 하지만, 오히려 싱거운 맛을 주고 산미가 점차 강하게 나타난다는 점에서 바람직한 양주법(釀酒法)은 아니라고 생각한다. 따라서 '오병주' 주방문은 '오호주'와 함께 특정한 날에 많은 양의 술을 써야 할 경우, 한꺼번에 많은 양의 술을 얻기 위한 방편으로 마련된 주방문이라는 확신을 갖게 된다.

그 배경으로 덧술 쌀을 3일간 침지하는 방법을 들 수 있다. 이와 같은 주방문은 알코올 발효를 위한 쌀 양이 아니라, 당화를 촉진시켜 감미를 부여하기 위한 방법이라는 것이다.

한편, <성호사설(星湖僿說)> '만물문(萬物門)'에서는 "큰 술집에 '삼해(三亥)'와 '오병(五丙)'이란 술이 있는데, 이는 빚은 후에 흰 곰마지가 끼고 맛이 시어져서 좋은 술이 될 수 없을 듯하나, 한 달쯤 지나면 바로 징주(澄酒)가 되어서 맛이 아주 감렬(甘烈)하다."고 하였다. '삼해·오병'에 대해서는 "삼해는 음력 정월 제3해일(亥日)에 빚은 즉 삼해주(三亥酒)를, 오병은 동지(冬至) 후 제5병일(丙日)에 빚은 즉 오병주(五丙酒)"라 하였다. "이 '삼해'와 '오병'이란 술 이름은 우리나라에서 유래된 말"이라는 설명은 있으나, 이때의 '오병'이 <양주집> 등에 수록된 '오병주'와 관련이 있는지는 확인할 길이 없다.

1. 오병주 <술 만드는 법>

술 재료 : 밑술 : 멥쌀 1말, 누룩 7홉, 진말 7홉, 물(쌀되로 1말, 3병)
　　　　 덧술 : 찹쌀 5되, 물(쌀되로 7되 5홉, 2병), 시루밑물

술 빚는 법 :

* 밑술 :

1. 멥쌀 1말을 물에 옥같이 씷어 (매우 깨끗이 씻어 불렸다가, 다시 헹궈서 물기를 뺀 뒤) 작말하여 그릇에 담아놓는다.

2. 쌀 되던 그릇(되)으로 물 1말을 계량하여 솥에 끓이고, 끓는 김에 쌀가루를 부어 주걱으로 고루 개어 범벅을 만든다.

3. 범벅을 넓은 그릇에 퍼서 차게 식기를 기다렸다가 누룩과 진말 7홉을 한데 섞고, 떡 반죽하듯 고루 주물러서 술밑을 빚는다.

4. 술밑을 술독에 담아 안치고, 예의 방법대로 하여 2일(봄, 가을, 겨울은 3~4일)간 발효시켜 술이 괴어오르기를 기다린다.

* 덧술 :

1. 밑술이 괴면 찹쌀 5되를 정히 씻어(물에 깨끗이 씻어 담가 불렸다가, 다시 헹궈서 물기를 빼고) 물(쌀되로 7되 5홉)과 함께 솥에 넣고 끓여 죽을 쑨다.

2. 죽은 넓은 그릇에 퍼서 차게 식기를 기다린다.

3. 밑술을 (주걱으로) 고루 저어가면서, 죽을 독에 붓고 다시 고루고루 저어준다.

4. 술밑 안치기가 끝났으면 물기 없이 하고, 시루밑물을 차게 식혀 술 빚었던 그릇을 씻어서 독에 붓는다.

5. 술독은 예의 방법대로 하여 김만 새나가지 않게 덮고, 6일간 발효시킨다.

* 주방문에 "6일 만에 떠야 술이 맑으며, 술덧을 버무릴 때 물기 말고 시루밑물을 차게 하여 그릇을 씻어낸 후에 붓는다. 그리하면 급히 괴어오르니 그릇을 항아리 곁에 두었다가 끓어올라오는 것이 그치면 다른 독에 옮겨야 한다. 단단히 싸매면 술독이 터지므로 김만 아니 나게 덮어 익히라."고 하였는데, 이는 밑술의 술밑이 끓어서 잘 넘친다는 뜻이다.

오병쥬

빅미 흔 말을 흐랴면 옥갓치 쓰러 작말ᄒ야 뿔 되던 되로 물 열 되를 쓸여 범

벅을 익게 기여 너른 그르셰 퍼셔 식거든 곡말 칠 홉 진말 칠 홉 흔디 셕거 쥬
물너 쎡 반쥭 치듯 버무려 항아리에 너허 여름은 이틀 만에 흐고 츈 츄 동은
숨스일 만에 괴이는 긔미를 보와 졈미 닷 되를 졍히 쥭 뿌어 츠게 식거든 부으
라 고로고로 져어 붓고 뉵일 만에 쎠야 맑으니 버무릴 제 물쎄 말고 시루물
를 츠게 흐야 그르슬 부시여 붓고 덧흐야 너흐면 급히 과이 올으나니 그룻과
항아리를 겻히 두엇다가 옴기나니 넘치기 긋치거든 왼 항아리에 부으라 단단
이 빳미면 항아리가 터지나니 김만 아니 나게 덥허 두게 흐는 거시 조흐니라.

2. 오병주 <양주방>*

> 술 재료 : 밑술 : 멥쌀 1말, 누룩가루 2되, 밀가루 7홉, 물 3~5병
>   덧술 : 멥쌀 3되, 누룩가루 1되, (물 1병)

술 빚는 법 :

* 밑술 :

1. 희게 쓿은 멥쌀 1말을 백세세말하여 넓은 그릇에 담아둔다.

2. 물 3~5병을 팔팔 끓여서 끓을 때 쌀가루에 붓고, 골고루 개어 범벅을 만들
   어놓는다(차게 식힌다).

3. 범벅에 누룩가루 2되와 밀가루 7홉을 한데 섞고, 고루 버무려서 술밑을 빚
   는다.

4. 술독에 술밑을 담아 안치고, 예의 방법대로 하여 (2일간) 발효시킨다.

* 덧술 :

1. 술이 한창 괴어 거품이 일 때, 희게 쓿은 멥쌀 3~2되를 백세하여 물(1병)과
   함께 끓여 죽을 쑨다.

2. 죽을 넓은 그릇에 퍼서 차게 식힌다.

3. 죽에 누룩가루 1되를 버무려 술밑을 빚은 후, 재차 밑술을 합하고 고루 버무려 술밑을 빚는다.
4. 술독에 술밑을 담아 안치고, 예의 방법대로 하여 발효시키는데, 익는 대로 떠서 마신다.

오병쥬도

오병쥬도 혼가지(뉴병쥬)로딕 쏠 혼 말의 물 오병 노코 불리게 흐려면 일두의 세 병도 놋느니라.

3. 오병주 일방 <양주방>*

술 재료 : 밑술 : 멥쌀 1말, 누룩가루 1되, 밀가루 1되, 석임 1되, 끓는 물 5병
　　　　　덧술 : 찹쌀 2되, 물 1병

술 빚는 법 :
* 밑술 :
1. 희게 쓿은 멥쌀 1말을 백세세말하여 넓은 그릇에 담아둔다.
2. 물 5병을 팔팔 끓여서 끓을 때 쌀가루에 붓고, 골고루 개어 범벅을 만들어 차게 식힌다.
3. 범벅에 누룩가루 1되와 밀가루 1되, 석임가루 1되를 한데 섞고, 고루 버무려서 술밑을 빚는다.
4. 술독에 술밑을 담아 안치고, 예의 방법대로 하여 3일간 발효시킨다.

* 덧술 :
1. 4일째 되는 날 희게 쓿은 찹쌀 2되를 백세하여(물에 담가 불렸다가) 새 물에 헹궈서 물기를 뺀다.

2. 찹쌀에 물 1병을 붓고 끓여서 죽을 쑨다(차게 식힌다).

3. 죽에 밑술을 합하고, 고루 버무려 술밑을 빚는다.

4. 술독에 술밑을 담아 안치고, 예의 방법대로 하여 7일(이레)간 발효시켜 따라서 마신다.

* 주방문에 '오병주 우일방'이라고 하였으나, 술 빚기에 사용되는 양주용수의 양은 6병이라는 것을 알 수 있다.

오병주 우일방

빅미 일두 빅셰작말ᄒ야 탕슈 오병의 쳐 츠거든 국말 진말 서김 각 ᄒ 되식 버무려 너허 스일 만의 졈미 이승의 물 ᄒ 병의 죽 쑤어 너허 칠일 만의 드리우라.   .

4. 오병주법 <양주방(釀酒方)>

술 재료 : 밑술 : 멥쌀 1말, 누룩가루 1되, 밀가루 1되, 끓는 물 2병(6되)

　　　　 덧술 : 찹쌀 4되, 물 2병(6되)

술 빚는 법 :

* 밑술 :

1. 멥쌀 1말을 (백세하여 물에 담가 불렸다가, 다시 씻어 헹궈 건져서 물기를 뺀 후) 작말한다(가루로 빻는다).

2. 쌀가루를 시루에 안쳐서 흰무리떡을 찌고, 솥에 물 2병(6되)을 팔팔 끓인다.

3. 흰무리떡이 익었으면 퍼내어 끓는 물과 한데 합하고, 더운 김에 덩어리가 없게 주걱으로 개어 죽처럼 만든 후 매우 차게 식기를 기다린다.

4. 죽처럼 만든 떡에 누룩가루 1되와 밀가루 1되를 한데 섞고, 고루 치대어 술

밑을 빚는다.
5. 술밑을 술독에 담아 안치고, 예의 방법대로 하여 (덥지도 차지도 않은 곳에서) 4일간 발효시킨다.

* 덧술 :
1. 5일째 되는 날 찹쌀 4되를 (백세하여 물에 담가 불렸다가, 다시 씻어 헹궈 건져서 물기를 뺀 후) 물 2병을 붓고 끓여 죽을 쑨다.
2. 죽을 넓은 그릇에 퍼서 차게 식기를 기다린다.
3. 밑술을 내어 죽에 합하고, 고루 버무려 술밑을 빚는다.
4. 술밑을 독에 담아 안치고, 예의 방법대로 하여 (덥지도 차지도 않은 곳에서) 5일간 발효시킨 후 드리워(걸러서) 사용한다.

* 주방문에 술 이름을 '오병주'라고 하였으나, 실제 사용되는 물의 양은 4병으로 차이가 있다. 따라서 본 주방문의 '오병주'는 술이 익었을 때 '채주할 수 있는 술의 양을 계량할 경우 맑은 술 5병을 얻을 수 있다.'는 뜻으로 해석하는 것이 옳을 듯하다.

오병쥬법
빅미 한 말 작말ᄒᆞ야 무리떡 ᄣᅵ고 ᄭᅳᆯ힌 물 두 병 부허 식여 누록ᄀᆞᄅ 한 되 진ᄀᆞᄅ 한 되 고로 섯거 너헛다가 닷식 만의 찹쌀 넉 되 물 두 병 부어 죽 ᄡᅮ어 식거든 그 술밋ᄒᆡ 섯거 너허 ᄯᅩ 닷식 만의 드리워 쓰나니라.

5. 오병주 <양주집(釀酒集)>

술 재료 : 밑술 : 멥쌀 1말, 누룩 1되, 진말 1되, 엿기름가루 1되, (끓는) 물 4병
　　　　 덧술 : 찹쌀 1되, (끓는) 물 1병

술 빚는 법 :

* 밑술 :

1. 멥쌀 1말을 백세하여 (물에 담가 불렸다가, 새 물에 다시 씻어 맑게 헹궈 건져서 물기를 뺀 후) 세말하고(고운 가루로 빻아) 넓은 그릇에 담아둔다.
2. (솥에) 물 4병을 (끓여) 쌀가루에 고루 붓고, 주걱으로 고루 개어 담(범벅)을 만든 후, 차게 식기를 기다린다.
3. 차게 식은 담(범벅)에 누룩 1되, 진말 1되, 엿기름가루 1되를 합하고, 고루 치대어 술밑을 빚는다.
4. 술독에 술밑을 담아 안치고, 예의 방법대로 하여 하루 동안 발효시킨다.

* 덧술 :

1. 다음날 같은 시각에 찹쌀 1되를 백세하여 (물에 담가 불렸다가, 새 물에 다시 씻어 맑게 헹궈 건져서 물기를 뺀 후) 세말한다(고운 가루로 빻는다).
2. (솥에) 물 1병을 (끓여) 쌀가루에 고루 붓고, 주걱으로 담(범벅)을 개어 차게 식기를 기다린다.
3. 차게 식은 담(범벅)에 밑술을 합하고, 고루 버무려 술밑을 빚는다.
4. 술독에 술밑을 담아 안치고, 예의 방법대로 하여 발효시켜 술이 익으면 채주한다.

* 주방문 머리에 "이 술에 물 적게 하고져 하거든 짐작하여 하라."고 하여, 물의 양을 임의로 조절하여 취향대로 빚을 수 있음을 확인할 수 있다. 그리고 밑술에서 "백미 1말 백세세말하여 물 4병에 담 개어……"라 하였고, 넛술에서는 "점미 1되 백세세말하여 물 1병에 담 개어……"라고 했는데, 이는 끓인 물을 '물(날물)'로 잘못 표기한 것으로 여겨진다.

五瓶酒
이 술이 믈 적게 흐고져 흐거든 짐쟉흐야 흐라. 白米 一斗 百洗 細末흐야 믈 四瓶이 듬 기어 曲子 一升 眞末 一升 牟芽末 一升와 섯거 녀허다가 翌日 제 째여 粘米 一升 白洗 細末ᄒᆞ여 믈 一倂이 돕 기여 녀허다가 닉거든 ᄡᅳ라.

6. 오병주 <음식방문(飮食方文)>

> 술 재료 : 밑술 : 멥쌀 1말, 가루누룩 1되, 밀가루 1되, 석임 1되, 물 4병
>
> 덧술 : 찹쌀 2되, 누룩가루 5홉, 물(1병)

술 빚는 법 :

* 밑술 :

1. 멥쌀 1말을 백세하고 (물에 담가 불렸다가, 다시 씻어 건져서 물기를 뺀 후) 작말하여 넓은 그릇에 담아놓는다.
2. 솥에 물 4병을 (끓이다가 쌀가루를 합하고, 주걱으로 천천히 저어가면서) 팔 팔 끓여 된죽을 쑨 다음 (넓은 그릇에 퍼서) 차게 식기를 기다린다.
3. 죽에 가루누룩 1되를 합하고, 고루 버무려 술밑을 빚는다.
4. 술독에 술밑을 담아 안친 뒤, 예의 방법대로 하여 3일간 발효시킨다.

* 덧술 :

1. 4일째 되는 날 찹쌀 2되를 준비한다(백세하여 물에 담가 불렸다가, 다시 씻어 새 물에 헹궈서 물기를 뺀다).
2. 물(1병)을 (끓이다가 불린 찹쌀을 합하고, 주걱으로 천천히 저어가면서) 팔 팔 끓여 된죽을 쑨다(넓은 그릇에 퍼서 차게 식기를 기다린다).
3. 죽에 밑술과 누룩가루 5홉을 한데 합하고, 고루 버무려 술밑을 빚는다.
4. 술독에 술밑을 담아 안치고, 예의 방법대로 하여 발효시켜 익기를 기다려 채주하여 마신다.

* 주방문에 밑술의 쌀을 '작말하라.'는 말이 없고, 죽도 식히라는 언급이 없다.

또 덧술의 물 양이나 죽을 어떻게 하라는 내용이 언급되어 있지 않다. 따라서 일반적인 술 빚는 법을 좇아 주방문을 작성하였다. 또 술 이름이 '오병주'인 것을 감안하면, 덧술에 사용되는 물의 양이 1병이라야 한다.

오병쥬

빅미 흔 말 ᄒᆞ여 물 네 병에 죽 쑤어시켜 곡말 흔 되 섯거 너허싸가 삼일 만의 졈미 두 되 죽 쑤어 곡말 다 숍을 너허 쓰라.

7. 오병주법 <음식보(飮食譜)>

> 술 재료 : 밑술 : 멥쌀 1말, 가루누룩 1되, 밀가루 1되, 물 3병
> 　　　　 덧술 : 찹쌀 1되, 물 2병

술 빚는 법 :

* 밑술 :

1. 멥쌀 1말을 백세하여 물에 담가 하룻밤 불렸다가, 다시 깨끗하게 헹궈서 물기를 뺀 후 작말한다.
2. 멥쌀가루를 시루에 안쳐서 떡을 찌고, 물 3병을 팔팔 끓여 찐 떡에 합하고, 주걱으로 골고루 개어 덩어리 없이 풀어서 가장 차게 식기를 기다린다.
3. 차게 식은 떡에 가루누룩 1되와 밀가루 1되를 합하고, 고루 버무려 술밑을 빚는다.
4. 술밑을 술독에 담아 안치고, 예의 방법대로 하여 3일간 발효시킨다.

* 덧술 :

1. 찹쌀 1되를 백세하여 (물에 담가 불렸다가, 다시 헹궈서) 물기를 뺀다.
2. 솥에 물 2병을 붓고 팔팔 끓이다가, 불린 쌀을 넣고 팔팔 끓여 죽을 쑨다.

3. 죽이 끓었으면 넓은 그릇에 퍼 담고, 차게 식기를 기다린다.

4. 죽에 밑술을 붓고, 고루 합하여 술밑을 빚는다.

5. 술밑을 술독에 담아 안치고, 예의 방법대로 하여 4일간 발효시킨다.

오병듀법

빅미 흔 말 시어 글ᄋ 씨허 닉게 쪄 믈 세 병 씰허 덩이 업시 프러셔 그쟝 ᄎ
거든 그른누룩 흔 되 딘그른 흔 되 섯거 너허 사홀 만의 춥쑬 흔 되 믈 두 병
으로 죽 쑤어 치와 슷쳐 돗닷가 나흘 만의 쓰라.

8. 오병주법 <주방문초(酒方文抄)>

> 술 재료 : 밑술 : 멥쌀 2말, 누룩 4되, 물 3말
> 　　　　　 덧술 : 멥쌀 4말, 누룩 3되, (끓는) 물 4말

술 빚는 법 :

* 밑술 :

1. 멥쌀 2말을 백세하고 (물에 담가 불렸다가, 다시 씻어 건져서 물기를 뺀 후)
   작말하여 넓은 그릇에 담아놓는다.

2. 솥에 물 3말을 끓이다가 쌀가루에 합하고, 주걱으로 고루 개어 범벅을 쑨다
   (넓은 그릇에 퍼서 차게 식기를 기다린다).

3. 범벅에 좋은 누룩 4되를 합하고, 고루 버무려 술밑을 빚는다.

4. 술독에 술밑을 담아 안친 뒤, 예의 방법대로 하여 발효시키되 약간 신맛이
   나면 덧술을 준비한다.

* 덧술 :

1. 멥쌀 4말을 백세하여 (물에 담가 불렸다가, 다시 씻어 새 물에 헹궈서 물기

를 뺀 다음) 시루에 안쳐서 고두밥을 짓는다.

2. 물 4말을 (끓여) 쪄낸 고두밥에 골고루 합하고, 주걱으로 헤쳐서 고두밥이
   물을 다 먹기를 기다린다(넓은 그릇에 퍼서 차게 식기를 기다린다).

3. 진고두밥에 밑술과 누룩 3되를 한데 합하고, 고루 버무려 술밑을 빚는다.

4. 술독에 술밑을 담아 안치고, 예의 방법대로 하여 발효시켜 익기를 기다려 주
   대(酒帶, 술자루)에 넣어 채주하여 마신다.

五甁酒法

白米 二斗 百洗 作末 熟蒸 水 三斗 鼎沸行 冷調合 好麴 四升 相和盛於瓮 有
酸味然後 又白米 三斗 百洗 蒸飯 水 四斗 調和 麴 三升 和於本酒釀之最熟
後 不然冷水 盛於酒帒 壓之則淸酒幾出四盆.

뿔 흔 말의 쳥듀 다숫 병이 나거니와 빅미 두 말을 빅 번이나 시서 ᄀᆞᆯ늘 ᄉᆡᆺ
아 뗘 물 서 말 ᄭᅳᆯ혀 ᄀᆞᆯ나 죠흔 누룩 너 되 섯거 독의 너코 약간 쉰 마시 잇
거든 빅미 서 말을 빅 번이나 시서 밥 ᄧᅵᆯ고 물 너 말 ᄀᆞᆯ나 누룩 서 되를 밋
술의 섯거 비졋다가 닉거든 ᄂᆞᆯ물긔 업시 쥬딕예 너허 드리오면 쳥듀 네 동 되
나ᄂᆞᆫ이라.

오승주

'오승주'는 <양주(釀酒)>에 처음 등장하는 주품으로, 술 빚기에 사용되는 주원료인 쌀의 양이 5되(升)가 사용된다고 한 데서 유래한 주품명이다. <수운잡방(需雲雜方)>에 '오두오승주', '칠두오승주'라는 주품이 있었지만, 말(斗) 단위 이하의 주품명은 '오승주'가 처음이자 유일한 기록이라고 보여진다.

<양주>의 '오승주'는 "빅미 셔 되 빅셰작말ㅎ야 쓸힌 물 흔 말 기여 죽 수어 치와 곡말 칠 홉 딘말 다 홉 비즈다가 스일 후 빅미 두 되 빅셰 쪄 치와 물 엿 되 곡말 닷 홉 덧쪄 스일 후 쓰라."고 하여 멥쌀로만 빚는 이양주(二釀酒)임을 알 수 있다. '오승주' 주방문을 보면, 이 주품이 '오두오승주'나 '칠두오승주'의 주질에도 미치지 못하거니와 특별한 맛과 향을 간직한 술은 아니라는 판단이다.

이를테면 밑술은 쌀가루를 만들어 3배가 넘는 끓는 물로 익히는 범벅(죽)에 누룩가루와 밀가루를 한데 섞어 4일간 발효시킨다. 다시 멥쌀로 지은 고두밥에 재차 2.5배의 (끓여 식힌) 물을 합하여 진고두밥을 만들고, 재차 누룩가루와 함께 밑술에 섞어 덧술을 빚는다. 덧술 역시도 4일간 발효시키는 것으로 되어 있다.

특히 '오승주'는 밑술과 덧술에 두 차례 누룩가루와 끓는 물을 사용하며, 누룩의 사용비율이 24%, 급수비율은 333%, 덧술의 발효기간이 4일이라는 데서 상술(常酒)의 개념을 뛰어넘지 못한 평범한 주품임을 짐작할 수 있다.

주지하다시피 전통 양주기법에 있어 주원료의 양보다 급수비율이 100%를 넘게 되면 맛과 향이 떨어진다. 특히 누룩의 사용비율이 10%를 넘어서면 누룩취를 감내해야만 한다.

'오승주'와 같은 주품은 덧술의 발효방법을 달리함으로써, 부드럽고 감칠맛 있는 맛 좋은 술로 빚을 수 있다. 그 요령은 의도적으로 덧술에 사용되는 누룩을 사용하지 않거나 그 양을 줄이는 것이다.

또한 발효 온도를 낮게 가져가는 것으로 잔당(殘糖)을 남기는 방법이 있다. 그러나 덧술의 발효 온도를 인위적으로 낮춰 잔당을 남겼을 경우, 발효를 끝낸 당시에는 부드럽고 순한 맛이 있어 좋지만, 온도 변화가 생겼을 경우에는 언제라도 재발효나 산(酸)이 올라오는 것을 피할 수 없고, 저장성이 떨어진다는 단점이 있다.

따라서 '오승주'는 한꺼번에 많은 양의 술을 필요로 할 때 빠른 기간에 걸쳐 빚고, 2~3일 사이에 전량 소비를 목적으로 하는 속성주(速成酒)로 인식할 필요가 있으며, 한꺼번에 과음하는 것을 피해야 한다. 헛배 부름이나 두통, 트림과 같은 부작용을 피할 수 없기 때문이다.

오승주 <양주(釀酒)>

> 술 재료 : 밑술 : 멥쌀 3되, 가루누룩 7홉, 밀가루 5홉, 끓는 물 1말
> 덧술 : 멥쌀 2되, 누룩가루 5홉, (끓여 식힌) 물 5되

술 빚는 법 :
* 밑술 :
1. 멥쌀 3되를 백세하여 (물에 담가 불렸다가, 다시 씻어 헹궈서 물기를 뺀 후)

작말한다.

2. 쌀가루에 끓는 물 1말을 한데 합하고 주걱으로 고루 개어서 죽(범벅)을 쑨후, 차게 식기를 기다린다.

3. 죽(범벅)에 가루누룩 7홉과 밀가루 5홉을 한데 합하고, 고루 버무려 술밑을 빚는다.

4. 술밑을 술독에 담아 안치고, 예의 방법대로 하여 (서늘한 곳에서) 4일간 발효시킨다.

* 덧술 :

1. 멥쌀 2되를 (백세하여 물에 담가 불렸다가, 다시 씻어 헹궈서 물기를 빼고) 시루에 안쳐서 고두밥을 짓는다.

2. 고두밥이 익었으면 퍼내고, 고루 펼쳐서 차게 식기를 기다린다.

3. 밑술에 고두밥과 (끓여 차게 식힌) 물 5되, 누룩가루 5홉을 한데 합하고, 고루 버무려 술밑을 빚는다.

4. 술밑을 술독에 담아 안치고, 예의 방법대로 하여 4일간 발효시켜 익기를 기다린다.

오승쥬

빅미 셔 되 빅셰작말ᄒ야 쓸힌 물 흔 말 기여 죽 수어 치와 곡말 칠 홉 딘 말 다 홉 비즈다가 스일 후 빅미 두 되 빅세 쎠 치와 물 닷 되 곡말 닷 홉 덧 쎠 스일 후 쓰라. 이 방문을 츠여로디 하야 머그며 마시(몹시) 둘고 쓰이리 □□□□□□□.

오칠주

스토리텔링 및 술 빚는 법

<민천집설(民天集說)>에는 총 52품의 주방문이 등장한다. '오칠주(五七酒)' 외 주품 50종과 누룩 1품이 수록되어 있는데, 주품명에 '오비유(五匕酉)'라고 되어 있으나 오기(誤記)인 듯하다. 주방문을 보면 밑술의 쌀이 5되, 덧술의 쌀이 7말인 점으로 미루어 '오칠주(五七酒)'로 정정하였다.

다시 말해 밑술의 쌀 양인 오승(五升)의 '오(五)'와 덧술의 쌀 양 칠두(七斗)의 '칠(七)'을 따온 주품명으로 풀이할 수 있다.

이와 같은 예로 <수운잡방(需雲雜方)>의 '칠두오승주(七斗五升酒)'와 <임원십육지(林園十六志)>의 '구두주(九斗酒)'와 같이 주재료의 양에 따른 주품명이 존재하고, 원료 배합비율에 따른 주품명도 상당수가 존재한다.

<민천집설>의 '오칠주'는 다른 주품들에 비해 누룩의 사용량이 매우 많은 편이다. 밑술과 덧술에 사용되는 쌀 양이 7말 5되인 것을 감안하면 누룩의 비율이 26%에 달한다. 물론 누룩의 사용량과 '오칠주'라는 주품명과의 연관성은 전혀 없어 보인다.

하지만 누룩 2말은 술 빚는 물 4말(활수)과 함께 수곡에 사용되는데, 밑술의 쌀 양이 5되인 것에 비하면 매우 많은 양이다. '왜 이렇게 많은 양의 누룩을 한꺼번에 사용하게 되었을까?' 하는 궁금증이 일었다.

일반적으로 덧술은 몇 가지 목적과 방법에 의해서 빚게 된다. 덧술의 쌀 양은 밑술의 10배가 최대량인 사실을 감안하면, <민천집설>의 '오칠주'와 같이 덧술의 쌀 양이 10배를 넘는 경우는 우리 술 전체의 0.2%에도 못 미친다. 따라서 '오칠주'의 누룩 양이 2되(二升)가 아닐까 하는 추측도 해봤지만 확신할 순 없다.

다만 주방문을 근거로 누룩 양이 많은 까닭을 찾자면, 덧술의 쌀 양과 밀접한 관련이 있음을 알 수 있다. 즉, 덧술의 쌀 7말은 밑술 쌀 양의 14배에 달하는 양이다. 이렇듯 14배에 달하는 많은 쌀 양은 밑술이 삭히지를 못하여 감패되기 십상이다.

다시 말해 덧술의 쌀은 당화과정을 거쳐야 발효가 일어나는데, 지나치게 많은 양의 쌀은 결국 농당 상태에 이르게 되고, 효모균의 발효 활동을 억제해 발효부진으로 나타나 농산농당(濃酸濃糖) 상태로 그치게 된다.

물론, 이때 당화되지 못한 전분도 상당한 양이 남아 있어 한꺼번에 10배 이상의 쌀 양은 불가하다고 봐야 한다. 이러한 이유로 밑술에 사용되는 누룩의 양이 많아진 것인데, 사실 그렇다고 덧술의 발효가 원활해지는 것도 아니다. 누룩 양이 많으면 효모 수가 많다는 것을 의미하지만, 상대적으로 효소의 양도 많아지므로 당화는 상대적으로 빨라질 수밖에 없어 자칫 농산농당 상태로 이어지기 십상이다.

이러한 경우는 밑술의 발효 온도를 상대적으로 낮은 곳에서 발효시켜야 산패하지 않는다. 또한 덧술의 고두밥은 절대 질어서는 안 되며, 발효 온도 역시 밑술과 같이 서늘한 곳에서 천천히 발효가 이루어지도록 온도 관리에 힘써야 한다.

<민천집설>의 '오칠주' 주방문에는 밑술과 덧술에 사용되는 쌀의 백세과정이나 침지방법에 대한 언급이 없다. 특히 밑술의 흰무리떡과 덧술의 고두밥에 대한 냉각과정, 즉 흰무리떡과 고두밥을 '차게 식히라.'는 언급이 없어 주방문 그대로 흰무리떡과 고두밥을 차게 식히지 않고 사용하는 것으로 받아들일 수 있겠다.

물론, 밑술의 흰무리떡을 식히지 않고 술을 빚을 경우도 고려할 수 있으나, 자칫 밑술의 산도가 지나치게 높아져 덧술의 발효가 더뎌지고 산미가 많은 술이 될 가

능성이 많다. 또 덧술의 고두밥을 식히지 않고 술을 빚을 경우에는 술이 달기만 하고 도수가 낮아 저장성이 매우 떨어지는 술이 될 확률이 매우 높다.

따라서 가장 합리적인 방법은 밑술을 흰무리떡으로 할 경우, 수곡을 같이 사용한다는 조건에 한해서 흰무리떡이 뜨겁지 않고 미지근하거나 조금 따뜻한 정도에서 수곡과 합해 밑술을 빚되 흰무리떡이 덩어리 없이 잘 풀어지게 해야 한다. 덧술의 고두밥은 가능한 한 차게 식혀서 사용하는 것이 바람직하다.

구체적인 방법은 '소곡주'를 참고하되, 술 빚는 기본적인 원칙을 따르는 것이 가장 중요하다고 생각된다.

오칠주 <민천집설(民天集說)>

> 술 재료 : 밑술 : 멥쌀 5되, 흰누룩가루 2말, 활수 4동이
>   덧술 : 쌀 7말

술 빚는 법 :

* 밑술 :

1. 흰누룩가루(白曲, 白麴) 2말을 활수 4동이와 함께 술독에 담아 수곡을 만들어 하룻밤을 지낸다.

2. 멥쌀 5되를 정히 찧어 백세한 후 (물에 담가 불렸다가, 다시 씻어 헹궈 건져서 물기를 뺀 후) 작말한다.

3. 쌀가루를 시루에 안쳐서 흰무리떡을 찌고, 익었으면 퍼내어 그릇에 담고 식기 전에 덩어리를 풀어놓는다(온기가 남게 식기를 기다린다).

4. 흰무리떡을 수곡이 담긴 술독에 담아 안치고, 예의 방법대로 하여 밀봉한 후 (서늘한 곳에서) 5일간(여름 2일, 겨울 7일) 발효시켜 익기를 기다린다.

* 덧술 :

1. 쌀(멥쌀 또는 찹쌀) 7말을 (백세하여 물에 담가 불렸다가, 다시 씻어 헹궈서 물기를 뺀 후) 시루에 안쳐 고두밥을 짓는다.
2. 고두밥이 다 쪄졌으면 퍼낸다(고루 펼쳐서 차게 식기를 기다린다).
3. 고두밥에 밑술을 한데 합하고, 고루 버무려 술밑을 빚는다.
4. 술밑을 술독에 담아 안치고, 예의 방법대로 하여 서늘한 곳에 앉혀두고 21일 발효시킨다.

* 주품명에 '오비유(五匕酉)'라고 되어 있으나, 주방문을 보면 밑술의 쌀이 5되, 덧술의 쌀이 7말인 점으로 미뤄 '오칠주(五七酒)'로 정정하였다. 이와 같은 예로 <수운잡방>의 '칠두오승주'와 <임원십육지>의 '구두주'와 같이 주재료의 양에 따른 주품명이 존재하기 때문이다. 방문 말미에 "삼칠일 후 청주를 떠서 사용한다."고 하였다.

五匕酉(五七酒)
白米五升精鑿作末蒸熟白曲末二斗投水一宿後(浸爲)四盆(器)入瓮中乃以蒸(飯)秉熱入瓮置封至二七日復以七斗米蒸飯入其中三七日後取清用之.

오호주

스토리텔링 및 술 빚는 법

'오호주(五壺酒)'는 '일두육병주', '일두사병주', '노주다출방'과 같은 의미로 해석된다. 즉 "술 빚기에 사용되는 물의 양이 다섯 병(五壺)이다." 또는 "발효 후 얻을 수 있는 술의 양이 다섯 병(五壺)에 이른다."는 사실에서 '오호주'라는 주품명을 얻게 된 것으로 여겨진다.

'오호주'와 유사한 주품명으로 '오병주(五瓶酒)'가 있는데, 이 두 주품의 경계가 모호하다. 액체나 곡물을 담아 저장하거나 이동하는 데 사용되는 용기로서 호(壺)와 병(瓶)이 같은 의미로 쓰고 있고, 크기나 용량에 대한 뚜렷한 구분 없이 두루 사용되고 있기 때문이다. 더구나 현대에 와서는 '호'보다는 '병'이라는 용어로 더 널리 사용되고 있어 그 변화나 차이를 알기 어렵다.

'오호주'는 <양주방>*, <온주법(醞酒法)>, <임원십육지(林園十六志, 高麗大本)>에서 그 기록을 찾아볼 수 있다. 문헌마다의 주방문이 약간씩 차이를 나타내고 있으나 몇 가지 공통점을 보인다.

시대가 가장 앞선 것으로 여겨지는 <온주법>의 '오호주'는 "멥쌀 1말을 백세작말하여 물 4병을 끓여 합하고, 주걱으로 개어 의이(된 범벅)를 쑨 다음, 차게 식기를 기다려 가루누룩 1되를 한데 합하고, 술독에 술밑을 담아 안친 뒤, 3일간 발효시킨다. 4일째 되는 날 찹쌀 1되를 백세작말하여 물 1병에 합하고 팔팔 끓여 죽을 쑨다. 죽에 밑술을 합하고, 고루 버무려 3일간 발효시켜 익기를 기다려 마신다."고 하였다. 밑술은 범벅을 쑤어 빚고 덧술은 죽을 쑤어 빚는데 각각의 발효기간이 3일이라는 점에서 속성주임을 알 수 있다.

이후 <임원십육지(고려대본)>에 수록된 '오호주'는 "멥쌀 1말을 여러 번 씻어 가루로 하고 물 5병을 부은 후 끓여서 풀을 쑤어 식힌다. 여기에 누룩가루, 밀가루 각각 1되 반과 부본(腐本) 5홉을 골고루 합하여 항아리에 담는다. 다음날 다시 찹쌀 1되를 찧어 가루로 하여 풀을 쑤어 식힌 후 밑술에 넣고 가운데를 막대기로 충분히 휘저은 후 냄새가 샐 틈 없이 봉하고 익혀서 거른다. 이 술은 맛이 매우 감렬(감렬)하나 취해도 곧 깬다."고 하였다. <온주법>과 밑술 빚는 법에서 차이가 있음을 알 수 있다.

그런가 하면 <양주방>*의 '오호주'는 "희게 쓿은 멥쌀 7되를 깨끗이 씻고 또 씻어 물에 담가 불렸다가 세말한다. 물 1병 반을 쌀가루에 골고루 붓고, 주걱으로 고루 개어 범벅을 만든 후, 차게 식기를 기다린다. 누룩가루 1되와 밀가루 1되를 넣고, 고루 버무려 3일간 발효시킨다. 희게 쓿은 멥쌀 2말로 고두밥을 지어 식힌 뒤, 누룩과 밀가루를 한데 버무려 술밑을 빚는다."고 하여 <온주법>이나 <임원십육지>와는 또 다른 주방문을 싣고 있다.

이러한 사실에서 <양주방>*의 '오호주'는 술 이름에 대한 근거를 찾을 수 없다. 다른 기록에는 '오병주'와 '오호주'가 동일한 술이라는 것을 엿볼 수 있다. 그리고 '오병주'의 대부분은 덧술을 죽으로 하고, 사용되는 물의 양이 5병이라는 데서 술 이름을 '오호주' 또는 '오병주'라고 한 것으로 나타나고 있다.

덧술 빚는 법에서도 다른 기록과 다르게 나타나는데, 특히 누룩과 진말이 재차 사용되는 것을 볼 수 있어, 다른 문헌의 '오호주' 또는 '오병주'와는 다르다는 것을 알 수 있다. 아마도 발효된 술(탁주)의 양에서 유래한 주품명이 아닌가 생각된다.

이로써 '오호주'는 밑술을 죽이나 범벅으로 빚고, 누룩 외에 밀가루가 사용되며, 더러 석임이 사용되기도 한다는 점, 덧술은 밑술보다 적은 양의 쌀을 사용하고 죽을 쑤어 빚는다는 점, 밑술은 1일~3일, 덧술은 3일~7일 이내로 발효기간이 매우 짧은 속성주라는 공통점을 찾을 수 있다.

또한 '오호주'는 알코올 도수가 그리 높지 않은 술임을 알 수 있다. 덧술을 죽으로 사용한다는 사실 때문이다. 덧술을 죽으로 하여 빚을 경우 알코올 도수가 높아지지 않는 대신 술맛이 부드러워지고 양이 늘어난다.

특히 덧술을 죽으로 할 경우 발효기간이 단축된다는 점에서 발효기간이 짧은 술에서 공통적으로 나타나는 특징인 쓴맛으로 술맛이 거칠게 느껴질 수 있다. 그 근거로 주방문 말미에 <음선요람>을 인용하여 "이 술은 맛이 매우 감렬(甘烈)하나 취해도 곧 깬다."고 한 기록에서도 알 수 있다.

다만, <양주방>*에서 보듯 전혀 다른 방법의 주방문도 존재한다는 사실에서 획일적인 판단이나 기준을 제시하는 것에 대해 경계하고 싶다.

'오호주'를 빚을 때 주의할 점은 밑술보다 덧술 과정에서 실패율이 높기 때문에 덧술은 발효기간을 길게 가져가는 한이 있더라도 가능한 한 죽을 차게 식혀서 사용하도록 하고, 술독을 단단히 밀봉하여 발효시켜야 시어지지 않는다는 것을 명심해야 한다.

참고로 <술 만드는 법> 외의 여러 문헌에서 목격되는 '오병주' 역시 주원료의 배합비율은 각각 다르나 '오호주'와 동일한 과정으로 이루어지는 주방문을 보여주고 있다는 점에서 공통점을 찾을 수 있겠다. 그 차이를 구분하기 어려운 것이 사실이나 여기서는 언급하지 않았으므로 '오병주' 편을 참고하기 바란다.

1. 오호주 <양주방>*

> 술 재료 : 밑술 : 멥쌀 7되, 누룩가루 1되, 밀가루 1되, 끓는 물 1.5병
> 　　　　　덧술 : 멥쌀 2말, 누룩가루 3되, 밀가루 1되

술 빚는 법 :

* 밑술 :

1. 희게 쓿은 멥쌀 7되를 깨끗이 씻고 또 씻어(백세하여) 물에 담가 불렸다가, (다시 씻어 건져서 물기를 뺀 후) 세말한다(고운 가루로 빻는다).

2. (끓는) 물 1병 반(4되 5홉)을 쌀가루에 골고루 붓고, 주걱으로 고루 개어 범벅을 만든 후 차게 식기를 기다린다.

3. 범벅에 누룩가루 1되와 밀가루 1되를 넣고, 고루 버무려 술밑을 빚는다.

4. 술독에 술밑을 담아 안치고, 예의 방법대로 하여 3일간 발효시킨다.

* 덧술 :

1. 희게 쓿은 멥쌀 2말을 준비한다(깨끗이 씻고 또 씻어 물에 담가 불렸다가, 다시 씻어 건져서 물기를 뺀다).

2. 솥에 시루를 안치고 불려 둔 쌀을 넣고 고두밥을 짓고, 익었으면 퍼내어 고루 펼쳐서 차게 식기를 기다린다.

3. 밑술에 고두밥과 밀가루 1되를 섞어 넣고, 고루 버무려 술밑을 빚는다.

4. 술독에 술밑을 담아 안치고, 예의 방법대로 발효시켜 7일 후에 채주한다.

* <양주방>*의 '오호주'는 술 이름에 대한 근거를 찾을 수 없다. 다른 기록에는 '오병주'와 '오호주'가 동일한 술이라는 것을 엿볼 수 있다. 그리고 '오병주'의 대부분은 덧술을 죽으로 하고, 사용되는 물의 양이 5병이라는 데서 술 이름을 '오호주' 또는 '오병주'라고 한 것으로 나타나고 있다.

* 덧술 빚는 법에서도 다른 기록과 다르게 나타나는데, 특히 누룩과 진말이 재차 사용되는 것을 볼 수 있어, 다른 문헌의 '오호주' 또는 '오병주'와는 다르다는 것을 알 수 있다. 아마도 발효된 술(탁주)의 양에서 유래한 주품명이 아닌가 생각된다.

오호쥬

빅미 칠승 빅셰셰말ᄒ야 물 병 반의 기야 치와 국말 진말 각 흔 되식 섯거 너헛다가 삼일 만의 빅미 이두 빅셰ᄒ야 닉게 쪄 치와 국말 서 되 진말 흔 되를 그 슐밋과 밥의 버므려 두엇다가 칠일 만의 쓰라.

2. 오호주 <온주법(醞酒法)>

술 재료 : 밑술 : 멥쌀 1말, 가루누룩 1되, 밀가루 1되, 석임 1되, 물 4병
　　　　덧술 : 찹쌀 1되, 물(1병)

술 빚는 법 :

* 밑술 :

1. 멥쌀 1말을 백세하고 (물에 담가 불렸다가, 다시 씻어 건져서 물기를 뺀 후)
   작말하여 넓은 그릇에 담아놓는다.
2. 솥에 물 4병을 끓여 쌀가루에 합하고, 주걱으로 개어 의이(된 범벅)를 쑨 다
   음, (넓은 그릇에 퍼서) 차게 식기를 기다린다.
3. 의이(된 범벅)에 가루누룩 1되를 한데 합하고, 고루 치대어 술밑을 빚는다.
4. 술독에 술밑을 담아 안친 뒤, 예의 방법대로 하여 3일간 발효시킨다.

* 덧술 :

1. 4일째 되는 날 찹쌀 1되를 백세하여 (물에 담가 불렸다가, 다시 씻어 새 물
   에 헹궈서 물기를 뺀 후) 작말한다.
2. 물 1병을 (끓이다가) 쌀가루를 합하고, (주걱으로 천천히 저어가면서) 팔팔
   끓여 죽을 쑨다(넓은 그릇에 퍼서 뜨거운 기운이 나가게 식기를 기다린다).
3. 죽에 밑술을 한데 합하고, 고루 버무려 술밑을 빚는다.
4. 술독에 술밑을 담아 안치고, 예의 방법대로 하여 3일간 발효시켜 익기를 기
   다려 채주하여 마신다.

* 주방문에 덧술의 죽을 식히라는 언급이 없어 일반적인 속성주 빚는 법을 좇

아 주방문을 작성하였다. 죽을 차게 식혀 빚게 되면 3일 만에 발효를 끝낼 수 없기 때문이다. 또 술 이름을 '오호주(五壺酒)'라고 하였는데, '오병주(五瓶酒)'의 다른 이름으로 여겨진다.

오호듀

빅미 일두 빅셰작말ᄒ여 물 네 병 부어 의이 쑤어 치와 국말 일승이 구로 일승 진말 일승 고로 쳐 여허 사흘 만의 뎝미 일승 빅셰작말ᄒ여 물 한 병의 죽 쑤어 치와 밋히 여흐면 사흘 만의 드리워 (만)코 됴흐니라.

3. 오호주방 <임원십육지(林園十六志, 高麗大本)>

술 재료 : 밑술 : 멥쌀 1말, 가루누룩 1되 5홉, 밀가루 1되 5홉, 부본 5홉, 물 5병
　　　　　 덧술 : 찹쌀 1되, 물(5되)

술 빚는 법 :
* 밑술 :
1. 멥쌀 1말을 백세하고 (물에 담가 불렸다가, 다시 씻어 건져서 물기를 뺀 후) 작말하여 넓은 그릇에 담아놓는다.
2. 솥에 물 5병을 끓이다가 쌀가루를 합하고, 주걱으로 저어가면서 끓여 끈끈한 죽을 쑨 다음 (넓은 그릇에 퍼서) 차게 식기를 기다린다.
3. 죽에 가루누룩과 밀가루 각각 1되 5홉, 부본 5홉을 한데 합하고, 고루 치대어 술밑을 빚는다.
4. 술독에 술밑을 담아 안친 뒤, 예의 방법대로 하여 1일간 발효시킨다.

* 덧술 :
1. 다음날 찹쌀 1되를 (백세하여 물에 담가 불렸다가, 다시 씻어 새 물에 헹궈

서 물기를 뺀 후) 가루로 빻는다.

2. 솥에 물(5되)을 끓여 쌀가루를 합하고 (주걱으로 천천히 치대서) 팔팔 끓여
   풀 같은 죽을 쑨 후 (넓은 그릇에 퍼서) 차게 식기를 기다린다.

3. 죽에 밑술을 한데 합하고, 충분히 고루 버무려 술밑을 빚는다.

4. 술독에 술밑을 담아 안치고, 예의 방법대로 하여 발효시켜 익기를 기다려
   채주하여 마신다.

五壺酒方

白米一斗百洗作末以水五瓶煮糊待冷麴末眞麵各一升半腐本五合調和入瓮次
日又以粘米一升搗末打糊候冷入本釀酒中以物十分攪勻密封待熟上槽味甚甘
烈飮醉卽醒. <飮膳要覽>.

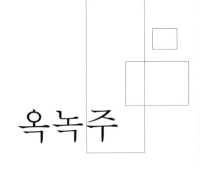

옥녹주

'옥녹주'는 <홍씨주방문>이 유일한 기록이다. <홍씨주방문>에는 '옥녹주'라는 주품명이나 특징에 대한 언급이 없어 주품명에 담긴 의미를 짐작하기 힘들다. 또한 주방문 말미에 "또 점미 두 되를 물 두 병 죽 쑤어 채워, 누룩 서너 홉 백각과 한데 섞어 두면 책주 가장 좋으니라."고 하여 찹쌀로 빚는 방법을 수록하고 있는데, 서로 다른 두 가지 주방문임을 알 수 있다.

먼저 '옥녹주'는 쌀의 분량이 1되가 아닌 1말로 추정된다. "끓인 물 1병을 식혀서 누룩가루 1되와 섞어서 수곡을 만든 다음, 멥쌀 1되를 고두밥을 쪄 끓는 물 2병과 섞는다. 고두밥이 물을 다 먹으면 차게 식혀서 밀가루 1되와 수곡을 합하여 술밑을 빚는다."면서 "익거든 속을 헤쳐 밥이 위로 솟거든 쓰라."고 하였다. 이와 같은 현상은 술이 익었을 때 고두밥이 위로 올라와 있는 상태로 고두밥의 양이 물의 양보다 쌀의 양이 많았을 때라야 가능하다. 따라서 술덧을 헤쳐 밥이 솟구쳐 오르려면 쌀이 최소한 1말이 되어야 한다는 결론에 이른다. 즉, 쌀 1되에 수곡 2병과 고두밥과 섞은 물 1병이면 술이 발효되는 과정에서 밥알은 누룩찌꺼기와 함께 다 떠 있게 되고, 발효가 끝나면 다시 고두밥알과 누룩찌꺼기는 가라앉게 되는 까닭이다. 이 같은 이유로 '옥녹주'는 멥쌀 1말로 빚는 술이라야 방문의 설명에 맞다고 할 수 있다. 실제로 멥쌀의 양을 1되로 하여 직접 술을 빚어본 결과, '옥녹주'는 그 빛깔이 희뿌연 술이 되었고, 싱거워서 그 맛이 시큼털털한 막걸리 맛과 유사해 '옥녹주'라는 주품명과도 어울리지 않는다는 생각이 들었다.

한편, '옥녹주 별법'은 '옥녹주'와는 다른 종류의 술이라고 할 수 있는데, 광물질의 석영이 사용된 유일한 발효주가 아닌가 생각된다. 찹쌀 두 되를 물 두 병으로 죽을 쑤어 차게 식힌 후, 누룩 서너 홉과 백각(석영)을 한데 섞고 버무려서 발효시키는 과정으로 이루어진다.

주방문 말미에 "술이 익으면 책주 가장 좋으니라."고 했는데, 실제로는 백각(석영)을 구할 수도 없거니와 그 양을 얼마나 넣어야 할지도 모른다. 특히 석영의 작용이나 효능에 대해 정확히 알 수 없어 직접 실습을 해보지 못한 채 아직까지 숙제로 남아 있다. 여기서 '책주'는 '섞은 술'을 가리킨다. '책주'의 의미가 발효가 끝나 위로 고인 술을 떠낸 후 남은 찌꺼기를 체에 걸러서 만든 탁주와 섞으라는 뜻인지, 아니면 앞서의 '옥녹주'와 '옥녹주 별법'의 "다 익은 후 떠낸 청주를 섞어 마시면 맛이 좋다."는 것인지 정확히 알 수 없다.

1. 옥녹주 <홍씨주방문>

술 재료 : 멥쌀 1되(말), 누룩가루 1되, 밀가루 1되, 끓여 식힌 물 2병

술 빚는 법 :
1. 백미 1되(1말)를 백세하여 (백 번 씻어 매우 깨끗하게 하여 말갛게 헹궈 건졌다가) 새 물에 하룻밤 담가 불린다(다시 씻어 건져서 물기를 뺀다).
2. 물 2병(10.8ℓ)을 팔팔 끓여 넓은 그릇에 퍼서 차게 식기를 기다린다.
3. 차게 식은 물 1병에 누룩가루 1되, 밀가루 1되를 섞어 풀어 수곡을 만들어

놓는다.

4. 물기를 뺀 멥쌀을 시루에 안쳐서 무르게 찐다.

5. 고두밥이 익었으면 퍼서 넓은 그릇에 담고, 끓여 식혀둔 나머지 물 1병을 퍼서 고두밥에 골고루 붓는다(주걱으로 고루 헤쳐 놓는다).

6. 고두밥이 물을 한껏 먹고 윤기가 돌면, 제물에 차게 식기를 기다린다.

7. 차게 식은 고두밥에 수곡을 한데 합하고, 고루 버무려 술밑을 빚는다.

8. 소독한 술독에 술밑을 담아 안치고, 예의 방법대로 하여 발효시킨다.

9. 술이 익었다고 판단되면, 술덧을 헤쳐보아 밥알이 솟구쳐 떠오르면 채주하여 마신다.

* 쌀의 분량이 1되가 아닌 1말인 듯하다. 주방문의 "익거든 속을 헤쳐 밥이 위로 솟거든 쓰라."고 한 것으로 보아, 이와 같은 현상은 물의 양보다 쌀의 양이 많았을 때라야 가능하다. 적어도 술덧을 헤쳐서 밥이 솟구쳐 오르려면 쌀이 1말이 되어야 가능하기 때문이다. 쌀 1되에 물 3병이면 술이 발효되는 대로 밥알이 다 떠 있게 되고, 술이라고 할 수 없을 정도로 싱거운 술이 된다.

옥녹주

백미 일되(말) 백세하여 하룻밤 담갔다가 무릇 쪄 끓인 물 두 병을 채우고 탕수 한 병을 식혀 국 한 되, 진말 한 되 그 물에 부어 밥과 가루에 섞어 우려낸 독에 넣어 익거든 속을 헤쳐 밥이 위로 솟거든 쓰라.

2. 옥녹주 별법 <홍씨주방문>
－찹쌀 빚이

술 재료 : 찹쌀 2되, 누룩 3~4홉, 백각(석영 한두 쪽), 물 2병

술 빚는 법 :

1. 찹쌀 2되를 백세하여 (백 번 씻어 매우 깨끗하게 하여 말갛게 헹궈 새 물에) 하룻밤 담가 불렸다가 (다시 말갛게 씻어 건져서) 물기를 뺀다.
2. 물 2병(10.8ℓ)을 솥에 붓고, 불을 지펴서 물이 팔팔 끓으면 불린 찹쌀을 넣고 팔팔 끓여 죽을 쑨다.
3. 죽이 익었으면 넓은 그릇에 퍼서 차게 식기를 기다린다.
4. 죽에 누룩 3~4홉, 백각(석영 한두 쪽)을 섞고, 고루 버무려 술밑을 빚는다.
5. 소독한 술독에 술밑을 담아 안치고, 예의 방법대로 하여 (서늘한 데 두고) 발효시켜 익기를 기다린다.

* 백각 : 흰 빛깔의 석영
* 책주 : 썪은 술
* 주방문 말미에 "또 점미 두 되를 물 두 병 죽 쑤어 채워 누룩 서너 홉 백각과 한데 섞어두면"이라고 하여 이에 '별법' 주방문을 작성하였다.

옥녹주 별법

또 점미 두 되를 물 두 병 죽 쑤어 채워 누룩 서너 홉 백각과 한데 섞어두면 책주 가장 좋으니라.

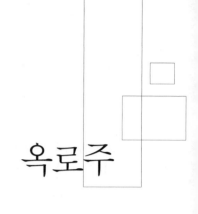

옥로주

스토리텔링 및 술 빚는 법

'옥로주'는 <양주방>*에만 수록되어 있는 유일한 기록이다. '옥로주'라는 주품명은 흔히 증류식 소주에 사용되는 경향을 볼 수 있다. 증류과정을 통해 불순물이나 이물질을 제거해 아주 깨끗한 순수 알코올을 강조하기 위한 표현으로 사용되어 왔다. 때문에 '옥로주'는 "맑고 깨끗한 이슬"이라는 의미를 담고 있다.

<양주방>*의 '옥로주'는 발효주로 단양주법(單釀酒法)이다. 단양주법의 발효주이면서 '옥로주'라는 주품명을 얻게 된 배경에는 이 술이 증류식 소주처럼 '특별하게 맑고 색깔이 엷다.'는 것을 의미하는데, 주방문의 술 빚는 과정을 살펴보면서 그 이유를 찾고자 한다.

<양주방>*의 '옥로주' 주방문을 옮기면, "희게 쓿은 멥쌀 1말을 깨끗이 씻고 또 씻어"라고 하여 주원료인 쌀의 전처리 과정을 매우 강조하고 있다. 이러한 조건이 '옥로주'를 빚기 위한 첫째 조건이기 때문이다.

여기서 "희게 쓿은"은 도정을 많이 한 백미(白米)를 가리키며, 이 백미를 "씻고 또 씻어"라고 하여 '백세(百洗)'의 의미 또한 강조하였다. 도정을 많이 하고 백세한

쌀이라야 발효가 잘 일어나는 건 물론이고, 술에 불순물이나 이물질이 없는 맑은 술을 얻을 수 있는 기본적인 조건이 충족된다는 것을 뜻한다.

다음은 "불린 쌀을 시루에 안쳐서 무른 고두밥을 짓고, 물 2병을 팔팔 끓다가 고두밥이 익었으면 끓는 물 2병 중 1병 반을 뿌려 고루 섞은 뒤 차게 식기를 기다린다."고 하였다. 이는 '옥로주'를 빚기 위한 둘째 조건이다. 이 상태의 고두밥에 대한 수식어가 없어 필자는 '진고두밥'이라고 표현했다. 다른 주방문에서도 흔히 사용하는 방법 중 한 가지이다.

이처럼 진고두밥 상태를 만들어 술 빚기에 사용하는 이유는 '당화와 안정적이면서 빠른 발효'가 그 목적이며, 알코올 도수가 높은 술을 얻을 수 있기에 선호되고 있다. '당화와 안정적이면서 빠른 발효'는 잡맛이나 불순물이 생기지 않는다는 결과를 가져오기 때문이다.

"고두밥에 뿌리고 남은 물 반 병을 차게 식혀 고두밥에 끼얹고, 가루누룩 1되와 밀가루 1되를 합하고 고루 버무려" 라고 한 대목은 실질적인 술밑을 빚는 과정을 보여주고 있다. '당화와 안정적이면서 빠른 발효'를 위해 진고두밥을 만들지만, 끓는 물을 빨아들인 고두밥은 자칫 퍼질 수가 있고, 그 결과는 희뿌옇거나 탁한 술이 되고 만다. 고두밥을 이런 상태로 방치하게 되면 발효과정에서 고두밥이 뭉개지거나 허물과 같은 불순물이 많이 만들어질 수밖에 없다.

따라서 끓는 물을 흡수한 고두밥에 다시 차가운 물을 뿌려주게 되면, 고두밥의 표면이 매끄러워지면서 발효과정에서 생길 수 있는 고두밥의 파편과 같은 분해물이 많아지지 않는다. 또한 '옥로주'에 사용된 밀가루는 응집 작용이 있어 술 속에 떠 있는 부유물들을 응집, 여과하는 역할을 함으로써 이름 그대로의 '옥로주'를 얻을 수 있게 된다.

이상 주원료의 전처리 과정이 일반 단양주와 비교되는 '옥로주'만의 비결이라고 할 수 있다. <양주방>*의 '옥로주' 주방문대로 술을 빚어보면 알겠지만 '옥로주'는 옅은 단맛과 쓴맛, 신맛, 그리고 매운맛까지를 다 느낄 수 있다.

특히 깔끔한 맛과 함께 알코올 도수도 비교적 느껴져 애주가들이 선호할 수 있는 주품으로 손색이 없다는 느낌을 받는다.

다만, 술을 빚을 때 주의할 점은 다음과 같다. 끓는 물과 갓 쪄낸 고두밥을 한데 섞을 때 고두밥 전체에 끓는 물이 고르게 흡수되도록 해주어야 한다. 그 이유는 고두밥 양에 비해 끓는 물의 양이 상대적으로 적기 때문이다.

만약 '진고두밥' 상태가 균일하지 못하면, 맑은 술은커녕 신맛과 매우 쓴맛, 떫은맛이 강한 술이 될 확률이 많아진다.

옥로주 <양주방>*

술 재료 : 멥쌀 1말, 가루누룩 1되, 밀가루 1되, 끓는 물 2병

술 빚는 법 :
1. 희게 쓿은 멥쌀 1말을 깨끗이 씻고 또 씻어 (백세하여 물에 담가 불렸다가, 다시 씻어 건져서) 물기를 뺀다.
2. 불린 쌀을 시루에 안쳐서 무른 고두밥을 짓고, 물 2병을 팔팔 끓인다.
3. 고두밥이 익었으면 넓은 그릇에 퍼 담고, 끓는 물 2병 중 1병 반을 뿌려 고루 섞은 뒤 돗자리에 고루 펼쳐서 차게 식기를 기다린다.
4. 고두밥에 뿌리고 남은 물 반 병을 차게 식혀놓는다.
5. 차게 식은 고두밥에 끓여 식힌 물(반 병)을 끼얹고, 가루누룩 1되와 밀가루 1되를 합한 다음 고루 버무려 술밑을 빚는다.
6. 술독에 술밑을 담아 안치고 예의 방법대로 발효시킨다.

* 주방문 말미에 "익어서 개미가 뜨거든 쓰라."고 하였다.

옥노쥬
빅미 일두를 빅셰ᄒᆞ야 무르게 찌고 살힌 물 두 병을 퍼 부어 기야 식거든 국말 진말 각 흔 되 탕슈 너허 두엇다가 썬 밥의 골나다가 국말 진말 흔가지로 섯거 서운서운 독의 너헛다가 닉어 밥 낫치 쓰거든 쓰라.

옥지주 우방

스토리텔링 및 술 빚는 법

'옥지주(玉脂酒)'는 '옥지춘(玉脂春)'이라고도 하는데, '포도주'를 비롯해 '호도주' 등과 함께 몇 안 되는 전통 과실주류(果實酒類)의 한 가지이다.

'옥지주'는 <산가요록(山家要錄)>, <언서주찬방(諺書酒饌方)>, <승부리안주방문>, <역주방문(曆酒方文)>에 등장하며, <역주방문>에 수록되어 있는 '옥지주 우방(又方)'은 청주류(淸酒類)에 수록하였음을 밝혀둔다. 왜냐하면 매화를 사용하지 않는 '매화주'를 비롯해 '행화춘주', '도화춘(桃花春)', '죽엽춘(竹葉春)' 등과 같이 부재료를 사용하지 않고, 쌀만을 사용하는 순곡주(純穀酒)라는 섬에서 청주류로 봐야 한다는 판단에서이다.

<역주방문>의 '옥지주 우방'은 본방이라고 할 수 있는 '옥지주'와는 주방문이 전혀 다른 주품으로, 주품명 밑에 '우리 집에서 빚는 술 가운데 가장 뛰어난 술(節吾家所釀)'이라는 부제(副題)가 붙어 있다. <역주방문>에 수록된 43종의 주품과 주방문 가운데 '감하향주', '하향주', '과하주', '신청주', '죽엽주', '삼일주', '소곡주' 등에서 '옥지주'와 유사한 원료 배합비율을 볼 수 있는데, 대체로 다른 술들은

쌀 양과 양주용수의 양이 동량이거나 2배를 사용해 비교적 양주용수의 사용비율이 많다. 이는 누룩의 양과 양주용수의 양을 줄여서 방향 중심의 감미로운 청주를 얻기 위함으로 여겨진다.

특히 '옥지주 우방'은 잣을 사용하지 않는 대신 쌀 2말 7되 5홉에 누룩가루의 양이 8홉(2.9%)에 그치고 있다. 이는 고식문헌 수록 530여 주품 가운데 누룩의 사용비율이 최저인 <주식방(酒食方, 高大閨壼要覽)>의 '백향주'에 이어 두 번째로 꼽히는 주방문으로서 술 빚기의 어려움이 따른다고 하겠다.

'백향주'는 삼양주(三釀酒)로서 밑술과 덧술에서 두 차례 누룩을 사용하고 있다. 특히 밑술보다 덧술에서 많은 누룩을 사용하고 있는 데다 쌀 양보다 양주용수 양이 많다는 점에서 '옥지주 우방'보다 술 빚기의 어려움이 덜하다고 할 수 있다.

그간 술 빚기가 힘들다고 하는 주품으로 어김없이 '동정춘'이나 '하절불산주' 등 몇몇 주품을 꼽아 왔지만, '옥지주'도 '백향주'와 견주어 결코 만만치 않은 술이라고 확신한다.

그렇다고 술 빚기가 힘든 술이 좋은 술이라는 뜻은 아니다. 양주용수의 양과 술맛, 특히 향기는 밀접한 관계가 있기 때문에 특별히 '우리 집에서 빚는 술 가운데 가장 뛰어난 술'이라는 부제를 붙인 이유를 이해하고자 함이다.

옥지주 우방 <역주방문(曆酒方文)>
−節吾家所釀(우리 집에서 빚는 술 가운데 가장 뛰어난 술)

> 술 재료 : 밑술 : 멥쌀 2되 5홉, 누룩가루 8홉
>   덧술 : 멥쌀 2말 5되, 끓는 물 2말 5되

술 빚는 법 :

* 밑술 :

1. 정월 첫 해일에 멥쌀 2되 5홉을 백세하여 (매우 깨끗하게 헹군 뒤, 새 물에

담가 불렸다가 다시 씻어 말갛게 헹궈서) 물기를 빼놓는다.

2. 불린 쌀을 시루에 안치고 쪄서 무른 고두밥을 짓고, 익었으면 퍼낸다(고루 펼쳐서 차게 식기를 기다린다).

3. 고두밥에 누룩가루 8홉을 섞어 버무려 술밑을 빚는다.

4. 술독에 술밑을 담아 안친 다음 (술독 주둥이에 묻은 것을 깨끗하게 씻어내고, 베보자기와 뚜껑을 덮어) 찬 곳에 두고 복숭아꽃이 필 때까지 발효시킨다.

* 덧술 :

1. 복숭아꽃이 필 때 멥쌀 2말 5되를 백세하여 (매우 깨끗하게 헹군 뒤, 새 물에 담가 불렸다가 다시 씻어 말갛게 헹궈서) 물기를 빼놓는다.

2. 불린 쌀을 시루에 안쳐서 무른 고두밥을 짓고, 물 2말 5되를 팔팔 끓인다.

3. 고두밥이 익었으면 넓은 그릇에 퍼 담고, 끓는 물을 퍼서 고두밥에 합한다(고루 헤쳐서 고두밥이 물을 다 먹고, 차게 식기를 기다린다).

4. 고두밥에 밑술을 합하고, 고루 버무려 술밑을 빚는다.

5. 준비한 술독에 술밑을 담아 안친 다음 (술독 주둥이에 묻은 것을 깨끗하게 씻어내고, 베보자기를 씌워) 밀봉하고 뚜껑을 덮는다.

6. 서늘한 곳의 땅을 깊이 파서 술독을 깊이 묻고, 햇볕이 침범하지 못하게 해 50일간 발효시킨다.

* '옥지주 우방'의 밑술 주방문은 석임(주본)과 유사하다. 그러나 덧술에 별도의 누룩이나 '석임'을 사용하지 않는 것으로 보아 매우 독특한 주방문을 보여주고 있다고 하겠다.

玉脂酒 又方(節吾家所釀)

正月上亥日白米二升五合百洗作飯和曲末八合入于缸中置冷處待桃花(欵花)時
以白米二斗五升作飯調入湯水二斗五升和勻酒本入于瓮中堅埋置冷地不使陽
氣侵犯過五十日後用.

유학주

스토리텔링 및 술 빚는 법

'유학주(愈瘧酒)'는 학질이라는 전염병을 치료할 수 있는 술이라는 뜻을 담고 있다. 주방문 말미에서 "모든 학질(瘧疾)을 치료할 수 있다."고 하였다.

<임원십육지(林園十六志)>에 수록되어 있는데, "<제민요술(齊民要術)>을 인용하였다."는 언급이 있어 중국술이 유입된 것으로 추측된다. <임원십육지>에 수록되었지만 널리 대중화되지는 못했던 것 같다. 조선시대 양주 관련 어떤 문헌에서도 '유학주'라는 주품명이나 주방문을 목격할 수 없기 때문이다.

'유학주'는 일반 주품에서는 목격하기 힘든 독특한 주방문을 보여주고 있다. '유학주'는 차조와 수곡을 사용해 빚는 단양주(單釀酒)인데, 누룩을 한꺼번에 사용하지 않고 두 차례에 나눠서 사용한다는 점에서 그 특징을 찾을 수 있다.

수곡(水麴)은 '물누룩'이라고 하며, 냉수 또는 끓여서 식힌 물에 누룩을 오랫동안 담가 불렸다가 사용하는 게 일반적이다.

그런데 <임원십육지>의 '유학주'는 수곡을 불에 올려 오랫동안 달여서 물이 30% 정도 줄어들면 재차 누룩을 넣는다. 이후 누룩이 불어 거품이 생기면 그때 호화시킨 주원료를 식혀서 넣고 버무리는 과정을 보여주고 있다.

그럼 과연 <임원십육지>의 '유학주'에서 수곡을 2차례에 걸쳐 다르게 처리하는 이유가 무엇일까? 또한 달여서 물이 졸아든 누룩물을 차게 식힌 후 재차 누룩을 넣는 것인지, 아니면 식히지 않고 뜨거운 상태에서 누룩을 섞는 것인지 주방문만으로는 자세히 알 수 없다.

주방문에 따른 방법이라고 하면, 물 1석에 누룩 1근(600g)을 넣고 물이 7말이 되도록 졸아들게 오랜 시간 달이라고 했다. 특히 이렇게 달인 1차 수곡을 식히지 않고 누룩 4근을 섞은 다음 하룻밤을 지내서 차게 식은 후에 사용하라고 되어 있다. 문제는 이렇듯 오랫동안 달인 수곡을 사용하는 이유가 무엇일까 하는 것이었다. 또 달인 수곡의 냉각 여부도 마찬가지로 궁금했다.

이렇듯 독특한 주방문을 두고 호기심을 억누르기란 쉽지 않았다. <임원십육지>의 '유학주'라는 주품명이 암시하듯, 전염병인 학질을 다스릴 수 있는 비법이 이 술의 과정에 있을지 모른다는 생각도 그렇거니와 솔직히 이러한 과정을 거친 주품의 술맛이나 향기가 어떨까 하는 궁금증이 더욱 컸던 게 사실이다. 이 술을 가지고 실제로 학질을 다스릴 수 있는지는 임상실험이 아니고는 확신할 수 없었고, '유학주'가 '속미주'와 같이 차좁쌀로 빚는 여느 술들과 수곡의 처리방법 외에는 크게 다른 특징이 없다는 사실 때문이었다.

그리하여 직접 실습을 해보았다. 1차 달인 수곡은 맛과 냄새 등에서 매우 묽은 엿물 같은 느낌을 주었다. 수곡을 식히지 않은 상태에서 누룩을 재차 투입한 결과, 30분도 안 돼 거품이 생기면서 수곡에서 다시 엿물 냄새를 어렵지 않게 느낄 수 있었다. 다음으로 하룻밤을 지낸 후 고두밥을 넣었더니 발효가 원만하지 못하고 산패하고 말았다. 술이 발효되지 않은 것이다.

결국 처음에 끓여서 달인 수곡은 차게 식힌 후에 누룩을 섞어 사용해야 한다는 사실을 알게 되었다. 더불어 주방문에는 나와 있지 않지만, 차조는 반드시 백세하여 물에 담가 불렸다가 다시 씻어 헹궈서 물기를 뺀 후, 시루에 안쳐서 고두밥을 지어야 하고, 고두밥이 익었으면 퍼내어 고루 펼쳐 차게 식기를 기다리는 방법으로 술밑을 빚어야 함을 알게 되었다.

이렇게 완성된 '유학주'는 약간 구수한 맛과 함께 부드러운, 그러면서도 수곡으로 빚는 술의 특징인 약간의 산미를 느낄 수 있었다. 이 산미가 오히려 술맛의 균형을 잡아주고 있다는 느낌을 주었다. 비교적 알코올 도수가 높지 않아 부드럽고 순하게 느껴졌다.

그러나 <임원십육지>의 주방문에서 얘기하듯 '유학주'를 마셔서 학질을 다스릴 수 있는지에 대한 의구심은 여전히 남아 있다.

유학주 <임원십육지(林園十六志)>

술 재료 : 차조 1석, 누룩 5근, 물 1석

술 빚는 법 :
1. 4월 초파일에 누룩 1근을 가루로 빻아 물 1석에 넣는다.
2. 누룩물을 7말이 될 때까지 은근한 불로 달인 후 차게 식힌다.
3. 누룩 달인 물에 누룩 4근을 추가한 다음, 하룻밤을 지낸다.
4. 누룩 물에서 거품이 일어나길 기다린다.
5. 차조 1석을 (백세하여 물에 담가 불렸다가, 다시 씻어 헹궈서 물기를 뺀 후) 시루에 안쳐서 고두밥을 짓는다.
6. 고두밥이 익었으면 퍼내고, 고루 펼쳐서 차게 식기를 기다린다.
7. 누룩물에 차조고두밥을 합하고, 고루 버무려서 술밑을 빚는다.
8. 술밑을 술독에 담아 안치고, 예의 방법대로 하여 (따뜻한 곳에서) 3일간 발효시키면 술이 익는다.

愈瘧酒
<齊民要術>. 治諸瘧疾頻頻温飲之四月八日水一石麴一斤爲末俱酘水中待酢煎之一石取七斗待冷上生白沫起炊秫一石冷酘三日酒成.

육두주

스토리텔링 및 술 빚는 법

  술 빚기에 사용되는 주원료의 양이나 비율은 술의 맛과 향기를 좌우하는 매우 중요한 요소이다. 술의 알코올 도수를 비롯해 맛이나 향기는 결국 주원료의 양과 배합비율에 따라 결정되기 때문이다.

  그렇다고 쌀을 많이 사용하면 무조건 술맛이나 향기가 좋아진다는 뜻은 아니다. 주원료의 가장 이상적인 양과 배합비율에 따라 술의 맛이나 향기가 결정되고, 쌀의 가공방법을 비롯해 발효 온도 등 여러 가지 조건에 의해서도 달라진다.

  전통주 가운데 주원료의 양에 따른 주품명이 상당수 존재한다. 우선 쌀의 양에 따른 주품명으로 '육두주(六斗酒)'를 비롯해 '일두주', '삼두주', '사두주', '오두주', '구두주' 등을 들 수 있고, 발효 후 술의 양에 따른 주품명으로 '오병주', 육병주', '일두사병주', '일두육병주', '오호주', '소주다출방', '노주이두방' 등 다양하다.

  '육두주'는 <산가요록(山家要錄)>, 저자와 연대를 알 수 없는 <양주(釀酒)>, <침주법(浸酒法)>에서 그 기록을 찾아볼 수 있다. 한데 이들 세 문헌의 '육두주'는 주원료의 배합비율이나 술 빚는 과정이 달라서 전혀 다른 술로 생각할 수도 있다.

즉 <산가요록>의 '육두주'는 밑술을 볶은 쌀가루로 쑨 죽을 사용하여 술밑을 빚고, 밑술에 고두밥과 끓여 식힌 물, 누룩을 사용하여 덧술을 하는 과정을 밟고 있는데 반해, <양주>의 '육두주'는 밑술을 범벅으로 하고, 고두밥과 끓는 물을 한데 섞어 만든 진고두밥을 사용한다는 점에서 다르다.

또 <침주법>의 '육두주'는 밑술을 일반 쌀가루로 죽을 쑤어 식으면 누룩과 함께 섞어 발효시킨 다음 고두밥을 찔 때 매우 많은 양의 물을 살수하여 무른 고두밥을 짓고, 고두밥이 식으면 누룩을 함께 사용해 덧술을 한다는 점에서 또 다른 차이를 보이고 있다.

이렇듯 주원료의 배합비율이나 술 빚는 과정이 전혀 다른 가운데서도 <산가요록>과 <양주>, <침주법>에 수록된 '육두주'의 공통점을 찾을 수 있다. 그 공통점에서 바로 주품명이 '육두주'인 이유를 찾게 되었다.

첫째, 밑술 쌀 양의 2배 되는 쌀 양으로 덧술을 빚는다.

둘째, 밑술과 덧술에 두 차례에 걸쳐 물이 사용된다. 흔히 밑술 쌀 양의 2배 되는 쌀 양으로 덧술을 빚을 경우, 덧술에서는 누룩을 사용하지 않아도 되는 게 일반적인 주방문이다. 그런데도 '육두주'는 밑술과 덧술에서 동일한 양의 누룩을 사용한다는 점에서 누룩이 많이 사용되는 술의 맛과 향기를 짐작할 수 있다. 이처럼 누룩을 많이 사용하는 이유를 알 수 없다. 급수율이 많은 것도 아니고, 발효기간이 정해져 있어서 빠른 시간 내에 술을 익혀야만 하는 이유도 없다.

한편 <산가요록>의 '육두주'는 '구두주(九斗酒)'라는 사실이다. <산가요록>에는 삼양주법(三釀酒法)의 '구두주' 주방문이 있어, 이양주법(二釀酒法)의 '9말 빚이'와 구분 짓기 위해 '육두주'로 표기한 것으로 보여진다.

<산가요록>, <양주>, <침주법>에 수록된 '육두주' 주방문에서 다음 몇 가지를 눈여겨 볼 필요가 있다.

첫째, <산가요록>의 '육두주'는 밑술을 빚는 방법이 매우 이채롭다. 먼저 밑술을 빚는 데 있어 3말의 쌀을 백세세말하여 물 1동이로 죽을 쑤는데 이게 여간 힘든 게 아니다. 가능한 한 죽을 수월하게 쑤기 위한 방법으로 쌀가루를 볶아서 사용하게 된 것으로 여겨진다. 주지하다시피 쌀가루를 볶아두면 죽을 쑤기가 한

결 수월해지고, 호화도를 높일 수 있어 결국에는 안정적인 발효를 도모할 수 있기 때문이다.

쌀 양보다 적은 양의 물을 사용해 죽을 쑤다보면 쌀가루의 호화도가 균일하지 못해 불규칙적인 발효가 일어나면서 냉각 후에 재발효의 소지가 남게 된다. 반면 쌀가루를 볶아서 죽을 쑤게 되면 수분 흡수가 빨라져서 열전도율이 높아지고, 죽의 호화도를 균일하게 가져갈 수 있게 된다.

둘째, 쌀가루를 볶아서 사용하게 되면 죽으로 빚은 술보다 알코올 도수를 높일 수 있고, 술 빛깔도 밝은 노랑색을 띠는데 묘한 시각적 자극으로 구미를 더욱 자극한다.

이와 같은 경우는 경남 밀양 지방의 밀성 손씨 집안에 전승되고 있는 가양주 '방문주(方文酒)'에서 찾아볼 수 있다. 주원료의 배합비율은 다르지만 쌀가루를 볶아서 사용한다는 점에서 <산가요록>의 '육두주'와 경남 밀양 지방의 '방문주'가 매우 유사하다는 사실을 확인할 수 있다.

셋째, <양주>의 '육두주'는 술의 발효가 끝난 후 냉수를 후수하여 청주로 채주한다는 점이다. 특히 채주한 술과 채주하기 전 술독의 술이 변질될 우려가 있으므로, 온도 유지 등 그 관리에 유념해야 한다.

넷째, <침주법>의 '육두주'는 덧술의 고두밥을 찔 때 살수하는 물의 양이 매우 많다는 사실이다. 쌀 4말에 대하여 살수에 사용되는 물의 양이 2말이면, 그 부피가 동일하다는 점에서 물의 양이 매우 많다는 걸 알 수 있다. 덧술로 사용되는 고두밥의 증미 과정에서 고두밥이 자칫 끓인 '흡습반(吸濕飯)'처럼 질어지면 알코올 도수가 낮고 탁한 '합주(合酒)'처럼 될 수 있으므로, 물을 두 차례로 나눠 살수하는 등 질어지지 않도록 주의해야 한다. 특히 시루밑물이 많아져서 시루 밑부분의 고두밥이 2층밥이 되지 않도록 해야 한다.

1. 육두주 <산가요록(山家要錄)>
−쌀 9말 빚이

술 재료 : 밑술 : 멥쌀 3말, 누룩가루 6되, 물 1동이
　　　　　덧술 : 멥쌀 6말, 누룩가루 6되, 물 2동이

술 빚는 법 :

* 밑술 :

1. 멥쌀 3말을 백세하여 (물에 담가 불렸다가, 다시 씻어 건져서 물기를 뺀 후)
   세말한다.
2. 물 1동이를 솥에 끓이고, 쌀가루를 (솥에) 바삭하게 볶는다.
3. 물이 따뜻할 때 볶은 쌀가루를 넣고, 주걱으로 골고루 저어 죽을 끓인다(차
   게 식기를 기다린다).
4. 죽에 누룩가루 6되를 한데 섞고, 고루 버무려서 술밑을 빚는다.
5. 술독에 술밑을 담아 안치고, 예의 방법대로 하여 발효시킨다.

* 덧술 :

1. 멥쌀 6말을 (백세하여 물에 담가 불렸다가, 다시 씻어 건져서 물기를 뺀 후)
   시루에 안쳐서 고른 고두밥을 짓는다.
2. 고두밥이 익었으면 시루에서 퍼낸다(고루 펼쳐서 차게 식기를 기다린다).
3. 물 2동이를 끓여서 (차게 식기를 기다렸다가) 고두밥과 누룩 6되, 밑술을 합
   하고, 고루 버무려 술밑을 빚는다.
4. 술독에 술밑을 담아 안치고, 예의 방법대로 하여 발효시키는데 술이 익는
   대로 쓴다.

* 덧술의 고두밥과 끓인 물을 차게 식히라는 말이 없으나, 차게 식혀서 사용하
   는 것으로 주방문을 작성하였다. 또 주품명은 '육두주'인데 부제 '쌀 9말 빚이

(米九斗)'와 같이 쌀의 양은 9말이다.

六斗酒

米九斗. 白米三斗 百洗細末令焦. 水一盆餘 和之作粥. 匊末六升 和入瓮. 熟後.
白米六斗 全蒸熟. 水二盆. 匊六升. 前酒和入瓮. 待熟 用之.

2. 육두주 <양주(釀酒)>

> 술 재료 : 밑술 : 멥쌀 2말, 누룩가루 4되, 끓는 물 3동이
> 덧술 : 멥쌀 4말, 끓는 물 7말, 냉수 1말 5되

술 빚는 법 :

* 밑술 :

1. 멥쌀 2말을 백세하여 (물에 담가 불렸다가, 다시 씻어 헹궈서 물기를 뺀 후)
   작말한다.
2. 쌀가루를 (넓은 그릇에) 담아놓고, 솥에 냉수 3동이를 끓여 부어 주걱으로
   고루 개어 범벅을 쑨 후, 술 빚을 독에 담아 안쳐서 차게 식기를 기다린다.
3. 범벅이 식었으면 누룩을 작말하여 누룩가루 4되를 합하고, 고루 치대어 술
   밑을 빚는다.
4. 술독을 예의 방법대로 하여 (시늘한 곳에서) 7일간 발효시킨다.

* 덧술 :

1. 멥쌀 4말을 백세하여 (물에 담가 불렸다가, 다시 씻어 헹궈서 물기를 빼고)
   시루에 안쳐서 무른 고두밥을 짓는다.
2. 솥에 냉수 7말을 붓고 끓이다가 고두밥이 익었으면 퍼내어 한데 합하고, 고
   루 개어 고두밥이 물을 다 먹은 후 차게 식기를 기다린다.

3. 밑술에 고두밥을 한데 합하고, 고루 버무려 술밑을 빚는다.

4. 술밑을 술독에 담아 안치고, 예의 방법대로 하여 7일간 발효시켜 익기를 기다린다.

5. 냉수 1말 5되를 붓고, 맑게 가라앉으면 용수 꽂아 청주 뜨거나 두부 짜듯이 임의로 사용한다.

육두쥬

빅미 두 말 빅셰쟉말ᄒ야 닝슈 서 말 쓸혀 니기 기여 비즐 항의 치와 식거든 누록 쟉말ᄒ야 너 되 고로 쳐 너헛다가 일엔 만의 빅미 너 말 빅셰ᄒ야 쪄 닝슈 일곱 말 쓸혀 골라 치와 치의 밋술의 버무려 너헛다가 일에 후 닝슈 ᄒᆫ 말 닷 되 부어 물로 안거든 용쇠 곳거나 투두위 드리오거나 임의노 ᄒ라.

3. 육두주 <침주법(浸酒法)>
–엿 말 빚이

술 재료 : 밑술 : 멥쌀 2말, 누룩 4되, 물 4말
　　　　덧술 : 멥쌀 4말, 누룩 4되, 살수물 2말

술 빚는 법 :

* 밑술 :

1. 멥쌀 2말을 백세하여 (물에 담가 하룻밤 불렸다가, 다시 헹궈서) 물기를 빼서 가루로 빻아놓는다.

2. 솥에 물 4말을 붓고 팔팔 끓이다가, 불린 쌀가루에 뜨거운 물 1말을 퍼서 붓고 주걱으로 개어 아이죽을 만든다.

3. 끓고 있는 나머지 물에 아이죽을 넣고 팔팔 끓여 된죽을 쑨 다음, 넓은 그릇에 퍼 담고 (뚜껑을 덮어 찬 곳에 두어) 차게 식기를 기다린다.

4. 식은 죽에 누룩 4되를 합하고, 고루 버무려 술밑을 빚는다.

5. 술독에 술밑을 담아 안치고, 예의 방법대로 하여 발효시켜 익기를 기다린다.

* 덧술 :

1. 멥쌀 4말을 백세하여 물에 담가 하룻밤 불렸다가, 다시 헹궈서 물기를 빼놓
   는다.

2. 불린 쌀을 시루에 안치고 고두밥을 찌되, 물 2말을 뿌려 무른 고두밥을 짓고
   익었으면 퍼내어 넓게 펼쳐서 차디차게 식기를 기다린다.

3. 고두밥과 밑술과 누룩 4되를 한데 섞고, 고루 버무려 술밑을 빚는다.

4. 술밑을 술독에 담아 안친 후, 예의 방법대로 하여 (차지도 덥지도 않은 곳에
   서) 발효시키고 술이 익기를 기다린다.

뉵두쥬(六斗酒)

빅미 두 말을 빅셰ᄒᆞ야 ᄀᆞ로 븨아 믈 너 말에 쥭 수워 ᄎᆞ거든 죠흔 누록 너 되
로 섯거 닉거든 빅미 너 말을 빅셰ᄒᆞ야 믈 두 말 썰려 씨고 죠흔 누록 너 되
로 섯거 젼 수레 녀헛더가 닉거든 쓰라. ○○을 빅셰ᄒᆞ야 닉게 뼈 ᄎᆞ거든 젼슈
뢰 섯거 녀헛더가 닐웨 지나거든 쓰라.

육병주

스토리텔링 및 술 빚는 법

　'육병주'는 "술 빚는 데 물의 양이 6병이 사용된다."고 한 데서 유래한 주품명이다. 이와 유사한 주품명은 <양주방>*에만 '오호주', '오병주', '일두사병주'가 있고, <양주집(釀酒集)>에 '일두사병주', <언서주찬방(諺書酒饌方)>에 '쌀 한 말에 지주 네 병 나는 법' 등 쌀 양을 나타내는 주품명이 꽤 많다는 것을 알 수 있다.

　<양주방>*의 '육병주'는 "빅미 일두 빅셰셰말ㅎ야 물 여슷 병의 기야 국말 이승 진말 칠홉 섯거 너헛다가 셩히 괴야 거픔일 제 빅미 삼승 혹 니승 쥭 쑤어 치와 누룩 마쵸 버므려 슐밋히 버무려 고로고로 져어 두엇다가 닉는 디로 쓰라. 심히 넘ㄴ니 즈로 보라."고 하여 밑술은 범벅을 사용하고 덧술을 죽으로 하는, 일반적인 양주기법과는 다르다는 것을 알 수 있다.

　특히 <양주방>*의 '육병주'는 밑술보다 덧술의 쌀 양이 상대적으로 적게 사용되는 한편, 밑술보다 덧술에 사용되는 쌀의 호화도가 더 높다는 점이 특징이다. 덧술의 쌀을 밑술보다 호화도를 높여 사용하는 경우는 흔치 않으나, 수율을 높이는 한편 멥쌀로 빚는 술의 거칠고 독한 맛을 부드럽게 하고 감칠맛을 부여할 목

적으로 민간 전승주에서 가끔씩 목격되기도 한다.

　<양주방>*의 '육병주'는 밑술을 빚는 데 멥쌀 1말로 백세작말하여 끓는 물 6
병으로 범벅을 쑤고 식기를 기다렸다가, 누룩가루 2되와 밀가루 7홉을 섞어 술밑
을 빚는다. 밑술의 발효가 정점에 이르렀을 때 멥쌀 2~3되를 씻어 불리고, 죽을
쑤어서 차게 식으면 누룩가루와 섞어 덧술을 해 넣는 것으로 되어 있다.

　밑술의 발효가 정점에 이르렀을 때 덧술을 준비하는 시간이라는 점에서 그 의
미를 찾을 수 있는데, 주방문에 "심히 넘ᄂᆞ니 즈로 보라."고 한 것을 볼 수 있다.

　밑술을 범벅으로 할 경우, 자주 밑술이 끓어오르는 과정에서 술독 밖으로 넘치
는 것을 볼 수 있다. 그 원인이 첫째, 범벅을 갤 때 '끓고 있는 물'이 아닌, '끓었던
물'이거나 '100℃ 이하의 뜨거운 물'이었을 때이다. 둘째 원인은 겨울철과 같이 추
울 때일 가능성이 높다는 점에서 '끓고 있는 물' 상태에서 사용해야만 실패가 없
고, 특히 끓는 물을 한꺼번에 쌀가루에 퍼붓고 주걱으로 개는 방법은 경계해야
한다. 백발백중으로 끓어서 넘치기 때문이다.

　따라서 <양주방>*의 '육병주'는 밑술의 범벅을 쑤는 데 사용되는 6병의 물 외
에 덧술의 멥쌀 2~3되로 죽을 쑤는 데 따른 물의 양이 추가된다는 것을 알 수 있
어, 주품명에 대해 큰 의미를 둘 수 있는 주방문은 아니라고 생각된다.

육병주 <양주방>*

술 재료 : 밑술 : 멥쌀 1말, 누룩가루 2되, 밀가루 7홉, 물 3~6병
　　　　 덧술 : 멥쌀 2~3되, 누룩가루 1되, (물 2~3되)

술 빚는 법 :

* 밑술 :

1. 희게 쓿은 멥쌀 1말을 깨끗이 씻고 또 씻어(백세하여) 물에 담가 불렸다가 (다
　시 씻어 건져서 물기를 뺀 후) 세말한다(고운 가루로 빻는다).

2. 솥에 물 3~6병을 (팔팔 끓여) 쌀가루에 붓고, 주걱으로 골고루 개어 범벅을 만들어놓는다(차게 식기를 기다린다).

3. 범벅에 누룩가루 2되와 밀가루 7홉을 한데 섞고, 고루 버무려서 술밑을 빚는다.

4. 술독에 술밑을 담아 안치고, 예의 방법대로 하여 (2~3일간) 발효시킨다.

* 덧술 :

1. 술이 한창 괴어 거품이 일 때 희게 쓿은 멥쌀 2~3되를 (깨끗이 씻고 또 씻어 물에 담가 불렸다가 다시 씻어 건져서) 물기를 빼놓는다.

2. 불린 쌀을 물(2~3되)과 함께 끓여 죽을 쑨 다음, 퍼지게 익었으면 넓은 그릇에 퍼서 차게 식기를 기다린다.

3. 죽에 누룩가루(1되)를 버무려 술밑을 빚어 밑술에 합하고, 고루고루 휘저어 준다.

4. 술독을 예의 방법대로 하여 발효시키는데, 익는 대로 떠서 마신다.

* 주방문 말미에 "술이 끓어서 잘 넘치니 자주 보아야 한다. '오병주'도 마찬가지지만, 쌀 1말에 물 5병을 넣는데, 되게 하려면 3병도 마찬가지다."고 하였다.

뉵병쥬

빅미 일두 빅셰셰말ᄒᆞ야 물 여슷 병의 기야 국말 이승 진말 칠홉 섯거 너헛다가 셩히 괴야 거픔일 졔 빅미 삼승 혹 니승 쥭 ᄡᅮ어 치와 누룩 마쵸 버므려 술밋히 버무려 고로고로 져어 두엇다가 닉는 ᄃᆡ로 쓰라. 심히 넘ᄂᆞ니 ᄌᆞ로 보라.

육일주

스토리텔링 및 술 빚는 법

　전통적으로 우리나라 사람들은 홀수, 즉 양수(陽數)를 선호한다. 반대로 표현하면 짝수, 즉 음수(陰數)를 싫어한다는 얘기가 된다. 이를 '기수선호사상(基數選好思想)'이라고 하는데, 우리의 생활문화 곳곳에서 찾아볼 수 있다.

　예를 들어 절기 변화에 따른 세시풍속 가운데 짝수 날인 명절이 없다. 설날을 비롯해 추석과 삼짇날, 단오 등 4대 명절이 모두 홀수 날이고, 심지어 '노비날'이라고 하는 절일(節日)도 2월 1일 홀수 날이다.

　양주(釀酒)와 관련해서도 '기수선호사상'을 목격할 수 있다. 술의 발효기간이나 주원료의 양, 술 빚는 시기 등에 따른 술 이름으로 '일일주', '일두주', '일해주', '삼일주', '하절 삼일주', '칠일주', '구일주', '삼칠주', '오칠주', '사절칠일주', '오두주', '오병주', '오호주', '오정주', '구두주' 외에도 다양하기 이를 데 없다.

　그에 비해 음(陰)의 수를 빌려 온 주품명은 '사두주', '사마주', 사미주', '사오주', '십일주', '백일주', '육두주', '육병주' 정도로 그 수가 상대적으로 적다.

　'육일주(六日酒)'도 음수인 육(六)을 따온 술 이름으로, <주찬(酒饌)>에서만 찾아볼 수 있는 유일한 주품이다. '육일주'란 주품명은 밑술과 덧술을 각각 3일씩 발효시켜 익힌다는 의미에서 붙여진 명칭이다.

다만, '두강주'에 대하여 '육일약주'라는 별칭을 하고 있는 경우도 있다.

<주찬>의 '육일주'는 이양주(二釀酒)이면서도 '육일(六日)'이라는 매우 짧은 기간에 술을 익히는 속성주(速成酒)이다. 그 특징을 덧술 빚는 법에서 찾을 수 있는데, 지금까지 어떤 주품에서도 찾아볼 수 없었던 유일한 방법이 아닌가 생각된다. 즉, 밑술은 여느 주방문과 다를 바 없이 평범한 범벅 형태의 과정을 거쳐 술빚기가 이루어지는데, 덧술은 고두밥을 뭉쳐 밑술에 집어넣는 매우 특이한 방법으로 이루어진다.

<주찬>의 '육일주'와 유사한 주품으로는 경북 문경 지방의 '호산춘'이 있다. 솔잎을 넣은 설기떡을 쪄서 밑술과 버무린 다음, 메주덩이처럼 크게 뭉쳐서 술독에 담아 안치는 과정을 보여주고 있기 때문이다. 하지만 <주찬>의 '육일주' 덧술은 고두밥과 밑술을 섞지 않고, 고두밥에 밀가루를 섞고 뭉쳐서 밑술에 집어넣는다는 점에서 매우 간단하면서도 독특한 방법을 보여주고 있다 하겠다.

문제는 이와 같은 방법의 '육일주'는 3일 내에 발효를 마칠 수가 없다는 것이다. 수차례 실습을 통해서 깨달은 건 '육일주'의 경우 3일 안에 발효를 마치기 위해서는 고두밥을 차게 식히지 말아야 한다는 점이다.

이를테면 고두밥에 밀가루를 골고루 섞기 위해서는 고두밥을 펼쳐야 하는데, 밀가루를 뿌린 후에는 의도적으로 식히지 말고 곧바로 뭉쳐서 밑술에 집어넣어야 한다. 그 결과 '육일주'의 덧술을 3일 만에 발효시킬 수 있었는데, 이때 독의 뚜껑은 밀봉하지 말아야 한다는 사실도 알게 되었다.

<주찬>의 '육일주'는 밑술의 쌀 양보다 덧술의 쌀 양이 적게 사용되는 주방문을 보여주고 있다. 덧술의 발효기간을 짧게 가져가기 위한 방법이며, 이때 사용되는 밀가루 역시 그 역할이 오염균의 방지나 맑은 술을 얻기 위한 목적보다는 고두밥이 엉켜서 잘 삭지 않는 것을 방지하기 위한 목적을 우선하고 있다고 보여진다.

'육일주'는 발효를 완전히 끝내서 마시는 술이 아니다. 필요나 어떤 목적으로 빠른 시간에 술을 익혀 사용하기 위해 빚는 술로 '일일주'나 '삼일주'와 같이 미숙주(未熟酒)라는 사실을 기억해야만 한다. 한꺼번에 많이 마셔서는 안 된다는 얘기

이다. 반드시 숙취와 두통에 시달리게 된다.

    <주찬>의 '육일주'를 빚어두고 발효가 끝나기를 기다린 결과 15일 정도가 소요되었다. 덧술을 한 지 15일 이상 경과된 후의 '육일주'는 그 맛이 3일 만에 채주한 '육일주'와는 달리 상대적으로 부드러웠으며, 맑은 청주를 얻을 수 있었다. 또한 과음해도 숙취가 없었다.

육일주 <주찬(酒饌)>

> 술 재료 : 밑술 : 멥쌀 1말, 누룩 2되, 탕수 1말(정화수 : 겨울)
>   덧술 : 찹쌀 5되, 밀가루 약간(1홉)

술 빚는 법 :

* 밑술 :

1. 멥쌀 1말을 백세하여 (물에 담가 불렸다가, 다시 씻어 헹궈 건져서 물기를 뺀 뒤) 작말한다.
2. 솥에 물(겨울에는 정화수) 1말을 끓여 쌀가루에 골고루 붓고, 주걱으로 고루 개어 죽(범벅)을 쑨 다음 차게 식기를 기다린다.
3. 죽(범벅)에 누룩 2되를 넣고, 고루 버무려 술밑을 빚는다.
4. 술독에 술밑을 담아 안치고, 예의 방법대로 하여 3일간 발효시킨다.

* 덧술 :

1. 찹쌀 5되를 백세하여 서너 시간 불렸다가 건져 시루에 안치고 고두밥을 짓는다.
2. 고두밥에 밀가루를 흩뿌려 섞고 주먹같이 뭉친다.
3. 주먹처럼 뭉친 고두밥을 밑술독에 넣어 안친다.
4. 술독을 다시 밀봉하고, 예의 방법대로 하여 3일간 발효 숙성시킨다.

* 주방문에 끓여 식힌 물을 '전냉수(煎冷水)'라고 하였다.

* <언서주찬방(諺書酒饌方)>을 비롯해 여러 문헌에 '두강주'를 '육일주' 또는 '육일약주'라 하고, "모든 육일약주(六日藥酒)는 이 방법이 가장 좋다."고 했는데, <주찬>의 '육일주' 주방문은 전혀 다르다. '육일주'의 이와 같은 덧술 방법은 문경 지방의 토속주로, 경북 무형문화재로 지정되어 전승되어 오고 있는 '문경 호산춘'에서 목격할 수 있다.

六日酒

冬井華水夏煎冷水一斗曲二升調打入瓷翌日白米一斗百洗作末水一斗作粥待冷調釀於瓷中過三日後粘米五升熟烝眞末少許曋調磨握作拳入釀三日後用.

은화춘

　우리 전통주와 가양주에 있어 술 빚는 법의 전형이랄 수 있는 주방문이 '방문주(方文酒)'와 '부의주(浮蟻酒)'라는 말을 수도 없이 되풀이했으나, 정작 그 이유를 제대로 파악하고 있는 사람은 별로 안 되는 것 같다.

　'부의주'는 기본적으로 맑은 술, 곧 청주(清酒)를 얻기 위한 방법과 함께 거의 모든 중양주(重釀酒)의 덧술 빚는 법에 기초한 방문이다. '방문주'는 우리 전통주의 특징이랄 수 있는 밑술의 다양성과 함께 덧술을 어떻게 빚을 것인가에 답을 주는 주방문을 보여준다. 그런 의미에서 이 두 가지 주방문은 전통주를 공부할 사람이라면 반드시 익혀야 한다고 강조해 왔다.

　같은 맥락에서 <주찬(酒饌)>의 '은화춘(銀花春)' 주방문을 주의 깊게 살펴봐야 한다. '백화주' 등 다른 주방문과 비교해 별반 차이가 없음에도 불구하고 술 이름을 '은화춘'이라 한 이유가 무엇일까? 특히 밑술에서 죽(범벅) 형태로 빚는 술의 발효기간이 '광릉춘'을 비롯한 대부분의 춘주류는 계절에 따라 3~7일인데 비해, '은화춘'은 5~6일이라는 점도 다르다. 실제로 술을 빚어보면 알겠지만 다수의 주품들이 완전히 숙성되기까지 덧술의 발효기간이 대부분 14~21일로 비교적 긴 편이고, 계절에 따라 약간씩 차이가 난다. 그런데 '은화춘'만큼은 못을 박듯 밑술 5~6일, 덧술 17일로 그 기간을 정해 놓았다. 과연 무슨 이유 때문일까?

주방문을 보면 '은화춘'은 매우 평범해서 특별할 것이 없는 주방문이다. 그러나 그 말을 뒤집어보면 평범(平凡)하다는 건 가장 널리 빚어지고, 가장 대중적인 맛과 향기를 간직한 술이라는 뜻으로도 해석될 수 있음이다. '은화춘'의 주방문이 그렇다는 얘기다.

'은화춘'은 밑술에 사용되는 쌀 양과 동량의 물이 사용되고, 덧술은 또 밑술의 2배 되는 쌀과 물의 양이 사용된다. 밑술과 덧술에 2차례 누룩이 쓰이고 있으나 그 양이 2.5되로 쌀과 물 양의 3.3%에 불과하다.

결국 '은화춘'의 비법은 바로 밑술과 덧술의 발효기간, 그리고 누룩의 양과 고두밥을 찌는 방법에 있다고 하겠다.

잘 알다시피 춘주류(春酒類)는 주로 겨울철에 빚기 시작해 초봄까지가 적기이다. '은화춘'은 봄·가을에 빚는 술이고, 덧술의 고두밥을 '물러 퍼지게' 익힌 데서 발효기간이 짧아지는 특성이 있다. 소량의 누룩 사용에 따른 부드러운 맛과 뛰어난 방향을 갖는데, 덧술의 고두밥으로 인하여 희끗한 술 빛깔을 띠면서 '은화춘'이라는 주품명을 얻게 된 것으로 보인다.

흔히 이양주법(二釀酒法)에서 덧술에 사용되는 고두밥은 대대가 고슬고슬하거나 끓는 물을 섞어서 차게 식힌 진고두밥 형태로 사용되는 것이 정석인데, '은화춘'의 덧술 고두밥은 의도적으로 '백미오두백세난증(白米五斗百洗爛烝)'이라고 하여 매우 부드러운 고두밥을 찌라고 되어 있다.

그리고 여기에 더하여 끓여 식힌 물이 5말이면 덧술은 굳이 혼화를 많이 할 필요가 없다. 그런데 덧술의 혼화작업이 잘못되면 희뿌연 술이 얻어질 가능성이 많아진다.

따라서 '은화춘'의 술 빛깔이 맑고 투명한 상태가 되려면, 덧술에 사용되는 양주 용수와 고두밥을 가장 차게 식힌 다음 혼화를 해주되, 고두밥이 죽처럼 되지 않아야만 한다는 것이다. 이는 '은화춘'을 빚어본 결과에 따른 의미 해석이다.

은화춘 <주찬(酒饌)>

> 술 재료 : 밑술 : 멥쌀 2말 5되, 누룩가루 2되, 밀가루 1되, 끓는 물 2말 5되
>   덧술 : 멥쌀 5말, 누룩가루 5홉, 끓여 식힌 물 5말

술 빚는 법 :

* 밑술 :

1. 멥쌀 2말 5되를 백세하여 (물에 담가 불렸다가, 다시 씻어 헹궈서 물기를 뺀
   후) 작말하여(가루로 빻아) 넓은 그릇에 담아놓는다.
2. 솥에 물 2말 5되를 팔팔 끓여 쌀가루에 골고루 붓고, 주걱으로 고루 개어 죽
   (범벅)처럼 개어 (넓은 그릇에 나눠 담고) 차게 식기를 기다린다.
3. 죽(범벅)에 누룩가루 2되와 밀가루 1되를 합하고, 고루 치대어 술밑을 빚
   는다.
4. 술독에 술밑을 담아 안치고, 예의 방법대로 하여 5~6일간 발효시킨다.

* 덧술 :

1. 멥쌀 5말을 백세하여 (물에 담가 불렸다가, 다시 씻어 헹궈서 물기를 뺀 후)
   시루에 안쳐 물러 퍼지게 고두밥을 짓는다.
2. 물 5말로 팔팔 끓여 차게 식히고, 고두밥도 익었으면 퍼내어 고루 펼쳐서 차
   게 식기를 기다린다.
3. 고두밥에 끓여 식힌 물과 밑술, 누룩가루 5홉을 한데 합하고, 고루 버무려
   술밑을 빚는다.
4. 술독에 술밑을 담아 안치고, 예의 방법대로 하여 17일간 발효시킨 다음 용
   수 박아 채주한다.

銀花春

白米二斗五升百洗作末湯水二斗五升同作粥待冷曲末二升眞末一升調釀春秋

冬五六日夏三日後待熟白米五斗百洗爛烝湯水五斗末曲五合調釀於本酒十七日
後垂之.

인유향방

'향기' 또는 '방향'이 좋은 술을 빚는 방법으로 주원료인 쌀의 가공방법, 즉 술 빚을 쌀의 전처리과정과 호화과정에 달렸음을 누차 강조한 바 있다. 똑같은 원료와 동일한 비율로 술을 빚더라도 향기가 달라지는 것이 우리 술의 특징이다. 이러한 특징이 서양의 '와인'이나 '맥주' 또는 '사케'와 다른 점이며, 우리 술의 향기를 끌어내는 방법만이 한국의 술이 세계화로 나아갈 수 있는 지름길이라고 밝힌 바 있다.

이러한 주장의 근거가 되었던 술이 <술 만드는 법>의 '석탄향'을 비롯해 <임원십육지(林園十六志)>의 '경액춘', <음식디미방>의 '동양주'와 '감향주', <수운잡방(需雲雜方)>의 '만전향', <양주방>*의 '만년향', <주방문(酒方文)>의 '백화주', <술방>의 '하시절품주', <언서주찬방(諺書酒饌方)>의 '하향주' 등이 있다. 이렇듯 수많은 주품들의 복원과 재현에 따른 양주기술을 필자가 운영하고 있는 '전통주 교육연구원'의 교육 프로그램을 통해 13년 동안 보급해 왔다.

<임원십육지>의 '인유향방(麟乳香方)' 또한 같은 맥락에서 관심이 깊었던 주

품으로, 주방문 말미에 "특별히 좋은 향기가 도는 술이 된다."고 하였다. '특별히 좋은 향기'가 어떤 향기인지 궁금하여 술을 빚어보게 된 것이 '인유향방'이었다. 다시 말해 '인유향방'에 대한 필자의 특별한 관심은 주품명에서 비롯된 것이었다.

지금까지 밝혀진 우리 술의 향기는 주로 사과, 배, 포도, 자두, 복숭아와 같은 과실 향기이거나 국화, 송화, 자두꽃, 장미, 솔잎, 박하와 같은 꽃향기와 허브류가 주류를 이루고 있었다. 이들을 총칭하여 '방향(芳香)' 또는 '암향(暗香)'이라 지칭되어 왔기에 "기린의 젖 향기"라는 '인유향'이 과연 술에서 어떻게 발현될 수 있다는 건지 몹시 궁금해졌다.

그런데 <임원십육지>의 '인유향방' 주방문에는 쌀의 백세(百洗)나 침지에 대한 언급이 없다. 자칫 씻지도 않고 불리지도 않은 쌀로 술을 빚는다고 생각할지도 모르겠으나 이는 큰 착각이다. <임원십육지 : 온배지류(醞醅之類)>의 '치주제법(治酒諸法)'에서는 술 빚을 원료의 전처리과정과 가공방법 등에 대해 자세히 다루고 있기 때문이다.

<임원십육지>의 '인유향방'은 누룩과 물의 양이 비교적 적잖은 비율로 이루어지고 있으며, 특별하게 '맥내면(麥來麵)'이라고 하는 밀가루 반죽을 밑술에 사용하고 있다. 대부분의 주방문에서는 진말, 밀가루를 사용하고 있는 것과는 다르다.

밀가루는 잡균 오염과 함께 술의 발효나 원료의 전처리과정에서 발생하는 부유물을 흡수하여 맑고 깨끗한 술을 얻기 위한 목적으로 사용되는데, '맥내면'이라고 해서 그 목적이나 용도가 별반 달라지는 것은 아니나 술의 향기에는 관여한다. 반죽을 만들어 사용하는 만큼 발효는 더디나 단백질 함량이 쌀보다 높아 좋은 향기로 나타나기 때문이다. 따라서 '인유향방'의 독특한 향기는 이 '맥내면' 때문이라고 해도 과언이 아니다.

다만, 밑술의 발효 시에는 이 맥내면이 다 분해되지는 않는데, 덧술에서 덩어리 형태로 남아 있지 않도록 발효를 활발하게 이끌어주어야 할 필요가 있다. 자칫 분해되지 않은 밀가루 반죽으로 인해 느끼한 맛과 산미를 촉진시킬 수 있기 때문이다.

다시 말해 <임원십육지>의 '인유향방'은 밑술의 범벅을 고루 익히는 노력과 함께 맥내면이 잘 삭을 수 있도록 잘게 쪼개어 넣어주고 함께 버무리는 방법으로 밑술을 빚어야 한다. 또한 덧술의 탕수와 고두밥은 가능한 한 차게 식혀서 사용하는 게 관건이다. 특히 덧술의 발효가 정상적으로 활발하게 일어나면 술의 향기는 따라서 좋아진다.

필자가 경험한 바에 따르면 '인유향방'의 맛과 향기는 마치 어린아이의 분유 냄새와 같은 그윽한 향기와 부드러운 맛이 특징이라고 할 수 있겠다.

인유향방 <임원십육지(林園十六志)>

> 술 재료 : 밑술 : 멥쌀 2말, 누룩가루 2되, 내면(밀가루 반죽) 1되, 끓는 물 20사발
>
> 덧술 : 멥쌀 5말, 누룩가루 2되, 물 1사발, 탕수 8사발

술 빚는 법 :

* 밑술 :

1. 멥쌀 2말을 (백세하여 물에 담가 불렸다가, 다시 씻어 건져서 물기를 뺀 후) 세말하여(고운 가루로 빻아) 넓은 그릇에 담아둔다.
2. 솥에 물 20사발을 붓고 팔팔 끓을 때 쌀가루에 부어서 고루 개어 죽(범벅)을 쑨 다음, 넓은 그릇 여러 개에 나눠 담고 차게 식기를 기다린다.
3. 죽(범벅)에 내면(밀가루로 만든 반죽) 1되와 누룩가루 2되를 넣고, 고루 버무려서 술밑을 빚는다.
4. 술독에 술밑을 담아 안치고, 에의 방법대로 하여 겨울엔 5일, 여름엔 3일간 발효시킨다.

* 덧술 :

1. 멥쌀 5말을 (백세하여 물에 담가 불렸다가, 다시 씻어 건져서 물기를 뺀 후) 시루에 안쳐서 고두밥을 짓는다.
2. 고두밥을 찔 때 물 1사발을 뿌려서 푹 익게 찌고, 익었으면 시루에서 퍼낸다

(고루 펼쳐서 차게 식기를 기다린다).

3. 고두밥에 누룩가루 2되, (끓여서 식힌) 탕수 8사발과 밑술을 한데 합하고, 고루 버무려 술밑을 빚는다.

4. 술독에 술밑을 담아 안치고, 예의 방법대로 하여 발효시킨다.

* 주방문 말미에 "특별히 좋은 향기가 도는 술이 된다."고 하였다. 부재료로 '맥내면(麥來麵)'이 사용되는데, 이것이 밀반죽인지 보리반죽인지 국수인지 정확히 알 수 없으나 편의상 '밀가루 반죽'으로 해석하였다.

麟乳香方

白米二斗細末湯水二十鉢和作粥麴末二升(麥)麵一升和釀冬五日夏三日白米
五斗洒水一鉢爛烝熟水八鉢麴末二升並釀前酷則香異常. <三山方>.

일년주

스토리텔링 및 술 빚는 법

술 이름을 붙일 때 그 방법은 여러 가지가 있다. 술 빚는 기간이나 발효기간에 따른 주명은 비교적 장기발효주에 속하는 주품들로 대부분 명주로 꼽히고 있다.

'백일주'를 비롯해 '삼해주', '소곡주', '두견주', 그리고 삼양주법(三釀酒法)의 춘주류(春酒類) 등이 그 예에 속한다. 우리나라 발효주로 최장기 발효주에 해당하는 술이 바로 '일년주(一年酒)'로 <시의전서(是議全書)>를 비롯하여 <간본규합총서(刊本閨閤叢書)>, <이씨(李氏)음식법>, <우음제방(禹飲諸方)> 등의 문헌에 등장한다.

그런데 '일년주'가 '삼해주'나 '소곡주', '법주', '백일주' 등과 같이 장기발효주임에도 불구하고, 소위 명주의 반열에 오르지 못하고 사장되어 버린 까닭은 무엇일까 하는 궁금증에서 '일년주'의 재현 작업은 비롯되었다.

먼저 시도했던 주품은 <시의전서>의 '일년주'이다. 주방문대로 술을 빚어보기 위해 밑술과 덧술의 재료 처리방법과 발효기간을 살펴본 결과, 밑술과 덧술의 재료를 모두 범벅으로 빚고 있었고, 밑술의 발효기간이 최소 12일 정도인데 비해 덧술의 발효기간은 30일간으로 매우 장기간에 속했다. 그리고 <간본규합총서>를 비롯해 <이씨음식법>, <우음제방> 등의 주방문에서는 밑술과 덧술의 발효기간이 각각 30일이고, 2차 덧술의 발효기간이 60일 이상이다. 이는 앞서 예로 든 '삼해주'나 '소곡주', '백일주' 등과 비교해서도 장기간에 해당된다.

이상에서 본 바와 같이 <시의전서>를 비롯한 '일년주'의 술 빚는 기간은 어림잡아 120일 이상이 소용된다고 볼 수 있다. 이와 같이 장기발효가 가능했던 것은, 술 빚는 시기가 일 년 중 가장 추운 한겨울에 이뤄지기 때문이다.

그렇다면 옛날과 달리 난방이나 보온 등 실내환경이 훨씬 개선된 지금의 환경에서는 인위적인 설비, 즉 냉장고나 저온저장고와 같은 장비에 의존할 수밖에 없고, 아니면 2차 덧술에서와 같이 땅속에 묻어서 발효시키는 방법을 강구할 수밖에 없다는 결론에 이른다.

<시의전서>의 '일년주' 주방문대로 술 빚기를 시도해 본 결과 가장 문제가 되었던 과정은 덧술이었다. 주방문에서처럼 밑술을 범벅으로 하고 재차 덧술을 범벅으로 하여 술을 빚게 되면, 밑술로 인해 덧술의 발효는 훨씬 강해진다. 강해진 발효력을 인위적으로 억제시켜 오랜 시간 동안 유지한다는 건 여간해서 어려운 일이다. 특히 덧술의 발효기간은 최소 30일 이상으로 매우 긴 편이다. 따라서 한 번 끓은 술밑은 가능한 한 차게 식힌 후 저온에서 후발효를 시켜야 하는데 싸늘하다 싶을 정도로 찬 곳이라야 한다.

하지만 요즘 가옥들은 난방과 단열이 잘 되어 있어서 용이하지가 않다. 필요에 따르겠지만 저온저장과 냉장고까지도 생각해 볼 수 있고, 단독이나 시골이라면 땅에 묻어서 발효시키는 요령이 필요하다는 판단에서 냉방기기를 동원해 14~15℃를 유지하면서 발효시키는 방법을 택했다.

그렇다한들 더 큰 문제는 주방문에 나와 있듯이 <시의전서>를 비롯한 <간본규합총서>와 <우음제방>, <이씨음식법>의 '일년주'는 공통적으로 2차 덧술의 발효기간이 2개월(60일 이상)이라는 사실로 미루어, 이 경우 땅에 묻어서 2개월간 발효시키거나 덧술의 발효 온도인 16~17℃보다 낮은 온도라야 가능하다는 판단이었다.

2차 덧술의 발효기간이 2개월(60일 이상)이라고 하는 이유가 발효기간을 가능한 한 길게 끌고 감으로써 술의 알코올 도수를 최대한 높이고, 밑술과 덧술을 범벅으로 빚는 데 따른 술의 거친 맛을 해소하기 위함이라는 사실에 주목할 필요가 있다.

한편 <간본규합총서>의 '일년주'는 <시의전서>와는 전혀 다른 방법으로 이루어지는 과정을 보여주고 있다. 밑술과 덧술, 2차 덧술의 쌀 가공방법이 송편과 흰무리떡, 고두밥으로 이루어진다. <우음제방>의 '일년주'는 구멍떡, 범벅, 고두밥이며, <이씨음식법>의 '일년주'는 범벅, 흰무리떡, 고두밥으로 이루어지고 있다. 문헌마다 밑술과 덧술, 2차 덧술의 쌀 가공방법을 달리하고 있다는 특징을 발견할 수 있다.

또한 쌀의 양도 문헌마다 각각 다르고 누룩의 양이나 밀가루의 사용 여부도 문헌마다 다르게 나타난다. 네 가지 문헌에서 보이는 유일한 공통점은 밑술과 2차 덧술은 찹쌀이고 덧술은 멥쌀을 사용한다는 점이다.

그리고 네 가지 문헌에서 특이한 점이라 할 수 있는 것은 밑술이나 덧술, 또는 2차 덧술에 사용되는 용수의 양이 모두 명기되어 있지 않다는 점이다.

문제는 이러한 사실을 어떻게 이해할 것인가이다. 이는 술 빚는 사람 또는 마시는 이의 취향에 따라 용수의 양을 가감하는 융통성을 부여한 것으로 생각할 수 있겠다. 또한 장기발효주라는 사실에서 쌀의 양보다는 물의 양을 적절하게 조절해 가면서 술을 빚는 것이 가양주의 전형이라는 차원에서 이해되어야 할 것이다.

'일년주'와 같이 장기간 발효시킨 술이 자칫 산패하게 되면 여간 낭패가 아닐 수 없기에 '일년주'는 쉽게 접근하지 못한 술이 되었던 이유이기도 하다.

이러한 문제를 극복하기 위한 요령으로 범벅이나 흰무리떡으로 빚을 때에는 고르게 익히고, 많이 치대서 술밑이 끓어 술독 밖으로 넘치지 않도록 해야 한다. 구멍떡이나 물송편의 경우엔 떡이 굳어서 풀어지지 않는 일이 없도록 주의해야 할 것이다.

이렇듯 '일년주'는 문헌마다의 차이점을 이해하기 위해 딱 한 번씩 빚어보는 것으로 만족해야 했다. 그마저도 냉장고 보관이 여의치 못해 약간의 산미가 있었으나, 맑고 밝은 술 빛깔과 함께 자두향이 매우 강한 술로, 감히 명주의 반열에 오를 만하다는 느낌을 받았다.

1. 일년주 <간본규합총서(刊本閨閤叢書)>

−한 독거리

> 술 재료 : 밑술 : 찹쌀 3되(대승 1되가옷), 누룩가루 1되 5홉, 진말 1되 5홉, 떡 삶
> 은 물
> 덧술 : 멥쌀 2말, 물(1동이)
> 2차 덧술 : 찹쌀 3말, 물 1동이

술 빚는 법 :

* 밑술 :

1. 정월 첫 해일에 찹쌀 3되(대승 1되가옷)를 정히 씷어(도정을 많이 하여 백
   세하고 물에 담가 불렸다가, 다시 새 물에 깨끗이 헹궈서 물기를 뺀 후) 작
   말한다.
2. 찹쌀가루를 그릇에 담아놓고, 따뜻한 물로 되게 반죽하여 반대기를 만들어
   (송편처럼) 반만 접는다.
3. 솥에 물을 넉넉히 붓고, 팔팔 끓으면 반대기를 넣고 삶는다.
4. 떡이 익어 물 위로 떠오르면 건져내고, 즉시 떡 삶았던 물을 쳐가며 죽처럼
   개어 하룻밤 재워 얼음같이 차게 식기를 기다린다.
5. 이슬을 맞혀 법제한 누룩을 곱게 빻아 쌀 되던 되로 1되 5홉을 준비한다.
6. 죽에 누룩가루 1되 5홉과 밀가루 각 1되 5홉을 한데 합하고, 고루 치대어
   술밑을 빚는다.
7. 짚불 연기를 쏘여 소독한 술독에 술밑을 담아 안치고, 예의 방법대로 하여
   양기 없고 화기 없는 서늘한 곳에 2월 첫 해일까지 발효 숙성시킨다.

* 덧술 :

1. 2월 첫 해일에 멥쌀 2말(시승 1말)을 백세하여 (물에 담가 불렸다가, 다시 새
   물에 깨끗이 헹궈서 물기를 뺀 후) 작말하고 시루에 안쳐서 설기떡을 찐다.

2. 물(1동이)을 솟구치게 끓이다가 백설기가 익었으면, 넓은 그릇에 퍼 담고 끓는 물을 부어서 덩어리 없이 개어 하룻밤 재워 차게 식기를 기다린다.

3. 백설기죽에 밑술을 합하고, 고루 버무려 술밑을 빚는다.

4. 짚불 연기를 쏘여 소독한 술독에 술밑을 담아 안치고, 단단히 봉하여 찬 곳에 두어 발효 3월 해일까지 발효시킨다.

*2차 덧술 :

1. 3월 첫 해일, 전에 쌀을 계량하던 되로 찹쌀 3말(시승 1말 5되)을 깨끗한 물에 백세하여 (물에 담가 불렸다가, 다시 새 물에 깨끗이 헹궈서) 고두밥을 짓는다.

2. 시루에서 한 김 나면 물 2주발만 뿌리고 다시 찐다. 익었으면 퍼내고 고루 펼쳐서 차게 식기를 기다린다.

3. 솥에 고두밥 찌던 시루밑물 1동이를 솟구치게 끓여서 하룻밤 재워 차게 식힌다.

4. 짚불 연기를 쏘여 소독한 술독을 땅에 묻는다.

5. 식힌 물에 고두밥과 덧술을 합하고, 고루 치대어 술밑을 빚는다.

6. 술독을 땅에 묻고 술밑을 담아 안친 후, 단단히 봉하여 5~6월 사이까지 발효 숙성시킨다.

7. 술을 떠서 마실 때 냉수를 타서 간을 맞춘다.

일년쥬

졍월 첫 히일에 흔 독거리 허러 히면 춥쌀 서 되(시승흔 되가웃) 졍히 쓸어 죽말ㅎ야 죠흔 물에 반죽ㅎ야 굴게 반딕이을 만달아 살마 자빅이에 건져 그 쓸는 물을 부어가며 기야 죽만 허거든 얼음가치 식혀 ㅎ로밤 지와 그 잇탄늘 이슬에 발이인 셰말헌 국말을 쓸 되든 되로 되가웃과 진말 되가웃슬 밋과 흔듸 고로 범으려 집불 쏘인 항에 너어 양긔 업고 화긔 업고 션을헌듸 두되 어지는 안케 두고 이월 첫 히일에 뫼쌀 두 말(시승 흔 말) 작말ㅎ야 빅셜기 찌고 물을 고붓지게 쓸여 덩이업시 되게 기야 ㅎ로밤을 지와 션을허게 식혀 졍월 슐밋슬 부어 고로ㅣㅣ 기야 졍헌 독에 집불쐬야 너어 단ㅣ히 봉ㅎ야 츠게 두고 삼월 첫 희일 춥쏠 젼에 되단 되로 셔 말 졍슈 빅셰ㅎ야 쐐 씐후에 물 두 쥬발만 주어 쏘 쎠 김을 올려 얄게 펴셔 식히되 날이 츠거든 열니지 말고 지여 삐든 늘물 흔동의을 고붓지게 슬혀 밤지와 식힌 후에 독을 믓고 젼 밋과 지여 밥을 그물에 고로ㅣㅣ 범으려 독에 너코 단ㅣ히 봉ㅎ얏드가 오육월간 닉은 후 슐을 쎠늬야 먹을 쩌에 닝슈을 간 맛초라.

2. 일년주 <시의전서(是議全書)>

술 재료 : 밑술 : 찹쌀 1되, 분곡(가루누룩) 1되, 밀가루 1되, 물(2되)

       덧술 : 멥쌀 2말 5되, 끓는 물(2말 5되~3말)

       2차 덧술 : 찹쌀 7말, 끓여 식힌 물(3말)

술 빚는 법 :

* 밑술

1. 서웃달(섣달)에 찹쌀 1되를 (백세하여 물에 담가 불렸다가, 다시 씻어 헹궈 건져서 물기를 뺀 뒤) 작말한다(가루로 빻는다).

2. 솥에 물(2되)을 팔팔 끓여 찹쌀가루에 골고루 나눠 붓고, 주걱으로 고루 개어 범벅을 쑨 다음, 차게 식기를 기다린다.

3. 차게 식힌 찹쌀범벅에 분곡(가루누룩) 1되, 밀가루 1되를 합하고, 고루 버무려 술밑을 빚는다.

4. 술밑을 술독에 담아 안친 다음, 예의 방법대로 하여 (찬 곳에 두어) 1월 묘일까지 발효시킨다.

* 덧술

1. 정월 묘일(卯日)에 멥쌀 2말 5되를 (백세하여 물에 담가 불렸다가, 다시 씻

어 헹궈 건져서 물기를 뺀 뒤) 작말한다(가루로 빻는다).

2. 쌀가루를 구멍이 큰 도드미(체)에 쳐서 넓은 그릇에 담아놓는다.

3. 물(2말 5되~3말)을 팔팔 끓여 쌀가루에 합하고, 주걱으로 고루 개어서 (범벅을 쑨 뒤) 넓은 그릇 여러 개에 나눠 담고, 뚜껑을 덮어 차게 식힌다.

4. 차게 식힌 범벅에 밑술을 합하고, 고루 버무려서 술밑을 빚는다.

5. 술밑을 술독에 담아 안친 다음, 예의 방법대로 하여 (찬 곳에 두고) 발효시킨다. 2월이나 3월에 술이 괴면 넘치므로 동도지(복숭아나무 가지)로 저어 냉각시켜 준다.

* 2차 덧술

1. 3월 초순에 찹쌀 7말을 (물에 담가 불렸다가, 다시 씻어 건져서 물기를 뺀 후) 시루에 안쳐 고두밥을 짓는다.

2. 물(3말)을 팔팔 끓여 넓은 그릇 여러 개에 나눠 담고 차게 식혀놓는다.

3. 고두밥이 익었으면 찬물을 뿌리지 말고 뜸을 들여 돗자리에 퍼내고, 주걱으로 고루 펼쳐서 차게 식기를 기다린다.

4. 고두밥에 덧술과 끓여 식혀둔 물을 한데 합하고, 고루 버무려 술밑을 빚는다.

5. 술밑을 술독에 담아 안치고, 예의 방법대로 하여 (땅에 묻고) 밀봉하여 6월 초순이 될 때까지 발효시킨다.

6. 술이 익으면 용수를 박아 여과하여 마신다.

일연쥬(一年酒)

초밋슨 셔웃달에 흐야 찰쌀 흔 되를 범벅 기여 밀가로 흔 되 분곡 흔 되 너허 버무려 항에 너허 한데 두엇다가 즁밋슨 정월 묘일에 메쌀 두 말가옷 샌아 도돔이로 쳐셔 함지에 담고 펄펄 쓸난 물에 기여 식혀셔 쵸밋셰 한듸 범무려 두엇다가 이삼월에 괴이면 너물 거시니 복사나모 가지로 져혀 다 괴거든 삼월 초싱에 덧 찰쌀 일곱 말을 흐여 쓸 졔 물 쥬지 말고 쪄셔 진말 닷 홉과 물 쓸혀 식혀 버물일 졔 짐작흐여 부으라. 슐독을 쓰히 뭇고 꼭 봉흐여 두엇다가 뉵월 초싱 쪄셔 쓰라.

3. 일년주 <우음제방(禹飮諸方)>

> 술 재료 : 밑술 : 찹쌀 1말, 누룩가루 7되 5홉, 밀가루 3되
>
> 덧술 : 멥쌀 4말, 끓는 물(2말 5되~4말)
>
> 2차 덧술 : 찹쌀 10말, 끓여 식힌 물(10말)

술 빚는 법 :

* 밑술

1. 정월에 찹쌀 1말을 백세하여 (물에 담가 불렸다가, 다시 씻어 헹궈 건져서 물기를 뺀 뒤) 작말한다(가루로 빻는다).
2. 솥에 물을 넉넉히 붓고 팔팔 끓이고, 찹쌀가루에 따뜻한 물을 골고루 뿌려 섞고, 고루 치대어 익반죽한 후 구멍떡을 만든다.
3. 솥의 물이 팔팔 끓으면 구멍떡을 넣고 삶는다.
4. 익어 떠오르면 건져서 주걱으로 치대어 인절미처럼 멍울 없는 떡을 만든 다음 차게 식기를 기다린다.
5. 차게 식힌 떡에 누룩가루 7되 5홉, 밀가루 3되를 합하고, 고루 버무려 술밑을 빚는다.
6. 술밑을 술독에 담아 안친 다음, 예의 방법대로 하여 (찬 곳에 두어) 2월 첫 술일까지 발효시킨다.

* 덧술 :

1. 이월에 멥쌀 4말을 백세하여 (물에 담가 불렸다가, 다시 씻어 헹궈 건져서 물기를 뺀 뒤) 작말하여(가루로 빻아) 넓은 그릇에 담아놓는다.
2. 물(2말 5되~4말)을 팔팔 끓여 쌀가루에 합하고, 주걱으로 고루 개어 범벅을 쑨 뒤 (넓은 그릇 여러 개에 나눠 담고, 뚜껑을 덮어) 차게 식기를 기다린다.
3. 차게 식힌 범벅에 밑술을 합하고, 고루 버무려서 술밑을 빚는다.
4. 술밑을 술독에 담아 안친 다음, 예의 방법대로 하여 (찬 곳에 두고) 발효시

킨다(술이 괴어 넘칠 수 있으므로 주걱으로 저어 냉각시켜 준다).

* 2차 덧술 :
1. 3월에 흰 찹쌀(많이 도정한 찹쌀) 10말을 백세하여 (물에 담가 불렸다가, 다시 씻어 건져서 물기를 뺀 후) 시루에 안쳐 고두밥을 짓는다.
2. 물 10말을 팔팔 끓여 넓은 그릇 여러 개에 나눠 담고 차게 식혀놓는다.
3. 고두밥은 (찬물을 뿌리지 말고 뜸을 들여 익었으면) 돗자리에 퍼내고, 주걱으로 고루 펼쳐서 차게 식기를 기다린다.
4. 고두밥에 덧술과 끓여 식혀둔 물을 한데 합하고, 고루 버무려 술밑을 빚는다.
5. 술밑을 술독에 담아 안치고, 예의 방법대로 하여 단단히 밀봉하여 서늘한 곳에 두고 발효시켜 익기를 기다린다.

* 주방문 말미에 "여름까지 쓰나니, 날물기 일절 금하니, 독과 그릇을 행주질 하라."고 하였다.

일년쥬

뎡월의 졈미 일두 빅셰작말ᄒ여 구무떡 슬마든 죄 퍼 망울 업시 기야 무이 식은 후 국말 닐굽 되가웃 진말 서 되 버무려 항의 너허 한듸 두엇다가 이월의 빅미 너 말 빅셰작말ᄒ여 기야 무이 차거든 그 술밋촐 석거 너헛다가 삼월의 빅졈미 열 말을 빅셰ᄒ야 닉게 쪄 물 열 말 ᄭᅳᆯ혀 밥과 물을 다 차도록 식여 술밋희 석거 독의 너코 둔둔 봉ᄒ여 서늘흔 듸 두어 닉거든 쓰라 녀름신지 쓰ᄂᆞ니 늘물긔 일금ᄒᄂᆞ니 그릇과 독을 힝ᄌᆞ질ᄒ라.

4. 일년주 <이씨(李氏)음식법>

술 재료 : 밑술 : 묵은 찹쌀 5되, 가루누룩 5되, 끓는 물(1말~5되)
　　　　　 덧술 : 멥쌀 2말, 누룩 1되, 끓는 물(5되)
　　　　　 2차 덧술 : 찹쌀 5말, 끓는 물 4말 5되, 소주 3복자

술 빚는 법 :
* 밑술 :
1. 정월 첫 해일에 묵은 찹쌀 5되를 (백세하여 물에 담가 불렸다가, 다시 새 물에 깨끗이 헹궈서 물기를 뺀 후) 작말한다.
2. 찹쌀가루를 넓은 그릇에 담아놓고, 끓는 물(1말~5되)을 골고루 붓고, 주걱으로 고루 치대어 범벅을 개어놓는다.
3. 범벅을 마르지 않게 뚜껑을 덮어 서늘한 곳에 두고 차게 식기를 기다린다.
4. 범벅에 가루누룩 5되를 한데 합하고, 고루 치대어 술밑을 빚는다.
5. 술독에 술밑을 담아 안치고, 예의 방법대로 하여 찬 방에 두고 발효시킨다.

* 덧술 :
1. 2월 상순에 멥쌀 2말을 백세하여 (물에 담가 불렸다가, 다시 새 물에 깨끗이 헹궈서 물기를 뺀 후) 작말하여 시루에 안쳐서 흰무리떡을 찐다.
2. 물(5되)을 솟구치게 끓이다가 백설기가 익었으면, 넓은 그릇에 퍼 담고 끓는 물을 부어서 덩어리 없이 풀어 차게 식기를 기다린다.
3. 백설기죽에 누룩 1되와 밑술을 합하고, 고루 버무려 술밑을 빚는다.
4. 소독한 술독을 땅에 묻고 술밑을 담아 안친 후, 밀봉하여 3월까지 발효시킨다.

* 2차 덧술 :
1. 3월 전에 찹쌀 5말을 (백세하여 물에 담가 불렸다가, 다시 새 물에 깨끗이

헹궈서 물기를 뺀 후) 시루에 안쳐 고두밥을 짓는다.

2. 고두밥이 익었으면 시루에서 퍼내고, 고루 펼쳐서 차게 식기를 기다린다.

3. (끓여서 차게 식힌) 물 4말 5되에 고두밥과 덧술을 합하고, 고루 치대어 술 밑을 빚는다.

4. 술독을 (땅에 묻고) 술밑을 담아 안친 후, 단단히 봉하여 발효시켰다가 4월 에 소주 3복자를 붓고, 다시 봉하여 발효 숙성시킨다.

* 주방문에 '진미(陳米)'라고 하여 '묵은 쌀'로 밑술을 빚는다 하였는데, 밑술 과 덧술의 물의 양이 언급되어 있지 않다. 또 2차 덧술의 쌀을 씻거나 불리 라는 언급이 없고, 사용하는 물 4말 5되가 끓여 식힌 물인지 날물인지도 알 수 없다.

* 다른 기록에는 시루밑물을 사용하는 경우를 볼 수 있어, 끓여 식힌 물로 방 문을 작성하였다.

일년쥬

흔 독을 흐자면 뎡월 첫 톳날 진미 닷 되 쟝말흐여 범벅 기아 식거든 가로누 록 닷 되 셧거 츤 방의 두엇다가 이월 망간의 빅미 두 말 빅셰쟉말흐야 흔무 리 쪄 그 물 더운 김에 흔무리에 부어 죄 풀니거든 식근 후 누룩 흔 되 셧거 먼져 밋 타 흔 되 고로 셧거 기여 독을 뭇고 독에 너렷다가 숨월에 졈미 단 말 지어 식은 후 물 녀 말 닷 되 잡아 그 밋틱 버무려 단단이 봉흐야 두엇다 가 스월에 쇼쥬 세 복자 부엇다가 쓰면 됴흐니라.

일두사병주

조선시대 양주 관련 문헌 속의 주방문들을 보면서 감탄을 할 때가 한두 번이 아니다. 그도 그럴 것이 당시 술을 빚었던 사람들의 대다수는 미생물학이나 식품가공학, 발효학에 대한 전문적인 교육을 받아본 적이 없는 평범한 주부(主婦)들이었다. 양주(釀酒)와 관련해 문외한일 수밖에 없는 처지였을 텐데, 현대 양주산업이 따라잡지 못할 정도의 훌륭한 양주기술을 체득하고 있었다는 사실 때문이다.

이는 조상 대대로 전승되어온 가양주(家釀酒)를 빚은 오랜 경험과 함께 김치, 장, 젓갈, 식초 등 발효·저장식품을 식생활의 근간으로 삼아온 데 기인한 것으로 여겨진다. 특히 술은 절기 변화에 맞춰 목적과 용도가 다양했으므로, 거의 매달 그에 따른 술을 빚어야 했다.

특히 장기보관이 어려운 무더운 여름철의 기후에도 그에 맞는 양주를 해야 했기에 자연스럽게 술을 빚는 기술이 발전할 수밖에 없었을 것이다.

아무리 그렇다 한들 기본적인 양주이론과 지식마저도 제대로 전수받지 못한 상황에서 몇 줄밖에 되지 않는 기록의 주방문(酒方文)을 보고, 대물림을 통해 술 향기와 맛이 각각 다른 명품주들을 전수해 왔다는 게 놀라울 따름이다.

때로는 '어떻게' 구전(口傳)과 답습(踏襲)을 통해서 "수십 가지 목적과 용도, 계절에 맞게 술 빚는 기술을 터득할 수 있었을까?" 하는 의문을 떨칠 수 없다.

실제로 조선시대 양주 관련 기록에 등장하는 주방문을 보면, 정말 자유자재로 술 빚는 기술을 구사했음을 알 수 있는데, 거듭 얘기하지만 더 놀라운 건 그 대상이 양주에 관한 전문지식이 없었던 주부들이었다는 사실이다.

한글 기록인 <양주방>*에 등장하는 '일두사병주(一斗四瓶酒)'라는 주품의 주방문에서도 옛 사람들의 능숙한 양주기술과 다양한 기교를 엿볼 수 있다.

'일두사병주'는 "쌀 1말과 물이 4병으로 빚는 술"이라는 의미를 담고 있다. 대개 '일두주', '삼두주', '사두주', '오두주', '육두주' 등 쌀의 양에 따른 명칭을 붙이거나 '오병주', '오호주' 등 물의 양에 따른 명칭을 사용하는 게 일반적인데, '일두사병주'는 쌀과 물의 양을 함께 사용한 주품명으로 흔치 않는 경우다. <양주방>*의 '일두사병주' 외 <언서주찬방(諺書酒饌方)>의 '쌀 한 말에 지주 네 병 나는 술법', <양주집(釀酒集)>의 '일두육병주'가 전부라고 할 수 있다.

'일두사병주'는 이양주(二釀酒)로서 발효기간이 10일 이내인 속성주(速成酒)에 속한다. '일두사병주'와 유사한 <언서주찬방>의 '쌀 한 말에 지주 네 병 나는 술법', <양주집>의 '일두육병주'와의 재료 배합비율 차이는 '일두육병주'가 물 2병, 덧술의 찹쌀 2되가 더 많다는 것뿐이다.

그러나 두 주품의 주방문은 덧술을 빚는 과정에서 그 차이가 확연하게 드러난다. 즉, '일두사병주'와 '쌀 한 말에 지주 네 병 나는 술법'은 밑술이 막 괴어오를 때 찹쌀 1되에 물 1병을 섞어 죽을 쑤고, 차게 식혀 밑술과 더해 발효시키는 반면, '일두육병주'는 밑술을 안친 지 3~4일 후에 덧술을 하는데, 찹쌀 3되를 고두밥 짓고 물 2병으로 식혀서 사용한다는 점이다. 이는 '일두육병주'의 덧술에 사용되는 찹쌀(3되)이 술맛을 약간 좋게 하고, 밥알을 띄워 마시기 위한 방문임을 알 수 있다.

한편, 시대적으로 앞선 <언서주찬방>의 '쌀 한 말에 지주 네 병 나는 술법'에서는 밑술에서 밀가루와 함께 서김을 사용한 반면, 후기의 기록인 <양주방>*에서는 보다 간편한 방법으로 밀가루와 엿기름가루를 사용하고 있다. '서김'과 '엿기름가루'는 그 역할이 매우 다른 것으로, 각각의 주방문에 따른 술맛과 향기에서 상당한 차이가 있다.

다시 말해서 <양주방>*의 '일두사병주' 덧술은 멥쌀술의 거친 맛을 부드럽게 해주기는 하지만, 주질보다는 오히려 술의 양을 늘리기 위한 방법이라고 볼 수 있다. 그 이유는 덧술의 쌀을 죽을 쑤어서 사용하기 때문이다.

이렇듯 덧술 과정에서 죽을 사용하는 경우는 '일두사병주' 외에도 특히 민간의 전승가양주에서 자주 목격할 수 있다.

일두사병주 <양주방>*

> 술 재료 : 밑술 : 멥쌀 1말, 누룩가루 1되, 밀가루 1되, 좋은 엿기름가루 1되, 물 3병
>
> 덧술 : 찹쌀 1되, 물 1병

술 빚는 법 :

* 밑술 :

1. 희게 쓿은 멥쌀 1말을 깨끗이 씻고 또 씻어(백세하여) 물에 담가 불렸다가 (다시 씻어 헹궈 건져서 물기를 뺀 후) 가루로 빻는다.

2. 쌀가루를 물 3병에 갠 다음 솥에 담고 끓여서 죽을 쑤고 퍼지게 익었으면, 넓은 그릇에 담아 차게 식기를 기다린다.

3. 죽에 누룩가루와 밀가루 각 1되, 좋은 엿기름가루 1되를 넣고, 고루 버무려 술밑을 빚는다.

4. 술독에 술밑을 담아 안치고, 예의 방법대로 독을 싸매고 하루 동안 발효시킨다.

* 덧술 :

1. 이튿날 밑술이 한창 괴어오를 때, 찹쌀 1되를 깨끗이 씻고 또 씻어(백세하여) 물에 담가 불렸다가 (다시 씻어 헹궈 건져서) 물기를 빼놓는다.

2. 불린 쌀을 물 1병과 합하여 솥에 담아 안치고, 팔팔 끓여서 죽을 쑨다.

3. 죽이 퍼지게 익었으면, 넓은 그릇에 퍼 담고 차게 식기를 기다린다.

4. 차게 식은 죽을 밑술과 합하고, 고루 버무려 술밑을 빚는다.

5. 술독에 술밑을 담아 안치고 예의 방법대로 하여 발효시킨다.

* 주방문 말미에 "술이 끓어오를 때 넘치기 쉬우므로, 큰 독에 담아 익혀야 한다."고 하였다. 또 "술이 막 익거든 쓰라"고 하였는데, 이는 도수가 낮아 쉬이 변질되기 쉽기 때문이다. 고로 잔치나 한꺼번에 많은 양의 술이 필요할 때 빚는 방법이다.

일두ᄉ병쥬

빅미 ᄒ 말 빅셰작말ᄒ야 물 세 병으로 쥭 쑤어 ᄀ장 ᄎ거든 국말 진말 각 ᄒ 되와 죠흔 서김 ᄒ 되를 섯거 독의 너허 싸믜앗다가 이튼날 막 괴거든 졈미 ᄒ 되를 물 ᄒ 병 부어 쥭 쑤어 식거든 전술의 섯거 막 닉거든 쓰라. 다만 필 졔 너물거시니 큰 그릇싀 비즈라.

일두육병주

'일두육병주(一斗六瓶酒)'라는 주품명은 <양주집(釀酒集)>에 등장하는데, 술 재료로 "쌀 1말에, 물 6병이 사용된다."고 한 데서 유래한다. '일두육병주'와 비슷한 이름으로, 1837년경 문헌인 <양주방>*에 '일두사병주'를 비롯해 '육병주'가 있고, <양주집>과 <음식보(飮食譜)>에는 '오병주(五瓶酒)'가 있으며, 연대 미상의 <언서주찬방(諺書酒饌方)>에는 '쌀 한 말에 지주 네 병 나는 법'이 수록되어 있다.

이와 같은 명칭은 수율(收率), 곧 술의 양이 얼마나 나느냐에 초점이 모아진 주방문들이며, 쌀과 물의 양 또는 물의 양에 따른 표기인 것으로 확인된다.

<양주집>의 '일두육병주'와 <양주방>*의 '일두사병주'를 비교해 보면, 재료 배합비율이나 술 빚는 법이 거의 일치한다. '일두육병주'가 밑술에서 물 1병, 덧술에서 물 1되, 찹쌀 2되가 더 많을 뿐이다. 두 주품의 차이는 술 빚는 과정, 즉 덧술을 빚는 과정에서 그 차이가 확연하게 드러난다. 즉, '일두사병주'는 밑술이 막 괴어오를 때 찹쌀 1되에 물 1병을 섞어 죽을 쑤고 차게 식혀 밑술과 합하고, 술의 발효가 막 끝나면 채주하는 방문으로 이루어져 있다. 이와 같은 주방문은 주질보다

는 수율을 높이기 위한 방법이라 할 수 있다.

　이와는 달리 '일두육병주'는 밑술을 안친 지 3~4일 후에 덧술을 하는데, 찹쌀 3되를 고두밥 짓고 물 2병으로 식혀서 사용한다는 점이다. 엄밀히 따지면 '일두육병주'는 쌀 양으로 볼 때 1말 3되 6병인 셈이다. 그럼에도 불구하고 '일두육병주'라고 명명한 이유는 덧술에 사용되는 찹쌀(3되)이 술맛을 약간 좋게 하고, 밥알을 띄워 마시기 위한 방문이기 때문이다.

　같은 의미로 <양주방>*의 '육병주'와 '오병주'를 들 수 있다. '육병주'의 경우는 밑술에 멥쌀 1말과 물 6병, 누룩 2되, 밀가루 7홉이 사용되고, 덧술로 멥쌀 3되와 누룩 적당량이 사용되고 있다는 점에서 큰 차이가 없다.

　중요한 건 '일두육병주'를 비롯한 쌀과 물의 양 또는 물의 양에 따라 주품 명칭을 딴 주방문들의 공통점은 밑술의 쌀 양보다 덧술의 쌀 양이 적고, 다른 주품들과는 상대적으로 덧술의 발효기간이 짧다는 사실이다.

　따라서 <양주집>의 '일두육병주'는 이양주법(二釀酒法)임에도 짧은 기간에 쌀 1말당 고급술 6병을 얻을 수 있다는 암시가 깔려 있음을 주목할 필요가 있다. 이른바 목적과 용도가 분명한 주방문이라는 것이다.

일두육병주 <양주집(釀酒集)>

> 술 재료 : 밑술 : 멥쌀 1말, 가루누룩 1되, 진말 1되, 엿기름가루 1되, 끓는 물 4병
> 　　　　 덧술 : 찹쌀 3되, 물 2병

술 빚는 법 :

* 밑술 :

1. 멥쌀 1말을 백세하여 (물에 담가 불렸다가, 새 물에 다시 씻어 맑게 헹궈 건져서 물기를 뺀 후) 작말하여(가루로 빻아) 넓은 그릇에 담아놓는다.

2. 솥에 물 4병을 끓여 쌀가루에 고루 붓고, 주걱으로 담(범벅)을 개어 차게 식

기를 기다린다.

3. 차게 식은 담(범벅)에 가루누룩 1되와 진말 1되, 엿기름가루 1되를 한데 합하고, 고루 버무려 술밑을 빚는다.

4. 술독에 술밑을 담아 안치고, 예의 방법대로 하여 3~4일간 발효시켜 술이 괴어오르면 덧술을 준비한다.

* 덧술 :

1. 찹쌀 3되를 백세하여 (물에 담가 불렸다가, 새 물에 다시 씻어 맑게 헹궈 건져서 물기를 뺀 후) 시루에 안치고 무른 고두밥을 짓는다.

2. 솥에 물 2병(맛있게 하려면 1병)을 끓이다가, 고두밥이 익었으면 그릇에 퍼내어 (끓는) 물을 합하고, 주걱으로 담(범벅)을 개어 차게 식기를 기다린다.

3. 고두밥에 밑술을 합하고, 고루 버무려 술밑을 빚는다.

4. 술독에 술밑을 담아 안치고, 예의 방법대로 하여 (7일간) 발효시킨다.

* 덧술에 사용하는 물을 끓여 사용하는 것이 좋을 듯하다.

一斗六甁酒

이 술이 믈 젹게 ᄒ고져 ᄒ거든 粘米 ᄶ᷂ᄂᄃᆡ 一甁 녀ᄒ라. 白米 一斗 百洗 作末ᄒ야 ᄭᅳᆯ인 믈 四甁이 둠 기여 식거든 ᄀᆞ로누록 眞末 牟芽末 各 一升式 섯거 녀허다가 三四日 만이 괴거든 粘米 三升 百洗ᄒ야 닉게 밥 ᄶᅧ 믈 두병이 골화 밋술이 섯거다가 ᄡᅳ라.

일두주

'일두주(一斗酒)'는 "술 빚는 데 따른 쌀의 양이 한 말(一斗)이 소용된다."는 뜻에서 유래한 주품명이다. '일두주'와 유사한 주품명으로는 '구두주(九斗酒)', '사두주(四斗酒)', '삼두주(三斗酒)', '오두오승주(五斗五升酒)', '육두주(六斗酒)', '칠두오승주(七斗五升酒)', '칠두주(七斗酒)'가 있고, 쌀 양에 따라 얻어지는 술의 양까지도 언급한 '일두사병주(一斗四瓶酒)', '일두육병주(一斗六瓶酒)' 등 매우 다양하다.

문득 "굳이 주원료인 쌀의 양을 기준으로 한 주품명의 등장은 무엇을 암시하고 있을까?" 하는 궁금증이 일었다.

우리 술의 공통점은 한결같이 쌀을 중심으로 누룩과 물이 기본 주원료라는 사실이다. 다시 말하면 쌀과 누룩, 물을 주원료로 하여 빚는 술은 주원료의 배합비율과 쌀의 가공방법, 쌀의 종류, 누룩의 종류, 물의 종류, 부원료의 사용 여부, 그리고 술을 빚는 시기와 술 빚는 횟수에 따른 차이가 기본일 수밖에 없다.

특히 조선시대 가양주의 특징은 한두 가지 쌀을 가지고 여러 가지 방법으로 가공을 하는데, 누룩과 물의 배합비율에 따라 맛과 향기, 알코올 도수를 달리하고자 하는 노력이 엿보인다는 점이다. 그러니 갖가지 특징에 따른 주품명을 빌려 오자니 그 한계를 느꼈을 것이고, 결국 쌀의 양에 따른 주품명까지 사용할 수밖에 없었을 거라는 추측을 해보았다.

그런 맥락에서 <주방(酒方)>*과 <침주법(浸酒法)>에 수록된 '일두주'의 주방문을 분석해 보았는데, 이 두 문헌의 '일두주'에는 공통점이 없다는 게 주목할 만하다. 대다수의 주품들이 문헌은 다르더라도 주방문에서는 최소한 한두 가지의 공통점을 띠게 마련인데, 이 두 문헌의 '일두주' 주방문에는 유사성은커녕 오히려 상반된 주방문을 보여주고 있다.

시대적으로 좀 더 앞선 것으로 여겨지는 <침주법>의 '일두주'는 "찹쌀 한 되를 백세하여 가루 빻아 구무떡 만드라. 물 두 되 끓여 식거든 누룩 한 되 들여 빚어 두었다가, 찹쌀 아홉 되를 백세하여 익게 쪄 물 한 동이 끓여 두 되 떠(내) 버리고 그 물에 그 밑을 걸러 더하라."고 하여 전형적인 양주방법을 보여주고 있다. 이와 달리 <주방>*의 '일두주'는 멥쌀 1말로 지은 고두밥에 끓는 물 3병과 합하여 진고두밥을 만들고, 차게 식으면 누룩 2되와 섞어서 3~4일간 발효시킨 후 덧술을 하는데 그 양이 찹쌀 1되로 지은 고두밥과 누룩 1홉이 전부이다. 즉, <침주법>의 '일두주'는 여느 주방문과 다르지 않은 매우 평이한 과정을 거치고 있는 반면, <주방>*의 '일두주'는 밑술과 덧술의 주방문이 뒤바뀐 것과 같은 상이한 과정을 보여주고 있다는 점이다. 특히 밑술의 과정은 다른 주품의 경우 덧술과 동일한 방법이라는 점에서 덧술 과정을 생략하거나 죽을 쑤어 사용하는 것이 일반적이고, 덧술의 경우 밑술의 쌀보다 더 많은 양의 쌀을 사용하는 것이 술 빚는 원칙이라는 점에서 <주방>*의 '일두주'는 <침주법>을 비롯해 다른 문헌의 일반 주품들과는 상이한 주방문으로 이루어졌음을 알 수 있다.

따라서 <침주법>의 '일두주'는 다른 문헌의 '하향주'나 '절주'에서 파생된 주방문의 한 가지로 여겨지며, <주방>*의 '일두주'는 <주방문(酒方文)>의 '절주'와 유사하다고 보여진다. 다만 '일두주' 주방문으로 알 수 있는 몇 가지 분명한 사실은, 우리 술은 가양주(家釀酒)에 뿌리를 두고 있는 만큼 시대의 흐름과 술 빚는 사람마다의 능력과 솜씨, 술의 용도와 목적에 따라 수만 가지 주방문이 가능하다는 게 전제되어 있기에 공식적이거나 절대적인 주방문의 존재를 확신할 수 없다는 점이다.

이러한 사실은 무엇보다 술을 마시는 사람의 기호나 목적, 용도에 따라 양주(釀酒)되고, 술 빚는 사람의 솜씨나 능력, 경험이 우선시될 수밖에 없다는 이야기와 같다. 때문에 어떠한 경우에도 획일적 잣대나 규정된 틀에 맞출 수 없으며, 옳고 그름의 잣대로 평가할 수 없다.

이러한 양주방법이 우리 양주문화의 다양성을 반영하는 장점과 특징으로 이야기되어야 할 것이다. 조선시대를 배경으로 발달하여 수백 년간 정착되어 온 만큼 고유성과 차별성, 다양성으로 비쳐졌으면 하는 바람이다. '전통(傳統)' 하면 무조건 '구시대의 산물'이라거나 '비과학적이고 비합리적'이라는 말로 매도 또는 폄훼하고, 백안시(白眼視)하는 사람들이 많기에 하는 말이다.

1. 일두주방문 <주방(酒方)>*

술 재료 : 밑술 : 멥쌀 1말, 가루누룩 1되, 끓는 물 3병
　　　　　　덧술 : 찹쌀 1되, 누룩 1홉

술 빚는 법 :
* 밑술 :
1. 멥쌀 1말을 백세하여 (물에 담가 불렸다가, 다시 씻어 헹궈서 물기를 뺀 후) 시루에 안쳐 무른 고두밥을 짓는다.
2. 솥에 물 3병을 팔팔 끓이고, 고두밥이 무르게 익었으면 한데 합한다(주걱으로 고두밥을 고루 헤쳐 놓는다).
3. 고두밥이 (물을 다 먹었으면 넓은 그릇에 나눠 담고 뚜껑을 덮어) 차게 식기를 기다린다.
4. 물 먹인 고두밥에 가루누룩 1되를 한데 합하고, 고루 버무려 술밑을 빚는다.
5. 술밑을 술독에 담아 안치고, 예의 방법대로 하여 3~4일간 발효시킨다.

* 덧술 :

1. 찹쌀 1되를 (백세하여 물에 담가 불렸다가, 다시 씻어 헹궈서 물기를 뺀 후)
   시루에 안쳐 무른 밥(고두밥)을 짓는다.

2. 밥(고두밥)이 무르게 익었으면, 시루에서 퍼낸다(주걱으로 고두밥을 고루 헤
   쳐서 차게 식기를 기다린다).

3. 고두밥에 누룩 1홉을 한데 합하고, 고루 버무렸다가 밑술에 넣고 고루 저
   어 놓는다.

4. 술독은 예의 방법대로 하여 발효시키고, 술밑이 가라앉기를(익기를) 기다렸
   다가 채주한다.

* 여느 기록에서도 찾아보기 힘든 매우 생경한 주방문이다.

일두쥬방문

빅미 흔 말 빅 번이나 시서 쪄 닉거든 쓸힌 물 세 병 골와 ᄀᆞᄅ누록 흔 딕 석
거 녀허 두엇다가 사흘 지나거든 춥뿔 흔 되 밥 지어 누룩 흔 홉 섯거 그 술
의 녀허 두엇다가 물 안는 양으로 쓰ᄂᆞ니라.

2. 일두주 <침주법(浸酒法)>

술 재료 : 밑술 : 찹쌀 1되, 누룩 1되, 끓여 식힌 물 2되
　　　　　덧술 : 찹쌀 9되, 끓여 식힌 물 1동이

술 빚는 법 :

* 밑술 :

1. 찹쌀 1되를 백세하여 (물에 담가 불렸다가, 다시 씻어 건져서 물기를 뺀 다
   음) 가루로 빻는다.

2. 솥에 물을 넉넉히 붓고 팔팔 끓이다가 뜨거워지면 물 1~2홉을 쌀가루에 골고루 뿌려가면서 고루 치대어 익반죽한 다음 구멍떡을 빚는다.
3. 솥의 나머지 물이 끓는 김에 구멍떡을 넣고 삶아 떡이 익어서 떠오르면 건져내어 (주걱으로 많이 짓이겨서) 차게 식기를 기다린다.
4. 솥에 물(떡 삶은 물도 좋다.) 2되를 끓여서 차게 식기를 기다린다.
5. 구멍떡에 누룩 1되와 끓여 식힌 물 2되를 합하고, 고루 버무려 술밑을 빚는다.
6. 술밑을 술독에 담아 안치고, 예의 방법대로 하여 발효시켜 익기를 기다려 덧술을 준비한다.

* 덧술 :
1. 찹쌀 9되를 백세하여 (물에 담가 하룻밤 불렸다가, 다시 씻어 건져서) 물기를 빼놓는다.
2. 불린 쌀을 시루에 안쳐서 고두밥을 찌고, 물 1동이를 팔팔 끓여서 차게 식히되 2되를 퍼내 버린다.
3. 고두밥이 익었으면 퍼내고 고루 펼쳐서 차게 식기를 기다린다.
4. 끓여서 차게 식은 물을 밑술에 합하고, (체에) 걸러 찌꺼기를 제거한 막걸리를 만든다.
5. 밑술(막걸리)을 고두밥에 합하고, 고루 버무려 술밑을 빚는다.
6. 술밑을 술독에 담아 안친 후 예의 방법대로 하여 발효시킨다.

* 쌀 1말을 가지고 그 일부를 사용하여 밑술로 쓰고, 나머지를 덧술로 하는 경우는 민간의 가양주법에서 흔히 목격된다.

일두쥬(一斗酒)—흔 말
춥쌀 흔 되룰 빅셰ᄒᆞ야 ᄒᆞᄅ ᄀᆞ르 브아 구무 쩍 밍그라 믈 두되 글혀 식거든 누록 흔 되 드려 비저 둣더가 춥쌀 아홉 되룰 빅셰ᄒᆞ야 닉게 뼈 믈 흔 동ᄒᆡ 글혀 두 되 써 브리고 그 믈에 그 미틀 걸러 더트라.

일해주

'일해주(一亥酒)'는 <양주방(釀酒方)>과 <주방문(酒方文)>에 수록되어 있는 주품명이다. "지간(支干)의 하나인 돼지날(亥日)에 밑술을 빚고, 덧술을 해 넣은 지 12일이 되어 돌아오는 해일(亥日)에 익는다."하여 술 이름을 '해일주(亥日酒)'라고도 하고, 발효기간이 12일이라는 데서 '12일주'라고도 한다.

'일해주'라는 주품명에서 보듯 단양주(單釀酒)의 느낌을 주는데, 사실 '삼해주'의 약식 주방문이라고 생각할 수도 있다. 즉, '해일(亥日)'에 빚는 이양주(二釀酒)가 '일해주(一亥酒)'이고, 삼양주(三釀酒)가 '삼해주'이기 때문이다.

먼저 <주방문>의 '일해주'는 "해일에 밑술을 빚고 덧술을 해 넣은 지 12일이 되어 돌아오는 해일에 익는다."고 하고, 주방문 말미에서는 "술 빛깔이 파랗고 밥알이 뜨고 좋으리라. 술을 못하는 사람도 좋으리라. 여름에는 하지 말라."고 하였다.

그런데 <양주방>에서는 "술 빚은 지 첫 돌날 밑하여 사흘 만에 밥을 지어 넣고, 덩이 없이 하여 저어주고, 그릇에 날물기 없이 하여야 한다."고 하여 <주방문>에서 언급하고 있는 '일해주'와는 약간 다른 방법을 제시하고 있다. 또한 이 두 문헌의 '일해주'에서 나타나는 공통점은 '해일(亥日)'을 술 빚는 날로 삼는다는 것으로, '삼해주'와 다르지 않음을 알 수 있다. 따라서 시대적으로 앞선 <주방문>의 '일해주'를 기본으로 주방문을 분석해 보고, <양주방> 주방문과의 차이를 살펴보기로 한다.

<주방문>은 1600년대 말엽에 저술된 문헌이고, <양주방>은 1700년대 초엽 또는 중엽의 문헌이라는 사실에서 <양주방>이 <주방문>의 '일해주'를 기록했거나 인용했을 거라고 보여진다.

<주방문>의 '일해주' 주방문을 보면, 멥쌀 1말을 백세작말(百洗作末)하여 물 1동이와 섞어서 죽을 쑨 후, 차게 식으면 누룩가루 7홉과 섞어 술밑을 빚는데, 밑술을 빚는 방법으로 전형적인 죽을 쑤어 사용하고, 극히 적은 양의 누룩가루와 섞어 빚는 과정을 보여주고 있다. 또 덧술은 멥쌀 2말을 백세하여 고두밥을 짓고, 끓는 물 1동이 반과 섞어 고두밥이 물을 다 흡수하고 식기를 기다렸다가, 밑술과 합하여 술밑을 빚는 방법으로 한 차례 쪄낸 고두밥을 다시 끓는 물로 한 번 더 익히는 과정으로 이루어진다는 것을 알 수 있다.

따라서 <주방문> '일해주'의 덧술은 밑술에 사용되는 누룩의 양이 극히 적게 사용된 데 따른 방법이라는 점에서 매우 합리적이면서 뛰어난 양주기술이라고 할 수 있다. 즉, 밑술과 덧술에 사용되는 쌀 양이 3말이나 되는데, 누룩은 밑술에서 한 차례 사용될 뿐이고, 그 양이 7홉(2.3%) 정도에 그친다는 사실을 감안하면 덧술의 발효가 잘 이루어지도록 원료 처리에 주의를 기울여야만 한다.

이를테면, 술에 사용되는 누룩의 양이 극히 적게 사용된 데 따른 덧술의 발효 부진을 극복하기 위한 조치가 한 차례 쪄낸 고두밥을 다시 끓는 물로 한 번 더 익히는 방법이라는 것이다.

이렇듯 <주방문>의 '일해주'는 무엇보다 밑술의 역할이 그만큼 중요하다는 것을 의미하는 한편, 상대적으로 밑술을 빚는 방법이 얼마나 힘들고 까다로운 일인지 짐작케 한다. 밑술의 과정에서 보듯, 멥쌀 1말을 가루로 빻아서 물 1동이로 죽을 쑤려 면, 거의 반생반숙에 가까운 상태가 되는데다 자칫하면 솥에 눋기가 십상이어서 죽을 쑤는 일에 특별히 신경을 써야 하기 때문이다.

그래서 죽을 쑬 때 물을 끓이다가 물이 따뜻해지면 반 동이 정도를 떠서 쌀가루에 섞고, 주걱으로 휘젓거나 손으로 풀어서 멍울이 없는 아이죽을 만들어 솥의 나머지 물이 팔팔 끓을 때 미리 만들어둔 아이죽을 천천히 붓고, 주걱으로 저어 주면서 덩어리가 지지 않게 죽을 쑤는데, 이때 주걱으로 천천히 저어주어야 한다.

한편 <양주방>의 '일해주'는 밑술을 범벅으로 쑤어 사용하고, 쌀 양의 23%나 되는 누룩을 사용한다. <주방문>보다는 훨씬 안전하면서도 편리한 밑술 과정을 보여주고 있다. 덧술의 경우도 찹쌀고두밥만을 사용하는 등 전형적인 덧술 과정을 보여주고 있어 어떤 특징을 찾기 힘들다. 때문에 두 문헌의 주방문을 비교하기는 힘들다 하겠다.

다만, 수차례 양주 실습에 따른 경험을 얘기하자면, <주방문>의 '일해주'는 매우 까다롭고 힘든 과정을 통해 얻어진 만큼 향기가 뛰어나고 맛이 부드러우면서도 도수가 꽤 높다. 또 <양주방>의 '일해주'는 자칫 거칠고 독한 맛을 줄 수 있는데도 덧술을 찹쌀로 사용함으로써 부드럽고 감칠맛이 뛰어났다.

1. 일해주법 <양주방(釀酒方)>

> 술 재료 : 밑술 : 멥쌀 3말, 가루누룩 3되, 밀가루 3되, 물 8말
>   덧술 : 찹쌀 10말

술 빚는 법 :

* 밑술 :

1. 멥쌀 3말을 백세하여 (물에 담가 불렸다가, 다시 씻어 헹궈 건져서 물기를 뺀 후) 가루로 빻아 넓은 그릇에 담아놓는다.
2. 물 8말을 팔팔 끓여 쌀가루에 짐작하여 고루 섞어 범벅을 쑨 다음, 그릇 여러 개에 나누어 담고 차게 식기를 기다린다.
3. 범벅에 가루누룩 3되, 밀가루 3되를 섞고, 고루 버무려 술밑을 빚는다.
4. 술밑을 술독에 담아 안치고, 예의 방법대로 하여 12일간 발효시킨다.

* 덧술 :

1. (12일째 되는 날) 찹쌀 10말을 희게 쓿어 백세하여 물에 담가 하룻밤 불렸다가, 이튿날 고쳐 씻어 건져서 시루에 안치고, 고두밥을 익게 찐다.
2. 고두밥이 익었으면 퍼내고, 고루 펼쳐서 차게 식기를 기다린다.
3. 전에 빚은 밑술을 보아가면서 (덧술을) 하되, 밑술독에 고두밥을 넣고 고루 저어 덩어리 없이 풀어놓는다.
4. 술독은 예의 방법대로 하여, 유지로 싸매어 두고 발효시킨다.

* 주방문에 "술 빚은 지 첫 돌날 밑하여 사흘 만에 밥을 지어 넣고, 덩이 없이 하여 저어주고, 그릇에 날물기 없이 하여야 한다."고 하였다.

일히듀법

빅미 셔 말을 빅셰ᄒᆞ야 ᄀᆞ로마하 물 여듧 말을 ᄭᅳᆯ혀 그글리 짐쟉ᄒᆞ야 고로 셧거 펴내여 ᄒᆞ러그릇시 시겨 ᄎᆞ거든 ᄀᆞ르누룩 셔 되 진ᄀᆞᄅᆞ 서 되 그밋히 고로 셧거 그릇시 너쳐둣다가 ᄎᆞᆸᄡᆞᆯ 열 말을 희거 쓸허 빅셰ᄒᆞ야 ᄒᆞ로밤 담갓다가 이튼날 내여 고쳐 씨셔 닉게 쪄 밥을 너러 식여 젼의 너흔 밋흘 보아하되 오 말고 그 밥을 너허 유지로 ᄡᅡ매여 두라. 첫둣날 밋ᄒᆞ야 ᄉᆞ흘 만의 밥을 지여 너코 덩이 업시 져으라. 그릇시 날물긔 업시ᄒᆞ라.

2. 일해주 <주방문(酒方文)>

> 술 재료 : 밑술 : 멥쌀 1말, 누룩 7홉, 물 1동이(말)
>   덧술 : 멥쌀 2말, 끓여 식힌 물 1동이 반

술 빚는 법 :

* 밑술 :

1. (정월 해일에) 멥쌀 1말을 백세작말한다.
2. 솥에 물 1동이를 붓고 끓이다가 물이 따뜻해지면, 5되 정도를 떠서 멥쌀가루에 붓고 풀어서 아이죽을 만든다.
3. 솥의 남은 물이 끓기를 기다렸다가 아이죽을 합하고 재차 팔팔 끓여 죽을 쑨다.
4. 죽은 넓은 그릇에 퍼서 (하룻밤 재워) 차게 식기를 기다렸다가 누룩 1되를 가루로 빻아 누룩가루 7홉을 넣고, 고루 버무려 술밑을 빚는다.
5. 술독에 술밑을 담아 안치고, 예의 방법대로 하여 (12일간) 발효시킨다.

* 덧술 :
1. 멥쌀 2말을 백세하여 시루에 안쳐서 고두밥을 짓는다.
2. 물솥에 물 1동이 반을 붓고, 팔팔 끓인 다음 차게 식힌다.
3. 고두밥이 익었으면 끓여 식힌 물을 합하고, 고루 헤쳐서 고두밥이 물을 다 먹기를 기다린다.
4. 고두밥을 넓은 그릇에 나눠 담아 차게 식기를 기다린다.
5. 고두밥에 밑술을 합하고, 고루 버무려 술밑을 빚는다.
6. 술독에 술밑을 담아 안치고, 예의 방법대로 하여 발효시켜 익으면 채주한다.

* 주방문에 "해일에 밑술을 빚고 덧술을 해 넣은 지 12일이 되어 돌아오는 해일에 익는다."고 하여 '해일주(亥日酒)'라는 술 이름을 붙인 술로, '12일주'라고 할 수 있다. 주방문 말미에 "빛이 파랗고 밥알이 뜨고 좋으리라. 술을 못하는 사람도 좋으리라. 여름에는 하지 말라."고 하였다.

일히쥬(一亥酒)
뿔 흔 말 빅셰작말ᄒ여 믈 흔 동ᄒ이에 플 쑤어 식거든 누록 흔 되 작말 칠 홉 섯거 비저 닉거든 뿔 두 말 빅셰 니기 ᄢᅥ 슬혀 시근 믈 흔 동ᄒ이 반의 프러 식거든 밋틔 석거 닉거든 쓰라. 비치 파라코 밥 드고 됴ᄒ니라. 술 못 먹ᄂ니도 됴ᄒ니라. 더위예ᄂ 말라.

잡곡주

스토리텔링 및 술 빚는 법

한국인에게 잡곡(雜穀)은 쌀의 의미이고, 오곡(五穀)의 의미이다. 흔히 오곡으로 쌀, 보리, 조, 기장, 콩을 들지만, 쌀과 보리를 제외한 조, 기장, 콩은 잡곡으로 부르기도 한다.

한편 중국에서는 참깨, 보리, 피, 수수, 콩 또는 참깨, 피, 보리, 쌀, 콩 또는 수수, 피, 콩, 보리, 쌀을 인도에서는 보리, 밀, 쌀, 콩, 깨를 오곡이라 하는 것으로 미뤄 나라와 민족에 따라 그 인식이 다르다는 것을 알 수 있다.

500가지가 넘는 전통 주방문 가운데 콩을 제외한 잡곡으로 빚는 '잡곡주(雜穀酒)'는 조선 중기 이후의 문헌에서 찾아볼 수 있다. 이로써 '잡곡주'의 등장 시기가 그리 오래되지 않았음을 확인할 수 있다.

'잡곡주'를 수록하고 있는 문헌으로는 <고사신서(攷事新書)>, <농정회요(農政會要)>, <민천집설(民天集說)>, <산림경제(山林經濟)>, <산림경제촬요(山林經濟撮要)>, <의방합편(醫方合編)>, <임원십육지(林園十六志, 高麗大本)>, <조선무쌍신식요리제법(朝鮮無雙新式料理製法)>, <증보산림경제(增補山林經

濟)>, <해동농서(海東農書)>, <후생록(厚生錄)> 등 11종의 문헌에 13차례 등장한다. <민천집설>과 <조선무쌍신식요리제법>에는 두 가지 방문을 볼 수 있다.

시대가 가장 앞선 기록인 <산림경제>를 비롯해 <민천집설>, <증보산림경제> 등의 주방문을 중심으로 술 빚는 법을 분석해 보면, '잡곡주'의 특징과 양주기법에 담긴 의미를 찾을 수 있을 것으로 생각된다.

<산림경제>의 '잡곡주'는 "차수수(染秫), 찰강냉이, 차조, 찰기장 등 곡식 중 한 가지, 또는 여러 가지를 섞은 것 1말로 가루를 만들고, 물 2병 반을 팔팔 끓여 가루에 붓고 고루 섞어 죽을 쑨다. 식은 뒤에 누룩가루, 밀가루 각각 2되를 버무려 동이에 넣되 군물이 들어가지 않도록 한다. 3~4일 지나 익기를 기다렸다가, 또 이상의 곡식 중 한 가지나 혹은 섞은 것(혹 흰 쌀을 섞으면 더 좋다.) 3되를 가루로 만든다. 물 7병을 팔팔 끓여 우선 무거리를 먼저 넣고 거의 익을 때를 기다려 두 번째로 가루를 넣어 죽을 쑤어 식힌 뒤에 먼저 빚은 술밑에 첨가하여 빚는다. 7일이 지나면 술통에 뜨게 된다. 반 이상이 익은 뒤에는 찹쌀이나 기장쌀 3~4되를 가루로 만들어 죽을 쑤어 덧빚으면 맛이 더욱 맵고 콕 쏜다."고 하였다.

먼저 이 과정을 자세히 살펴볼 필요가 있다. 밑술을 차수수, 찰강냉이, 차조, 찰기장 등 찰잡곡을 가루를 만들고, 끓는 물을 가루에 붓고 고루 섞어 죽(범벅)을 쑨 다음, 식으면 누룩가루와 밀가루를 버무려 빚고, 3일 후에 밑술과 같은 방법으로 죽을 쑤어 덧술을 하는데, 그 양이 밑술보다 적게 사용된다.

그리고 다시 7일 후에 술덧을 술통에 떠낸 후에 찹쌀이나 기장쌀을 가루로 만들어 죽을 쑤어 2차 덧술을 해 넣는 것으로 되어 있다. 누룩은 한 차례 사용되고, 밑술 쌀 양의 30% 정도 되는 잡곡을 가루 내어 죽을 쑤어 빚는 방법이다.

<증보산림경제>에서는 "찰수수(粘蜀)와 메조(粱), 차조(秫), 찰기장(粘稷), 메기장(黍) 등의 한 가지 또는 각 2되 5홉씩 1말 2되 5홉을 가루 내고, 물 2병 반을 끓여 뜨거울 때 가루를 넣고 고르게 휘저어 죽을 만든다. 식기를 기다려 누룩가루와 밀가루 각 2되를 고르게 섞어 항아리에 집어넣는다. 3~4일이 지나 익기를 기다린다. 또 멥쌀과 찰수수, 찰기장 중 한 가지 또는 각 1말을 섞어 3말을 가루로 만들고, 물 7병 을 끓인다. 먼저 가루를 집어넣고 거의 다 익으면 다시 쌀가루를 집어넣고 죽을 만들어 식기를 기다린다. 앞서 만들었던 밑술과 죽을 합하여

술을 빚는다. 7일이 지나 반 이상 익으면 술통에 넣고 걸러낸다. 찹쌀이나 혹 기장쌀 3~4되를 가루 내어 죽을 만들어 첨가하여 술을 빚는데 맛이 더욱 진하다. 비록 잡곡이라도 반드시 가루로 만들어 술을 빚으면 좋다."고 하였다. 밑술의 쌀 종류와 양, 덧술의 쌀 양이 <산림경제>와는 다르다.

이후 <고사신서>를 비롯해 <농정회요>, <민천집설>, <산림경제촬요>, <의방합편>, <임원십육지(고려대본)>, <해동농서>, <후생록> 등에 수록된 주방문도 <증보산림경제>와 동일한 과정으로 이루어지고 있다.

'잡곡주'는 밑술에 사용되는 잡곡의 종류를 몇 가지로 하느냐와 무관하게 쌀양은 1말이 사용되며, <산림경제>에서처럼 덧술의 쌀 양이 3되가 사용되는 경우, <조선무쌍신식요리제법>과 같이 쌀 양이 1말인 경우, <증보산림경제> 등 여러 문헌에서 나타나듯 덧술의 쌀 양을 3말로 빚는 경우 등 다양하다.

그러나 중요한 사실은 <증보산림경제> 등의 덧술 주방문에는 '멥쌀과 찰수수, 찰기장 중 한 가지 또는 각 1말씩 3말'이라고 하여 멥쌀을 반드시 사용하는 것으로 되어 있다. 또 문헌마다 약간씩 차이를 보이고 있고, <민천집설>의 '우법(右法)'에서는 주원료의 양을 비율대로 줄여서 빚는 한편, 2차 덧술이 생략된 주방문도 엿볼 수 있다.

결국 '잡곡주'의 특징은 "잡곡은 반드시 가루로 만들어 술을 빚어야 한다."는 원칙을 전제로, 필요에 따라 덧술까지만 해도 좋으나 삼양주(三釀酒)라야 맛이 맵고 콕 쏘게 좋다는 것이다.

잡곡으로 빚는 술의 양주기법(釀酒技法)은 부드러우면서도 구수한 맛과 함께 여러 가지 다양한 방향(芳香)을 즐길 수 있다는 점에서 개발 가치가 높은 술이긴 하나, 쌀의 도정(搗精)과 세척(洗滌) 등 가공 공정이 복잡해 손이 많이 간다. 특히 다른 삼양주법의 주품들에 비해 알코올 도수가 높지 않다는 것도 큰 단점이다.

현대인들의 특성이 다양성과 개성을 중시하고 있다는 점에서 '잡곡주'야말로 현대인들의 다양하고 개성 강한 기호를 충족시킬 수 있을 것으로 생각된다. 그런 의미에서 우리나라 전통주의 가능성을 반영한다고 하겠다.

1. 잡곡주 <고사신서(攷事新書)>

술 재료 : 밑술 : 찰수수·찰옥수수·차조·찰기장 각 2되 5홉, 누룩가루 2되, 밀
가루 2되, 물 2병 반

덧술 : 잡곡 3말(멥쌀, 찰수수, 찰기장 1말씩), 물 7병

2차 덧술 : 찹쌀 3~4되(찰기장 3~4되), 물(5~6되)

술 빚는 법 :

* 밑술 :

1. 찰수수, 찰옥수수, 차조, 찰기장 중 한 가지 또는 각 2되 5홉씩 1말을 (백세
하여 물에 불렸다가, 다시 씻어 말갛게 헹궈서 물기를 뺀 후) 작말한다.

2. 솥에 물 2병 반을 붓고 끓이다가 잡곡가루를 넣고 주걱으로 고루 개어 죽을
쑨 다음 차게 식기를 기다린다.

3. 죽에 누룩가루와 밀가루를 각 2되씩 넣고, 날물기가 들어가지 않도록 하여
고루 버무려서 술밑을 빚는다.

4. 술독에 술밑을 담아 안치고, 예의 방법대로 하여 3~4일간 발효시켜 익기를
기다린다.

* 덧술 :

1. 멥쌀이나 찰수수, 찰기장 중 한 가지 또는 각 1말씩 3말을 섞어 (백세하여
물에 담가 불렸다가, 다시 씻어 헹궈서 물기를 뺀 후) 작말하고 체에 한 번
쳐서 내린다.

2. 솥에 물 7병을 붓고 팔팔 끓으면, 체 안에 남은 무거리를 넣고 끓이다가 거의
익을 무렵 고운 가루를 넣어 죽을 쑤어 차게 식기를 기다린다.

3. 죽에 밑술을 합하고, 고루 버무려 술밑을 빚는다.

4. 술독에 술밑을 담아 안치고, 예의 방법대로 하여 7일간 발효시키면 덧술이
거의 익는데, 이때 술통에 떠내고 거른다.

* 2차 덧술 :

1. 찹쌀이나 기장쌀 3~4되를 백세하여 (물에 담가 불렸다가, 다시 씻어 헹궈 서 물기를 뺀 뒤) 작말한다.

2. 솥에 물(5~6되)을 붓고 끓이다가 물이 뜨거워지면 쌀가루를 풀어 넣고 된 죽을 쑨 뒤, 차게 식기를 기다린다.

3. 죽에 덧술을 합하고, 고루 버무려 술밑을 빚는다.

4. 술독에 술밑을 담아 안치고, 예의 방법대로 하여 7일간 발효시킨다.

* 주방문 말미에 "잡곡은 반드시 가루로 만들어 술을 빚어야 하며, 덧술까지만 해도 좋다. 삼양주 잡곡주는 맛이 맵고 콕 쏜다."고 하였다.

* <사시찬요보(四時纂要補)>를 인용한 <산림경제>에는 덧술의 쌀 양이 '3 되', 물의 양이 '7병 반'으로 되어 있고, <산림경제>를 증보한 <증보산림경제> 의 본방에는 '멥쌀과 찰수수, 찰기장 중 한 가지 또는 각 1말씩 3말'로 되어 있어 <증보산림경제>를 인용한 것으로 여겨진다.

雜穀酒

梁秫粘薥粘黍粘稷等米中一種或相雜一斗作末水二瓶半沸熟入末攪匀作粥 待冷麴末眞末各二升調和入瓮忌客水過三四日待熟又以雜米中一種或相雜米 或雜白米尤好三斗作末水七瓶沸湯先入末滓待幾熟次入米末作粥候冷與前 本合釀過七日上槽過半熟後粘米或黍米三四升作末作粥加釀則味尤辛烈雖雜 米必須作末釀之.

2. 잡곡주법 <농정회요(農政會要)>

술 재료 : 밑술 : 찰수수·찰옥수수·차조·찰기장 각 2되 5홉, 누룩가루 2되, 밀
가루 2되, 물 2병 반
덧술 : 잡곡 3말(멥쌀, 찰수수, 찰기장 1말씩), 물 7병
2차 덧술 : 찹쌀 3~4되(찰기장 3~4되), 물(5~6되)

술 빚는 법 :

* 밑술 :

1. 찰수수와 찰옥수수, 차조, 찰기장 중 한 가지 또는 각 2되 5홉씩 1말을 (백세
하여 물에 불렸다가, 다시 씻어 말갛게 헹궈서 물기를 뺀 후) 작말한다.
2. 솥에 물 2병 반을 붓고 끓이다가 잡곡가루를 넣고 주걱으로 고루 개어 죽을
쑨 다음, 차게 식기를 기다린다.
3. 죽에 누룩가루와 밀가루를 각 2되씩 넣고, 날물기가 들어가지 않도록 하여
고루 버무려서 술밑을 빚는다.
4. 술독에 술밑을 담아 안치고, 예의 방법대로 하여 3~4일간 발효시켜 익기를
기다린다.

* 덧술 :

1. 멥쌀이나 찰수수, 찰기장 중 한 가지 또는 각 1말씩 3말을 섞어 (백세하여
물에 담가 불렸다가, 다시 씻어 헹궈서 물기를 뺀 후) 작말하고 체에 한 번
쳐서 내린다.
2. 솥에 물 7병을 붓고 팔팔 끓으면, 체 안에 남은 무거리를 넣고 끓이다가 거의
익을 무렵, 고운 가루를 넣어 죽을 쑤어 차게 식기를 기다린다.
3. 죽에 밑술을 합하고, 고루 버무려 술밑을 빚는다.
4. 술독에 술밑을 담아 안치고, 예의 방법대로 하여 7일간 발효시키면 덧술이
거의 익는데, 이때 술통에 떠내고, 거른다.

* 2차 덧술 :

1. 찹쌀이나 기장쌀 3~4되를 백세하여 (물에 담가 불렸다가, 다시 씻어 헹궈서 물기를 뺀 뒤) 작말한다.

2. 솥에 물(5~6되)을 붓고 끓이다가 물이 뜨거워지면 쌀가루를 풀어 넣고 된 죽을 쑨 뒤, 차게 식기를 기다린다.

3. 죽에 덧술을 합하고, 고루 버무려 술밑을 빚는다.

4. 술독에 술밑을 담아 안치고, 예의 방법대로 하여 7일간 발효시킨다.

* 방문 말미에 "잡곡은 반드시 가루로 만들어 술을 빚어야 하며, 덧술까지만 해도 좋다. 삼양주 잡곡주는 맛이 맵고 콕 쏜다."고 하였다.

* <사시찬요보>를 인용한 <산림경제>에는 덧술의 쌀 양이 '3되', 물의 양이 '7병 반'으로 되어 있고, <산림경제>를 증보한 <증보산림경제>의 본방에는 '멥쌀과 찰수수, 찰기장 중 한 가지 또는 각 1말씩 3말'로 되어 있어 차이를 보이고 있다.

雜穀酒法

梁秫粘薥粘黍粘稷等米中一種或相雜一斗作末水二瓶半沸熟入末攪匀作粥待冷麴末眞末各二升調和入甕忌客水過三四日待熟又以雜米中一種或相雜米(或雜白米尤好)三斗作末水七瓶湯沸先入末淬待幾熟次入米末作粥候冷與前本合釀過七日上槽過半熟後粘米或黍米三四升作末作粥加釀則味尤辛烈雖雜米必須作末釀之.

3. 잡곡주 <민천집설(民天集說)>

술 재료 : 밑술 : 찰수수(粘蜀黍), 메조(梁), 차조(秫), 찰기장(粘稷), 메기장(黍) 중 각
           2되 또는 한 가지씩 1말, 누룩가루 2되, 밀가루 2되, 물 2병 반
        덧술 : 잡곡 3말(멥쌀, 찰수수, 찰기장 1말씩 또는 한 가지 1말), 물 7병
        2차 덧술 : 찹쌀(찰기장) 3~4되, 누룩가루 1되, 밀가루 1되, 물 1병 3홉

술 빚는 법 :

* 밑술 :

1. 찰수수와 메조, 차조, 찰기장, 메기장 등 한 가지 또는 각각 2되씩 1말을 준
   비한다.
2. 잡곡쌀(1말)을 (백세하여 물에 불렸다가, 다시 씻어 말갛게 헹궈서) 작말한다.
3. 솥에 물 2병 반을 붓고 끓이다가, 잡곡가루에 골고루 붓고 주걱으로 고루 개
   어 범벅을 쑨 다음, 차게 식기를 기다린다.
4. 범벅에 누룩가루와 밀가루를 각 2되씩 넣고, 날물기를 조심하여 고루 버무
   려 술밑을 빚는다.
5. 술독에 술밑을 담아 안치고, 예의 방법대로 3~4일간 발효시켜 익기를 기다
   린다.

* 덧술 :

1. 멥쌀과 찰수수, 찰기장 중 한 가지 1말 또는 각 1말을 섞어 3말을 (백세하
   여 물에 담가 불렸다가, 다시 씻어 헹궈서 물기를 뺀 후) 작말하고 체에 쳐
   서 내린다.
2. 솥에 물 7병을 붓고 팔팔 끓으면, 체 안에 남은 무거리를 넣고 끓이다가 거의
   익을 무렵, 고운 가루를 넣어 죽을 쑤어 차게 식기를 기다린다.
3. 죽에 밑술을 합하고, 고루 버무려 술밑을 빚는다.
4. 술독에 술밑을 담아 안치고, 예의 방법대로 하여 7일간 발효시키면 덧술이

거의 익는데, 이때 술통에 떠내고 거른다.

* 2차 덧술 :
1. 찹쌀이나 기장쌀 3~4되를 백세하여 (물에 담가 불렸다가, 다시 씻어 헹궈서 물기를 뺀 뒤) 작말한다.
2. 솥에 물 1병 3홉을 붓고 끓이다가 물이 뜨거워지면 쌀가루를 풀어 넣고, 된죽을 쑨 뒤 차게 식기를 기다린다.
3. 죽에 덧술과 누룩가루 1되, 밀가루 1되를 합하고, 고루 버무려 술밑을 빚는다.
4. 술독에 술밑을 담아 안치고, 예의 방법대로 하여 발효시키고 익기를 기다린다.

雜穀酒

粱秫粘黍粘稷等(○)無淪雜米(○○)作末水二瓶半沸湯入末攪均作粥待冷曲末眞末各二升調和入甕忌客水過三四日待熟又以米三斗作末水七瓶沸湯 先入末滓待熟後次入米末作粥候冷與前本合釀過七日上槽.過半熟後粘米或黍米三四斗作末造粥加釀味又辛烈. 雖雜米必須作末釀之則酒好.以用米五升作末則用水一瓶三合曲三眞末各一升待熟後加米一斗五升作末水三瓶半沸湯一鉢
<右法>

4. 잡곡주 우법(右法) <민천집설(民天集說)>

술 재료 : 밑술 : 잡곡(찰수수, 찰기장, 차조, 메조 등) 1가지 또는 각 1되, 누룩가루 1되, 밀가루 1되, 물 1병 3홉
덧술 : 찹쌀 또는 찰기장 1말 5되, 물 3병 반

술 빚는 법 :

* 밑술 :

1. 찰수수(粘蜀)와 메조(粱), 차조(秫), 찰기장(粘稷), 메기장(黍) 중 한 가지 또는 각각 (1되씩) 5되 준비한다.

2. 잡곡쌀 5되를 (백세하여 물에 불렸다가, 다시 씻어 말갛게 헹궈서 물기를 뺀 후) 작말한다.

3. 솥에 물 1병 3홉을 붓고 끓이다가 잡곡가루에 골고루 붓고 주걱으로 고루 개어 범벅을 쑨 다음, 차게 식기를 기다린다.

4. 범벅에 누룩가루와 밀가루를 각 1되씩 넣고, 날물기를 조심하고 고루 버무려 술밑을 빚는다.

5. 술독에 술밑을 담아 안치고, 예의 방법대로 하여 (3~4일간 발효시켜) 익기를 기다린다.

* 덧술 :

1. 찹쌀이나 기장쌀 1말 5되를 백세하여 (물에 담가 불렸다가, 다시 씻어 헹궈서 물기를 뺀 뒤) 작말한다.

2. 솥에 물 3병 반을 붓고 끓이다가 물이 뜨거워지면 쌀가루를 풀어 넣고 된죽을 쑨 다(차게 식기를 기다린다).

3. (죽에 덧술을 합하고, 고루 버무려 술밑을 빚는다.)

4. (술독에 술밑을 담아 안치고, 예의 방법대로 하여 발효시키고 익기를 기다린다.)

雜穀酒

梁秫粘黍粘稷等(○)無淪雜米(○○)作末水二瓶半沸湯入末攪均作粥待冷曲末眞末各二升調和入甕忌客水過三四日待熟又以米三斗作末水七瓶沸湯 先入末淬待熟後次入米末作粥候冷與前本合釀過七日上槽. 過半熟後粘米或黍米三四斗作末造粥加釀味又辛烈. 雖雜米必須作末釀之則酒好.以用米五升作末則用水一瓶三合曲三眞末各一升待熟後加米一斗五升作末水三瓶半沸湯一鉢
<右法>

5. 잡곡주 <산림경제(山林經濟)>

술 재료 : 밑술 : 찰수수, 찰옥수수, 차조, 찰기장 각 2되 5홉, 누룩가루 2되, 밀가
루 2되, 물 2병 반
덧술 : 잡곡 3되(멥쌀, 찰옥수수, 찰기장 1되씩), 물 7병 반
2차 덧술 : 찹쌀 3되(찰기장 3되), 물 3~4되

술 빚는 법 :

* 밑술 :

1. 찰수수, 찰옥수수, 차조, 찰기장 한 가지 또는 각 2되 5홉씩 1말을 백세하여
물에 불렸다가 (다시 씻어 말갛게 헹궈서 물기를 뺀 후) 작말한다.
2. 솥에 물 2병 반을 붓고 끓이다가 잡곡가루를 넣고 주걱으로 고루 개어 죽을
쑨 다음, 차게 식기를 기다린다.
3. 죽에 누룩가루와 밀가루를 각 2되씩 넣고, 버무려 술밑을 빚는다.
4. 술독에 술밑을 담아 안치고, 예의 방법대로 하여 3~4일간 발효시킨다.

* 덧술 :

1. 멥쌀, 찰옥수수, 찰기장 각 1되를 백세하여 (물에 담가 불렸다가, 다시 씻어
헹궈서 물기를 뺀 후) 작말한 다음, 체에 한 번 내린다.
2. 솥에 물 7병 반을 붓고 팔팔 끓으면, 체 안에 남은 무거리를 넣고 끓이다가
거의 익을 무렵, 고운 가루를 넣어 죽을 쑤어 차게 식기를 기다린다.
3. 죽에 밑술을 합하고, 고루 버무려 술밑을 빚는다.
4. 술독에 술밑을 담아 안치고, 예의 방법대로 하여 7일간 발효시킨다.

* 2차 덧술 :

1. 덧술이 거의 익어갈 무렵 술통에 떠내고, 찹쌀이나 기장쌀 3~4되를 백세하
여 (물에 담가 불렸다가 다시 씻어 헹궈서 물기를 뺀 뒤) 작말한다.

2. 솥에 물 3~4되를 붓고 끓이다가 물이 뜨거워지면 쌀가루를 풀어 넣고 된죽
   을 쑨 뒤, 차게 식기를 기다린다.
3. 죽에 덧술을 합하고, 고루 버무려 술밑을 빚는다.
4. 술독에 술밑을 담아 안치고, 예의 방법대로 하여 7일간 발효시킨다.

* 주방문 말미에 "잡곡은 반드시 가루로 만들어 술을 빚어야 하며, 덧술까지만
  해도 좋다. 삼양주 잡곡주는 맛이 맵고 콕 쏜다."고 하였다.

雜穀酒

粱秫粘萄粘黍粘稷等米中一種 或相雜 一斗作末 水二瓶半 沸熱入末 攪勻作
粥待冷 麴末眞末各二升 調和入瓮 忌客水 過三四日待熟 又以雜米中一種 或
相雜米. 或雜白米尤好 三斗作末 水七瓶沸湯 先入末淬待幾熟. 次入米末 作
粥候冷 與前本合釀. 過七日上槽. 過半熟後 粘米或黍米三四升 作末作粥加
釀. 則味尤辛烈 雖雜米 必須作末釀之. <纂要補>.

6. 잡곡주법 <산림경제촬요(山林經濟撮要)>

> 술 재료 : 밑술 : 찰수수, 찰옥수수, 차조, 찰기장 각 2되 5홉, 누룩가루 2되, 밀가
> 루 2되, 물 2병 반
> 덧술 : 잡곡 3말(멥쌀, 찰옥수수, 찰기장 1말씩), 물 7병
> 2차 덧술 : 찹쌀 3되(찰기장 3되), 물(3~4되)

술 빚는 법 :
* 밑술 :
1. 찰수수, 찰옥수수, 차조, 찰기장 한 가지 또는 각 2되 5홉씩 1말을 백세하여
   물에 불렸다가 (다시 씻어 말갛게 헹궈서 물기를 뺀 후) 작말한다.

2. 솥에 물 2병 반을 붓고 끓이다가 잡곡가루를 넣고 주걱으로 고루 개어 죽을 쑨 다음, 차게 식기를 기다린다.

3. 죽에 누룩가루와 밀가루를 각 2되씩 넣고, 버무려 술밑을 빚는다.

4. 술독에 술밑을 담아 안치되 날물기를 금하고, 예의 방법대로 하여 3~4일간 발효시켜 익기를 기다린다.

* 덧술 :

1. 찰옥수수, 찰기장, 차조, 각 1말(또는 멥쌀을 섞어도 좋다.)씩 3말을 백세하 여 (물에 담가 불렸다가, 다시 씻어 헹궈서 물기를 뺀 후) 작말한 다음, 체에 한 번 내린다.

2. 솥에 물 7병을 붓고 팔팔 끓으면 체 안에 남은 무거리를 넣고 끓이다가 거의 익을 무렵, 고운 가루를 넣어 죽을 쑤어 차게 식기를 기다린다.

3. 죽에 밑술을 합하고, 고루 버무려 술밑을 빚는다.

4. 술독에 술밑을 담아 안치고, 예의 방법대로 하여 7일간 발효시킨 후 덧술이 거의 익어갈 무렵 주조에 올려 짠다.

* 2차 덧술 :

1. 찹쌀이나 기장쌀 3~4되를 백세하여 (물에 담가 불렸다가, 다시 씻어 헹궈 서 물기를 뺀 뒤) 작말한다.

2. 솥에 물(3~4되)을 붓고 끓이다가 물이 뜨거워지면 쌀가루를 풀어 넣고 된 죽을 쑨 뒤 차게 식기를 기다린다.

3. 죽에 걸러둔 덧술을 합하고, 고루 버무려 술밑을 빚는다.

4. 술독에 술밑을 담아 안치고, 예의 방법대로 하여 7일간 발효시킨다.

* 주방문에 덧술의 쌀 양이 잡곡 3말로 <사시찬요보(四時纂要補)>, <산림경 제>, <증보산림경제>와는 차이가 있다. 또 물의 양도 7말로 적게 사용된다. 또 방문 말미에 "잡곡은 반드시 가루로 만들어 술을 빚어야 하며, 덧술까지 만 해도 좋다. 삼양주 '잡곡주'는 맛이 맵고 콕 쏜다."고 하였다.

雜穀酒法

梁秫粘薥粘黍粘稷等米中一種或相雜一斗作末水二瓶半沸熟入末攪勻作粥
待冷麵末眞末各二升調和入瓮忌客水過三四日待熟又以雜米中一種或相雜米
(或雜白米尤好)三斗作末水七瓶沸湯先入末澄待幾熟次入米末作粥候冷與前
本合釀過七日上槽過半熟後粘米或黍米三四升作末作粥加釀則味尤辛烈(雖
雜米必須作末釀之.

7. 잡곡주 <의방합편(醫方合編)>

> 술 재료 : 밑술 : 잡곡(기장, 찰수수, 차조 등) 1말, 누룩가루 2되, 밀가루 2되, 물
>   2병 반(7되 5홉)
>   덧술 : 잡곡(멥쌀, 찰수수, 찰기장 등) 3말, 물 7병(2말 3되)
>   2차 덧술 : 찹쌀 찰기장 등 3~4되, 물(3~4되)

술 빚는 법 :

* 밑술 :

1. 묵은 기장과 차조, 찰수수 등에서 한 종류 또는 각각을 합하여 1말을 (백세
   하여 물에 담가 하룻밤 불렸다가 건져서) 작말한다.
2. 솥에 물 2병 반을 넣고 끓으면 잡곡가루를 넣고 개어 죽을 쑨 다음, 차게 식
   기를 기다린다.
3. 죽에 누룩가루와 밀가루 각 2되씩 넣고, 고루 버무려서 술밑을 빚는다.
4. 술밑을 술독에 담아 안치고, 예의 방법대로 3~4일간 발효시켜 익기를 기다
   린다.

* 덧술 :

1. 잡미(雜米) 중 한 가지 또는 찰기장 등 여러 종류의 쌀 3말을 (백세)작말하

여 넓은 그릇에 담아놓는다.

2. 솥에 물 7병을 붓고 팔팔 끓으면, 잡곡가루의 무거리를 넣고 고루 개어 거의 익을 무렵, 다시 쌀가루를 넣어 죽을 쑤어 차게 식기를 기다린다.

3. 죽에 밑술을 합하고, 고루 버무려 술밑을 빚는다.

4. 술밑을 술독에 담아 안치고, 예의 방법대로 하여 7일간 발효시킨다.

* 2차 덧술 :

1. 덧술이 통에서 거의 익어갈 무렵 찹쌀이나 기장쌀 3~4되를 (백세하여 하룻밤 물에 담갔다가 다시 씻어 건져서) 작말한다.

2. 솥에 물(3~4되)을 붓고 끓으면 쌀가루를 넣고 죽을 쑨다(차게 식힌다).

3. 덧술에 죽을 합해 고루 버무려 술독에 안치고, 예의 방법대로 하여 익을 때까지 발효시킨다(술통에 담는다).

* 주방문 말미에 "맛이 더욱 진하다. 비록 잡곡이라도 반드시 가루를 만들어 술을 빚으면 좋다."고 하였다.

* 담(蕁) : 지모담—지못과에 달린 여러해살이 풀, 풀가사리, 찌다.

雜穀酒

梁秫粘蜀粘黍稷蕁米中一種或相雜一斗作末末水二瓶半沸熟入末攪均作粥
待冷曲末眞末各二升調和入甕忌客水過三四日待熟又以雜米中一種或相雜米
或雜白米尤好三斗作末水七瓶沸湯先入末滓待幾熟吹入未末作粥淚冷與前
本合釀過七日上槽過半熟後粘米或黍米三四升作末作粥加釀則味尤辛烈雖雜
米必須作末釀之.

8. 잡곡주방 <임원십육지(林園十六志, 高麗大本)>

> 술 재료 : 밑술 : 찰수수·찰옥수수·차조·찰기장 각 2되 5홉, 누룩가루 2되, 밀
> 가루 2되, 물 2병 반
> 덧술 : 잡곡 3말(또는 멥쌀), 물 7병 반
> 2차 덧술 : 찹쌀 3되(찰기장 3되), 물 3~4되

술 빚는 법 :

* 밑술 :

1. 찰수수와 찰옥수수, 차조, 찰기장 한 가지 또는 각 2되 5홉씩 1말을 (백세하여 물에 불렸다가, 다시 씻어 말갛게 헹궈서 물기를 뺀 후) 작말한다.
2. 솥에 물 2병 반을 붓고 끓이다가 잡곡가루를 넣고 주걱으로 고루 개어 죽을 쑨 다음, 차게 식기를 기다린다.
3. 죽에 누룩가루와 밀가루를 각 2되씩 넣고 버무려 술밑을 빚는다.
4. 술독에 술밑을 담아 안치고, 예의 방법대로 찬 곳을 피해 3~4일간 발효시킨다.

* 덧술 :

1. 찰수수, 찰옥수수, 찰기장 각 1말씩 또는 멥쌀 3말을 (백세하여 물에 담가 불렸다가 다시 씻어 헹궈서 물기를 뺀 후) 작말한 다음, 체에 한 번 내린다.
2. 솥에 물 7병 반을 붓고 팔팔 끓으면, 체 안에 남은 무거리를 넣고 끓이다가 거의 익을 무렵, 고운 가루를 넣어 죽을 쑤어 차게 식기를 기다린다.
3. 죽에 밑술을 합하고, 고루 버무려 술밑을 빚는다.
4. 술독에 술밑을 담아 안치고, 예의 방법대로 7일간 발효시켜 익기를 기다린다.

* 2차 덧술 :

1. 덧술이 거의 익어갈 무렵 주조에 올려 짜내고 숙성되면 찹쌀이나 기장쌀

3~4되를 (백세하여 물에 담가 불렸다가, 다시 씻어 헹궈서 물기를 뺀 뒤) 작
말한다.

2. 물(3~4되)을 끓이다가 쌀가루를 넣고 된죽을 쑨 뒤, 차게 식기를 기다린다.

3. 죽에 덧술을 합하고, 고루 버무려 술밑을 빚는다.

4. 술독에 술밑을 담아 안치고, 예의 방법대로 하여 7일간 발효시킨다.

* 주방문 말미에 "맛이 맵고 콕 쏜다."고 하고, "잡곡은 반드시 가루로 만들어
술을 빚어야 한다."고 하였다.

雜穀酒方

梁秫粘薥黍粘黍粘稷中一種或相雜一斗作末水二瓶半沸熟入末攪勻作粥候
冷麴末眞麴各二升調和入瓮忌寒水過三四日待熟又以雜米中一種或相雜米
(或雜粳米尤好)三斗作末水七瓶沸湯先入末滓數沸次入米末作粥候冷與前本
合釀過七日加上槽方其半熟時糯米或黍米三四升作末造粥加釀則味尤辛烈
雖雜米必須作末釀之. <四時纂要補>.

9. 잡곡주 <조선무쌍신식요리제법(朝鮮無雙新式料理製法)>

> 술 재료 : 밑술 : 잡곡(찰수수, 차조, 찰기장) 1말, 누룩가루 2되, 밀가루 2되, 물 2
> 병 반
> 덧술 : 잡곡(찰수수, 차조, 찰기장) 1말, 물 7병
> 2차 덧술 : 찹쌀 3되(찰기장 3되), 물 3~4되

술 빚는 법 :

* 밑술 :

1. 잡곡(찰수수, 차조, 찰기장) 중 어느 것이든 한 가지 또는 서로 섞인 것이라

도 1말을 (백세하여 물에 하룻밤 담가 불렸다가, 다시 씻어 건져서 물기를 뺀 뒤) 작말한다.

2. 솥에 물 2병 반(8되 5홉)을 팔팔 끓여 잡곡가루에 나눠 붓고, 주걱으로 골고루 개어 죽(범벅)을 쑨 다음, 뚜껑을 덮어 차게 식기를 기다린다.

3. 범벅(죽)에 누룩가루와 밀가루를 각 2되씩 넣고, 고루 버무려 술밑을 빚는다.

4. 술독에 술밑을 담아 안치고, 예의 방법대로 하여 3~4일간 발효시킨다.

* 덧술 :

1. 잡곡(찰수수, 차조, 찰기장) 중 어느 것이든 한 가지 또는 서로 섞인 것이라도 1말을 (백세하여 물에 하룻밤 담가 불렸다가, 다시 씻어 건져서 물기를 뺀 뒤) 작말한다.

2. 솥에 물 7병(2말 3되)을 팔팔 끓여 잡곡가루에 나눠 붓고, 주걱으로 골고루 개어 죽(범벅)을 쑨 다음, 뚜껑을 덮어 차게 식기를 기다린다.

3. 범벅(죽)에 밑술을 합하고, 고루 버무려 술밑을 빚는다.

4. 술독에 술밑을 담아 안치고, 예의 방법대로 하여 7일간 발효시킨 후 주조에 올려 짜고 찌꺼기는 버린다.

* 2차 덧술 :

1. 거른 덧술이 반쯤 익어갈 무렵, 찹쌀이나 기장쌀 3~4되를 (백세하여 물에 하룻밤 담가 불렸다가 다시 씻어 건져서 물기를 뺀 뒤) 작말한다.

2. 솥에 물(3~4되)을 팔팔 끓여 잡곡가루에 나눠 붓고, 주걱으로 골고루 개어 죽(범벅)을 쑨 다음, 뚜껑을 덮어 차게 식기를 기다린다.

3. 범벅(죽)에 거를 덧술을 합하고, 고루 버무려 술밑을 빚는다.

4. 술독에 술밑을 담아 안치고, 예의 방법대로 하여 7일간 발효시킨다.

* 주방문 말미에 "비록 잡곡이라도 반드시 작말하여 빚는 것이 좋으니라. 여기 잡곡이라 하는 것은 모다 찰것이라 찰기장, 차조, 찰옥수수 등이라 하였으니, 찰것으로 위 덮는 것이요, 밑도 만드는 것이 아니라, 밑은 잡곡 중에 멥쌀인

듯하노라."고 하였다. 또 '맛이 맵고 콕 쏜다'고 하였는데, 이는 단맛이 적고 알 코올 도수가 높다는 뜻이다. 다른 기록인 <임원십육지>의 주방문과 유사하 면서도 배합비율 등에서 차이가 있다.

잡곡주(穀雜酒)

잡곡 중에 어느 것이든지 한 가지나 혹 서로 석긴 것 한 말을 작말하야 물 두 병 반을 싀려서 가루에 드러 붓고 죽을 만드러 식기를 기다려 누룩가루와 밀 가루 각 두 되를 석거 독에 느코 군물은 일절 금하고 삼사일이면 익을 것이 니, 쏘 잡곡 중 한 가지나 혹 서로 석긴 거 서 말을 작말하되 서로 석긴 것은 흔쌀 석긴 것이 조흐니라. 물 일곱 병을 싀려서 가루에 드러 붓고 죽을 만드 러 식기를 기다려 전에 한 밋과 합하야 비진 지 한니례만 지나면 주조에 올 리나니라. 이 술이 반쯤 익은 후에 찹쌀이나 지장쌀 서너 되를 작말하야 죽 을 만드러 더 비즈면 맛이 더욱 씩; 하고 비록 잡곡이라도 반듯이 작말하야 빗는 것이 조흐니라. 여기 잡곡이라 하는 것은 모다 찰것이라, 찰지쟝(梁)과 찰조(秫)와 찰수수(粘黍)와 찰옥수수(粘薥黍)와 찰치(粘稷) 등이라 하엿스 니 찰것으로 우만 덥는 것이요 밋도 만드는 것이 아니라, 밋은 잡곡 중에 멥 쌀 등인 듯하노라.

10. 잡곡주 <증보산림경제(增補山林經濟)>

> 술 재료 : 밑술 : 찰수수, 메조, 차조, 기장, 찰기장 각 2되 5홉 또는 한 가지 1말, 누룩가루 2되, 밀가루 2되, 물 2병 반
> 덧술 : 잡곡 3말(멥쌀, 찰수수, 찰기장 1말씩), 물 7병
> 2차 덧술 : 찹쌀 3되 또는 찰기장 3되, 물 3~4되

술 빚는 법 :

* 밑술 :
1. 찰수수(粘蜀), 메조(粱), 차조(秫), 찰기장(粘稷), 메기장(黍) 중 한 가지 또는 각 2되 5홉씩 1말 2되 5홉을 준비한다.
2. 잡곡쌀 1말을 (백세하여 물에 불렸다가, 다시 씻어 말갛게 헹궈서 물기를 뺀 후) 작말한다.
3. 솥에 물 2병 반을 붓고 끓이다가 잡곡가루를 넣고 주걱으로 고루 개어 죽을 쑨 다음, 차게 식기를 기다린다.
4. 죽에 누룩가루와 밀가루를 각 2되씩 넣고, 물기를 조심하고 고루 버무려 술 밑을 빚는다.
5. 술독에 술밑을 담아 안치고, 예의 방법대로 하여 3~4일간 발효시킨다.

* 덧술 :
1. 멥쌀과 찰수수, 찰기장 중 한 가지 또는 각 1말을 섞어 (백세하여 물에 담가 불렸다가 다시 씻어 헹궈서 물기를 뺀 후) 작말한 다음, 체에 한 번 쳐서 내린다.
2. 솥에 물 7병을 붓고 팔팔 끓으면, 체 안에 남은 무거리를 넣고 끓이다가 거의 익을 무렵, 고운 가루를 넣어 죽을 쑤어 차게 식기를 기다린다.
3. 죽에 밑술을 합하고, 고루 버무려 술밑을 빚는다.
4. 술독에 술밑을 담아 안치고, 예의 방법대로 하여 7일간 발효시키면 덧술이 거의 익는데, 이때 술통에 떠내고 거른다.

* 2차 덧술 :
1. 찹쌀이나 기장쌀 3~4되를 백세하여 (물에 담가 불렸다가, 다시 씻어 헹궈서 물기를 뺀 뒤) 작말한다.
2. 솥에 물(3~4되)을 붓고 끓이다가 물이 뜨거워지면 쌀가루를 풀어 넣고 된 죽을 쑨 뒤 차게 식기를 기다린다.
3. 죽에 덧술을 합하고, 고루 버무려 술밑을 빚는다.
4. 술독에 술밑을 담아 안치고, 예의 방법대로 하여 7일간 발효시킨다.

* 주방문 말미에 "잡곡은 반드시 가루로 만들어 술을 빚어야 하며, 덧술까지만 해도 좋다. 삼양주 '잡곡주(雜穀酒)'는 맛이 맵고 콕 쏜다."고 하였다.
* <사시찬요보>를 인용한 <산림경제>에는 덧술의 쌀 양이 '3되', 물의 양이 '7병 반'으로 되어 있고, <산림경제>를 증보한 본방에는 '멥쌀과 찰수수, 찰기장 중 한 가지 또는 각 1말로 3말'로 되어 있어 차이를 보이고 있다.

雜穀酒法

梁秫粘蜀粘秫粘稷等米中一種或相雜一斗作末水二瓶半沸熟入末攪勻作粥待冷麯末眞末各二升調和入甕忌客水過三四日待熟又以雜米中一種或相雜米(或雜白米尤好)三斗作末水七瓶沸湯先入末滓待幾熟次入米末作粥候冷與前本合釀過七日上槽過半熟後粘米或黍米三四升作末作粥加釀則味尤辛烈雖雜米必須作末釀之.

11. 잡곡주 <해동농서(海東農書)>

> 술 재료 : 밑술 : 찰수수(粘蜀)·메조(梁)·차조(秫)·기장(黍)·찰기장(粘稷) 각 2되 5
>   홉, 누룩가루 2되, 밀가루 2되, 물 2병 반
>   덧술 : 잡곡 3말(멥쌀, 찰수수, 찰기장 1말씩), 물 7병
>   2차 덧술 : 찹쌀 3되(찰기장 3되), 물 3~4되

술 빚는 법 :
* 밑술 :
1. 찰수수, 메조, 차조, 찰기장, 메기장 중 한 가지 또는 각 2되 5홉씩을 준비한다.
2. 잡곡쌀 1말을 (백세하여 물에 불렸다가, 다시 씻어 말갛게 헹궈서) 작말한다.
3. 솥에 물 2병 반을 붓고 끓이다가 잡곡가루를 넣고 주걱으로 고루 개어 죽을

쑨 다음, 차게 식기를 기다린다.

4. 죽에 누룩가루와 밀가루를 각 2되씩 넣고, 물기를 조심하고 고루 버무려 술밑을 빚는다.

5. 술독에 술밑을 담아 안치고, 예의 방법대로 하여 3~4일간 발효시킨다.

* 덧술 :

1. 멥쌀과 찰수수, 찰기장 중 한 가지 또는 각 1말을 섞어 3말의 쌀을 (백세하여 물에 담가 불렸다가 다시 씻어 헹궈서) 작말한 후 체에 한 번 쳐서 내린다.

2. 솥에 물 7병을 붓고 팔팔 끓으면, 체 안에 남은 무거리를 넣고 끓이다가 거의 익을 무렵, 고운 가루를 넣어 죽을 쑤어 차게 식기를 기다린다.

3. 죽에 밑술을 합하고, 고루 버무려 술밑을 빚는다.

4. 술독에 술밑을 담아 안치고, 예의 방법대로 하여 7일간 발효시키면 덧술이 거의 익는데, 이때 술통에 떠내고 거른다.

* 2차 덧술 :

1. 찹쌀이나 기장쌀 3~4되를 백세하여 (물에 담가 불렸다가 다시 씻어 헹궈서 물기를 뺀 뒤) 작말한다.

2. 솥에 물(3~4되)을 붓고 끓이다가 물이 뜨거워지면 쌀가루를 풀어 넣고 된 죽을 쑨 뒤, 차게 식기를 기다린다.

3. 죽에 덧술을 합하고, 고루 버무려 술밑을 빚는다.

4. 술독에 술밑을 담아 안치고, 예의 방법대로 하여 7일간 발효시킨다.

* 방문 말미에 "잡곡은 반드시 가루로 만들어 술을 빚어야 하며, 덧술까지만 해도 좋다. 삼양주 잡곡주는 맛이 맵고 콕 쏜다."고 하였다.

* <사시찬요보>를 인용한 <산림경제>에는 덧술의 쌀 양이 '3되', 물의 양이 '7병 반'으로 되어 있고, <산림경제>를 증보한 <증보산림경제> 잡곡주 방문에는 '멥쌀과 찰수수, 찰기장 중 한 가지 또는 각 1말로 3말'로 되어 있어 차이를 보이고 있다.

雜穀酒

梁秫(조)粘薥(슈슈)粘黍(기장)粘稷等米中一種或相雜一斗作末水二瓶半沸
熟入末攪勻作粥待冷麴末眞末各二升調和入瓮忌客水過三四日待熟又以雜米
中一種或相雜米(或雜白米尤好)三斗作末水七瓶沸湯先入末滓待幾熟次入米
末作粥候冷與前本合釀過七日上槽過半熟後粘米或黍米三四升作末作粥加釀
則味尤辛烈雖雜米必須作末釀之.(上同.)

12. 잡곡주방 <후생록(厚生錄)>

> 술 재료 : 밑술 : 찰수수·찰옥수수·차조·찰기장 각 2되 5홉, 누룩가루 2되, 밀가
> 루 2되, 물 2병 반
> 덧술 : 잡곡 3말, (멥쌀, 찰옥수수, 찰기장 1말씩), 물 7병
> 2차 덧술 : 찹쌀 3되(찰기장 3되), 물(3~4되)

술 빚는 법 :

* 밑술 :

1. 찰수수와 찰옥수수, 차조, 찰기장 한 가지 또는 각 2되 5홉씩 1말을 (백세하
   여 물에 불렸다가 다시 씻어 말갛게 헹궈서 물기를 뺀 후) 작말한다.

2. 솥에 물 2병 반을 붓고 끓이다가 잡곡가루를 넣고 주걱으로 고루 개어 죽을
   쑨 다음, 차게 식기를 기다린다.

3. 죽에 누룩가루와 밀가루를 각 2되씩 넣고, 버무려 술밑을 빚는다.

4. 술독에 술밑을 담아 안치되 날물기를 절대로 금하고, 예의 방법대로 하여
   3~4일간 발효시켜 익기를 기다린다.

* 덧술 :

1. 찰옥수수, 찰기장, 차조, 각 1말씩(또는 멥쌀을 섞어도 좋다.) 3말을 (백세하

여 물에 담가 불렸다가 다시 씻어 헹궈서 물기를 뺀 후) 작말한 다음, 체에
한 번 내린다.

2. 솥에 물 7병을 붓고 팔팔 끓으면 체 안에 남은 무거리를 넣고 끓이다가 거의
익을 무렵, 고운 가루를 넣어 죽을 쑤어 차게 식기를 기다린다.

3. 죽에 밑술을 합하고, 고루 버무려 술밑을 빚는다.

4. 술독에 술밑을 담아 안치고, 예의 방법대로 하여 7일간 발효시킨 후 덧술이
거의 익어갈 무렵 주조에 올려 짠다.

* 2차 덧술 :

1. 찹쌀이나 기장쌀 3~4되를 백세하여 (물에 담가 불렸다가, 다시 씻어 헹궈
서 물기를 뺀 뒤) 작말한다.

2. 솥에 물(3~4되)을 붓고 끓이다가 물이 뜨거워지면 쌀가루를 풀어 넣고 된
죽을 쑨 뒤, 차게 식기를 기다린다.

3. 죽에 걸러둔 덧술을 합하고, 고루 버무려 술밑을 빚는다.

4. 술독에 술밑을 담아 안치고, 예의 방법대로 하여 7일간 발효시킨다.

* 주방문에 덧술의 쌀 양이 잡곡 3말로 <사시찬요보(四時纂要補)>, <산림경
제>, <증보산림경제>와는 차이가 있다. 또 물의 양도 7병으로 적게 사용된
다. 또 방문 말미에 "매운 술을 빚기기 어렵지만, 잡곡은 반드시 가루로 만들
어 술을 빚어야 하며, 가루 찌꺼기 즉, 거친 가루라야 한다."고 하였다.

雜穀酒芳

梁秫黍粘薥苦稷等米中一種或相雜一斗作末水二瓶半沸熱入末攪勻作粥待
冷麯末眞末各二升調和入甕忌客水過三四日待熟又以雜米中一種或相雜(或
雜白米尤好)三斗作末水七瓶沸湯先入末滓待幾熟次入米末作粥候冷與前本
合釀過七日上槽過半熟後粘米或黍米三四升作末爲如釀則味又辛(熱/烈)雖
雜米必須作末釀之末滓卽米末(麤)滓也.

쟘(감)절주법

"졈미 셔 말 빅세ᄒ야 당거짜 붓거든 밥 익게 쪄 식거든 누룩가로을 쌀 한 말의 칠 홉식 너허 쓸너 물노 고로 버무려 두어짜 니십일 만의 보면 달고 밉고 조흔니라. 맛시 달게만 하랴면 쌀 흔 말의 물 두 되식 너코 쓰게만 ᄒ랴면 물 네 식 긔 너히라."

이는 한글 붓글씨본이자 한글 표제의 <음식방문니라>에 수록된 '쟘(감)절주법'의 주방문이다.

우선 '쟘(감)절주'라는 주품명은 "달다"는 뜻의 '쟘(감)'과 "뛰어나다"와 "맛이 좋다"는 뜻의 '절주(節酒)'가 합해진 뜻임을 알 수 있다. 따라서 '쟘(감)절주'는 '절주류(節酒類)'의 한 가지로 이해하면 좋을 것 같다.

주지하다시피 '쟘(감)절주'는 '절주' 빚는 법에 대한 이해가 우선이라고 할 수 있으며, 감미를 살리기 위한 방법들을 고려한다면, 누구보다도 쉽게 '쟘(감)절주'의 주방문을 이해할 수 있다는 결론에 달한다.

먼저 '절주'는 <음식디미방>을 비롯해 여러 문헌에 13차례나 등장한다. <음

식방문니라>에서와 같은 단양주법(單釀酒法) '절주'를 <한국민속대관(韓國民俗大觀)>에서도 찾아볼 수 있다. "찹쌀 서 말을 더운 물에 담갔다가, 사흘 만에 건져서 쪄내고, 쌀 담갔던 물은 다시 끓여서 지에밥에 섞어 푼 다음, 차게 식혀서 누룩 엿 되를 섞어 빚는다. 며칠이 지나 술항아리에 가야미(밥알)가 뜨면 청주를 떠서 쓴다."고 하여 <음식방문니라>의 '쟘(감)절주'와 매우 유사하다는 것을 알 수 있다.

그러나 <음식디미방>에 수록된 '절주' 주방문에는 "춥쌀 서 말 빅셰ᄒ여 탕슈 두 동희예 듐가 사흘 만애 닉게 져 그 탕슈 고쳐 데고 밥 섯거 츠거든 누룩 엿 되 섯거 비저 가야미 쓰거든 쓰라. 무근 누룩을 싸 듐가 두면 오라도 변치 아니ᄒᄂ니라."고 하여 <음식방문니라>와는 다소 다른 주방문을 읽을 수 있다.

'쟘(감)절주'와 '절주'는 찹쌀을 사용하여 빚는 술이라는 전제와 함께 쌀 양보다 적은 양의 양주용수를 사용한다는 공통점을 띠고 있다.

따라서 감미의 정도는 양주용수의 양 조절에 달렸다는 결론에 이른다.

그런데 '쟘(감)절주'의 주방문은 애매한 부분이 있다. 즉, "밥 익게 쪄 식거든 누룩가로을 쌀 한 말의 칠 홉식 너허 쓸너 물노 고로 버무려 두어싸"라고 하였는데, 이를 직역하면 "고두밥과 누룩을 섞은 술밑에 끓는 물을 넣으라."는 것으로 풀이된다. 그러나 이와 같은 술 빚기는 어떤 주방문에서도 찾아볼 수 없다는 점에서 이때의 끓는 물은 '끓여서 식힌 물'이어야 가능하다는 판단이다.

또한 양주용수를 계량하는 도량형으로서 '되(升)'와 '식기(食器)'가 함께 사용되고 있는데, 위의 주방문대로라면 '식기'가 '되'보다 많은 분량의 물을 담을 수 있다는 계산이 나온다. 술맛이 쓴맛이 나려면 물의 양이 많아져야 하기 때문이다. 따라서 이때의 식기는 주발이 아닌 '푼주'나 '대접'이어야 한다는 결론에 이른다.

이와 같은 사실 여부를 <음식방문니라>에 수록된 주품을 대상으로 확인하기는 매우 어렵고, <음식디미방>을 비롯해 <온주법(醞酒法)> 등 한글 문헌을 중심으로 분석할 필요가 있다.

어떻든 '쟘(감)절주법'을 통해서 전통주는 필요와 목적, 용도에 따라 달게 빚기도 하고 쓴맛이 나게 빚기도 한다는 것을 알 수 있다. 술맛의 감미(甘味)와 고미(苦味)를 술 빚기에 사용되는 양주용수로써 결정한다는 사실을 확인할 수 있는 또 하나의 자료라 하겠다.

　물론 이와 같은 주방문은 '백하주'를 비롯해 '백로주' 등에서도 확인할 수 있다. 그 실례로 <농정회요(農政會要)>와 <민천집설(民天集說)>의 '백하주' 주방문에는 "맛있는 술을 만들려면, 첫 술을 빚으면서 물을 넣을 때 쌀 1말당 물 2병 반을 한도로 한다. 양을 많게 하려면 거르기 전에 정화수 2병을 붓고 섞는다."고 하였다. <고사신서(攷事新書)>의 '백로주' 주방문에서도 "맛있는 술을 만들려면 물을 조절하여야 한다. 쌀 1말에 2병 반으로 한계를 정한다. 많은 술을 만들고자 한다면 술통에 담을 때 정화수 2병을 고르게 더한다."고 하고, "또는 1말의 쌀에 누룩 5홉을 사용하면 충분하다. 술 2되보다 더 빚을 때 누룩을 첨가하면 좋지 않다. 술 빛을 희게 하고자 한다면 매 1말마다 누룩 3홉을 쓴다."고 하였다.

　<조선무쌍신식요리제법(朝鮮無雙新式料理製法)>에서도 "좋은 술을 빚으려면, 처음 술(밑술)을 빚을 때 물을 적게 넣을 것이니, 쌀 한 말에 물 2병 반을 넣을 것이요, 술을 많이 내리려면 술이 익어 주조(酒槽)에 넣어 짤 때, 정화수 2병만 더 넣고 짤 일이다."고 한 기록을 확인할 수 있다.

　결국 '쟘(감)절주'는 <음식디미방> 등에 수록되어 있는 '절주'와 크게 다르지 않으며, <음식방문니라>에서만 '쟘(감)절주'로 기록하고 있다고 여겨진다.

1. 쟘(감)절주법 <음식방문니라>
-달게 빚는 법

> **술 재료 : 찹쌀 3말, 누룩 2되 1홉, 끓는 물(끓여 식힌 물) 6되(6되 4식기)**

술 빚는 법 :

1. 찹쌀 3말을 백세하여 물에 담가 불렸다가, (다시 씻어 말갛게 헹궈) 물기를 뺀다.
2. 물 2동이를 팔팔 끓인다(넓은 그릇에 퍼서 차게 식힌다).

3. 불린 쌀을 다시 살짝 씻어 건져내고, 시루에 안쳐서 고두밥을 짓는다.

4. 고두밥이 익었으면 퍼내고, 고루 펼쳐서 차게 식기를 기다린다.

5. 고두밥에 누룩 2되 1홉과 끓는 물(끓여서 차게 식힌) 6되(6되 4식기)를 한데 섞고, 고루 버무려 술밑을 빚는다.

6. 술밑을 술독에 담아 안치고, 예의 방법대로 하여 20일간 발효시킨다.

쟘(감)졀주법

졈미 셔 말 빅세흐야 당거자 붓거든 밥 익게 쪄 식거든 누룩가로을 쌀 한 말의 칠 홉식 너허 슬너 물노 고로 버무려 두어자 니십일만의 보면 달고 밉고 조흔니라. 맛시 달게만 하랴면 쌀 흔 말의 물 두 되식 너코 쓰게만 흐랴면 물 네 식긔 너히라.

2. 쟘(감)졀주법 <음식방문니라>

-독하게 빚는 법

> 술 재료 : 찹쌀 3말, 누룩 2되 1홉, 끓는 물(끓여 식힌 물) 6되(또는 12식기)

술 빚는 법 :

1. 찹쌀 3말을 백세하여 물에 담가 불렸다가 (다시 씻어 말갛게 헹궈) 물기를 뺀다.

2. 물 2동이를 팔팔 끓인다(넓은 그릇에 퍼서 차게 식힌다).

3. 불린 쌀을 다시 살짝 씻어 건져내고, 시루에 안쳐서 고두밥을 짓는다.

4. 고두밥이 익었으면 퍼내고, 고루 펼쳐서 차게 식기를 기다린다.

5. 고두밥에 누룩 2되 1홉과 끓는 물(끓여서 차게 식힌) 6되(또는 12식기)를 한데 섞고, 고루 버무려 술밑을 빚는다.

6. 술밑을 술독에 담아 안치고, 예의 방법대로 하여 20일간 발효시킨다.

쟘(감)졀주법

졈미 셔 말 빅셰흐야 당거짜 붓거든 밥 익게 쪄 식거든 누룩가로을 쌀 한 말의 칠 홉식 너허 쓸너 물노 고로 버무려 두어짜 니십일만의 보면 달고 밉고 조흔니라. 맛시 달게만 하랴면 쌀 흔 말의 물 두 되식 너코 쓰게만 흐랴면 물 네 식긔 너히라.

절세주

스토리텔링 및 술 빚는 법

　저자와 저술 연대가 불분명한 <양주(釀酒)>는 전주 전통술박물관 소장본으로, 한글 붓글씨로 쓰인 양주 관련 문헌이다. 본디 4자 표기의 제목인데, '양주' 외의 2자는 해독이 불가능하여 부득이 <양주>로 표기하였다.

　<양주>에는 총 13종의 주품이 수록되어 있다. '절세주'와 '오승주', '보름주' 등은 처음 목격되는 주품명으로, 본고에서 다루고자 하는 '절세주'가 어떤 의미를 담고 있는 주품명인지 그 유래나 양주기법에 대해 언급한 기록이 없어 자세히 알수 없다.

　하지만 다른 문헌에 있는 유사한 명칭의 '절주(節酒)'나 '하시절품주(夏時節品酒)' 등과 같은 의미를 담고 있지 않을까 하는 생각에 어떤 관련이 있는지 비교해 보았으나, 유사성이나 공통점을 찾을 수 없었다. 특히 <양주>에서도 '절주'를 수록하고 있어, '절세주'는 이들 주품과는 무관한 주품이란 사실이 확인되었다.

　'절세주'의 주방문을 보면 "빅미 두 말을 빅셰ᄒ야 물의 ᄃᆞᆷ가 밤자여 다시 십셰ᄒᆞᆫ 후 작말ᄒᆞ야 ᄭᅱᆯ힌 물 녀 말의 죽 쑤어 ᄎᆞ거든 곡말 셔 되 진말 한 되 비져 닷쇄 디낸 후 빅미 셔 말 빅셰ㅎ야 쓸힌 물 열 말의 골나 츠거든 곡말 두 되 덧쎠다가 보음만의 쓰라."고 하여 이양주법(二釀酒法)의 20일주임을 알 수 있다.

'절세주'는 일반적인 주방문과 차이가 있다. 우선, 밑술은 멥쌀가루와 끓는 물로 죽(범벅)을 쑤어 누룩가루와 밀가루를 사용해 빚고, 5일 만에 멥쌀로 지은 고두밥과 끓는 물을 합하여 진고두밥을 만들며, 재차 누룩가루와 함께 밑술에 섞어 덧술을 빚는 방법으로 이루어진다.

특히 덧술을 빚는 방법은 <양주집(釀酒集)>의 '소곡주'와 유사하다. 다만 <양주집>의 '소곡주'는 '절세주'에 비해 밑술과 덧술에 사용되는 물의 양이 80%로 '절세주'의 280%보다 현저하게 적고, 덧술에서도 밀가루가 사용되며, 진고두밥이 아닌 끓여서 식힌 물과 고두밥을 각각 사용한다는 점에서 차이가 있다.

그런데도 <양주>의 '절세주'와 <양주집>의 '소곡주'를 관련지어 비교하는 까닭은 밑술과 덧술에 사용되는 쌀의 양은 비슷한데, 술맛은 상반되게 나타났기 때문이다. '소곡주'는 깔끔하면서도 부드럽고 순하게 느껴지는 반면, '절세주'는 담백하면서 알코올 도수가 높아 남성적인 맛을 자랑한다고 할 수 있다.

대개 덧술을 '위덮이'라고 하여 밑술의 쌀 양과 최소 동량이거나 2배, 3배, 4배, 5배, 10배 기준으로 하는 경우가 주류를 이루는데, '절세주'의 경우 1.5배인 150%에 이르는 특이한 비율을 나타내고 있다.

<양주>의 '절세주'는 주원료의 배합비율에서 보듯, 수율이 매우 높은 경우에 해당된다. 소위 '끝이 없다'고 할 정도로 많은 양의 청주를 얻을 수 있는데, 고두밥과 끓는 물을 합한 후 자주 뒤집거나 섞지 않아야 맑고 깨끗한 청주를 얻을 수 있다. 또 덧술의 발효 시 온도가 높으면 쓴맛을 지울 수 없으므로 낮은 온도에서 발효시키는 것이 좋다.

다시 말해 <양주>의 '절세주'는 "술의 도수가 꽤 높고 양이 뛰어나게 많이 나는 술"이라는 의미의 주품명으로 이해하면 좋을 듯하다.

절세주 <양주(釀酒)>

술 재료 : 밑술 : 멥쌀 2말, 누룩가루 3되, 밀가루 1되, 끓는 물 4말
　　　　　덧술 : 멥쌀 3말, 누룩가루 2되, 끓는 물 10말

술 빚는 법 :

* 밑술 :

1. 멥쌀 2말을 백세하여 물에 담가 밤재워 불렸다가, 다시 십세하여 (헹궈서 물
　기를 뺀 후) 작말한다(넓은 그릇에 담아놓는다).
2. 솥에 물 4말을 끓여 쌀가루에 합하고, 주걱으로 고루 개어 죽(범벅)을 쑤어
　서 차게 식기를 기다린다.
3. 죽(범벅)에 누룩가루 3되, 밀가루 1되를 합하고, 고루 버무려 술밑을 빚는다.
4. 술밑을 술독에 담아 안치고, 예의 방법대로 하여 (서늘한 곳에서) 5일간 발
　효시킨다.

* 덧술 :

1. 멥쌀 3말을 백세한다(물에 담가 불렸다가 다시 씻어 헹궈서 물기를 뺀 후, 시
　루에 안쳐서 무른 고두밥을 짓는다).
2. 솥에 물 10말을 끓이다가 (고두밥이 익었으면 퍼내어) 한데 합하고, 주걱으
　로 고루 개어 (고두밥이 물을 다 먹으면) 차게 식기를 기다린다.
3. 밑술에 (고두밥과) 누룩가루 2되를 합하고, 고루 버무려 술밑을 빚는다.
4. 술밑을 술독에 담아 안치고, 예의 방법대로 하여 15일간 발효시켜 익기를
　기다린다.

* 덧술 주방문에서 '고두밥을 쪄라.'는 말이 없으나, 위와 같이 해석하여 주방
　문을 작성하였다.

졀졔쥬

빅미 두 말을 빅셰ᄒ야 물의 둠가 밤자여 다시 십셰흔 후 작말ᄒ야 ᄭᆯ힌 물
녀 말의 죽 쑤어 ᄎ거든 곡말 서 되 딘말 한 되 비져 닷쇄 디낸 후, 빅미 셔 말
빅셰ᄒ야 ᄭᆯ힌 물 열 말의 골나 ᄎ거든 곡말 두 되 덧써다가 보음만의 쓰라.

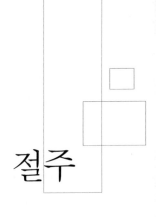

절주

'절주(節酒)'는 찹쌀만으로 두 차례에 걸쳐 빚는 이양주(二釀酒)의 한 가지로 "한 번 빚어두면 1년이 다 되도록 그 맛이 변하지 않는다."고 해서 이름 붙여진 주품이다.

'절주'는 여느 술과는 다르게 독특한 발효·숙성과정을 거쳐 이루어진다. 꽃이 피기 시작하는 봄철에서부터 한여름 사이에 빚는다고 한 것으로 미루어, 봄철에 빚어 여름철에 마시고, 여름철에 빚어 1년 내내 두고두고 마시는 저장성이 매우 뛰어난 술이라는 의미에서 '절주'라는 주품명을 붙이게 된 것으로 생각된다.

따라서 '절주(切酒)'와는 차별되는 술임을 알 수 있다. '절주(切酒)'는 <임원십육지(林園十六志)>에서 찾아볼 수 있는데, 멥쌀을 가루로 빻아 쪄서 만든 흰무리떡으로 밑술을 빚고, 덧술도 멥쌀을 가루로 빻아 끓는 물로 익힌 범벅으로 하며, 2차 덧술은 찹쌀로 고두밥을 지어 발효시킨 고급 청주를 증류하는 삼양주법(三釀酒法)의 특급 순곡소주(純穀燒酒)라는 점에서 주종(酒種)이 다르다.

'절주'에 대한 기록은 <김승지댁주방문(金承旨宅廚方文)>을 비롯해 <봉접요

람>, <산가요록(山家要錄)>, <양주(釀酒)>, <양주방>*, <온주법(醞酒法)>, <음식디미방>, <주방문(酒方文)>, <주찬(酒饌)>, <증보산림경제(增補山林經濟)>, <한국민속대관(韓國民俗大觀)>, <홍씨주방문>에서 볼 수 있으며, 이들 문헌마다 술 빚는 법에 약간씩 차이가 있다.

먼저, 시대적으로 가장 앞선 기록인 <산가요록>에는 '절주'를 "5~6월 사이에 만드는 것이 좋다."고 하고, "멥쌀 3되를 가루 내어 푹 찐 다음에 뜨거운 물 1되 반과 섞어 납작한 떡을 만든다. 식으면 좋은 누룩 3되와 섞어 항아리에 넣는다. 3일 후에 찹쌀 3말을 깨끗이 씻어 푹 찌고 찬물 6되를 뿌려서 식기를 기다린다. (고두밥을) 앞서 만든 밑술과 섞고 (절구에) 찧어 덧술하여 항아리에 넣어 밀봉시킨다. 3일 후에 맑게 가라앉으면 마음대로 쓴다."고 하였다.

'절주'는 밑술을 빚는 데 있어, 쪄낸 무리떡에 뜨거운 물을 섞어 다시 납작한 떡을 만들고 식으면 누룩가루를 섞어 술밑을 빚는 등 쌀가루를 2차례 익히는 방법을 보여주고 있다. 또 덧술은 고두밥에 냉수를 살수한 후, 절구에 찧어 인절미같이 만들어서 밑술과 합하여 덧술을 하는 등 복잡한 과정을 거친다.

'절주'는 <봉접요람>을 비롯해 <주찬>, <증보산림경제>, <홍씨주방문>에서는 밑술을 구멍떡으로 하고, 덧술은 찹쌀로 지은 고두밥에 밑술을 체로 걸러서 사용하는 등 유사한 과정을 거치며 크게 차이가 없어 보이나, <김승지댁주방문>에서는 엿기름가루를 첨가하는 등 약간씩 차이가 있다. 또 <온주법>에서는 밑술을 죽으로 사용하고 밀가루를 첨가하며, <김승지댁주방문>의 '절주'는 밑술을 흰무리떡을 만들어 끓는 물과 합해 죽 상태로 만들어 사용하고, 덧술에서도 누룩을 사용한다는 점에서 또 다른 과정을 보여주고 있다.

한편, <음식디미방>의 '절주'는 밑술을 구멍떡으로 하는데, 술밑을 닥나무잎을 깔고 위덮어서 발효시키고, 덧술은 고두밥에 냉수를 뿌려서 냉각시키는 등 다른 문헌의 '절주' 주방문과는 상당한 차이를 보인다. 닥나무잎에서 오는 독특한 방향과 함께 맛이 특별해서 오히려 '저주(楮酒)'나 '닥잎술' 같은 주품에 가깝다고 할 수 있다.

또한 멥쌀로 고두밥을 짓되, 시루째 찬물에 담가 차게 식히는 방법은 매우 드문 경우로 <양주방>*의 '청명향'과 <양주집(釀酒集)>의 '하시절품주'에서 살펴볼 수 있다.

이와 같은 방법으로 빚는 술은 매우 콕 쏘는 듯한 강한 맛과 향기가 특징이다. 감칠맛 또한 뛰어나다는 데서 '절주'라는 술 이름이 붙게 되었을 거라는 추측이 가능하다. 특히 덧술의 독특한 주방문은 향기가 뛰어나고 감칠맛이 뛰어나기 때문이다.

<양주>와 <주방문>의 '절주'는 동일한 과정으로 이루어진다. "백미 한 말 백세작말 니기 쪄 탕수 한 동희 골와 대랭하여 누룩 두 홉 교합하여 비져 서늘한데 둣다가 사흘 후의 차쌀 서 되 밥 짓고 진가루 세 술 녀허 비져 두닐웨 후의 쓰라. 녀름에 더 조흐리라."고 하여 밑술을 범벅으로 만들어 사용하는데, 특히 적은 양의 누룩을 사용한다. 덧술은 상대적으로 적은 양의 찹쌀고두밥을 사용하며, 특이하게 밀가루를 넣는 방법이라는 점에서 여타의 문헌에 수록된 '절주'와는 다르다는 것을 알 수 있다.

<양주방>*에서는 "희게 쓿은 멥쌀 1되를 깨끗이 씻고 또 씻어 가루로 빻고, 끓는 물 1사발을 섞고 고루 개어 범벅을 만들어 술독에 담아 안쳐 놓고, 다음날 찹쌀 1말을 깨끗이 씻고 또 씻어 물에 담가 하룻밤 불려놓는다. 다음날 아침에 불린 쌀을 다시 씻어 말갛게 헹궈서 고두밥을 짓고, 고두밥이 차게 식기를 기다려 누룩가루 1되와 식혀둔 범벅을 한데 합하고, 고루 버무려서 술밑을 빚는다."고 하여 매우 독특한 주방문을 보여주고 있다.

'절주'는 단양주법(單釀酒法)으로 빚기도 하는데, <음식디미방>의 단양주법 '절주'는 "찹쌀 3말을 백세하여 물 2동이를 팔팔 끓여서 불린 쌀에 붓고 3일간 담가 불려놓았다가, 쌀은 다시 씻어서 고두밥을 짓고 쌀 불렸던 물을 다시 끓여 고두밥에 합해 차게 식기를 기다렸다가, 누룩 6되를 한데 섞고 고루 버무려 술밑을 빚어 발효시켜 가야미(밥알)가 떠오르기를 기다려서 채주한다."고 되어 있다. <음식디미방> 주방문 말미에는 "묵은 누룩을 면보에 싸 (술독에) 담가두면 오래도록 변하지 않는다."고 하였다.

<한국민속대관>의 단양주법 '절주'는 "찹쌀 서 말을 더운 물에 담갔다가, 사흘 만에 건져서 쪄내고, 쌀 담갔던 물은 다시 끓여서 지에밥에 섞어 푼 다음, 차게 식혀서 누룩 엿 되를 섞어 빚는다. 며칠이 지나 술항아리에 가야미(밥알)가 뜨

면 청주를 떠서 쓴다."고 하여 <음식디미방>의 단양주법 주방문과 동일하다는 것을 알 수 있다.

따라서 '절주'는 특정한 형식이나 고정화된 주방문이 존재하는 것이 아니라, 술의 맛과 향기, 알코올 도수, 저장성을 향상시키기 위한 여러 가지 방법이 동원된, 실로 다양한 방법을 엿볼 수 있다고 하겠다.

이상 여러 가지 방법의 '절주' 주방문을 살펴보았는데, <봉접요람>을 비롯해 <주찬>, <증보산림경제>, <홍씨주방문>의 '절주'는 찹쌀로 빚은 술의 특징인 감칠맛과 부드러움, 그리고 여러 가지 방향을 느낄 수 있어 여성들과 식후 반주로 적합하다는 생각을 갖게 되었다.

특히 '절주' 가운데 가장 독특한 주방문을 보여주고 있는 <음식디미방>의 이양주법 '절주'는 덧술을 멥쌀로 빚는 술임에도 불구하고 상당한 감미와 함께 콕 쏘는 맛이 있었으며, 취기가 오랫동안 지속되어 알코올 도수 또한 높은 술임을 알 수 있다.

'절주'가 다른 술에 비해 감미와 알코올 도수가 높다는 건, 술이 쉽게 변질되지 않는다는 것을 뜻한다. '절주'가 "한 번 빚어두면 1년이 다 되도록 그 맛이 변하지 않는다."고 하는 옛 기록에 대한 사실 확인과 함께 더운 여름철에도 장기 저장이 가능한 술임을 확인할 수 있었다.

이상 여러 문헌들에 수록된 '절주'를 맛있게 빚기 위해서는 첫째, 밑술이 익어 약간의 알코올 도수와 함께 단맛이 있을 때 덧술을 해 넣는 것이 보다 더 좋다. 둘째, 덧술의 고두밥을 찔 때에는 찬물을 뿌려서 무른 고두밥을 지어야 덧술을 빚기가 한결 수월하다는 것을 잊지 말아야 한다. 고두밥은 온기가 없이 싸늘하게 식혀서 빚어야 산패가 일어나지 않기 때문이다.

끝으로 '절주'는 '칠일주(七日酒)'라는 별칭을 갖고 있다. 밑술의 발효능력이 뛰어나 덧술의 발효기간이 짧다는 사실 또한 이 술의 특징이라고 할 수 있으나, 술 맛을 보다 깊고 부드럽게 하기 위해서는 발효가 끝난 직후 곧바로 채주하지 말고 30여 일 더 숙성시킨 후 채주할 일이다.

1. 절주방문 <김승지댁주방문(金承旨宅廚方文)>

－1말 빚이

술 재료 : 밑술 : 찹쌀 1되, 가루누룩 5홉, 엿기름 1홉

　　　　　덧술 : 찹쌀 1말

술 빚는 법 :

* 밑술 :

1. 찹쌀 1되를 백세하여 (물에 담가 불렸다가, 다시 씻어 헹궈 물기를 뺀 후) 세 말한다.
2. 쌀가루를 뜨거운 물로 익반죽한 뒤 구멍떡을 빚는다.
3. 물솥에 구멍떡을 넣고, 떠오르면 건져 그릇에 담고 물에 담가 싸늘하게 식기를 기다린다.
4. 떡에 가루누룩 5홉과 엿기름 1홉을 합하고, 고루 힘껏 치대어 술밑을 빚는다.
5. 술독에 술밑을 담아 안치고 종이로 밀봉한 다음, 술독을 찬물에 담가두고 3일간 발효시켜 훌훌한 맛이 들었으면 덧술을 해 넣는다.

* 덧술 :

1. 찹쌀 1말을 백세하여 물에 담가 하룻밤 불렸다가, (다시 씻어 헹궈서 물기를 뺀 후) 시루에 안쳐서 고두밥을 짓는다.
2. 고두밥을 짓는데 물은 뿌리지 말고 주걱으로 잘 뒤적여 쪄서 무르게 익힌다.
3. 고두밥이 무르게 익었으면, 시루에서 퍼내고 고루 펼쳐서 차게 식기를 기다린다.
4. 밑술을 체에 걸러 고두밥과 섞고, 고루 치대어 술밑을 빚는다.
5. 술독에 술밑을 담아 안치고, 예의 방법대로 하여 두꺼운 종이로 밀봉한다.
6. 깊은 자배기에 술독을 앉히고, 찬물을 술독의 부리까지 올라오게 채워 가끔 찬물을 갈아주면서 14일간 발효시킨다.

졀쥬방문

흔 믈 비즈랴 흐면 찹쌀 흔 되 빅세흐여 フ로 찌허 구무쩍 (밋눈자) 닉게 술
마 느른흐거든 낭픈의 너허 물의 사늘게 치와 フ로누룩 닷 홉 엿기름 흔 홉
합흐야 그 썩에 フ로 긔아 비즈 항의 너허 죠희로부터 싸미야 춘믈의 굿금굿
금 치와 삼일 만에 보면 홀홀흔 마시 들거든 춥쌀 흔 말 빅세흐여 돔가 밤자
여 쩌되 물은 쁴리지 말고 쥬걱으로 뒤어져 닉게 뼈 니여 사늘케 치와 식혀
그 밋츨 フ는 쳬여 다시 걸어 셧거 항의 너 둣거운 죠희로 싸미여 춘물을 항
부리의 차게 치와 굿금굿금 물 갈라 닉혀 이칠 만의 우믄 어름 질어 쓰느니라.

2. 절주법 <봉접요람>

술 재료 : 밑술 : 찹쌀 1되, 좋은 누룩 5홉, 떡 삶은 물(적당량)
　　　　　덧술 : 찹쌀 1말

술 빚는 법 :
* 밑술 :
1. 찹쌀 1되를 백세하여 (물에 담갔다가 다시 씻어 건져서 물기를 뺀 후) 작말
   한다.
2. 솥에 물(5되)을 붓고 끓이다가, 물이 따뜻해지면 쌀가루를 익반죽하여 구
   멍떡을 빚는다.
3. 끓는 물에 구멍떡을 삶아 익어 떠오르면 건져서 가장 차게 식기를 기다린다.
4. 차게 식은 떡에 좋은 누룩 5홉을 합하고 치대되, 힘들면 떡 삶은 물을 차게
   식혀 쳐가면서 고루 치대 범벅 같은 술밑을 빚는다.
5. 술밑을 술독에 담아 안치고, 예의 방법대로 하여 독 주둥이를 종이로 단단
   히 봉하여 3일간 발효시켜 익기를 기다린다.

* 덧술 :

1. 찹쌀 1말을 백세하여 물에 담가 불렸다가 (다시 씻어 헹궈 건져서 물기를 뺀 후) 시루에 안쳐서 고두밥을 무르게 짓는다.

2. 고두밥이 익었으면 퍼내어 온기가 남게 식기를 기다린다.

3. 고두밥에 밑술을 한데 합하고, 날물기 없이 고루 힘껏 치대어 술밑을 빚는다.

4. 술밑을 술독에 담아 안치고, 예의 방법대로 하여 서늘한 곳에서 21일간 발효 시킨 후, 술독을 열고 술덧 표면의 곰팡이 핀 것을 걷어내고 채주한다.

* 주방문 말미에 "삼월 사월 오월 석 달밖에 아니 하나니라."고 하여, 절주가 봄 철에 빚는 술이라는 사실을 처음으로 밝히고 있다.

절쥬법

졈미 흔 되 빅셰작말ᄒ여 구무써 밍그러 살마 조흔 ᄀ로누룩 닷 홉 너허 늘 믈긔 읍시 고로 쳐셔 너호되 되거든 썩 슬문 믈 쳐셔 누근 범벅만치 ᄒ여 항 의 너허다가 삼일 만의 달거든 졈미 흔 말 빅셰ᄒ여 담가ᄃ 익게 쪄 더운 김 의 밋틔 고로 셧거 버무리되 늘물 일졈 너치 말고 되게 되게 셧거 마즌 항의 너허 셔늘ᄒ게 두엇ᄃ가 삼칠일 만의 우희 곰팡 거고 보면 들고 미오니 닝슈 의 ᄐ셔도 먹고 그져도 먹ᄂ이라 삼월 ᄉ일 오월 ᄉ달 밧긔 안이 ᄒ나이라.

3. 절주 <산가요록(山家要錄)>

-5, 6월 사이에 빚기 적당한 술(宜於五六月間). 쌀 3말 3되 빚이

> 술 재료 : 밑술 : 멥쌀 3되, 누룩가루 3되, 물 1되 5홉
>
> 덧술 : 찹쌀 3말

술 빚는 법 :

* 밑술 :

1. 멥쌀 3되를 (백세하여 물에 담가 불렸다가, 다시 씻어 건져서 물기를 뺀 후) 작말하여 시루에 안쳐서 무리떡을 찐다.

2. 무리떡이 익었으면 시루에서 퍼내어 그릇에 담고 끓는 물 1되 5홉을 합하고, (주걱으로 고루 치대 덩어리가 없이 풀어놓고) 서늘하게 식기를 기다린다.

3. 떡에 좋은 누룩 3되를 합하고, 고루 힘껏 치대어 술밑을 빚는다.

4. 술독에 술밑을 담아 안치고, 예의 방법대로 하여 3일간 발효시킨다.

* 덧술 :

1. 찹쌀 3말을 정세하여 (물에 담가 불렸다가, 다시 씻어 건져서 물기를 뺀 뒤) 시루에 안쳐서 고두밥을 짓는다.

2. 고두밥을 찔 때 (주걱으로 잘 뒤적여 준 후) 냉수 6되를 뿌려서 무르게 쪄 낸다.

3. 고두밥에 찬물 6되를 뿌리고, 고루 펼쳐서 차게 식기를 기다린다.

4. 고두밥을 절구에 찧어 (인절미떡을 만든 다음) 밑술과 섞고 고루 버무려 술밑을 빚는다.

5. 술밑을 술독에 담아 안치고, 예의 방법대로 하여 밀봉한 후 3일간 발효시킨다.

* 주방문 말미에 "맑은 청주나 흐린 탁주냐는 임의대로 하여 마신다."고 하였다. 특이한 방문으로 여길 수도 있으나, 김천 지방의 '과하주'와 같이 절구에 고두밥을 찧어 떡을 만든 다음, 밑술을 섞어 술을 빚으면 감칠맛이 뛰어난 술을 얻을 수 있다. 하지만 주방문에서 보듯 3일간 발효시키는 것으로는 맑은 술을 얻을 수 없다. 따라서 청주를 얻기 위해서는 용수를 박아 채주하여 정치시켜야 한다. 주방문 말미의 "맑은 청주나 흐린 탁주냐는 임의대로 하여 마신다(淸濁 任意 用之)."라고 언급한 이유가 그것이다.

節酒

宜於五六月間 米三斗三升. 白米三升 作末蒸熟 熱水一升半 和作餠 待冷 好麴 三升 和入. 三日 粘米三斗 淨洗蒸熟 以冷水六升洒之 待冷 碾出前酒和入瓮 密封. 三日後 淸濁 任意 用之.

4. 절주 <양주(釀酒)>

> 술 재료 : 밑술 : 멥쌀 1말, 가루누룩 2홉, 끓는 물 1동이
>   덧술 : 찹쌀 3되, 밀가루 3숟가락

술 빚는 법 :

* 밑술 :

1. 멥쌀 1말을 백세하여 (물에 담가 불렸다가, 다시 씻어 헹궈서 물기를 뺀 후) 작말한다.
2. 쌀가루를 시루에 안쳐서 흰무리떡을 찌고, 솥에 물 1동이를 끓인다.
3. 흰무리떡이 익었으면 (넓은 그릇에) 퍼 담고, 끓는 물을 한데 합하고 주걱으로 고루 개어서 죽처럼 만든 후 차게 식기를 기다린다.
4. 흰무리떡에 가루누룩 2홉을 합하고, 고루 버무려 술밑을 빚는다.
5. 술밑을 술독에 담아 안치고, 예의 방법대로 하여 서늘한 곳에서 3일간 발효시킨다.

* 덧술 :

1. 찹쌀 3되를 (백세하여 물에 담가 불렸다가, 다시 씻어 헹궈서 물기를 빼고) 시루에 안쳐 무른 (고두)밥을 짓는다.
2. (고두)밥이 익었으면 퍼내고, 고루 펼쳐서 차게 식기를 기다린다.
3. 밑술에 (고두)밥과 밀가루 3숟가락을 한데 합하고, 고루 버무려 술밑을 빚는다.

4. 술밑을 술독에 담아 안치고, 예의 방법대로 하여 7일간 발효시켜 익기를 기다린다.

* 주방문 말미에 "하절에 더 좋으니라."고 하였다. <봉접요람>의 "삼월 사월 오월 석 달밖에 아니 하나니라."고 한 내용과는 다르다.

졀쥬

빅미 흔 말 빅셰작말ᄒᆞ야 닉게 쪄 믈 흔 동ᄒᆡ 쓸혀 골아 식거든 ᄀᆞᄅᆞ누록 두 홉 교합ᄒᆞ야 서늘한 ᄃᆡ 둣다가 사흘만의 춥쏠 서 되 밥 지어 진말 세 술 너허 비저서 칠일 후의 쓰라. 하절의 더 됴ᄒᆞ니라.

5. 절주 <양주방>*

술 재료 : 멥쌀 1되, 찹쌀 1말, 누룩가루 1되, (끓는) 물 1사발

술 빚는 법 :
1. 희게 쓿은 멥쌀 1되를 깨끗이 씻고 또 씻어 (백세하여 물에 담가 불렸다가, 다시 씻어 말갛게 헹궈서 물기를 뺀 후) 가루로 빻는다.
2. 멥쌀가루에 (끓는) 물 1사발을 골고루 붓고, 주걱으로 고루 개어 범벅을 만들어놓는다.
3. 범벅을 술독에 담아 안치고, 뚜껑을 덮어놓는다(범벅이 얼음같이 차게 식기를 기다린다).
4. 저녁 늦게 찹쌀 1말을 깨끗이 씻고 또 씻어(백세하여) 물에 담가 하룻밤 불려놓는다.
5. 다음날 아침에 불린 쌀을 다시 씻어 (말갛게 헹궈서 물기를 뺀 후) 시루에 안쳐서 고두밥을 짓는다.

6. 고두밥이 익었으면 퍼내고, 고루 펼쳐서 차게 식기를 기다린다.

7. 고두밥에 누룩가루 1되와 식혀둔 범벅을 한데 합하고, 고루 버무려서 술밑을 빚는다.

8. 술독에 술밑을 담아 안친 후, 예의 방법대로 하여 발효시킨다.

* 주방문 말미에 "더위에 더욱 좋으니, 한 해를 두어도 맛이 변하지 않는다."고 하였다. 양주용수의 양이 매우 적게 사용된 데서 오는 것으로, 술의 발효·숙성기간을 의미하는 것으로 해석해 볼 수 있다. 그런데 멥쌀로 만든 범벅에 누룩가루를 넣으란 말이 없고, 이 범벅을 식히라는 말이 없다.
따라서 범벅을 밤재워 식힌 후에 찹쌀고두밥과 함께 누룩을 섞어 술밑을 빚는 방법을 생각해 볼 수 있으나 분명하지는 않다.

졀쥬

졈미 일두 빅미 일승 흔날 빅셰ᄒᆞ야 담가다가 믜 ᄡᆞᆯ 믄져 작말ᄒᆞ야 믈 흔 사발의 범벅 기야 너흔 이튼날 그 졈미로 밥 닉게 ᄡᅥ 국말 흔 되 셧거 너헛다가 쓰라. 더위예 더욱 조흐니 일 년을 두나 맛 변치 아니 ᄒᆞᄂᆞ니라.

6. 절주 <온주법(醞酒法)>

> 술 재료 : 밑술 : 멥쌀 2되, 누룩가루 2되, 밀가루 2되, 물(5되)
> 덧술 : 찹쌀 1말

술 빚는 법 :

* 밑술 :

1. 멥쌀 2되를 백세하여 (물에 담가 불렸다가, 다시 씻어 말갛게 헹궈 건져서 물기를 뺀 후) 작말한다.

2. 물(5되)을 끓이다가, 쌀가루를 풀어 넣고 팔팔 끓여 무르게 죽을 쑨다.

3. 죽은 푹 퍼지게 잘 익히고, 익었으면 넓은 그릇에 퍼서 차게 식기를 기다린다.

4. 차게 식은 죽에 누룩가루 2되와 밀가루 2되를 섞고, 고루 버무려 술밑을 빚는다.

5. 술밑을 술독에 담아 안치고, 예의 방법대로 하여 1일간 발효시킨다.

* 덧술 :

1. 찹쌀 1말을 백세하여 불렸다가 (다시 씻어 새 물에 헹궈서 물기를 뺀 후) 시루에 안쳐서 물 뿌리지 말고 많이 쪄서 고두밥을 짓는다.

2. 고두밥이 익었으면 고루 펼쳐 차게 식히고, 밑술을 날물기 없이 하여 체에 걸러 찌꺼기를 제거한 탁주를 만든다.

3. 고두밥에 탁주를 합하고, 고루 치대어 술밑을 빚는다.

4. 술독에 술밑을 담아 단단히 눌러 안치고, 예의 방법대로 하여 7일간 발효시킨다.

* <주찬>의 '절주'는 밑술을 물 없이 구멍떡으로 하고, 누룩가루 1되를 섞어 밑술을 빚은 후 찹쌀 1말의 고두밥과 탕수 1말로 밑술을 막걸리로 걸러서 덧술을 빚는다.

따라서 '절주'라도 기록에 따라 다른 여러 가지 방문이 존재한다는 사실을 알 수 있다. <온주법> 주방문 말미에 "7일 만에 내면 마시기 독하니 날물기 아니면 점점 좋으리라."고 하여, '세향주'와 유사한 방법으로 빚는 술임을 알 수 있다.

뎔쥬

빅미 이승 빅셰작말ᄒᆞ여 풀 게 쑤어 ᄎᆞ거든 국말 일승 진말 일승 섯거 이튼 날 뎜미 일두 빅셰ᄒᆞ야 돔가다가 리지 말고 무이 쪄 식거든 밋술을 늘물긔 업시 체예 바촤 흔듸 섯거 칠일 만의 ᄂᆡ면 마시 긔특ᄒᆞ니 늘물긔 아니면 뎜뎜 ᄂᆞ으니라.

7. 절주 <음식디미방>

> 술 재료 : 밑술 : 찹쌀 5~4되, 누룩가루(2되), 닥나무잎(여러 장)
>   덧술 : 멥쌀 1말, 누룩 5홉

술 빚는 법 :

* 밑술 :

1. 찹쌀 5~4되를 깨끗하게 씻어 (물에 담가 불렸다가, 다시 씻어 헹궈서 물기를 뺀 후) 작말한다(가루로 빻는다).
2. (가마솥에 물을 넉넉히 붓고 끓이다가 물이 뜨거워지면 3~4홉 정도를 떠서 쌀가루에 뿌리고 치대어 익반죽을 한다.)
3. (물이 팔팔 끓으면 익반죽을 한 주먹씩 떼어) 구멍떡을 빚어 물솥에 넣고 삶는다.
4. 구멍떡이 익으면 떠오르므로 건져서 (멍울 없이 풀고 마르지 않게 뚜껑을 덮어) 차게 식기를 기다린다.
5. 식은 떡에 누룩가루(2되)를 섞어 넣고, 고루 버무려 술밑을 빚는다.
6. 술독에 닥나무잎(3~4장)을 먼저 깔고 그 위에 술밑을 담아 안치고, 술밑 위에 다시 닥나무잎(3~4장)을 덮는다.
7. 술독은 예의 방법대로 하여 3일간 발효시킨다.

* 덧술 :

1. 멥쌀 1말을 백세하여 (물에 담가 불린 후, 다시 씻어 헹궈) 물기를 뺀다.
2. 물을 뺀 멥쌀을 시루에 안치고, (찬물을 뿌려 푹 쪄서 무른) 고두밥을 짓는다.
3. 고두밥이 익었으면 시루째 떼어 (시루 밑에 쳇다리를 받쳐놓고 주걱으로 뒤적여 놓은 후) 고두밥이 차게 식을 때까지 찬물을 (거듭) 뿌린다.
4. 고두밥이 식었으면 밑술과 누룩 5홉을 한데 합하고, 고루 버무려 술밑을 빚는다.

5. 술밑을 술독에 담아 안치고, 예의 방법대로 하여 발효시켜 익었으면 채주
   한다.

* 누룩의 양과 닥나무잎의 양이 나와 있지 않다. 다른 주방문과는 다르게 밑
  술에 찹쌀을 사용하고 있다.

절쥬
찹쌀 닷 되어나 너 되나 즁에 쁠허 시서 작말ㅎ여 구무쩍 ㅎ여 식거든 누록
섯거 독 밋히 싹닙 실고 녀코 싹닙 더퍼 사흘 만애 빅미 흔 말 쪄 시릇재 서늘
케 믈 바타 밋ㅎ고 누록 반 되 섯거 녀흐라.

8. 절주 <음식디미방>

> 술 재료 : 찹쌀 3말, 누룩 6되, 쌀 불린 물 2동이

술 빚는 법 :
1. 찹쌀 3말을 백세하여 (물에 깨끗하게 씻어 말갛게 헹궈서) 물기를 뺀다.
2. 물 2동이를 팔팔 끓여서 불린 쌀을 넣고 3일간 담가 불려놓는다.
3. 불린 쌀을 다시 살짝 씻어 건져내고, 시루에 안쳐서 고두밥을 짓는다.
4. 쌀 불렸던 물을 다시 끓이고, 고두밥이 익었으면 퍼내어 끓는 물에 합한 후
   그릇의 뚜껑을 덮어 고두밥이 차게 식기를 기다린다.
5. 고두밥에 누룩 6되를 한데 섞고, 고루 버무려 술밑을 빚는다.
6. 술밑을 술독에 담아 안치고, 예의 방법대로 하여 발효시킨 후 가야미(밥알)
   가 떠오르기를 기다린다.

* 주방문 말미에 "묵은 누룩을 면보에 싸 (술독에) 담가두면 오래도록 변하지

않는다."고 하였다.

절쥬

춥뿔 서 말 빅셰ᄒ여 탕슈 두 동희예 둠가 사흘 만애 닉게 져 그 탕슈 고쳐
데고 밥 섯거 츠거든 누록 엿 되 섯거 비저 가야미 쓰거든 쓰라. 무근 누록을
싸 둠가두면 오라도 변치 아니ᄒᄂ니라.

9. 절주 <주방문(酒方文)>

> 술 재료 : 밑술 : 멥쌀 1말, 누룩가루 2홉, 끓는 물 1동이(10ℓ)
>   덧술 : 찹쌀 3되, 밀가루 3숟가락

술 빚는 법 :

* 밑술 :

1. 멥쌀 1말을 백세하여 (매우 깨끗하게 씻어 헹군 후 다시 물에 담갔다가 씻어
   건져서 물기를 뺀 뒤) 작말한다(가루로 빻는다).
2. 쌀가루를 시루에 안쳐 떡을 찌고, 솥에 물 1동이를 끓인다.
3. 떡이 익었으면 소래기에 퍼내고, 팔팔 끓고 있는 물을 퍼 부어가면서 주걱으
   로 덩어리를 풀어 헤쳐서 죽처럼 만든 뒤 차게 식기를 기다린다.
4. 식은 떡에 누룩가루 2홉을 합하고, 고루 버무려 술밑을 빚는다.
5. 술독에 술밑을 담아 안치고, 예의 방법대로 하여 3일간 발효시킨다.

* 덧술 :

1. 찹쌀 3되를 (백세하여 물에 담갔다가, 다시 씻어 건져서 물기를 뺀 뒤) 시루
   에 안쳐서 고두밥을 짓는다.
2. 고두밥이 무르게 익었으면, 그릇에 퍼내고 주걱으로 헤쳐서 차게 식힌다.

3. 고두밥에 밑술과 밀가루 3순가락을 합하고, 고루 버무려 술밑을 빚는다.

4. 술밑을 술독에 담아 안치고, 예의 방법대로 하여 서늘한 곳에 두고 14일간 발효·숙성시킨다.

* 주방문 말미에 "여름에 더 좋을 것이라."고 하여 하절(夏節)의 술임을 알 수 있다.

졀쥬(節酒)

빅미 흔 말 빅셰작말 니기 쪄 탕슈 흔 동희 골라 딕링흐여 누록 두 홉 교합흐여 비저 서늘흔 딕 둣다가 사흘 후의 추쌀 서 되 밥 짓고 진ᄀᆞ르 세 술 녀허 비저 두 닐웨 후의 쓰라 녀름의 더 됴흐니라.

10. 절주 <주찬(酒饌)>

술 재료 : 밑술 : 찹쌀 1말, 누룩가루 1되
　　　　　 덧술 : 찹쌀 1말, 끓여 식힌 물(1~2되)

술 빚는 법 :

* 밑술 :

1. 찹쌀 1말을 백세하여 (물에 담가 불렸다가, 다시 씻어 건져시 물기를 뺀 후) 작말한다.

2. 쌀가루를 따뜻한 물로 개어 무른 익반죽을 만든다.

3. 무른 반죽을 한 주먹씩 떼어 경단처럼 만들고, 가운데 구멍을 뚫어 공병을 빚는다.

4. 솥에 물을 넉넉히 붓고 끓으면 공병을 넣어 삶아낸 다음, 주걱으로 으깨서 죽처럼 만들어 차게 식힌다.

5. 떡에 누룩가루 1되를 합하고, 고루 치대서 묽은 죽처럼 술밑을 빚는다.

6. 술밑을 술독에 안치고 예의 방법대로 하여 3~7일간 발효시킨다.

* 덧술 :

1. 찹쌀 1말을 백세하여 (물에 담가 불렸다가, 다시 씻어 건져서 물기를 뺀 후) 시루에 안쳐서 고두밥을 짓는다.

2. 고두밥이 익었으면 퍼내고, 고루 펼쳐 차게 식기를 기다린다.

3. 밑술은 끓여 차게 식힌 물을 쳐가면서 체에 걸러 찌꺼기를 제거한 막걸리를 만들어놓는다.

4. 고두밥에 막걸리를 합하고, 고루 치대어 술밑을 빚는다.

5. 술독에 술밑을 담아 단단히 눌러 안치고, 예의 방법대로 하여 14일간 발효시킨다.

節酒

粘米一斗作末作孔餅烹之待冷好曲末一升合打釀待熟後粘米一斗烝飯最熟後
待冷本酒湯水少許漉出合釀堅鎭而堅封二七日後用之.

11. 절주방 <증보산림경제(增補山林經濟)>

술 재료 : 밑술 : 찹쌀 1되, 가루누룩 1되
       덧술 : 찹쌀 1말, 끓여 식힌 물(적당량)

술 빚는 법 :

* 밑술 :

1. 찹쌀 1되를 백세하여 (백 번 씻어 매우 깨끗하게 하여 말갛게 헹궈 불렸다가, 다시 씻어 건져서 물기를 뺀 다음) 작말한다(가루로 빻는다).

2. 물을 솥에 넉넉히 붓고 끓이다가 (뜨거운 물 1홉가량을 쌀가루에 뿌려 익반
   죽을 만든 뒤) 둥글납작한 구멍떡을 빚는다.
3. 솥의 물이 끓으면 구멍떡을 넣고 삶아 익어서 물 위로 떠오르면 건져내 (주
   걱으로 짓이겨서 한 덩어리로 풀어) 차게 식기를 기다린다.
4. 식은 떡에 가루누룩 1되를 한데 섞고, 매우 고루 치대어 술밑을 빚는다.
5. 크기가 알맞고 소독하여 물기 없는 술독에 술밑을 담아 안치고, 예의 방법
   대로 하여 단맛이 날 때까지 (3~5일간) 발효시킨다.

* 덧술 :
1. 찹쌀 1말을 백세한다(백 번 씻어 옥같이 깨끗하게 하여 말갛게 헹궈 건졌다
   가, 하룻밤 담가 불린다).
2. 다음날 아침에 불린 쌀을 (다시 씻어 건져서 물기를 뺀 다음) 시루에 안쳐
   서 고두밥을 짓는다.
3. 고두밥이 (찬물을 골고루 뿌려 무르익게 뜸을 들이고) 익었으면 퍼내어 고루
   펼쳐서 뜨거운 기운이 나가게 한다(차게 식기를 기다린다).
4. 물을 끓여 더울 때 (차게 식혀서) 적당량(3되 미만)을 쳐가면서 밑술을 체에
   걸러서 찌꺼기를 버리고, 고두밥에 고루 버무려 술밑을 빚는다.
5. 소독한 술독에 술밑을 담아 안치고, 예의 방법대로 하여 따뜻한 곳(덥지 않
   은 곳에서) 14일간 발효시켜 마신다.

* 주방문 말미에 "이 술은 6~7월에 빚을 수 있고, 나머지 달에는 빚지 못한다."
  고 하여 하절의 술임을 알 수 있다. 또 밑술을 거를 때 사용되는 끓여 식힌
  물의 양이 언급되어 있지 않아 상법(常法)의 예를 따랐다.

節酒方

粘米一升百洗作末作孔餅烹熟候冷　入麵麴(글으누룩이라)　一升與餅打勻納
相適缸中待入甘味另用粘米一斗百洗蒸飯出熱氣以熱水篩其缸中之本乃以蒸
飯相和納前缸中二七日後用之此酒六七月可釀餘月不成.

12. 절주 <한국민속대관(韓國民俗大觀)>

술 재료 : 찹쌀 3말, 누룩 6되, 쌀 불린 물(2말)

술 빚는 법 :

1. 찹쌀 3말을 (백세하여) 물에 3일간 담가 불렸다가 (다시 씻어 헹궈서 건져내어 물기를 뺀 뒤) 시루에 안쳐 고두밥을 짓는다.
2. 솥에 불을 지펴서 쌀 담갔던 물을 팔팔 끓여서 끓는 김에 갓 퍼낸 고두밥에 붓고, 주걱으로 잘 뒤적여 풀어놓는다.
3. 고두밥이 물을 다 먹었으면, 그릇 여러 개에 나눠 차게 식기를 기다린다.
4. 고두밥에 누룩 6되를 섞고, 고루 버무려 술밑을 빚는다.
5. 술밑을 술독에 담아 안치고, 예의 방법대로 하여 (덥지도 차지도 않은 곳에 두고) 익기를 기다려 밥알(개미)이 떠오르면 용수를 박아 청주를 떠서 마신다.

절주(節酒)

찹쌀 서 말을 더운 물에 담갔다가 사흘 만에 건져서 쪄내고, 쌀 담갔던 물은 다시 끓여서 지에밥에 섞어 푼 다음, 차게 식혀서 누룩 엿 되를 섞어 빚는다. 며칠이 지나 술항아리에 가야미(밥알)가 뜨면 청주를 떠서 쓴다.

13. 절주 <홍씨주방문>

술 재료 : 밑술 : 찹쌀 1되, 누룩가루 1되
        덧술 : 찹쌀 1말, 찬물

술 빚는 법 :

* 밑술 :

1. 찹쌀 1되를 백세하여 (백 번 씻어 매우 깨끗하게 하여 말갛게 헹궈 불렸다가, 다시 씻어 건져서 물기를 뺀 다음) 작말한다(가루로 빻는다).

2. 물을 솥에 넉넉히 붓고 (끓이다가 뜨거운 물 1홉가량을 쌀가루에 뿌려 익반죽을 만든 뒤) 둥글납작한 구멍떡을 빚는다.

3. 솥의 물이 끓으면 구멍떡을 넣고 삶은 후, 익어서 물 위로 떠오르면 건져내 (주걱으로 짓이겨서 한 덩어리로 풀어) 차게 식기를 기다린다.

4. 식은 떡에 누룩가루 1되를 한데 섞고, 매우 고루 버무려 술밑을 빚는다.

5. 소독하여 물기 없는 독에 술밑을 담아 안치고, 예의 방법대로 7일간 발효시킨다.

* 덧술 :

1. 찹쌀 1말을 백세한다(백 번 씻어 옥같이 깨끗하게 하여 말갛게 헹궈 건졌다가, 하룻밤 담가 불린다).

2. 다음날 아침에 불린 쌀을 (다시 씻어 건져서 물기를 뺀 다음) 시루에 안쳐서 고두밥을 짓는다.

3. 고두밥에 찬물을 골고루 뿌려 익게 뜸을 들이고, 익었으면 퍼내어 고루 펼쳐서 차게 식기를 기다린다.

4. 고두밥에 밑술을 합하고, 고루 버무려 술밑을 빚는다.

5. 소독한 술독에 술밑을 담아 안치고, 예의 방법대로 하여 발효시켜 술이 익어 맛이 들기를 기다려 위를 떠내어 마신다.

* 식되 : 가정에서 곡식을 될 때 쓰는 작은되. 흔히 되(升) 대신에 쓰는 남자 밥그릇인 주발(周鉢)을 뜻한다.

절주

점미 한 되 백세작말하여 구멍떡 빚어 삶아 더운 김에 바래낸 국말 한 되 섞

어 넣어 많이 쳐 항에 넣었다가 칠일 만에 보면 익어 참외 내 나고 고른 찹쌀
한 말 옥같이 쓿어 하룻밤 담갔다가 물 뿌려 익게 쪄 밑술에 고루 섞어 가운
데 맛이 합하거든 위를 뜨고 드리워 쓰라.

점감청주

스토리텔링 및 술 빚는 법

청주(淸酒)는 발효주로서 '맑은 술' 또는 '쌀로 빚은 술'을 가리킨다. 또한 청주
는 여러 가지로 불린다. 주원료의 종류, 술을 빚는 횟수, 누룩의 종류, 술 빚는 쌀
의 양이나 물의 양, 그리고 발효되면서 생성되는 향기에 따라 각각의 이름을 갖
게 된다.

예를 들면 부모의 뱃속에서 태어난 아기는 성별에 따라 남자와 여자로 나뉘고,
'박록담'이라는 고유 이름 외에도 젖먹이 때에는 '유아', 미취학 연령까지는 '어린
이', 법적 연령인 19세 미만일 때는 '청소년', 혼인을 하게 되면 '유부남'이나 '유부
녀', 또는 '아저씨'나 '아줌마'라 불리는 이치와 같다.

<음식디미방>의 '점감청주'는 "단맛이 강하고 점도가 높은 진한 맛의 맑은 청
주"라는 의미를 갖는 주품이다. <음식디미방>이 유일한 기록이며, 유사한 주품
으로는 '감점주', '찹쌀청주' 등이 있다.

그런데 <음식디미방>의 '점감청주' 주방문을 보면 "술밑을 술독에 담아 안치
고, 핫것(솜을 넣어 지은 두터운 옷이나 이불)으로 두터이 싸매어 하룻밤 지내면

술이 익는다."고 하였는데, "과연 '하룻밤' 만에 술이 다 익을 수 있을까?" 하는 궁금증과 함께 "하룻밤 만에 맑은 청주가 고일까?" 하는 의구심이 생긴다.

이제까지 우리 술을 공부하고 술을 빚는 일을 업으로 여겨왔지만, 하룻밤 만에 청주를 얻을 수 있을 정도의 발효기술을 터득하지는 못했기 때문이다.

물론 '점감청주' 주방문에는 하룻밤 지나면 술이 익는다고 했지 청주를 뜰 수 있다고는 하지 않았다. 하지만 주품명을 '점감청주'라고 한 데는 맑은 술이 고인다는 의미를 내포하고 있다는 점에서 여전히 의문이 남았다.

그리하여 직접 술을 빚어보기로 했다. 먼저 찹쌀을 백세하여 물에 담가 불렸다가, 다시 씻어 말갛게 헹궈서 건져두었다. 주방문에 죽을 쑤는 데 사용되는 물의 양에 대한 언급이 없었으므로, 1말 5되와 2말로 각각 그 양을 달리하여 죽을 쑤어 따뜻한 온기가 남게 식힌 후, 분량의 좋은 누룩을 사용하여 술을 빚어놓고 하룻밤을 지냈다. 다음날 아침이 되어서도 술독은 아직 따뜻하고 품온은 30℃ 안팎이었다. 술독을 열어보니 아직 매운 이산화탄소가 진동한다.

술이 익기까지는 시간이 더 필요하다는 생각이 들어 술 빚은 지 24시간이 경과하기를 기다렸으나 한밤중이 되어서도 술은 아직 발효되고 있었다. 두 번째, 세 번째 실험에서도 술의 발효는 종료되지 않았다. 죽의 온도를 더 따뜻한 35℃ 정도까지 식힌 후에 빚어본 술도 마찬가지였고, 따뜻한 온돌에 앉혀서 하루를 지낸 술의 경우에도 발효가 끝나지 않았다.

'점감청주'는 술 빚은 지 3일은 경과되어야 발효상태가 잦아들어 맑은 빛이 돌기 시작하는 것을 볼 수 있었다. 그것도 아주 맑은 술은 아니고, 엷은 숭늉 같은 색깔이었다.

결론적으로 '점감청주'는 '찹쌀술'이라는 데 의미 부여를 한 게 아닐까 하는 생각을 하기에 이르렀다. 일반 청주보다 맑지 않은, 그러면서도 단기간에 얻을 수 있는 '찹쌀 청주'라는 이미지를 부각시키고, 보다 맑지 못한 청주에 대한 부정적인 이미지를 새롭게 하려는 의도에서 '점감청주'라는 주품명을 붙인 건지도 모른다는 생각이 들었다.

<음식디미방>의 '점감청주'를 재현하면서 터득한 몇 가지는, 옛 사람들의 양주와 관련한 용어 가운데 '술이 익는다'거나 '술이 괼 때'와 같은 표현들은 자신들의

경험이나 느낌을 표현한 것으로, 사람마다 다르게 해석할 수 있는 여지가 많아 그 해석에 주의를 기울일 필요가 있다는 것이다.

'점감청주'에서와 같이 '술이 익는다'는 표현은 '발효상태가 활발한 단계를 지나 숙성단계로 접어들 무렵'으로 이해하면 좋을 듯하다. 좀 더 많은 시간이 경과한 후에라야 의도했던 '청주'를 얻을 수 있었기 때문이다.

술을 빚는 일에 어떤 특별한 비법이 존재하는 것도, 술 빚는 기술이 하루아침에 이루어지는 것도 아니다. 어느 단계를 지나면 똑같은 주방문에 대한 인식과 보는 눈이 달라지는 걸 깨닫게 된다. 술로 표현하자면 아직 숙성되지 않은 맛이라고 얘기할 수 있는데, 맞는 표현인지는 아직도 모르겠다.

점감청주 <음식디미방>

> 술 재료 : 찹쌀 1말, 좋은 누룩 2되, 물(1말 5되~2말), 냉수(2되)

술 빚는 법 :

1. 찹쌀 1말을 백세하고 (아주 많이 깨끗하게 씻어 담가 불렸다가) 다시 고쳐 씻어 헹궈서 (물기를 뺀 후) 준비한다.

2. 솥에 물(1말 5되~2말)을 붓고 끓이다가, 불린 찹쌀을 넣고 (주걱으로 천천히 저어가면서 퍼지게 끓여) 죽을 쑨다.

3. 냉수(2되)에 좋은 누룩 2되를 쉬고, 풀어지게 하여 (하룻밤 재워 두어) 물누룩을 만든다.

4. 죽을 넓은 그릇에 퍼내고 식기를 기다리되, 차갑지 않았을 때(미지근할 때) 물누룩과 섞고 고루 버무려 술밑을 빚는다.

5. 술밑을 술독에 담아 안치고, 핫것(솜을 넣어 지은 두터운 옷이나 이불)으로 두터이 싸매어 하룻밤 지내면 술이 익는다.

* 핫것 : 솜을 넣어 지은 두터운 옷이나 이불

졈감쳥쥬

츱뿔 흔 말을 빅셰ᄒ여 쥭 수어 츠지 아니ᄒ여셔 죠흔 누록 두 되를 닝슈에 섯거 또 쥭에 프러 핫거스로 두터이 싸 ᄒ릇밤 자여 닉거든 짜 쓰라.

점미녹파주 · 찹쌀녹파주

스토리텔링 및 술 빚는 법

　저자와 저술 연대가 불분명한 <양주집(釀酒集)>과 <침주법(浸酒法)>의 '점미녹파주(粘米綠波酒)'는 '녹파주' 가운데 가장 이색적인 주방문으로 여겨진다. <양주집>의 '점미녹파주'는 "특별히 찹쌀로 빚어 맑고 깨끗하며, 술 빛깔이 푸른 파도와 같은 술"이라는 의미로 풀이된다.

　<양주집>의 '점미녹파주' 주방문을 풀이하면, 멥쌀 1말로 지은 고두밥에 끓는 물을 섞어 진고두밥을 만들어 누룩 1되와 밀가루 5홉을 섞어 밑술을 빚고, 찹쌀 2말로 지은 고두밥과 밑술을 고루 버무려 덧술을 하는데, 밑술 빚는 방법이 매우 특이하다고 할 수 있다.

　'점미녹파주'라는 주품명을 붙이게 된 배경은 덧술에 찹쌀을 사용하기 때문인 것으로 여겨진다. 따라서 '점미녹파주'라는 주품명의 의미보다는 밑술을 빚는 과정에서 일반 '녹파주'와 다른 차별성을 찾는 것이 바람직해 보인다.

　한편, <침주법>의 '찹쌀녹파주'는 밑술을 흰무리떡을 만들고, 다시 끓는 물로 익혀 죽처럼 만든 다음 누룩 1되와 밀가루 5홉을 섞어 빚는데, 덧술 과정은 <양

주집>의 ‘점미녹파주’와 동일하다.

한 가지 중요한 사실은 <양주집>과 <침주법>의 ‘점미녹파주’와 ‘찹쌀녹파주’ 모두 밑술과 덧술에서 주원료의 배합비율이 동일하다는 사실이다. 특히 덧술 과정에 누룩과 물을 사용하지 않고 있다. 대부분의 ‘녹파주’에서는 술 빚기에 사용되는 쌀 양과 동량의 끓인 물을 사용하는 것과 다른 점이다.

일반적인 ‘녹파주’의 밑술은 쌀가루에 끓는 물을 부어 범벅을 만들어 사용하거나 끓인 죽을 사용한다. 이때 밀가루를 사용하는 이유는 발효 시 잡균의 오염을 방지하는 한편 맑은 술을 얻기 위한 방법이다. 그런 점에서 <침주법>의 ‘찹쌀녹파주’는 일반 ‘녹파주’에 더 가깝다고 할 수 있고, <양주집>의 ‘점미녹파주’는 밑술을 진고두밥으로 하고 있어 보다 차별화된다고 할 수 있겠다.

<양주집>과 <침주법>의 ‘점미녹파주’와 ‘찹쌀녹파주’는 주원료의 동일한 배합비율과 덧술에 고두밥을 사용한다는 점에서 주품명을 붙이게 된 배경과 공통점을 찾을 수 있다.

왜냐하면 ‘녹파주’의 의미가 파도와 같이 맑고 깨끗한 술 빛깔에 있는 만큼 진고두밥이 아닌 고두밥을 사용해 보다 맑고 깨끗한 술 빛깔을 얻고자 한 의도적인 주방문이라는 판단 때문이다.

여하튼 <양주집>과 <침주법>에 수록된 ‘점미녹파주’와 ‘찹쌀녹파주’의 밑술 빚는 방법은 어떤 술에서도 찾아보기 힘든 방법이다. 그와 함께 쌀과 물의 양에 비해 누룩의 양이 상대적으로 적다는 점에서도 ‘점미녹파주’의 양주에 따른 철저한 준비와 정성, 술독 관리에 따른 지혜가 요구된다는 것을 알 수 있다.

<양주집>의 ‘점미녹파주’를 시험 양주하여 본 결과, 매우 순한 맛과 은은한 베이지색의 술 빛깔이 마치 아주 엷은 연두빛 녹차(綠茶)를 대하는 것 같은 착각을 불러일으켰다. ‘점미녹파주’라는 주품명에 담긴 뜻을 이해할 수 있을 듯했다.

<양주집>의 ‘점미녹파주’를 빚을 때 특히 주의할 점은 쌀을 씻을 때 쌀가루가 생기지 않도록 백세하는 게 중요하다. 물에 담갔다가 다시 살짝 씻어서 쌀 표면에 붙은 박테리아를 비롯하여 부유물 등의 이물질과 나쁜 냄새를 깨끗하게 제거해야 한다. 그러려면 쌀을 다시 씻어 헹굴 때 쌀이 부서지지 않고 뜨물이 남지 않도록 하는데, 맑고 깨끗한 물이 나올 때까지 계속해서 맑은 물로 헹궈야 한다.

또한 밑술을 빚을 때 갓 쪄낸 고두밥과 끓는 물을 합해 진고두밥을 만들기 위해 주걱으로 자꾸 뒤적여서 밥이 으깨지지 않도록 해야 한다. 갓 쪄낸 고두밥과 끓는 물을 한데 섞고 고두밥이 물을 다 먹을 때까지 기다리되, 고두밥이 물을 빨아들이는 과정에서 물 밖으로 노출되면 주걱으로 한두 차례 뒤적여서 위아래를 바꿔주는데, 자꾸 뒤적이면 맑고 깨끗한 술을 얻을 수 없다. 가능하다면 하룻밤 방치하여 고두밥이 물을 다 먹고 저절로 차디차게 식을 때까지 기다렸다가 술을 빚는 게 바람직하다.

<침주법>의 '찹쌀녹파주'는 밑술의 흰무리떡에 끓는 물을 섞어 죽처럼 만들 때 가능한 한 멍울이 남지 않게 풀어주어야 한다. 이때 멍울을 빨리 풀어주고자 자주 뒤집어서 차게 식히려는 조바심을 버려야 한다. 가능한 한 같은 크기의 그릇으로 뚜껑을 덮어서 밤재워 차게 식기를 기다린 후에 풀어주는 게 좋다. 밑술을 확실하게 냉각 식힌 다음에 사용해야 술 빚기도 수월하고 술밑이 끓어서 술독 밖으로 넘치는 일이 없기 때문이다.

<양주집>과 <침주법>에 수록된 '점미녹파주'와 '찹쌀녹파주'는 덧술의 고두밥을 짓는 과정이 비교적 간편하나, 이때 고두밥 역시 덜 식은 것을 모르고 술을 빚거나 차게 식힌다는 게 지나치게 건조되어 실패로 이어지는 경우가 많다.

따라서 고두밥을 처리하는 일에 신경을 쓴다면, '녹파주'보다 훨씬 부드럽고 감미로운 술맛과 방향을 얻을 수 있다.

1. 점미녹파주 <양주집(釀酒集)>

술 재료 : 밑술 : 멥쌀 1말, 누룩 1되, 진말 5홉, 끓는 물 3말
         덧술 : 찹쌀 2말

술 빚는 법 :
* 밑술 :

1. 멥쌀 1말을 백세하여 (물에 담가 불렸다가, 다시 씻어 헹궈서 물기를 뺀 후) 시루에 안쳐서 무른 고두밥을 짓는다.
2. 물 3말을 팔팔 끓이다가 고두밥이 익었으면 끓는 물과 고두밥을 한데 합하고, 넓은 그릇에 담아서 차게 식기를 기다린다.
3. 고두밥에 누룩가루 1되와 밀가루 5홉을 한데 섞고, 고루 버무려 술밑을 빚는다.
4. 술독에 술밑을 담아 안치고, 예의 방법대로 하여 3일간 발효시킨다.

* 덧술 :
1. 찹쌀 2말을 백세하여 (물에 담가 불렸다가, 다시 씻어 헹궈서 물기를 뺀 후) 시루에 안쳐서 무른 고두밥을 짓는다.
2. 고두밥이 익었으면, 돗자리에 퍼내고 고루 펼쳐서 차게 식기를 기다린다.
3. 고두밥에 밑술을 섞고, 고루 버무려 술밑을 빚는다.
4. 술독에 술밑을 담아 안치고, 예의 방법대로 하여 12일간 발효시킨다.

粘米綠波酒
白米 一斗 百洗ᄒ여 닉게 쪄 쓸인 믈 三斗이 골화 식거든 누록 흔 되 진말 다 홉 섯거다가 三日 만이 粘米 二斗 百洗ᄒ야 닉게 쪄 식거든 밋술이 섯거다가 十二日 지나거든 쓰라.

2. 찹쌀녹파주 <침주법(浸酒法)>
−서 말 빚이

술 재료 : 밑술 : 멥쌀 1말, 누룩 1되, 밀가루 5홉, 끓는 물 3말
　　　　　 덧술 : 찹쌀 2말

술 빚는 법 :

* 밑술 :

1. 멥쌀 1말을 백세하여 (물에 담가 하룻밤 불렸다가, 다시 씻어 건져서) 가루
   로 빻는다.
2. 솥에 물을 붓고 시루를 올린 뒤 끓여서 김이 나면 쌀가루를 안치고, 무리떡
   을 찐다.
3. 솥에 물 3말을 팔팔 끓여 무리떡에 골고루 나눠 붓고, 주걱으로 개어 무르
   게 익은 담(죽)을 만든다.
4. (담 그릇과 똑같은 크기의 뚜껑을 덮어 밤재워) 담(죽)이 차게 식기를 기다
   린다.
5. 담(죽)에 가루누룩 1되와 밀가루 5홉을 한데 합하고, 고루 버무려 술밑을
   빚는다.
6. 술밑을 술독에 담아 안친 후, 예의 방법대로 하여 3일간 발효시켜 덧술을
   준비한다.

* 덧술 :

1. 찹쌀 2말을 백세한다(물에 담가 하룻밤 불렸다가, 다시 헹궈서 물기를 빼놓
   는다).
2. 불린 쌀을 시루에 안치고 쪄서 고두밥을 짓고, 고두밥이 되게 익었으면 퍼내
   고, 고루 펼쳐서 차디차게 식기를 기다린다.
3. 고두밥과 밑술을 한데 섞어 합하고, 고루 버무려 술밑을 빚는다.
4. 술독에 술밑을 담아 안친 후, 예의 방법대로 하여 (차지도 딥지도 않은 곳에
   서) 12일간 발효시켜 술이 익기를 기다린다.

춥뽈쌀녹파쥬(綠波酒)—서 말

빅미 흔 말을 빅셰ᄒᆞ야 ᄀᆞᄅ 브아 닉게 쪄 탕슈 서 말애 골라 ᄎᆞ거든 누록 흔
되와 진ᄀᆞᄅ 닷 홉애 섯거 듯더가 사흘 만의 춥뽈 두 말를 빅셰ᄒᆞ야 오오로
쪄 치와 젼슈레 섯거 듯더가 열이트리 지나거든 쓰라.

점주

　우리나라 사람들이 즐겨 사용하는 맛의 표현 가운데 하나가 "달짝지근하다."거나 "달고 끈적끈적한 진미가 있다."는 말이 있다. 한결같이 맛이 진하고 좋다는 긍정적인 의미에서 사용하는 말들이다.

　'점주(粘酒)'라고 불리는 전통주가 이러한 의미를 담고 있는 술 가운데 하나에 해당된다. 특히 고급 원료인 '찹쌀로 빚어 달고 끈기가 있는 술'이란 뜻에서 유래한 '점주'는 10종의 옛 문헌 즉, <산가요록(山家要錄)>을 비롯해 <규중세화>, <색경(穡經, 搜聞補錄)>, <양주(釀酒)>, <양주방>*, <양주방(釀酒方)>, <언서주찬방(諺書酒饌方)>, <음식디미방>, <주방문(酒方文)>에 10차례나 수록되어 있다.

　<산가요록>, <언서주찬방>, <음식디미방> 등 <주방문>보다 앞선 기록의 '점주' 주방문을 보면, "멥쌀 또는 찹쌀 1되를 가루 내어 구멍떡을 빚고 끓는 물에 삶아서 그 물에 풀거나 떡 삶았던 물을 쳐가면서 차게 식혔다가 누룩가루를 섞어 밑술을 빚는다. 발효되면 3~4일 후에 무르게 지은 찹쌀고두밥을 단독으로 사용하거나, 떡 삶은 물 또는 끓여 식힌 물을 합하여 덧술을 빚기도 하는데, 물을 사

용하면 짧게는 7일에서 21일 정도면 익는다."고 되어 있다.

특히 시대적으로 가장 앞선 기록인 <산가요록>과 <언서주찬방>의 '점주'는 <임원십육지(林園十六志)>와 <조선무쌍신식요리제법(朝鮮無雙新式料理製法)>에 수록된 '동정춘방'과 동일하다는 점에서 주목된다.

'동정춘'의 원형을 '점주'로 생각할 수도 있다는 얘기인데, <산가요록>과 <언서주찬방> 등장 이후 <임원십육지> 이전의 어떤 문헌에서도 동정춘을 목격할 수 없는데다, 송대(宋代) 동파(東坡) 소식(蘇軾)의 시(詩)에 '동정춘'이 등장하는 것으로 미뤄볼 때 '동정춘'은 중국의 술임을 알 수 있다.

따라서 <임원십육지>의 저자 서유구에 의해 중국의 '동정춘'이라는 주품명을 '점주'에서 빌려온 것이 아닌가 하는 추측을 해보는데, 그 근거가 없어 이를 확신할 수 없다.

한편, <주방문>을 비롯해 <요록>의 경우, 밑술을 물송편이나 고두밥으로 빚고 있으며, <양주방>과 <규중세화>의 경우에는 죽을 쑤어 사용하는 등 시대별로 밑술의 쌀 가공방법에서도 변화를 보이고 있음을 확인할 수 있다.

특히 <양주방>의 경우, 밑술의 쌀 양이 1말이나 되는데도 누룩의 양은 5홉에 그치고, 별도의 물이 사용되지 않는데도 발효기간은 3일이라는 점, 덧술은 찹쌀 2되로 지은 고두밥이 사용되는데, 달게 하려면 물을 사용하지 말고 목적과 의도에 따라 물의 양을 1사발이나 1병씩 달리한다는 점들이 다른 문헌의 '점주'와는 매우 차별화된다.

이처럼 같은 이름의 '점주'라도 시대에 따라 문헌에 따라 술 빚는 법이 약간씩 다르게 나타나고 있음을 볼 수 있다. 특히 <음식디미방>이나 <양주방>의 술 빚기가 다른 형태로 변화된 까닭은 술 빚는 방법의 편의성이니 수월성을 추구해서가 아니라 후대에 이르러 가능한 한 많은 양의 술을 얻기 위함으로 보인다.

그 한 예로 전북 장수 지방의 토속주로 전해 오는 '장수 점주'의 술 빚는 법을 보면, 멥쌀을 가루 내어 아주 묽은 죽을 쑨 뒤, 누룩을 섞어 밑술을 빚고, 밑술에 사용되는 쌀 양만큼 찹쌀로 고두밥을 지어 누룩을 섞어 덧술을 해 넣는 방법으로 <음식디미방>과는 또 다르다. 무엇보다 술 빚기에 사용되는 총 쌀 양에 비해 용수의 양이 2배로 <음식디미방>보다 용수의 사용이 많음을 알 수 있다.

이렇듯 <주방문>이나 <음식디미방>, <요록> 등 밑술이나 덧술에서 물을 사용하는 경우에서도 다른 문헌의 '점주'보다 술의 끈기와 감미가 떨어지긴 하지만, 찹쌀술 특유의 달고 부드러운 맛과 사과나 복숭아 향 등 은은한 방향(芳香)을 즐길 수 있었다.

'점주'는 그 특징이 밑술을 삶은 구멍떡으로 물 없이 빚는 방법이 주류를 이루며, 떡 삶은 물 등 소량의 물을 사용하되 찹쌀고두밥을 단독으로 사용해 덧술을 하고, 가능한 한 단기간에 익힘으로써 단맛을 추구할 목적으로 빚는 술이라는 데 있다.

따라서 물을 적게 사용한 데서 오는 덧술 작업의 어려움을 극복하기 위해 덧술용 고두밥은 살수를 많이 하여 무르게 찌거나, 술밑을 안친 독은 단단히 싸매서 김이 나가지 않게 하고, 따뜻한 곳에서 단기간에 익히는 것이 실패를 줄이는 방법임을 잊지 말아야 할 것이다.

술 빚기가 능숙해지면 능숙해질수록 <주방문>, <음식디미방>, <요록> 등에 수록된 '점주'의 주방문을 참고할 필요가 있다. 다른 문헌에 수록된 방법보다는 마시기에 좋다고 생각되기 때문이다.

다만, 지나치게 편의성이나 간편성, 술의 양을 늘리기 위한 방편에 집착한 나머지 '점주' 고유의 향미를 잃게 되는 것을 경계해야 할 것이다.

1. 점주법 <규중세화>

> 술 재료 : 밑술 : 찹쌀 1되, 누룩가루 7홉, 물 3되
>   덧술 : 찹쌀 1말

술 빚는 법 :
* 밑술 :
1. 찹쌀 1되를 백세하여 물에 담가 불렸다가 (다시 씻어 헹궈 건져서 물기를

빼 후) 작말한다.

2. 쌀가루를 물 3되에 풀어 아이죽을 만든 후, 솥에 넣고 팔팔 끓여 죽을 쑨다.

3. (죽을 넓은 그릇에 퍼서 차게 식기를 기다린다.)

4. 식은 죽에 누룩을 곱게 가루 내어 깁체에 쳐서 7홉을 섞어 넣고, 고루 버무려서 술밑을 빚는다.

5. 술밑을 술독에 담아 안치고, 예의 방법대로 하여 알맞게 더운데 두어 1일간 발효시킨다.

* 덧술 :

1. 밑술 빚는 날 찹쌀 1말을 백세하여 물에 담가 불렸다가, 이튿날 (다시 씻어 헹궈 건져서 물기를 뺀 후) 시루에 안쳐서 고두밥을 짓는다.

2. 고두밥이 익었으면 퍼내고, 고루 펼쳐서 싸늘하게 식기를 기다린다.

3. 밑술에 차게 식은 고두밥을 합하고, 고루 치대어서 술밑을 빚는다.

4. 술독에 술밑을 담아 안치고, 예의 방법대로 하여 하절이면 7일, 춘추절은 14일, 동절은 21일간 발효시킨다.

점주법

점미 한 말 백세하여 담그고 쌀 한 되 더 작말하여 물 서 되에 죽 쑤어 국말 칠 홉 섞어 넣었다가 이튿날 담근 쌀 다시 헤워 익게 쪄 서늘케 채와 밑술에 막 차거든 그 밥 쳐 하절이어든 칠일이요, 춘추어든 이칠일이요, 동절이어든 삼칠일 (후) 쓰라.

2. 점주 <산가요록(山家要錄)>

−쌀 1말 1되 빚이

> 술 재료 : 밑술 : 멥쌀 1되, 고운 누룩가루 1되, 떡 삶은 물
>
>   덧술 : 찹쌀 1말

술 빚는 법 :

* 밑술 :

1. 멥쌀 1되를 깨끗이 씻어(백세하여) 물에 담가 불렸다가, (다시 씻어 건져서 물기를 뺀 뒤) 작말한다(가루로 빻는다).

2. 쌀가루를 뜨거운 물로 익반죽하여 구멍떡 3개를 빚고, 끓는 물 1사발에 삶는다.

3. 구멍떡을 (멍울 없이 풀고) 차게 식힌 다음, 아주 좋은 누룩가루 1되를 곱게 빻아 넣고 고루 버무려서 술밑을 빚는다.

4. 떡을 삶고 남은 물도 차게 식힌 후 한데 합쳐 술독에 담아 안치고, 예의 방법대로 하여 4일간 발효시킨다.

* 덧술 :

1. 찹쌀 1말을 백세하여 물에 하룻밤 담가 불렸다가 (다시 씻어 건져서 물기를 뺀 뒤) 시루에 안쳐서 고두밥을 짓는다.

2. 고두밥이 무르게 익었으면 시루에서 퍼낸 다음, 고루 펼쳐 차게 식기를 기다린다.

3. 고두밥에 밑술을 합하고, 고루 버무려서 술밑을 빚는다.

4. 술독에 술밑을 담아 안치고, 예의 방법대로 하여 발효시킨 다음, 익으면 술주자에 담아두되 생수나 쇠로 된 그릇을 삼간다.

* 주품명은 '점주'인데 <임원십육지>의 '동정춘'과 매우 유사하다. 주방문 말미에 "익으면 술주자에 담아두되 생수나 쇠그릇을 삼간다."고 하였다.

粘酒

白米一升 洗淨作末 孔餠三介. 水一鉢 烹熟 幷待冷. 好麴末至細一升 交合極勻. 入缸 煎水前所餘者 合入. 四日後. 粘白米一斗 洗淨 浸水一宿. 全蒸待冷. 與前酒 和合入瓮.待熟. 上槽 禁生水鐵器.

3. 조점주법 <색경(穡經, 搜聞補錄)>

> 술 재료 : 밑술 : 찹쌀 1되, 누룩가루 1되
>
>   덧술 : 찹쌀 1말

술 빚는 법 :

* 밑술 :

1. 찹쌀 1되를 백세하여 (백 번 씻어 말갛게 헹군 후, 새 물에 담갔다가 다시 살 짝 씻어 말갛게 건져서) 세말한다(고운 가루로 빻는다).

2. 쌀가루를 (뜨거운 물로 익반죽하여) 떡을 빚고 구멍을 뚫어서(孔餠, 구멍 떡) 끓는 물에 삶아낸다.

3. 구멍떡을 넓은 그릇에 담아놓고, 차게 식기를 기다린다.

4. 떡에 곱게 빻은 누룩가루 1되를 넣고, 힘껏 치대어 술밑을 빚는다.

5. 1말 빚이에 맞는 술독을 깨끗하게 씻어 건조시키고, 일체의 날물기 없이 하 여 술밑을 담아 안친다.

6. 밑술은 고루 익게 7일간 발효시키는데, 단맛이 나면 덧술을 준비한다.

* 덧술 :

1. 찹쌀 1말을 백세하여 (말갛게 헹궈서 새 물에 담갔다가, 다시 살짝 씻어 말 갛게 건져) 물기를 빼고, 시루에 안쳐서 무른 고두밥을 짓는다.

2. 고두밥이 익었으면, 퍼내고 돗자리에 고루 펼쳐서 차게 식힌다.

3. 고두밥에 밑술을 퍼서 합하고, 고루 버무려서 술밑을 빚는다.

4. 밑술을 담았던 술독에 술밑을 담아 안치고, 예의 방법대로 하여 21일간 발 효시킨다.

* 주방문 말미에 "만약 맛을 달게 하려면 휘저어 합한 뒤에 건드리지 말아야 한다. 비록 물이 말라도 해로울 것은 없다. 날이 더울 때는 처음 술을 빚을 때

부터 즉시 술독을 물동이에 담가두는데, 때 맞춰 물을 바꿔줘서 항상 서늘하게 해 부패되는 것을 막아야 한다."고 하였다.

造粘酒法

粘米一升百洗杵爲細末作餠穿孔烹得熟取出放冷用細麴口末一升和合頓築務令均熟取缸大小可收一斗者淨洗待乾絶無水漬後納(之/空)七日味甘氣動別用粘米一斗百洗浸水漉出爛蒸將前所養酒本拌勻還入缸內三七日取用若要味甘者拌合(時)勿犯水雖乾燥無害也暑月則候初釀醋卽以酒缸浸水盆中(時)易水常令免致敗壞也.

4. 점주 <양주(釀酒)>

> 술 재료 : 밑술 : 찹쌀 1되, 가루누룩 1되, 물 1사발
> 덧술 : 찹쌀 9되, (끓여 식힌) 물(7~8되)

술 빚는 법 :

* 밑술 :

1. 찹쌀 1되를 백세하여 물에 담가 밤재워 불렸다가 (다시 씻어 헹궈서 물기를 뺀 후) 작말한다.
2. 솥에 1사발의 물을 붓고 끓이고, 쌀가루는 별도의 (따뜻한) 물 2~3홉 정도를 뿌려 섞고, 고루 치대어 익반죽하여 구멍떡을 빚는다.
3. 끓는 물솥에 구멍떡을 넣고 삶고, 익어서 떠오르면 제물에 차게 식기를 기다린다.
4. 구멍떡과 떡 삶은 물에 누룩가루 1되를 합하고, 고루 버무려 술밑을 빚는다.
5. 술밑을 술독에 담아 안치고, 예의 방법대로 하여 5일간 발효시킨다.

* 덧술 :

1. 찹쌀 9되를 백세하여 물에 담가 밤재워 불렸다가 (다시 씻어 헹궈서 물기를 빼 고) 시루에 안쳐서 무른 고두밥을 짓는다.

2. 고두밥이 익었으면 퍼내고, 고루 펼쳐서 차게 식기를 기다린다.

3. 밑술을 체에 거르되, (끓여 식힌) 물(7~8되)을 쳐가면서 (진이 빠지게 짜서) 탁주(막걸리) 1말을 만들어놓는다.

4. 물을 쳐서 거른 밑술과 고두밥을 합하고, 고루 버무려 술밑을 빚는다.

5. 술밑을 술독에 담아 안치고, 예의 방법대로 하여 발효시키고 익기를 기다 린다.

졈쥬

춥쏠 흔 되 빅셰흐야 밤재여 작말흐야 구무쩍 비저 물 흔 사발의 술마 물을 흔 가지로 식겨 국말 흔 되 합흐야 닷새 지내거든 춥쏠 아홉 되 빅셰흐야 밤 재여 닉게 쪄 식거든 뎐술을 걸어 흔 말 되게 흐야 교합흐야 둣다가 닉거든 쓰라.

5. 졈주 <양주방>*

> 술 재료 : 밑술 : 찹쌀 1되, 누룩가루 1되, 물 3되
> 덧술 : 찹쌀 1말, 살수물 1복자

술 빚는 법 :

* 밑술 :

1. 찹쌀 1되를 깨끗이 씻고 또 씻어(백세하여) 물에 담가 불렸다가 (다시 씻어 헹궈 건져서 물기를 뺀 후) 작말한다.

2. 쌀가루를 물 3되에 풀어 아이죽을 만든 후, 솥에 넣고 팔팔 끓여 죽을 쑨다.

3. 죽을 넓은 그릇에 퍼서 차게 식기를 기다린다.
4. 죽에 누룩가루 1되를 넣고, 고루 버무려서 술밑을 빚는다.
5. 술밑을 술독에 담아 안치고, 예의 방법대로 하여 알맞게 더운 데 두어 2일
   간 발효시킨다.

* 덧술 :
1. 찹쌀 1말을 깨끗이 씻고 또 씻어(백세하여) 물에 담가 하룻밤 불렸다가 (다
   시 씻어 헹궈 건져서 물기를 뺀 후) 시루에 안쳐서 고두밥을 짓는다.
2. 고두밥에서 한 김 나면 물 1복자를 고루 뿌려가면서 무르게 찐 다음, 고루
   펼쳐서 차게 식기를 기다린다.
3. 밑술을 고운체로 거르되 (끓여 식힌 물 2~3되를 섞어) 술찌꺼기를 제거한
   막걸리를 만들어놓는다.
4. 고두밥에 거른 밑술을 합하고, 고루 치대어서 술밑을 빚는다.
5. 술독에 술밑을 담아 안치고, 예의 방법대로 하여 21일간 발효시킨다.

* 주방문 말미에 "몹시 더운 때는 찬 데 두고, 봄가을에는 너무 덥지 않은 곳에
  놓았다가 세이레 뒤에 밥알이 뜬 뒤에 내어 쓰라."고 하였다. 밑술을 거를 때
  물을 쳐서 거르라는 말이 없으나, '세이레 뒤에 밥알이 뜬 뒤에 내어 쓰라.'고
  한 기록을 바탕으로 끓여 식힌 물 2~3되를 사용하였다.

졈쥬

졈미 두 되를 빅셰작말ᄒ야 물 서 되로 죽 쑤어 마이 치와 국말 ᄒᆞᆫ 되 섯거
너허 마초 더운 ᄃᆡ 두엇다가 이틀 만의 졈미 ᄒᆞᆫ 말 빅셰 ᄒ야 담가 밤재와 밥
ᄶᅵ디 물 ᄒᆞᆫ 복ᄌᆞ ᄲᅮ려 마이 쪄 치와 그 밋츨 ᄀᆞ는 체예 걸너 밥의 고로고로
섯거 너허 극열의ᄂᆞᆫ 춘ᄃᆡ 두고 츈츄의ᄂᆞᆫ 너므 덥지 아닌 ᄃᆡ 노핫다가 삼칠일
후 쓸낫 ᄯᅳᆫ 후의 ᄂᆡ여 쓰라.

6. 점주법 <양주방(釀酒方)>
–한 말 두 되 빚이

> 술 재료 : 밑술 : 멥쌀 1말, 가루누룩 5홉
>   덧술 : 찹쌀 2되, 끓여 식힌 물 1사발~1병

술 빚는 법 :

* 밑술 :

1. 멥쌀 1말 백세하여 (물에 담가 불렸다가, 고쳐 씻어 헹궈 건져서 물기를 뺀 후) 작말한다(가루로 빻는다).
2. 쌀가루를 따뜻한 물로 익반죽하고, 구멍떡을 빚는다.
3. 구멍떡을 끓는 물에 삶아서 익어 떠오르면 건져내고, (넓은 그릇에 퍼서 뚜껑을 덮어두었다가) 차게 식기를 기다린다.
4. 차게 식은 구멍떡에 (여러 날 햇볕에 바래어 깁체에 친) 가루누룩 5홉을 섞고, 고르게 오랫동안 힘껏 버무려 술밑을 빚는다.
5. 술밑을 독에 담아 안치고, 예의 방법대로 하여 3일(여름 2일)간 발효시킨다.

* 덧술 :

1. 밑술을 빚는 날, 찹쌀(2되)을 백세하여 물에 담가 3일간 불렸다가 (다시 고쳐 씻어 헹궈 건져서 물기를 뺀 후) 시루에 안치고 익게 찐다.
2. 물 1사발~1병을 끓여 차세 식히고, 고두밥도 익었으면 퍼내어 고루 펼쳐서 차게 식기를 기다린다.
3. 고두밥이 식었으면 식혀둔 물(달게 하려면 물을 넣지 말고, 쓰게 하려면 1사발, 더 쓰게 하려면 물 1병)을 함께 밑술에 섞고, 고루 버무려 술밑을 빚는다.
4. 술밑을 독에 담아 안치고, 예의 방법대로 하여 (여름에는 찬물 통에 담가) 7일간 발효시킨다.

* 주방문에 "달게 하려면 물을 넣지 말고, 쓰게 하려면 1사발, 더 쓰게 하려면 물 1병을 넣느니라."고 하여, 필요에 따라 끓여서 식힌 물을 덧술에 넣는 것으로 되어 있다. 또 "여름에 빚으면 찬물에 (술독을) 자주 차게 식히느니라."고 하고, "가장 더우면 (덧술을) 2일 만에 덮는다(빚는다)."고 하였다.

* 밑술을 빚을 때 차게 식은 구멍떡에 (여러 날 햇볕에 바래어 깁체에 친) 가루누룩으로 5홉을 섞고, 고르게 오랫동안 힘껏 버무려 술밑을 빚어야 실패가 없다.

졈쥬법

한 말 두 되 비지. 찹쌀 두 되를 빅세작말ᄒ야 구무떡비저 닉게 술마 식거든 ᄀᄅ누룩 한 되를 고로 섯거 비즈되 마즌 그릇시 너허 둧다가 수흘만의 고쳐시서 닉게 뼈 식거든 그 밋술의 고로 섯거 너흐되 달게 ᄒ랴면 물 말고 쓰게 ᄒ려면 물 한 ᄉ발이나 너코 더 쓰게 ᄒ려면 물 한 병을 넛느니라. 녀름의 비즈면 찬물의 ᄌ로 치오ᄂᆞ니라. ᄀ쟝 더우면 이틀만의 더프라.

7. 점주 <언서주찬방(諺書酒饌方)>

> 술 재료 : 밑술 : 멥쌀 1되, 누룩가루 1되, 떡 삶은 물(1되)
>
> 덧술 : 찹쌀 1말

술 빚는 법 :

* 밑술 :

1. 멥쌀 1되를 백세하여 (물에 담가 불렸다가, 다시 씻어 헹궈 건져서 물기를 뺀 후) 작말하여(가루로 빻아) 자배기에 담아놓는다.
2. 쌀가루를 뜨거운 물로 익반죽하고 많이 치댄 후, 3개로 나눠 손바닥만 한 구멍떡을 빚는다.

3. 솥에 물 1사발을 붓고 끓여서 구멍떡을 넣고 삶아 떡이 익으면(수면으로 떠
   오르면) 건져서 (뚜껑을 덮어) 차게 식기를 기다린다.
4. 식은 구멍떡에 좋은 누룩가루 1되를 고루고루 섞되, 떡 삶던 물(1되)을 (차
   게 식혀) 섞고, 다시 치대어 술밑을 빚는다.
5. 술밑을 술독에 담아 안치고, 예의 방법대로 하여 술독을 단단히 싸매고 4
   일간 발효시킨다.

* 덧술 :
1. 찹쌀 1말을 백세하여 물에 담가 하룻밤 불렸다가 (다시 씻어 헹궈 건져서 물
   기를 뺀 후) 시루에 안쳐서 무른 고두밥을 짓는다.
2. 고두밥이 익었으면 퍼내고, 고루 펼쳐서 차게 식힌다.
3. 고두밥에 밑술을 합하고, 고루 치대서 술밑을 빚는다.
4. 술밑을 술독에 담아 안치고, 예의 방법대로 하여 다시 부리를 단단히 싸매
   어 (21일간 발효시켜) 익으면 채주한다.

* 주방문 말미에 "날물기를 가장 금하고, 쇠그릇을 쓰지 말라."고 하였다. <산가
   요록>과 동일하다. <임원십육지>의 '동정춘'과도 유사하다.

졈쥬―白米―升 粘米―斗 麴―升
빅미 흔 되를 빅셰작말흐야 구무쩍 세흘 비저 믈 흔 사발애 술마 식거든 됴
흔 누룩ㄱ르 흔 되를 고로 섯거 쳐셔 쩍 숢던 믈조차 버므려 독의 녀허 든든
이 빠미야 나흘 만애 졈미 흔 말을 빅셰흐야 둠갓다가 밤 자거든 뼈 츠서든
젼술을 내여 고로 고로 섯거 독의 녀허 도로 빠미야 닉거든 드리우라. 늘믈
긔를 ㄱ장 금흐고 쇠그르술 쓰디 말라.

8. 점주법 <요록(要錄)>

> 술 재료 : 밑술 : 찹쌀 1되, 누룩가루 1되, (끓여 식힌 물 또는 시루밑물 2~3되)
> 덧술 : 찹쌀 1말

술 빚는 법 :

* 밑술 :

1. 찹쌀 1되를 백세하여 물에 담가 불렸다가, 다시 씻어 건져서 물기를 뺀다.
2. 불린 쌀을 시루에 안쳐서 고두밥을 지어 익었으면 퍼서 차게 식힌다.
3. 고두밥에 누룩가루 1되(끓여 식힌 물 또는 시루밑물 2~3되)를 섞고, 고루 버무려 술밑을 빚는다.
4. 술밑을 독에 담아 안치고, 예의 방법대로 하여 3일 정도 발효시킨다.

* 덧술 :

1. 찹쌀 1말을 백세하여 (새 물에 다시 씻어 건져서 물기를 뺀 다음) 시루에 안쳐서 무르게 고두밥을 짓는다.
2. 고두밥이 익었으면, 고루 펼쳐서 차게 식기를 기다린다.
3. 차게 식힌 고두밥에 밑술을 한데 합하고, 고루 버무려 술밑을 빚는다.
4. 술독에 술밑을 담아 안친 후, 예의 방법대로 하여 7일간 발효시켜 익기를 기다려 떠서 마신다.

* 주방문에 덧붙이기를 "이레(7일) 만에 익으면 맛이 기특하니라."고 하였다.
* 용수의 양이 나와 있지 않아 임의로 1~2되를 정량하였다. 밑술 3일, 덧술 7일 만에 익히려면 물은 2~3되 이상이 요구된다.

졈쥬법

춥뿔 흔 되 밥지어 국말 흔 되 석거 밋ᄒ여 닉거든 춥뿔 흔 말 밥터 식혀 덧터 두닐웻 만의 먹으면 마시 긔특ㅎ니라.

9. 점주 <음식디미방>

술 재료 : 밑술 : 멥쌀 1되, 가루누룩 1되, 물(3~4되)
　　　　 덧술 : 찹쌀 1말, 끓여 식힌 물 1말

술 빚는 법 :

* 밑술 :

1. 멥쌀 1되를 백세하여 하룻밤 물에 담가 불렸다가 (다시 씻어 건져) 작말한다.
2. (가마솥에 물 3~4되를 붓고 끓이다가 물이 뜨거워지면 2~3홉 정도를 떠서 쌀가루에 뿌리고 치대어 익반죽을 한다.)
3. (익반죽을 한 주먹씩 떼어) 구멍떡을 빚어 (물솥에 넣고) 삶는다.
4. (구멍떡이 익어서 떠오르면) 제물에 치대 죽처럼 만든 후, 하룻밤 재워 차게 식기를 기다린다.
5. 구멍떡에 가루누룩 1되를 섞고, 고루 버무려 술밑을 빚는다.
6. 술밑을 술독에 담아 안치고, 예의 방법대로 하여 2일간 발효시킨다.

* 덧술 :

1. 3일째 되는 날 아침에 찹쌀 1말을 백세하여(깨끗이 씻어) 물에 담가 불렸다가, 낮에 다시 씻어 헹궈서 물기를 뺀 후 시루에 안쳐 고두밥을 짓는다.
2. 고두밥을 찔 때 찬물을 뿌려주고, 뒤집어서 다시 한 김 오르게 푹 쪄서 익었으면, 날물기 없는 고리(소래기 같은 그릇)에 퍼내고, 그릇을 덮어 차게 식기를 기다린다.
3. 물 1말을 팔팔 끓여 물기 없는 그릇에 퍼 담고, 밤재워 차게 식기를 기다린다.
4. 차게 식힌 물에 발효가 끝난 밑술과 합하고, 체에 밭쳐 찌꺼기를 제거하여

막걸리를 만들어놓는다.

5. 고두밥에 탁주를 합하고, 덩어리를 풀어 고루 버무려 수반같이 술밑을 빚는다.

6. 술밑을 술독에 담아 안치고, 예의 방법대로 하여 7일간 발효시키면 술이 익는다.

졈쥬

빅미 흔 되 빅셰ᄒ여 밤자여 작말ᄒ여 구무썩 미ᄃ라 닉게 쓸마 제믈에 쳐 밤자여 ᄀᆞ른누록 흔 되를 흔ᄃᆡ 쳐 녀헛다가 사흘만 아젹의 춥쌀 흔 말 빅셰ᄒ여 듬갓다가 나죄 씨ᄃᆡ 믈 썬려 닉게 쪄 눌믈긔 업시 코고리예 퍼덥고 쓸흔 믈 흔 말 눌믈긔 업시 밤자여 그 믈에 밋술을 프러 녀흘 항을 쓸흔 믈에 부쉬여 체로 바타 밥의 섯거 서운ᄋᆞᆼ덩이룰 플고 밥몸이 므르게 말라 밥 섯근거시 슈판ᄆᆞ리ᄀᆞᆮ니 칠일 후 쓰ᄂᆞ니라.

10. 졈주 <주방문(酒方文)>

> 술 재료 : 밑술 : 멥쌀 1되, 누룩가루 8홉, 떡 삶은 물 1사발
>   덧술 : 찹쌀 1말, 물 5되

술 빚는 법 :

* 밑술 :

1. 멥쌀 1되를 백세하여 (물에 담갔다가 건져서) 작말한다.

2. 쌀가루를 뜨거운 물로 익반죽하여 물송편을 빚어 끓는 물에 삶아낸다.

3. 물 1사발을 끓여 물송편을 삶고, 익었으면 건져서 (멍울 없이 풀고) 차게 식기를 기다린다.

4. 떡에 곱게 빻은 누룩가루 8홉을 넣고, 떡 삶았던 물과 함께 고루 버무려서

술밑을 빚는다.

5. 술밑을 술독에 담아 안치고, 예의 방법대로 하여 4일간 발효시킨다.

* 덧술 :

1. 찹쌀 1말을 (백세하여 물에 담가 불렸다가 건져서) 시루에 안쳐서 고두밥을 짓는다.

2. 시루에서 한 김 나면, 고두밥에 찬물 5되를 고루 뿌려가면서 무르게 찐 다음 고루 펼쳐서 차게 식기를 기다린다.

3. 고두밥에 밑술을 합하고, 고루 버무려서 술밑을 빚는다.

4. 술독에 술밑을 담아 안치고, 예의 방법대로 하여 발효시킨다.

점쥬(粘酒)

빅미 흔 되 작말 구무쩍 비저 믈 흔 사발로 솔마 딕링ᄒ며 누록 팔 홉 ᄀ쟝 처 쩍 솔믄 믈조차 브어 나흘 후에 ᄎ뿔 흔 말 믈 닷 되 쩌려 니기 쪄 딕링ᄒ여 더프라.

11. 점주 우법 <주방문(酒方文)>

> 술 재료 : 밑술 : 찹쌀 1되, 누룩 1되
> 덧술 : 찹쌀 1말, 찬물 2사발, (끓여 식힌) 물 1사발

술 빚는 법 :

* 밑술 :

1. 멥쌀 1되를 (백세하여 물에 담갔다가 건져서) 시루에 안쳐서 고두밥을 짓는다.

2. (고두밥이 무르게 익었으면, 퍼내고 고루 펼쳐서 차게 식기를 기다린다.)

3. 고두밥에 누룩 1되를 합하고, 고루 버무려서 술밑을 빚는다.
4. 술밑을 술독에 담아 안치고, 예의 방법대로 하여 5~6일간 발효시킨다.

* 덧술 :
1. 찹쌀 1말을 (백세하여 물에 담가 불렸다가 건져서) 고두밥을 짓는다.
2. 시루에서 한 김 나면, 고두밥에 찬물 2사발을 고루 뿌려가면서 무르게 찐 다음 고루 펼쳐서 차게 식기를 기다린다.
3. 고두밥에 밑술을 합하고, 고루 버무려서 술밑을 빚는다.
4. 술독에 술밑을 담아 안치고, (끓여 식힌 물 1사발로 술그릇을 씻어서 술독에 담아 안친 후) 예의 방법대로 하여 (따뜻한 곳에서) 7일간 발효시킨다.

* 주방문 말미에 "매운 '졈주'는 고두밥을 쪄 열어 적 싯고, 다니는 싯지 말고……"라고 하여 "술을 독하게 하려면 고두밥을 퍼서 차게 식히고, 달게 하려면 식히지 말고 (물 없이) 빚으라."고 하였다.

졈쥬(粘酒) 또 흔 방문
ᄎᄲᆯ 흔 되 밥 지어 누록 흔 되로 밋ᄒᆞ여 다여쉔 만의 괴거든 ᄎᄲᆯ 흔 말 밥 ᄣᅵ되 믈 세 사발로셔 두 사발은 ᄣᅵ는 듸 고로고 흔 사발은 그릇 시어 비저 믈 즈로 ᄀᆞ라 치와 닐웨 후의 쓰라. 미온 졈쥬는 밥을 ᄣᅧ 여러 적 싯고 ᄃᆞ니는 싯지 말고 (물 없이 비즈라).

정향극렬주

스토리텔링 및 술 빚는 법

술이 상징하는 궁극의 이미지는 무엇보다 '향기(香氣)'라고 생각한다. 개인적인 견해일지도 모르나 "음주 후의 취흥(醉興)을 말할 때도 향취(香臭)를 최우선으로 하고, 이어 흥취(興趣)가 오르는데, 흥취를 진정으로 느끼고자 하는 이들에게서 정취(情趣)를 추구하는 것을 볼 수 있으며, 아취(雅趣)에 이르면 궁극에 도달했다."고 생각한다.

이것이 필자가 생각하는 진정한 풍류(風流)이다.

흔히 풍류객들이 술을 마실 때 '삼구색(三具色)'이니 '사미구(四美具)니 하는 것을 끌어들이고, 흥취가 오르면 시와 노래와 춤으로써 정취를 살리는데, 질펀한 듯 난잡한 듯하면서도 질서가 있고, 예를 흐트리지 않아 격조 있는 술자리가 이루어지는 것을 볼 수 있다.

숱한 전통주 가운데서도 <온주법(醞酒法)>의 '정향극렬주'는 아름다운 술의 향취로서 소위 '삼구색'을 갖췄다는 생각이 든다. <온주법>에 대해서는 수차례 언급했듯이 독특한 주품들을 수록하고 있는 문헌으로 '정향극렬주'도 이에 속한다고 하겠다. 자전풀이 그대로 '정향이 매우 강하다.'는 뜻을 담고 있다.

'정향극렬주'는 향기와 감칠맛, 특히 부드럽고 강한 향기로 애주가들을 사로잡기에 충분하다. 물론 애주가들 가운데서도 대주가(大酒家)들은 '그 맛이 지나치게 달아서 구미에 맞지 않는다.'고 할지 모르겠으나, 많이 마실 수 있는 술이 반드시 좋은 술이라고 할 수 없으며, 건강을 위해서도 과음을 삼가는 것은 상식이다.

<온주법>의 '정향극렬주'는 철저하리만큼 기본에 충실한 주방문을 보여주고 있다. 무엇보다 향기와 달고 부드러운 감칠맛을 얻기 위한 주방문이라는 점에서 중요하다는 생각을 떨칠 수가 없다.

특히나 뛰어난 정향은 우리 술에서 즐길 수 있는 방향 중에서도 좀처럼 얻기가 힘들다는 사실을 안다면, '정향극렬주' 주방문을 다른 시각에서 살펴볼 필요가 있다. 주방문을 보면 알 수 있듯이, 밑술과 덧술에서 고두밥을 사용함으로써 다른 주방문보다 비교적 간편하다.

그러나 누룩은 쌀 양의 3%, 술 빚는 물의 양은 4.5%로 덧술 과정이 꽤 힘들다는 것을 짐작할 수 있다. 그런 의미에서 <이씨(李氏)음식법>과 <침주법(浸酒法)>의 '청향주(淸香酒)'는 매우 수월한 주품이라는 생각이 든다.

'정향극렬주'를 빚는 요령을 설명하자면, 밑술의 고두밥은 살수를 많이 하여 찌거나 뜸을 오랜 시간 들여서 무른 고두밥이 되게 쪄야 한다. 또한 고두밥은 차게 식히지 말고 온기가 남게 식혀야 수분이 많아져서 술을 빚기가 수월하다. 물도 팔팔 끓여서 차게 식힌 후에 그 양을 계량하여 1되를 사용하는 것이 요령이다.

'정향극렬주'에 사용되는 물의 양은 밑술에 사용되는 1되가 전부이기 때문에 가능한 한 물의 양을 최대한 확보할 필요가 있다. 이는 결국 밑술의 양에 반영되어 덧술을 빚는 일과 연관된다는 것을 명심해야 한다.

'정향극렬주'는 밑술을 비교적 서늘한 곳에서 발효시키는데, 술이 끓어오르면 차게 식혀두었다가 상온에 두고 사용하는 것을 원칙으로 한다. '정향극렬주'처럼 누룩과 물의 양이 극히 적게 사용되는 술 빚기에서 성공의 비결이자, 덧술을 성공적으로 이끄는 비결은 이 밑술 과정에 달려 있다고 해도 과언이 아니다.

'정향극렬주'의 덧술은 고두밥을 찔 때 다른 술보다 냉수(冷水) 살수(撒水)를 많이 하여 찌고, 센 불에서 오랜 시간 뜸을 푹 들여서 무른 고두밥을 만들어야 한다. 그리고 발효 시 또는 숙성과정에서 술이 쉬지 않게 하려면, 고두밥을 반드시 얼음같이 차게 식혀서 사용해야 한다.

덧술 고두밥이 준비되면 밑술과 섞고, 고루 섞이도록 치대야 한다. 밑술 양이 적은 술 빚기에서 자주 실패하는 이유가 밑술과 덧술의 '혼화(混和)'가 잘 이루어지지 못한 데서 초래된다는 사실을 간과하기 쉽기 때문이다.

때문에 고두밥이 빠른 시간 내에 밑술을 흡수해 당화와 발효가 진행되도록 도와줄 필요가 있으며, 이를 위해서는 단순히 섞거나 버무리는 차원이 아닌, 힘껏 치대야 한다. 이때 주의할 점은 고두밥이 완전히 뭉개지거나 인절미처럼 늘어진 떡이 되어서는 안 된다는 것이다.

밑술과 덧술을 치대다 보면 처음에는 매우 부드럽다가 점차 끈기가 생기고 뻑뻑해지다가 어느 순간 갑자기 술밑이 부드러워지는 것을 느낄 수 있다. '정향극렬주'는 이때가 술밑을 술독에 담아 안칠 적기이다. 술독은 여러 겹의 베보자기를 사용하여 술독의 주둥이를 단단히 밀봉하고, 김이 새어나가지 않게 해 비교적 따뜻한 곳에 앉혀서 이불이나 담요로 싸매주어야 한다.

'정향극렬주'의 주방문에는 "7일 후 맛이 향렬하나니라."고 했다. 이는 덧술의 발효기간이 7일밖에 안 된다는 것으로, 앞서와 같은 방법이 아니면 7일 만에 술을 익히는 일은 절대 불가능하다는 사실을 명심해야 한다.

특히 "맛이 향렬하다."는 표현은 향기도 있지만 알코올 도수가 높은 술이 되어야 향기도 강하게 나타난다고 했을 때, 덧술을 안친 술독의 보쌈과 따뜻한 곳에서의 발효는 절대적이라고 할 것이다. 물론 술을 익히는 방법이나 향기를 살리는 법, 알코올 도수를 올리는 방법은 여러 가지 다양한 기술이 요구되지만, 필자의 오랜 경험으로는 앞서의 방법 외에 그 어떤 노력도 허사였다는 점을 참고하기를 바란다.

정향극렬주 <온주법(醞酒法)>

술 빚는 법 :

* 밑술 :

1. 찹쌀 1되를 백세하여 (물에 담갔다가 다시 씻어 건져서 물기를 뺀 후) 시루에 안쳐서 고두밥을 짓는다.

2. 고두밥이 익었으면 시루에서 퍼내고, 돗자리에 고루 펼쳐놓는다(뜨거운 김만 나가게 식힌다).

3. 고두밥에 누룩가루 7홉, 끓여 식힌 물 1되를 한데 합하고, 고루 버무려 술밑을 빚고 식기를 기다린다.

4. 술밑을 술독에 담아 안치고, 예의 방법대로 하여 서늘한 데서 3일간 발효시킨다.

* 덧술 :

1. 찹쌀 1말을 백세하여 (물에 담갔다가 다시 씻어 건져서 물기를 뺀 후) 시루에 안쳐서 고두밥을 짓는다.

2. 고두밥이 익었으면 시루에서 퍼내고, 자리에 고루 펼쳐서 차게 식기를 기다린다.

3. 고두밥에 밑술을 한데 합하고, 고루 버무려 술밑을 빚는다.

4. 술밑을 술독에 담아 안치고, 예의 방법대로 하여 서늘한 데서 7일간 발효시킨다.

* 주방문 말미에 "7일 후 맛이 향렬하나니라."고 하였다.

뎡향극녈듀

덤미 일 승 빅셰ᄒ야 닉게 쪄 국말 칠 홉 탕슈 일 승 섯거 차거든 너허 서늘흔 듸 두어 삼일 만이 덤미 일 두 빅셰ᄒ야 닉게 쪄 치와 젼슐의 섯거 칠일 후 마시 향녈ᄒ니라.

정향주

스토리텔링 및 술 빚는 법

'정향주(丁香酒)'는 <수운잡방(需雲雜方)>과 <온주법(醞酒法)>에서 찾아볼 수 있는 주품이다. '정향주'에 대한 기록을 앞의 두 문헌에서만 볼 수 있다는 얘기는 그만큼 '정향주'에 대해 알려진 바가 많지 않다는 뜻이다.

따라서 '정향주'에 대한 특징이나 의미, 술 빚는 방법을 <수운잡방>이나 <온주법>의 주방문을 통해서만 찾을 수밖에 없는데, 두 문헌에 수록된 주방문이 상이해서 특별한 특징이나 공통점을 발견하기도 쉽지가 않다는 데 문제가 있다.

그런데 한 가지 단초를 <지봉유설(芝峯類說)>과 <온주법>에서 찾을 수 있었다. 다름 아니라 이수광의 문집 <지봉유설>에 '정향주(程鄕酒)'라는 주품명을 볼 수 있고, <온주법>에 수록된 '정향극렬주' 주방문이 등장하고 있다.

'정향주(程鄕酒)'는 정향(丁香)과는 전혀 다른 의미이며, <온주법>에 수록된 '정향극렬주' 주방문이 '정향주' 주방문과 거의 같다는 것이다.

따라서 '정향극렬주'와 '정향주'의 주방문에 나타나는 공통점을 통해 '정향주'에 대한 특징을 이해할 수 있을 듯하다.

첫째, 두 주방문의 밑술에 사용되는 물의 양이 각각 '끓여 식힌 물 1되'와 '끓여 식힌 물 2되'로 차이가 있을 뿐, 술 빚는 원료의 종류나 양, 쌀을 가공하는 방법, 그리고 누룩의 양까지 동일하다. 결국 물의 양이 많고 적음에 따라 '정향극렬주' 또는 '정향주'로 지칭된다는 사실에서 두 주품은 한 가지 주방문에서 파생되었을 거라는 추측을 하기에 이른다.

둘째, <수운잡방>과 <온주법>의 '정향주'는 주방문이 서로 상이하고, 주원료의 종류나 양에 있어서도 차이가 많아 두 문헌의 주방문을 통해서는 공통점을 발견하기 힘들다는 점이다. <수운잡방>의 '정향주'는 멥쌀 1되를 백세작말하고 쌀가루를 익반죽하여 구멍떡을 만들어 삶은 후, 물 없이 누룩가루 1되를 섞어 밑술을 빚는 반면, <온주법>에서는 찹쌀 1되를 백세하여 고두밥을 짓고, 끓여 식힌 물 2되와 누룩가루 7홉을 사용하고 있다. 덧술의 경우에도 <수운잡방>에서는 멥쌀 1말로 고두밥을 짓는데, 이때 찬물 1사발을 여러 차례 뿌려서 무르고 부드러운 고두밥을 짓는 반면, <온주법>에서는 찹쌀 1말로 고두밥을 짓는다 하여, 두 문헌의 주방문에 많은 차이를 보이고 있다.

이렇듯 두 문헌의 주방문은 전혀 다르다고 할 수 있음에도 주품명에서 '정향주'라고 표기되어 있는 만큼, 굳이 공통점을 찾는다면 술 빚는 물이 거의 사용되지 않는다는 점이라 하겠다.

다만, <온주법>의 주방문 말미에 "극열의 빗ᄂ니라."고 하여, 이 술이 한여름 또는 따뜻한 곳에서 발효시키는 '고온발효법(高溫醱酵法)'으로 이루어지는 주품임을 알 수 있다.

이상 두 가지 측면에서 생각해 볼 때, <수운잡방>의 '정향주'는 멥쌀로 빚고 그 양을 적게 사용하는 대신 물을 사용하지 않음으로써 '정향'의 향기를 살리는 방법을 보여주고 있으며, 찹쌀로 빚는 <온주법>의 '정향주'는 멥쌀과 동량의 찹쌀을 사용하는 대신 물의 사용을 최소화함으로써 향기 좋은 술을 얻고자 하는 목적으로 작성된 주방문이라 하겠다.

또한 이러한 주방문을 통해 구현하려고 애쓴 향기가 한약재이면서 오향(五香)의 하나로 꼽히는 '정향'으로, 고온발효법을 차용하고 있다는 게 특징이라 할 만하다. 이와 유사한 양주기법으로 빚는 주품명으로는 '감향주'나 '하향주'를 참고하면 더욱 이해가 빠를 것이다. 더 나아가 <온주법>의 '정향주'보다 더욱 진한 향기를 얻고자 물 양을 더 줄인 주방문이 '정향극렬주'라는 주방문으로 나타나고 있다는 사실을 확인하기에 이른다.

지금까지 '정향극렬주'를 통해 '정향주'의 주품명에 대한 의미와 특징, 술 빚는 법을 살펴보았으나, '정향주'에 대한 특징과 의미 부여는 아직 시기상조라는 생각을 떨칠 수가 없다.

다만 '정향주'와 '정향극렬주'를 통해 다시 한 번 우리 술의 다양성과 가능성을 엿볼 수 있었다. 특히 미묘한 차이로도 맛이나 향기, 색깔 등 다양한 변화를 가져온다는 점이 우리 전통주만의 특징이 아닐까 싶다.

1. 정향주 <수운잡방(需雲雜方)>

술 재료 : 밑술 : 멥쌀 1되, 누룩가루 1되
　　　　　 덧술 : 멥쌀 1말, 살수 물 1사발

술 빚는 법 :
* 밑술 :
1. 멥쌀 1되를 백세하여 새 물에 담가 하룻밤 재웠다가 (다시 씻어 헹궈 건져서) 작말한다(가루로 빻는다).
2. 쌀가루를 따뜻한 물로 익반죽하여 구멍떡을 빚는다.
3. 솥에 물을 넉넉히 붓고 팔팔 끓여 구멍떡을 넣고 무르게 삶아 떠오르면 건져내는 대로 짓이겨 인절미처럼 만들고, 차게 식기를 기다린다.
4. 인절미처럼 만든 떡에 밤이슬을 맞혀 법제한 누룩 1되를 넣고, 고루 힘껏 치대어 술밑을 빚는다.
5. 작은 술독에 술밑을 담아 안치고, 예의 방법대로 하여 3일간 발효시킨다.

* 덧술 :

1. 3일째 되는 날 멥쌀 1말을 백세하여 하룻밤 담가 불렸다가 (다시 씻어 헹궈 건져서 물기를 뺀 뒤) 시루에 안쳐서 고두밥을 짓는다.

2. 고두밥에서 한 김 나면 물 1사발을 여러 차례 나누어 뿌려 무르게 찌고, 익었으면 퍼내고 고루 펼쳐서 차게 식기를 기다린다.

3. 고두밥에 밑술을 쏟아 붓고, 힘껏 고루 버무려 술밑을 빚는다.

4. 술독에 술밑을 담아 안치고, 예의 방법대로 하여 따뜻한 곳에서 21일간 발효시킨다.

* 주방문 말미에 "오래 둘수록 맛이 달다. 술독은 햇살이 들지 않는 곳에 둔다."고 하였다. <지봉유설>에는 '정향주(程鄕酒)'로 표기되어 있음을 볼 수 있다.

丁香酒

白米一升百度洗淨經宿作末作孔餠爛熟待冷麴一升曝露和納小器第三日白米一斗百洗經宿以水一鉢爛熟爲限酒蒸待冷和本酒納缸置溫處三七日後用之愈久則味愈甘置處不犯日遊所在. 下同.

2. 정향주 <온주법(醞酒法)>

술 재료 : 밑술 : 찹쌀 2되, 누룩가루 7홉, 끓여 식힌 물 2되
          덧술 : 찹쌀 2말

술 빚는 법 :

* 밑술 :

1. 찹쌀 1되를 가려서 백세하여 (물에 담갔다가 다시 씻어 건져서 물기를 뺀

후) 시루에 안쳐서 고두밥을 짓는다.

2. 고두밥이 익었으면 시루에서 퍼내고, 돗자리에 고루 펼쳐놓는다(뜨거운 김만 나가게 식힌다).

3. 고두밥에 누룩가루 7홉, 끓여 식힌 물 2되를 한데 합하고, 고루 버무려 술밑을 빚어 차게 식기를 기다린다.

4. 술밑을 술독에 담아 안치고, 예의 방법대로 하여 서늘한 곳에서 3일간 발효시킨다.

* 덧술 :

1. 찹쌀 1말을 백세하여 (물에 담갔다가 다시 씻어 건져서 물기를 뺀 후) 시루에 안쳐서 고두밥을 짓는다.

2. 고두밥이 익었으면 시루에서 퍼내고, 자리에 고루 펼쳐서 차게 식기를 기다린다.

3. 고두밥에 밑술을 한데 합하고, 고루 버무려 술밑을 빚는다.

4. 술밑을 술독에 담아 안치고, 예의 방법대로 하여 서늘한 곳에서 7일간 발효시킨다.

* 주방문 말미에 "7일 후 뜨면 맛이 향렬하나니라."고 하였다. 앞의 '정향극렬주' 주방문과 비교하면 물의 양만 다를 뿐이다.

뎡향듀

뎜미 일 승 굴희야 빅셰ᄒ여 닉게 쪄 국말 칠 홉 탕슈 이 승 섯거 츠거든 항의 너허 서늘한 듸 두고 삼일 후 뎜미 일 두 빅셰ᄒ여 밥 쪄 치와 젼술의 섯거 칠일 후 쓰면 마시 향녈ᄒ니라. 극열의 빗ᄂ니라.

주방

스토리텔링 및 술 빚는 법

<주찬(酒饌)>에서 매우 독특한 주방문을 볼 수 있는데, '주방(酒方)'이라는 주품명이 그렇다. 이 주방문을 술 빚는 방법으로 보아야 할지, 아니면 주품명에 따른 주방문으로 이해해야 좋을지 고민이 되었다.

'주방'은 <주방(酒方)>*이라는 문헌 명칭이기도 하거니와, 다른 문헌에서는 "술 빚는 방법"을 의미하고 있기 때문이다. 그런데도 <주찬>에서는 '주방'이라고 하여 주방문도 함께 수록하고 있는데, 그 방법이 매우 특별하다.

그간 수백 가지의 주방문을 바탕으로 술을 빚어보고 그 맛이나 향기를 감상해 왔지만, '주방'과 같은 주방문은 목격하지 못했다.

이를테면 술을 빚는 데 사용되는 쌀의 양과 누룩의 양이 각각 1되(一升)씩이라는 점과 쌀을 여러 차례 나누어 씻는데 그때마다 쌀을 씻는 물을 버리지 않고 다시 끓여서 사용한다는 점이 특징이라 하겠다.

주지하다시피 "술 빚을 쌀은 백세(百洗)한다."고 하였고, 그 이유가 발효에 불필요한, 다시 말해 발효를 억제하는 쌀의 영양성분과 이물질, 나쁜 냄새를 물로 씻어 제거하는 것이 그 목적인데, '주방'에서는 그 물을 끓여서 사용하고 있다는 것이다.

그런 측면에서 언뜻 떠오르는 주품명으로 두 가지가 있다. '주방'을 수록하고 있는 <주찬>을 비롯해 <군학회등(群學會騰)>, <동의보감(東醫寶鑑)>, <양주방>*, <홍씨주방문> 등에 수록되어 있는 단양주법(單釀酒法)의 '백화춘'이 그 것이고, <동의보감>을 비롯하여 <감저종식법>, <고사신서(攷事新書)>, <군학회등>, <농정회요(農政會要)>, <민천집설(民天集說)>, <산림경제(山林經濟)>, <산림경제촬요(山林經濟撮要)>, <임원십육지(林園十六志)>, <주찬>, <증보산림경제(增補山林經濟)>, <해동농서(海東農書)> 등에 수록된 '석임' 또는 '부본(腐本)', '주본(酒本)'이 그것이다. 하지만 '백화춘'과 '석임' 또는 '부본'은 쌀을 씻을 때 나온 뜨물은 버리고, 침지 과정의 쌀을 담갔던 물을 사용한다는 점에서 차이가 있다.

'주방'의 주방문을 보면, "멥쌀 1되를 물 1사발에 깨끗이 씻어 건지고, 물은 큰 그릇에 담아놓고, 한 번 씻은 쌀에 다시 물 1사발을 붓고 깨끗이 씻어 건진 후, 다시 건져내고 남은 물은 먼저 그릇에 담아놓는다. 이와 같이 모두 10회 반복하는데, 쌀은 건져 작말하고 맨 마지막에 쌀 씻은 물은 따로 담아둔다. 쌀 씻었던 물 9사발에 쌀가루를 넣고, 죽을 쑤어 차게 식기를 기다렸다가 마지막에 받아둔 쌀 씻은 물과 누룩가루 1되를 합하고, 고루 버무려 술밑을 빚는다."고 하였다.

이처럼 9차례 씻은 뜨물은 쌀가루와 합하여 죽을 쑤는데, 마지막에 씻은 뜨물은 날물인데도 끓인 죽과 함께 섞어 술을 빚는 데 사용하고 있다는 점은 술을 빚는 일반적인 상식과는 배치된다.

'주방'의 술맛은 여느 단양주와 별반 차이가 없다. 술 빛깔도 깨끗하지 못하고, 발효 중에는 거품과 같은 부유물이 많은 것을 볼 수 있다.

다만, 여느 단양주와 달리 매우 독특한 향기를 느낄 수 있는데, 솔직히 그렇게 권장할 만한 향기는 아니다.

주방 <주찬(酒饌)>

술 재료 : 멥쌀 1되, 누룩가루 1되, 물 10사발

술 빚는 법 :

1. 멥쌀 1되를 물 1사발에 깨끗이 씻어 건지고, 물은 큰 그릇에 담아놓는다.

2. 한 번 씻은 쌀에 다시 물 1사발을 붓고 깨끗이 씻어 건진 후, 다시 건져내고 남은 물은 먼저 그릇에 담아놓는다.

3. 이와 같이 모두 10회 반복하는데, 쌀은 건져 작말하고 맨 마지막에 쌀 씻은 물은 따로 담아둔다.

4. 쌀 씻었던 물 9사발을 끓이다가 따뜻해지면 쌀가루를 풀어 넣고, 주걱으로 저어주면서 팔팔 끓는 죽을 쑤어 차게 식기를 기다린다.

5. 죽에 마지막에 받아둔 쌀 씻은 물과 누룩가루 1되를 합하고, 고루 버무려 술밑을 빚는다.

6. 술독에 술밑을 담아 안치고, 예의 방법대로 하여 발효시킨다.

酒方

白米一升水一碗淨洗注水別器中如是者九次後第十次一碗水則又別注他器後搗米作細末以九碗水作粥待冷以好曲末一升別注水一碗與粥調釀待熟用之. 又租一斗浸於水一斗數日後烝出亂搗仍烝熟出而浸水釀之待熟燒注則酒出六七升而其味極烈.

죽엽주

'죽엽주(竹葉酒)'는 '술 빛깔이 죽엽과 같다.'고 하여 이름 붙여진 술로, 주방문에 따라서는 '죽엽춘(竹葉春)'으로 불리기도 한다. 주재료로 죽엽을 넣어 빚는 방법도 있다. '죽엽주'는 크게 순곡주(純穀酒)와 약용약주(藥用藥酒)로 분류할 수 있으며, 순곡주는 다시 청주(淸酒)와 탁주(濁酒)로 구별되는 주방문을 엿볼 수 있다.

'죽엽주'에 대한 기록은 <산가요록(山家要錄)>을 비롯해 <양주방>*, <양주방(釀酒方)>, <양주집(釀酒集)>, <언서주찬방(諺書酒饌方)>, <역주방문(曆酒方文)>, <요록(要錄)>, <음식디미방>, <임원십육지(林園十六志)>, <조선무쌍신식요리제법(朝鮮無雙新式料理製法)>, <현풍곽씨언간주해(玄豊郭氏諺簡注解)> 등의 여러 문헌에 '죽엽주법', '죽엽주방', '죽엽춘방', '듀엽주법' 등으로 기록되어 있다. 문헌에 따라 약간씩 다르게 수록되어 있음을 볼 수 있다.

여기서는 약용약주로 분류되거나 '죽엽춘'으로 명기된 주품을 제외한 순곡주로서 '죽엽주'를 대상으로 다루고자 한다.

순곡주 '죽엽주'를 수록하고 있는 양주 관련 문헌 가운데 시대적으로 가장 앞선 기록은 <산가요록>으로 <언서주찬방>의 주방문이 <산가요록>과 동일하다는 점에서 '죽엽주'의 원형으로 볼 수 있겠다.

<산가요록>에 "白米一斗 細末作餠 熟蒸待冷. 以米麴末一升五合. 湯水三瓶 待冷. 和入待熟. 白米五斗 細末蒸之. 和前酒入瓮堅封. 不令泄氣 四七日後. 上淸 取貯別器."라 하였고, <언서주찬방>에서도 "빅미 흔 말을 빅셰작말ㅎ야 썩 믄드라 닉게 뼈 츠거든 쌀누룩ㄱㄹ 흔 되 닷 홉과 글혀 치온믈 세 병을 섯거 독의 녀허 둔ᆞ이 짜미야 닉거든 빅미 닷 말을 빅셰 작말ㅎ야 닉게 뼈 식거든 섯거 녀코 ㄱ장 두터운 죠희로 싸야 긔운이 나디 몯ㅎ게 ㅎ야 닐웨후제 우희 믈그니랑 흐그르세 퍼 옴기고 가온대 믈그니랑 또 닷그르세 옴기고 미틔 처디니는 마시 니화쥬 곧ㄴ니 믈 뼈 머그라. 오라도 마시 변티 아니ㅎㄴ니."라 하였다. 쌀가루로 백병을 만들어 쪄서 식힌 후, 끓여 식힌 물과 쌀누룩가루를 섞어 밑술을 빚고, 멥쌀가루로 떡을 쪄서 밑술과 합하여 덧술을 하는 방법을 보여주고 있다.

<산가요록>보다 훨씬 후기의 문헌인 <음식디미방>에는 '멥쌀로 고두밥 찌고 끓여 식힌 물과 누룩을 섞어 서늘한 곳에서 20일간 익힌 밑술에 찹쌀고두밥과 밀가루를 섞어 덧술을 하여 두면, 7일 후에 술빛이 댓잎 같고 맛이 향기롭다.'고 하였다.

<요록>에서는 "백미 4말을 백 번 씻어서 물에 담가 두었다가 다음날 잘 쪄서 익힌 후에 식기를 기다려 끓인 물 9사발에 누룩가루 7되를 섞어서 모두 항아리에 넣고 서늘한 곳에 놓아두고 20일이 지난 뒤에 백미 5되를 밥 지어 식은 후에 밀가루 1되와 섞어서 항아리에 섞어 넣는다. 7일이 경과한 후 그 빛깔이 대나무 잎 같고 그 맛이 달고 향기로우면 그대로 마신다."고 하여 탁주 빚는 방법을 수록하고 있다.

시대 미상의 <양주집>의 '죽엽주'는 위의 여러 기록과는 또 다르다. 밑술을 범벅(죽)으로 빚고, 덧술은 고두밥과 끓는 물을 섞어 식힌 뒤, 밑술과 합하여 빚는 독특한 방법이고, <양주방(釀酒方)>의 '죽엽주'는 <양주집>과 동일한 과정으로 이루어지는데, 밑술과 덧술에서 밀가루를 사용하고 있다는 점에서 차이가 있다.

<역주방문>과 <양주방>*의 '죽엽주'는 동일한 주방문을 보여주고 있는데, <산

가요록>이나 <언서주찬방>과 비교해 보면 주원료의 배합비율과 밑술 빚는 법은 같으나, 덧술 빚는 방법이 매우 상이하다는 걸 알 수 있다.

한편, <현풍곽씨언간주해>의 '죽엽주'는 유일하게 단양주법이며, 특히 "수워레 엿귀를 쓰더 방하애 지허 므레 섯거 항의 녀헛다가 흔들 마늬 그 무를 처예 바타 그 믈로 기우레 섯거 누룩 드듸어 픠워 믈뢴 후에"라고 하여 특별히 여뀌를 짓찧어 만든 즙액으로 빚어 띄운 전용 누룩으로 사용하고 있다는 점에서 죽엽주의 술 색깔과 관련하여 중요한 단서가 된다. 또 찹쌀로 지은 고두밥과 여름철에도 냉수를 사용하여 빚는다는 점에서 큰 차이를 보여주고 있다.

원료 배합비율이나 술 빚는 법과 관련해 <양주방(釀酒方)>과 <양주집>, <현풍곽씨언간주해> 등의 '죽엽주'는 청주를 빚기 위한 주방문이고, <산가요록>을 비롯해 <양주방>*, <언서주찬방>, <역주방문>, <요록>, <음식디미방> 등의 나머지 주방문들은 탁주를 얻기 위한 주방문이라는 점에서 주방문마다의 차이점을 파악할 수 있다.

이처럼 '죽엽주'의 주방문은 다양한 형태를 띠고 있고, 원료의 배합비율이나 쌀 가공방법 등에서 많은 차이를 나타내고 있어 그 특징을 규정하기가 매우 어렵다.

여하튼 '죽엽주'를 빚음에 있어 염두에 두어야 할 일은, 죽엽을 사용하든 그렇지 않든 간에 '죽엽주'는 감미롭고 향기로울 뿐만 아니라, 특히 술 빛깔이 댓잎처럼 매우 엷은 연둣빛을 연상할 만큼 맑고 밝아야 한다는 점이다.

'죽엽주'의 특징을 잘 나타내기 위해서는 쌀의 양보다 물의 양이 적어야 한다. 누룩가루의 양은 10% 이하로 대개는 5% 정도가 주를 이룬다. 특히 덧술을 멥쌀로 사용하는 경향을 띠므로 적은 양의 밑술과 많은 양의 고두밥을 버무릴 때 충분히 혼화가 이루어진 후에 술독에 담아 안쳐야 실패하는 일이 없다.

'죽엽주'는 사대부들 사이에서도 시주풍류(詩酒風流)와 완상(玩賞)의 대상이었다. 고려 말엽의 문신(文臣)이자 시인(詩人)으로도 유명했던 이색(李穡, 1328~1396)의 <목은선생문집(牧隱先生文集)>에 수록된 "유두모임에서 읊다(詠流頭會)"라는 시(詩)를 살펴보자. '죽엽주'의 향기와 마신 후의 흥취를 노래하고 있음을 볼 수 있다.

爽然今日自無邪(상쾌한 오늘 저절로 사악한 것이 없어진 듯한데)
冷徹肝腸絶滓查(간장肝腸을 깨끗이 하여 찌꺼기를 없앴네.)
灩灩玉杯傾竹葉(옥잔에 넘치도록 '죽엽주'를 기울이고)
深深銀鉢吸瓊花(은그릇에서 깊은 경화瓊花 향을 마시네.)

또한 조선 중기 문신이었던 이안눌(李安訥, 1571~1637)의 <동악선생집>에는 "8월 28일 경술일에 길주 좌수 김경헌, 좌수 최명인, 유생 이극성, 유생 김익겸이 술을 싣고 찾아와서, 소를 잡고 머물며 마셨다. 9월 2일 계축일에 떠났다. 부족하나마 근체시 2수를 지어 그 후의에 감사드리다(八月二十八日庚戌 吉州金座首景憲 崔座首命仁 與二生克誠 金生益謙 載酒來訪 宰牛留飲 至九月初二日癸丑 乃去 聊題近體二首 以謝其厚意云爾)"라는 제목의 다음과 같은 시가 있다.

戊午金君癸亥崔(무오생인 김군과 계해생 최군이)
還携甲戌李生來(갑술생 이생을 데리고 왔네.)
牛心大爵周家炙(소의 심장을 주씨 집에서 구워 우걱우걱 씹고)
竹葉深斟杜老盃'(죽엽주竹葉酒'를 두씨 노인의 잔에다 가득 따랐네.)
誰向艱難情爛熳(누가 어려울 때에 마음이 부드러워지는가?)
却敎憔悴醉踅趨(초췌한 모습이 도리어 활기차게 취하네.)
感君相訪題時日(그대 방문함에 감격하여 시를 지을 때에)
八月初闌九月回(8월이 막 지나고 9월이 돌아오네.)
秋天跋涉歷脩情(가을에 산 넘고 물 건너 긴 여정을 지나)
牛酒留連慰客情(술과 안주로 놀며 나그네의 마음을 위로했네.)
舞態偏憐長李逸(나이 든 이씨의 춤추는 모습은 빼어나게 어여쁘고)
歌聲乘喜小金清(젊은 김군의 노래 소리는 기쁘고 맑네.)

이상의 시편들을 통해서 사대부들이 '죽엽주'를 마시면서 통음(痛飲)을 하고 취흥이 오르면 시를 짓고 춤과 노래로써 음풍농월하는 모습을 엿볼 수 있다.
특히 '죽엽주'를 마시는 시기가 8월 하순과 9월 초순 사이의 가을 추석 무렵이라는 사실에서 양주(釀酒) 시기도 짐작할 수 있어 <동악선생집>은 좋은 참고자료가 되고 있다.

1. 죽엽주 <산가요록(山家要錄)>
−쌀 6말 빚이

술 재료 : 밑술 : 멥쌀 1말, 쌀누룩가루 1되 5홉, 끓여 식힌 물 3병
　　　 덧술 : 멥쌀 5말

술 빚는 법 :

* 밑술 :

1. 멥쌀 1말을 (백세하여 물에 담가 불렸다가, 다시 씻어 건져서 물기를 뺀 후) 고운 가루로 빻는다(넓은 그릇에 담아놓는다).
2. 쌀가루를 뜨거운 물로 익반죽하고, (한 주먹씩 떼어) 납작한 떡을 빚는다.
3. 떡을 시루에 안쳐 푹 쪄낸 다음, (넓은 그릇에 담고 뚜껑을 덮어) 차게 식기를 기다린다.
4. 물 3병을 팔팔 끓였다가 차게 식힌 다음, 식은 떡과 쌀누룩가루 1되 5홉을 합하고, 고루 버무려서 술밑을 빚는다.
5. 술독에 술밑을 담아 안치고, 예의 방법대로 하여 발효시키고 익기를 기다린다.

* 덧술 :

1. 멥쌀 5말을 (백세하여 물에 담가 불렸다, 다시 씻어 건져서) 고운 가루로 빻는다.
2. 쌀가루를 시루에 안치고 무른 떡을 찌고, 떡이 익었으면 시루에서 퍼내어 (한 김 나게 식혔다가) 밑술에 섞어 넣는다.

3. 술독은 예의 방법대로 하여 김이 새지 않게 단단히 밀봉하고, 28일간 발효
   시킨 후 맑아지기를 기다린다.
4. 맨 위의 맑은 술을 따라내어 다른 그릇에 보관하고, 또 맑아지면 따라내어
   함께 저장한다.

竹葉酒

米六斗. 白米一斗 細末作餅 熟蒸待冷. 以米麴末一升五合. 湯水三甁 待冷. 和
入待熟. 白米五斗 細末蒸之. 和前酒入甕堅封. 不令泄氣 四七日後. 上淸 取貯
別器. 又淸 又取貯. 其滓 和水飮之 雖久不變其味.

2. 죽엽주 <양주방>*

> 술 재료 : 밑술 : 멥쌀 1말, 누룩가루 1되 5홉, 물 3되(병)
>
> 덧술 : 멥쌀 5말

술 빚는 법 :

* 밑술 :

1. 희게 쓿은 멥쌀 1말을 깨끗이 씻고 또 씻어 (백세하여 물에 담가 불렸다가,
   다시 씻어 건져서 물기를 뺀 후) 작말하여 시루에 안쳐서 백설기를 짓는다.
2. 백설기가 익었으면 퍼내고, 고루 펼쳐서 차게 식기를 기다린다.
3. 물 3병을 팔팔 끓여서 차게 식힌 다음, 백설기와 누룩가루 1되 5홉을 넣고
   고루 버무려 술밑을 빚는다.
4. 술밑을 술독에 담아 안치고, 예의 방법대로 하여 단단히 싸매어 4~5일간
   발효시킨다.

* 덧술 :

1. 밑술이 익으면 희게 쓿은 멥쌀 5말을 깨끗이 씻고 또 씻어 (백세하여 물에 담가 밤재워 불렸다가, 다시 씻어 헹궈 건져서) 물기를 뺀다.
2. 끓는 물솥에 시루를 올리고, 불린 쌀을 안쳐서 고두밥을 무르게 짓는다.
3. 고두밥을 고루 펼쳐서 차게 식힌 다음, 밑술을 섞고 고루 버무려 술밑을 빚는다.
4. 술밑을 술독에 담아 안치고, 예의 방법대로 하여 단단히 싸매서 7일간 발효시킨다.
5. 7일 후 맑은 청주를 다른 그릇에 떠내고, 다음으로 맑은 술을 또 다른 그릇에 떠낸다.
6. 맑은 술을 떠내고 남은 술찌꺼기를 체에 밭쳐 물을 타서 마신다. 그 맛이 '이화주'와 같으며, 오래 두어도 변하지 않는다.

죽엽쥬

빅미 흔 말 빅셰작말ᄒᆞ야 닉게 쪄 치우고 쓸힌 물 셰 병을 치와 국말 되 가옷과 셧거 독의 너코 단단이 싸믹야 두엇다가 닉거든 빅미 닷 말 빅셰ᄒᆞ야 닉게 쪄 츠거든 밋슐의 버무려 너허 단단이 싸믹야 두엇다가 칠일 후 믉은 거슨 다란 그르싀 쓰고 밋히 쳐진 거슨 물의 타 먹으면 니화쥬 ᄀᆞ흔 마시 오라도록 변치 아니 ᄒᆞᄂᆞ니라.

3. 죽엽주법 <양주방(釀酒方)>
–엿 말 빚이

술 재료 : 밑술 : 멥쌀 2말, 가루누룩 2되, 밀가루 1되, 끓는 물 4말
　　　　　덧술 : 멥쌀 4말, 가루누룩 2되, 밀가루 1되, 끓인 물 8말

술 빚는 법 :

* 밑술 :

1. 멥쌀 6말 희게 쓿어 2말을 (백세하여 물에 담가 불렸다가, 다시 씻어 건져서 물기를 뺀 후) 작말한다(가루로 빻는다).

2. 쌀가루를 넓은 그릇에 퍼서 담아 끓는 물 4말을 고루 붓고, 주걱으로 익게 개어 범벅을 쑨다(차게 식기를 기다린다).

3. (차게 식은) 범벅에 가루누룩 2되와 밀가루 1되를 한데 섞고, 고루 버무려 술밑을 빚는다.

4. 술밑을 독에 담아 안치고, 예의 방법대로 하여 발효시켜서 술밑이 괴면 덧술을 준비한다.

* 덧술 :

1. 밑술이 괴는 것을 보아가면서 멥쌀 4말을 (백세하여) 물에 하룻밤 담갔다가, (다시 고쳐 씻어 건져서 물기를 뺀 후) 시루에 안치고 익게 찐다.

2. 솥에 물 8말을 끓이다가 고두밥이 익었으면 퍼내어 넓은 그릇 여러 개에 나눠 담고, 끓는 물 8말을 고루 붓고 헤쳐 놓는다.

3. 고두밥이 물을 다 빨아먹거든(배거든), 다시 (찬물로) 씻어서(헹궈서) 차게 식기를 기다린다.

4. 고두밥에 가루누룩 2되와 밀가루 1되, 밑술을 한데 섞고, 고루 버무려 술밑을 빚는다.

5. 술밑을 독에 담아 안치고, 예의 방법대로 하여 발효시킨 다음 익으면 떠서 마신다.

* 주방문에는 밑술에 있어 "멥쌀 6말 희게 쓿어 2말을 (백세하여) 가루로 빻는다."고 하여 '백세'나 '침지'에 대해 언급하지 않았다. 또 덧술에서도 "고두밥을 익게 쪄서 끓는 물 4말을 고루 붓고 익게 개어"라고만 되어 있지 '차게 식히라.'는 말이 없다. 뿐만 아니라 "끓는 물에 골화 막 배거든 다시 씻어(고두밥)"라고 하여 날물이나 끓인 물로 헹구라는 것인지, 식히라는 것인지 정확히 알 수 없다. 주방문 말미에 "쌀 엿 말에 물 열두 말 드느니라."고 하였다.

죽엽쥬법

엿 말 비지. 빅미 엿 말을 희게 쓸허 두 말 작말ᄒᆞ야 쓸힌 물 너 말의 ᄀᆞ여 ᄀᆞᄅᆞ누록 두 되 진ᄀᆞᄅᆞ 한 되 섯거 너헛다가 괴거든 나문 쓸 너 말을 담가 둣다가 하로봠 지나거든 닉게 뼈 물 여듧 말 쓸혀 그 밥의 골라 막 배거든 다시 ᄒᆞ서 ᄀᆞᄅᆞ누록 두 되 진ᄀᆞᄅᆞ 한 되 ᄒᆞ야 그 밋히 섯거 닉거든 드리워 쓰라. 쓸 엿 말의 물 열두 말 드ᄂᆞ니라.

4. 죽엽주 <양주집(釀酒集)>

술 재료 : 밑술 : 멥쌀 5말, 좋은 누룩 7되, 물 10말
　　　　　덧술 : 멥쌀 5말, 끓는 물 10말

술 빚는 법 :

* 밑술 :

1. 멥쌀 5말을 백세하여 (물에 담가 불렸다가, 새 물에 다시 씻어 맑게 헹궈 건져서 물기를 뺀 후) 세말한다(고운 가루로 빻는다).
2. 솥에 물 10말을 끓이다가 물이 뜨거워지면 쌀가루를 풀어 아이죽을 만들고, 팔팔 끓여 죽을 쑨 후 넓은 그릇 여러 개에 나눠 담고 차게 식기를 기다린다.
3. 차게 식은 죽에 좋은 누룩 7되를 한데 섞고 고루 힘껏 치대어 술밑을 빚는다.
4. 술독에 술밑을 담아 안치고, 예의 방법대로 하여 5~6일간 발효시킨다.

* 덧술 :

1. 멥쌀 5말을 백세하여 (물에 담가 불렸다가, 새 물에 다시 씻어 맑게 헹궈 건져서 물기를 뺀 후) 시루에 안쳐서 고두밥을 짓는다.
2. 솥에 물 10말을 끓이다가 고두밥이 익었으면 넓은 그릇 여러 개에 나눠 담고, 끓는 물을 한데 합해 고루 섞어놓는다.

3. 고두밥이 물을 빨아먹었으면, 고루 헤쳐서 차게 식기를 기다린다.

4. 고두밥에 밑술을 쏟아 붓고, 고루 버무려 술밑을 빚는다.

5. 술독에 술밑을 담아 안치고, 예의 방법대로 하여 발효시켜 익는 대로 채주한다.

竹葉酒

白米 五斗 百洗 細末ᄒᆞ야 믈 열 말노 죽 쑤어 차거든 됴흔 누록 일곱 되을 고로 버므려짜가 五六日 만이 白米 五斗 百洗ᄒᆞ야 밥을 닉게 쪄 쓸인 믈 열 말이 골화 식거든 밋술이 섯거다가 닉거든 쓰라.

5. 죽엽주 <언서주찬방(諺書酒饌方)>

술 재료 : 밑술 : 멥쌀 1말, 쌀누룩가루 1되 5홉, 끓는 물 3병

  덧술 : 멥쌀 5말

술 빚는 법 :

* 밑술 :

1. 멥쌀 1말을 백세하여 (물에 담가 불렸다가, 다시 씻어 헹궈 건져서 물기를 뺀 후) 작말하여(가루로 빻아) 자배기에 담아놓는다.

2. 쌀가루를 뜨거운 물로 익반죽하고 많이 치댄 후, 개떡처럼 만들어 시루에 올려서 익게 쪄낸다.

3. 물 3병을 팔팔 끓여서 차게 식히고, 쪄낸 떡도 (마르지 않게 뚜껑을 덮어) 차게 식기를 기다린다.

4. 식혀둔 물에 쪄낸 개떡과 쌀누룩가루 1되 5홉을 한데 합하고, 고루 버무려 술밑을 빚는다.

5. 술밑을 술독에 담아 안치고, 예의 방법대로 하여 단단히 싸매서 발효시킨

후 익으면 덧술한다.

* 덧술 :
1. 멥쌀 5말을 백세하여 (물에 담가 불렸다가, 다시 씻어 헹궈 건져서 물기를 뺀 후) 작말한다(가루로 빻는다).
2. 불린 쌀을 시루에 안치고, 떡을 익게 쪄내고 (덩어리를 풀고 넓게 펼쳐서) 차 게 식기를 기다린다.
3. 차게 식은 떡을 밑술과 섞고, 고루 치대어 술밑을 빚는다.
4. 술밑을 술독에 담아 안치고, 예의 방법대로 하여 가장 두터운 종이로 싸매 어 더운 기운이 나가지 못하게 하여 7일간 익힌다.
5. 7일 후에 제일 위가 맑아졌으면 그릇 하나에 퍼서 옮겨두고, 가운데 맑은 술 은 또 다른 그릇에 퍼 옮긴다.
6. 제일 밑의 처진 술은 마시면 '이화주' 같으니 물을 타 마신다.

* 주방문 말미에 "오래 두어도 맛이 변치 아니하느니라."고 하였다.

듁엽쥬(竹葉酒)—白米六斗 麴一升半
빅미 흔 말을 빅셰작말ᄒᆞ야 쩍 믄드라 닉게 쪄 츠거든 쌀누룩ᄀᆞᄅᆞ 흔 되 닷 홉 과 글혀 치온 믈 세 병을 섯거 독의 녀허 둣ᅌᅵ 빠미야 닉거든 빅미 단 말을 빅셰작말ᄒᆞ야 닉게 쪄 식거든 섯거 녀코 ᄀᆞ장 두터운 죠희로 빠미야 긔운이 나디 몯ᄒᆞ게 ᄒᆞ야 닐웨 후제 우희 믈그니랑 흔 그르세 퍼 옴기고 가온대 믈그 니랑 쏘 닷그르세 옴기고 미틔 처디니ᄂᆞᆫ 마시 니화쥬 ᄀᆞᆮᄂᆞ니 믈 빠 머그라 오 라도 마시 변티 아니ᄒᆞᄂᆞ니.

6. 죽엽주방 <역주방문(曆酒方文)>

술 재료 : 밑술 : 멥쌀 1말, 누룩가루 3되, 끓여 식힌 물 3병
　　　　　덧술 : 멥쌀 5말

술 빚는 법 :

* 밑술 :

1. 멥쌀 1말을 백세하여 (물에 백 번 씻어 매우 깨끗하게 헹군 뒤, 새 물에 담가 불렸다가 다시 씻어 말갛게 헹궈서 물기를 뺀 다음) 작말한다(가루로 빻는다).

2. 쌀가루를 시루에 안쳐서 떡을 찌고, 떡이 익었으면 넓은 그릇에 퍼내고 고루 펼쳐서 차게 식기를 기다리고, 물 3병도 달여서(끓여서) 다시 차게 식힌다.

3. 떡과 누룩가루 3되를 합하고 고루 버무린 다음, 다시 끓여 식힌 물 3병에 합하고, 고루 버무려서 술밑을 빚는다.

4. 술밑을 술독에 담아 안치고, 술독 주둥이에 묻은 것을 깨끗하게 씻어내어 베보자기를 씌운 다음, 뚜껑을 덮어 발효시켜 익기를 기다린다.

* 덧술 :

1. 멥쌀 5말을 백세하여 (새 물에 담가 불렸다 다시 씻어 말갛게 헹궈서) 물기를 뺀다.

2. 불린 쌀을 시루에 안쳐서 무른 고두밥을 찌고, 고두밥이 익었으면 넓은 그릇에 퍼내고 고루 펼쳐서 차게 식힌다.

3. 고두밥에 밑술을 합하고, 고루 치대어 술밑을 빚는다.

4. 술밑을 술독에 담아 안치고, 술독 주둥이에 묻은 것을 깨끗하게 씻어낸 후 두터운 기름종이를 두텁게 씌워 밀봉하여 김이 새지 않게 한 다음 7일간 발효시킨다.

5. 7일이 지난 후에 가장 위에 뜬 맑은 술을 떠서 다른 병에 담아두고, 중간에

있는 청주를 떠서 또 다른 병에 담아놓는다.

6. 술독 맨 아래에 있는 찌꺼기를 떠서 물에 타 마시면 맛이 '이화주'와 같다.

竹葉酒方

白米二斗百洗作末濃蒸候冷和勻曲末三升調合於煮而冷水三瓶盛于甕中堅褁
以置待熟又收白米五斗百洗濃蒸候冷同釀於上酒本以厚紙堅封勿令泄氣七日
後最取上浮淸移盛他器次中淸酒又移他器最下滓和水飮之味同梨花酒.

7. 죽엽주 <요록(要錄)>

> 술 재료 : 밑술 : 멥쌀 4말, 누룩가루 7되, 끓여 식힌 물 9사발
>
>   덧술 : 멥쌀 5되, 밀가루 1되

술 빚는 법 :

* 밑술 :

1. 멥쌀 4말을 백세하여 물에 하룻밤 담가 불렸다가, 다시 씻어 건져서 물기를 뺀다.

2. 불린 쌀을 시루에 안쳐 무른 고두밥을 짓고, 익었으면 고루 펼쳐 차게 식기를 기다린다.

3. 고두밥에 끓여 식힌 물 9사발과 누룩가루 7되를 합하고, 고루 버무려 술밑을 빚는다.

4. 술독에 술밑을 담아 안치고, 예의 방법대로 하여 서늘한 곳에 두고 20일간 발효시켜 익기를 기다린다.

* 덧술 :

1. 멥쌀 5되를 백세하여 새 물에 담가 불렸다가, 다시 씻어 건져서 물기를 뺀다.

2. 쌀을 시루에 안쳐 고두밥을 짓고, 익었으면 고루 펼쳐 차게 식기를 기다린다.

3. 고두밥에 밀가루 1되와 함께 밑술에 합하고, 고루 버무려 술밑을 빚는다.

4. 술밑을 술독에 담아 안치고, 예의 방법대로 하여 7일간 발효시킨다.

5. 7일 후에 술을 뜨면 그 빛깔이 대나무잎 같고, 그 맛이 달고 향기로우면 거르지 않고 그대로 떠서 마신다.

* <음식디미방>에서 동일한 주방문을 엿볼 수 있다.

竹葉酒

白米四斗百洗浸宿爛蒸待冷熟水九鉢麴末七升和入置凉處待二十日白米五升爛炊待冷眞末一升交合和入瓮經七日其色如竹其味香芳不上(槽戶)飮.

8. 죽엽주 <음식디미방>

> 술 재료 : 밑술 : 멥쌀 4말, 누룩가루 7되, 끓여 식힌 물 9사발
> 덧술 : 찹쌀 5되, 밀가루 1되

술 빚는 법 :

* 밑술 :

1. 멥쌀 4말을 백세하여 물에 하룻밤 담가 불렸다가 (다시 씻어 헹궈서 건져 물기를 뺀 후) 시루에 안쳐 무른 고두밥을 짓는다.

2. 고두밥이 무르게 익었으면, 퍼내어 고루 펼쳐서 차게 식기를 기다린다.

3. 물 9사발을 팔팔 끓였다가 차게 식힌 다음, 고두밥과 누룩가루 7되를 합하고, 고루 버무려서 술밑을 빚는다.

4. 술밑을 술독에 술밑을 담아 안치고, 예의 방법대로 하여 서늘한 곳에서 20일간 발효시킨다.

* 덧술 :

1. 찹쌀 5되를 백세하여 물에 하룻밤 담가 불렸다가 (다시 씻어 헹궈서 건져 물기를 뺀 후) 시루에 안쳐 무른 고두밥을 짓는다.
2. 고두밥이 무르게 익었으면, 퍼내어 고루 펼쳐서 차게 식기를 기다린다.
3. 고두밥에 밑술과 밀가루 1되를 합하고, 고루 버무려서 술밑을 빚는다.
4. 술독에 술밑을 담아 안치고, 예의 방법대로 하여 7일간 발효시킨다.

* 주방문 말미에 "빛깔이 댓잎 같고 맛이 향기로우니라."고 하였다. 밑술의 발효기간이 20일이나 된다. 따라서 아주 서늘한 곳에 두어 발효시키는 주의가 필요하다.

듁엽쥬

빅미 너 말 빅셰ᄒ여 즘가 자혀 므르게 쪄 식거든 ᄭ혀 식은 믈 아홉 사발애 국말 닐곱 되 섯거 독의 녀허 서늘ᄒ ᄃᆡ 둣다가 스므날 만애 ᄎᆞᆸ쌀 닷 되 므르게 쪄 식거든 진말 ᄒᆞᆫ 되 섯거 녀허 닐웬 만이면 비치 대닙 ᄀᆞᆺ고 마시 향긔로오니라.

9. 죽엽주(듀엽주법) <현풍곽씨언간주해(玄豊郭氏諺簡注解)>

누룩 재료 : 여뀌(한 움큼), 통밀(5되), 물(2되)
술 재료 : 찹쌀 1말, 가루누룩(누룩가루) 1되 7홉, 물 1말 3되

누룩 빚는 법 :

1. 4월에 여뀌를 뜯어 방아에 찧어 물과 섞어 항아리에 담아 1개월간 방치해 놓는다.
2. 1개월 후에 여뀌와 물을 체에 밭쳐 찌꺼기를 버리고 여뀌즙액만 취한다.

3. 통밀을 씻어 말린 후에 맷돌에 갈아 가루를 내고, 통밀가루와 섞어서 치대어 반죽을 한다.

4. 반죽을 누룩틀에 채워 다지고, 발로 단단히 밟아 누룩밑을 만든다.

5. 누룩밑을 틀에서 빼내고, 살짝 건조시킨 후에 볏짚이나 약쑥에 묻어 7~15일간 띄운다.

6. 누룩을 꺼내서 겉면을 솔로 털어내고, 햇볕에 내어 건조와 탈취를 시킨다.

7. 술 빚기 3~4일 전에 거칠게 빻아 법제를 한 후, 다시 고운 가루로 빻는다.

술 빚는 법 :

1. 찹쌀 1말을 (물에 백 번 씻어서 말갛게 헹군 후 다시 물에 담가 불렸다가, 다시 살짝 씻어 말갛게 헹군 다음) 소쿠리에 밭쳐 물기를 뺀다.

2. 불린 쌀을 시루에 안쳐서 찐다(무르게 고두밥을 찌고 익었으면, 퍼내고 고루 펼쳐서 차게 식기를 기다린다).

3. 고두밥에 가루누룩 1되 7홉과 냉수 1말 3되를 섞고, 고루 버무려 술밑을 빚는다.

4. 소독하여 물기를 없이 하여 건조시킨 술독에 술밑을 담아 안치고, 술독 주둥이에 묻은 것을 깨끗이 닦아내고, 베보자기와 뚜껑을 덮어 3일간 발효시킨다.

5. 술 빚은 지 3일 만에 술이 끓어오르면, 막대(죽젓광이)로 서너 번 휘저어 끓어오르던 술밑이 가라앉게 하고, 베보자기를 씌워 (찬 곳으로 옮겨) 놓는다.

6. 술이 숙성되어 맑아지면 채주하여 마신다.

＊ 특별히 누룩을 만들어 '죽엽주'를 빚는 과정을 볼 수 있다는 점에서 죽엽주의 술 색깔과 관련하여 중요한 단서가 된다.

듀엽주법

슈워레 엿귀를 뜨더 방하애 지허 브레 섯거 항의 녀헛다가 흔들 마니 그 무를 처예 바타 그 믈로 기우레 섯거 누룩 드디어 띄워 물뢴 후에 ᄎᆞᆯ 흔마를

실릐 뼈셔 ᄀᆞ른누룩 ᄒᆞᆫ 되 칠 홉 춘믈 ᄒᆞᆫ 말 서되예 섯거 비젓다가 사흔 마늬 괴거든 막대로 서너 번 저어 괴던 거시 뻐디거든 브려 둣다가 묽거든 쓰되 밥을 ᄀᆞ장 ᄎᆞ게 식켜 비즈라.

죽엽춘

스토리텔링 및 술 빚는 법

'죽엽춘(竹葉春)'은 여느 주품들과는 주방문이 다르다. 여느 주방문들이 청주를 얻기 위해 이루어진 데 반해, '죽엽춘'은 의도적으로 고급 탁주를 얻기 위한 주방문이기 때문이다. 따라서 '죽엽춘'은 고급 탁주로 분류할 수 있다.

'죽엽춘'이 고급 탁주를 얻기 위한 주방문이라는 근거로 '죽엽춘'에 사용되는 주원료의 비율과 술 빚는 방법, 그리고 주방문 말미에 언급된 내용을 들 수 있다.

우선 <임원십육지(林園十六志)>와 <조선무쌍신식요리제법(朝鮮無雙新式料理製法)>에서 '죽엽춘'의 기록을 찾을 수 있다. <산가요록(山家要錄)>과 <언서주찬방(諺書酒饌方)>에서도 <임원십육지>와 동일한 주방문을 볼 수 있는데, 이들 기록에는 '죽엽주'로 수록되어 있고, <양주방>*과 <역주방문(曆酒方文)>의 '죽엽주'는 주원료의 배합비율은 같으나, 밑술과 덧술 빚는 방법에서 각각 차이가 있다. 그러므로 여기서는 <임원십육지>와 <조선무쌍신식요리제법>에서 '죽엽춘'으로 명기된 주품만을 다루고자 한다.

<임원십육지>의 주방문에 따른 '죽엽춘'은 멥쌀 6말의 비율에 술 빚는 물은 3

병에 그친데다 술 빚을 쌀을 흰무리떡을 만들어 사용하고 있다.

주지하다시피 청주를 얻기 위한 주방문의 공통점은 흰무리떡이나 백설기 등의 떡이 아니라, 쪄서 만든 고두밥을 사용한다는 게 기본이다. 그런데 '죽엽춘'은 쌀가루로 흰무리떡이나 물송편을 만들어 밑술을 빚고, 덧술은 공통적으로 흰무리떡을 사용해 상대적으로 물의 비율이 낮아 술이 익더라도 고두밥으로 빚는 술보다 맑지가 않다는 결론에 도달한다.

또한 주방문 말미에 "향기와 맛이 다른 술과 견주기 어렵다. 오래 두어도 변하지 않는다."고 하고, "술 색깔이 죽엽과 같다."고 하였다. 여기서 '술 색깔이 죽엽과 같다'는 표현은 청주의 술 빛깔이 아니다. '죽엽춘'과 같이 쌀에 비해 물의 비율이 적은 술일수록 술 빛깔은 꿀에 가까운 황금색을 띠기 마련이나, 오랜 시간에 걸쳐 가라앉히다 보면 공기와의 산화(酸化)에 의해 마른 댓잎 같은 색깔을 얻을 수 있다. 이러한 연유로 '죽엽춘'이 고급 탁주라고 하는 것이다.

한편 <조선무쌍신식요리제법>의 '죽엽춘'은 <임원십육지>의 주방문과 또 다르다. 밑술은 흰무리떡이 아닌 구멍떡을 빚어 쪄낸 개떡 형태이고, 덧술은 그 방법이나 과정이 동일하지만 쌀 양이 <임원십육지>의 10%인 5되밖에 안 되는 것으로 되어 있다. 따라서 <조선무쌍신식요리제법>의 주방문에 기록된 덧술의 쌀 양은 5되가 아닌 5말일 가능성이 높다. 그도 그럴 것이 "술이 익으면 위에 고인 맑은 술 1그릇을 떠내고 가운데 맑은 술 1그릇을 떠낸다."고 한 것으로 미뤄볼 때 '죽엽춘'의 농담(濃淡)과 청주의 양을 짐작할 수 있다.

다시 말해 쌀 1말 5되에 물 3병(1말)의 비율로 빚은 술의 상태나 술 빛깔이 아니라는 것이다. 또 <조선무쌍신식요리제법>의 주방문에 맑은 술을 떠낸 후의 "밑에 찌끼는 '리화주' 같이 물을 쳐 먹으면 향기롭고 아름다우리라. 이 술이 오래 되어도 맛이 변치 않고 빛이 항상 대닢 같으니라."고 하여 걸쭉한 형태의 술이 되려면, 덧술의 쌀 양이 5말이라야 한다.

결국 <조선무쌍신식요리제법>의 '죽엽춘'은 술 빚기에 사용하는 물의 양을 최소화하고, 덧술 쌀을 백세작말한 후 쪄서 만든 흰무리떡으로 빚음으로써 그 맛이 진하고 향기로우며 걸쭉한 탁주를 얻을 목적으로 빚는 술임을 알 수 있다.

이처럼 '죽엽춘'은 주방문에 기록된 '맛과 향기, 색깔'에 대한 묘사처럼 매력을 느낄만한 술이긴 하지만, 그 과정이 매우 힘들고 까다롭다. 무엇보다 덧술 과정은 숙련된 사람도 꺼릴 정도로 까다롭고 힘들다는 사실에서 '죽엽춘'이 고급 주품으로서 위상을 떨치긴 했지만, '동정춘'과 같은 춘주류(春酒類)에서 보듯 대중적인 술로는 자리매김하지 못했던 것 같다.

<임원십육지>에 수록된 '죽엽춘'의 밑술을 빚을 때는 쌀가루에 물을 뿌리지 말고 체에 내려 안쳐서 질지 않게 찌도록 하고, 흰무리떡을 온기가 남게 식혀서 끓여 식힌 물에 합하되, 떡을 재빨리 손으로 직접 주물러서 덩어리가 남지 않게 풀어주어야 한다.

또 구멍떡으로 빚을 때는 삶아낸 구멍떡을 짓이겨서 한 덩어리가 되게 만든 다음, 끓여서 식힌 물에 합하여, 떡이 물을 충분히 흡수하도록 기다렸다가 떡이 차디차게 식었으면 누룩가루를 넣고 버무린다. 이때도 덩어리가 남지 않게 풀어주어야 한다.

<조선무쌍신식요리제법>의 '죽엽춘' 밑술은 쌀가루를 익반죽하여 시루에 쪄낸 개떡 형태로 만들어서 사용하는데, 쪄낸 떡은 삶은 떡보다 수분이 적어서 쉬이 굳어 누룩과 섞기가 힘들어질 수 있으므로, 차게 식기 전에 식혀둔 물에 풀어서 죽처럼 만든 뒤 사용해야 한다.

'죽엽춘'을 빚기가 힘들다는 말은 밑술 과정도 그렇지만, 덧술 과정 때문이라고 해도 무리가 아닐 정도로 세심한 주의와 인내력을 요구한다. 덧술은 5말의 쌀을 가루로 빻아 흰무리떡을 쪄야 하는데, 그 양이 많다보니 자칫 떡이 질어지거나 설익을 수 있기 때문에 무엇보다 흰무리떡을 고루 익히는 게 중요하다. 고르게 잘 익힌 흰무리떡은 뜨거울 때 가능한 한 잘게 쪼개서 반드시 차게 식힌 후, 밑술과 합하여 고루 버무려야 한다. 날씨가 차갑거나 밑술독을 찬 곳에 보관하여 술밑이 차가울 경우, 흰무리떡에 온기를 남겨서 사용하는 것도 요령이다. 덧술 역시 밑술과 같이 덩어리가 남아서는 안 된다.

위의 두 문헌에는 '죽엽춘'의 발효기간이 28일로 되어 있으나, 실제로는 40여 일이 소요된다. 40일 이후라야 주면에 맑게 고인 청주를 볼 수 있는데, 손가락 한 마디 정도의 깊이밖에는 되지 않아 맑은 청주를 떠내다 보면 그 양이 2식기(1되, 1.8~2ℓ) 안팎에 그친다.

하지만 2식기 정도 되는 청주를 얻었다고 해서 '죽엽춘'을 청주로 보기에는 무리가 있기에 탁주로 분류하는 게 옳다는 판단이다.

'죽엽춘'은 청주와 탁주의 맛과 향기가 전혀 다를 만큼 뚜렷한 차이를 느낄 수 있다. 특히 청주의 부드러운 맛과 진한 방향은 '동정춘'을 연상케 할 정도로 말로 형용하기 어렵다. 반면 경험상 '죽엽춘'에 용수를 박아두고 오랜 시간 청주를 떠내고 남은 찌꺼기를 맛본 결과, 뻑뻑할 정도로 진미가 있으나 텁텁한 맛이 강해 물을 타서 마셔야 했다. 주방문에도 "그 맛이 '이화주' 같다."고 하였으나 혀끝에 닿는 느낌이 훨씬 거칠다는 느낌을 감출 수 없었다.

조선시대 문신이자 시인으로 유명했던 고경명(高敬命, 1533~1592)의 <제봉집>에 "을해년(1574) 11월 26일에 숙공·창로·태가 등이 내 집 아이들과 함께 경신일 밤을 지키게 되었다(乙亥仲冬念六 叔恭 暢老 泰可 與兒輩作庚申)"는 제하의 시가 있는데,

雙眼如魚坐達晨(두 눈을 고기 눈처럼 뜨고 새벽까지 앉았는데)
老來長是守庚申(늙어지니 경신을 지키는 것도 길기만 하네.)
憑君試遣三彭伏(그대를 믿고 삼팽이 숨기를 바라니)
催瀉山盃竹葉春(산에서 '죽엽춘' 술잔을 비우라고 재촉하네.)

라고 하여 '죽엽춘'이 등장하는 것을 볼 수 있다. 이는 '죽엽춘'이 고급 탁주로서 사대부와 반가의 상비주(常備酒)로 자리 잡았다는 사실을 확인할 수 있게 해 준다.

1. 죽엽춘방 <임원십육지(林園十六志)>

술 재료 : 밑술 : 멥쌀 1말, 누룩가루 1되 5홉, 끓는 물 3병
　　　　　 덧술 : 멥쌀 5말

술 빚는 법 :

* 밑술 :

1. 멥쌀 1말을 (백세하여 물에 담가 불렸다가, 다시 씻어 건져서) 세말한다.

2. 쌀가루를 시루에 안쳐 흰무리떡을 폭 쪄낸다(고루 펼쳐서 덩어리를 잘게 쪼
   갠 다음, 차게 식기를 기다린다).

3. 물 3병을 팔팔 끓였다가 (차게 식힌 다음) 누룩가루 1되 5홉, 식은 흰무리떡
   을 한데 합하고, 고루 버무려서 술밑을 빚는다.

4. 술독에 술밑을 담아 안치고, 예의 방법대로 하여 발효시켜 익기를 기다린다.

* 덧술 :

1. 멥쌀 5말을 (백세하여 물에 담가 불렸다가, 다시 씻어 건져서 물기를 뺀 후)
   시루에 안치고 무른 떡을 짓는다.

2. 흰무리떡이 익었으면 시루에서 퍼낸다(고루 펼쳐서 뜨거운 김만 나가게 식
   힌다).

3. (따뜻한) 흰무리떡을 밑술에 섞고, 고루 버무려 술밑을 빚는다.

4. 술밑을 술독에 담아 안치고, 술독은 예의 방법대로 하여 김이 새지 않게 단
   단히 밀봉하여 발효시킨다.

5. 술 빚은 지 28일이 지나 맑아진 후, 맑은 술을 따라내어 그릇에 보관하고, 또
   맑아지면 따라내어 다른 그릇에 저장한다.

6. 청주를 떠낸 술찌꺼기는 이화주와 같은데, 물과 섞어 마신다.

* 주방문 말미에 "향기와 맛이 다른 술과 견주기 어렵다. 오래 두어도 변하지
  않는다."고 하고, "술 색깔이 죽엽과 같다."고 하였다.

竹葉春方

白米一斗細末作餠熟烝以麴末一升五合湯水三瓶和釀待熟白米五斗細末熟烝
和納後紙封口使不洒氣四七日上淸汲一器中淸又汲一器下滓如梨花酒和水飮
之香美此酒雖久味不變色常如竹葉. <三山方>.

2. 죽엽춘 <조선무쌍신식요리제법(朝鮮無雙新式料理製法)>

술 재료 : 밑술 : 멥쌀 1말, 누룩가루 1되 5홉, 끓인 물 3병
　　　　 덧술 : 찹쌀 5되(말)

술 빚는 법 :

* 밑술 :

1. 멥쌀 1말을 (백세하여 물에 하룻밤 담가 불렸다가, 다시 씻어 건져서) 세말
   한다.
2. 쌀가루를 뜨거운 물로 익반죽하여 무른 송편(구멍떡)을 빚는다.
3. 빚은 떡을 시루에 안쳐서 쪄낸 다음, 뚜껑을 덮어 차게 식기를 기다린다.
4. 물 3병을 팔팔 끓였다가 차게 식힌 다음, 식은 떡과 누룩가루 1되 5홉을 합
   하고, 고루 버무려서 술밑을 빚는다.
5. 술독에 술밑을 담아 안치고, 예의 방법대로 하여 서늘한 곳에서 2~3일간
   발효시킨다.

* 덧술 :

1. 찹쌀 5되(말)를 (백세하여 물에 하룻밤 담가 불렸다가, 다시 씻어 건져서)
   세말한다.
2. 쌀가루를 시루에 안쳐서 설기떡을 쪄낸 다음, 잘게 풀어서 차게 식기를 기
   다린다.
3. 설기떡을 밑술과 합하고, 고루 버무려서 술밑을 빚는다.
4. 술독에 술밑을 담아 안치고, 예의 방법대로 하여 두꺼운 종이로 씌워서 기
   운이 통하지(들고 날지) 못하게 하여 28일간 발효시킨다.
5. 술독의 위로 괸 술 1그릇을 떠내고, 가운데 술을 1그릇 떠낸다.
6. 밑의 찌꺼기는 이화주와 같이 물을 쳐 짜서 마신다.

* 주방문 말미에 "술이 익으면 위에 고인 맑은 술 1그릇을 떠내고 가운데 맑은 술 1그릇을 떠낸다."고 한 것으로 미루어, '죽엽춘'의 농담과 청주의 양을 짐작할 수 있다. 또 맑은 술을 떠낸 후의 "밑에 찌끼는 '리화주'같이 물을 쳐 먹으면 향기롭고 아름다우리라. 이 술이 오래 되어도 맛이 변치 않고 빛이 항상 대닢 같으니라."고 하여 덧술 쌀을 설기떡으로 빚은 만큼 이 방문은 맛이 진하고 걸쭉한 탁주를 얻을 목적으로 빚는 술임을 알 수 있다.

죽엽춘(竹葉春)

흰쌀 한 말을 세말하야 썩 만드러 쪄서 누룩가루 한 되 닷 홉과 쓸는 물 세 병을 석거 익거든 흰쌀 닷 말을 세말하야 쪄서 익은 밋헤 느코 둑거운 종희로 단단이 봉하야 긔운을 통치 못하게 한 지 네이레 만에 우로 맑은 걸 한 그릇 쓰고 가운데 맑은 걸 또 한 그릇 쓰고 밋헤 찍기는 리화주 가티 물을 쳐 먹으면 향기롭고 아름다우니라. 이 술이 오래 되야도 맛이 변치 안고 빗이 항상 댓닙과 가트니라.

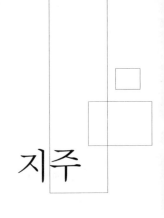

지주

스토리텔링 및 술 빚는 법

우리나라 전통 주품들은 쌀을 주원료(主原料)로 하고, 자연 상태의 발효균을 접종시킨 전통 누룩을 발효효소제(醱酵酵素製)로 사용하며, 물을 용매(溶媒)로 발효시킨다는 점에서 공통점을 이룬다. 어떤 의미에서는 이와 같은 양주방법이 우리 술의 특징을 규정짓기도 한다.

그러다 보니 다른 주품들과의 차별화가 어려워 갖가지 향약재(香藥材)를 부원료(副原料)로 맛과 향기를 부여하기도 하고, 다른 술 빛깔을 표현해 내기도 한다.

그러나 이와 같은 노력에도 불구하고 발효에 따른 맛이나 향기, 색깔 등 주품마다의 또 다른 특징을 구현하기가 어려운 것이 사실이다.

우리나라 주품명으로 가장 오래된 것 중에 '지주'라는 술 이름이 있다. 중국의 <삼국지(三國志)> "고구려전(高句麗傳)"에 '지주(旨酒)'라는 기록이 있고, 우리나라는 <산림경제(山林經濟)> 등 여러 문헌에서 '지주(地酒)'라는 기록이 발견된다. <양주방>*과 <술 만드는 법>에서는 '여름디주(旨酒)'와 '층층지주'를 찾아볼 수 있다.

그런가 하면 한글로 쓰인 주방문 가운데 '지주'라는 이름이긴 하나 술을 빚는 방법에서는 '지주(旨酒)'도 '지주(地酒)'도 아닌 주방문이 <온주법(醞酒法)>에 수록되어 있기도 하다.

<양주방>*의 '층층지주'는 물 3사발에 누룩가루 1되 5홉을 섞어 만든 물누룩에 멥쌀 1말을 작말하여 흰무리를 쪄서 술밑을 빚음으로써 감칠맛이 뛰어난 술이다. <술 만드는 법>의 '여름디주'는 물 1말과 쌀 1말로 설기떡을 만들어 사용하는데, 발효제인 누룩은 3~4홉뿐이다. 이런 이유로 이 술의 주품명이 '지주(旨酒)'가 된 거라면, <산림경제> 등의 '지주(地酒)'는 쌀 1말로 지은 고두밥에 누룩 3되와 솔잎 1되를 사용할 뿐 거의 물을 사용하지 않고 술독을 땅에 묻어 발효시키는 방법으로 일관된 양주방법을 보이고 있다.

반면, <온주법>의 '지주'는 한글로 표기되기도 했거니와 <양주방>*의 '층층지주'나 <술 만드는 법>의 '여름디주', <산림경제> 등의 '지주(地酒)'와는 또 다른 방법이라는 점, 특히 <온주법>의 '지주'는 이양주법(二釀酒法)과 삼양주법(三釀酒法)의 두 가지 방법이 전혀 다른 과정과 방법으로 이루어진다는 점에서 차별화된다.

이 차별성이 필자로 하여금 굳이 <온주법>의 '지주'를 '지주(旨酒)'나 '지주(地酒)'와 구분하여 수록하게 된 배경이다.

먼저 삼양주법 '지주'는 우리나라 주방문으로서는 유일한 방법이라고 할 수 있다. 그 방법과 과정이 매우 특이하다. 밑술을 빚는 데 있어 9월 마지막 날에 술독을 땅에 묻고 누룩가루 1말과 냉수 8말을 섞어 물누룩을 만들어 술독에 담아 안치는데, 동도지(東桃枝)로 휘저어서 7일간 숙성시킨 다음, 멥쌀 3말 3되로 고두밥을 지어 물누룩과 합하고 10일간 발효시킨다. 이어 덧술도 밑술의 쌀과 동량의 멥쌀 3말 3되로 고두밥을 지어 넣고, 다시 10일 후에 멥쌀 3말 4되로 고두밥을 지어 덧술과 합하여 고루 버무려준 후, 복숭아가지를 세워두었다가 술의 발효가 끝나길 기다려 맨 위쪽의 술부터 채주하여 마신다.

이와 같은 주방문은 <산가요록(山家要錄)>의 '구두주'나 <임원십육지(林園十六志)>의 '동파주', '갱미주', '삼구주'와 같은 중양주법(重釀酒法)에서 찾아볼 수 있으며, 그 방법이 중국의 술 빚는 방법과 매우 유사하다.

우리나라의 전통 주품 가운데는 밑술부터 2차 덧술까지 고두밥만으로 술을 빚는 경우가 매우 드물며, 의도적으로 덧술 간격을 10일로 한 것 등이 그 근거라 하겠다.

이양주법 '지주'는 밑술을 범벅으로 하고 누룩과 밀가루가 사용되는데, 발효 기간이 1일밖에 되지 않는다. 때문에 덧술은 밑술의 쌀 양보다 적은 30% 정도를 사용해 고두밥으로 빚는데도 누룩과 밀가루를 재차 사용하는 방법을 보여주고 있다.

따라서 <온주법>에 수록된 '지주' 주방문의 특징을 다음과 같이 정리할 수 있겠다. 삼양주법의 경우 쌀 양이 많은 데서 오는 높은 알코올 도수에도 불구하고 상대적으로 술 빚는 물의 양이 적기 때문에 진한 술맛과 향기를 느낄 수 있다. 이 양주법의 경우에는 여름철 양주법에서 자주 목격되는 기법으로, 덧술의 간격을 최대한 앞당김으로써 밑술의 발효를 덧술로 연결지어 단시간에 발효를 끝내는 데서 오는 자극적인 맛과 강한 향기를 느낄 수 있다.

이 같은 특징들이 <온주법>의 '지주'가 '지주(旨酒)'나 '지주(地酒)'와 구별되는 점이며, 굳이 유형을 찾는다면 '지주(旨酒)'에 더 가깝다고 할 수 있겠다.

1. 지주 <온주법(醞酒法)>

> 술 재료 : 밑술 : 멥쌀 1말, 누룩가루 2되, 밀가루 5홉, 끓는 물 9대야
> 　　　　 덧술 : 찹쌀 또는 멥쌀 3되, 누룩가루(3홉), 밀가루 2홉

술 빚는 법 :

* 밑술 :

1. 멥쌀 1말을 백세하여 (물에 담가 불렸다가, 다시 씻어 헹궈서 물기를 뺀 뒤) 작말하여 넓은 그릇에 담아놓는다.

2. 물 9대야를 팔팔 끓여 쌀가루에 고루 나눠 붓고, 주걱으로 골고루 개어 범

벽을 쏜다.

3. 범벅이 (뚜껑을 덮어 하룻밤 재워) 차게 식기를 기다린다.

4. 범벅에 누룩가루 2되와 밀가루 5홉을 한데 합하고, 고루 치대어 술밑을 빚는다(차게 식기를 기다린다).

5. 술독에 술밑은 담아 안치고, 1일간 발효시킨다.

* 덧술 :

1. 찹쌀이나 멥쌀 3되를 (백세하여 물에 담가 불렸다가, 다시 씻어 건져서 물기를 뺀 후) 시루에 안쳐서 고두밥을 짓는다.

2. (고두밥이 익었으면 퍼내어 고루 펼쳐서 차게 식기를 기다린다.)

3. 고두밥에 밑술과 누룩가루(3홉), 밀가루 2홉을 한데 합하고, 고루 버무려 술밑을 빚는다.

4. 술밑을 술독에 담아 안치고, 예의 방법대로 하여 7일간 발효시킨다.

* 주방문 말미에 "7일 후 향렬하되, 추위에는 못 하나니 물기를 금하라."고 하였다.

디듀

빅미 일 두 빅셰작말ㅎ야 탕슈 아홉 딕야 섯거 직와 이튼날 구멍쩍 국말 두되 진말 다 습 섯거 쪼 그 이튼날 닉여 뎜미나 빅미나 서 되룰 쪄 국말 듁 습 진말 두 홉 여허 전슐의 섯거 칠일 후 향녈ㅎ듸 치위예 못ㅎᄂ니 늘물긔룰 금ㅎ라.

2. 지주 <온주법(醞酒法)>

술 재료 : 밑술 : 멥쌀 3말 3되, 누룩가루 1말, 냉수 8말, 동도지
　　　　　덧술 : 멥쌀 3말 3되
　　　　　2차 덧술 : 멥쌀 3말 4되

술 빚는 법 :

* 밑술 :

1. 9월 회일(마지막 날)에 (햇볕이 들지 않는 곳에다) 술독을 묻을 만한 깊이
　로 땅을 파낸다.
2. (볏짚을 빙 둘러 구멍 바닥과 주변에 깔고, 소독하여 준비한) 술독을 땅에
　묻고, 냉수 8말과 누룩가루 1말을 담아 안친다.
3. 동도지(동쪽으로 뻗은 복숭아나무 가지)로 휘저어 물누룩을 만들어놓고,
　밀봉하여 10월초까지 숙성시킨다.
4. 10월 7일에 멥쌀 3말 3되를 백세하여 (물에 담갔다가, 다시 씻어 물기를 뺀
　후) 시루에 안쳐 고두밥을 짓는다.
5. (고두밥이 무르게 익었으면, 시루에서 퍼내고 고루 펼쳐 차게 식기를 기다
　린다.)
6. 땅에 묻어둔 술독의 수곡에 고두밥을 한데 합하고, 고루 버무려 술밑을 빚
　는다.
7. 술독을 예의 방법대로 하여 10일간 발효시킨 후 덧술을 한다.

* 덧술 :

1. 10월 17일에 멥쌀 3말 3되를 백세하여 (물에 담갔다가, 다시 씻어 물기를 뺀
　후) 시루에 안쳐 고두밥을 짓는다.
2. (고두밥이 무르게 익었으면, 시루에서 퍼내고 고루 펼쳐 차게 식기를 기다
　린다.)

3. 땅에 묻어둔 술독의 밑술에 고두밥을 한데 합하고, 고루 버무려 술밑을 빚는다.
4. 술독을 예의 방법대로 하여 발효시켰다가 10일 후 덧술을 한다.

* 2차 덧술 :
1. 10월 27일에 멥쌀 3말 4되를 백세하여 (물에 담갔다가, 다시 씻어 물기를 뺀 후) 시루에 안쳐 고두밥을 짓는다.
2. (고두밥이 무르게 익었으면, 시루에서 퍼내고 고루 펼쳐 차게 식기를 기다린다.)
3. 땅에 묻어둔 술독의 덧술에 고두밥을 한데 합하고, 고루 버무려 술밑을 빚는다.
4. 술독을 예의 방법대로 하여 복숭아 가지를 세워두었다가 (발효가 되어 술이 익으면) 맨 위쪽의 술부터 채주하여 마신다.

디듀
구월 회일 독을 싸히 뭇고 닝슈 넘말 국말 흔 말 독의 너코 동향흔 복셩가지로 저엇다가 십월 초칠일 빅미 서 말 서 되 십칠일 서 말 서되 넘칠일 서 말 너 되 빅셰ᄒ야 쪄 더운 김이 다이고 녀허 복셩가지를 저허 두엇다가 디월 회간부터 쓰는니라.

진상주

스토리텔링 및 술 빚는 법

'진상주(進上酒)'는 여러 가지 주방문이 존재하는 것으로 밝혀졌다. 이제까지 '진상주'는 <수운잡방(需雲雜方)>을 중심으로 <역주방문(曆酒方文)>, <주찬(酒饌)>에 수록된 주방문을 근거로 범벅을 쑤어 밑술을 빚고, 덧술은 고두밥만을 단독으로 사용하거나 고두밥과 끓는 물을 합한 진고두밥 형태로 누룩과 밑술을 섞어 빚는 방법이 전형을 이루고 있다는 판단이었다.

그런데 1450년경 기록으로 밝혀진 <산가요록(山家要錄)>이 발굴된 데 이어, <침주법(浸酒法)>과 <봉접요람>이 새로 발굴됨으로써 기존의 주방문과 차별화된 더욱 다양한 주방문이 존재한다는 사실을 확인할 수 있게 되었다.

먼저 시대별로 가장 앞선 기록인 <산가요록>의 '진상주' 주방문을 보면 "멥쌀 3말을 물에 담갔다가 곱게 가루를 낸다. 끓는 물 7말로 죽을 쑤어 서서히 식혀서 누룩 7되와 밀가루 3되를 섞어 넣고 단단히 봉한 다음에 익기를 기다린다. 멥쌀 10말을 앞에서와 같이 물에 씻어 담갔다가 끓는 물 8말로 푹 쪄서 식힌 다음에 누룩과 섞어 찧고, 밑술과 섞어 덧술하여 항아리에 넣었다가 익으면 쓴다."고 하였다.

<역주방문>의 '진상주' 주방문과 비교하면 덧술 과정과 누룩 양이 약간 다를 뿐 별반 차이가 없다는 것을 알 수 있다.

또 <봉접요람>에는 "백미 서 되 백세작말하여 물 닷 되로 죽 쑤어 차거든, 가루누룩 칠 홉 진말 서 홉 섞어 넣어 두었다가 익거든, 두었다가 이월 초승에 백미 한 말 백세하여 담가 하룻밤 지나거든, 늑게 쪄 더운 김에 술밑 항 가에 놓고 퍼부어 젓지 말고 두었다가, 삼월 초승에 열어보면 거품이 없고 맑게 가라앉거든 떠 쓰되, 혹 봄이 차워 맑지 못하였거든 오래 두면, 드리우지 안여도 독에서 맑은 술 많이 떠 쓰느니라. 다른 술보다 맛이 청렬하니라."고 하여 <산가요록>과는 달리 밑술을 죽으로 하여 빚는 방법으로 변화되었으나, 주원료의 배합비율은 동일하다는 것을 확인할 수 있다.

<침주법>에서는 "백미 두 되를 백세하여 물에 담가 하룻밤 재워 가루 빻아 물 한 말 부어 죽 쑤어 차거든 누룩 한 되에 넣고 겨울이어든 이레요, 봄, 가을이어든 다새요, 여름이어든 사흘 만에 찹쌀 한 말을 백세하여 익게 쪄 차거든 전술에 넣었다가 이레 지나거든 쓰라."고 하여 <수운잡방>과 비교하면, 밑술이 '죽'과 '범벅'의 차이만 있을 뿐, 역시나 주원료의 배합비율이나 술 빚는 방법이 동일하다는 것을 엿볼 수 있다.

결국 '진상주'는 밑술을 범벅으로 하여 빚고, 덧술은 진고두밥과 누룩을 섞어 빚는 방법인 <산가요록>의 주방문을 기본으로 하여 100여 년이 흐른 후에는 <역주방문>으로 승계되고, 다음엔 덧술을 고두밥만으로 빚는 방법의 <수운잡방>과 <침주법>, <봉접요람>의 주방문 형태로 바뀌는 변화를 보여주고 있다.

다시 말해 밑술 빚는 방법은 '죽'과 '범벅' 형태로, 덧술은 '고두밥' 단독으로 빚는 방법 또는 '진고두밥'과 누룩을 사용하여 빚는 4가지 방법으로 변화와 고급화가 이루어져 왔다고 하겠다.

'진상주'의 이러한 변화는 다른 문헌의 수많은 주품들에서도 흔히 목격되어 그리 특별할 게 없으나, '진상주'라는 주품명에 대한 의미나 특징을 찾을 수 없다는 게 많이 아쉬울 따름이다.

다만 '진상품(進上品)'과 관련해 "진상주 역시 진상품의 한 가지가 아니었을까?" 하는 추측이 가능하나, "조선시대 궁중의 공식적인 진상품 목록에 주품이 등장하지 않는다."는 사실과 함께 '내국법온(內局法醞)'이나 '내국향온(內局香醞)' 또는 '홍로주(紅露酒)' 등과 같이 궁중 술에 관련한 기록을 찾을 수 없다.

특히 궁중 술로 알려진 '내국법온', '내국향온', '홍로주'의 주방문이 문헌마다 비교적 일관된 양식의 기록을 보여주고 있는 것과 다르게 '진상주'의 주방문은 문헌마다 다르고, 별다른 특징을 찾을 수 없다.

'진상주'라는 주품명과 주방문을 수록하고 있는 문헌이 6종에 그치고 있고, 주품명에 대한 인지도가 너무 낮다고 하는 사실을 감안하면 이러한 추측은 다소 무리가 따른다고 할 수 있다.

1. 진상주법 <봉접요람>

> 술 재료 : 밑술 : 멥쌀 3되, 가루누룩 7홉, 진말 3홉, 물 5되
>
>   덧술 : 멥쌀 1말

술 빚는 법 :
* 밑술 :
1. 멥쌀 3되를 백세하여 (물에 담갔다가 다시 씻어 헹궈 건져서 물기를 뺀 다음) 작말한다(가루로 빻는다).
2. 솥에 물 5되를 끓이다가 쌀가루를 풀어 넣고, 주걱으로 멍울 없이 풀고 고루 저어 죽을 쑨 후 (넓은 그릇에 퍼 담고) 차게 식기를 기다린다.
3. 차게 식은 죽에 가루누룩 7홉과 진말 3홉을 합하고, 고루 버무려 술밑을 빚는다.
4. 술밑을 큰 술독에 담아 안치고, 예의 방법대로 하여 3일간 발효시켜 익기를 기다렸다가 (술독을 찬 곳으로 옮겨서) 2월 초순이 되기를 기다린다.

* 덧술 :

1. 멥쌀 1말을 백세하여 물에 담가 하룻밤 불렸다가 (다시 씻어 헹궈 건져서 물기를 뺀 후) 시루에 안쳐서 고두밥을 무르게 짓는다.

2. 고두밥이 무르게 익었으면 시루째 떼어 밑술독 옆에 놓고, (한 김 나게 식혀) 더운 김일 때 밑술독에 퍼 넣는다.

3. 술밑을 젓지 말고 그대로 두되, 예의 방법대로 하여 30여 일간 발효시킨다.

4. 3월 초순경이 되어 술독을 열어보아 거품이 없고 맑게 가라앉아 있으면, (용수 박아) 채주하여 사용한다.

* 주방문 말미에 "혹 봄이 차워 맑지 못하였거든 오래 두면 드리우지 아니하여도 독에서 맑은 술 많이 떠 쓰느니라. 다른 술보다 맛이 청열하니라."고 하였다.

진샹쥬법

빅미 서 되 빅셰작말ᄒ여 물 닷 되로 쥭 쓔어 ᄎ거든 ᄀ로누룩 칠 홉 진말 서 홉 섯거 너허 두엇다가 익거든 두어다가 이월 초싱의 빅미 ᄒᆞᆫ 말 빅셰ᄒ여 담가 ᄒ로밤 지ᄂᆞ거든 눅게 쪄 더운 김의 슐밋 항 가의 노코 퍼부어 줏지 말고 두엇다가 삼월 초싱의 여러보면 거품이 업고 말게 ᄀᆞ른거든 쪄 쓰되 혹 봄이 치워 말지 못ᄒ엿거든 오릭 두면 드리우지 안여도 독의셔 물근 슐 만이 쪄 쓰ᄂᆞ이라. ᄃᆞ른 슐보다 맛시 청열ᄒᆞ이라.

2 진상주 <산가요록(山家要錄)>
－쌀 13말 빚이

술 재료 : 밑술 : 멥쌀 3말, 누룩가루 7되, 밀가루 3되, 끓는 물 7말

　　　　　 덧술 : 멥쌀 10말, 누룩 8되, 끓는 물 8말

술 빚는 법 :

* 밑술 :

1. 멥쌀 3말을 (백세하여) 물에 담가 불렸다가 (다시 씻어 건져서 물기를 뺀 후) 세말한다(고운 가루로 빻는다).

2. 쌀가루에 끓는 물 7말을 붓고 개어서 죽(범벅)을 만든 후, (넓은 그릇에 퍼서) 차게 식기를 기다린다.

3. 죽(범벅)에 누룩가루 7되와 밀가루 3되를 합하고, 고루 버무려 술밑을 빚는다.

4. 술밑을 술독에 담아 안치고, 예의 방법대로 하여 발효시키고 익기를 기다린다.

* 덧술 :

1. 멥쌀 10말을 (백세하여) 물에 담가 불렸다가 (다시 씻어 건져서 물기를 뺀 후) 시루에 안쳐서 고두밥을 짓는다.

2. 물 8말을 팔팔 끓여 차게 식히고, 누룩 8되를 섞어 맷돌에 갈아 물누룩을 만든다.

3. 고두밥이 익었으면, 시루에서 퍼낸다(고루 펼쳐서 차게 식기를 기다린다).

4. 고두밥에 물누룩과 밑술을 합하고, 고루 버무려서 술밑을 빚는다.

5. 술독에 술밑을 담아 안치고, 예의 방법대로 하여 발효시킨 후 익기를 기다린다.

* 덧술 주방문이 특이하다. 끓여 식힌 물에 누룩을 섞고, 맷돌에 갈아 물누룩을 만든 뒤, 고두밥과 밑술을 혼합하는 이 주방문은 덧술의 발효와 숙성 시간을 앞당기기 위한 것으로 생각된다. 술을 빚다 보면 힘들어서 누구나 떠올리게 되는 방법이다.

進上酒

米十三斗. 白米三斗 浸水細末 湯水七斗 作粥 待冷 匊七升眞末三升 和入堅

封 待熟. 白米十斗 如前洗浸熟蒸 湯水八斗 待冷 麴八升和之 碾出 前酒 和入
瓮 待熟用之.

3. 진상주 <수운잡방(需雲雜方)>

술 재료 : 밑술 : 멥쌀 2되, 누룩가루 2되, 물(5되)
　　　　덧술 : 찹쌀 1말

술 빚는 법 :
＊밑술 :
1. 멥쌀 2되를 백세하여 물에 하룻밤 불렸다가 (다시 씻어 헹궈서 물기를 뺀
   후) 세말한다(고운 가루를 빻는다).
2. 솥에 물(5되)을 붓고 팔팔 끓여 쌀가루에 골고루 붓고, 주걱으로 고루 개어
   죽(범벅)을 쑨 후 넓은 그릇에 퍼서 차게 식기를 기다린다.
3. 죽(범벅)에 누룩가루 2되를 합하고, 고루 버무려서 술밑을 빚는다.
4. 술밑을 술독에 담아 안치고, 예의 방법대로 하여 봄과 가을이면 5일(여름 3
   일, 겨울 7일)간 발효시킨다.

＊덧술 :
1. 찹쌀 1말을 백세하여 (물에 담가 불렸다가, 다시 씻어 헹궈서 물기를 뺀 후)
   시루에 안쳐서 무른 고두밥을 짓는다.
2. 고두밥이 익었으면 퍼내고, 고루 펼쳐서 차게 식기를 기다린다.
3. 고두밥에 밑술을 합하고, 고루 버무려 술밑을 빚는다.
4. 술독에 술밑을 담아 안치고, 예의 방법대로 하여 7일간 발효시킨다.

＊주방문에 밑술의 물 양이 나와 있지 않아 <봉접요람>의 '진상주' 주방문을

참고하였다.

進上酒

白米二升百洗浸宿細末作粥待冷麴末二升和納缸. 冬七日春秋五日夏三日粘米
一斗百洗熟蒸待冷和前酒納缸七日後用之.

4. 진상주 <역주방문(曆酒方文)>

술 재료 : 밑술 : 멥쌀 3말, 누룩가루 7되, 밀가루 3되, 끓는 물 7말
       덧술 : 멥쌀 10말, 누룩가루 5되, 끓는 물 8말

술 빚는 법 :
* 밑술 :
1. 멥쌀 3말을 백세하여 (매우 깨끗하게 헹군 뒤) 새 물에 담가 하룻밤 담가
   불렸다가 (다시 씻어 말갛게 헹궈서 물기를 뺀 뒤) 세말한다(고운 가루로 빻
   는다).
2. 물 7말을 팔팔 끓여 쌀가루에 붓고, 주걱으로 매우 치대서 범벅을 만든 후
   넓은 그릇에 퍼서 극히 차게 식기를 기다린다.
3. 범벅에 누룩가루 7되와 밀가루 3되를 합하고, 고루 버무려서 술밑을 빚는다.
4. 술밑을 술독에 담아 안치고, (술독 주둥이에 묻은 것을 깨끗하게 씻어내고)
   베보자기와 뚜껑을 덮어 (3~5일간) 발효시킨다.

* 덧술 :
1. 멥쌀 10말을 백세하여 (매우 깨끗하게 헹군 뒤 새 물에 담가 불렸다가, 다시
   씻어 말갛게 헹궈서) 물기를 빼놓는다.
2. 불린 쌀을 시루에 안치고 쪄서 무른 고두밥을 짓고, 물 8말을 팔팔 끓인다.

3. 고두밥이 익었으면 넓은 그릇에 퍼 담고, 끓는 물을 퍼서 고두밥에 합한 후 고루 버무려 고두밥이 물을 다 먹고 극히 차게 식기를 기다린다.

4. 고두밥에 밑술과 누룩가루 5되를 한데 합하고, 고루 버무려 술밑을 빚는다.

5. 소독하여 준비한 술독에 술밑을 담아 안친 다음, (술독 주둥이에 묻은 것을 깨끗하게 씻어내고) 베보자기와 뚜껑을 덮어 발효시켜 익기를 기다린다.

進上酒方

白米三斗百洗作末以猛煮七斗和勻按磨之候其極冷曲末七升眞末三升調勻置之更以白米十斗百洗蒸飯以猛煮水八斗調勻候極冷添入曲末五升和合納(于)酒本待熟用.

5. 진상주 <주찬(酒饌)>

> 술 재료 : 밑술 : 멥쌀 2말, 가루누룩(분곡) 1되, 끓는 물 6사발
> 　　　　 덧술 : 찹쌀 2말

술 빚는 법 :

＊밑술 :

1. 멥쌀 2말을 백세하여 (물에 담가 불렸다가, 다시 씻어 헹궈 건져서 물기를 뺀 뒤) 작말한 다음, 넓은 그릇에 담아놓는다.

2. 물 6사발을 팔팔 끓여 쌀가루에 골고루 붓고, 주걱으로 고루 개어 범벅을 쑤어 넓은 그릇 여러 개에 나눠 담아 차게 식기를 기다린다.

3. 범벅에 분곡가루 1되를 합하고, 고루 힘껏 치대어 술밑을 빚는다.

4. 술독에 술밑을 담아 안치고, 예의 방법대로 하여 3일(겨울 7일)간 발효시킨다.

* 덧술 :

1. 찹쌀 2말을 백세하여 (물에 담가 불렸다가, 다시 씻어 헹궈 건져서 물기를 뺀 뒤) 시루에 안쳐서 고두밥을 짓는다.

2. 고두밥이 익었으면 퍼내고, 고루 펼쳐 차게 식기를 기다린다.

3. 고두밥에 밑술을 합하고, 고루 버무려 술밑을 빚는다.

4. 술독에 술밑을 담아 안치고, 예의 방법대로 하여 7일간 발효시킨다.

進上酒

白米二斗百洗湯水六碗同和作粥待冷末曲一升調釀春夏秋三日冬七日後粘米
二斗百洗熟烝待冷本酒調釀七日後用.

6. 진상주 <침주법(浸酒法)>

술 재료 : 밑술 : 멥쌀 2되, 누룩 1되, 물 1말
　　　　　 덧술 : 찹쌀 1말

술 빚는 법 :

* 밑술 :

1. 멥쌀 2되를 백세하여 (물에 담가 하룻밤 불렸다가 다시 헹군 후) 물기를 빼서 가루로 빻아놓는다.

2. 솥에 물 1말을 붓고 팔팔 끓이다가 불린 쌀가루를 합하여 묽은 죽을 쑨 다음, (솥의 뚜껑을 덮어 찬 곳에 두어) 차게 식기를 기다린다.

3. 식은 죽에 누룩 1되를 합하고, 고루 버무려 술밑을 빚는다.

4. 술독에 술밑을 담아 안치고, 예의 방법대로 하여 겨울엔 7일, 봄·가을엔 5일, 여름엔 3일간 발효시킨다.

* 덧술 :

1. 찹쌀 1말을 백세하여 (물에 담가 하룻밤 불렸다가, 다시 헹궈서) 물기를 빼 놓는다.

2. 불린 쌀을 시루에 안치고 쪄서 고두밥을 짓고, 무르게 익었으면 퍼내어 고루 펼쳐서 차디차게 식기를 기다린다.

3. 고두밥과 밑술을 한데 합하고, 고루 버무려 술밑을 빚는다.

4. 술독에 술밑을 담아 안친 후, 예의 방법대로 하여 (차지도 덥지도 않은 곳에 서) 7일간 발효시켜 익기를 기다려 채주하여 마신다.

진샹쥬(進上酒)—흔 말

빅미 두 되를 빅셰ᄒ야 믈의 담가 ᄒᆞ른 ᄣᆞᆷ 재여 ᄀᆞᆯ 브아 믈 흔 말 브어 쥭 수 어 ᄎᆞ거든 누록 흔 되를 녀코 겨을이어든 닐웨오 봄 ᄀᆞ을이어든 닷쇄오 녀름 이어든 사흘 만의 ᄎᆞᆸ쌀 흔 말을 빅셰ᄒ야 닉게 뼈 ᄎᆞ거든 젼수릐 섯거 녀헛더 가 닐웨 지나거든 쓰라.

진종주

스토리텔링 및 술 빚는 법

<술방문>은 한글로 쓰였으며, 1801년 또는 1861년에 간행된 기록이다. 붓글씨로 매우 흘려 쓴 기록이라 주방문을 살피기가 매우 힘들긴 하나, '진종주(珍種酒)'라는 주품 명칭에 담긴 의미를 이해하고 나면, 이 주방문 자체가 매우 의미 있다는 사실을 알 수 있다.

<술방문>의 '진종주'는 전통 술 빚는 법의 기본을 보여준다. 우선 '진종주'의 주방문에서 알 수 있는 한 가지 중요한 사실은, 밑술 제조과정에서 진고두밥에 물 없이 누룩만 섞어 빚는다는 점이다. 덧술 역시도 물 없이 고두밥과 밑술만으로 빚는다는 점에서 밑술과 동일하다. 또한 발효 후 탕수를 넣어 후숙시킨다는 점에서는 '방문주'를 연상케 한다.

무엇보다 중요한 것은 밑술 제조법에 있어 진고두밥에 물 없이 누룩만 섞어 빚는다는 점이다. 이 밑술 빚는 과정을 독립적으로 구분하여 살펴보면, 바로 '석임' 또는 '부본(腐本)', '주본(酒本)', '효법(酵法)' 등으로 불리는 소위 현대 양주에서의 주모(酒母) 제조과정을 뜻한다. 바로 이러한 사실이 주품명에 반영되어 있음을

알 수 있다. '진종주'라는 주품명에 종자(種子), 즉 술을 빚을 수 있는 바탕으로서 술씨(酵母)라 할 수 있는 효모(酵母)를 배양하는 방법이 담겨져 있다는 의미이다.

<술방문>의 '진종주' 주방문은 <동의보감(東醫寶鑑)>의 '작주본(作酒本)'을 비롯해 <산림경제(山林經濟)>의 '작주부본법(作酒腐本法)', <양주방>*의 '석임 만드는 법', <언서주찬방(諺書酒饌方)>의 '서김 만드는 법' <주방문>의 '서김법(酵法)' 등 수많은 문헌에서도 공통적으로 확인할 수 있다.

<동의보감>의 '작주본'을 비롯하여 이들 문헌에 수록된 주방문의 공통점은 쌀 1말에 '누룩 조금' 또는 쌀 1~2되에 '누룩 한 줌'으로 쌀 양보다 누룩의 양이 훨씬 적다는 점이다.

그런데 <술방문>의 '진종주'는 쌀 1되의 양에 '섬누룩 3되'의 비율로 누룩의 양이 훨씬 많다. 이는 덧술로 표현된 본주의 발효기간이 3일이라는 점, 즉 3일 만에 술을 익혀야 하기 때문이다.

<술방문>의 '진종주' 주방문을 보면 밑술과 덧술의 과정에서 물을 사용하지 않고 술을 빚는데, 이렇게 하면 처음부터 물을 사용해서 빚는 술보다 깊은 맛의 술을 얻을 수 있다는 데 착안한 주방문임을 알 수 있다. 특히 초기의 발효는 더디지만, 일단 발효가 시작되었을 때 물을 첨가해 주면 훨씬 빠른 시간 내 발효를 끝낼 수 있다는 점에서 나름 기교를 부린 술이라 하겠다.

다만 여기서 주의할 점은 덧술의 발효 중에 사용되는 물은 팔팔 끓여서 차디차게 식힌 물(湯水)이어야 한다. 그 양은 남성들의 식기인 주발(周鉢)을 사용하여 계량한 양인 2말 2되로 실질적인 물의 양은 10ℓ에 조금 못 미친다.

필자가 '진종주'의 재현을 시작했을 때 뭣 모르고 푼주를 사용해 탕수를 계량하여 빚은 결과 술맛이 없고 곧잘 시어지곤 했다. 그러다가 <음식디미방>을 비롯한 다른 문헌의 주방문에서 '식기'에 대해 언급한 내용을 보고, 그 식기가 남성들의 주발을 뜻하며, 1주발의 양이 대략 900㎖ 정도라는 사실도 확인하게 되었다.

지금까지 살펴보았듯이 <술방문>의 '진종주'는 밑술 빚는 법에 그 핵심이 있다. 고두밥을 찔 때 살수를 많이 하여 매우 무르고 부드럽게 익혀야 하고, 누룩과 섞어 버무린 술밑은 비교적 25℃ 정도의 따뜻한 곳에서 익혀야 덧술의 발효가 잘 이루어진다. 덧술도 물을 사용하지 않는 만큼 고두밥을 찔 때 평소보다 살수를 2배로 하여 고두밥을 짓고, 반드시 차게 식혀서 사용해야 실패하지 않는다.

<술방문>의 '진종주'를 재현한 후 필자는 다른 문헌의 다양한 주방문들과는 사뭇 다른 느낌을 받았다. 그건 바로 우리나라 '술 빚는 법(酒方文)의 사실적 근거를 또 한 가지 찾아냈다.'는 확신이었다.

진종주법 <술방문>

> 술 재료 : 밑술 : 묵은 쌀 1되, 섬누룩 3되
>   덧술 : 묵은 쌀 1말, (끓여 식힌) 물 1말 2식기(12되)

술 빚는 법 :

* 밑술 :

1. 묵은 쌀 1되를 백세하고 (물에 담가 10시간 정도 불렸다가, 다시 씻어 말갛게 헹궈서 소쿠리에 밭쳐 물기를 뺀 후) 시루에 안쳐서 고두밥을 짓는다.

2. 고두밥에 (찬물을 많이 뿌려서) 질게(무르게) 익힌 후, 시루에서 퍼내고 주걱으로 고루 펼쳐서 차게 식기를 기다린다.

3. 고두밥에 섬누룩 3되를 한데 섞고, 고루 버무려 술밑을 빚는다.

4. 술밑을 술독에 담아 안치고, 예의 방법대로 밀봉하여 (따뜻한 곳에서) 3일간 발효시킨다.

* 덧술 :

1. 묵은 쌀 1말을 백세하여 (물에 담가 10시간 정도 불렸다가, 다시 씻어 말갛게 헹궈서 소쿠리에 밭쳐 물기를 뺀 다음) 시루에 안쳐서 고두밥을 찐다.

2. 고두밥에 (찬물을 뿌려서) 무르게 익힌 후, 시루에서 퍼내고 주걱으로 고루 펼쳐서 차게 식기를 기다린다.

3. 고두밥에 밑술을 한데 섞고, 매우 치대어 술밑을 빚는다.

4. 술밑을 술독에 담아 안치고, 예의 방법대로 밀봉하여 (따뜻한 곳에서) 3일
   간 발효시킨다.
5. 식기로 물 1말 2되를 (팔팔 끓여서 차게 식힌 후) 술독에 붓고(젓지 않는다),
   다시 예의 방법대로 하여 3일 후에 용수를 박아 3일 후 채주하여 마신다.

* 주방문을 보아 알 수 있듯이 밑술 제조법은 진고두밥에 물 없이 누룩만 섞어
  빚는다는 점과 덧술 역시 물 없이 고두밥과 밑술만으로 빚는다는 점에서 동
  일한 과정을 보여주고 있다. 발효 후 차게 식힌 탕수를 넣어 후숙시킨다는 점
  에서는 '방문주'를 연상케 한다.

진중쥬법이라

흔말 흐라면 진미 흔 되 빅세흐야 밥을 즐게 흐여 서늘하게 식거든 좋은 셥
누록 셔 되 너허 버무려 다가 숨일 만의 진미 흔 말 빅세흐야 쪄셔 식거든 흐
던시의 밋과 흔틔 치듸여 쏘 숨일 만의 식기로 말 두 되 부어 쏘 숨일 만의
그 시 용슈 질너 쏘 숨일 만의 더 먹나이라 식슐의 쇼즈던 용슈면 쇼즈도 맛
시 변흐나이라.

진향주

'진향주(震香酒)'는 고급 청주이다. 조선시대 중기 문헌인 <음식보(飮食譜)>와 후기 문헌 <주찬(酒饌)>에 수록되어 있다. 전라남도 해남 계곡면 소재 나주 임씨 가문에서 전승되고 있는 가양주(전남도 지정 무형문화재)와 동일한 주품으로 생각된다.

'진향주'는 두 가지 방법이 전해지고 있다. <음식보>과 <주찬>의 주방문에서 보듯 주원료와 누룩의 양에서 차이가 있는데, <음식보>의 주방문은 찹쌀로만 빚는 반면, <주찬>에서는 밑술과 덧술 각각 찹쌀과 멥쌀을 섞어 사용하고 있다.

실제로 '진향주'를 빚어본 결과, <음식보>의 '진향주'가 <주찬>의 '진향주'보다 지나치게 단맛이 강했다.

한편, 전승가양주인 해남의 '진양주(眞釀酒)' 또한 단맛이 강한 술이다. 따라서 세월이 흐르면서 '진향주'의 단맛이 강한 데 따른 단점을 보완할 목적에서 멥쌀을 섞어 빚는 방법으로 변화되었으며, 그 변화된 양주방법이 <주찬>에 수록되었을 것으로 추측해 볼 수 있겠다.

이러한 추론은 <음식보>가 1700년대 초기 문헌인 반면, <주찬>의 등장 시기는 1800년대 말엽이라는 사실과 함께 다른 문헌에서는 '진향주'를 찾아볼 수 없다는 사실에 근거한 것이다.

또한 실제로 전남 해남 지방에서 전승되고 있는 '진양주'는 궁중법에서 유래한 것으로, 술 빚을 쌀 중 1되를 덜어서 물과 섞어 끓인 찹쌀죽에 누룩 2되를 섞어 밑술을 빚고, 찹쌀 9되로 고두밥을 지어 덧술을 한 후, 발효가 끝나갈 무렵에 끓여서 식힌 물을 후수하여 용수를 박아 떠낸 청주라는 점에서 <음식보>의 주방문과 동일하다는 사실을 확인할 수 있다.

해남 지방의 '진양주'는 찹쌀로만 빚는 이양주(二釀酒)인 까닭에 그 맛이 매우 끈적거릴 정도로 단맛이 강하고 향기 또한 진하고 좋아 사람들의 사랑을 받아왔다. 이렇듯 '진양주'와 '진향주'의 상관관계에 대해 유추해 볼 때 '진향주'가 전라도 지방에 정착하면서 그 지방 발음 특성상 '진양주'가 되었을 거라는 추측을 하게 되었다.

'진향주'는 밑술을 빚을 때 찹쌀죽을 눋지 않게 잘 끓이고 차게 식은 후에 가루누룩을 사용하며, 누룩은 법제를 많이 하여 누룩취를 제거해야만 한다.

'진향주'의 밑술은 5일간으로 추위가 풀릴 무렵에 빚는 까닭에 방에 두고 발효시키며, 덧술은 찹쌀을 쪄서 차게 식기를 기다렸다가 밑술과 고루 치대어 술독에 담아 안치는데, 고두밥이 마르지 않도록 해야 실패가 없다.

덧술도 밑술과 마찬가지로 실내에서 발효시키는데, 이불로 싸매주고 발효시켜 술덧이 끓으면 이불을 벗겨서 차게 식은 후에 서늘한 곳으로 옮겨둔다. 2~3일 후인 5일이 지난 후에 끓여서 식혀두었던 탕수를 술독 안 가장자리로 조심스레 부어주고, 10일 정도 지나서 용수를 박아 채주한다. 황금 색깔의 단맛이 강하고 진한 청주를 얻을 수 있다.

여기서 '진향주'의 특징을 알 수 있다. 발효가 진행 중인 술덧에 탕수를 후수로 사용한다는 것이다. 후수를 하는 이유에 대해서는 정확히 밝혀진 바가 없으나, 전승가양주인 '진양주'의 기능 보유자 최옥림 씨에게 들었던 애기가 단초가 될 수 있을 듯하다.

애기인즉 "덧술을 해 넣고 술독을 한갓진 방에다 앉혀서 이불로 싸매서 발효시키는데, 어떤 때는 술독이 터져서 술을 망칠 때가 있다."면서 "시어머니께서 덧술의 쌀 가운데 1되를 덜어서 밑술로 쓰고, 덧술은 9되로 한다. 그래도 뻑뻑해서 술이 적게 나오므로 후수를 하는 것으로 알고 있고, 나도 따라서 그렇게 하고 있다."는 것이었다.

술은 시대 변화와 함께 술을 빚는 사람에 따라서도 진화를 계속한다. 술을 빚는 문화가 변화하는 건 예견된 일이지만, 본질은 모른 채 변화와 새로움만을 추구하는 사람들에게 '진향주'에 담긴 의미가 어떻게 다가갈지 궁금하기만 하다.

1. 진향주방문 <음식보(飮食譜)>

> 술 재료 : 밑술 : 찹쌀 1되, 누룩 2되, 물 4되
> 덧술 : 찹쌀 1말, (끓여 식힌) 물 8되

술 빚는 법 :

* 밑술 :

1. 찹쌀 1되를 아침 식전에 맑은 물이 나도록 씻어 (백세하여 맑은 물이 나올 때까지 헹구고) 다시 새 물에 담가 불렸다가 식후에 다시 헹궈 건져서 물기를 빼놓는다.
2. 솥에 물 4되를 붓고 끓이다가 물이 뜨거워지면 불린 쌀을 넣고, 주걱으로 저어가면서 팔팔 끓여 죽을 쑨 뒤 그릇에 퍼서 서늘하게 식기를 기다린다.
3. 차게 식은 죽에 누룩 2되를 합하고, 고루 버무려 술밑을 빚는다.
4. 술밑을 술독에 담아 안치고, 예의 방법대로 하여 5일간 발효시킨다.

* 덧술 :

1. 찹쌀 1말을 백세하여 물에 담가 하룻밤 불렸다가 다시 헹궈서 물기를 뺀다.
2. 불린 찹쌀을 시루에 안쳐서 고두밥을 짓는다(익었으면 돗자리에 고루 펼쳐

서 차게 식기를 기다린다).

3. 고두밥에 밑술을 합하고, 고루 버무려 술밑을 빚는다.

4. 술밑을 술독에 담아 안치고, 예의 방법대로 하여 5일간 발효시킨다.

5. 물 8되를 (팔팔 끓여 차게 식혔다가) 술독에 붓고, 술이 괴어오르고 익으면
   채주한다.

* 주방문 말미에 "바는 잘하거든 이라소 보아 하라."고 하였으나, 그 해석이 불
  가하다.

진향쥬방문

졈미 흔 되 죠 젼의 믈근 믈 나도록 시서 둠가 식후의 건져 믈 너 되예 죽 쑤
어 누록 두 되예 쳐 너허 닷샌 만의 졈미 흔 말 빅셰ᄒ여 잇튼날 닉게 져 밋
틱 덧터 쏘 닷샌 만의 믈 여들 되 부어 믈거든 쓰라. 바는(질)ᄒ거든 이틋ᄉ
보아 ᄒ라.

2. 진향주 <주찬(酒饌)>

> 술 재료 : 밑술 : 멥쌀 5홉, 찹쌀 5홉, 누룩가루 1되, 물 4되
>   덧술 : 찹쌀 5되, 멥쌀 5되, 후수 8되

술 빚는 법 :

* 밑술 :

1. 멥쌀과 찹쌀 각 5홉을 백세하여 물에 담가 하룻밤 재웠다가 (다시 씻어 헹
   궈 건져서 물기를 뺀 후) 작말하여 넓은 그릇에 담아놓는다.

2. 물 4되를 끓이다가 뜨거워지면 쌀가루를 풀어 넣고, 주걱으로 저어가면서
   팔팔 끓는 죽을 쑨 뒤, 넓은 그릇에 퍼서 차게 식기를 기다린다.

3. 죽에 누룩가루 1되를 섞고, 고루 버무려 술밑을 빚는다.
4. 술독에 술밑을 담아 안치고, 예의 방법대로 하여 5일간 발효시킨다.

* 덧술 :
1. 멥쌀과 찹쌀 각 5되를 각각 백세하여 (물에 담가 불렸다가, 다시 씻어 헹궈
   건져서 물기를 뺀 후) 시루에 안쳐서 고두밥을 짓는다.
2. 고두밥이 익었으면 퍼내고, 고루 펼쳐서 차게 식기를 기다린다.
3. 고두밥에 밑술을 합하고, 고루 버무려 술밑을 빚는다.
4. 술독에 술밑을 담아 안치고, 예의 방법대로 하여 5일간 발효시킨 후 물 8되
   를 후수하고 5일 후 채주한다.

* 주방문 말미에 "술을 떠내고 다시 죽을 쑤어 식혀 덧넣으면, 여러 책에 나온
   술보다 더 좋다. 맛이 매우 달고 독하며, 향기가 입 안에 가득 찬다."고 하였다.

震香酒
白米五合粘米五合百洗經夜水四升作粥待冷曲末一升均和五日後白米五升粘
米五升烝飯待冷均和本酒五日後注水八升又五日後用則味甚甘烈香滿口中餘
糟復作粥添之則猶勝博文.

집성향

스토리텔링 및 술 빚는 법

'집성향(集聖香, 集成香)'은 <양주방>*을 비롯하여 <임원십육지(林園十六志)>와 <조선무쌍신식요리제법(朝鮮無雙新式料理製法)>에서 찾아볼 수 있다. <양주방>*에는 '집성향', <임원십육지>에는 '집성향(集聖香)', <조선무쌍신식요리제법>에는 '집성향(集成香)'이라 하여 문헌마다 각각 다른 표기 방식을 보이고 있다.

'집성향'이란 주품명을 자전적으로 풀이하면 "향기를 얻을 수 있는 모든 방법이 동원된 술" 또는 "모든 방법을 동원하여 향기를 살리는 술"쯤으로 해석할 수 있으나, 위 세 문헌의 주방문을 통해서 '집성향'이란 주품명에 담긴 의미를 좀 더 명확히 찾고자 한다.

먼저 <양주방>*을 포함한 세 문헌의 주방문에서 찾아볼 수 있는 공통점은 밑술에 들어가는 쌀을 백세작말(百洗作末) 또는 백세세말(百洗細末)하여 흰무리떡을 쪄 사용하고, 밀가루가 들어간다는 점이다. 또한 덧술은 고두밥을 쪄서 물이나 누룩 없이 단독으로 사용한다는 것이다.

하지만 '집성향'의 밑술은 두 가지 방법으로 이루어진다는 것을 확인할 수 있다. <양주방>*에서는 흰무리떡을 끓는 물과 합하여 죽처럼 만든 뒤 차게 식혀서 밑술을 빚는 반면, <임원십육지>와 <조선무쌍신식요리제법>에서는 흰무리떡과 끓인 물을 각각 차게 식혀서 사용한다는 점에서 차이를 엿볼 수 있다.

결국 '집성향'의 특징이나 '향기를 살리는 비법'이라는 주품명에 담긴 의미로서의 술 빚는 비법은, 전적으로 밑술의 과정에 담겨 있다고 할 수 있다.

왜냐하면 덧술 과정은 일반 전통주와 다른 점을 전혀 찾아볼 수 없을 뿐더러 밑술 과정에 비법이 있다는 다음과 같은 근거들이 있기 때문이다.

첫째, '집성향'은 흰무리떡으로 밑술을 빚는 술의 특징인 감칠맛과 부드러운 맛을 간직하고 있다. 특히 덧술의 쌀 양과 비교해 밑술의 쌀 양이 많고, 상대적으로 물의 양은 적기 때문에 향기가 좋아질 수밖에 없다.

둘째, 밑술을 흰무리떡으로 빚게 되면 발효가 상대적으로 더디고, 발효기간도 길어질 수밖에 없는데, 덧술을 한 후에도 기본적으로 단맛이 많은 술이 된다. 단맛이 많으면 자연적으로 향기도 좋아진다는 건 누구나 아는 상식이므로 더 이상의 설명이 필요치 않을 것이다.

셋째, '집성향'의 밑술에는 밀가루가 사용되지만, 다른 장기발효주에서는 분곡이 사용되는 것을 볼 수 있다. 밀가루나 분곡은 유기산 생성을 도와 발효가 더딘 데 따른 잡균의 증식과 오염을 예방할 수 있다. 이때 생성된 유기산은 적당한 산미(酸味)를 부여하게 되고, 결과적으로 술맛의 균형을 잡아주는 역할을 하게 된다.

특히 흰무리떡으로 빚는 술이 감칠맛은 좋지만, 발효가 더딘 데 따른 오염이나 변질을 막기 위한 조치법이기도 하다.

넷째, 밀가루를 부재료로 사용하게 되면 술 빛깔이 맑은 술을 얻을 수 있다. 술맛은 시각적 자극에 따른 효과도 있기 마련이다. 특히 맑고 깨끗한 술 빛깔은 주원료의 세척이나 헹굼 등에 의해 일차적으로 결정되나, 발효가 잘 이루어졌을 때도 깨끗한 상태의 술을 얻을 수 있다는 게 정설이다.

그런 측면에서 밀가루를 사용함으로써 상대적으로 맑고 깨끗한 청주를 얻을 수 있다. 대개 발효 중 고두밥이나 쌀가루에서 생겨난 부산물이나 찌꺼기 등이 술에 녹아 나와 술이 탁해지거나 맑은 술일지라도 주면에 부유물이 떠 있는 걸

볼 수 있는데, 밀가루가 이들 부유물이나 찌꺼기들을 응집시켜 가라앉히는 역할을 한다. 이는 밀가루의 응집작용에 의한 결과이다.

물론 밀가루를 사용하지 않는 대신 분곡을 사용해도 똑같은 결과를 얻을 수 있다. 이는 삼해주와 같이 분곡을 사용하는 경우의 주품 해설에서 충분히 설명하였다.

결국 '집성향'의 이런 특징이나 기법들은 좋은 맛과 향기를 얻기 위한 수단이므로 주품명에 걸맞은 술을 얻고자 한다면, 무엇보다 원료 처리와 술 빚는 법, 술독 관리에 힘써야 할 것이다.

다시 강조하지만 '집성향'은 무엇보다 밑술을 빚는 과정이 여간 까다롭고 힘든 일이 아니다. 즉, 밑술의 쌀 가공방법과 재료 배합비율에서 보듯, 쌀 1말로 지은 백설기를 물 3병과 누룩, 밀가루를 고루 섞어 술밑을 빚는다는 게 결코 쉽지 않기 때문이다.

특히 <임원십육지>와 <조선무쌍신식요리제법>의 주방문에서와 같이 흰무리떡과 끓인 물을 각각 차게 식혀서 사용할 경우, 흰무리떡이 굳어져서 멍울 없는 술밑을 만들기 어렵고, 자칫 풀어지지 않은 떡덩어리 때문에 산패로 이어질 가능성이 농후하다. 하여 보다 수월한 방법을 찾고자 한 주방문이 <양주방>*의 '집성향'이 아닐까 하는 추측을 해보게 된다.

다시 말해 <임원십육지>와 <조선무쌍신식요리제법>의 주방문은 술을 직접 빚어보지 않은 사람들의 기록이라면, <양주방>*의 '집성향'은 경험에 의한 양주 기법을 기록한 주방문이라는 게 필자의 생각이다.

<양주방>*의 주방문에서 보듯이 끓는 물 1말과 흰무리떡을 식히지 않은 상태에서 합하여 죽 상태로 밑술을 만들면 보다 수월하게 떡 멍울을 없앨 수 있고, 발효도 훨씬 원활해지기 때문이다.

끝으로 <임원십육지>의 주방문 머리에 "속칭 '사절주(四節酒)라고도 한다."고 하였는데, <양주방(釀酒方)>과 <온주법(醞酒法)>, <주식방(酒食方, 高大閨壼要覽)>의 '사절주'가 밑술을 흰무리떡으로 빚는 방법의 술임을 확인할 수 있었다.

또 문헌마다 주방문 말미에 "술이 익어 채주하면 청주 3병, 탁주 1동이를 얻는데, 탁주의 맛이 '이화주'와 비슷하다."고 한 것으로 미루어 단맛이 많고, 부드러우며 약간의 산미도 느낄 수 있음을 짐작케 한다.

한편 <임원십육지>에 "이 방법은 청주(淸酒)와 탁주(濁酒)를 겸하여 얻을 수 있지만, 청주는 적고 탁주는 많으므로 앙료(醠醪)의 종류로 묶었다."고 언급하고 있다. 이는 3병의 물과 쌀 3말로 빚은 술에서 사용되는 물의 양과 동일한 청주를 얻을 수 있을 뿐, 나머지는 모두 탁주라는 사실에서 '집성향'이 얼마나 농도가 진한 술인지를 짐작할 수 있다.

이상 집성향을 통해 맛과 향기가 더불어 좋은 술은 쉽게 얻어지지 않는다는 사실과 함께 특히 밑술의 중요성을 거듭 확인할 수 있는 계기가 되었을 거라고 본다.

개인적으로는 '집성향'과 같은 주방문은 우리 전통주에 대한 편견이나 열등감을 없애고, 양주기법에 대한 과학성과 함께 조상들의 뛰어난 지혜를 엿볼 수 있다는 점에서 참 많은 공부가 되었다.

1. 집성향 <양주방>*

> 술 재료 : 밑술 : 멥쌀 1말, 누룩가루 2되 5홉, 밀가루 5홉, 끓는 물 3병
>   덧술 : 멥쌀 또는 찹쌀 1말

술 빚는 법 :

* 밑술 :

1. 희게 쓿은 멥쌀 1말을 깨끗이 씻고 또 씻어 (백세하여 물에 담가 불렸다가, 다시 씻어 헹궈 건져서 물기를 뺀 후) 가루로 빻아 준비한다.

2. 시루에 쌀가루를 안쳐 흰무리떡을 찌고, 다른 솥에 깨끗한 물 3병을 붓고 팔팔 끓인다.

3. 흰무리떡이 익었으면 퍼내어 넓은 그릇에 담고, 즉시 끓는 물을 합하여 주걱으로 고루 섞고 치대서 덩어리 없이 풀고 차디차게 식기를 기다린다.

4. 차게 식은 떡(죽)에 누룩가루 2되 5홉과 밀가루 5홉을 섞어 넣고, 고루 치대

서 덩어리가 없는 술밑을 빚는다.

5. 술독에 술밑을 담아 안치고, 예의 방법대로 하여 봄·가을에는 6일, 여름에는 3일간 발효시킨다.

* 덧술 :

1. 희게 쓿은 멥쌀 또는 찹쌀 1말을 깨끗이 씻고 또 씻어 (백세하여 물에 담가 불렸다가, 다시 씻어 헹궈 건져서 물기를 뺀 후) 시루에 안쳐서 고두밥을 짓는다.

2. 고두밥이 익었으면 퍼내고, 고루 펼쳐서 차디차게 식기를 기다린다.

3. 차게 식은 고두밥에 밑술을 합하고, 고루 섞고 버무려 술밑을 빚는다.

4. 술밑을 술독에 담아 안친 뒤, 예의 방법대로 하여 7일간 발효시킨다.

* 주방문에 "맑은 술 3병과 막걸리 1동이 나는데, 탁주 맛은 '배꽃술'과 같다." 고 하였다.

집성향
빅미 일두 빅세작말ᄒᆞ야 닉게 쪄 탕슈 세 병을 골나 츠거든 국말 두 되가옷 진말 오홉 섯거 너허 츈추의는 오일 하는 삼일 만의 빅미나 졈미나 ᄒᆞᆫ 말 빅 셰ᄒᆞ야 닉게 쪄 츠거든 술의 섯거 너허 칠일 후 쓰라. 쳥쥬 세 병 탁쥬 ᄒᆞᆫ 동 히ᄂᆞᆫ디 탁쥬 마슨 니화쥬 맛 ᄀᆞᆺ흐니라.

2. 집성향방 <임원십육지(林園十六志)>
－속명(俗名) '사절주(四節酒)'

술 재료 : 밑술 : 멥쌀 1말, 누룩가루 2되 5홉, 밀가루 5홉, 끓여 식힌 물 3병
　　　　　　덧술 : 멥쌀 2말

술 빚는 법 :

* 밑술 :

1. 멥쌀 1말을 세말한다(백세하여 물에 담가 불렸다가 다시 씻어 헹궈 건져서
   물기를 뺀 후, 고운 가루로 빻는다).
2. 쌀가루를 시루에 안쳐 흰무리를 찐다(익었으면 퍼내고 고루 풀어 덩어리 없
   이 헤쳐서 차게 식기를 기다린다).
3. 물 3병을 끓였다가 (차게 식힌 뒤) 떡과 진면, 누룩가루 2되 5홉과 분곡(가
   루) 5홉을 한데 섞고, 고루 버무려서 술밑을 빚는다.
4. 술밑을 술독에 담아 안치고, 예의 방법대로 하여 봄·가을에는 4~5일(여름
   철 3~4일)간 발효시킨다.

* 덧술 :

1. 멥쌀 2말을 (백세하여 물에 담가 불렸다가, 다시 씻어 헹궈 건져서 물기를
   뺀 후) 무른 고두밥을 짓는다.
2. 고두밥이 무르게 쪄졌으면 시루에서 퍼낸다(고루 펼쳐서 차게 식기를 기다
   린다).
3. 밑술에 고두밥을 합하고, 고루 버무려 술밑을 빚는다.
4. 술밑을 술독에 담아 안치고, 예의 방법대로 하여 7일간 발효시킨다.
5. 술이 익으면 (용수를 박아) 청주를 3병, 탁주 1동이를 얻는데, 그 맛이 이화
   주와 같다. 채주하여 마신다.

* 주방문에 "속칭 '사절주'라고 한다."고 하였는데, <음식방문>의 '사절주'와 유
   사하다. 주방문 말미에 "案此方雖兼取淸酒濁酒而淸少濁多故系之醯醪之類
   (청주는 적고 탁주는 많으므로 앙료의 종류로 묶었다)."는 저자 의견이 있다.

集聖香方

白米一斗細末熟烝麴末二升五合眞麵五合湯水三瓶和釀春秋四五日夏三四日
白米二斗爛烝粘米尤好無麴交釀七日當出淸酒三瓶濁酒一盆而濁之味如梨花

酒. <三山方>. (案此方雖兼取淸酒濁酒而淸少濁多故系之醠醪之類)

3. 집성향 <조선무쌍신식요리제법(朝鮮無雙新式料理製法)>

술 재료 : 밑술 : 멥쌀 1말, 누룩 2되 5홉, 진면(밀가루반죽) 5홉, 끓인 물 3병
덧술 : 멥쌀 또는 찹쌀 2말

술 빚는 법 :

* 밑술 :

1. 멥쌀 1말을 (물에 깨끗이 씻어 하룻밤 불린 후, 다시 씻어 건져서 물기가 빠지면) 세말한다.
2. 쌀가루를 시루에 안쳐 흰무리를 찐다(고루 풀어 헤쳐서 차게 식기를 기다린다).
3. 물 3병을 끓였다가 차게 식힌 뒤, 떡과 진면(밀가루반죽) 5홉, 누룩가루 2되 5홉을 한데 섞고 고루 버무려서 밑술을 빚는다.
4. 술밑을 술독에 담아 안치고, 예의 방법대로 하여 봄·가을이면 4~5일간(여름철 3~4일, 겨울철 5~7일) 발효시킨다.

* 덧술 :

1. 멥쌀이나 찹쌀 2말을 백세하여 (하룻밤 불린 뒤, 다시 씻어 건져서) 물기를 뺀다.
2. 쌀을 시루에 안쳐서 무르게 고두밥을 짓고, 익힌 후에 고루 풀어 헤쳐서 차게 식기를 기다린다.
3. 밑술에 고두밥을 섞어 술독에 담아 안치고, 예의 방법대로 밀봉하여 7일간 발효시킨다.
4. 술이 익으면 용수를 박아 채주하여 마시는데, 맑은 술 3병과 흐린 술 1동이

가 난다.

* 속칭 '사절주(四節酒)'라고도 하며, 주방문 말미에 이르기를 "술이 익어 채주
   하면 청주 3병, 탁주 1동이를 얻는데, 흐린 술의 맛이 '이화주'와 같다."고 기
   록되어 있다.

집성향(集聖香, 四節酒)

흔쌀 한 말을 세말하야 찌고 누룩가루 두 되 닷 홉과 밀가루 닷 홉과 쓸는
물 세 병을 한테 버무려 봄과 가을에는 사오일이요, 여름에는 삼사일 되거든
흔쌀 두 말을 찌되 찹쌀이 더욱 조흐니 누룩은 말고 한테 당가서 한 니레면
다 되나니, 맑은 술 세 병과 흐린 술 한 동의가 날 것이니, 흐린 술맛이 '리화
주'와 가트니라.

찹쌀청주법

스토리텔링 및 술 빚는 법

　정확히 25년 전의 일이다. 당시만 하더라도 우리 술은 희석식 소주와 맥주를 제외하고는 몇 안 되는 민속주와 '막걸리', '동동주'가 전부라고 해도 과언이 아닐 정도로 그 수효가 적었다. 더구나 일반인들에게 민속주나 전통주에 대한 개념이 없었던 때라 그간의 편견에 사로잡혀 있었다.

　그러한 때 시골을 돌아다니면서 가장 많이 접하게 된 술이 '동동주'였다. 이 '동동주'가 '부의주(浮蟻酒)'의 별명이었다는 사실도 알게 되면서, '동동주'의 원형이라고 할 수 있는 '부의주' 빚는 법을 찾게 된 것이 <음식방문(飮食方文)>과 <술 만드는 법> 등 한글로 쓰인 문헌들이었다.

　<음식방문>과 <술 만드는 법>의 '부의주'를 복원해 놓고, 그 결과물을 바탕으로 '부의주'가 지금까지 세간에서 얘기하는 탁주(濁酒)가 아닌 청주(淸酒)라는 주장을 처음으로 피력한 바 있었다. 그때 소위 '동동주'를 상품화하고 있던 양주업자들로부터 모멸에 가까운 항의를 받은 적이 있었다.

　지금이야 대부분의 사람들이 '부의주'는 청주라는 인식을 갖게 되었지만, 그때

'부의주'가 탁주가 아닌 청주라는 확신을 갖게 해준 주품이 <김승지댁주방문(金承旨宅廚方文)>의 '찹쌀청주법'이다. '부의주'가 <산림경제(山林經濟)> 등 수많은 문헌에 등장하는 것과는 달리 '찹쌀청주법'은 <김승지댁주방문>에만 수록되어 있는데, '부의주'도 함께 수록되어 있다는 점에 주목하게 되었다.

그리고 더 중요한 사실은 <김승지댁주방문>의 '부의주'보다 '찹쌀청주법'이 <음식방문> 등의 '부의주' 주방문과 더 가깝고, 복원했던 술맛이나 향기 또한 매우 닮았다는 점이다.

<김승지댁주방문>의 '찹쌀청주법'은 술 빚기에 사용되는 물의 양에서 '부의주'와 차이가 있을 뿐, 술 빚는 방법은 동일한 과정으로 이루어진다. 그러면서도 다른 문헌과는 달리 '찹쌀'로 빚는 청주라고 강조한 데서, 고두밥을 지어 빚는 술에서 '청주'를 얻을 수 있다는 단초를 얻게 된 것이다.

<김승지댁주방문>의 '찹쌀청주법' 역시 고두밥을 잘 짓는 것은 물론이고, 물누룩을 만들어 사용한다. 계절에 따라 다르긴 하지만 찹쌀을 씻어 불리기 전 솥에 물을 끓여서 차게 식힌 후, 누룩을 풀어서 물누룩(水麴)을 만들어두었다가 사용한다. 그러자면 누룩을 만들어 불리는 시간을 쌀을 씻는 시점부터 고두밥이 익어서 차게 식을 때까지 대략 6시간 정도가 되어야 한다.

'찹쌀청주법'이라는 주품명과 관련지어 보다 맑고 깨끗한 청주를 얻고자 한다면, 누룩물을 체에 걸러 누룩찌꺼기를 제거한 후에 사용하는 것이 좋다. 특히 찹쌀은 쌀알이 고르고 충실하게 잘 여문 것으로 골라 가능한 한 백세를 많이 하고, 뜨물이 남지 않게 헹구되, 쌀눈이 남아 있지 않도록 깨끗하게 헹궈서 물기를 뺀 후에 시루에 안쳐야 한다.

또 쌀을 불리는 시간이 짧을수록 살수를 많이 하여 센 불로 뜸을 잘 들이도록 하고, 쪄낸 고두밥은 날씨가 더운 때일수록 가능한 한 차디차게 식혀서 사용해야 실수가 없다는 것을 명심해야 한다.

주방문 말미에도 언급하였듯이 '찹쌀청주법'은 끓인 물을 차게 식혀서 사용하는 만큼, 모든 준비과정은 물론이고 술을 빚기 시작하여 끝마칠 때까지 일체의 날물이 들어가지 않도록 주의해야 한다.

발효시킬 때는 겨울철은 술독을 이불로 덮어주고, 봄·가을은 차지도 덥지도 않은 넓은 마루에 놓고, 더운 여름철에는 '청서주'나 '수중양법'과 같이 술독을 찬물에 담가두라고 한 것을 볼 수 있는데, 이는 술을 빚는 일 못지않게 발효 중인 술독을 관리하는 일도 중요하다는 사실을 암시하고 있다.

'부의주'가 조선 민중의 술로 굳건히 뿌리를 내린 반면, <김승지댁주방문>의 '찹쌀청주법'은 대중화되지 못한 듯하다. '찹쌀청주법'을 다른 문헌에서는 찾아볼 수 없기 때문이다. 이러한 사실과 관련해 그 원인을 추측하건대, '부의주'와의 차별성이 없어 자연스럽게 '부의주'에 흡수되었을 것으로 보인다.

술이란 기호식품이다. 그만큼 개성적이고 특징을 살려야 살아남는다는 뜻이다. 이러한 현상은 과거에 국한되는 것이 아니라 현대사회에서 더욱 중요한 요소로 작용한다. 지나치게 표준화와 균질화를 강조하는 현대 산업화로 인해 자칫 획일화로 치닫기 쉽고, 그 획일화는 점점 개성화·다양화되는 현대인들의 기호를 충족시키지 못해 결국 사라질 수도 있다는 사실을 명심해야 한다. 특히 그게 술일 경우엔 더 말할 필요가 없다.

찹쌀청주법 <김승지댁주방문(金承旨宅廚方文)>

술 재료 : 찹쌀 1말, 좋은 누룩 1되, 끓여 식힌 물 10~12복자

술 빚는 법 :

1. 솥에 많이 차가운 냉수를 넉넉히 붓고, 많이 끓여 10~12복자를 퍼서 차게 식혀놓는다.
2. 누룩 1되를 식힌 물 10~12복자에 풀어 물누룩을 만들어놓는다.
3. 가장 좋은 찹쌀 1말을 백세하여 물에 잠깐 담가 불렸다가 (다시 고쳐 씻어 헹궈서 물기를 뺀 후) 시루에 안쳐서 고두밥을 짓는다.
4. 고두밥이 익었으면, 시루에서 퍼내어 고루 펼쳐서 차게 식기를 기다린다.
5. 고두밥에 물누룩을 섞고, 고루 주물러 덩어리 없는 술밑을 빚는다.

6. 술밑을 술독에 담아 안치고, 물기 없이 발효시키되 겨울은 술독을 덮어두
   고, 봄·가을은 넓은 마루에 놓고, 극열(여름)은 찬물에 담가두고, 익는 대
   로 채주한다.

뽑솔쳥쥬법

ᄀ장 고흔 뽑쌀로 빅셰ᄒ여 잠간 담갓다가 닉게 써 ᄆ이 최올 닝슈를 ᄆ이 쓸
허 사늘게 치와 쌀 ᄒ 말의 열두 복ᄌ 너흐면 밉밉 열 복ᄌ 너흐면 되니라. 최
올 물의 ᄀ로누룩 ᄒ 되 풀고 석인 밥을 섯거 덩이 업시 쥐믈너 고르게 석거
항늘 물기 업시 너허 닉ᄂ 대 쓰되 겨울이 서 날맛로 덥허 두고 ᄀ을 봄의 너
른 마루의 ᄂ화 두고 극열은 물의 치ᄋ라.

처화주

스토리텔링 및 술 빚는 법

'처화주(處夏酒)'는 <침주법(浸酒法)>이라는 문헌에서만 찾아볼 수 있는 유일한 주품명이다. 본디 명칭은 '처하주'이다. 따라서 "여름이 물러갈 때쯤 빚는 술"이라는 뜻에서 유래한 명칭임을 알 수 있다.

<침주법>의 주방문을 통해서는 어떠한 연유로 '처화주'라는 주품명을 갖게 되었는지 알 수 없다. 다시 말해 '처화주'의 주방문에서는 여느 주방문과 다른 특별한 차이나 과정이 보이지 않는다는 것이다.

따라서 '처화주'는 '사월주'와 같이 환절기, 곧 계절이 바뀌는 때인 '처서(處暑) 무렵에 빚는 술'이라는 추측을 하게 된다. 이러한 추측을 하게 된 배경은 덧술 주방문 때문이다.

먼저 <침주법>의 '처화주' 주방문을 인용하면, "메백미 말 닷 되 일백 번 물에 씻어 하룻밤 재워 가루 만들라. 물 두 말 닷 되 끓여 담을 개되, 반은 설고 반은 익게 개어 식거든 가루누룩 두 되와 진가루 한 되를 섞었다가 닷새 만에 막 거품이 서거든 찰백미 너 말 일백 번 물에 씻어 하룻밤 재워 밥 익게 쪄 물 너 말 끓여

밥에 붓고 골화 식거든 새 누룩 한 되를 섞으라. 열흘 만에 쓰나니라."고 하였다.

여기서 주목할 부분은 덧술을 빚을 때 "밥 익게 쪄 물 너 말 끓여 밥에 붓고 골화 식거든 '새 누룩' 한 되를 섞으라."고 한 내용으로, 덧술에 '새 누룩'을 사용하라는 것을 볼 수 있다. 밑술에 사용하는 누룩이 그간 계속해서 사용해 왔던 '묵은 누룩'이라면, 덧술에 사용하는 누룩은 여름 삼복 때 빚어둔 '햇누룩'을 뜻한다.

재미있는 건 '입춘', '입하', '입추', '입동'과 같은 환절기는 그 기간이 매우 짧다는 것이다. 어제까지 더위에 몸살을 앓았던 것 같은데, 어느 사이 서늘한 바람이 옷깃을 파고드는 걸 느끼는데, 그 기간이 길어야 3~4일이라는 것이다. 같은 맥락에서 '처화주'의 덧술 간격은 5일이다. 이렇게 짧은 기간에 밑술에 사용하는 누룩과 덧술에 사용하는 누룩을 달리하는 경우는 '처화주'에서만 목격되거니와, 특히 덧술에 사용되는 누룩이 '새 누룩'이라는 사실에서 '처화주'를 빚는 시기가 처서 무렵이라는 근거를 찾기에 이른다.

주지하다시피 민간에서 '삼복' 때에 누룩을 빚는 일이 상례로 되어 있었던 만큼 초복에서 중복, 또는 중복에서 말복 사이에 누룩을 디뎌 띄우기 시작했다면, 처서 무렵에는 햇누룩을 거둘 수 있다. 따라서 이 시기에 추석 차례상에 올리는 '햅쌀술'을 비롯하여 연중 술 빚기를 시작하는데, <침주법>의 '처화주'를 통해서 '햅쌀술'보다 먼저 빚는 술이 존재했다는 사실을 확인할 수 있었다.

처화주 <침주법(浸酒法)>
－너 말 닷 되 빚이

> 술 재료 : 밑술 : 멥쌀 1말 5되, 가루누룩 2되, 밀가루 1되, 끓는 물 2말 5되
> 　　　　덧술 : 찹쌀 4말, 누룩 1되, 끓는 물 4말

술 빚는 법 :
* 밑술 :

1. 멥쌀 1말 5되를 백세하여 물에 담가 하룻밤 불렸다가 (다시 씻어 건져서) 가루로 빻아 넓은 그릇에 담아놓는다.
2. 물 2말 5되를 팔팔 끓여 쌀가루에 골고루 나눠 붓고, 주걱으로 개어 반은 설고 반은 익게 범벅을 만든다.
3. (범벅을 담은 그릇의 뚜껑을 덮어 밤재워 차게 식기를 기다린다.)
4. 범벅에 가루누룩 2되와 밀가루 1되를 합하고, 고루 버무려 술밑을 빚는다.
5. 술밑을 술독에 담아 안친 후, 예의 방법대로 하여 (서늘한 곳에서) 5일간 발효시켜 막 괴어오르면 덧술을 준비한다.

* 덧술 :
1. 찹쌀 4말을 백세하여 물에 담가 하룻밤 불렸다가, 다시 헹궈 물기를 빼놓는다.
2. 불린 쌀을 시루에 안치고 쪄서 고두밥을 짓고, 솥에 물 4말을 끓인다.
3. 고두밥이 무르게 익었으면 퍼내어 넓은 그릇에 담고, 팔팔 끓고 있는 물을 고두밥에 골고루 합한다.
4. (고두밥이 담긴 그릇과 똑같은 그릇으로 뚜껑을 덮어 고두밥이 물을 다 먹고) 차디차게 식기를 기다린다.
5. 고두밥에 새(햇) 누룩 1되와 밑술을 한데 섞어 합하고, 고루 버무려 술밑을 빚는다.
6. 술독에 술밑을 담아 안친 후, 예의 방법대로 하여 (차지도 덥지도 않은 곳에서) 10일간 발효시키면 술이 익는다.

쳐화쥬(處夏酒)―닷 말

뫼빅미 마 닷 되(白米 一斗 五升) 일빅 믈 시서 흐르 쌈 재여 그르 밍그라 믈 두 말 닷 되(水 二斗 五升) 쓸혀 둠 기되 반으란 설고 반으란 닉게 기여 식거든 그르누록 두 되(曲 二升)와 진그르 흔 되(眞末 一升)를 섯거더가 닷쉔(五日) 마늬 막 거푸미 셔거든 출빅미 너 말(粘米 四斗) 일빅 믈 시서 흐르 쌈 재여 밥 닉게 쪄 믈 너 말(水四斗) 쓸혀 바배골라 식거든 새누록(曲一升) 흔 되를 섯그라 열홀 마늬 쓰느니라.

천일주

스토리텔링 및 술 빚는 법

<박물지(博物志)>에 유현석이라는 이의 일화가 유명하다. <박물지>는 중국 진나라 때 장화(張華)라는 사람이 지은 책으로, 중산 땅에 살았던 유현석이란 사람에 대한 이야기가 나온다.

유현석은 술꾼으로 매우 독특한 술을 좋아하기로 유명하다. 그가 하루는 '천일주(千日酒)'를 구하게 됐는데, 술집 주인이 마시는 법을 설명해준다는 것을 그만 깜빡했던 모양이다. 유현석은 '천일주'를 가지고 집에 돌아와 취하도록 마시고는 이내 잠이 들고 말았는데, 현석이 며칠이 지나도 취한 채 깨어나지 않으므로 식구들은 그가 죽은 줄로만 알고 장사를 지내게 되었다.

한편 현석에게 '천일주'를 팔았던 술집 주인은 '이제쯤 술이 깨기 시작했겠지.' 생각하고 현석의 집에 이르러 주인을 찾으니, 안에서 하얀 소복을 입은 여인이 종종걸음으로 달려 나오며, "바깥어른은 3년 전에 돌아가셔서 장사를 치렀는데, 아직 모르고 계셨습니까?" 하더라는 것이다. 그때서야 술집 주인은 당시 현석에게 '천일주'에 대해 설명해 주는 것을 깜빡 잊은 일을 사죄하면서, 황망이 무덤을 찾아가 땅을 파고 관을 열자, 유현석은 눈을 뜨고 길게 하품을 하면서 "내가 왜 관 속에 누워 있냐?" 하고 중얼거렸다는 내용이다.

이 일화는 "한 번 마신 술로 3년 동안을 이내 취해 지냈으니, 유현석이야말로 원 없이 취한 격이 되었고, 그의 아내는 다시금 새 서방을 얻은 셈이 되었다."는 얘기로 유명해졌다.

한편 창산부원군(昌山府院君) 성희안(成希顔)이 살던 집이 남산 아래 있었는데 골짜기가 그윽하고 깊었다. 가정 신축년에 규암(圭庵) 송인수(宋麟壽)가 세를 얻어 살았다. 임당(林塘) 정유길(鄭惟吉)이 방문하자 규암이 시를 지어 사례하였더니, 일시의 문인들이 많이 차운하여 큰 책이 되었다.

玉人乘月訪幽居(옥 같은 사람이 달 아래 그윽한 거처 찾아와)
柴戶推來樹影疎(사립문을 밀치니 나무 그림자가 성글도다.)
山釀暫開千日酒(집에서 빚은 '천일주' 독을 잠깐 열었고)
盤肴偶得八梢魚(쟁반의 안주는 우연히 팔초어를 얻었네.)
狂詩不用傳驚俗(미친 시는 흐트러져 세속을 놀랠 것 없지만)
淸話方知勝讀書(맑은 이야기가 글 읽는 것보다 나은 줄 이제 알겠네.)
明日送君山下路(내일 그대를 산 밑 길에서 전송하고 나면)
小堂寥落似逃虛(작은 당 적적하여 텅 빈 곳에 사는 것 같으리.)

규암의 시에 '천일주'를 놓고 벌인 시회(詩會)의 결과물이 한 권의 문집이 되었을 정도였다 하니, 옛 선비들의 술자리에서의 풍류와 '천일주'의 향취가 어땠을지 가히 짐작할 만하다.

이처럼 중국에서 유래된 것으로 보이는 '천일주'가 우리나라의 선비들 사이에서도 감상(鑑賞)의 대상이 되었다는 사실을 확인할 수 있는데, 1896년간으로 알려진 <주식방(酒食方, 延世大閨壼要覽)>에 처음 등장한다. <주식방(연세대규곤요람)>의 '천일주'는 여느 이양주법(二釀酒法)의 술 빚는 방법과 비교하면 아무런 차별성이나 특징이 없는, 그저 그런 평범한 술이다.

그러나 <주식방(연세대규곤요람)>의 '천일주' 주방문 말미에 언급된 내용에 더 주목할 필요가 있다. 주방문 말미에 "술맛이 좋고 아니 좋기는 쌀에 달렸느니, 술 쌀 쓸기(씻기)는 푸른빛이 나도록 쓸고, 담글 때도 여러 번 씻어 맑은 물이 나도록 씻어 담그느니라."고 하여 주원료의 전처리 과정, 곧 백세(百洗)를 유난히 강조하고 있음을 볼 수 있다.

또 "이 술을 하려면 구시월이나 동지섣달이나 정이월이나 하고, 늦은 봄이나 여름에는 못하느니라."고 했다. 이는 가을철에 시작하여 맹동(孟冬)에는 피하고 날씨가 풀리기 직전인 음력 2월까지 빚을 수 있다고 한 것으로 미뤄 날씨가 더워지면 술맛이 좋지 못함을 암시하고 있다.

추워지기 시작할 무렵에 빚는 만큼 "이 술 할 때에 두트레방석을 술항 밑에 깔아두면 추운 데는 춥지 아니할 때는 술이 병집 없이 잘 되느니라. 술을 해 넣고 간수하기를 차게 해도 못 쓰고 좀 덥게 해도 못 쓰고 노인 위하듯 하여야 술이 잘 되느니라."고 하여 바닥의 냉기가 술독에 닿지 않도록 관리하는 방법까지 구체적으로 알려주고 있다.

그리고 주방문 말미에는 후수(後水)하여 후주(後酒)를 얻는 방법에 대해서도 언급하고 있다. "오래 두고 쓰려면 2~3사발씩 들어가는 병에 넣어서 시원한 광이나 아무 곳이든 시원한데 병목만 나오게 묻어두면 1년을 두어도 맛이 변하지 않고, 술빛이 점점 더 맑아지느니라. 두 번째 뜨는 술은 첫물을 뜨지 않았을 때의 술독의 술 양 정도로 부어가지고 떠내고, 세 번째부터는 첫술 뜨지 않았을 때의 푼수(그릇 수)가 더 되게 물을 붓고 용수 빼내고 오래 두었다가 다시 용수를 박고 뜨느니라. 첫술 떠서 도청(淘淸)하여 둔 술은 한 잔이라도 극히 귀하게 쓰고, 두 번째 뜬 술도 손님 대접하기 좋으니라. 맛이 좀 싱거운 듯하면, 첫술을 조금 타서 손님 대접하느니라."고 하였다.

이로써 <주식방(연세대규곤요람)>의 '천일주'가 손님 접대 등의 목적으로 빚어지는 귀한 술이었음을 짐작할 수 있다. 술 빚기에 사용된 물의 양이 엄밀하게는 4~5되 정도로 적다는 것 또한 알 수 있다. 주방문 말미의 후수하는 방법에서 보듯 3차 후수의 경우, 술맛을 봐가면서 할 일이다. 또한 밑술과 덧술에 사용되는 물은 반드시 끓여서 차게 식힌 물을 사용하도록 하고, 후수 역시도 끓여서 특별히 차게 식힌 후에 사용하는 것이 좋을 듯하다.

천일주법 <주식방(酒食方, 延世大閨壼要覽)>

> 술 재료 : 밑술 : 멥쌀 3되, 가루누룩 1되, 물(1~2되)
>
>   덧술 : 찹쌀 1말, 물 3되

술 빚는 법 :

* 밑술 :

1. 멥쌀 3되를 (백세하여 물에 담가 불렸다가, 다시 씻어 건져서 물기를 뺀 후) 작말한다.

2. 쌀가루를 시루에 안쳐서 흰무리를 찌고, 익었으면 시루에서 퍼내어 넓은 그 릇에 담아 아주 차게 식기를 기다린다.

3. 차게 식힌 흰무리에 가루누룩 1되를 섞고, 물(1~2되)을 치면서 여러 차례 짓이겨 묽은 고추장처럼 술밑을 빚는다.

4. 술독에 술밑을 담아 안치고, 차지도 덥지도 않은 곳에서 발효시키는데 추울 때는 8~9일, 더울 때는 7~8일이면 술이 익는다.

5. 밑술을 다른 그릇에 쏟아놓고 보면, 테두리가 있을 것이므로 그 테두리대로 물을 되어서(계량하여) 놓는다.

* 덧술 :

1. 찹쌀 1말을 (백세하여 물에 담가 불렸다가, 다시 씻어 건져서 물기를 뺀 후) 시루에 안쳐서 고두밥을 짓는다.

2. 고두밥이 익었으면 시루에서 퍼내고, 고루 펼쳐서 매우 차게 식기를 기다린다.

3. 고두밥에 밑술과 계량해둔 물 3되를 한데 합하고, 고루 버무려 술밑을 빚 는다.

4. 짚불 연기를 쏘여 소독하여 준비해 둔 술독에 술밑을 담아 안치고, 예의 방 법대로 하여 차지도 덥지도 않은 곳에 두고 발효시킨다.

5. 성냥불을 켜서 술독에 넣어보아 불이 꺼지지 않으면 다 익은 것이니, 술독

을 시원한 곳으로 옮겨놓는다.

6. 술덧의 가운데를 헤쳐서 용수를 박아두고, 첫술을 떠서 병에 담고 유지로 잘 봉하여 서늘한 곳에 둔다.

7. 7일 후에 다시 고인 맑은 술을 떠내고, 전과 같이 도청하기를 3~4일 하면 술빛이 맑고 맛이 좋다.

* 주방문에 "술맛이 좋고 아니 좋기는 쌀에 달렸느니 술쌀 쓸기는 푸른빛이 나도록 쓸고, 담글 때도 여러 번 씻어 맑은 물이 나도록 씻어 담그느니라. 이 술을 하려면 구시월이나 동지섣달이나 정이월이나 하고, 늦은 봄이나 여름에는 못하느니라. 이 술 할 때에 두트레방석을 술 항 밑에 깔아두면 추운 데는 춥지 아니할 때는 술이 병집 없이 잘 되느니라. 술을 해 넣고 간수하기를 차게 해도 못 쓰고 좀 덥게 해도 못 쓰고 노인 위하듯 하여야 술이 잘 되느니라."고 하여 쌀 씻는 방법과 술 빚는 시기를 강조하였다.

천일쥬법

가령 우 더풀 쏠 흔 말을 흐랴면 밋슐은 묍쌀 셔 되을 힌무리 찌듯 쪄셔 훨신 식은 후의 갈우룰욱 흔 되 썬으 흔데 셕거 물 치면셔 여러 번 짓이겨 물은 고초장 히여듯 너히 너코 간슈흐기을 노인 디졉흐듯 불한불열흐게 흐면 치운 씨는 팔구 일이요 더운 씨는 칠팔일이면 다 되느니 다 되거던 밋슐을 달은디 쏘다노코 보면 테들이가 잇실 거신이 그 테들이디로 물을 되야 가지고 찹쌀 흔 말을 쪄셔 훨신 식은 후의 밋슐흐고 밋슐히 너든 항졍디로 되야 논 물흐고 흔데 비져 녀셔 불흔불렬흐게 두어듯가 다 된 걸 알냐면 셩냥의 불을 켜셔 드리미려 바셔 불이 아니 쩌지면 다 된 거신이 시연흔데 닉노코 농슈을 박고 천물 쩌셔 유지로 잘 봉히셔 서늘흔디 두어다 일쥬야 진안 후의 우의 말근 놈만 쌀아셔 그러케 도청흐기을 삼스촛을 흐면 슐비시 말고 마시 조난이 오리 두고 쓰랴면 두어쥬발식 드는 병에 너셔 시연흔 광이누 아모디누 시연흔디 병목만 나오게 무더두면 일연을 두어도 마시 안이 변흐고 슐빗시 졈졈 더 말그지누이라. 두 번촛 쓰는 슐은 물을 첫물 안이 쩌실 썬 항덩디로 부어 그지고 쩌닉고 셰 번츠는 첫물 안이 쩌실 쩌 푼슈가 더 되게 물을 붓고 용슈 쎅닉고 오릭 두어다ㄱ 다시 용슈을 박고 쓰닉라. 첫물 쩌셔 도청ᄒ여 둔 슐은 한잔 이라도 극귀하계 쓰고 두 번츠 쁜 슐도 손임 딕졉ᄒ기 조흔이라. 맛시 좀 승건 듣ᄒ면 첫물을 좀 틱셔 손임 딕졉ᄒ닉라. 슐빗시 조코 안이 조키닉 쑬에 달 여닉이 슐 쑬 슬키을 풀운빗시 ㄴ도록 슬코 당글졔도 열려 번 쓰셔 말근 물 이 ㄴ도록 쓰셔 당그닉라. 이 슐을 ᄒ랴면 구시월이닉 동지셔달니닉 졍이월 이닉 ᄒ고 느진 봄과 열음의은 못 ᄒ닉니라. 니 슐 할 씨의 두트리 방석을 슐 항 밋테 쌀으 두면 치운 씨닉 칩지 안이ᄒ 씨닉 슐이 병집 업시 잘 되닉이라. 슐을 히 너코 간수ᄒ기을 차계 히도 못쓰고 좀 덥게 히도 못쓰고 노인 위ᄒ 둣 히여야 슐이 잘 되닉라.

청감주

　수백 종에 달하는 고유의 전통주 가운데 '청감주(淸甘酒)'라는 주품명과 그 주방문은 <고사촬요(故事撮要)>를 시작으로 <고사신서(攷事新書)>, <고사십이집(攷事十二集)>, <농정찬요(農政纂要)>, <민천집설(民天集說)>, <산림경제(山林經濟)>, <술 만드는 법>, <술방>, <시의전서(是議全書)>, <양주방(釀酒方)>, <음식방문(飮食方文)>, <의방합편(醫方合編)>, <임원십육지(林園十六志)>, <주방(酒方)>*, <주찬(酒饌)>, <증보산림경제(增補山林經濟)>, <치생요람(治生要覽)>, <침주법(浸酒法)>, <해동농서(海東農書)>, <후생록(厚生錄)> 등 20종의 문헌에서 주방문이 23차례나 등장하고 있다. 그만큼 '청감주'가 우리나라 대표 청주(淸酒) 중 하나로 일반에서 즐겨 마셨음을 짐작하게 해준다.

　전통의 양주기법 가운데는 일반적인 방법의 술 빚기와 다르게 원료의 일부로 '소주'나 '탁주', '청주'를 넣어 빚는 주품들이 여럿 있다. '소주'를 첨가한 대표적인 술로 '과하주'를 들 수 있고, '탁주'를 사용하는 술로는 '급시청주'와 '급청주'를 들 수 있으며, 청주를 사용한 술로는 '청감주'와 '삼일주' 등을 들 수 있다.

하지만 '청감주'만큼은 필요에 따라 '탁주'를 사용하기도 한다.

'청감주'라는 주품명에서도 짐작할 수 있듯이 "맑은 '청주'이면서도 그 맛에 특별한 감미가 있다."는 뜻이다. 술을 못하는 사람도 서너 잔은 거뜬히 마실 수가 있을 정도로 맛과 향이 뛰어나다.

'청감주'는 두 가지 주방문이 존재하는 것으로 밝혀지고 있다. 그 특징을 요약하면 여느 술 빚기와는 다르게 물을 사용하지 않는 반면, 좋은 술 곧 '청주'를 섞는다는 것을 들 수 있다. 이와 같은 방법은 <역주방문(曆酒方文)>의 '향온주'에서도 찾아볼 수 있는데, 극히 드물게 나타나는 주방문이다.

또한 '청감주'는 주원료로 쓰는 찹쌀 1말에 청주 1병 또는 1병 반, 발효제인 누룩을 5홉밖에 넣지 않아 얻어지는 술의 양이 극히 적으나 그 맛이 순하고 부드러우며 또한 감미가 뛰어나다는 것을 특징으로 꼽을 수 있다.

이러한 '청감주'는 <고사촬요>를 비롯하여 <고사신서>, <고사십이집>, <농정찬요>, <민천집설>, <산림경제>, <술 만드는 법>, <술방>, <시의전서>, <양주방>, <음식방문>, <의방합편>, <임원십육지>, <주찬>, <증보산림경제>, <치생요람>, <침주법>, <해동농서>, <후생록> 등 대부분의 문헌에서 동일하게 수록된 주방문을 목격할 수 있다. 양주용수 대신 청주를 사용하고, 5홉 정도 적은 양의 누룩을 사용한다는 공통점을 보이는 데 반해 <주방>*에서는 조금 다른 방문을 보이고 있다.

다음은 <주방>*의 주방문이다.

"춥쌀 서 되를 ᄀ쟝 고이 쓸허 시서 물의 둠가 두고 죠흔 누룩 두 되에 물 엿 되 두모디 겨울 ᄀ을 봄을 찬물을 미근이 더이고 녀름으란 춘물의 그져 둠갓다가 이튿날 누룩물을 몬져 체에 밧타 두고 그 밥을 닉게 쪄 시룩채 내어 노코 시룩 솟틔 글흔 물의 빅항이나 노룬 항이나 테는 두시 데시서 그 누룩물 담을 제 처엄의 된 되로 다 되어 붓고 그 밥을 더운 김의 항의 녀코 덩이 업시 죄 플어지게 저어 무흔 더운 방의 만히 덥퍼 둣다가 반날만 흐거든 맛 보와 엿 ᄀ거든 즉시 내어 둣다가 쓰라."

이는 고두밥을 덜 식힌 상태에서 누룩물과 한데 섞고, 따뜻한 곳에서 속히 발효시켜 빚는 이양주법(二釀酒法)의 '감주(甘酒)' 빚는 방법을 떠올리게 한다. 다시 말해 <고사촬요> 등 대부분 문헌의 주방문과는 전혀 다른 방법이라고 하겠다.

안타깝게도 '청감주'는 고서 기록에서만 찾을 수 있을 뿐, 지금은 이름도 잃어버리고 기술도 단절된 주품으로 알려지고 있다. '청감주'가 사라지게 된 정확한 근거를 밝힐 수는 없지만, 몇 가지 이유들을 추정만 할 뿐이다. 예를 들어 일제강점기에 접어들면서 가정에서의 술 빚기가 어려워지고, 해방 후에는 식량난으로 귀한 찹쌀술을 빚기가 용이하지 않자 재료가 멥쌀로 바뀌고, 또 보다 많은 양의 술을 얻기 위한 방법으로 물을 첨가하는 일반적인 방법의 술을 빚게 되었을 거라고 말이다.

필자는 <고사촬요>를 통해서 '청감주'라는 주품명에 매력을 느끼고, 처음으로 술 빚기를 시도해 보았다. 그러나 술 이름과 관련하여 향기나 그 맛에서 어떤 특징이나 상징성을 찾아보기 힘들었다.

'청감주' 주방문은 구체적인 주방문을 찾기가 힘들 정도로 간단하다. <고사십이집>에는 <고사촬요>를 인용하여 "찹쌀 1말을 쪄서 누룩가루 반 되를 물에 타지 말고 좋은 술 1병 반에 섞어 빚으면 그 맛이 꿀맛 같다."고 하였다. <고사촬요>에도 방문 말미에 "그 맛이 꿀맛 같다."고 하였을 뿐 주방문에는 쌀을 씻는 방법을 비롯하여 고두밥을 짓는 방법 또는 발효시키는 방법과 기간에 대해 구체적인 내용이 없다.

<술방>의 주방문을 보면 "청감쥬는 찹쌀 흔 말 기여 밥 지여 곡말 다 솝의 물 쥬지 말고 죠흔 술 흔 병만 셧거 비즈면 그 맛시 쑬갓트니라."고 되어 있는데, 실제 술 빚기에서는 고두밥으로 처리해야 한다는 사실을 잊어서는 안 된다.

가끔 쌀을 어떻게 하라는 말이 없다고 하여 쌀 그대로 찌거나 불리지 않고 가루로 빻는다든지 고두밥을 찌는 것으로 해석하는 경우가 있다. 그러나 불리지 않은 쌀을 고르게 익힐 수 없어 결국 술 빚기에 실패하고 만다.

다행히도 수십 차례의 시도 끝에 양주용수 대신 사용한 청주에 문제가 있었다는 사실을 깨닫게 되었다. 좋은 '청감주'를 얻기 위해 좋은 청주를 써야 한다는 생각에 알코올 도수가 높은 술을 사용했던 게 문제였다. 알코올 도수가 높아 발효가 더뎌졌고, 완성된 '청감주'에서는 쓴맛이 강하게 나타나 매력을 느낄 수 없었던 것이다. 따라서 '청감주'에 사용하는 청주의 알코올 도수가 지나치게 높아서는 결코 좋은 맛과 향기의 '청감주'를 얻을 수 없음을 기억해야 한다.

'청감주'에 사용할 청주는 비교적 알코올 도수가 낮은, 10~13% 정도의 순한 청주가 좋다. 또한 굳이 청주가 아닌 탁주라도 '청감주'를 빚을 수 있다는 사실도 알게 되었다. '청감주'는 발효 후 1개월 정도의 숙성 기간을 거쳤을 때, 맑기와 향취가 더 좋아진다.

이와 같은 예의 주방문은 기존의 생주(生酒)를 사용함으로써 술밑의 효모 증식과 발효능력을 향상시켜 일정한 맛과 향기를 간직한 술을 빚고자 하는 데 그 목적이 있다. 따라서 '청감주'에 사용할 술은 특히 맛이 좋으며 오래되지 않은 술로, 열처리를 하지 않은 생주(生酒)라야 한다.

우리가 이 땅에서 사라졌거나 맥이 끊긴 채 옛 문헌 속에 묻혀 있는 전통주를 재현하는 과정에서 유의해야 할 자세가 있다. 성공했을 때의 맛과 향기도 중요하지만, 끊임없이 "왜?", "어떻게"라는 의문을 갖고 임해야 한다는 것이다. "왜?", "어떻게"라는 의문이나 호기심이 없이는 배우고 깨치는 게 없기 때문이다.

바로 앞서 설명한 예와 같이 "술 빚기에 '왜' 먼저 빚어둔 술이 들어갈까?", "어떻게 먼저 빚어둔 술을 이용할 방법을 생각해냈을까?" 하는 의문이 있어야 옛 선조들의 뛰어난 지혜와 기술, 오랜 세월에 걸쳐 체득한 경험들을 통해 보다 나은 맛과 멋을 추구하고자 했던 은근한 노력과 삶의 흔적들을 엿볼 수 있기 때문이다.

'청감주'는 '감향주', '동정춘', '동양주' 등과 같이 술을 빚어두고, 조금씩 오래 오래 떠서 마시는 재미를 느낄 수 있는 좋은 술이다.

1. 청감주 <고사신서(攷事新書)>

> 술 재료 : 찹쌀 1말, 가루누룩 5홉, 좋은 술 1병 반(4되 5홉)

술 빚는 법 :

1. 찹쌀 1말을 (물에 깨끗이 씻어 하룻밤 불렸다가, 다시 씻어 건져서 물기를 뺀 다음) 준비한다.

2. 솥에 물을 붓고 끓이다가 시루를 올리고 불린 찹쌀을 안쳐서 고두밥을 익게 (무르게) 찐다.

3. (고두밥이 익었으면, 자리에 퍼내서 고루 펼쳐서 차게 식기를 기다린다.)

4. 찹쌀고두밥에 가루누룩 5홉과 준비한 분량의 좋은 술 1병 반을 함께 합하고, 고루 버무려 술밑을 빚는다.

5. 술밑을 술독에 담아 안치고, 예의 방법대로 하여 발효시키는데 3일이면 술이 익어 마실 수 있고, 그 맛이 꿀맛 같다.

淸甘酒

粘米一斗蒸飯麴末半升不用水以好酒一甁半調和釀之其味如蜜.

2. 청감주 <고사십이집(攷事十二集)>

> 술 재료 : 찹쌀 1말, 가루누룩 5홉, 좋은 술 1병 반(4되 5홉)

술 빚는 법 :

1. 찹쌀 1말을 (물에 깨끗이 씻어 하룻밤 불렸다가, 다시 씻어 건져서 물기를 뺀 다음) 준비한다.

2. 솥에 물을 붓고 끓이다가 시루를 올리고 불린 찹쌀을 안쳐서 고두밥을 익게 (무르게) 찐다.

3. (고두밥이 익었으면, 자리에 퍼내서 고루 펼쳐서 차게 식기를 기다린다.)

4. 찹쌀고두밥에 가루누룩 5홉과 준비한 분량의 좋은 술 1병 반을 함께 합하고, 고루 버무려 술밑을 빚는다.

5. 술밑을 술독에 담아 안치고, 예의 방법대로 하여 발효시키는데 3일이면 술
   이 익어 마실 수 있고, 그 맛이 꿀맛 같다.

* 주방문에 "찹쌀 1말을 쪄서 누룩가루 반 되를 물에 타지 말고 좋은 술 1병 반
  에 섞어 빚으면 그 맛이 꿀맛 같다."고 하였다.

淸甘酒
粘米一斗蒸飯麴末半升不用水以好酒一瓶半調和釀味如蜜.

3. 청감주 <고사촬요(故事撮要)>

술 재료 : 찹쌀 1말, 누룩 5홉, 청주 1병

술 빚는 법 :
1. 찹쌀 1말을 (물에 매우 깨끗이 씻어 헹군 뒤, 새 물에 담가 불렸다가 다시
   살짝 씻어 말갛게 헹군 후 건져서 물기를 뺀 다음) 시루에 안쳐 고두밥을 짓
   는다.
2. (고두밥이 익었으면, 퍼내고 고루 펼쳐서 온기가 남게 식힌다.)
3. 고두밥에 누룩가루 5홉을 섞고, 청주 1병을 뿌려서 고루 버무려 술밑을 빚
   는다.
4. 술독에 술밑을 담아 안치고 (단단히 밀봉한 뒤, 예의 방법대로 하여) 발효
   시킨다.

* 주방문 말미에 "그 맛이 꿀맛 같다."고 하였다. 주방문에는 쌀을 씻는 방법을
  비롯해 고두밥을 짓는 법, 발효시키는 방법, 기간에 대한 구체적인 내용이 없
  다. <고사촬요>, <치생요람>, <산림경제>, <민천집설>, <시의전서>, <임

원십육지> 등에 나오며 누룩을 적게 넣고, 양주용수 대신 청주를 사용하는
등 특별한 양주기법으로 달게 빚어지는 술이다.

淸甘酒

粘米一斗蒸飯麴末半升不用水以好酒一甁半調和釀之其甘如蜜.

4. 청감주법 <농정찬요(農政纂要)>

술 재료 : 찹쌀 1말, 가루누룩 5홉~1되, 좋은 술 1병 반(4되 5홉)

술 빚는 법 :

1. 찹쌀 1말을 (물에 깨끗이 씻어 하룻밤 불렸다가, 다시 씻어 건져서 물기를
   뺀 다음) 준비한다.
2. 솥에 물을 붓고 끓이다가 시루를 올리고 불린 찹쌀을 안쳐서 고두밥을 익
   게 (무르게) 찐다.
3. (고두밥이 익었으면, 자리에 퍼내서 고루 펼쳐서 차게 식기를 기다린다.)
4. 찹쌀고두밥에 가루누룩 5홉~1되와 준비한 분량의 좋은 술 1병 반을 함께
   합하고, 고루 버무려 술밑을 빚는다.
5. 술밑을 술독에 담아 안치고, 예의 방법대로 하여 발효시키는데, 3일이면 술
   이 익어 마실 수 있고, 그 맛이 꿀맛 같다.

* 방문에 "찹쌀 1말을 고두밥을 쪄서 누룩가루 5홉 또는 1되를 물을 넣지 말
  고, 좋은 술 1병 반을 고루 화합하여 빚으면 그 맛이 꿀과 같다."고 하였다.

淸甘酒

粘米一斗蒸飯麴末半升不用水以好酒一甁半調和釀之其味如蜜.

5. 청감주법 <농정회요(農政會要)>

술 재료 : 찹쌀 1말, 누룩가루 5홉, 좋은 술 1병 반(4되 5홉)

술 빚는 법 :

1. 찹쌀 1말을 (물에 깨끗이 씻어 하룻밤 불렸다가, 다시 씻어 건져서 물기를 뺀 다음) 준비한다.
2. 솥에 물을 붓고 끓이다가 시루를 올리고 불린 찹쌀을 안쳐서 고두밥을 익게 (무르게) 찐다.
3. (고두밥이 익었으면, 자리에 퍼내서 고루 펼쳐서 차게 식기를 기다린다.)
4. 찹쌀고두밥에 누룩가루 5홉과 준비한 분량의 좋은 술 1병 반을 함께 합하고, 고루 버무려 술밑을 빚는다.
5. 술밑을 술독에 담아 안치고, 예의 방법대로 하여 발효시키면 술이 익어 그 맛이 꿀맛 같다.

* <고사촬요>의 주방문과 동일하다.

清甘酒法
粘米一斗蒸飯麴末五合不用水以好酒一瓶半調和釀其味如蜜.

6. 청감주 <민천집설(民天集說)>

술 재료 : 찹쌀 1말, 가루누룩 반 되(5홉), 좋은 술 1병 반

술 빚는 법 :

1. 찹쌀 1말을 (물에 깨끗이 씻어 하룻밤 불렸다가, 다시 씻어 건져서 물기를 뺀 다음) 시루에 안쳐서 고두밥을 익게 (무르게) 찐다.
2. (고두밥이 익었으면, 자리에 퍼내서 고루 펼쳐서 차게 식기를 기다린다.)
3. 찹쌀고두밥에 누룩가루 반 되(5홉)와 준비한 분량의 좋은 술 1병 반을 함께 합하고, 고루 버무려 술밑을 빚는다.
4. 술밑을 술독에 담아 안치고, 예의 방법대로 하여 발효시키는데 3일이면 술 이 익어 마실 수 있고, 그 맛이 꿀맛 같다.

* 주방문에 "찹쌀 1말을 쪄서 누룩 가루 반 되를 물에 타지 말고 좋은 술 1병 반에 섞어 빚으면 그 맛이 꿀맛 같다."고 하였다. <고사촬요>를 인용하였다.

清甘酒
粘米一斗蒸飯曲末半升不用水以好酒一瓶半調和釀之其甘如蜜.

7. 청감주 <민천집설(民天集說)>
−양을 적게 빚으려면

술 재료 : 찹쌀 5되, 누룩가루 (반)홉, 좋은 술 1사발 반

술 빚는 법 :
1. 찹쌀 5되를 (물에 깨끗이 씻어 하룻밤 불렸다가, 다시 씻어 건져서 물기를 뺀 다음) 시루에 안쳐서 고두밥을 익게 (무르게) 찐다.
2. (고두밥이 익었으면, 자리에 퍼내서 고루 펼쳐서 차게 식기를 기다린다.)
3. 찹쌀고두밥에 누룩가루 반 홉과 준비한 분량의 좋은 술 1사발 반을 함께 합 하고, 고루 버무려 술밑을 빚는다.
4. 술밑을 술독에 담아 안치고, 예의 방법대로 하여 발효시키는데 3일이면 술

이 익어 마실 수 있고, 그 맛이 꿀맛 같다.

清甘酒(小釀)

小釀則粘米(末)一升曲末(半)合好酒一鉢半.

8. 청감주 <산림경제(山林經濟)>

술 재료 : 찹쌀 1말, 가루누룩 5홉, 좋은 술 1병 반

술 빚는 법 :

1. 찹쌀 1말을 (물에 깨끗이 씻어 하룻밤 불렸다가, 다시 씻어 건져서 물기를 뺀 다음) 준비한다.
2. 솥에 물을 붓고 끓이다가 시루를 올리고 불린 찹쌀을 안쳐서 고두밥을 익게 (무르게) 찐다.
3. (고두밥이 익었으면, 자리에 퍼내서 고루 펼쳐서 차게 식기를 기다린다.)
4. 찹쌀고두밥에 가루누룩 5홉과 준비한 분량의 좋은 술 1병 반을 함께 합하고, 고루 버무려 술밑을 빚는다.
5. 술밑을 술독에 담아 안치고, 예의 방법대로 하여 발효시키는데 3일이면 술이 익어 마실 수 있고, 그 맛이 꿀맛 같다.

清甘酒

粘米一斗蒸飯 麴末半升 不用水. 以好酒一瓶半 調和釀之. 其味如蜜. <故事撮要>.

9. 청감주법 <술 만드는 법>

술 재료 : 찹쌀 1말, 가루누룩 5홉, 좋은 술 1병 반

술 빚는 법 :

1. 찹쌀 1말을 (물에 깨끗이 씻어 하룻밤 불렸다가 건져서 물기를 뺀 다음, 시루에 안쳐) 준비한다.

2. 솥에 물을 붓고 끓이다가 시루를 올리고, 불린 찹쌀을 안쳐서 고두밥을 익게 (무르게) 찐다.

3. 고두밥이 익었으면 자리에 퍼내서 고루 펼쳐서 차게 식기를 기다린다.

4. 찹쌀고두밥에 가루누룩 5홉과 준비한 분량의 좋은 술 1병 반을 함께 합하고, 고루 버무려 술밑을 빚는다.

5. 술밑을 술독에 담아 안치고, 예의 방법대로 하여 발효시키는데 3일이면 술이 익어 먹는다.

청감쥬법

졈미 흔 말 익게 쪄 가로누룩 다 숍을 죠흔 슐 흔 병 반에 버무려 비져 삼일만에 먹으라.

10. 청감주 <술방>

술 재료 : 찹쌀 1말, 누룩가루 5홉, 좋은 술 1병 반(3~4되 5홉)

술 빚는 법 :

1. 찹쌀 1말을 백세하여 물에 불렸다가 다시 새 물에 헹궈서 물기를 뺀다.

2. 솥에 물을 계량하여 시룻물을 붓고, 불린 시루를 올려 시룻번을 붙인다.

3. 시루에 시룻번을 깔고, 그 위에 물기를 뺀 찹쌀을 안친다.

4. 찹쌀은 물을 주지 말고, 뼈 없이 쪄 무른 고두밥을 짓는다.

5. 고두밥이 다 쪄졌으면, 고루 펼쳐서 얼음같이 차게 식힌다.

6. 고두밥을 자배기에 담고, 누룩가루나 좋은 술(청주, 탁주) 1병 반(3~4되 5홉)을 붓고, 고루 치대서 술밑을 빚는다.

7. 소독한 술독에 술밑을 담아 안치고, 예의 방법대로 하여 발효시킨다.

8. 술 빚은 지 15~21일이면 술밑이 가라앉으므로 용수를 박아 맑아지면 떠 마신다.

청감쥬

찹쌀 흔 말 기여 밥 지여 곡말 다 숍의 물 쥬지 말고 죠흔 술 흔 병만 셧거 비즈면 그 맛시 쏠갓트니라.

11. 청감주 <시의전서(是議全書)>

술 재료 : 찹쌀 1말, 가루누룩 5홉, 전술(물을 섞지 않은 청주 또는 탁주) 1병 반 (4되 5홉)

술 빚는 법 :

1. 찹쌀 1말을 (백세하여 물에 담가 불렸다가, 다시 씻어 건져서 물기를 뺀 후) 시루에 안쳐서 (무른) 고두밥을 짓는다.

2. 고두밥이 익었으면 돗자리에 퍼내고, 주걱으로 고루 펼쳐서 차게 식기를 기다린다.

3. 식은 고두밥에 가루누룩 5홉과 좋은 전술(물을 섞지 않은 청주 또는 탁주) 1병 반을 합하고, 고루 버무려 술밑을 빚는다.

4. 술밑을 술독에 담아 안친 다음, 예의 방법대로 하여 발효시킨다.

* 술이 익으면 용수 박아 채주하거나 체에 걸러 마시는데, 방문에 그 맛이 "꿀 맛 같다."고 하였다.

청감쥬

찰쌀 흔 말 밥 지어 누룩가로 닷 홉을 물은 말고 젼슐 병 반에 고로고로 비 즈면 맛시 쑬 갓트니라. 술 빗는듸 무즈 갑진 멸물일 수흔일 뎡유일 두강이 죽 은 날 술 빗기 긔ᄒᆞᆫᄂᆞᆫ 고로 픵조빅긔일에 유불회긱이라, 슐 싀거든 불근 팟 두 되 복가 줌치에 너허 더운 김에 슐 가온듸 잠그면 싄 맛 업ᄂᆞ니라.

12. 청감주법 <양주방(釀酒方)>
－한 말 빚이

> 술 재료 : 찹쌀 1말, 가루누룩 5홉, 맑은 술(청주) 1병 반

술 빚는 법 :
1. 찹쌀 1말을 백세하여 (물에 담가 불렸다가, 고쳐 씻어 헹궈 건져서 물기를 뺀 후)시루에 안치고, 고두밥을 익게 찐다.
2. 고두밥이 익었으면 퍼낸다(고루 펼쳐서 차게 식기를 기다린다).
3. 고두밥에 가루누룩 5홉, 맑은 술 1병 반을 합하고, 고루 버무려 술밑을 빚 는다.
4. 술밑을 독에 담아 안치고, 예의 방법대로 하여 발효시켜 익기를 기다린다.

* 주방문 말미에 술이 익으면 "술맛이 청밀(淸蜜) 같다."고 하였다.

청감쥬법

한 말 비지. 찹쌀 한 말 빅세ᄒ야 닉게 뼈 그ᄅ누록 반 되의 죠흔 말근 술 한 병 반의 비즈면 맛시 청밀 굿트니라.

13. 청감주 <음식방문(飮食方文)>

술 재료 : 찹쌀 1말, 누룩가루 5홉, 청주 1병 반

술 빚는 법 :

1. 찹쌀 1말을 백세한다(물에 담가 불렸다가, 다시 씻어 건져서 물기를 뺀다).
2. 불린 쌀을 시루에 안쳐서 고두밥을 짓는다(익었으면 넓은 그릇에 퍼 담고, 주걱으로 헤쳐 놓는다).
3. 고두밥에 누룩가루 5홉과 좋은 청주 1병 반을 합하고, 고루 버무려 술밑을 빚는다.
4. 술밑을 술독에 담아 안친 다음, 예의 방법대로 하여 (21일간) 발효시킨다.

* 술이 익으면 용수 박아 채주하거나, 체에 걸러 마시는데 "맛이 달다."고 하였다.

청강쥬

졈미 ᄒ 말 밥 짓고 곡말 오 홉을 죠흔 청쥬 ᄒ 병 반을 셕거 비즈면 맛시 다 니라.

14. 청감주 <의방합편(醫方合編)>

술 재료 : 찹쌀 1말, 누룩가루 5홉, 청주 1병 반(4되 5홉)

술 빚는 법 :

1. 찹쌀 1말을 백세하여 하룻밤 불렸다가, 다시 씻어 건져서 물기를 뺀다.
2. 불린 쌀을 시루에 안쳐 무른 고두밥을 짓는다.
3. 고두밥이 익었으면 고루 펼쳐서 차게 식힌다.
4. 고두밥에 누룩가루 5홉과 좋은 청주 1병 반(4되 5홉)을 고루 버무려 술밑을 빚는다.
5. 술밑을 술독에 담아 안친 다음, 예의 방법대로 하여 (7~10일간) 발효시킨다.

* 술이 익으면 용수 박아 채주하거나, 체에 걸러 마시는데 "그 맛이 꿀맛 같다." 고 하였다.

清甘酒
粘米一斗蒸飯麴末半升不用水以好酒一瓶半調和釀之則其甘與蜜.

15. 청감주 <의방합편(醫方合編)>

술 재료 : 찹쌀 1말, 누룩 5홉, 청주 1병

술 빚는 법 :

1. 찹쌀 1말을 (물에 매우 깨끗이 씻어 헹군 뒤, 새 물에 담가 불렸다가 다시 살짝 씻어 말갛게 헹군 후, 건져서 물기를 뺀 다음) 시루에 안쳐 고두밥을 짓

는다.

2. (고두밥이 익었으면 퍼내고, 고루 펼쳐서 온기가 남게 식힌다.)

3. 고두밥에 누룩가루 5홉을 섞고, 청주 1병을 뿌려서 고루 버무려 술밑을 빚
   는다.

4. 술독에 술밑을 담아 안치고 (단단히 밀봉한 뒤, 예의 방법대로 하여) 발효
   시킨다.

* 주방문 말미에 "그 맛이 꿀맛 같다."고 하였다. 주방문에는 쌀을 씻는 방법
  을 비롯하여 고두밥을 짓는 법, 발효시키는 방법, 기간에 대한 구체적인 내
  용이 없다. "청감주견상(淸甘酒見上)"이라고 하여 위의 방문을 참고하라고
  하였다.

清甘酒
粘米一斗蒸飯麴末半升不用水以好酒一瓶半調和釀之則其甘與蜜.

16. 청감주방 <임원십육지(林園十六志)>

술 재료 : 찹쌀 1말, 누룩 5홉, 청주 1병

술 빚는 법 :

1. 찹쌀 1말을 (백세하여 물에 담가 불렸다가 다시 살짝 씻어 말갛게 헹군 후,
   건져서 물기를 뺀 다음) 시루에 안쳐 고두밥을 짓는다.

2. (고두밥이 익었으면, 퍼내고 고루 펼쳐서 온기가 남게 식힌다.)

3. 고두밥에 누룩가루 5홉을 섞고, 청주 1병을 뿌려서 고루 버무려 술밑을 빚
   는다.

4. 술독에 술밑을 담아 안치고, 예의 방법대로 하여 (단단히 밀봉한 뒤) 발효

시킨다.

* 주방문 말미에 "그 맛이 꿀맛 같다."고 하였다. 주방문에는 쌀을 씻는 방법을 비롯하여 고두밥을 짓는 법, 발효시키는 방법, 기간에 대한 구체적인 내용이 없다.

淸甘酒方

粘米一斗烝飯麴末五升不用水以好酒一瓶半釀之其味如蜜. <故事撮要>.

17. 청감주법 <주방(酒方)>*

> 술 재료 : 찹쌀 3되, 누룩가루 2되, 물 6되

술 빚는 법 :
1. 찹쌀 3되를 가장 깨끗하게 쓿어(찧어) 물에 씻어(백세하여) 담가 불려놓는다.
2. 좋은 누룩 2되를 물 6되에 담가 불리되, 겨울과 봄·가을은 물을 미지근하게 하고, 여름에는 찬물에 담가 물누룩을 만들어놓는다.
3. 이튿날 물누룩을 주물러서 체에 밭쳐 찌꺼기를 제거한 누룩물을 만들어놓는다.
4. 불린 쌀을 (다시 씻어 건져서 물기를 뺀 다음) 시루에 안쳐서 고두밥을 익게 (무르게) 찐다.
5. (고두밥이 익었으면) 시루째 떼어내고, (주걱으로 헤쳐서 뜨거운 김이 나가고) 더운 기운이 남게 식힌다.
6. 끓는 시루물로 백항이나 다른 항이나 (술 빚을 그릇을) 씻어놓는다.
7. 아직 식지 않은 항아리에 누룩물을 되어(계량하여) 다 담는다.

8. 더운 기가 남아 있는 고두밥을 누룩물이 담긴 항아리에 퍼 담고, 덩어리가
   없게 주걱으로 저어 풀어지도록 술밑을 빚는다.
9. 술독은 예의 방법대로 하여 많이 덮어서 더운 방에 두고 발효시킨다.
10. 술 빚은 지 12시간 후쯤 보아 술이 익어 엿 같으면, 속히 덮었던 것을 벗겨
   내고 찬 곳으로 내어 차게 식혀두었다가 사용한다.

* 여느 문헌 기록의 '청감주'와는 전혀 다른 방문이다.

청감듀법이라

춥쌀 서 되를 ᄀ쟝 고이 쓸허 시서 물의 듬가 두고 죠흔 누룩 두 되에 물 엿
되 ᄃ모듸 겨울 ᄀ을 봄을 찬물을 미근이 더이고 녀름으란 츤물의 그져 듬갓
다가 이튼날 누룩물을 몬져 체에 밧타 두고 그 밥을 닉게 쪄 시룩채 내어 노
코 시룩 숫티 글흔 물의 빅항이나 노른 항이나 테는 두시데 시서 그 누룩물
담을 제 처엄의 된 되로 다 되어 붓고 그 밥을 더운 김의 항의 녀코 덩이 업
시 죄 플어지게 저어 무흔 더운 방의 만히 덥퍼 둣다가 반날만 흐거든 맛 보
와 엿 ᄀ거든 즉시 내어 둣다가 쓰라.

18. 청감주 <주찬(酒饌)>

술 재료 : 찹쌀 1말, 가루누룩 5홉, 청주 1병 반

술 빚는 법 :
1. 찹쌀 1말을 백세하여 (물에 담가 불렸다가, 다시 씻어 건져서 물기를 뺀 후)
   시루에 안쳐 고두밥을 짓는다.
2. 고두밥이 익었으면 퍼내고, 고루 펼쳐서 차게 식기를 기다린다.
3. 고두밥에 가루누룩 5홉, 물을 치지 않고 채주한 청주 1병 반을 한데 합하고,

고루 치대어 술밑을 빚는다.

4. 술독에 술밑을 담아 안치고, 예의 방법대로 하여 발효시킨다.

* 찹쌀을 불리지 않고 찌고 식히지도 않는 것으로 되어 있는데, 필자는 물에 담
  가 불렸다가 밥을 짓고, 냉각시켜서 빚는 것으로 풀이했다.

清甘酒

粘米一斗蒸飯末曲五合不用水而以好淸酒一甁半調釀其甘如蜜.

19. 청감주법 <증보산림경제(增補山林經濟)>

> 술 재료 : 찹쌀 1말, 누룩가루 5홉, 좋은 술 1병 반(4되 5홉)

술 빚는 법 :

1. 찹쌀 1말을 (물에 깨끗이 씻어 하룻밤 불렸다가, 다시 씻어 건져서 물기를
   뺀 다음) 준비한다.
2. 솥에 물을 붓고 끓이다가 시루를 올리고 불린 찹쌀을 안쳐서 고두밥을 익
   게 (무르게) 찐다.
3. (고두밥이 익었으면, 자리에 퍼내서 고루 펼쳐서 차게 식기를 기다린다.)
4. 찹쌀고두밥에 누룩가루 5홉과 준비한 분량의 좋은 술 1병 반을 함께 합하
   고, 고루 버무려 술밑을 빚는다.
5. 술밑을 술독에 담아 안치고, 예의 방법대로 하여 발효시키는데 3일이면 술
   이 익어 마실 수 있고, 그 맛이 꿀맛 같다.

* <고사촬요>의 주방문과 동일하다.

清甘酒法

粘米一斗蒸飯麯末五合不用水以好酒一瓶半和釀味如蜜.

20. 청감주 <치생요람(治生要覽)>

술 재료 : 찹쌀 1말, 누룩 5홉, 청주(1병)

술 빚는 법 :

1. 찹쌀 1말을 (물에 매우 깨끗이 씻어 헹군 뒤, 새 물에 담가 불렸다가 다시 살짝 씻어 말갛게 헹군 후, 건져서 물기를 뺀 다음) 시루에 안쳐 고두밥을 짓는다.
2. (고두밥이 익었으면, 퍼내고 고루 펼쳐서 온기가 남게 식힌다.)
3. 고두밥에 누룩가루 5홉을 섞고, 청주(1병)를 뿌려서 고루 버무려 술밑을 빚는다.
4. 술독에 술밑을 담아 안치고 (단단히 밀봉한 뒤, 예의 방법대로 하여) 발효시킨다.

* 주방문에는 쌀을 씻는 방법을 비롯하여 고두밥을 짓는 법, 발효시키는 방법, 기간에 대한 구체적인 내용이 없다.

清甘酒

粘米一斗蒸飯曲末五合不用水以好酒調釀甘如蜜.

21. 청감주 <침주법(浸酒法)>

−한 말 빚이

술 재료 : 찹쌀 1말, 가루누룩 5홉, 좋은 술 1병 반

술 빚는 법 :

1. 찹쌀 1말을 (물에 깨끗이 씻어 하룻밤 불렸다가, 다시 씻어 건져서 물기를 뺀 다음) 준비한다.
2. 솥에 물을 붓고 끓이다가, 시루를 올리고 불린 찹쌀을 안쳐서 고두밥을 익게 (무르게) 찐다.
3. (고두밥이 익었으면, 자리에 퍼내서 고루 펼쳐서 차게 식기를 기다린다.)
4. 찹쌀고두밥에 가루누룩 5홉과 준비한 분량의 좋은 술 1병 반을 함께 합하고, 고루 버무려 술밑을 빚는다.
5. 술밑을 술독에 담아 안치고, 예의 방법대로 하여 발효시키는데 술이 익으면 그 맛이 꿀맛 같다.

청감쥬(淸甘酒)—흔 말

춥발 흔 말을 뼈 フ르누록 반 되를 믈 말고 フ장 죠흔 술 흔 병 반을 죠화ᄒ야 비븨면 그 둘기 꿀 フ트니라.

22. 청감주 <해동농서(海東農書)>

술 재료 : 찹쌀 1말, 가루누룩 5홉, 좋은 술 1병

술 빚는 법 :

1. 찹쌀 1말을 (물에 깨끗이 씻어 하룻밤 불렸다가, 다시 씻어 건져서 물기를 뺀 다음) 준비한다.

2. 솥에 물을 붓고 끓이다가 시루를 올리고 불린 찹쌀을 안쳐서 고두밥을 익게 (무르게) 찐다.

3. (고두밥이 익었으면, 자리에 퍼내서 고루 펼쳐서 차게 식기를 기다린다.)

4. 찹쌀고두밥에 가루누룩 5홉과 준비한 분량의 좋은 술 1병을 함께 합하고, 고루 버무려 술밑을 빚는다.

5. 술밑을 술독에 담아 안치고, 예의 방법대로 하여 발효시키는데 3일이면 술이 익어 마실 수 있고, 그 맛이 꿀맛 같다.

* <고사촬요>를 인용했는데, 물 대신 사용하는 좋은 술의 양이 1병으로 다른 기록보다 반 병이 적게 사용된다는 점에서 차이가 있다.

清甘酒

粘米一斗蒸飯 麴末半升 不用水. 以好酒一瓶半 調和釀之. 其味如蜜.

23. 청감주방 <후생록(厚生錄)>

술 재료 : 찹쌀 1말, 누룩가루 5홉, 좋은 술 1병 반(4되 5홉)

술 빚는 법 :

1. 찹쌀 1말을 (물에 깨끗이 씻어 하룻밤 불렸다가, 다시 씻어 건져서 물기를 뺀 다음) 준비한다.

2. 솥에 물을 붓고 끓이다가 시루를 올리고 불린 찹쌀을 안쳐서 고두밥을 익게 (무르게) 찐다.

3. (고두밥이 익었으면, 자리에 퍼내서 고루 펼쳐서 차게 식기를 기다린다.)

4. 찹쌀고두밥에 누룩가루 5홉과 준비한 분량의 좋은 술 1병 반을 함께 합하
   고, 고루 버무려 술밑을 빚는다.
5. 술밑을 술독에 담아 안치고, 예의 방법대로 하여 발효시키는데 술이 익으면
   그 맛이 꿀맛 같다.

* <고사촬요>의 주방문과 동일하다.

淸甘酒
粒米一斗蒸飯麴末半升不用水以好酒一甁半調和釀之甘如蜜.

청명불변주

스토리텔링 및 술 빚는 법

　술 빚는 사람에게 자신이 빚은 술을 변하지 않고 두고두고 마실 수만 있다면, 그보다 더 바랄 게 없을 것이다. 그만큼 술 빚는 일이 힘들고, 더더구나 좋은 술을 빚는다는 것 자체가 몹시 까다롭고 어렵기 때문이다.

　그런 의미에서 <온주법(醞酒法)>의 '청명불변주'는 "술 빛깔이 맑고 깨끗하며 술맛이 변하지 않는다."는 뜻이니, 술을 빚는 사람이라면 당연히 누구라도 관심을 가질 수밖에 없다. <온주법>의 '청명불변주' 주방문에는 어떤 비밀이 숨어 있기에, 방문 말미에 "익으면 맛이 좋고, 서너 달 두어도 불변하느니라."고 하였을까?

　<온주법>의 '청명불변주' 주방문을 보면, 술 빚는 일이 결코 수월하지 않다는 것을 알 수 있다. 무엇보다 술 빚는 데 사용되는 누룩의 양이 쌀 양의 3.3%에 그칠 정도로 매우 적은 양이 사용되기 때문이다.

　다시 말하면 밑술의 누룩 2되는 밑술 쌀 3말을 빚는 데 사용되는 양으로도 결코 넉넉지 않은 양임에도 불구하고, 덧술에 다시 3말의 쌀이 사용되므로 자칫 누룩의 양이 적어서 덧술을 이기지 못할 수도 있다.

그나마 다행인 건 밑술에 사용되는 물의 양이 쌀 양보다 2.5배에 달하기 때문에 반생반숙법, 즉 죽 상태에 가까워 비교적 호화도가 높다는 점에서 밑술을 빚는 일이 어렵지 않다는 점이다.

결국 '청명불변주'는 "청명(淸明) 무렵에 빚는다."는 의미와 함께 덧술의 발효가 잘 이루어지도록 함으로써 알코올 도수가 매우 높은 술을 얻을 수 있기 때문에 이른바 "저장성이 좋은 술"이라는 의미의 주품명을 얻게 된 것으로 여겨진다.

주지하다시피 '청명불변주'는 밑술의 쌀을 반생반숙의 죽(범벅)을 사용함으로써 강한 효모 증식을 유도하고 있다. 또한 쌀 양에 비해 적은 양의 누룩을 사용한 데서 밑술의 발효가 서서히 일어날 수밖에 없으나, 밑술의 발효가 가장 활발하게 일어날 시기인 3일 후에 덧술을 하라고 한 건 덧술의 발효도 매우 빠르고 활발하게 진행될 것을 경험적으로 알고 있었다고 보여진다.

문제는 덧술을 빚는 방법인데, 끓여서 온기가 남게 식힌 물로 밑술을 걸러서 막걸리를 만들어 사용한다는 것이다. 특히 온기가 남게 식힌 물로 밑술을 걸러서 막걸리를 만들어 사용하는데, 막걸리를 다시 차게 식혀서 사용하는 예는 처음 목격되는 방법으로 <온주법>의 기록이 유일하다고 할 수 있다.

이렇듯 '청명불변주' 주방문의 등장 배경에 대해 아무리 생각해도 그 이유를 알 수 없다가 그 이유를 찾기 위해 술을 빚어보기로 했는데, 그 원인이 밑술에 있음을 알게 되었다. 다시 말해 밑술의 힘이 약하다는 것이다. 적은 양의 누룩을 사용해 밑술을 걸러 누룩찌꺼기를 제거한 경우, 일반적인 방법보다 발효력이 떨어지기 때문이다. 밑술을 걸러서 사용하는 경우, 대개는 밝은 술 빛깔과 함께 향기가 좋은 술을 얻고자 함이 그 목적인데, 자칫 발효력이 떨어져 산패로 이어질 수 있으므로 누룩찌꺼기는 누룩 기운이 남지 않도록 꼭 짜서 사용하고, 특히 날물이나 오염에 주의해야 한다.

따라서 덧술을 성공적으로 이끌기 위한 방법이 탕수의 온기를 남겨 밑술을 거르는 이유이다. 탕수의 온기가 있으면 밑술은 다시 발효를 시작하게 되는데, 발효의 시작은 효모의 활성을 뜻하므로 효모 활성을 통해 덧술의 안전한 발효를 도모하는 방법이라고 할 수 있다. 이때 다시 밑술을 차게 식혀서 사용하는 이유는 덧술의 품온 상승이 필요 이상으로 빨리 상승하는 것을 예방하기 위한 조치이다.

경험을 빌리자면, '청명불변주'의 덧술과 같은 방법의 목적을 찾고자 여러 차례 술 빚기를 시도해 본 결과 깨달은 사실이 있다. 거른 막걸리를 식히지 않고 발효시킨 술의 경우, 품온 상승이 빨라지면서 활발한 발효상태를 목격할 수 있었다. 곧바로 과발효를 막기 위해 냉각을 시켰음에도 불구하고 후발효 과정에서 계속해서 활발한 발효상태가 지속되어 품온 상승을 초래하더니 결국 산패하기도 하고, 후발효 온도를 낮춘 결과 감패로 이어지기도 했다.

다시 말해 밑술의 효모는 활성화시키되 술덧의 품온은 떨어뜨려서 덧술의 품온이 지나치게 빨리 상승하는 것을 막아 발효를 정상적으로 이끌기 위한 조치라는 것이다. 이러한 방법은 오랜 경험에서 얻어진 지혜라고 할 것이다.

수많은 시간과 시행착오 끝에 맛볼 수 있었던 '청명불변주'는 '쓰다'는 느낌을 줄 만큼 높은 알코올 도수와 함께 매우 깨끗한 맛과 밝은 술 빛깔을 띠었다. 여름으로 가는 환절기를 지내기에 적당한 맞춤술이라는 생각이 들었다.

청명불변주 <온주법(醞酒法)>

> 술 재료 : 밑술 : 멥쌀 3말, 누룩가루 2되, 물 7말 5되
>   덧술 : 찹쌀 또는 멥쌀 3말, 끓인 물(1말)

술 빚는 법 :

* 밑술 :

1. 청명일에 멥쌀 3말을 백세하여 (물에 담가 불렸다가, 다시 씻어 건져서) 작말한다.
2. 솥에 물 7말 5되를 붓고 끓여 쌀가루와 합하고, 주걱으로 고루 개어 죽(범벅)을 쑨 다음, (넓은 그릇에 퍼서) 차게 식기를 기다린다.
3. 담(범벅)에 누룩가루 2되를 한데 섞고, 고루 버무려 술밑을 빚는다.
4. 술독에 술밑을 담아 안치고, 예의 방법대로 하여 3일간 발효시킨다.

* 덧술 :

1. 찹쌀이나 멥쌀 3말을 (백세하여 물에 담가 불렸다가, 다시 씻어 헹궈서 물기를 뺀 후) 시루에 안쳐서 고두밥을 짓는다.
2. 솥에 물(1말)을 끓여서 넓은 그릇에 퍼서 따뜻하게 식기를 기다린다.
3. 고두밥을 많이 쪄서 (무르게) 익었으면, 시루에서 퍼내어 넓은 그릇에 담아 놓는다(고루 펼쳐서 차게 식기를 기다린다).
4. 끓여 식힌 따뜻한 물로 밑술을 걸러서 막걸리를 만들고, 차게 식기를 기다린다.
5. 막걸리에 고두밥을 합하고, 고루 버무려 술밑을 빚는다.
6. 술독에 술밑을 담아 안치고, (베보자기로 덮어 밀봉한 후, 덥지 않고 바람기 없는 곳에서) 발효시킨다.

* 주방문 말미에 "익으면 맛이 좋고, 서너 달 두어도 불변하느니라."고 하였다.

청명불변쥬

청명날 빅미 서 말 빅셰작말ᄒᆞ야 탕슈 칠 두 팔 승에 쥭 쑤어 ᄎᆞ거든 국말 두 되 섯거 삼일 후 뎜미나 빅미나 서 말 ᄆᆞ이 쪄 ᄯᅳ린 물노 밋술 걸너 식거든 섯거 익으면 마시 됴코 서너 달 두어도 불변ᄒᆞᄂᆞ니라.

청명주

'청명주(淸明酒)'는 조선시대 중엽의 <주방문(酒方文)>에서부터 후기의 <김승지댁주방문(金承旨宅廚方文)>을 비롯하여 <술 만드는 법>, <양주방>*, <양주방(釀酒方)>, <오주연문장전산고(五洲衍文長箋散稿)>, <온주법(醞酒法)>, <우음제방(禹飮諸方)>, <음식보(飮食譜)>, <임원십육지(林園十六志)>, <주방문초(酒方文抄)>, <주식방(酒食方, 高大閨壺要覽)>, <쥬식방문>, <홍씨주방문> 그리고 근대 출판물인 <한국민속대관(韓國民俗大觀)>에 이르기까지 16차례나 등장하는 주품이다.

이들 문헌에 수록된 '청명주'는 경상도 김천 지방이 명산지로 알려져 왔으나, 현재는 '충주 청명주'가 충주시(과거 중원군) 가금면 창동리에서 가양주로 전승되어 충북도 지정 무형문화재로서 예의 맥을 잇고 있다.

문헌 기록에서 '청명주'는 춘분에서 15일째 되는 청명날에 빚는 계절술이라는 것과는 달리 '충주 청명주'는 "청명일 100일 전에 밑술을 빚기 시작하여 청명일에 술이 익으므로, 청명 때부터 마시기 시작한다."고 전해 오고 있다.

<주방문>을 비롯한 여러 문헌에 수록된 '청명주'는 죽으로 빚는 방법이 7종으로 가장 많고, 범벅으로 빚는 방법이 5종으로 이 두 가지 방법이 주류를 이루고 있다.

　　이들 문헌 가운데 시대적으로 가장 앞선 기록인 <주방문>의 '청명주' 주방문을 보면, 찹쌀가루와 물을 섞어 끓인 죽에 누룩과 밀가루를 한데 섞어 밑술을 빚고, 3일 정도 발효시킨 후 찹쌀로 지은 고두밥을 단독으로 사용해 덧술을 하여 7일 정도 발효시키는 속성주법임을 알 수 있다. 이러한 주방문은 가장 기본이면서 전형적인 봄철의 술 빚는 방법을 보여준다고 하겠다.

　　이후 '청명주'는 '범벅'으로 바뀌기도 하지만, <온주법>에서는 밑술을 구멍떡으로 빚는 데다 '이화곡(梨花麯)'을 사용하여, 밑술 빚는 과정이 '이화주'와 동일한 주방문을 보여주고 있다는 점에서 매우 특이하다고 하겠다.

　　또한 <음식보>에는 두 가지 '청명주' 방법을 수록하고 있는데, 주원료의 배합 비율과 밀가루의 사용 여부에서 차이가 있다. 특히 밀가루를 사용하지 않는 주방문에서는 밑술의 발효기간에 대해 "도화(桃花)가 필 때까지 기다렸다가 덧술을 한다."고 하여 다른 문헌들과는 차별화된다. 뿐만 아니라 대부분의 문헌에서는 '청명주(淸明酒)' 밑술의 발효기간이 '1일'이라는 공통점이 있다. 곧 덧술 간격이 1일로 다른 주품들에 비해 매우 짧다. 이는 덧술의 발효기간이 7일 또는 14일~15일이라는 공식을 낳게 한다.

　　문제는 <임원십육지>와 <오주연문장전산고>의 주방문이다. 두 문헌에서 이익의 <성호사설(星湖僿說)>을 인용했다고 밝히고 있는데, 실제 두 주방문은 많은 차이를 보이고 있다. 시대적으로 앞선 <임원십육지>에서는 찹쌀 2되를 백세작말하여 물 2되와 섞어 죽을 쑨 후, 차게 식기를 기다려 좋은 누룩가루 1되와 보리누룩 2되를 섞어 밑술을 빚고, 2일 후에 찹쌀 2말로 지은 고두밥을 섞어 덧술을 빚은 후, 익으면 끓여 식힌 물 2말을 후수한다고 하였고, <오주연문장전산고>에서는 밑술에 찹쌀 2말과 누룩가루 1되, 끓는 물 2말과 함께 보리누룩이 아닌 소맥말(밀가루) 2되가 사용되고, 덧술에 찹쌀 2말을 불렸다가 조청에 담가 불린 후 고두밥을 지어 사용하고, 술이 익으면 끓여 식힌 물 2말을 후수할 수 있다고 하였다.

그런가 하면 <주식방(고대규곤요람)>에서는 주방문에 대한 언급 없이 "청명(淸明)날이나 곡우(穀雨)날이나 장류수를 길어다 술을 빚는다."고 한 뒤 "술빛이 푸르름하고 오래 진하되 맛이 지주 같고, 청명일날 밑술하였다가 곡우날 덧술하되 '백화주'같이 하니라."고 하여 '청명주'의 유래와 맛, 향기 등 특징을 소개함으로써, '청명주'에 대한 의미와 특징을 이해하는 데 도움이 된다 하겠다.

반면, 위의 '청명주'들과는 달리 <쥬식방문>의 '청명쥬방문[梅岐方文]'을 보면 "반 졔랄 흐랴면 빅미 식 되로 느 되을 쪄 시쿠고 누룩가로 두 되 진가로 팔 홉 셧거 덥도 츠도 아니흥게 단단이 쓰미여 칠일 만의 덧슐 흐되 찹살 두 말을 졍히 씨셔 담가다가 쪄 비지되 누룩 두 식되 진가로 여셔 홈 너허 비지되 츠도 덥도 아니흥게 단단이 쓰미여 삼칠 만의 쪄 먹으면 죠흐니라."고 하였다.

즉, 밑술과 덧술 모두 고두밥을 사용하고, 덧술에서는 양주용수 없이 누룩과 밀가루도 2차례나 사용하는, '청명주' 가운데 가장 독특한 주방문이라고 할 수 있다. 또한 주품명에 '청명주방문'이라고 하고, 한자로 '매기방문(梅岐方文)'이라고 倂記(倂記)하였는데, '매기방문'이 어떤 의미를 담고 있는지 알 수 없다는 점에서 유감스럽다.

한편, 충북 무형문화재로 지정된 '충주 청명주'는 위에서 예로 든 주방문들과는 상당한 차이를 나타내고 있다. 첫째는 '청명주'를 사용해 누룩을 만들어 사용한다. 남한강과 달천의 합수(合水) 머리에 위치한 강수(江水)를 양주용수로 사용하면서, 밑술은 찹쌀죽으로 하고 덧술은 찹쌀고두밥을 지어 술을 빚는다는 점이다.

'충주 청명주'의 이러한 차별성은 가승(家乘)으로 전하는 <향전록>이라는 문헌에 근거한 가양주법이기 때문이다. 이로써 '청명주'는 술을 빚는 시기가 청명일 전후, 또는 곡우를 전후로 밑술을 빚기 시작하여, 도화(桃花) 등 봄철의 꽃이 필 무렵에 마시는 계절주(季節酒)라는 것을 알 수 있다.

특별한 주방문이 존재하는 것이 아니라, 지방이나 가문마다 특성을 반영하고, 술을 빚는 사람의 능력과 술을 마시는 사람의 취향에 따라 각기 다른 배합비율과 시술을 동원하여 빚는 세시주(歲時酒)이기도 하다. 비교적 짧은 기간에 걸쳐 발효시키는 술이라는 점에서 그 특징과 의미를 찾을 수 있겠다.

1. 청명주방문 <김승지댁주방문(金承旨宅廚方文)>
−5말 빚이

술 재료 : 밑술 : 찹쌀 5말, 누룩가루 2되 5홉, 밀가루 5되, 물 10병
　　　　덧술 : 찹쌀 5말

술 빚는 법 :

* 밑술 :

1. 청명일에 찹쌀 5말을 백세하여 (물에 담가 불렸다가, 다시 씻어 건져서) 작
   말한다.
2. 또 찹쌀 5말을 백세하여 (물에 담가 하루 동안) 불려놓는다.
3. 물 10병을 끓이다가 쌀가루와 합하고 고루 갠 후 팔팔 끓여 죽을 쑨 다음,
   물기 없는 넓은 그릇에 퍼서 밤재워 차게 식기를 기다린다.
4. 죽에 누룩가루 2되 5홉과 밀가루 5되를 합하고, 무수히 동댕이쳐 술밑을
   빚는다.
5. 술독에 술밑을 담아 안치고, 예의 방법대로 하여 하루 동안 발효시킨다.

* 덧술 :

1. 물에 불려 두었던 찹쌀 5말을 (다시 씻어 건져서 물기를 뺀 후) 시루에 안쳐
   서 고두밥을 짓는다.
2. 고두밥이 익었으면 시루째 떼어 술독 옆에 두고, 김이 새지 않게 하여 밑술
   의 웃물을 떠서 고두밥에 섞어 버무려 술밑을 빚는다.
3. 버무린 술밑에 밑술 찌꺼기를 다시 합하고, 고루 버무려 2차로 술밑을 빚는다.
4. 술독에 술밑을 담아 안치고, 유지로 단단히 밀봉한 뒤 서늘한 곳에 두고 발
   효시켜 4월 8일에 내어 채주한다.

청명쥬방문

졈미 닷 말을 ᄒᆞ랴 ᄒᆞ면 청명일 밋 홀 졈미 닷 말ᄒᆞ고 덧 홀 졈미 닷 말을 ᄒᆞᆫ 가지로 빅셰ᄒᆞ여 덧홀 ᄡᆞᆯ은 담가두고 밋 홀 ᄡᆞᆯ은 작말ᄒᆞ여 물 열 병으로 듁 ᄡᅮ여 늘물긔 업산 그ᄅᆞ시 퍼 두엇다가 이튼날 듁 ᄲᅮᆯ 쌔에 국말 두 되가옷 진 말 닷 되 너허 동당이를 무수히 쳐 두엇다가 이튼날 그 ᄃᆞ문 ᄡᆞᆯ을 흙고 ᄡᅧ 독 을 물긔 업시 ᄒᆞ여 시로 ᄡᅧ 독 겻회 노코 김 ᄂᆞ지 아니케 페 노코 그 미츨 우 (존)을 ᄡᆞᆯ을 쳐 진 거살 웃물 쳐 다셔 누룩 졍긔 다 너허 걸어 밥이 흔독의 붓고 독 부리를 유지로 ᄃᆞᆫᄃᆞᆫ ᄲᅡ셔늘 흔듸 노홧ᄃᆞᄀᆞ ᄉᆞ졀 팔일의 너여 먹으되 졀어 여름는 슨 엇ᄉᆞ니 본와 다셧 ᄃᆞᆯ이 너믄 후 내여 ᄡᅧ야 쳐 닉ᄂᆞ니라. 늘물 긔 업시 ᄒᆞ야 두면 오라도록 마시면 채 아니 ᄒᆞᄂᆞ니라. 춥ᄡᆞᆯ 닷 말가옷 물 열 병 진갈 닷 되 국말 두 되가옷 드고 이(화)병 두 되가 ᄒᆞᆫ 되나로 셋 ᄃᆞᄂᆞ니라.

2. 청명주 <술 만드는 법>

> 술 재료 : 밑술 : 멥쌀 3되, 누룩 2되 1홉, 진말 3되, 물 2말 7되
> 덧술 : 찹쌀 3말

술 빚는 법 :
* 밑술 :
1. 찹쌀 3말하려면 멥쌀 3되를 백세하여 하룻밤 담가 불렸다가 (다시 헹궈서 물기를 뺀 뒤) 작말한다.
2. 쌀 계량한 그릇(되)으로 물 2말 7되를 솥에 끓이되, 그 중 9되를 쌀가루에 붓고 멍울 없이 고루 풀어 (아이죽을 만들어) 놓는다.
3. 솥의 물이 팔팔 끓으면 (아이죽을) 넣고, 주걱으로 저어가면서 한소끔 끓으면 퍼내고 술독에 담아둔다.
4. 다음날 돌(그 시각)에 누룩가루 2되 1홉과 진말 3되를 술독에 담아 넣고 큰 막대로 무수히 저어준다.

5. 술독은 예의 방법대로 하여 (이불, 가마니로) 싸매두고 2일간 발효시킨다.

* 덧술 :
1. 밑술 담그는 날 매우 깨끗이 씻어 불려두었던 찹쌀 3말을 (다시 헹궈서 건져 물기가 빠지면) 시루에 안쳐서 고두밥을 짓는다.
2. 밑술을 열어서 위의 맑은 술은 따로 받아두고 가라앉은 밑의 것은 체에 밭치되, 물을 치지 말고 주물러 짜서 막걸리를 걸러놓는다.
3. 고두밥을 찐 시루를 떼어다 술독 옆에 놓는다.
4. 술독에 주물러 짠 막걸리로 한 바가지 넣고, 끓는(뜨거운) 고두밥 한 바가지를 떠 넣어 주걱으로 저어주는 방법으로 계속하여 술을 안친다.
5. 고두밥을 조금 남겼다가 맨 위에 덮고, 맨 나중에 맑은 술을 붓고 주걱으로 대여섯 번 내리 쑤셔 자주 골라준다.
6. 술독은 예의 방법대로 하여 이불을 싸매주되, 2~3월은 1삭(한 달) 만에, 사월에는 21일 만에 술을 뜬다.

* 주방문에 "술을 안칠 때 고두밥이 뜨거워야 술의 발효 시 병폐가 없고, 또 마시기가 좋다. 또 술을 뜰 때 술덧 위(남은 고두밥 덮은 것)를 많이 걷어내고 뜨는 것이 좋다. 물은 장류수(長流水)로 하고, 우물물은 못 쓴다."고 하였다.

청명쥬
졈미 셔 말 ᄒ랴면 쌀를 빅셰ᄒ야 당그고 흔 말에 슐밋 쌀이 흔 되식이니 셔 되를 쌀 당그는 날 갓치 ᄲᅥ셔 건져 작말ᄒ고 물은 쌀 흔 말에 아홉 되식 마련ᄒ되 쌀 된 그르셰 되야 셔 되짐 작말흔 가로에 찬물노 가로를 풀어 숫히 쓸는 물에 드러부으되 망울 아니 지게 고로 져어 흔쇼쏨 쓰려 퍼셔 항아리에 담아 두엇다가 돌 만에 곡말 두 되 흔 홉과 진말 셔 되를 줍아 슐밋히 붓고 큰 막ᄃᆡ로 무슈히 져허 ᄲᅥ미야 두엇다가 ᄯᅩ 그 이튼날 당근지 ᄉ흘된 쌀를 건져 슐밋츨 체에 밧치되 웃물 말근 거슨 짜로 밧고 쳐진 거슨 물 쥬지 말고 걸너 밥 뀐 시루를 쎠여다가 노코 슐 홀 항아리에 쳐진 슐밋츨 흔박아지쎰 쎠 붓고 밥을 쓸는 김에 항아리 안에 퍼 붓고 쥭억으로 항아리 밥을 고르게 졋고 쳐진 슐를 쏘 쳐 붓고 쏘 더운 밥을 쩌 붓고 그졔야 말근 것 짜로 밧친 거슬 들어부어 쥭억으로 고로 겨은 후 밥을 남겻다가 우를 덥고 거른 슐믹 남은 거슬 우 덥고 슐믹 졋든 남그로 듸여섯 번 나리 뷰셔 즈죠 골나 뱟미야 두 되 밥이 극히 더워야 병픡가 업고 마시 죠흐니 이슴월은 일삭 만에 쓰고 스월은 슴칠일 만에 쓰나니 슐 쓸 씩 우흘 만히 것고 쩌야 죠흐니 찌긔는 쥬듸에 듸리게 흐야라 흔 말에 가루누록 칠 홉과 진말 흔 되니라 이 슐은 장뉴슈로 흐고 우물에 물은 못 쓰나니라.

3. 청명주 <양주방>*

−네 말 빚이

술 재료 : 밑술 : 찹쌀 5되, 누룩가루 7되 5홉, 밀가루 2되 5홉, 물 11병

　　　　　덧술 : 찹쌀 5말

술 빚는 법 :

* 밑술 :

1. 한식 3일 전 찹쌀 5말 5되를 깨끗이 씻고 또 씻어 물에 담가 밤재워 불려 놓는다.

2. 다음날 찹쌀 5되를 (다시 씻어 헹궈 건져서 물기를 뺀 후) 가루로 빻아 넓은 그릇에 담아놓고, 솥에 물 11병을 붓고 끓인다.

3. 물이 따뜻해지면 쌀가루에 붓고 개어 아이죽을 만든 후, 다시 퍼지게 끓여서 죽을 쑨 뒤 넓은 그릇에 퍼 담고 하룻밤 재워 차게 식기를 기다린다.

4. 죽에 누룩가루 7되 5홉과 밀가루 2되 5홉을 합하고, 고루 버무려 술밑을 빚는다.

5. 술밑을 술독에 담아 안치고 많이 휘저어준 후, 예의 방법대로 3일간 발효시

킨다.

6. 술밑이 묽어지면 체에 밭쳐 찌꺼기를 제거한 후, 다시 술독에 담아 안친다.

* 덧술 :

1. 밑술 쌀과 함께 불려두었던 찹쌀 5말을 다시 씻어 말갛게 헹궈서 물기를 뺀다.

2. 찹쌀을 시루에 안쳐 고두밥을 짓고, 익었으면 고루 펼쳐서 더운 기가 약간 남게 식힌다.

3. 밑술에 고두밥을 퍼 담고, (동도지로) 세차게 휘저어 준다(술밑을 빚는다).

4. 술독을 예의 방법대로 하여 기름종이로 밀봉하고, 21~28일간 발효시켜 채주한다.

청명쥬

닷 말 비자라 흐면 졈미 닷 되를 슐밋 흐디 한식날 덧틀 츳날을 혜아려 졈미 닷 말 가옷 함긔 빅셰흐야 담가다가 이튿날 닷 되를 작말흐야 쥭 쑤디 미 말의 물 두 병식되야 쑤어 날물긔 업시 대소라의 퍼 두엇다가 이튿날 국말 되 가옷 진말 닷 홉 혜여 너허 그 다믄 그릇식 동당이 마이 쳐 멀거 흐거든 체로 바타 독의 붓고 그 졈미 닷 말을 닉게 쪄 더운 김의 독 밋히 노코 퍼 브어 교합흐게 져어 독을 식지로 짜미야 두엇다가 삼ᄉ칠 지나거든 쓰라. 덧틀 쌔 셧거도 쏘 자로 동당이 쳐 닉이라.

4. 청명주법 <양주방(釀酒方)>

> 술 재료 : 밑술 : 멥쌀 3말, 가루누룩 1되 5홉, 밀가루 3되, 끓는 물 6말
>
>   덧술 : 찹쌀 2말
>
>   2차 덧술 : 찹쌀 3~4되, 가루누룩 3되, 동이물 7홉(물 7되)

술 빚는 법 :

* 밑술 :

1. 멥쌀 3말과 찹쌀 2말을 같은 날 각각 백세하여 물에 담갔다가, 다음날 멥쌀
   을 다시 씻어 (헹궈 건져서 물기를 뺀 후) 가루로 빻는다.
2. 멥쌀가루를 그릇 여러 개에 나눠 담고, 쌀 된 말로 물 6말을 끓여 동도지
   로 저어가면서 쌀가루에 골고루 뿌려서, 반은 설고 반은 익게 범벅을 쑨다.
3. 범벅은 차게 식기를 기다렸다가 가루누룩 1되 5홉을 섞고, 고루 버무려 술
   밑을 빚는다.
4. 술밑을 술독에 담아 안치고, 예의 방법대로 하여 하루 동안 발효시킨다.

* 덧술 :

1. 밑술을 빚은 그 이튿날 불려두었던 찹쌀 2말을 (다시 씻어 헹궈 건져서 물기
   를 뺀 후) 시루에 안쳐서 고두밥을 익게 찐다.
2. 고두밥이 익었으면 시루째 떼어놓고 한 김 나기를 기다린다.
3. 고두밥을 덩어리진 것이 없게 풀어 밑술에 넣는다.
4. 술독은 예의 방법대로 하여 4~5일간 발효시키는데, 술이 넘치니 시루를 덮
   어 발효시킨다.

* 2차 덧술 :

1. 덧술 빚은 지 4~5일째가 되면 많이 익었으니, 찹쌀 3~4되를 (백세하여 물
   에 담가 불렸다가) 다시 씻어 헹궈서 건져낸다.
2. 솥에 동이의 7할 정도의 물을 붓고 끓이다가 불린 쌀을 합하고 다시 끓여서
   되게 죽을 쑨 다음, 넓은 그릇에 담아 차게 식기를 기다린다.
3. 죽이 식으면 가루누룩 3되와 밑술을 합하고, 고루 버무려 술밑을 빚는다.
4. 술밑을 독에 담아 안치고, 예의 방법대로 하여 발효시키면 15일이면 익는다.

* 찹쌀을 불리는 시간이 부정확하다.

청명듀법

빅미 서 말 졈미 두 말 한날 졔금시셔 담갓다가 이튼날 빅미 다시 ;셔 작말 호야 그릇 여럿시 버려담고 뿔된 말로 물 엿 말을 쓸여 동으로 버든 복셩화가 지ᄅᄃ 부대 시로 싁가 져으며 쓸흔 물의 반만 닉고 반만 셜긔 긔여 치싁거든 그릇누록 한 되 닷 곱 셧거 이튼날 그 찹뿔 닉게 쪄 시로지 노핫다가 한 김 나거든 그;밋히 덩이업시 쳐 너허두면 나흘 닷시면 무이 너모니 시로 밧쳐 닉거든 뿔찹 서너 되나 쥭쑤어 동의로 칠 홉만 호야 그릇누록 서 되를 한듸 너허 부어다가 보름만이면 쓰느니라.

5. 청명주 <오주연문장전산고(五洲衍文長箋散稿)>

술 재료 : 밑술 : 찹쌀 2말, 누룩가루 1되, 밀가루 2되, 끓는 물 2말
덧술 : 찹쌀 2말, 조청(5되), (끓여 식힌) 물 2말

술 빚는 법 :

* 밑술 :

1. 청명일에 찹쌀 2말을 백세하여 물에 담가 3일간 불려놓는다.
2. 청명 2일 후에 찹쌀 2말을 씻어 (백세하여) 물에 담가 불렸다가 (다시 씻어 헹궈서 물기를 뺀 후) 작말한다(가루로 빻는다).
3. 솥에 물 2말을 붓고 끓여 쌀가루에 합하고, 주걱으로 고루 개어서 담죽을 만들어 넓은 그릇에 퍼서 차게 식기를 기다린다.
4. 차게 식은 담죽에 좋은 누룩가루 1되와 밀가루 2되를 합하고, 동도지로 고루 휘저어서 술밑을 빚는다.
5. 술밑을 술독에 담아 안치고, 예의 방법대로 하여 3일간 발효시킨다.

* 덧술 :

1. 청명일에 찹쌀 2말을 (백세하여) 조청에 담가 불렸다가, 건져서 (엿물을 빼고) 시루에 안쳐 고두밥을 짓는다.

2. 고두밥이 익었으면 퍼내고, (뜨거운 김이 나가게 식기를) 기다린다.

3. 밑술을 소쿠리(체)에 걸러 짜되 생수를 쳐가면서 비벼 거르고, 찌꺼기를 제거하여 놓는다.

4. (따뜻한) 고두밥에 거른 밑술을 합하고, 고루 버무려 술밑을 빚는다.

5. 술밑을 술독에 담아 안치고, 예의 방법대로 하여 서늘한 곳에 항아리를 둔다. 차서 얼거나 햇빛이 비치지 않게 하여 21일간 발효시켜 익기를 기다린다.

6. 술맛을 보아 맛이 너무 달면 끓여서 차게 식힌 물 2되를 부어 두었다가, 단맛이 줄고 맛이 맹렬해졌으면 마신다.

* <임원십육지>의 술 빚는 방법은 같다. <성호사설(星湖僿說)>을 인용하였다. "'양계처사(良溪處士)'는 이익의 사촌 이진을 지칭한다. 주방문 말미에 "동방의 군읍에 술로서 명칭을 한 것이 '평양의 감홍로', '한산 소곡주', '홍천 백주', '여산 호산춘'이 있어 이 나라에 이름을 차지하고 있으니, 연이나 다른 지방의 술도 또한 여러 읍의 것보다 나은 것이 있다. 특히 먼저 고을에서 이름을 얻은 것은 거기에 이름이 가려서 드러나지 않았다. 모든 일이 다 이와 같다. '김천 청명주'는 쓸데없이 허명을 얻어서 하나의 명칭을 얻었으니, 이것을 변증하였다."고 하여 조선 후기의 지방 토속주로서 널리 알려진 소위 '명주(名酒)'의 면면을 살필 수 있을 것 같다.

淸明酒 (辨證說)

새설(星湖) 이익(李瀷) 선생 왈 "청명주(淸明酒)는 춘월의 청명 시에 깨끗하게 도정한 찹쌀 2말을 백세 침수하고, 별도로 찹쌀 2말을 같은 날 씻어 담갔다가 걸러서 작말하고, 물 2말을 끓여서 담죽을 만들어 식기를 기다려, 좋은 누룩가루 1되와 소맥말 2되를 넣어서 동도지로 고르게 섞어서 3일이 지나 발효가 일기를 기다려서 소쿠리에 걸러 찌끼를 걸러내고 생수를 항아리에 붓고 빨리 먼저 찹쌀 2말과 엿에다 담가 밥을 해서 밥이 더울 적에 같이 항아리에 넣고 서늘한 곳에 둔다. 차고 어는 것을 금하고 또한 햇빛이 비치는 것을 또 금하고, 21일을 지나면 비로소 익는다. 맛이 극히 달고 맹렬하다. 비록 더운 날도 또한 빚을 수 있다. 다만 밥 지은 것을 기다려서 항아리에 넣어야 하는데 만약 마시는 자가 단맛을 싫어하면 비록 봄이라도 차게 식기를 기다려서 물 2말을 더 넣을 수 있는데, 단맛이 크게 줄고 그 술기운이 맹렬한 술에 가깝다.”고 하였다. 이씨가 비록 자기가 착각하여 옮겼다고 했으니, 또한 이익이 알고 기록한 것 같다. 이와 같은 즉, 동방의 군읍에 술로서 명칭을 한 것이 '평양의 감홍로', '한산 소곡주', '홍천 백주', '여산 호산춘'이 있어 이 나라에 이름을 차지하고 있으니, 연이나 다른 지방의 술도 또한 여러 읍의 것보다 나은 것이 있다. 특히 먼저 고을에서 이름을 얻은 것은 거기에 이름이 가려서 드러나지 않았다. 모든 일이 다 이와 같다. '김천 청명주'는 쓸데없이 허명을 얻어서 하나의 명칭을 얻었으니, 이것을 변증하였다.

6. 청명주 <온주법(醞酒法)>

술 재료 : 밑술 : 찹쌀 3되, 이화곡(누룩가루) 3되
        덧술 : 찹쌀 3말, 냉수

술 빚는 법 :
* 밑술 :
1. 찹쌀 3되를 백세하여 (물에 담갔다가, 다시 씻어 건져서 물기를 뺀 후) 작말한다.
2. 쌀가루에 (뜨거운 물 3홉 정도를 섞고, 익반죽하여) 구멍떡을 빚는다.
3. 끓는 물솥에 구멍떡을 넣고 삶아, 익어서 떠오르면 건져서 뜨거운 기운이 나가게 식기를 기다린다.
4. 떡에 이화곡 3되를 세말하여(고운 가루로 빻아) 한데 합하고, 고루 버무려

술밑을 빚는다.

5. 술독에 술밑을 담아 안치고, 예의 방법대로 하여 1일간 발효시킨다.

* 덧술 :

1. 찹쌀 3말을 백세한다(물에 담가 불렸다가, 다시 씻어 극히 깨끗하게 헹궈 건져서 물기를 뺀다).

2. 불린 쌀을 시루에 안쳐서 고두밥을 짓고, 고두밥이 익었으면 시루에 그대로 두고 (주걱으로 헤쳐서 놓고) 찬물을 퍼부어서 고두밥을 차게 식힌다.

3. 고두밥에 밑술을 퍼붓고, 고루 치대어 술밑을 빚는다.

4. 술밑을 술독에 담아 안친 다음, 예의 방법대로 하여 찬 곳에 두고 발효시키면, 14일 후에 술덧이 조금 불어나고 맑갛게 되면 채주한다.

청명듀

빅미 삼승 빅셰작말ᄒᆞ야 구멍떡 술마 츠거든 국말 서 되 섯거 이튼날 뎜미 서 말 빅셰ᄒᆞ야 실늬 두고 닝슈 부어 차거든 젼술의 섯거 이칠 후 묽고 향긔로와 오릭도록 불변 ᄒᆞᄂᆞ니라.

7. 청명주 <우음제방(禹飮諸方)>

> 술 재료 : 밑술 : 흰찹쌀 1말, 누룩 1되, 끓는 물(1말)
>   덧술 : 흰찹쌀 2말

술 빚는 법 :

* 밑술 :

1. 청명일에 희게 찧은(도정을 많이 한) 찹쌀 3말을 백세한다(물에 담가 불린다).

2. 흰찹쌀 3말 중 1말을 (다시 씻어 건져서 물기를 뺀 뒤) 작말한다(가루로 빻

아 넓은 그릇에 담아놓는다.)

3. 솥에 물(1말)을 붓고 팔팔 끓여 쌀가루에 골고루 나눠 붓고 주걱으로 개어 범벅을 쑨 후, 넓은 그릇에 퍼서 하룻밤 재워 차게 식기를 기다린다.

4. 이튿날 차게 식은 범벅에 (볕에 바래어 법제한) 누룩가루 1되를 합하고, 고루 버무려 술밑을 빚는다.

5. 술밑을 술독에 담아 안치고, 예의 방법대로 하여 (차지도 덥지도 않은 곳에 두고) 1일간 발효시킨다.

* 덧술 :

1. 불려둔 찹쌀 2말을 다시 씻어 헹궈서 (물기를 뺀 후) 시루에 안쳐서 고두밥을 짓는다.

2. 고두밥은 물을 뿌려 쪄서 익었으면 퍼내고, (넓은 그릇에 담아 헤쳐 놓고 뚜껑을 덮어) 밤재워 차게 식기를 기다린다.

3. 차게 식은 고두밥에 밑술을 합하고, 고루 버무려 술밑을 빚는다.

4. 술밑을 술독에 담아 안치고, 예의 방법대로 하여 찬 곳에 두고 20일간 발효시킨다.

5. 술이 익었으면 3개월 정도 숙성시켜야 제 맛이 나고 1년을 두어도 변치 않으며 훈향(향기가 남)에 빛이 가장 좋다.

* 주방문에 "달게 하려면 되게 개고 맵게 하려면 눅게(무르게) 개어 식게 두었다가"라고 하여, 물의 양을 정하지 않은 까닭과 함께 필요에 따라 물의 양을 달리한다는 것을 알 수 있다. 또 방문 말미에 "청명에 빚을 것이어니와 그 전에 빚어도 좋으니, 이월 정월에도 빚느니, 제 누룩법은 삼복 사이에 밀 한 말 청화수(정화수)에 담가 채 불거든 찧어 어레미로 쳐 피마자잎에 싸 시렁에 달아매 두고 띄워 쓰라."고 하였다.

청명쥬

청명날 빅졈미 서 말 빅셰ᄒᆞ야 두 말은 우 덥게 두고 ᄒᆞᆫ 말은 작말ᄒᆞ야 ᄭᅳᆯᄂᆞᆫ

물의 범벅만치 기야 둘게 흐녀면 되게 기고 밉게 흐려면 눅게 기야 식게 두엇
다가 이튼날 누룩 흔 되 석거 기야 항의 너헛다가 그 이튼날 돔근 쌀을 잠간
되씨서 물 쟉쟉 주어 닉게 쪄 밤지와 그 이튼날 술몃희 버무려 스무날이면 쓰
느니 석 둘이나 되야야 제 마시 려히 나고 흔 히룰 두어도 변치 아니흐고 마
시 훈향흐고 비치 구장 고으니라. 청명의 비줄 거시어니와 그 젼의 비즈도 됴
흐니 이월 정월의도 빗느니

제 누룩법은 삼복 스이 밀 흔 말 청화슈의 담가 치 붓거든 씨허 어럼이로 쳐
피마조닙희 드듸야 두라 씌워 쓰라.

8. 청명주법 <음식보(飮食譜)>

> 술 재료 : 밑술 : 멥쌀 3말, 가루누룩 4되 5홉, 밀가루 9홉, 끓는 정화수 6말
>   덧술 : 찹쌀 6말

술 빚는 법 :
* 밑술 :
1. 멥쌀 3말을 백세작말하여 체에 내려서 넓은 그릇에 담아놓는다.
2. 솥에 정화수 6말을 (팔팔 끓여서) 쌀가루에 붓고, 주걱으로 고루 개어서 범
   벅을 쑤어 그릇 여러 개에 나눠 서늘하게 식기를 기다린다.
3. 차게 식은 죽에 가루누룩 4되 5홉과 밀가루 9홉을 합하고, 고루 버무려 술
   밑을 빚는다.
4. 술밑을 술독에 담아 안치고, 예의 방법대로 하여 (4~5)일간 발효시킨다.

* 덧술 :
1. 찹쌀 6말을 백세한다(물에 담가 불렸다가, 다시 헹궈서 물기를 뺀다).
2. 불린 찹쌀을 시루에 안쳐서 고두밥을 찌고, 익었으면 돗자리에 고루 펼쳐서

가장 차게 식기를 기다린다.

3. 고두밥에 밑술을 합하고, 고루 버무려 술밑을 빚는다.

4. 술밑을 술독에 담아 안치고, 예의 방법대로 하여 발효시킨다.

쳥명듀법

빅미 서 말 빅셰작말ᄒ야 졍화슈 엿 말의 익기 ᄀ여 서르리 치와 ᄀᄅ누룩 너 되 닷 홉 진ᄀᄅ 구 홉의 섯거짜가 괴거던 츕쌀 엿 말을 이기 ᄊ 서르리 치와 밋술의 섯거 너허짜가 괴거든 쓰라.

9. 청명주(별법) <음식보(飮食譜)>

술 재료 : 밑술 : (멥쌀 1말), 누룩 1되, 끓여 식힌 물 3말
　　　　덧술 : 찹쌀 1말

술 빚는 법 :

* 밑술 :

1. (멥쌀 1말을 백세작말하여 체에 내려서 준비한다.)

2. 솥에 물 3말을 (팔팔 끓여서) 쌀가루에 붓고, 주걱으로 고루 개어서 범벅을 쑤어 그릇 여러 개에 나눠 서늘하게 식기를 기다린다.

3. 차게 식은 죽에 누룩 1되를 합하고, 고루 버무려 술밑을 빚는다.

4. 술밑을 술독에 담아 안치고, 예의 방법대로 하여 서늘한 곳에서 (복숭아꽃이 필 때까지) 발효시킨다.

* 덧술 :

1. 찹쌀 1말을 백세한다(물에 담가 불렸다가, 다시 헹궈서 물기를 뺀다).

2. 불린 찹쌀을 시루에 안쳐서 고두밥을 짓고, 익었으면 돗자리에 고루 펼쳐서

따뜻하게 식기를 기다린다.

3. 따뜻한 고두밥에 밑술을 합하고, 고루 버무려 술밑을 빚는다.

4. 술밑을 술독에 담아 안치고, 예의 방법대로 하여 단오 때까지 발효시킨 후, 단오 지나서 채주한다.

* 주방문에 "○○○○…(누락)…○○○○야 믈 서 말 ㄱ긔 치와"라고 하였으므로, '쌀을 고두밥을 짓거나 흰무리떡을 찌고 물 3말도 끓여서 각각 차게 식히라.'는 것으로 풀이할 수 있으나, 쌀의 양에 대해서는 확신할 수 없다.

청명듀법

○○○○…(누락)…○○○○야 믈 서 말 ㄱ긔 치와 누록 흔 되 섯거 너허 ᄎ 되 둣다가 복셩화 ᄇ야호로 필 제 ᄎᆞᆸ쌀 흔 말 빅셰ᄒᆞ야 쪄 더우니 밋술의 석거 너혓다가 단오 후 쓰라.

10. 청명주방 <임원십육지(林園十六志)>

> 술 재료 : 밑술 : 찹쌀 2되, 좋은 누룩가루 1되, 보리누룩 2되, 물 2되
>
> 덧술 : 찹쌀 2말, 후수(끓여 식힌 물 2말)

술 빚는 법 :

* 밑술 :

1. 청명일에 찹쌀 2말을 백세하여 물에 담가 3일간 불려놓는다.

2. 별도의 찹쌀 2되를 (백세하여) 물에 담가 하루 동안 불렸다가 (다시 씻어 헹궈서 물기를 뺀 후) 작말한다(가루로 빻는다).

3. 솥에 물 2되를 붓고 끓이다가, 쌀가루를 합하고 주걱으로 고루 저어서 죽을 끓여 그릇에 퍼서 서늘하게 식기를 기다린다.

4. 죽에 누룩가루 1되와 보리누룩 2되를 섞고, 동도지로 고루 휘저어 술밑을 빚는다.
5. 술밑을 술독에 담아 안치고, 예의 방법대로 하여 3일간 발효시킨다.

* 덧술 :
1. 불려두었던 찹쌀 2말을 (다시 씻어 헹궈서) 시루에 안쳐 고두밥을 짓는다.
2. 고두밥이 익었으면 퍼내고, (뜨거운 김이 나가게 식기를) 기다린다.
3. 밑술을 체에 걸러 찌꺼기를 제거하여 놓는다.
4. 따뜻한 고두밥에 거른 밑술을 합하고, 고루 버무려 술밑을 빚는다.
5. 술밑을 술독에 담아 안치고, 예의 방법대로 하여 서늘한 곳에 항아리를 둔다. 차서 얼거나 햇빛이 비치지 않게 하여 21일간 발효시켜 익기를 기다린다.
6. 술맛을 보아 맛이 너무 달면 끓여서 차게 식힌 물 2말을 부어 두었다가 마신다.

清明酒方

清明時糯米二斗百洗浸水三日別用糯米二升同日浸洗先○作末和水二升煮成淡粥候冷入良麴另末一升麥麴二升以東桃枝攪勻經三日待其成酵篩過去滓禁絶生水入甕中乃烝二斗米篩餾爲飯乘熟同入甕中置於涼處只禦寒凍亦禁日光透照經三七日始熟味極甘烈雖暑月亦可造但篩飯候冷入甕也若嗜飮者壓其味甘則雖春月候冷增水二斗味甘則近齊氣烈則近酒也此方得之良溪處士. <星湖僿說>.

11. 청명주 <주방문(酒方文)>

술 재료 : 밑술 : 찹쌀 3되, 누룩 3홉, 밀가루 1홉, 물 1놋동이
　　　　 덧술 : 찹쌀 7되

술 빚는 법 :

* 밑술 :

1. 찹쌀 3되를 백세작말하여 물 1놋동이에 풀어 죽을 쑨다.

2. 죽이 퍼지게 끓었으면, 넓은 그릇에 퍼서 (하룻밤 재워) 차게 식기를 기다린다.

3. 다음날 곱게 빻아 체로 쳐서 준비한 누룩가루 3홉과 밀가루 1홉을 고루 섞고, 고루 버무려 술밑을 빚는다.

4. 술밑을 술독에 담아 안친 다음, 예의 방법대로 하여 찬 곳에 두고 (3~4일간) 발효시킨다.

* 덧술 :

1. 찹쌀 7되를 힘써 백세하여 새 물에 담가 불렸다가, 다시 살짝 씻어 극히 깨끗하게 헹궈 건져서 물기를 뺀다.

2. 불린 쌀을 시루에 안쳐서 고두밥을 짓고, 고두밥이 특히 무르게 익었으면 돗자리에 퍼서 고루 펼쳐 차게 식기를 기다린다.

3. 밑술을 고두밥에 퍼붓고 고루 버무려 술밑을 빚는다.

4. 술밑을 술독에 담아 안친 다음, 예의 방법대로 하여 찬 곳에 두고 발효시키면 7일 후에 윗면이 갈라지고 말갛게 되면 채주한다.

* 주방문 말미에 "닐웨 후의 우에 끼었던(피었던) 이불(곰팡이 꽃)이 벌어지고 (갈라지고) 말갛게 되면 쓰라. 밥 뜨고 (맛이) 기특하니라."고 하였다.

청명쥬(淸明酒)

춧벌 서 되 빅셰작말 믈 흔 놋동희로 죽 쑤어 디링 누룩 뇌어 서 홉 진말 흔 홉으로 비저 이튼날 더으되 춧벌 닐굽 되 흠씌 빅셰 듬갓다가 거티 곳쳐 시어 므르 쪄 디링ᄒ여 뭉긔염뭉긔염 그 미틔 녀허 춘 ᄃᆡ 두면 닐웨 후의 우희 껏던 니블이 버러디고 말가ᄒ거든 쓰라 밥 쓰고 긔특ᄒ니라.

12. 청명주법 <주방문초(酒方文抄)>

> 술 재료 : 밑술 : 찹쌀 1말, 가루누룩 1되, 밀가루 4홉, 물 5~6병
>
>   덧술 : 멥쌀 2말 5되

술 빚는 법 :

* 밑술 :

1. 찹쌀 1말을 백세하여 (물에 담가 불렸다가, 다시 씻어 헹궈서) 작말한다.

2. 물 5~6병에 쌀가루를 풀어 넣고 끓여서 눋지 않게 덩어리가 없는 죽을 쑨다.

3. 죽이 퍼지게 끓었으면, 넓은 그릇에 퍼서 차게 식기를 기다린다.

4. 준비한 가루누룩 1되와 밀가루 4홉을 고루 섞고, 고루 버무려 술밑을 빚는다.

5. 술밑을 술독에 담아 안친 다음, 예의 방법대로 하여 찬 유지로 밀봉하여 찬 곳에 두고 3일간 발효시키되 김이 새지 않게 하고 열어보지 말아야 한다.

* 덧술 :

1. 멥쌀 2말 5되를 백세하여 (새 물에 담가 불렸다가, 다시 살짝 씻어 극히 깨끗하게 헹궈 건져서 물기를 뺀 다음) 고두밥을 짓는다.

2. 고두밥이 특히 무르게 익었으면, 돗자리에 퍼서 고루 펼쳐 차게 식힌다.

3. 밑술을 고두밥에 합하고 고루 버무려 술밑을 빚는다.

4. 술밑을 술독에 담아 안친 다음, 예의 방법대로 하여 단단히 싸맨 후 찬 곳에 두고 발효시키되 단오 무렵에 채주한다.

淸明酒法

粘米 一斗 百洗 作末 水 五六瓶 好作粥觧塊 後冷 末麴 一升 眞末 四合 調
和粥 以油紙着封 不能通氣泠 不開見 置之寒處 過三日後 白米 二斗半 百洗
熟蒸 行冷 本酒和合 極精 着封 至 五月 端午時 出用 云早春所釀於此可想也.
청명듀는 봄의 ᄒᆞ야 오월 단오의 스거니와 츕뿔 흔 말을 빅 번이나 시서 굴늘

샌아 물 다숫 여숫 병의 듁을 ᄀ장 눗지 말게 ᄒ고 덩이 업시 잘 수어 츠거든 ᄀᄅ누록 ᄒᆫ 되 진ᄀᄅ 너 홉 듁의 섯거 유지로 김 아니 나게 사미여 여러 보지 말고 촌 ᄃᆡ 두엇다가 사흘 만의 빅미 두 말 닷 되 빅 번이나 시서 닉게 ᄲᅥ 츠거든 밋술의 드러부워 둔둔이 사미여 둣다가 오월 단오ᄲᅵ 내여 스라.

13. 청명주법 <주식방(酒食方, 高大閨壺要覽)>

청명주법(淸明酒法)
청명(淸明)날이나 곡우(穀雨)날이나 장류수를 길어다 술을 빚는다. 술 빛이 푸르름하고 오래 진하되 맛이 지주 같고, 청명일날 밑술하였다가, 곡우날 덧술 하되, '백화주' 같이 하니라.

14. 청명주방문(梅岐方文) <쥬식방문>
−반 제 빚이

> 술 재료 : 밑술 : 멥쌀 4되, 누룩가루 2되
> 덧술 : 찹쌀 2말, 누룩 2되(식되), 밀가루 6홉

술 빚는 법 :
* 밑술 :
1. 멥쌀 4되(식되)를 (백세하여 새 물에 담가 불렸다가, 다시 살짝 씻어 극히 깨끗하게 헹궈 건져서) 고두밥을 짓는다.
2. 고두밥이 익었으면, 자리에 펼쳐서 차게 식기를 기다린다.
3. 고두밥에 준비한 누룩가루 2되를 섞고, 고루 버무려 술밑을 빚는다.
4. 술밑을 술독에 담아 안친 다음, 예의 방법대로 하여 단단히 싸매고 차지도

덥지도 않은 곳에 두고 7일간 발효시킨다.

* 덧술 :

1. 찹쌀 2말을 정히 씻어 (백세하여 새 물에 담가 불렸다가, 다시 살짝 씻어 극히 깨끗하게 헹궈 건져서) 시루에 안쳐서 고두밥을 짓는다.
2. 고두밥이 특히 무르게 익었으면 돗자리에 퍼놓는다(고루 펼쳐 차게 식기를 기다린다).
3. 밑술을 고두밥에 퍼붓고, 누룩 2되(식되)와 밀가루 6홉을 한데 섞어 고루 버무려 술밑을 빚는다.
4. 술밑을 술독에 담아 안친 다음, 예의 방법대로 하여 단단히 싸매고 차지도 덥지도 않은 곳에 두고 21일간 발효시킨다.

* 밑술에 물이 사용되지 않는 것으로 되어 있다. 여느 문헌의 '청명주'와는 매우 상이하다. 또 '청명주방문(梅岐方文)'이라고 하였는데, 정확히 무슨 의미인지 알 수 없다.

청명쥬방문(梅岐方文)

반 졔랄 ᄒ랴면 빅미 식되로 ᄂ 되을 쪄 시쿠고 누록가로 두 되 진가로 팔 홉 셧거 덥도 츠도 아니ᄒ게 단단이 쓰미여 칠일 만의 덧슐 ᄒ되 찹살 두 말을 졍히 씨셔 담가다가 쪄 비지되 누록 두 식되 진가로 여셔 홈 너허 비지되 츠도 덥도 아니ᄒ게 단단이 쓰미여 삼칠 만의 쪄 먹으면 죠흐니라.

15. 청명주 <한국민속대관(韓國民俗大觀)>

술 재료 : 밑술 : 찹쌀 3되, 누룩가루 3홉, 밀가루 1홉, 물 1놋동이
　　　　 덧술 : 찹쌀 7되

술 빚는 법 :

* 밑술 :

1. 찹쌀 3되를 잘 씻어 (백세하여 물에 담가 불렸다, 다시 씻어 헹궈) 가루로 빻는다.
2. (물이 뜨거워지면, 2되 정도를 떠서 쌀가루에 쳐 '아이죽'을 만든 다음) 끓고 있는 물솥에 물 1놋동이를 붓고 쌀가루를 풀어 팔팔 끓여 죽을 쑨 후, 차게 식기를 기다린다.
3. 차게 식은 죽에 (볕에 바래어 법제한) 누룩가루를 곱게 빻아 고운체에 쳐서 3홉과 밀가루 1홉을 넣고, 고루 버무려 술밑을 빚는다.
4. 술밑을 그릇(술독)에 담아 안치고, 예의 방법대로 하여 3일간 둔다(발효시킨다).

* 덧술 :

1. 찹쌀 7되를 잘 씻어 (백세하여 물에 담가 불렸다가, 다시 씻어 헹궈서 물기를 뺀 후) 시루에 안쳐서 고두밥을 짓는다.
2. 고두밥이 익었으면, 퍼내어 고루 펼쳐서 차게 식기를 기다린다.
3. 차게 식은 고두밥에 밑술을 합하고, 고루 버무려 술밑을 빚는다.
4. 술밑을 술독에 담아 안치고, 예의 방법대로 하여 찬 곳에 두고 7일간 발효시킨다.
5. 술이 익었으면 술덧의 맨 위를 벗겨내고 맑아지기를 기다렸다가 떠서 마신다.

* <주방문>과 동일하다.

청명주(淸明酒)

이 술은 조선 중엽 이후 말기의 문헌들 중에 많이 나타나고 있는 것으로 보아, 조선 말기에 유행한 것 같다. 춘분에서 15일째 되는 청명날에 빚는 계절적인 술이었다. 특히 김천이 명산지로 알려졌다. 조선 중엽의 한 방문을 보면 다음과 같다. 찹쌀 서 되를 잘 씻고 가루 내어 물 한 놋동이에 풀어 죽을 쑤어 차게 식힌다. 곱게 빻아 고운체로 친 누룩가루 세 홉과 밀가루 한 줌을 섞어 빚어 밑술을 만든다. 따로 찹쌀 7되를 잘 씻어 지에밥을 쪄서 차게 식힌후, 밑술과 함께 빚어 넣는다. 술항아리는 찬 데 두고 이레 후에 위에 끼었던 이불(곱)이 벗겨지고 맑아지면 청주로 떠서 마신다.

16. 청명주방문 <홍씨주방문>

> 술 재료 : 밑술 : 찹쌀 20식기, 가루누룩 2식기, 밀가루 반 식기, 물 9큰식기
> 덧술 : 찹쌀 17식기 반

술 빚는 법 :

＊밑술 :

1. 찹쌀 20식기를 어레미에 쳐서 싸라기 2식기 반을 빼낸 다음 물에 깨끗하게 씻어 불렸다가, 다시 씻어 말갛게 헹궈서 물기를 뺀 후 가루로 빻는다.
2. 솥에 물을 큰 식기로 9개를 붓고 (끓이다가) 쌀가루를 넣고 소나무 막대로 무수히 저어 팔팔 끓여 죽을 쑨 후, (하룻밤 재워) 차게 식기를 기다린다.
3. 식은 죽의 윗물을 따라내어 가루누룩 2식기, 밀가루 반식기와 한데 합하고, 동당이 쳐(고루 버무려) 술밑을 빚고, 그릇 밑에 가라앉은 된죽은 따로 두었다가 덧술에 사용한다.
4. 술독에 술밑을 담아 안치고, 예의 방법대로 하여 하루 동안 발효시킨다.

＊덧술 :

1. 밑술을 빚는 날 나머지 찹쌀 17식기 반을 준비한다(백 번 씻고 또 씻어 깨끗하게 하여 말갛게 헹궈 건졌다가 하룻밤 담가 불린다).
2. 다음날 아침에 불린 쌀을 (다시 씻어 건져서 물기를 뺀 다음) 시루에 안쳐서 고두밥을 짓는다.

3. 고두밥이 고루 익었으면 퍼내고, 주걱으로 고루 헤쳐서 차게 식기를 기다려 밑술과 따로 남겨 두었던 된죽을 합한 다음 고루 버무려 술밑을 빚는다.
4. 소독한 술독에 술밑을 담아 안치고, 예의 방법대로 하여 발효시켜 술이 익기를 기다린다.

청명주

점미 식되로 스물에 물 큰 식기로 아홉 식기씩 넣고 가루누룩 식되로 두 되만 넣고 진가루 식되로 가웃씩 넣으면 좋으되, 점미를 희게 쓿어 얼러미로 쳐서 싸래기는 밑하고 스무 되에 밑 식되로 두 되가웃씩 밑하는 날 쌀 매우 씻어 담갔다가 밑을 빻아 풀을 쑤어 소나무 막대로 무수히 저어 하룻밤 재워 윗물 따로 뜨고 안치는 체로 걸러 독 밑에 깔고 남겼다가 위 덮어서 하면 쓸만하고, 밑할 제 하룻밤 재워 더운 기 없거든 누룩을 넣어 동뎅이 쳐 또 하룻밤 재와 하난이라.

청명향

'청명향'이란 술은 <양주방>*이 유일한 기록이다. 때문에 '청명향'이란 술 이름에 담긴 의미를 정확하게 이해하기란 그리 쉬운 일이 아니다. 다른 어떤 문헌에서도 '청명향'에 대한 기록이 없기 때문이다.

사실 '청명향'이란 술 이름을 알게 된 것은 계절주로 알려진 '청명주'를 마시고 난 뒤였다. 충북 중원군 소재 청명주의 기능보유자 고(故) 김영기(충북 무형문화재 제3호) 옹을 만나 '청명주'에 대한 얘기를 나누던 중 "청명주의 향기를 느끼려면 남한강과 달천이 합수되는 지점의 강물 50센티 깊이의 강물을 길어다 술을 빚어야 하는데, 이 술은 예로부터 청명일에 마시는 술로, 청명한 향기가 있다."고 하는 말씀을 듣고 나서였다.

"도대체 '청명한 향기'가 어떠한 향기일까?" 하는 의문을 풀기 위해서 자전을 뒤지다 포기하고, '청명주'에 대한 자료를 찾다가 정말 우연하게 '청명향'이란 술 이름을 알게 된 것이다. 한글 기록인 <양주방>*에 '청명향'이라는 주품이 따로 존재한다는 사실을 말이다.

일반적으로 우리 전통주의 주품명은 술을 빚는 방법이나 원료의 종류에 따르거나, 술 빚는 횟수, 술 빚는 때, 그리고 재료의 양에 따르기도 하고 술의 향기, 술빛깔의 밝고 맑은 정도, 심지어는 단맛이나 독한 정도에 따른 특징을 반영하기도 한다. 따라서 '청명향'이란 주품명에 담긴 의미를 찾기 위해서는 방문을 유의해서 살펴보고, 직접 술을 빚어보는 방법밖에 없었다.

'청명향'의 주방문을 보면, 덧술 빚는 법에서 일반적인 방문과는 다른 차이점을 목격할 수 있다. 멥쌀로 고두밥을 짓고, 그 고두밥에 찬물을 흠씬 부어서 차게 냉각시킨 후, 밑술과 혼합하는 방법을 취하고 있다. 이러한 주방문은 최근 발굴된 <양주집(釀酒集)>의 '하시절품주'와 '하시주'에서도 찾아볼 수 있으며, 매우 특별한 방법이라고 할 수 있다.

특히 '하시절품주'와 '하시주'의 실습 결과, 향기와 감칠맛이 뛰어나다는 점과 함께 '하시절품주'와 '하시주'가 여름철에 빚어 마시는 계절주라는 사실을 감안하면, '청명향'의 특징을 위의 덧술 빚는 법에서 찾을 수 있겠다 싶었다.

주방문 말미에 언급되어 있듯이 "술 빛깔이 맑고 맛이 콕 쏘게 좋다."고 한 까닭이 여기에 있다. 즉, 고두밥을 찬물에 씻어내면 고두밥의 표면이 매끄러워져서 발효 중에 밥알이 분해되지 않고 밥알 속의 녹말 성분만 추출되어 용해되므로, 술이 숙성된 후에도 부유물이 생기지 않아 술이 맑아지는 것이다.

또한 술맛이 콕 쏘게 느껴지는 것은 발효가 잘 이루어져서 도수 높은 술이 빚어졌음을 뜻하며, 이는 밑술에 투입되는 누룩의 양이 적지 않은 것과 관련이 있다.

대체적으로 덧술에 사용되는 쌀 양이 2말이 넘을 경우, 밑술과 덧술에도 누룩을 각각 나누어 넣는 것이 일반적이다. 그런데 '청명향'에서는 덧술을 삭힐 수 있는 충분한 양의 누룩을 밑술에 한 번 넣고 있다.

이 때문에 밑술을 체에 걸러 누룩찌꺼기를 제거한 탁주 형태로 덧술에 사용하고 있으며, 이와 같은 방법은 누룩의 양이 많거나 술 빛깔을 밝게 하고 누룩취를 줄이려는 의도에서 비롯된다.

한편 '청명향'은 밑술의 재료를 죽 상태로 하여 술을 빚기 때문에 밑술의 발효가 빨리 이루어진다. 이렇게 되면 밑술의 효모 증식이 매우 활발해져 덧술의 발효 역시도 빨라지고 짧아진다. '청명향'의 덧술 발효기간이 이칠일(14일)인 점이 이러한 사실을 뒷받침해 준다.

다만 '청명향'을 빚을 때 특별히 유의할 점은, 다른 술과는 달리 밑술의 발효·숙성시간으로 5일을 넘기지 말아야 한다. 겨울철이라도 5일을 넘기게 될 경우, 냉장보관을 해야 한다. 또 덧술의 고두밥에 찬물을 부어줄 때도 시루 전체에 찬물을 뿌려서 흘려보내야 한다.

고두밥이 골고루 찬물에 닿지 않고, 일부만 찬물을 빨아들이거나 찬물이 고두밥에 오래 머무르게 되면 오히려 밥이 질어지고 술이 탁해지며 발효가 고르게 진행되지 않는다는 점에 유념해야 한다.

'청명향'을 맛보면서 가졌던 느낌은 '샴페인'과 같은, 아니 강원도 평창의 '서주'로 알려진 '감자술'을 마시는 그런 느낌이었다. 한마디로 "우리 술에서도 이렇듯 강한 향취와 쏘는 맛을 느낄 수 있다니……"라는 감탄이 절로 나왔다.

우리의 술 빚는 기술의 다양성과 함께 옛 조상들이 향유했던 술 빚는 기술의 무한 경계를 또다시 실감하게 되었다.

청명향 <양주방>*

> 술 재료 : 밑술 : 멥쌀 3되, 누룩가루 3되, 물(6~9되)
>   덧술 : 찹쌀 3말, 냉수

술 빚는 법 :

* 밑술 :

1. 희게 쓿은 멥쌀 3되를 깨끗이 씻고 또 씻어 (백세하여 물에 담가 불렸다가, 다시 씻어 헹궈 건져서) 물기를 뺀 후 가루로 빻는다.
2. 쌀가루에 따뜻한 물(6~9되)에 개어 아이죽을 만든 뒤, 팔팔 끓여서 죽을 쑨다.
3. 죽을 넓은 그릇에 퍼서 차게 식기를 기다린다.

4. 죽에 누룩가루 3되를 합하고, 고루 버무려 술밑을 빚는다.

5. 술밑을 술독에 담아 안치고, 예의 방법대로 하여 (3일간) 발효시킨다.

＊ 덧술 :

1. 밑술이 익으면 찹쌀 3말을 깨끗이 씻고 또 씻어(백세하여) 물에 담가 불렸다가, (다시 씻어 헹궈 건져서) 물기를 뺀다.

2. 찹쌀을 시루에 안쳐 고두밥을 짓고, 무르게 익었으면 시루째 떼어내어 (주걱으로 뒤집어 놓은 후) 냉수를 부어가면서 (단시간에) 차게 식힌다.

3. 고두밥에 밑술을 합하고, 고루 버무려 술밑을 빚는다.

4. 술밑을 술독에 담아 안치고, 14일간 발효시켜 채주하여 마신다.

＊ 주방문 말미에 "냉수로 차게 받치되, 너무 불으면 좋지 않으니, 알맞게 술밑에 넣었다가 두이레 만에 내면 술 빛깔이 맑고 맛이 콕 쏘게 매워서 좋다."고 하였다.

청명향

빅미 서 되 빅세작말ᄒᆞ야 쥭 쑤어 치와 국말 서 되를 섯거 너헛다가 닉거든 졈미 서 말 빅셰ᄒᆞ야 담가다가 닉게 쪄 시로지 노코 닝슈로 ᄎᆞ게 밧치되 너므 불으면 조치 아니ᄒᆞ니 알마초 ᄒᆞ야 술밋희 섯거 너허다가 이칠일 만의 닉면 비치 맑고 마시 ᄆᆡ와 극히 죠흐니라.

청서주

'청서주(淸暑酒)'는 자전풀이 그대로 "더울 때에 차게 하여 익히는 술"이라는 뜻을 담고 있다. 이때 차게 하는 방법은 냉수를 사용해 주원료인 고두밥을 씻어 냉각시키는 한편, 술독이 더워지지 않게 하는 것이다.

이와 같은 양주방법을 이양주법(異釀酒法)이라고 하는데, '청서주' 외에 누운 소나무의 몸통을 구유처럼 파서 술독 대용으로 빚는 '와송주(臥松酒)'와 큰 대나무를 양쪽이 막히게 마디를 잘라서 청주나 소주 속에 박아놓는 '죽통주(竹筒酒)', 소나무 밑의 땅을 파서 술독을 묻은 후 소나무 뿌리를 잘라 술독에 드리워놓아 발효·숙성시키는 '송하주(松下酒)' 등이 '이양주'에 속한다.

먼저 '청서주'는 <감저종식법(甘藷種植法)>을 비롯해 <고사신서(攷事新書)>, <고사촬요(故事撮要)>, <군학회등(群學會騰)>, <산림경제(山林經濟)>, <임원십육지(林園十六志)>, <조선무쌍신식요리제법(朝鮮無雙新式料理製法)>, <주찬(酒饌)>, <치생요람(治生要覽)>, <한국민속대관(韓國民俗大觀)>, <해동농서(海東農書)>에 수록되어 있다. 이들 문헌 가운데 근대 기록이라고 할 수 있는 <조선무쌍신식요리제법>

과 <한국민속대관>을 제외하면, 나머지 문헌 모두가 한문 기록이며 주방문이 동일하다는 점에서 '청서주' 주방문을 주목할 필요가 있다.

'청서주'를 수록하고 있는 11개 문헌 가운데 물의 양이 다소 차이가 있는 것을 제외하면 동일한 주방문을 보여주고 있다는 사실은 직접 술을 빚어본 경험이 없는 사대부(남성들)에 의해 작성된 기록일 확률이 높다. 또한 이들 문헌이 조선 중기와 후기에 걸쳐 작성된 기록들인데도 동시대의 수많은 한글 기록 문헌에서는 찾아볼 수 없다는 점도 이러한 추측을 뒷받침해 준다.

'청서주'를 기록하고 있는 문헌 가운데 시대적으로 가장 앞선 기록인 <고사촬요>의 주방문을 보면, "찹쌀 1말을 곱게 찧어 아침에 흐르는 물에 담가둔다. 따로 누룩가루 2되를 물(반 병)에 담가둔다. 저녁에 밥을 쪄서 서늘해질 때까지 우물물에 씻는다. 물기를 없애고 물에 담가두었던 누룩가루를 체에 밭쳐 찌꺼기를 없애고 고르게 섞는다. 다음날 저녁에 냉수를 큰 그릇에 담아 (그 안에) 술 빚는 항아리(를) 가운데에 놓고(앉히고), 날마다 물을 바꾼다. 다시 36일이나 37일이 지나면 항아리 위에 맑게 된 것을 병에 넣고, 항상 술병에 술을 넣고는 물을 채운다. 이 처방은 여름에만 쓸 수 있다."고 하여 매우 구체적인 주방문을 보여주고 있다.

이후의 여러 문헌에서는 누룩을 불려두는 물의 양에서 다소 차이가 난다. <군학회등>에서는 물 2병, <임원십육지>와 <감저종식법>에서는 물 2병 반, <주찬>에서는 생수(2병) 등이다.

'청서주'는 여름철에 빚는 계절주로 분류할 수 있는데, 대표적인 단양주(單釀酒)이자 여름철 술인 '부의주'와 유사한 방법으로 빚는 술이라는 점에서 그 특징을 찾을 수 있다. 청서주의 주방문이 부의주와 유사하다는 이유는 다름 아니라, 주원료의 배합비율이 매우 유사하고, 특히 수곡(水麴)을 사용하기 때문이다.

이를테면 '부의주'는 여름철 술로, 무더운 여름철에는 주변의 높은 온도와 습도로 인해 술이 지나치게 끓는 등 산패할 수 있기 때문에 지나친 발효를 억제하기 위해 고두밥을 냉수로 씻어 냉각시키는 한편 술독을 찬물 속에 담가놓는 방법을 동원하고 있다.

여름철 양주가 어렵다는 것은 무엇보다 죽이나 떡, 고두밥 등 술 빚을 원료의 냉각이 어렵다는 데 있다. 원료의 온도가 높은 상태에서 술을 빚게 되면, 주변의 높은 온도와 습도 때문에 발효가 빨라지는 동시에 술덧의 온도 상승이 빨라지기 때문에 어느 단계에서 냉각시켜야 할지 품온을 컨트롤하기 어려워진다.

그런가 하면 여러 문헌에서 목격되는 바와 같이 '청서주'는 '부의주'보다는 물의 양이 적다. 여름철에는 술 빚는 물의 양을 줄이는 방법 또한 품온의 상승이 빨라지는 현상과 과발효로 인한 산패를 줄일 수 있는 방법이다.

다만 '청서주'를 빚을 때 수돗물을 사용하는 일은 반드시 피해야 한다. '청서주'에 사용되는 고두밥을 씻고 냉각시키는 물은 깨끗하고 순수한 샘물이나 지하수라야 실패가 없음을 명심해야 한다. 수돗물을 사용해선 안 되는 이유는 '청명향'이나 '하시절품주' 등 여름철 주품편에서 여러 차례 설명했으므로 여기서는 생략한다.

한편 '청서주' 주방문을 응용하면 겨울철의 영하 온도에서도 안전한 발효를 도모할 수 있다. 한겨울에 주의를 소홀하여 죽이나 떡, 고두밥 등 술 빚을 원료가 지나치게 차가우면 오히려 발효가 더뎌지거나 감패할 수도 있다. 이럴 땐 '청서주'와는 반대로 큰 그릇의 한가운데 술밑을 안친 독을 앉혀서 그 주위에 따뜻한 물을 채워놓으면 술독이 따뜻해져 발효가 원활해진다. 이때도 물이 식지 않도록 따뜻한 물의 온도를 유지시켜 주어야 한다.

1. 청서주 <감저종식법(甘藷種植法)>

술 재료 : 찹쌀 1말, 누룩가루 2되, 활수(活水) 2병

술 빚는 법 :
1. 아침에 잘 찧은(도정을 많이 한) 찹쌀 1말을 정히 씻어(백세하여) 흐르는 물에 담가 불려놓는다.
2. 아침에 누룩가루 2되를 활수 2병에 담가 수곡(水麴)을 만들어놓고, 저녁에 체에 밭쳐 찌꺼기를 제거하여 누룩물(麴水)을 만든다.

3. 저녁에 불려둔 쌀을 (다시 씻어 말갛게 헹궈서 물기를 뺀 후) 시루에 안쳐 고두밥을 짓는다.
4. 고두밥이 익었으면, 물 반 병으로 고두밥을 씻어서 차게 식기를 기다린다.
5. 고두밥에 물기가 없어졌으면, 누룩물에 넣고 고루 버무려 술밑을 빚는다.
6. 술밑을 술독에 담아 안치고, 예의 방법대로 하여 하루 동안 발효시킨다.
7. 다음날 저녁에 큰 자배기에 찬물을 가득 넣고 술독을 자배기에 담가 놓는 데, 매일 찬물을 3회 바꾸어 주면서 6~7일간 발효시킨다.

* 주방문 말미에 "여름철에 적합하다."고 하였다.

清暑酒
精鑿粘米一斗朝浸活水別以麴末二升分浸二瓶水同日夕蒸熟和水半瓶代其盡漬擧瓶就井注洗蒸飯以冷爲度去水氣後以浸麴水用篩除滓拌勻翌日夕盛冷水於大器以釀甕安其中日易水再三六七日上槽常以盛酒瓶浸水用之此方只宜暑月.

2. 청서주 <고사신서(攷事新書)>
-여름에 차게 하여 빚는 술

술 재료 : 찹쌀 1말, 누룩가루 2되, 물 반 병(5홉)

술 빚는 법 :
1. 찹쌀 1말을 정히 씻어(백세하여) 새 물에 하룻밤 불려놓는다.
2. 누룩가루 2되를 물 2병에 담가 하룻밤 불려 수곡(水麴)을 만들어놓고, 다음날 체에 밭쳐 찌꺼기를 제거하여 물누룩(水麴)을 만든다.
3. 누룩 불린 날 씻어 건진 쌀을 시루에 안쳐 고두밥을 짓고, 쌀 담갔던 물 반

병을 팔팔 끓인다.

4. 고두밥이 익었으면, 끓고 있는 물을 퍼서 즉시 시루의 고두밥에 골고루 나눠 뿌려준다.

5. 한 시간 전에 우물에 가서 여러 그릇에 미리 물을 많이 받아놓는다.

6. 고두밥이 물을 다 먹었으면 시루째 떼어 수돗가로 가져가서, 몇 번이고 시루의 고두밥에 부어서 얼음같이 차게 식힌다.

7. 다음날 누룩물을 체에 밭쳐 찌꺼기를 제거한 후, 고두밥에 물기가 없어졌으면 합하고 고루 버무려 술밑을 빚는다.

8. 술밑을 술독에 담아 안치고, 예의 방법대로 하여 하루 동안 발효시킨다.

9. 다음날 저녁 큰 자배기에 찬물을 가득 넣고 술독을 자배기에 넣어놓는데, 매일 찬물을 2~3회 바꾸어 주면서 6~7일간 발효시킨다.

淸暑酒

精鑿粘米一斗朝浸活水別以麴末二升分浸二瓶水同日夕蒸熟和水半瓶代其盡漬擧瓶就井沈洗蒸飯以冷爲度去水氣候以浸麴水用篩除滓拌匀翌日夕盛冷水於大器以釀甕安其中日易水再三六七日上槽常以盛酒瓶浸水用之此方只宜署月.

3. 청서주 <고사촬요(故事撮要)>

술 재료 : 찹쌀 1말, 누룩가루 2되, 물(2병)

술 빚는 법 :

1. (아침에) 찹쌀 1말을 정히 씻어(백세하여) 흐르는 물에 담가 하룻밤 불려놓는다.

2. 누룩가루 2되를 물(2병)에 담가 하룻밤 불려 수곡(水麴)을 만들어놓고, 저녁에 체에 밭쳐 찌꺼기를 제거하여 누룩물을 만든다.

3. 저녁에 불려둔 쌀을 (다시 씻어 말갛게 헹궈서 물기를 뺀 후) 시루에 안쳐 고두밥을 짓는다.

4. 고두밥이 익었으면, 시루째 떼어 수돗가로 가져가서 몇 번이고 물을 시루의 고두밥에 부어서 얼음같이 차게 식힌다.

(수돗물일 경우 한 시간 전에 여러 그릇에 미리 물을 많이 받아놓았다가 사용한다.)

5. 다음날 고두밥에 물기가 없어졌으면, 누룩물에 넣고 고루 버무려 술밑을 빚는다.

6. 술밑을 술독에 담아 안치고, 예의 방법대로 하여 하루 동안 발효시킨다.

7. 다음날 저녁 큰 자배기에 찬물을 가득 넣고 술독을 자배기에 넣어놓는데, 매일 찬물을 2~3회 바꾸어 주면서 6~7일간 발효시킨다.

淸暑酒

精鑿粘米一斗朝浸活水別以麴末二升分浸二瓶水同日夕蒸熟和水半瓶待其盡潰擧甑乾井注洗蒸飯以冷爲度去水氣候擣浸麴水用篩除滓拌勻翌日夕盛冷水於大器以釀甕安其中日易水再三六七日上槽. 常以盛酒瓶浸水用之. 此方只宜暑月.

4. 청서주법 <군학회등(群學會騰)>

술 재료 : 찹쌀 1말, 누룩가루 2되, 물 2병

술 빚는 법 :

1. 깨끗하게 찧은(도정한) 찹쌀 1말을 아침에 (백세하여) 물에 담갔다가 저녁에 (다시 씻어 건져서 물기를 뺀 후) 고두밥을 짓는다.

2. 누룩가루 2되를 흐르는 물(활수, 2병)에 담가 하룻밤 불려 수곡(水麴)을

만들어놓고, 저녁에 체에 밭쳐 찌꺼기를 제거하여 물누룩(水麴)을 만든다.

3. 저녁에 불려둔 쌀을 (다시 씻어 말갛게 헹궈서 물기를 뺀 후) 시루에 안쳐 고두밥을 짓는다.

4. 고두밥이 익었으면, 시루째 떼어 수돗가로 가져가서 몇 번이고 물(수돗물일 경우 한 시간 전 여러 그릇에 미리 물을 많이 받아놓음)을 시루의 고두밥에 부어서 얼음같이 차게 식힌다.

5. 고두밥에 물기가 없어졌으면, 누룩물에 넣고 고루 버무려 술밑을 빚는다.

6. 술밑을 술독에 담아 안치고, 예의 방법대로 하여 하루 동안 발효시킨다.

7. 다음날 저녁에 큰 자배기에 찬물을 가득 넣고 술독을 자배기에 넣어놓는데, 매일 찬물을 2~3회 바꾸어 주면서 18~21일간 발효시킨다.

* 방문 말미에 "이 방문은 더운 달에 적당하다."고 하여, '청서주(淸暑酒)'라는 주품명이 더운 계절에 찬물에 담가 익히는 술로 시원하게 해서 마신다는 것을 암시하고 있다 하겠다.

清暑酒

精鑿粘米一斗朝浸活水別以麴末二升分浸二瓶水同日夕蒸熟和水半瓶代其盡漬舉瓶就井沈洗蒸飯以冷爲度去水氣候以浸麴水用篩除滓拌勻翌日夕盛冷水於大器以釀甕安其中日易水再三六七日上槽常以盛酒瓶浸水用之此方只宜署月.

5. 청서주 <산림경제(山林經濟)>

술 재료 : 찹쌀 1말, 누룩가루 2되, 물 반 병(1되 5홉)

술 빚는 법 :

1. (아침에) 찹쌀 1말을 정히 씻어(백세하여) 흐르는 물에 담가 하룻밤 불려놓

는다.

2. 누룩가루 2되를 물 반 병에 담가 하룻밤 불려 물누룩(水麴)을 만들어놓고, 저녁에 체에 밭쳐 찌꺼기를 제거하여 누룩물을 만든다.

3. 저녁에 불려둔 쌀을 (다시 씻어 말갛게 헹궈서 물기를 뺀 후) 시루에 안쳐 고두밥을 짓는다.

4. 고두밥이 익었으면, 시루째 떼어 수돗가로 가져가서 몇 번이고 물을 시루의 고두밥에 부어서 얼음같이 차게 식힌다(수돗물일 경우 한 시간 전 여러 그릇에 미리 물을 많이 받아놓았다 사용한다).

5. 다음날 고두밥에 물기가 없어졌으면, 누룩물에 넣고 고루 버무려 술밑을 빚는다.

6. 술밑을 술독에 담아 안치고, 예의 방법대로 하여 하루 동안 발효시킨다.

7. 다음날 저녁에 큰 자배기에 찬물을 가득 넣고 술독을 자배기에 넣어놓는데, 매일 찬물을 2~3회 바꾸어 주면서 6~7일간 발효시킨다.

＊ 주방문 말미에 "여름철에 적합하다."고 하였다.

淸署酒

精鑿粘米一斗 朝浸活水 別以麴末二升 分浸二瓶水. 同日夕蒸熟 和水半瓶 待其盡漬 擧甑就井 注洗蒸飯 以冷爲度 去水氣後 以浸麴水. 用篩除滓拌均 翌日夕 盛冷水於大器 以釀瓮安其中 日易水再三 六七日上槽. 常以盛酒瓶 浸水用之. 此方只宜署月. <攷事撮要>.

6. 청서주방 <임원십육지(林園十六志)>

술 재료 : 찹쌀 1말, 누룩가루 2되, 물 2병 반

술 빚는 법 :

1. 찹쌀 1말을 아침에 (백세하여) 물에 담가 불렸다가, 저녁때 (다시 씻어 헹궈 서 물기를 뺀 후) 시루에 안쳐 고두밥을 짓는다.

2. 아침에 누룩가루 2되를 물 2병에 담가 물누룩을 만들어 불렸다가, 저녁때 체에 밭쳐 찌꺼기를 제거하여 누룩물을 만든다.

3. 고두밥이 익었으면 퍼내고, 물 반 병을 고루 붓고 헤쳐서 고두밥이 물을 다 먹기를 기다렸다가 고루 펼쳐 차게 식힌다.

4. 누룩물에 고두밥을 합하고, 고루 버무려 술밑을 빚는다.

5. 술밑을 술독에 담아 안치고, 예의 방법대로 하여 하루 동안 발효시킨다.

6. 다음날 저녁때 큰 자배기에 찬물을 넣고, 물이 들어가지 않도록 하여 술독 을 담가 놓는다.

7. 매일 2~3차례 찬물을 바꾸어 주면서 7일간 발효시키고, 술이 익기를 기다 려 채주한 후 저장한다.

* 주방문 말미에 "술병을 물속에 담가두고 사용한다. 이 방법은 여름철에만 적 합하다."고 하였다.

淸暑酒方

粘米精鑿一斗朝浸活水別以麴末二升分浸二瓶水. 同日夕先將米漉出丞熟以 水半瓶 待水盡透入舉甑就井淋洗以冷爲度去水氣次將浸麴水篩濾去滓飯拌 均入缸. 翌日夕盛冷水於大器以釀缸安其中日易水再三六七日上槽. 常以貯酒 瓶浸水用之. 此方只宜夏月. <攷事撮要>

7. 청서주 <조선무쌍신식요리제법(朝鮮無雙新式料理製法)>

술 재료 : 찹쌀 1말, 누룩가루 2되, 물 2병, 쌀 담갔던 물 반 병

술 빚는 법 :

1. 찹쌀 1말을 정히 씻어(백세하여) 새 물에 하룻밤 불려놓는다.

2. 아침에 누룩가루 2되를 물 2병에 담가 물누룩을 만들어 불렸다가, 저녁때 체에 밭쳐 찌꺼기를 제거하여 누룩물을 만든다.

3. 다음날 씻어 건진 쌀을 시루에 안쳐 고두밥을 짓고, 쌀 담갔던 물 반 병을 팔팔 끓인다.

4. 고두밥이 익었으면, 끓고 있는 물을 퍼서 즉시 시루의 고두밥에 골고루 나눠 뿌려준다.

5. 한 시간 전 여러 그릇에 미리 물을 많이 받아놓는다.

6. 고두밥이 물을 다 먹었으면 시루째 떼어 수돗가로 가져가서, 몇 번이고 시루의 고두밥에 부어서 얼음같이 차게 식힌다.

7. 다음날 고두밥에 물기가 없어졌으면, 누룩물에 넣고 고루 버무려 술밑을 빚는다.

8. 술밑을 술독에 담아 안치고, 예의 방법대로 하여 하루 동안 발효시킨다.

9. 다음날 저녁에 큰 자배기에 찬물을 가득 넣고 술독을 자배기에 넣어놓는데, 매일 찬물을 2~3회 바꾸어 주면서 6~7일간 발효시킨다.

* 주방문 말미에 "여름철에 적합하다."고 하였다.

청서주(淸暑酒)

찹쌀을 정이 씨여 한 말을 생물에 당그고 짜로 누룩가루 두 되를 두 병 물에 당가 노코 그 저녁에 당근 물을 쩌서 물 반 병을 붓고 물을 다 쌀이 먹거든 시루를 쩨여 노코 샘물을 드러부어 멷 번이든지 차기까지 하고 물기가 다 업거든 누룩 당근 물을 체에 밧처 찌끼는 버리고 그 물에 찐 밥을 석근 지 그 이튿날 저녁에 큰 그릇에 랭수를 붓고 술 비진 그릇을 그 가운데 노코 매일 찬물을 두세 번식 박구어 는지 류칠일 만에 주조에 올리되, 술 담은 병을 물에 채여 먹나니 이것은 여름달에 맛당하니라.

8. 청서주 <주찬(酒饌)>

술 재료 : 찹쌀 1말, 누룩가루 2되, 생수(정화수 2병), 정화수

술 빚는 법 :

1. 아침에 도정을 많이 하여 깨끗한 찹쌀 1말을 흐르는 물에 깨끗이 씻어 불린다.
2. 생수(정화수 2병)에 누룩가루 2되를 나누어 담가 물누룩을 만들어놓는다.
3. 저녁에 찹쌀을 (다시 씻어 헹궈 건져서 물기를 뺀 후) 시루에 안쳐서 고두밥을 짓는다.
4. 고두밥이 익었으면 커다란 소쿠리에 퍼 담고, 정화수를 부어가면서 고루 헤쳐서 차게 식힌 다음 물기를 뺀다.
5. 물에 불린 누룩은 체에 밭쳐서 찌꺼기를 제거한 누룩물을 만들어놓는다.
6. 누룩물에 고두밥을 합하고, 고루 버무려 술밑을 빚는다.
7. 술독에 술밑을 담아 안치고, 예의 방법대로 하여 발효시킨다.
8. 술 빚은 다음날 저녁에 술독을 큰 그릇에 안치고, 찬물을 채워서 물이 더워지지 않도록 여러 차례 갈아준다.
8. 6~7일이 지나 술이 익으면, 술주자에 올려 청주를 받아서 술병에 담아 찬물통에 담가놓고 마신다.

* 여름철 양주법의 하나이다. 주방문에 "하루 만에 냉각시키라."고 되어 있는 까닭은 술의 도수가 높지 않고 쉬이 변질되기 때문이다. 따라서 찬물에 담가 놓고 마셔야 한다. 쌀 불린 물과 누룩 불린 물의 양이 정확치 않아 임의 양으로 빚었다.

淸暑酒

精鑿粘米一斗朝活水又以曲末二升分浸二瓶水而同日夕以米烝飯以井花水注

洗以凉爲度去水氣後乃好曲末浸水用篩去滓和均翌日夕盛冷水於大器以釀缸
安其中日易水再三巡六七日熟清上酒槽常以盛酒瓶浸水用之此方只宜夏用.

9. 청서주 <치생요람(治生要覽)>

술 재료 : 찹쌀 1말, 누룩가루 2되, 물 반 병(5홉)

술 빚는 법 :

1. (아침에) 찹쌀 1말을 정히 씻어(백세하여) 흐르는 물(활수)에 담가 하룻밤 불려놓는다.
2. 누룩가루 2되를 흐르는 물(활수, 2병)에 담가 하룻밤 불려 수곡(水麵)을 만들어놓고, 저녁에 체에 밭쳐 찌꺼기를 제거하여 물누룩을 만든다.
3. 저녁에 불려둔 쌀을 (다시 씻어 말갛게 헹궈서 물기를 뺀 후) 시루에 안쳐 고두밥을 짓는다.
4. 고두밥이 익었으면, 시루째 떼어 수돗가로 가져가서 몇 번이고 물(수돗물일 경우 한 시간 전 여러 그릇에 미리 물을 많이 받아놓음)을 시루의 고두밥에 부어서 얼음같이 차게 식힌다.
5. 다음날 고두밥에 물기가 없어졌으면, 누룩물에 넣고 고루 버무려 술밑을 빚는다.
6. 술밑을 술독에 담아 안치고, 예의 방법대로 하여 하루 동안 발효시킨다.
7. 다음날 저녁 큰 자배기에 찬물을 가득 넣고 술독을 자배기에 넣어놓는데, 매일 찬물을 2~3회 바꾸어 주면서 7일간 발효시킨다.

* 방문 말미에 "술이 익었으면 주조에 올려 거른 뒤 병에 담고, 찬물에 담가놓고 사용한다."고 하였다.

清暑酒

夏月粘米一斗朝浸活水又以曲末二升分浸同日夕蒸飯以井水注洗以凉去水
(○)以曲末水篩去滓和勻入缸翌日夕以釀缸安水긔中日日再三易水七日上槽常
以酒瓶浸水中用.

10. 청서주 <한국민속대관(韓國民俗大觀)>

청서주(淸暑酒)
술항아리를 찬물에 채워서 술을 익히는 것으로 여름철의 양조 별법이다.

11. 청서주 <해동농서(海東農書)>

술 재료 : 찹쌀 1말, 누룩가루 2되, 물 반 병(5홉)

술 빚는 법 :

1. 아침에 깨끗하게 찧은 찹쌀 1말을 정히 씻어(백세하여) 흐르는 물에 담가
   하룻밤 불려놓는다.
2. 누룩가루 2되를 물(2병)에 담가 하룻밤 불려 수곡(水麴)을 만들어놓고, 저
   녁에 체에 밭쳐 찌꺼기를 제거하여 물누룩을 만든다.
3. 저녁에 불려둔 쌀을 (다시 씻어 말갛게 헹궈서 물기를 뺀 후) 시루에 안쳐
   고두밥을 짓는다.
4. 고두밥이 익었으면, 시루째 떼어 수돗가로 가져가서 몇 번이고 물(수돗물일
   경우 한 시간 전 여러 그릇에 미리 물을 많이 받아놓음)을 시루의 고두밥에
   부어서 얼음같이 차게 식힌다.
5. 다음날 고두밥에 물기가 없어졌으면, 누룩물에 넣고 고루 버무려 술밑을 빚

는다.

6. 술밑을 술독에 담아 안치고, 예의 방법대로 하여 하루 동안 발효시킨다.

7. 다음날 저녁에 큰 자배기에 찬물을 가득 넣고 술독을 자배기에 넣어놓는데, 매일 찬물을 2~3회 바꾸어 주면서 6~7일간 발효시킨다.

* 방문 말미에 "여름철에 적합하다."고 하였다. <고사촬요>를 인용하였다.

淸暑酒

精鑿粘米一斗朝浸活水別以麴末二升分浸二瓶水同日夕蒸熟和水半瓶待其盡淸擧甑或井注洗蒸飯以冷爲度在水氣候以麴浸水篩除滓拌勻翌日夕盛冷水於大器以釀甕安其中日易水再三六七日上槽. 常以盛酒瓶浸水用之. 此方只宜暑月. <古事撮要>.

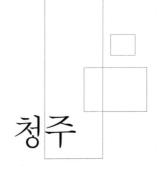

청주

<조선무雙신식요리제법(朝鮮無雙新式料理製法)>에 수록된 '청주(淸酒)' 주방문을 놓고 한동안 생각에 잠겼다. 지금까지 '청주'는 술의 분류에 따른 명칭으로 술 이름, 곧 주품명이 될 수 없다고 여겼다.

탁주(濁酒)나 막걸리 또한 마찬가지이다. 그런데 필자의 이런 생각을 조롱이라도 하듯 <조선무雙신식요리제법>에는 '청주'와 탁주'라는 주품명으로 주방문들이 각각 수록되어 있다.

더구나 <조선무雙신식요리제법>의 '청주' 주방문을 살펴보면서 의외라는 생각을 떨칠 수가 없었다. 주방문에는 "찹쌀 1되 5홉과 멥쌀 1되를 각각 (백세하여 물에 담가 불렸다가 건져서 물기를 빼고) 다르게 밥을 짓는데, 찹쌀은 시루에 안쳐 고두밥을 짓고, 멥쌀은 솥에 안쳐서 고슬한 밥을 짓는다. 익었으면 각각 다른 그릇에 퍼서 차게 식기를 기다렸다가 멥쌀밥과 찹쌀고두밥, 누룩가루 2홉을 한데 합하고, 고루 버무려 술밑을 빚는다. 술독에 술밑을 담아 안치고, 7일간 발효시킨 후에 술을 퍼서 체에 담고, 새 물을 길어다 적당량을 쳐가면서 막걸리로 걸러낸다."고 하였다.

여기서 주목할 부분은 "술을 퍼서 체에 담고, 새 물을 길어다 적당량을 쳐가면서 막걸리로 걸러낸다."에 있다. 이는 탁주나 막걸리를 거르는 방법이기 때문이다. 그런데도 주품명은 '청주'이니 이걸 어떻게 이해해야 할지 난감했다.

굳이 주방문대로라면 "물 적당량을 섞어 거르되, 병이나 단지에 담아 정치시켜서 상등액의 맑은 술을 분리할 필요가 있다."는 게 필자의 생각이다.

주지하다시피 '청주'는 술 가운데 상품으로 맑고 향기가 좋은 술을 가리킨다. 맑고 향기가 좋은 술을 얻기 위해 특별히 좋은 쌀을 고르고, 고두밥을 지어 사용하며, 술이 익으면 용수를 박아 그 안에 고인 술이 맑게 가라앉기를 기다렸다가 조심스레 맑은 술만을 떠내는 것이 상례이다. 물론, 술체나 술자루를 사용해 비벼 짠 탁주를 정치시켜 맑은 술을 분리하면 '청주'를 얻을 수 있긴 하지만, 용수를 박아 떠낸 술과는 맑은 정도가 다르다. 과연 이와 같은 '청주'가 어떤 의미가 있을까? 어떤 술이라도 여과하거나 정치시켜 얻은 술을 '청주'라고 한다면 굳이 애써 고두밥을 지어 술을 빚을 하등의 이유가 없어지기 때문이다. 이처럼 '청주'의 주방문을 보면 분명 탁주를 빚는 방문인데, 어떻게 해서 '청주'라는 주품명의 주방문으로 수록되었을까? 결론은 이렇다.

<조선무쌍신식요리제법>의 등장 시기와 관련이 깊다는 게 필자의 생각이다. <조선무쌍신식요리제법>은 우리나라 양조 관련 문헌으로는 맨 마지막에 출판된 것으로, 이후의 어떤 문헌에서도 양주 관련 기록을 찾아볼 수 없다. <조선무쌍신식요리제법>이 출판될 당시 대한제국의 사정은 일제에 의한 수탈이 극에 달했던 시기이자, 특히 절대적인 식량 부족에 시달리던 때였다. 또한 '주세법'으로 말미암아 술 빚기가 자유롭지 못했던 때였으므로, 봉제사나 귀한 손님 접대에 쓸 수 있는 청주는 귀하고 값이 비쌌을 수밖에 없었다. 따라서 최소량의 쌀을 사용하여 청주를 얻는데, 그 양이 적을 수밖에 없다 보니 물을 타서 거른 탁주나 막걸리를 가라앉혀서 상등액의 맑은 술을 청주라고 부르게 되었고, 이러한 주방문이 나돌면서 소위 '청주' 주방문으로 정착되어 <조선무쌍신식요리제법>에 수록되었을 거라는 추측이다.

안타깝게도 이 같은 주장의 사실 여부를 확인할 수 있는 방법은 지금으로선

찾을 수 없다. 다만 조선 초기 양주 관련 최초의 기록이라고 할 수 있는 <활인심방(活人心方)>을 비롯하여 우리나라 양주 관련 최고(最古)의 전문서적으로 평가되는 <산가요록(山家要錄)> 이후 출판된 양주 관련 문헌만도 80여 권이 넘는데, 그 어떤 문헌에서도 '청주'라는 주품명의 주방문을 목격할 수 없다는 사실만이 이를 뒷받침해 주는 근거라 하겠다.

<조선무쌍신식요리제법>의 '청주'를 빚을 때 유의할 점은, 찹쌀과 멥쌀고두밥의 익은 정도가 같아야 한다는 것이다. 솥에 안쳐서 지은 멥쌀밥이 질어지지 않도록 해야 한다. 자칫 밥이 질어지면 산패하거나 신맛이 많아지기 때문이다.

1. 청주 <조선무쌍신식요리제법(朝鮮無雙新式料理製法)>

술 재료 : 찹쌀 1되 5홉, 멥쌀 1되, 누룩 2홉, 물 적당량

술 빚는 법 :
1. 찹쌀 1되 5홉과 멥쌀 1되를 각각 (백세하여 물에 담가 불렸다가 건져서 물기를 뺀 후) 고두밥을 짓고, 고루 펼쳐서 차게 식기를 기다린다.
2. 멥쌀은 솥에 안쳐서 고슬한 밥을 짓고, 그릇에 퍼서 차게 식기를 기다린다.
3. 멥쌀밥과 찹쌀고두밥, 누룩가루 2홉을 한데 합하고, 고루 버무려 술밑을 빚는다.
4. 술독에 술밑을 담아 안치고, 예의 방법대로 하여 7일간 발효시킨다.
5. 술 빚은 지 7일 만에 술을 퍼서 체에 담고, 새 물을 길어다 적당량을 쳐가면서 막걸리로 걸러낸다.
6. (걸러낸 술은 병에 담아 맑게 가라앉혀서 마신다.)

* 주방문에 '청주' 빚는 방법이라고 하였으나, 방문을 보면 막걸리 제조법임을 알 수 있다. 따라서 물을 적당량을 섞어 거르고, 병에 담아 정치시켜 상등액

의 맑은 술로 만들 필요가 있다.

청주(淸酒)

찰쌀 한 되 닷 홉을 써 익히고, 멥쌀 한 되를 밥 짓고, 죠흔 누룩가루 두 홉
을 석거 버무려 다 식혀 느은 지 니레 만에 물을 새로 기러다가 걸으나니라.

2. 청주법 <주식방(酒食方, 高大閨壺要覽)>

* 이 주방문이 <한국민속대관>에서는 '청명주'라고 되어 있어, 동일한 내용임
  을 알 수 있다.

청쥬법

청명일이나 곡우날이나 쟝뉴슈 길어다가 술을 비즈면 술 빗치 풀으름ᄒ고 올
이 견듸되 마시 지독ᄒ고 청명일 가로 밋 ᄒ엿다가 곡우날 덧ᄒ되 빅화쥬 굿
치 죠흐니라.

청향주

스토리텔링 및 술 빚는 법

'청향주(靑香酒, 淸香酒)'는 매우 힘든 술이다. 술을 빚는 과정도 힘들고, 좋은 술을 얻기도 힘들다는 얘기다. 그 이유는 '청향주'라는 주품명을 통해서도 알 수 있다.

필자가 빚어본 술이 1천여 가지에 이르는데, 무엇보다 가장 힘든 술 빚기는 '향(香)이 좋은 술'이다. 특히 '청향(淸香)'은 방향(芳香) 가운데서도 최고·최상의 향기를 지칭한다. 우리 조상들은 "쌀로 빚은 술에서 '청향'을 얻을 수 있다."고 생각하여 쌀로 빚는 우리 술을 총칭하여 '청주(淸酒)'라고 칭했다.

자가양주(自家釀酒)의 목적은 천지신명과 조상신에 대한 제주(祭酒)를 마련하려는 것이 첫째이고, 부모와 노인의 봉양으로 효도를 다하려는 게 둘째 목적이며, 절기마다의 명절과 통과의례(通過儀禮), 대인관계에 따른 손님 접대가 셋째 목적이고, 계절 변화에 따른 농사일에 쓸 농주(農酒) 마련이 넷째 목적이다.

특히 천지신명과 조상신에 바치는 술로 가장 향기롭고 깨끗한 물질인 청주를 올리는 것이야말로 사람과 자식의 예(禮)와 도리(道理)를 다하는 것으로 여겨왔다.

청향을 간직한 청주는 곧 인간이 마련할 수 있는 가장 신성한 음식으로, '청향'과 '신성물'을 으뜸으로 여긴 데서 '천지신명과 조상께 바치는 제물(祭物)'이라는 의식을 갖게 되었던 것이다. 우리 술 '청주'는 곧 "맑고 깨끗한 신성물로서의 제물"이라는 뜻과 함께 "지구상에서 가장 깨끗하고 신성한 청향을 간직한 술"이라는 의미도 함께 내포하고 있다.

　그런 의미에서 '청향주'에 대한 필자의 애정은 남다르다. 우리 술 청주가 "가장 맑고 깨끗한 신성물"이자 "지구상에서 가장 깨끗하고 신성한 청향을 간직한 술"이라는 의미로 스토리텔링 되기를 희망하기 때문이다. 우리 술이 지구상의 모든 술 가운데 '가장 맑고 깨끗한 신성물'이자 '청향을 간직한 술'이라는 인식이 확산된다면, 전통주의 가치는 '와인'이나 '맥주', '사케'를 뛰어넘는 세계적인 술로 자리매김할 수 있다는 확신 때문이다. 이러한 '청향주'는 조선시대 후기의 <이씨(李氏)음식법>과 <침주법(浸酒法)>에서 찾아볼 수 있는데, 두 문헌의 주방문에서 공통점과 함께 차이점도 목격할 수 있다.

　'청향주'는 밑술과 덧술 모두 끓는 물을 사용하는데, 밑술은 범벅을 쑤어 누룩과 밀가루를 함께 사용하여 술을 빚는다는 공통점을 찾을 수 있다. 하지만 덧술 과정에서는 상당한 차이를 나타내고 있다. <이씨음식법>에서는 찹쌀을 사용하고, 찹쌀고두밥과 끓인 물을 각각 차게 식힌 후에 누룩 없이 밑술만 섞어 덧술을 한 것과는 달리, <침주법>에서는 멥쌀을 사용하고, 쪄낸 멥쌀고두밥과 끓는 물을 한데 섞은 후 고두밥이 물을 다 먹으면 차게 식혀 만든 진고두밥과 누룩, 밑술을 한데 섞어서 덧술을 빚고 있다.

　이상과 같이 <이씨음식법>과 <침주법> 주방문의 공통점과 차이점을 통해 '청향주'의 특징을 살펴보려 했으나, 궁극적으로 '청향주'라는 주품명의 의미를 찾기는 힘들었다. 다만 앞서 "청향을 띠는 술은 매우 힘들다. 술을 빚는 과정도 힘들고, 좋은 술을 얻기도 힘들다."고 한 까닭은 그만큼 주원료의 선별에서부터 누룩의 마련과 술 빚는 전 과정에 치밀한 계획과 철저한 준비가 있어야만 하고, 술의 발효과정에도 세심한 주의를 기울여야 한다는 뜻이다.

　좋은 명주(名酒)는 쉽게 얻어지는 것이 아니고, 앞서 언급했던 특별한 의미를 갖는 '청향주'가 되기 위해서는 그만큼의 정성과 노력이 뒷받침되어야만 하는데,

대체로 우리 술 빚는 일을 너무나 쉽고 가볍게 생각하는 경향이 짙다는 뜻에서 하는 말이다. 어떻든 문제는 이러한 의미가 깃든 '청향주'가 다른 문헌에서는 찾아볼 수 없고, 특히 대중화되지도 못한 채 맥이 단절되어 버린 이유를 찾아야만 한다는 것이다. 그리고 그 이유가 '주세법'이나 해방 후의 밀주 단속 때문만은 아니라는 게 필자의 생각이다. 일제강점기의 '주세법'이 무소불위의 효력을 발휘할 때뿐 아니라 해방 후 "삼금(三禁)"의 하나였던 '밀주 단속'에도 끈질기게 살아남아 가양주(家釀酒)의 맥을 지켜온 민속주와 그 기능보유자들이 존재했기 때문이다.

결국 <이씨음식법>과 <침주법>에 수록된 '청향주'의 의미를 찾기 위해서는 술 빚기에 사용되는 누룩의 양에 대한 분석을 해볼 필요가 있다. 전통 양주에서 누룩의 양은 술 빚는 기술의 척도가 되기도 하거니와 곧바로 주질과 연관되기 때문이다.

두 문헌의 '청향주'에 사용된 누룩의 양을 분석해 보면, <이씨음식법>에 사용되는 누룩의 양은 쌀 대비 1.25% 정도이고, <침주법>에 사용되는 누룩의 양은 밑술과 덧술에 두 차례 사용되는 양을 합하여 5.33% 정도라는 것을 알 수 있다.

특히 <이씨음식법>의 '청향주'처럼 밑술을 반생반숙(半生半熟)의 범벅으로 빚는 방법에서 이렇듯 누룩이 적으면 많은 양의 범벅을 이기지 못해 자칫 실패로 이어지기 쉽고, 덧술에서 술밑이 끓어 넘치는 일이 자주 발생하게 된다. 그래서 <이씨음식법>에 "하잘 넘으니 큰 독에 넣으되, 반씩 되게 넣으라. 밑술이 가장 익으면 술이 쓰느니라."고 하여 술을 관리하는 과정의 문제점에 대해 언급한 것을 볼 수 있다. 또한 <이씨음식법>의 '청향주' 밑술 발효기간이 20일로 길어지는 이유도 그 때문이다. 따라서 실패를 줄이려면, 범벅과 누룩을 섞어 술밑을 빚을 때 범벅이 묽은 죽처럼 풀어질 때까지 고루 힘껏 치대주어야 하는데 매우 오랜 시간이 소요된다. 이러한 이유 때문에 <침주법>에서는 밑술의 누룩 양이 20%로 많아졌고, 다시 덧술에 누룩을 추가하여 전체적으로 5.33%가 사용된 것을 볼 수 있다.

이렇듯 힘든 과정에도 불구하고 누룩의 양을 적게 사용한 배경은, 결국 첫째가 술 향기 때문이고, 둘째는 여느 술보다 밝고 맑은 술 빛깔을 얻고자 함이다.

명품 술은 첫째가 뛰어난 향기에 있는데, 그 향기가 '청향'이라는 사실이다. 청향을 간직한 술 '청향주'와 같은 주품들이 단절된 배경은 아마도 술 빚기가 힘들고 까다롭기 때문일 거라는 생각이다. 옛날이나 지금이나 힘들고 까다로운 일을 꺼리는 게 사람들의 속성이라 '청향주'는 물론이고 '동정춘'이나 '석탄향', '집성향', '동양주' 등의 명품주들이 단절된 경우가 많다. 안타까운 현실이지만 누구에게 그 책임을 물을 수 있겠는가.

1. 청향주 신방 <이씨(李氏)음식법>

> 술 재료 : 밑술 : 멥쌀 20식기, 가루누룩 1식기, 밀가루 1식기, 백비탕 20식기
> 덧술 : 찹쌀 30식기, 멥쌀 30식기, 백비탕 48식기

술 빚는 법 :

* 밑술 :

1. 멥쌀 20식기를 백세하여 물에 담가 하룻밤 불렸다가 (다시 씻어 건져서) 작말한 후, 넓은 그릇에 담아놓는다.
2. 솥에 물 20식기를 붓고 백비탕으로 끓여 쌀가루와 합하고, 주걱으로 고루 개어 반생반숙의 범벅을 쑨 다음, 매우 차게 식기를 기다린다.
3. 가루누룩 1식기와 밀가루 1식기를 가는체에 쳐서 범벅에 한데 섞고, 고루 버무려 술밑을 빚는다.
4. 술독에 술밑을 담아 안치고, 예의 방법대로 하여 단단히 밀봉하고 20일간 발효시킨다.

* 덧술 :

1. 찹쌀 30식기와 멥쌀 30식기를 백세하여 물에 담가 하룻밤 불렸다가, (다시 씻어 헹궈서 물기를 뺀 후) 시루에 안쳐서 고두밥을 짓는다.
2. 솥에 물 48식기를 백비탕으로 끓여서 넓은 그릇에 퍼서 차게 식힌다.
3. 고두밥이 익었으면, 시루에서 퍼내어 (자리에 고루 펼쳐) 차게 식기를 기다

린다.

4. 차게 식힌 고두밥에 차게 식혀둔 백비탕과 밑술을 한데 합하고, 고루 버무려 술밑을 빚는다.

5. 술독에 술밑을 담아 안치고, (베보자기로 덮어) 밀봉한 후 20일간 발효시킨다.

청향쥬 신방

빅미 이십 긔 빅셰ㅎ야 담갓다가 ㅎ로밤 지은 후의 작말ㅎ야 빅비탕 쓸혀 이십 긔만 빅미가로와 흔가지로 골골우 셕그면 반싱반슉홀 거시이 미우 식은 후의 가로누룩 일 긔 진말 일 긔 가늘게 쳐셔 미말과 흔가지로 고로 셕거 항의 너허 단단이 봉ㅎ여 두엇다가 이십 일 된 후 빅미 습십 긔 졈미 습십 긔 빅셰ㅎ야 담갓다가 ㅎ로 밤 지온 후 지여 밥 쪄 차게 식이고 빅비탕 수십팔 긔 차게 식여 슐밋과 흔가지로 고로 셕거 항의 너허 단단이 봉ㅎ여 두어다가 이십 일 된 후 닉여 쓰면 조흐되 무을 금긔ㅎ난이라.

2. 청향주 <침주법(浸酒法)>
–열닷 말 빚이

> 술 재료 : 밑술 : 멥쌀 3말, 누룩 6되, 밀가루 2되, 끓는 물 9사발
> 덧술 : 멥쌀 12말, 누룩 2되, 끓는 물 7동이

술 빚는 법 :

* 밑술 :

1. 멥쌀 3말을 백세하여 (물에 담가 하룻밤 불렸다가 다시 씻어 건져서) 가루로 빻아 넓은 그릇에 담아놓는다.

2. 물 9사발을 매우 팔팔 끓여 쌀가루에 골고루 나눠 붓고, 주걱으로 개어 무르게 익은 담/범벅을 만든다.

3. (담/범벅을 담은 그릇과 똑같은 크기의 그릇으로 뚜껑을 덮어 밤재워) 담/범벅이 차게 식기를 기다린다.

4. 차게 식은 담/범벅에 누룩 6되와 밀가루 2되를 한데 합하고, 고루 버무려 술밑을 빚는다.

5. 술밑을 술독에 담아 안친 후 예의 방법대로 하여 발효시키고, 밑술이 익어 청주 같이 맑아졌으면 덧술을 준비한다.

* 덧술 :

1. 멥쌀 12말을 백세하여 물에 담가 하룻밤 불린다(다시 헹궈서 물기를 빼놓는다).

2. 불린 쌀을 시루에 안치고 쪄서 고두밥을 짓고, 물 7동이를 팔팔 끓인다.

3. 고두밥이 익었으면 퍼내어 끓고 있는 물과 한데 합한 후 (그릇의 뚜껑을 덮어서 고두밥이 물을 다 먹으면) 하룻밤 재워 차디차게 식기를 기다린다.

4. 고두밥에 누룩 2되와 밑술을 한데 합하고, 고루 버무려 술밑을 빚는다.

5. 술독에 술밑을 담아 안치되, 잘 넘치니 큰 독을 사용하고 반만 차게 담아 안친다.

6. 술독은 예의 방법대로 하여 (서늘한 곳에서) 발효시켜 익기를 기다린다.

청향쥬(靑香酒)—열닷 말

빅미 서 말을 빅셰ᄒ야 ᄒᆞᄅᆞ쌤 재예 ᄀᆞᄅᆞ 브아 물 아홉 사발을 ᄀᆞ장 ᄭᅳᆯ혀 치와 이튼 날 ᄀᆞᄅᆞ누록 엿 되와 진ᄀᆞᄅᆞ 두 되로 고로 섯거 녀헛더가 ᄀᆞ장 니거 청쥬 갓거든 빅 미 열두 말을 빅셰ᄒ야 ᄒᆞᄅᆞ 쌤 재예 닉게 쪄 믈 닐곱 동이를 ᄭᅩᆯ와 ᄒᆞᄅᆞ 쌤 재여 ᄀᆞ장 ᄎᆞ거든 그 밋술의 섯거 녀허 두되 하잘 너므니 큰 도긔 녀흐되 반식 되게 녀ᄒᆞ라. 밋수리 ᄀᆞ장 니그면 술이 ᄡᅳᄂᆞ니라.

청화주

'청화주'라는 주품은 최근 발굴되어 세상에 나온 <우음제방(禹飮諸方)>이라는 문헌에 수록되어 있는 몇 안 되는 주품 가운데 하나로, 다른 문헌에서는 찾아볼 수 없다.

<우음제방>이 대전 지방의 은율 송씨 가문에 전승되어 온 문헌이며, 다른 문헌에서는 목격되지 않는 주품이라는 점을 감안하면, '청화주'는 은율 송씨 가문의 술 빚는 대모에 의해서 개발되고 정착되어 가양주로서의 명맥을 이어온 몇 안 되는 주품이라 하겠다. 따라서 조선시대 전승 가양주(家釀酒)의 일단을 엿볼 수 있는 귀중한 자료로서 가치가 충분하다 할 것이다.

그런 측면에서 '청화주'는 다음과 같은 몇 가지 특징을 엿볼 수 있다.

첫째, 필요에 따라서는 멥쌀만이 아닌 찹쌀로도 빚어 왔다는 것을 알 수 있다. 대개의 경우, 멥쌀술이 찹쌀술로 바뀌면 술 빚는 방법도 조금씩 달라지는 게 상례로 되어 있는데 반해, '청화주'에서는 찹쌀로 빚는 법에 대한 특별한 언급이 없는 것으로 미루어, 주원료만 바꾸고 주방문은 그대로 가져갔음을 알 수 있다.

둘째, '청화주'는 누룩의 양이 매우 많이 사용된다는 점이다. 일반적으로 양주 관련 옛 문헌들에 수록된 주품에서 '청화주'처럼 많은 양의 누룩을 사용한 경우는 없다고 해도 과언이 아니다. '청화주'에 사용되는 누룩 양은 쌀 양 대비 47%가 넘기 때문이다. 때문에 반생반숙법의 밑술 발효기간이 4~5일에 그치고, 더운 계절에도 3~4일이면 덧술을 할 수 있다고 하였다.

또한 덧술에서도 누룩을 사용했는데, 개인적으로는 넣지 않는 것이 좋겠다는 생각이다. '청화주'처럼 밑술에 많은 양의 누룩을 사용하는 경우, 덧술의 누룩 사용은 오히려 누룩 냄새가 강하고 술 색깔도 검어지므로 결과적으로는 주질을 떨어뜨리는 요인이 되기 때문이다.

셋째, '청화주'는 밑술과 덧술 두 과정에 사용되는 쌀 양과 물의 양이 동량이다. 누룩의 양이 47%에 이르고 쌀 양과 물의 양이 동일하다는 것은 결국 보다 많은 양의 술을 얻기 위한 목적이라고밖에 볼 수 없는데, 이는 '청화주'라는 주품명과 서로 배치된다는 것을 알 수 있다.

필자의 경험상 지나친 누룩 냄새와 보리차 같이 짙은 술 색깔은 심한 거부감을 불러일으켰는데, 나이 많으신 어른들은 "감칠맛이 있어서 좋다."는 평이었다. 소위 "누룩으로 빚은 '진짜 술맛'이다."고 하였으나 개인적으로 공감할 수는 없었다. 결국 '청화주'라는 주품명의 의미를 찾을 수 없었다는 점에서 유감이 많이 남았다.

1. 청화주 <우음제방(禹飮諸方)>

술 재료 : 밑술 : 멥쌀 1말 5되, 누룩가루 2말 2되, 밀가루 1되, 끓는 물 1말 5되
　　　　　덧술 : 멥쌀 4말, 누룩가루 1되, 끓여 식힌 물 4말

술 빚는 법 :
* 밑술 :
1. 멥쌀 1말 5되를 백세하고 (물에 백 번 씻어 새 물에 담가 불렸다가, 다시 씻

어 말갛게 헹궈서 물기를 뺀 후) 작말하여(가루로 빻아) 그릇에 담아놓는다.

2. 물 1말 5되를 팔팔 끓여 쌀가루에 붓고, 주걱으로 고루 개어 (반생반숙/범벅을 만들어 뚜껑을 덮고) 차게 식기를 기다린다.

3. 차게 식힌 범벅에 누룩가루 2말 2되와 밀가루 1되를 합하고, 매우 힘껏 치대어 술밑을 빚는다.

4. 술독에 술밑을 안치고, 예의 방법대로 하여 (서늘한 곳에 두고) 7일간 발효시킨다.

* 덧술 :

1. 멥쌀 4말을 백세하여 (새 물에 담가 불렸다가, 다시 씻어 건져서 물기를 뺀 후) 시루에 안쳐서 고두밥을 짓는다.

2. 솥에 물 4말을 팔팔 끓여 식히고, 고두밥이 익었으면 퍼내어 고루 펼쳐서 차게 식기를 기다린다.

3. 고두밥에 밑술과 끓여 식힌 물 4말을 한데 합하여 고루 섞고, 다시 누룩가루 1되를 합하고 고루 버무려 술밑을 빚는다.

4. 술독에 술밑을 안치고, 예의 방법대로 하여 14일간 발효시킨다.

청화쥬

빅미 말 닷 되 빅셰ㅎ야 듬가 ㅎ르밤 지와 작말ㅎ야 물 말가옷 쓸혀 기야 서늘ㅎ게 식여 국말 두 말 두 되 진말 흔 되 섯거 쳐 너헛다가 칠일 마너 빅미 너 말 빅셰ㅎ야 ㅎ르 지와 닉게 쪄 서늘ㅎ게 식이고 물 너 말 쓸혀 식여 술밋희 고로고로 석고 국말 일 승 석거 너허 이칠 만의 쓰라.

2. 청화주 <우음제방(禹飮諸方)>
−점미로 빚는 법

> 술 재료 : 밑술 : 멥쌀 1말 5되, 누룩가루 2말 2되, 밀가루 1되, 끓는 물 1말 5되
> 덧술 : 찹쌀 4말, 누룩가루 1되, 끓여 식힌 물 4말

술 빚는 법 :

* 밑술 :

1. 멥쌀 1말 5되를 백세하고 (물에 백 번 씻어 새 물에 담가 불렸다가, 다시 씻어 말갛게 헹궈서 물기를 뺀 후) 작말하여(가루로 빻아) 그릇에 담아놓는다.
2. 물 1말 5되를 팔팔 끓여 쌀가루에 붓고, 주걱으로 고루 개어 반생반숙(범벅)을 만들고 (그릇에 뚜껑을 덮어) 차게 식기를 기다린다.
3. 차게 식힌 반생반숙(범벅)에 누룩가루 2말 2되와 밀가루 1되를 합하고, 매우 힘껏 치대어 술밑을 빚는다.
4. 술독에 술밑을 안치고, 예의 방법대로 하여 (서늘한 곳에서) 3~4일 또는 4~5일간 발효시킨다.

* 덧술 :

1. 찹쌀 4말을 백세하여 (새 물에 담가 불렸다가, 다시 씻어 건져서 물기를 뺀 후) 시루에 안쳐서 고두밥을 짓는다.
2. 솥에 물 4말을 팔팔 끓여 식히고, 고두밥이 익었으면 퍼내어 고루 펼쳐서 차게 식기를 기다린다.
3. 고두밥에 밑술과 끓여 식힌 물 4말을 한데 합하여 고루 섞고, 다시 누룩가루 1되를 합하고 고루 버무려 술밑을 빚는다.
4. 술독에 술밑을 안치고, 예의 방법대로 하여 14일간 발효시킨다.

* 주방문에 "본방은 백미로되, 점미로 덧하면 더 수이 되고 웃국이 많고, 탕수

아니라도 조금도 해롭지 아니하고, 날이 더운 때도 술밑하여 사오일, 삼사일 만 하여도 덧하느니라."고 하였다.

청화쥬

본 방은 빅미로되 졈미로 덧흐면 더 수이 되고 웃국이 만코 탕슈 아니라도 죠곰도 해롭지 아니ᄒ고 날이 더운 ᄯ는 술밋ᄒ여 ᄉ오일 삼ᄉ일만 ᄒ여도 엇 ᄂ니라.

추로백

　'추로백(秋露白)'을 만난 일은 내게 불행이었다. 추로백은 형태도 빛깔도 향기도 없는 술이라는 생각 때문이었다. 전통주를 비롯해 세상에는 해괴한 술이 많고 많지만, '추로백'만큼 어려운 술도 드물 것이라는 생각도 한몫했지 싶다.

　'추로백'은 분명히 주품명이다. 그런데도 술을 빚는 법인 주방문이 없다. 따라서 술의 형태도 빛깔도 향기도 없다는 얘기다. 과연 '추로백'은 어떤 술일까? '추로백'이라는 주품명을 처음 접한 것은 <규합총서(閨閤叢書)>의 주방문을 번역하던 중이었다.

　20년 전 전통 누룩(酒麴, 麯子)의 유래와 조선시대의 누룩 제조법에 관한 기사를 쓰기 위해 한글로 번역된 <규합총서>를 읽고 있던 중 '주식의(酒食議)' 편에서 여러 주품에 따른 주방문과 '추로백'에 관한 기록을 찾게 되면서부터였다.

　<규합총서>에 "가을 이슬이 많이 내릴 적에 그릇을 놓아 이슬을 받아 술을 빚으면 이 술이 '추로백'이니, 맛이 특별히 향렬(香烈)하다."고 하였는데, 술을 어떻게 빚는지 그 방법에 대해서는 언급이 없었다. 그래서 다른 문헌들을 찾게 되었고,

다른 문헌에서도 '추로백'에 대한 구체적인 주방문을 찾을 수 없었다.

결국 '추로백'을 빚기 위해서는 술을 빚는 기본적인 방법부터 터득해야 한다는 사실을 깨닫게 되었고, 우선 술 빚는 방법부터 제대로 배워야겠다는 생각도 하게 되었다.

이후 여러 차례 술을 빚어보았지만, <규합총서>에서 언급한 것처럼 "맛이 특별히 향렬하다."는 느낌을 받지는 못하였다.

'추로백'이라는 주품에 대한 <규합총서>의 설명과 같은 느낌이 왔을 때는 그로부터 7년이 지난 후였다. 그러니까 <규합총서>의 여러 주방문에 대한 양주기법을 터득한 이후였다. 더불어 <규합총서>를 비롯하여 여러 문헌에 '추로백'에 대한 구체적인 주방문이 존재하지 않는 이유에 대해서도 깨닫게 되었다.

'추로백'을 수록하고 있는 문헌은 <감저종식법(甘藷種植法)>을 비롯해 <고사촬요(故事撮要)>, <군학회등(群學會騰)>, <증보산림경제(增補山林經濟)>, <해동농서(海東農書)>를 들 수 있다. 이들 문헌에 "가을 이슬이 많이 내릴 때 쟁반을 만들어 이슬을 받아 술을 빚는데, '추로백'이라고 한다. 맛이 매우 향기롭게 차다."고 하였다. 또 <산림경제(山林經濟)>에서는 <선서>를 인용하여 "가을 이슬이 흠씬 내릴 때, 넓은 그릇에 이슬을 받아 빚은 술을 '추로백'이라 하니, 그 맛이 가장 향긋하고 콕 쏜다."고 하였다.

그렇다면 먼저 '추로(秋露, 가을 이슬)'가 어떤 것인지 알아야 하는데, '추로'에 대한 기록을 <동의보감(東醫寶鑑)>에서 보면, "추로수(秋露水, 가을철 아침 해가 뜨기 전 이슬을 받은 물)는 살빛을 윤택하게 한다. 이 물을 받아서 먹으면 장수할 뿐만 아니라 배도 고프지 않다고 한다."고 하였다.

'추로백'을 빚으려면 먼저 '추로수'를 받아야 하는데, 이게 쉽지가 않았다. '추로수(가을 이슬)'를 받기 위해 그릇을 있는 대로 챙겨 주변 환경이 비교적 좋다고 하는 서울 근교의 숲을 찾아갔다. 저물 무렵부터 나뭇가지며 풀밭 위에 그릇을 널어놓고 밤새 조바심치면서 '추로수(가을 이슬)'가 많이 고이기를 기대했다.

이른 새벽에 나가 그릇들을 널어놓은 곳으로 가 그릇 안에 고인 '추로수(가을 이슬)'를 살펴보는데, 그 결과가 기대에 많이 못 미쳤다. 열 개가 넘는 양푼이며 쟁반의 이슬을 다 모았는데도 그 양이 그리 많지 않은 2ℓ 미만인 데다, 고무 주걱을

긁다시피 해서 쓸어 모은 이슬에는 먼지와 같은 흙이 함께 섞여 있었다. 술을 빚을 수 없이 오염된 것이다.

하는 수 없이 다시 기회를 잡기로 하고, 이듬해 가을 더 깊은 산을 찾다보니 강원도 영월까지 올라가게 되었다. 찻길도 인적도 드문 곳이어서 잔뜩 기대를 했는데, 결과는 여전히 마찬가지였다. 찌꺼기를 제거한 2ℓ도 되지 않은 '추로수(가을 이슬)'를 가지고 연구소로 돌아와야 했다. 교통비며 숙박비까지 들인 경비를 생각하면 그 대가치곤 몹시 초라했다.

그럼에도 불구하고 돌아온 즉시 특별히 쌀을 씻고 술독을 소독하는 등 술을 빚을 만반의 준비를 했다. 고두밥이 준비되자 누룩과 '추로수(가을 이슬)'를 섞어 치대는 작업을 하는데, 손의 느낌이 평소와 별반 다르지 않았다.

술을 빚어두고 이틀이 지나서야 그 결과를 예측할 수 있었는데, 술덧의 발효상태가 다른 주품들과 다르다는 것을 알 수 있었다. 술이 끓는 현상이 평소와 다르게 '매우 힘차다.'는 느낌이었다. 특히 매우 강한 향기를 느낄 수 있었다. 와인의 아로마와 같은 방향으로 기분이 들뜨기 시작했다.

'추로백'은 필자로 하여금 매우 조바심치게 했다. 이를 악물다시피 하여 30일을 견딘 후에야 비로소 생전 처음으로 "그 맛이 가장 향긋하고 콕 쏜다."고 하는 '추로백'의 맛을 볼 수 있었다.

'추로백'은 '백화주'와 같은 강한 방향은 아니지만, 기묘하다 싶을 만큼 솔향기가 아름다웠고, '호산춘'과 같은 쏘는 맛이 일품이었다. 마치 탄산을 첨가한 술처럼 시원한 맛과 자극이 있었다. 알코올 도수도 낮지 않은 15~16% 정도라고 판단되었다.

처음 맛본 '추로백'을 기억하기 위해 거푸 서너 잔을 마시고 난 후의 필자의 취흥은 더도 말고 덜도 말고 이러했다.

꽃잎 하나 이울어도 아직 눈물 도는 나이
된서리가 꽃이 되는 가을은 전설이다.
가슴에 내리는 서리
술잔으로 씻을 밖에.

미인(美人)의 아름다운 가락도
슬픈 마음 씻을 수 없어
흰 이슬로 빚은 술을 두루미째 기울이니
번민(煩悶)을 씻기 위한 술
취하는 것 마땅하리.

–'추로백(秋露白)을 마시며' 전문

1. 추로백 <감저종식법(甘藷種植法)>

가을 이슬이 많이 내릴 때, 쟁반을 만들어 이슬을 받아 술을 빚는데, 추로백(秋露白)이라고 한다. 맛이 매우 향기롭게 차다.

秋露(白)
繁濃時盤收造酒名秋露白味最香冽.

2. 추로백 <고사신서(攷事新書)>

가을에 이슬이 많이 내릴 때 그릇에 받아 술을 만든 것을 추로백(秋露白)이라고 한다. 술맛이 제일이고 향기가 좋다.

秋露(白)
繁濃時盤收之造酒名秋露白味最香別.

3. 추로(백) <고사십이집(攷事十二集)>

가을 이슬이 많이 내릴 때, 쟁반을 만들어 이슬을 받아 술을 빚는데 추로백(秋露白)이라고 한다. 맛이 매우 향기롭게 차다.

秋露(白)

繁濃時盤收造酒名秋露白味最香冽.

4. 추로백 <고사촬요(故事撮要)>

가을 이슬이 많이 내릴 때, 쟁반을 만들어 이슬을 받아 술을 빚는데, 추로백(秋露白)이라고 한다. 맛이 매우 향기롭게 차다.

秋露白

繁濃時盤收之造酒名秋露白味最香別.

5. 추로백 <군학회등(群學會騰)>

가을 이슬이 많이 내릴 때, 쟁반을 만들어 이슬을 받아 술을 빚는데, 추로백(秋露白)이라고 한다. 맛이 매우 향기롭게 차다.

秋露白

秋露繁濃時. 作盤以收之. 造酒名秋露白. 味最香冽.

6. 추로백 <규합총서(閨閤叢書)>

가을 이슬이 많이 내릴 적에 그릇을 놓아 이슬을 받아 술을 빚으면 이 술이 추로백(秋露白)이니, 맛이 특별히 향렬(香烈)하다.

秋露白

가을 이슬이 흠씬 내릴 때, 넓은 그릇에 이슬을 받아 빚은 술을 '추로백(秋露白)'이라 하니, 그 맛이 가장 향긋하고 콕 쏜다. <산림경제>를 인용하였다.

7. 추로백 <산림경제(山林經濟)>

가을 이슬이 흠씬 내릴 때, 넓은 그릇에 이슬을 받아 빚은 술을 '추로백(秋露白)'이라 하니, 그 맛이 가장 향긋하고 콕 쏜다.

秋露白

秋露繁濃時. 作盤以收之. 造酒名秋露白. 味最香冽. <善書>.

8. 추로백 <증보산림경제(增補山林經濟)>

가을 이슬이 많이 내릴 때 쟁반을 만들어 이슬을 받아 술을 빚는데, 추로백(秋露白)이라고 한다. 맛이 매우 향기롭게 차다.

秋露

繁濃時盤以收之造之名秋露白味最香烈.

9. 추로(백) <학음잡록(鶴陰雜錄)>

가을 이슬이 많이 내릴 때 쟁반을 만들어 이슬을 받아 술을 빚는데, 추로백(秋露白)이라고 한다. 맛이 매우 향기롭게 차다.

秋露

繁濃時盤以收之造之名秋露白味最香烈.

10. 추로백 <해동농서(海東農書)>

가을 이슬이 많이 내릴 때, 쟁반을 만들어 이슬을 받아 술을 빚는데, 추로백(秋露白)이라고 한다. 맛이 매우 향기롭게 차다.

秋露白

秋露繁濃時. 作盤以收之. 造酒名秋露白. 味最香冽.

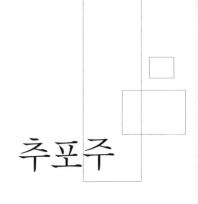

추포주

우리나라 전통주에 대한 연구를 하다 보면, 원료의 선택이나 가공, 누룩 디디는 법, 그 외 다양한 방면에서 술을 빚는 방법들에 대해 탐구를 하게 된다. 그런데 의외의 부분에서 막히고, 그 원인이나 방법들을 찾기 위해 골머리를 앓게 될 때가 많다.

특히 <주찬(酒饌)>에 수록되어 있는 주품들에서 가장 많이 부딪혔던 문제였다. 그도 그럴 것이 <주찬>에는 '추포주(秋葡酒)'를 비롯하여 '석탄향(石炭香)', '절주(節酒)', '송계춘(松桂春)', '도화춘(桃花春)', '은화춘(銀花春)', '백탄향(白灘香)', '진향주(震香酒)' 등의 독특하면서도 다양한 표현의 주품명들이 많다.

'추포주'는 <주찬>에서만 찾아볼 수 있는 주품명이다. 자전풀이대로라면 '가을 포도로 빚은 술' 또는 '가을에 수확한 끝물의 포도를 사용해 빚은 술'이라는 뜻으로 해석할 수 있으나, '추포주' 주방문 어디에서도 '포도'가 사용된다는 내용이 없다.

사실이 그럼에도 불구하고 주품명이 '추포주'라고 한 데는 "술의 발효과정을 통해서 발현되는 향기가 포도 향기와 같다."거나 "술에서 포도 향기가 난다."는 뜻에서 유래했을 거라고 보여진다. 이와 같은 예는 '하향주(荷香酒)', '닥주' 등과 함께 국가 지정 중요무형문화재인 '문배술'에서도 찾아볼 수 있다.

그렇다면 <주찬>의 '추포주'에 감춰져 있는 '포도 향기의 비밀'은 무엇일까? <주찬>의 '추포주'를 분석해 보면, 술을 빚는 과정이 조선시대 중기에 가장 성행했던, 다시 말해 밑술은 '범벅'으로 하고 '진고두밥'으로 덧술을 하는 아주 전형적인 양주(釀酒) 형태를 하고 있다는 것이다.

여기에서 가장 중요한 비밀은 멥쌀 1말에 10%의 품질 좋은 누룩가루와 밀가루, 5%, 150%의 끓는 물로 빚는 밑술과 멥쌀 2말에 150%의 끓는 물로 익힌 고두밥을 덧술로 하여 발효시키는 공식이 숨겨져 있다.

이 재료 배합비율은 밑술과 덧술 모두 가장 안정적이면서도 활발한 발효를 도모할 수가 있다. 특히 적은 양의 밀가루 사용은 잡균의 증식을 예방해 주는 한편, 적당한 산미를 부여하여 균형 잡힌 육미(六味)를 갖게 하여 시원한 맛까지 느낄 수 있게 해준다. 안정적이면서 활발한 발효는 높은 알코올 생성과 함께 풍부한 방향(芳香)을 수반하며, 방향 가운데 포도향(葡萄香)이 가장 두드러지게 나타난다는 사실이다.

<주찬>의 '추포주'가 멥쌀과 누룩, 밀가루, 끓는 물로만 빚는 순수한 미주(米酒)이면서도 포도라고 하는 과일 향기를 갖게 됨으로써 주품명까지도 '추포주'라는 이름을 얻게 된 이유라 하겠다.

추포주 <주찬(酒饌)>

술 재료 : 밑술 : 멥쌀 1말, 좋은 누룩가루 1되, 밀가루 5홉, 끓는 물 1말 5되
　　　　　덧술 : 멥쌀 2말, 끓는 물 3말

술 빚는 법 :

* 밑술 :

1. 멥쌀 1말을 백세하여 (물에 담가 불렸다가, 다시 씻어 헹궈 건져서 물기를 뺀
   후) 작말하여 넓은 그릇에 담아둔다.
2. 물 1말 5되를 팔팔 끓여 쌀가루에 골고루 붓고, 주걱으로 개어 죽(범벅)처럼
   만든 뒤 (넓은 그릇 여러 개에 나눠 담고) 차게 식기를 기다린다.
3. 차게 식힌 죽(범벅)에 좋은 누룩가루 1되와 밀가루 5홉을 합하고, 고루 치
   대서 술밑을 빚는다.
4. 술밑은 술독에 담아 안치고, 예의 방법대로 하여 (3일간) 발효시킨다.

* 덧술 :

1. 멥쌀 2말을 백세하여 (물에 담가 불렸다가, 다시 씻어 헹궈 건져서 물기를 뺀
   후) 시루에 안쳐 고두밥을 짓는다.
2. 솥에 물 3말을 팔팔 끓이고, 고두밥이 익었으면 넓은 그릇에 퍼 담고, 끓는
   물을 골고루 부어 고루 헤쳐 놓는다.
3. 고두밥이 물을 다 먹었으면, 그릇 두 개에 나눠 담고 차게 식기를 기다린다.
4. 고두밥에 밑술을 합하고, 고루 버무려 술밑을 빚는다.
5. 술독에 술밑을 담아 안치고, 예의 방법대로 하여 발효시킨다.

* 주방문 말미에 "빛깔과 맛이 매우 좋다."고 하였다.

秋葡酒

白米一斗百洗作末湯水一斗五升同作粥待冷好曲末一升眞末五合竝調釀待醱
白米二斗百洗熟烝湯沸水三斗同調待冷調釀於本酒待熟用之色與味最好.

추향주

'추향주'는 <우음제방(禹飮諸方)>에 수록되어 있는 주품으로, 그간 <우음제방>을 소장해 왔던 한 집안의 가양주로만 전승되었을 거라는 추측이 우세했다. 왜냐하면 <우음제방> 이외의 어떤 문헌에서도 '추향주'를 목격할 수 없었기 때문이다.

'추향주' 방문 말미에는 "십이일 만에 드리우면 빛이 맑은 거울 같으니라. 날물을 일절 금하라."고 하였다. 언뜻 '녹파주' 또는 '경면녹파주'라는 주품을 떠올릴 수 있는데, 오히려 '석탄주'와 유사하다는 느낌을 받는다.

그런 측면에서 <우음제방>의 '추향주'는 주방문을 작성한 사람에 의해 개발된 주방문이라는 확신이 들었다. 직접 술을 빚어본 결과 '석탄주'보다는 단맛이 적고, 약간 쓴맛이 있으며, 도수가 높다고 느껴질 만큼 훨씬 담백하면서도 깔끔한 맛이 있다. '사케'의 맛을 떠올릴 수 있으며, 은은한 사과향을 수반한다.

'추향주'는 세 차례 실패 후에 "빛이 맑은 거울 같으니"라고 한 맛과 향을 찾을 수 있었는데, 몇 가지 특징을 보였다.

우선 <우음제방>의 '추향주'는 밑술을 빚을 때 쌀을 백세하여 깨끗하게 헹군 후, 물에 담가 불리지 말고 가루로 빻아야 한다는 것이다. 쌀을 물에 담가 불렸다가 가루로 빻는 것과 백세 후 바로 가루로 빻는 것과는 술맛이 전혀 다르다.

옛 문헌의 '백세작말'과 '백세침지 후 작말'을 구별할 필요가 있으나, 사용되는 쌀의 양과 물의 양을 감안하면 그 구분이 애매하기 짝이 없어 뭐라 단정 지을 수는 없다. 허나 '추향주'의 경우, 쌀을 불리지 않고 가루로 빻아서 죽을 쑨 후에야 정상적인 발효를 도모할 수 있었고, 술맛도 좋았다.

'추향주'에 사용되는 죽은 먼저 물솥에 준비한 분량의 물을 안치고 중불에 올려서 따뜻해지기를 기다렸다가 쌀가루를 합하고 천천히 저어주면서 끓이는 방법이 좋다. 또한 죽 표면에 기포가 형성되기 시작하면 불을 가장 세게 하여 끓이되, 주걱으로 젓지 말아야 한다. 커다란 기포가 죽 표면에 고루 형성될 정도로 푹 끓으면 솥째 찬 곳에 두고 반드시 저절로 차게 식기를 기다렸다가 사용한다.

죽이 식으면 누룩과 밀가루를 한데 섞는데, 먼저 누룩가루와 밀가루를 고루 섞어서 밀가루가 뭉쳐지지 않도록 한 다음 죽에 넣는 것이 좋다. 이와 같이 밑술의 죽을 잘 처리하고, 덧술도 밑술과 고두밥을 반드시 차디차게 식혀 빚으면 성공할 수 있다. '추향주'의 성공 비결은 밑술에 달렸다.

추향주 <우음제방(禹飮諸方)>

술 재료 : 밑술 : 멥쌀 2되, 누룩가루 5홉, 밀가루 3홉, 물 1말 5되
　　　　덧술 : 찹쌀 1말

술 빚는 법 :
* 밑술 :
1. 멥쌀 2되를 백세하여 (새 물에 다시 씻어 건져서 물기를 뺀 뒤) 작말한다(가루로 빻는다).

2. 솥에 물 1말 5되를 끓이다가 물이 따뜻해지면 쌀가루를 고루 풀어 넣고 주걱으로 골고루 저어가면서 끓여 죽을 쑨다.

3. 죽이 팔팔 끓였으면 (넓은 그릇 여러 개에 나눠 담고) 차게 식기를 기다린다.

4. 죽에 누룩가루 5홉과 밀가루 3홉을 합하고, 고루 버무려 술밑을 빚는다.

5. 술독에 술밑을 담아 안치고, 예의 방법대로 하여 하룻밤 3일간 발효시킨다.

* 덧술 :

1. 찹쌀 1말을 백세하여 (새 물에 담가 불렸다가 다시 씻어 헹궈 건져서 물기를 뺀후) 시루에 안쳐서 고두밥을 짓는다.

2. 고두밥이 익었으면 퍼낸다(주걱으로 고루 헤쳐서 차게 식기를 기다린다).

3. 고두밥에 밑술을 합하고, 고루 버무려 술밑을 빚는다.

4. 술독에 술밑을 담아 안치고, 예의 방법대로 하여 12일간 발효시킨다.

* 주방문 말미에 "십이일 만에 드리우면 빛이 맑은 거울 같으니라. 날물을 일절 금하라."고 하였다.

츄향쥬

빅미 두 되 빅셰작말ᄒ야 물 말가웃 부어 죽을 쑤어 차거든 국말 닷 홉 진말 서 홉 버무려 사흘 지나거든 졈미 ᄒᆞᆫ 말 빅셰ᄒ야 닉게 쪄 술밋히 셧거 너허 십이일 만의 드리오면 비치 맑은 거울 ᄀᆞᆺ니라. ᄂᆞᆯ물을 일금ᄒ라.

춘주

스토리텔링 및 술 빚는 법

'춘주(春酒)'라는 명칭은 중국 당나라 때부터 유래한 것으로, 흔치 않은 고급 청주류를 가리킨다는 게 정설로 되어 있다. '춘주'로 지칭되는 주품들의 주방문을 보면, 다수의 주품들이 삼양주(三釀酒)이며, 후대로 내려오면서 이양주(二釀酒)로 간소화되었음을 알 수 있다. 대부분은 술 이름 끝에 춘(春) 자를 붙이는 게 상례로 되어 있다.

대표적인 춘주로는 '호산춘', '동정춘', '약산춘', '노산춘', '광릉춘', '도화춘', '두강춘', '송계춘' 등과 같이 '춘' 자가 맨 뒤에 오는데, '춘주'라는 주품명으로서 단양주(單釀酒)가 있어 주목된다. '춘주'라는 주품명과 함께 주방문이 수록되어 있는 기록은 <임원십육지(林園十六志)>가 유일하면서 처음이다.

예외적으로 '춘(春)'이라고 하는 한 단어로 된 주품명인데다, 뒤에 다시 주(酒) 자를 붙인 단양주법이어서, 이 '춘주'를 춘주류에 포함시키는 게 옳은지 의문스럽다.

'춘주'를 수록하고 있는 문헌은 <임원십육지> 외에도 <달생비서(達生秘書)>

와 <동의보감(東醫寶鑑)>이 있는데, 이들 문헌에는 주방문이 수록되어 있지 않다. 다만 "술맛이 좋다. 아마도 지금의 '삼해주(三亥酒)'와 비슷한 것 같다."고 되어 있다.

특히 <임원십육지>에 함께 수록된 '약산춘(藥山春)' 또는 '호산춘(壺山春)', '동정춘(洞庭春)', '경액춘(瓊液春)', '죽엽춘(竹葉春)', '두강춘(杜康春)', '봉래춘(逢來春)', '신선벽도춘(神仙碧桃春)' 등은 삼양주 또는 이양주법으로 '춘주'를 이들 주품들과 동류(同類)의 주품으로 보기에는 무리가 따르기 때문이다.

어찌됐든 <임원십육지>의 '춘주' 주방문에는 "춘주를 빚을 때는 누룩을 디딜 때 깨끗이 하여 곱게 빻고, 햇볕에 잘 말리는 것이 좋다. 정월 그믐날에 강물을 많이 길어 온다."고 하고, "누룩 1말에 멥쌀 7말, 강물 4말의 비율로 담는다."고 하였으나 구체적인 술 빚는 법이 언급되어 있지 않다.

부득이 주방문에 근거하여 상법(常法)대로 술을 빚어본 결과, 누룩 냄새가 많이 느껴진다는 단점은 있었지만, 그 맛이 부드러워 소위 '달보드레한' 맛을 느낄 수 있었다. 다만 저장성이 떨어지는 게 문제였다. 한창 맛이 들었다 싶어 아껴두었는데, 7일이 지나지 않아 뿌연 부유물과 함께 탁해졌고, 그 맛이 시어지고 말았다. 아마도 그 원인은 고두밥이 고르고 무르게 쪄지지 않은 데서 온 문제였거나, 강물의 오염이 심했거나 하는 두 가지 이유 중 하나였을 것이다. 따라서 산패의 원인과 보완 등 조치법을 생각해 본바 다음 몇 가지를 지적할 수 있겠다. 즉, 주방문의 설명대로 술을 빚는 데 있어, '춘주'와 같은 단양주일수록 강물을 떠다 바로 술을 빚지 말라는 것이다. 강물은 여러 가지 미네랄 성분이 많아 발효를 촉진시켜 주긴 하지만, 그 외에 철분 등 불필요한 성분이 많기 때문에 감패의 원인이 될 수 있기 때문이다.

강물 같은 물을 쓸 경우, 길어다 깊은 그릇에 담아두고 오랜 시간 방치하여 불순물을 제거한 '숫물'을 사용하는 방법이 요구된다. 또 불순물을 제거한 강물을 사용하여 수곡(水麴)을 만들 때도 그 시간을 길게 하여 사용하는 방법을 꾀해야 한다.

주방문에는 '고두밥이 식을 동안 누룩을 불려 사용하라.'고 되어 있으나, 쌀을 시루에 안쳐 고두밥을 찌는 시간부터 고두밥이 완전히 식을 때까지 시간을 좀 더 길게 가지는 것이 더욱 효과적이다. 이렇게 하면 대략 4~5시간이 걸리므로, 수곡 (水麴)을 만드는 데 충분한 시간이 된다.

사실 그보다 더 중요한 건 고두밥을 고르고 무르게 쪄야 한다는 것이다. 매번 술 빚기에 있어서 가장 중요하면서도 힘든 일이 '고두밥 짓기'라고 강조했듯이, 고 두밥은 익은 상태가 고르고 무른 밥이 되도록 해야 한다. 다시 말하면 덜 익었더 라도 전체가 고루 덜 익었거나, 밥처럼 질어졌더라도 전체가 고른 진밥이라야 발 효가 순조로워진다는 사실이다.

실제로 '춘주'의 문제는 고두밥의 증미에 있었던 것이 아니라, 강물을 사용한 데 서 오는 발효부진이 원인이었다. 강물에 섞여 있는 철분 등이 그 원인으로 수돗물 을 끓여서 사용하고 수곡의 침지시간을 좀 더 길게 한 술 빚기에서는 강물을 사 용했을 때와 같은 문제가 전혀 없었다. 그 맛과 향기도 여느 단양주와는 전혀 달 랐다는 사실에서 확인할 수 있었다. 그러니 단양주가 오히려 술 빚는 일이 결코 쉽지 않을 뿐 아니라 더 어려운 방법임을 새삼 깨닫게 되었다.

1. 춘주 <달생비서(達生秘書)>

술맛이 좋다. 아마도 지금의 '삼해주(三亥酒)'와 비슷한 것 같다.

春酒

美酒也. 疑今三亥酒之類也.

2. 춘주 <동의보감(東醫寶鑑)>

술맛이 좋다. 아마도 지금의 '삼해주(三亥酒)'와 비슷한 것 같다.

春酒

美酒也. 疑今三亥酒之類也.

3. 춘주방 <임원십육지(林園十六志, 高麗大本)>

술 재료 : 멥쌀 7말, 누룩 1말, 물 4말

술 빚는 법 :

1. 정월 그믐날에 강물을 길어다 그릇(독)에 4말을 담아놓는다.
2. 멥쌀 7말로 술거리를 만든다(백세하여 물에 하룻밤 불렸다가, 다시 씻어 건
   져 물기를 뺀 후 시루에 안치고 고두밥을 짓는다).
3. (고두밥이 익었으면, 퍼내어 고루 펼쳐서 차게 식기를 기다린다.)
4. (고두밥이 식었으면 강물 4말에 누룩가루 1말을 합하고, 고루 버무려 술밑
   을 빚는다.)
5. (술밑을 술독에 담아 안치고, 예의 방법대로 하여 발효시킨다.)

春酒方

作春酒法 治麴欲淨剉麴欲細曝麴欲乾其法以正月晦日多收河水大率一斗麴
殺米七斗用水四斗. <齊民要術>.

칠두오승주

<수운잡방(需雲雜方)>에는 '칠두주'와 '칠두오승주(七斗五升酒)', 그리고 '칠두오승주'의 별법으로 '오두오승주' 주방문이 수록되어 있다. 이 세 가지 주방문의 상관관계를 살펴봄으로써 '칠두오승주'의 특징을 찾고자 한다.

먼저 '칠두주'는 이양주(二釀酒)로서 멥쌀로만 빚는 술이며, 쌀의 양이 7말이라는 데에서 유래한 주품명이다. 그 방법으로 밑술은 범벅을 빚어 사용하고, 덧술은 고두밥에 끓는 물을 합하여 만든 진고두밥을 사용한다. 누룩은 밑술에 한차례 사용한다. 반면 '칠두오승주'는 술 빚기에 사용되는 주원료인 쌀의 양이 7말 5되라는 뜻이다. '칠두오승주'는 '칠두주'와 달리 삼양주(三釀酒)이며, 그 특징은 몇 가지로 정리할 수 있다.

첫째, 삼양주로서 3회에 걸쳐 멥쌀을 사용한다. 둘째, 흔치 않게 세 번에 걸쳐 누룩을 사용한다. 셋째, 3회에 걸쳐 끓는 물을 사용하는데, 사용하는 끓는 물이 누룩 양의 10배이다. 넷째, 밑술과 덧술에서 각각 누룩과 물 양의 차이가 있을 뿐 제조방법이 동일하다.

이와 같은 예는 매우 드문 경우로 '삼해주'에서나 찾아볼 수 있는데, 그 중 특별한 것은 밑술과 덧술 2회에 걸쳐 찐 떡인 무리떡(설기)을 다시 끓는 물과 합해 죽 형태의 떡을 만들어 술을 빚는다는 점이다. 이와 같은 방법은 '오두오승주'에서도 똑같이 반영된다. 이로써 '칠두오승주'는 '칠두주'와는 무관하고, '오두오승주'가 '칠두오승주'의 별법이라는 사실을 확인할 수 있다.

<수운잡방>의 '칠두오승주'는 누룩을 3회에 걸쳐 사용하고, 그 양이 쌀 7말 5되에 대해 9되나 되는, 삼양주로서는 매우 많은 누룩 양이 쓰였다고 할 수 있다. 그 까닭은 첫째, 가능한 한 빨리 발효시키기 위한 목적 외에 안전한 발효로 저장성을 최대한 높이기 위한 방편으로 이해된다.

둘째, 끓는 물의 사용은 잡균의 오염에 대비하고 안전한 발효를 도모하기 위한 방편으로 애용되는 방법 가운데 하나이다. 방문에서와 같이 이미 호화시킨 원료에 합하여 찐 떡을 죽으로 만드는 기법은 알코올 생성의 목적이 아니라, 효모 증식이 주목적이라고 이해하면 된다. 삼양주에서 밑술과 덧술은 밑술의 역할에 그친다고 할 수 있으므로, 어떻게 하면 안전한 발효를 도모할 수 있을 것인가가 그 목적이다. 그 해답은 우수한 효모를 최대한 증식시키는 데 있다. 또한 백설기를 만들어 빚는 술이 감칠맛은 뛰어나지만 떡이 잘 풀어지지 않는 데 따른 산패와 오염의 문제가 초래될 수 있는 만큼 백설기의 당화와 발효를 돕기 위한 방편으로 보인다.

셋째, 우연한 일치인지 아니면 의도적인지는 모르겠지만, 방문을 보면 누룩 양의 열 곱이 되는 용수를 사용하고 있다. 이는 본 방문이 유일하지 않을까 생각된다. 이러한 사실이 특별한 의미를 지니는 건 아니지만, 앞서 언급한 효모 증식을 통한 안전한 발효와 무관하지 않다는 것이다. 양주에 사용되는 물의 양이 많을수록 발효가 빨리 일어나고 그 기간도 짧아지기 때문이다.

넷째, 삼양주의 절대 다수가 주품의 향상을 위한 방문이라고 단언해도 틀림이 없다. 때문에 쌀의 양을 가능한 한 많이 사용하든지 아니면 찹쌀을 사용하는 예가 많은데, '칠두오승주'는 3회에 걸쳐 순수하게 멥쌀만을 사용하고 있다.

또한 밑술의 쌀 양에 비해 덧술의 쌀 양이 많기는 하지만 주질을 높이기 위한 목적이라기보다는 알코올 도수를 올리기 위한 방법이라는 의도가 짙게 깔려 있다는 사실도 음미해 볼 필요가 있다.

어찌됐든 <수운잡방>의 '칠두오승주' 주방문을 통해서 배우게 된 것은, 본법이라고 할 수 있는 '칠두오승주'의 주방문에 따른 주질에서 느낀 단점, 즉 맛, 향기, 양, 발효기간 등에서 아쉽게 느낀 부분이 많았다는 점이다. 때문에 그에 따른 보완책이자 좀 더 수월한 술 빚기를 위한 방편으로 별법의 '오두오승주'가 나오게 되었을 거라 보여진다.

한편, '칠두오승주' 주방문 말미에 "혹은 '도잠(陶潛)'이라고 한다."고 하였는데, 중국의 유명한 시인(詩人)으로 알려져 있는 '도잠'이란 인물과 관련이 있는지는 알 수 없다. '도잠'이 무엇을 뜻하는지 정확히 규명할 수 없다는 점에서 아쉬움이 남는다.

칠두오승주 <수운잡방(需雲雜方)>

술 재료 : 밑술 : 멥쌀 1말 5되, 누룩가루 2되, 끓는 물 2말
         덧술 : 멥쌀 2말, 누룩 2되 5홉, 끓는 물 2말 5되
         2차 덧술 : 멥쌀 4말, 누룩 4되 5홉, 끓는 물 4말 5되

술 빚는 법 :
* 밑술 :
1. 멥쌀 1말 5되를 백세하여 (물에 담가 불렸다가, 다시 깨끗이 씻어 건져 물기를 뺀 후) 작말한다(가루로 빻는다).
2. 쌀가루를 시루에 안쳐서 된 설기떡을 찐다.
3. 솥에 물 2말을 끓이다가 설기떡이 익었으면 넓은 그릇에 퍼 담고, 끓는 물을 설기떡에 골고루 붓고, 멍울 없는 죽처럼 만들어 차게 식기를 기다린다.
4. 죽에 누룩가루 2되를 합하고, 고루 버무려 술밑을 빚는다.
5. 술밑을 술독에 담아 안치고, 예의 방법대로 하여 4~5일간 발효시킨다.

* 덧술 :

1. 멥쌀 2말을 백세하여 (물에 담가 불렸다가) 다시 깨끗이 씻어 건져 (물기를 뺀 후) 작말한다(가루로 빻는다).
2. 쌀가루를 시루에 안쳐서 된 설기떡을 찐다.
3. 솥에 물 2말 5되를 끓이다가 설기떡이 익었으면 넓은 그릇에 퍼 담고, 끓는 물을 설기떡에 골고루 붓고, 멍울 없는 죽처럼 만들어 차게 식기를 기다린다.
4. 죽에 밑술과 누룩 2되 5홉을 함께 버무려 술밑을 빚는다.
5. 술밑을 술독에 담아 안치고, 예의 방법대로 하여 익기를 기다렸다가 주자에 올려 짠 후(여과하여) 마신다.

* 2차 덧술 :

1. 멥쌀 4말을 백세하여 시루에 안쳐 된 고두밥을 찐다.
2. 물 4말 5되를 끓여 뜨거울 때 고두밥에 붓고 차게 식기를 기다린다.
3. 진고두밥에 밑술과 누룩 4되 5홉을 함께 버무려 술밑을 빚는다.
4. 술밑을 술독에 담아 안치고, 예의 방법대로 하여 발효시켜 채주한다.

* 주방문 말미에 "혹은 '도잠(陶潛)'이라고 한다."고 하였으나, 도잠이 어떤 의미 인지는 알 수 없다.

七斗五升酒

或名陶潛 白米七斗五升水九斗曲九升 白米一斗五升百洗作末乾蒸水二斗湯沸乘熟和合作粥待冷好麯二升和入瓮四五日白米二斗如前洗作末而蒸湯水二斗五升作粥待冷曲二升五合和入瓮之酒經四五日白米四斗百洗全蒸水四斗五升湯和待冷曲四升五合和前酒待熟上槽.

칠두주

'칠두주(七斗酒)'는 멥쌀로 빚는 이양주법(二釀酒法)의 주품명으로, 단기간에 많은 양의 술을 안정적으로 익히기 위한 전형적인 주방문을 보여주고 있다.

밑술과 덧술에서 끓는 물을 사용하고, 누룩은 밑술을 빚을 때 한 차례 사용되며, 덧술의 고두밥을 진밥으로 만들어 빚는 까닭에 밀가루를 사용하여 맑은 청주를 얻고자 한 전형적인 주방문이라는 것이다.

'칠두주'란 주품명은 주원료인 쌀 양을 7말 사용한 데에서 가져온 명칭으로, 술 빚기에 사용되는 누룩은 7% 정도로 매우 적은 양이 사용된다. 이러한 양주법이 가능한 이유는 향기가 좋은 청주를 얻고자 밑술을 반생반숙의 범벅을 만들어 사용하는 데서 찾을 수 있다.

'칠두주'는 <수운잡방(需雲雜方)>에서만 찾아볼 수 있는 유일한 주방문이다. 물론 <수운잡방>에는 '칠두오승주'와 '오두오승주'가 있어, 술 빚기에 사용되는 쌀의 양에 따른 주품명을 여럿 찾아볼 수 있다.

<수운잡방>의 '칠두주'는 멥쌀 2말 5되를 백세작말하여 끓는 물 3말로 개어

반생반숙의 범벅을 쑤는데, 쌀 양보다 물의 양이 많아 별 어려움은 없다. 또한 범벅에 사용되는 누룩이 5되인 까닭에 술을 버무리는 일이나 발효상태도 매우 안정적이어서 크게 실패할 이유가 없는 편이다.

이때 사용되는 진말 2되는 덧술 때문에 사용되는데, '칠두주'의 덧술은 4말 5되의 멥쌀을 백세하여 불렸다가 고두밥을 쪄낸 후에 끓는 물 5말에 개어 진고두밥을 만들어 사용하는 데 따른 처방이다. 갓 쪄낸 고두밥에 끓고 있는 물을 합하여 두면, 고두밥이 물을 다 흡수하여 매우 부드러운 진고두밥이 된다. 이를 밑술과 합하여 술을 빚고 발효시키면, 고두밥에서 떨어져 나온 부스러기가 많아져 술이 탁해지기 때문에 밀가루를 사용해 술이 탁해지고 부유물이 뜨는 것을 예방한다. 또한 밀가루의 유기산(有機酸) 생성 촉진 효과로 잡균에 대한 산패를 방지하고, 적당한 산미(酸味)는 술맛을 고르게 해주는 역할을 한다.

<수운잡방>의 '칠두주'는 다른 주품에 비해 밑술의 발효기간이 짧은 편에 속한다. 덧술의 쌀과 물의 양이 많기 때문에 밑술의 발효력이 가장 왕성할 때 덧술을 해 넣음으로써 발효를 안정적으로 끌고 가기 위한 목적이 깔려 있다. '칠두주'는 함께 수록된 삼양주법(三釀酒法)의 '벽향주'와 유사한 맛을 느낄 수 있는데, 술의 양이 많다는 점에서도 공통점을 이룬다.

칠두주 <수운잡방(需雲雜方)>

> 술 재료 : 밑술 : 멥쌀 2말 5되, 누룩 5되, 진말 2되, 끓는 물 3말
>   덧술 : 멥쌀 4말 5되, 끓는 물 5말

술 빚는 법 :

* 밑술 :

1. 멥쌀 2말 5되를 백세하여 물에 하룻밤 담가 불렸다가 (다시 씻어 헹궈 건져서 물기를 뺀 후) 세말한(고운 가루로 빻은) 다음, 넓은 그릇에 담아놓는다.

2. 쌀가루에 끓는 물 3말을 골고루 붓고, 주걱으로 고루 개어서 죽(범벅)을 쑤
  어 차게 식기를 기다린다.
3. 죽(범벅)에 누룩 5되, 진말 2되를 합하고, 고루 버무려 술밑을 빚는다.
4. 술밑을 술독에 담아 안치고, 예의 방법대로 하여 3일간 발효시킨다.

* 덧술 :
1. 멥쌀 4말 5되를 백세하여 (물에 하룻밤 담가 불렸다가, 다시 씻어 헹귀 건져
  서 물기를 뺀 후) 시루에 안치고, 무른 고두밥을 짓는다.
2. 솥에 물 5말을 팔팔 끓이다가 고두밥이 익었으면, (고두밥을 넓은 그릇에 퍼
  담고) 끓는 물 5말을 고두밥에 골고루 붓는다.
3. 고두밥이 물을 다 먹었으면, (넓은 그릇 여러 개에 나눠 담고) 고두밥이 차
  게 식기를 기다린다.
4. 차게 식은 고두밥에 밑술을 합하고, 고루 버무려 술밑을 빚는다.
5. 술밑을 술독에 담아 안치고, 예의 방법대로 하여 발효시켜 익기를 기다렸다
  가 주자에 올려 짠다(채주한다).

七斗酒
白米二斗五升百洗浸一宿細末湯水三斗作粥待冷麴五升眞末二升和納瓮隔三
日白米四斗五升百洗全蒸湯水五斗均拌和前酒納瓮待熟上槽.

칠석주

스토리텔링 및 술 빚는 법

우리 술 가운데 특정 시기에 빚는 술이 여럿 있다. '도소주'를 비롯하여 '삼해주', '일해주', '청명주', '납주' 등인데, '칠석주(七夕酒)'도 같은 맥락에서 7월 7일이라는 특별한 날에 빚는 술임을 알 수 있으며, 그 방법이 매우 독특하다.

<임원십육지(林園十六志, 高麗大本)>에 "7월 7일에 1석의 누룩으로 오병(懊 餅)을 만든다. 대나무를 엮어서 항아리 바닥에 깔고 떡을 대나무 위에 늘어놓은 후 항아리 주둥이를 진흙으로 봉한다. 14일 만에 누룩을 꺼내어 햇볕에 말려 먼 저와 같이 다시 항아리 속에 담는다. 여기에 쌀 1석을 넣으면 술 3석을 얻을 수 있다."고 하였다.

사실 '칠석주' 주방문에는 실질적인 술 빚는 법에 대한 구체적인 언급이 없어 확 실히 알 수 없다. 다만 주품명 바로 밑에 병기(倂記)한 바 "칠월칠일 작주법방(七 月 七日 作酒法方)"이라는 내용으로 미뤄 주본(酒本)을 빚으라는 것으로 풀이할 수 있으므로 죽이나 떡을 만들어 누룩과 섞는 방법으로 생각된다.

또한 "14일 후 꺼내어 햇볕에 말린다."고 한 것으로 볼 때, 오병의 형태가 늘어지지 않을 정도로 된 반죽임을 짐작할 수 있다. 늘어지지 않을 정도의 오병이라면 누룩과 물만을 섞은 것으로는 힘듦으로 익힌 떡이나 죽이 사용되었을 것이다.

따라서 죽을 쑤어 누룩가루와 섞어 반죽하는 것으로 판단하고, 물의 양을 2말로 하고 여기에 쌀가루 5되 정도를 넣어 끓인 죽을 사용해 오병을 만드는 것으로 생각했다.

주지하다시피 주본은 누룩과 쌀을 사용해 빚는 것으로 효모의 증식에 그 목적이 있는 만큼 효모의 증식을 위해서는 당이 되는 전분을 투입해 주어야 할 필요가 있다. "대나무를 엮어서 항아리 바닥에 깔고 오병을 대나무 위에 늘어놓은 후, 항아리 주둥이를 진흙으로 봉한다. 14일 만에 누룩을 꺼내어 햇볕에 말려 먼저와 같이 다시 항아리 속에 담는다."고 한 것은 '법제(法製)'를 통해 누룩취를 없애고자 한 방문임을 알 수 있다.

또한 "여기에 쌀 1석을 넣으면 술 3석을 얻을 수 있다."고 하였으나, 쌀 1석을 어떻게 처리하여 술을 빚는지, 또 술 빚는 데 따른 물의 양에 대해서도 구체적인 방법이 언급되어 있지 않다. 하지만 <임원십육지>의 '칠석주방(七夕酒方)'이 같은 문헌의 '시양류(時釀類)'에 수록된 '납주방'에 이어 수록된 것이므로, 단양주법으로 판단할 수 있다. 또한 "여기에 쌀 1석을 넣으면 술 3석을 얻는다."고 하여 물의 양이 어느 정도 되는지를 미루어 짐작할 수 있다. 따라서 <임원십육지>의 '납주방' 주방문을 참고하여 멥쌀은 고두밥을 지어 사용하고, 술 3석을 얻기 위한 목적으로 술 빚기에 사용될 물의 양은 2석을 넣는 것으로, '칠석주'의 주방문을 작성하였다. 아쉽지만 '칠석주'는 <임원십육지>에서만 찾아볼 수 있는 주방문으로, 필자의 판단이나 추측이 맞는지에 대해서는 확인할 길이 없다. 다만 술 빚는 방법이 구체적으로 언급되어 있지 않다는 사실은 처음부터 확실한 주방문이 존재하지 않았다고 생각할 수 있고, 다른 한편으로는 실체가 없이 구전(口傳)하는 주방문을 옮겼을 수도 있다. 어찌됐든 '칠석주'에 대한 의미 부여와 함께 다양한 전통주에 깃든 스토리텔링을 고려한 작업으로 받아들여 주었으면 한다. 활자로만 박제된 주방문을 재현 가능한 주방문으로 만드는 작업도 우리에게 주어진 과제이기 때문이다.

유감스럽게도 필자는 '칠석주방'은 실습해 보지 못했다. 주방문을 작성해 놓은 지 오래였지만, 확신이 서질 않는데다 좀 더 비슷한 유형의 주방문을 찾고자 했으나, 본 조사 연구와 자료 정리가 끝나기까지 유사한 양주법이나 주방문을 찾지 못했다.

우리 민속에 칠석날은 견우(牽牛)와 직녀(織女)의 애틋한 사랑의 전설을 간직하고 있어, 전통적으로 밤하늘의 별을 보며 소원을 빌곤 한다. 견우와 직녀의 애절한 사랑만큼이나 잠 못 이루는 한여름 밤에 많은 이야기를 만들어내기도 한 칠석(七夕)은, 천상(天上)과 지상(地上)을 연결하는 풍속(風俗)으로 발전했다고 볼 수 있다.

'칠석주'라는 주품명과 주방문이 등장한다는 사실만으로도 그저 반갑고, '칠석주'를 통해서 우리의 생활과 기억에서 잊혀져가던 전통문화와 풍속을 다시금 떠올리는 계기가 되었으니 말이다.

칠석주방 <임원십육지(林園十六志, 高麗大本)>
−7월 7일 작주부본(作酒法方)

> 술 재료 : 멥쌀 1석, 누룩 1석, (쌀가루 5되, 끓여 식힌 물 2석 2말)

술 빚는 법 :

1. 7월 7일(七夕)에 (물 2말 정도에 쌀가루 5되 정도를 섞어 죽을 쑨 다음, 차게 식혀서) 누룩 1석을 개서 질척한 오병(懊餠, 누룩떡)을 만든다.
2. 대나무로 발을 엮어서 술독 바닥에 걸치고, 누룩떡을 그 위에 늘어놓듯 안쳐 진흙으로 밀봉하여 14일간 지낸다.
3. 술독에서 누룩떡을 꺼내어 햇볕에 말린 후, 다시 술독에 담아 안친다.
4. 멥쌀 1석으로 술거리를 준비한다(백세하여 물에 담가 불렸다가 다시 씻어 헹궈서 물기를 뺀 후, 시루에 안쳐 고두밥을 짓는다).
5. 솥에 물(2석)을 끓여서 차게 식혀놓는다.

6. 고두밥이 익었으면 고루 펼쳐서 차게 식기를 기다린다.

7. 끓여서 식힌 물과 고두밥을 함께 술독에 넣고, 누룩이 섞이도록 주걱으로 고루 휘저어 준다.

8. 술독은 예의 방법대로 하여 (이불로 싸서 온기 있는 곳에 두고) 발효시켜 술이 익으면 체에 밭쳐 거른다.

＊ 주방문에 "7월 7일에 1석의 누룩으로 오병(懊餠)을 만든다. 대나무를 엮어서 항아리 바닥에 깔고 떡을 대나무 위에 늘어놓은 후 항아리 주둥이를 진흙으로 봉한다. 14일 만에 누룩을 꺼내어 햇볕에 말려 먼저와 같이 다시 항아리 속에 담는다. 여기에 쌀 1석을 넣으면 술 3석을 얻을 수 있다."고 하였다.

七夕酒方

七月七日作酒法方一石麴作(懊)餠編竹甕下羅餠竹上密泥甕頭二七日出餠曝令燥還內甕中一石米合得三石酒也. <食經>.

칠일주

스토리텔링 및 술 빚는 법

우리나라 술은 술 빚는 방법 외에 술을 익히는 기간에 따라 다른 이름을 붙이기도 한다. 그 예로 '일일주(一日酒)'를 비롯하여 가장 짧은 시간에 이뤄지는 '일야주(一夜酒)'가 있고, '삼일주(三日酒)', '칠일주(七日酒)', '십일주(十日酒)', '시급주(時急酒)', '급시주(急時酒)' 등은 속성주로 분류된다. '백일주(百日酒)'를 비롯하여 '일년주(一年酒)'와 '천일주(千日酒)' 등은 장기숙성주에 속한다.

'칠일주'는 속성주류의 한 가지로 이양주법(二釀酒法)이 주류를 이루고 있다. 두 차례에 걸쳐 술을 빚는데도 "7일이면 술이 익어 마실 수 있다."는 얘기다. 이는 그만큼 단시간 내에 발효시킨다는 것을 의미한다. 두 차례에 걸쳐 술을 빚는데도 7일 안에 술이 익기 위해서는 발효 온도를 높이거나 밑술이 괴어오를 때 덧술을 해 넣는 방법, 고두밥 외에 죽 또는 설기떡과 같이 쌀을 가루 형태로 하여 익히고, 주원료가 따뜻한 기운이 남아 있을 때 밑술과 버무려 발효시키는 방법이 있다.

'칠일주'는 최근 발굴된 <규중세화>를 비롯하여 <농정회요(農政會要)>, <민천집설(民天集說)>, <산가요록(山家要錄)>, <산림경제촬요(山林經濟撮要)>, <술

방>, <양주집(釀酒集)>, <요록(要錄)>, <음식디미방>, <임원십육지(林園十六志, 高麗大本)>, <조선무쌍신식요리제법(朝鮮無雙新式料理製法)>, <주방(酒方)>*, <주식방(酒食方, 高大閨壺要覽)>, <증보산림경제(增補山林經濟)>, <침주법(浸酒法)> 등 16종의 문헌에 그 방법이 30차례나 수록되어 있어 상당히 대중적으로 즐겼음을 알 수 있다.

'칠일주'는 단양주법(單釀酒法)과 이양주법이 있다. 단양주법은 <농정회요>, <산림경제촬요>, <술방>, <증보산림경제>에서 엿볼 수 있으며, 이양주법은 <규중세화>, <농정회요>, <민천집설> 2회, <산가요록> 2회, <산림경제촬요>, <술방>, <양주집>, <요록>, <음식디미방> 2회, <임원십육지>, <임원십육지(고려대본)> 2회, <조선무쌍신식요리제법> 3회, <주방>*, <주식방(고대규곤요람)> 2회, <증보산림경제>, <침주법>에서 찾아볼 수 있다.

'칠일주'는 각각의 문헌마다 술 빚는 법이나 재료 배합비율에서 차이를 나타내고 있다. 모든 문헌에서 찾을 수 있는 공통점이라면 '칠일주'라는 술 이름과 달리 밑술을 빚기 시작해서 술이 익기까지 10일이 소요되는, 이른바 발효기간으로 10일이 소요되는 '10일주'라는 것이다. '칠일주'라는 주품명이 암시하는 것은 덧술의 발효기간을 가리키는 것으로, 이 술이 다름 아닌 속성주라는 사실이다. 따라서 '칠일주'는 단시간에 발효시키는 술이라는 이해가 전제되어야 한다. 이를 위해서 그 어떤 주방문보다 다양한 기법들이 동원되고 있음을 볼 수 있다.

첫째, 술을 빨리 익히기 위해 죽이나 떡을 만들어 사용하는 방법을 보인다. 단양주는 <농정회요>를 비롯해 <산림경제촬요>, <술방>, <증보산림경제>에서 모두 무리떡인 설기를 쪄 식혀서 사용하고 있다. 술을 빚는 데 사용되는 멥쌀과 누룩, 물의 사용비율이 동일한 주방문을 고수하고 있다.

이양주는 <규중세화>에서 멥쌀설기떡과 찹쌀고두밥, <농정회요>에서 찹쌀죽과 찹쌀고두밥, <민천집설>에서 멥쌀설기떡+멥쌀구멍떡과 찹쌀고두밥, 멥쌀고두밥과 멥쌀죽, <산가요록>에서 찹쌀죽과 멥쌀진고두밥, 멥쌀설기떡과 찹쌀고두밥, <산림경제촬요>에서 찹쌀죽과 찹쌀고두밥, <술방>에서 찹쌀죽과 찹쌀고두밥, <양주집>에서 멥쌀담(범벅)과 멥쌀진고두밥, <요록>에서 멥쌀범벅과 멥쌀고두밥, <음식디미방>에서 멥쌀죽과 찹쌀고두밥, 찹쌀죽과 찹쌀고두밥, <임원

십육지>에서 찹쌀죽과 찹쌀고두밥, 멥쌀죽과 찹쌀고두밥 2회, <조선무쌍신식요리제법>에서 찹쌀죽과 찹쌀고두밥, 멥쌀죽과 찹쌀고두밥 2회, <주방>*에서 멥쌀죽과 찹쌀고두밥, <주식방(고대규곤요람)>에서 멥쌀죽과 멥쌀고두밥, 찹쌀죽과 찹쌀고두밥, <증보산림경제>에서 찹쌀죽과 찹쌀고두밥, <침주법>에서 찹쌀범벅과 찹쌀고두밥이 함께 사용되고 있다.

이상의 내용을 정리하면 밑술의 경우 죽과 범벅, 구멍떡, 고두밥 순으로 선호되고, 덧술은 고두밥이 주류를 이루고 있음을 알 수 있다. 물론 예외의 경우도 있다. <민천집설>에서는 밑술에 설기떡과 구멍떡을 함께 사용하는가 하면, 멥쌀고두밥으로 빚은 밑술에 멥쌀죽이 덧술로 사용되는 경우도 볼 수 있다.

'칠일주'가 속성주라는 특징으로 볼 때 덧술에 죽을 사용하는 게 문제가 되진 않지만, 대부분의 '칠일주'에서 고두밥을 덧술로 하는 이유는 다름 아닌 청주를 얻기 위한 주방문임을 암시한다 하겠다.

둘째, '칠일주'는 밑술의 쌀 양보다 덧술의 쌀 양이 적게 사용된 경우가 많다. <규중세화>를 비롯해 <민천집설>, <산가요록>, <요록>에서 찾아볼 수 있다. 이러한 주방문은 속성주가 아닌 주품에서도 드물지 않게 등장하곤 하는데, 수율을 높이기 위한 방법 또는 거친 술맛을 부드럽게 하기 위한 목적의 주방문이라는 사실을 알아둘 필요가 있다.

셋째, '칠일주'의 술밑을 더운 곳이나 따뜻한 곳에서 발효시키며, 이불을 덮어 발효시키는 방법을 보이는 주방문으로는 <농정회요>, <민천집설> 2회, <산림경제촬요>, <술방> 2회, <임원십육지>, <임원십육지(고려대본)> 2회, <조선무쌍신식요리제법> 3회, <주식방(고대규곤요람)> 2회, <증보산림경제>에서 찾아볼 수 있다.

'칠일주'는 15종의 문헌에 30회 수록되어 있는 가운데 8종의 문헌에서 15차례나 술밑을 더운 곳이나 따뜻한 곳에서 발효시키거나 이불을 덮어 발효시키는 방법을 보여주고 있다는 것 또한 바로 '칠일주'라는 주품명 때문이라고 하겠다. 즉, 밑술과 덧술의 발효를 7일 안에 마쳐야 한다는 전제가 깔려 있기 때문에 갖은 수단을 동원하는 모습이다.

그런데도 실질적인 양주에서는 7일 안에 발효를 마칠 수가 없기 때문에 대부분의 문헌에서는 "7일이 지나 익기를 기다렸다가 마신다."고 하여 덧술의 발효기간을 7일로 기록하고 있다.

실례로 <조선무쌍신식요리제법>의 '칠일주' 주방문을 보면, "찹쌀죽을 쑤어 더울 때 누룩가루와 합하고, 더운 방에 두어 하룻밤 익힌 다음, 다음날 찹쌀고두밥을 섞어 넣은 뒤, 더운 방에서 4~5일간 발효시킨다. 이어 술독을 서늘한 곳에 하루 동안 둔다. 모두 7일이면 익는다."고 하였다.

이는 덧술 간격, 즉 밑술의 발효기간이 하루 동안에 그친다는 사실과 함께 밑술이 끓어오르는 힘을 이용하여 덧술의 발효를 촉진시키는 방법을 취하고 있다. 또한 "덧술을 빚은 지 4~5일 후에 술독을 서늘한 곳에 옮겨두고, 다시 2~3일이 지나면 술이 익는다."거나 "밑술이 끓어오르면 냉수 2사발을 붓고, 주걱으로 휘저어 두면 다음날 걸러서 마실 수 있다."는 부연 설명을 하고 있다.

'칠일주'는 대부분의 주방문에서 보듯이 맑은 술, 곧 청주를 빚기 위한 방법임에도 불구하고 위와 같은 방법으로 빚은 술이 막걸리처럼 뿌옇지는 않는다 해도 일반 청주처럼 맑지도 않다는 점에서 '칠일주' 역시 속성주의 단점을 그대로 보여주고 있다.

'칠일주' 주방문을 통해서 '좋은 술'이란, 좋은 재료 못지않게 적당한 온도에서 서서히 발효시켜야 함을 다시금 깨달았으니 좋은 공부가 된 셈이다.

1. 칠일주 <규중세화>

술 재료 : 밑술 : 멥쌀 1말, 누룩 2되, 끓여 식힌 물 9대접
          덧술 : 찹쌀 3되, 누룩 5홉

술 빚는 법 :
* 밑술 :
1. 멥쌀 1말을 (백세하여 물에 담가 불렸다가, 다시 씻어 건져서 물기를 뺀 뒤)

작말한다(가루로 빻는다).
2. 솥에 물 9대접을 붓고 끓여서 차게 식힌다.
3. 쌀가루를 시루에 안치고 물솥에 앉혀서 흰무리떡을 찐다.
4. 흰무리떡이 익었으면 넓은 그릇에 퍼 담고, 고루 헤쳐서 덩어리가 없게 하여 차게 식기를 기다린다.
5. 흰무리떡에 누룩 2되와 끓여 식힌 물 9대접을 합하여 넣고, 고루 버무려 술 밑을 빚는다.
6. 술독에 술밑을 담아 안치고, 예의 방법대로 하여 5일간 발효시킨다.

* 덧술 :
1. 찹쌀 3되를 (백세하여 물에 담가 불렸다가, 다시 씻어 건져) 물기를 뺀다.
2. 찹쌀을 시루에 안쳐서 고두밥을 짓는다.
3. 고두밥이 익었으면 퍼내고, 고루 펼쳐서 차게 식기를 기다린다.
4. 고두밥에 밑술과 누룩 5홉을 합하고, 고루 버무려 술밑을 빚는다.
5. 술밑을 술독에 담아 안치고, 예의 방법대로 하여 발효시키고 익기를 기다린다.
6. 술이 익으면 채주하는데 청주 3병을 뜰 수 있고, 탁주도 1동이를 얻을 수 있다.

칠일주
백미 한 말 장말하야 쪄 탕수 아홉 자완 식히고 누룩 두 되 섯거 오닐 후, 찹쌀 서 되 무루 쪄 식여 누룩 닷 홉 여허 칠일 후 쓰면 청주 세 병 탁주 한 동 희 되나니라.

2. 칠일주법 <농정회요(農政會要)>

술 재료 : 멥쌀 2말, 누룩가루 3되 5홉, 끓여 식힌 물 3말 9되

술 빚는 법 :

1. 멥쌀 2말을 백세하여 (물에 담가 불렸다가, 다시 씻어 말갛게 헹궈서 물기를 뺀 후) 작말한다(가루로 빻는다).

2. 솥에 물 3말 9되를 팔팔 끓여서 (넓은 그릇 여러 개에 나눠 담고) 차게 식기를 기다린다.

3. 쌀가루를 시루에 안쳐서 떡을 찌고, 떡이 익었으면 퍼내어 주걱으로 고루 혜쳐 덩어리진 것 없이 풀어놓는다(차게 식기를 기다린다).

4. 끓여 식힌 물 3말 9되와 누룩가루 3되 5홉을 한데 합하고, 고루 버무려 술밑을 빚는다.

5. 술밑을 술독에 담아 안치고, 예의 방법대로 하여 (차고 서늘한 곳에서) 7일간 발효시키면 술이 익어 마실 수 있다.

七日酒法
白米二斗百洗作末爛蒸麴末三升五合湯水三斗九升相和入缸七日後用之.

3. 칠일주(별법) <농정회요(農政會要)>
−단맛 나게 빚는 법

> 술 재료 : 밑술 : 찹쌀 1되, 누룩가루 5홉, 물(3~5되)
>   덧술 : 찹쌀 1말, 냉수 1~3복자

술 빚는 법 :

* 밑술 :

1. 이른 아침에 찹쌀 1되를 정세하여 (백세하여 물에 담가 불렸다가, 다시 씻어 건져서 물기를 뺀 후) 세말한다(고운 가루로 빻는다).

2. 솥에 물(3~5되)과 쌀가루를 넣고, 주걱으로 개어 천천히 저어주면서 매우

된죽을 쑨다.

3. 죽이 퍼지게 익었으면, 넓은 그릇에 퍼 담고 뜨거운 기운만 나가게 식힌다.

4. 따뜻한 죽에 누룩가루 5홉을 넣고, 고루 버무려 술밑을 빚는다.

5. 술밑을 밑이 넓은 술독에 담아 안치고, 예의 방법대로 하여 밀봉한 후 따뜻한 온돌방에 앉혀서 이불을 덮어 하루 동안 발효시킨다.

* 덧술 :

1. 찹쌀 1말을 백세하여 (물에 담가 불렸다가, 다시 씻어 헹궈서 물기를 뺀 후) 시루에 안쳐 무른 고두밥을 짓는다.

2. (시루에서 한 김 나면 센 불로 뜸을 들이되) 냉수 1~3복자를 골고루 뿌려서 고두밥을 무르게 익힌다.

3. 고두밥이 다 쪄졌으면 퍼내지 말고 시루째 두었다가, 밑술 빚은 지 만 하루가 되는 시각이 되기를 기다린다(고두밥의 뜨거운 열이 어느 정도 빠져나가 따뜻한 정도까지 식는 시간을 고려하여야 하므로, 아침 일찍 고두밥을 쪄야 한다).

4. 고두밥에 밑술을 한데 합하고, 고루 버무려 술밑을 빚는다.

5. 술밑을 술독에 담아 안치고, 예의 방법대로 하여 이불로 여러 겹 덮어 따뜻한 온돌방에 앉혀두고 4~5일 발효시킨다.

6. 술 빚은 지 4~5일 후에 술독을 즉시 찬 곳으로 옮겨두어야 한다.

七日酒(別法)

粘米一升淨洗作細末作稠粥出熱氣待頗暖用末麴五合相和納廣底之缸以衾擁埋溫堗內卽時用粘米一斗百洗蒸之而要味甘水一鐥洒於甑米而蒸之要烈則三鐥水洒而蒸之勿出甑待昨日釀本之時取調其本得納缸內溫室內多覆衣衾待四五日移置冷處則凡七日用之雖久藏味甘美.

4. 칠일주 <민천집설(民天集說)>

술 재료 : 밑술 : 멥쌀 2되, 흰누룩가루 3홉, 물(3되)
　　　　덧술 : 찹쌀 1말, 누룩가루 2홉, 후수(냉수 1동이)

술 빚는 법 :

* 밑술 :

1. 이른 아침에 멥쌀 1되를 (백세하여 물에 불렸다가, 다시 씻어 건져서) 작말
   한다.
2. 쌀 1되 분량의 쌀가루는 시루에 안쳐서 떡을 찌고, 1되 분량의 쌀가루는 뜨
   거운 물로 익반죽하여 떡을 빚는다.
3. 무리떡이 익었으면 시루에서 퍼내고, 덩어리 없이 풀어 차게 식기를 기다린다.
4. 익반죽한 떡은 끓는 물(3되)에 삶아 익어 떠오르면 건져내고, 흰무리떡과 삶
   은 떡을 한데 섞어 주걱으로 으깨어 (인절미 같은) 떡을 만든다.
5. 떡과 떡 삶은 물을 한데 섞어 차게 식기를 기다린다.
6. 식은 떡에 흰누룩가루 3홉을 넣고, 힘껏 치대고 고루 버무려 술밑을 빚는다.
5. 술밑을 밑이 넓은 술독에 담아 안치고, 예의 방법대로 하여 밀봉한다.
6. 술독을 따뜻한 방에 앉히고 이불을 덮어 3일 동안 발효시킨다.

* 덧술 :

1. 찹쌀 1말을 백세하여 (물에 담가 불렸다가, 다시 씻어 헹궈서 물기를 뺀 후)
   시루에 안쳐 무른 고두밥을 짓는다.
2. 고두밥이 다 쪄졌으면 퍼낸다(차게 식기를 기다린다).
3. 고두밥에 밑술과 흰누룩가루 2홉을 한데 합하고, 고루 버무려 술밑을 빚는다.
4. 술밑을 술독에 담아 안치고, 예의 방법대로 하여 (이불로 여러 겹 덮어 따뜻
   한 온돌방에 앉혀두고) 3일 발효시킨다.
5. 덧술 빚은 지 3일 후에 술독에 냉수 1동이를 후수하고 숙성되기를 기다려

수일 내 사용한다.

＊주방문 말미에 "여름이 지나도 맛이 변하지 않는다."고 하였다.

七日酒
白米一升作末蒸之後復以白米一升作末造甁以烹熟水調和作餠入白曲末三合
前以餠拌均入缸三日成酒力以粘白米一斗作飯以其酒和納又加白曲末二合入
缸三日後成酒入冷水一盆數日內使用之過夏不變.

5. 칠일주(우방) <민천집설(民天集說)>

> 술 재료 : 밑술 : 멥쌀 1말, 누룩가루 2되, 물 1말
> 　　　　덧술 : 멥쌀 5되, 누룩가루 1되, 물(1말)

술 빚는 법 :
＊밑술 :
1. 멥쌀 1말을 백세하여 (물에 담가 불렸다가, 다시 씻어 건져서 물기를 뺀 후)
   시루에 안치고 쪄서 고두밥을 짓는다.
2. 물 1말을 팔팔 끓이다가 고두밥이 익었으면 한데 섞고 주걱으로 고루 헤쳐
   서 차게 식기를 기다린다.
3. 물 먹인 고두밥에 누룩가루 2되를 합하고, 고루 버무려 술밑을 빚는다.
4. 술밑을 밑이 넓은 술독에 담아 안치고, 예의 방법대로 하여 밀봉한다.
5. 술독을 따뜻한 온돌방에 앉혀서 이불을 덮어 익기를 기다린다.

＊덧술 :
1. 저녁에 멥쌀 5되를 (백세하여 물에 담가 불렸다가, 다시 씻어 헹궈서) 물기

를 뺀다.

2. 솥에 물(1말)을 끓이다가 불린 쌀을 합하고 팔팔 끓여 죽을 쑨 다음, 푹 퍼
   지게 잘 익었으면 퍼낸다(차게 식기를 기다린다).

3. 밑술에 죽과 누룩가루 1되를 한데 합하고, 고루 버무려 술밑을 빚는다.

4. 술밑을 술독에 담아 안치고, 예의 방법대로 하여 (이불로 여러 겹 덮어 따뜻
   한 온돌방에 앉혀두고) 하룻밤 지나면 술이 숙성된다.

* 덧술 빚은 지 1일 후에 숙성된다고 하였다.

七日酒(又方)

白米一斗百洗蒸飯以蒸飯水一斗盛器待冷和曲末二升篩以去滓後釀至二日夕
復以白米五升作粥曲末一升和本釀經一宿乃熟.

6. 칠일주 <산가요록(山家要錄)>
－쌀 13말 빚이

> 술 재료 : 밑술 : 찹쌀 3말, 누룩 4되 5홉, 끓는 물 3말
>   덧술 : 멥쌀 10말, 누룩 1말 5되, 끓는 물 10말

술 빚는 법 :

* 밑술 :

1. 찹쌀 3말을 씻어(백세하여) 물에 담가 불렸다가, (다시 씻어 건져서 물기를
   뺀 뒤) 작말한다.

2. 물 3말을 끓여 뜨거울 때 쌀가루에 붓고, 고루 섞고 끓여서 죽을 쑨 뒤 차
   게 식기를 기다린다.

3. 죽에 누룩가루 4되 5홉을 섞고, 고루 버무려 술밑을 빚는다.

4. 술밑을 술독에 담아 안치고, 예의 방법대로 하여 (3일간) 발효시킨다.

* 덧술 :
1. 멥쌀 10말을 씻어(백세하여) 물에 담갔다가, (다시 씻어 건져서 물기를 뺀 후) 시루에 안쳐 고두밥을 짓는다.
2. 물 10말을 끓여 가장 뜨거울 때 고두밥에 붓고, (고두밥이 물을 다 빨아 들였으면 자리에 펼쳐서) 차게 식기를 기다린다.
3. 누룩 1말 5되를 맷돌에 갈아 고두밥에 밑술과 함께 섞고, 버무려 술밑을 빚는다.
4. 술밑을 술독에 담아 안치고, 예의 방법대로 하여 7일간 발효시켜 채주한다.

七日酒
米十三斗. 粘米三斗 洗浸細末. 湯水三斗 歇氣 和作粥 待冷. 匊四升五合 和入瓮. 待熟. 白米十斗 洗浸熟蒸. 湯水十斗 和合. 待冷. 匊一斗五合 碾出. 前酒和入. 七日用之.

7. 칠일주 우방 <산가요록(山家要錄)>
－쌀 2말 4되 빚이

술 재료 : 밑술 : 멥쌀 2말, 누룩 3되 5홉, 끓여 식힌 물 4말
　　　　　덧술 : 찹쌀 4되, 밀가루 1되 5홉

술 빚는 법 :
* 밑술 :
1. 멥쌀 2말을 씻어(백세하여) 물에 담가 불렸다가, (다시 씻어 건져서 물기를 뺀 뒤) 세말한다(고운 가루로 빻는다).

2. 솥에 물 4말을 붓고, 팔팔 끓여 넓은 그릇 여러 개에 나눠 담고 차게 식힌다.
3. 쌀가루를 시루에 안쳐서 무리떡을 찌고, 익었으면 퍼내어 (덩어리를 없이 하여) 차게 식기를 기다린다.
4. 떡에 누룩가루 3되 5홉과 끓여 식힌 물 4말을 섞고, 고루 버무려 술밑을 빚는다.
5. 술밑을 술독에 담아 안치고, 예의 방법대로 하여 4일간 발효시킨다.

* 덧술 :
1. 찹쌀 4되를 씻어(백세하여) 물에 담갔다가, (다시 씻어 건져서 물기를 뺀 후) 시루에 안쳐 고두밥을 짓는다.
2. 고두밥이 익었으면 시루에서 퍼내고, 고루 펼쳐서 차게 식기를 기다린다.
3. 고두밥에 밑술과 밀가루 1되 5홉을 함께 섞고, 고루 버무려 술밑을 빚는다.
4. 술밑을 술독에 담아 안치고, 예의 방법대로 하여 7일간 발효시켜 채주한다.

七日酒 又方

白米二斗 洗浸細末. 无水熟蒸 待冷. 匊三升五合. 煮水四斗 和入. 四日 粘米四升 洗無水全蒸待冷 眞末一升半 和入 待七日 用之.

8. 칠일주법 <산림경제촬요(山林經濟撮要)>

술 재료 : 멥쌀 2말, 누룩가루 3되 5홉, 끓여 식힌 물 3말 9되

술 빚는 법 :
1. 멥쌀 2말을 백세하여 (물에 담가 불렸다가, 다시 씻어 말갛게 헹궈서 물기를 뺀 후) 작말한다(가루로 빻는다).
2. 물 3말 9되를 끓여서 차게 식기를 기다린다.

3. 쌀가루를 시루에 안쳐서 떡을 찌고, 떡이 익었으면 퍼내어 주걱으로 고루 헤쳐 덩어리진 것 없이 풀어놓는다(차게 식기를 기다린다).

4. 끓여 식힌 물 3말 9되와 누룩가루 3되 5홉을 한데 합하고, 고루 버무려 술밑을 빚는다.

5. 술밑을 술독에 담아 안치고, 예의 방법대로 하여 (차고 서늘한 곳에서) 7일간 발효시켜 익기를 기다린다.

七日酒法

白米二斗百洗作末爛蒸麴末三升五合湯水三斗九升相和入缸七日後用之.

9. 칠일주(별법) <산림경제촬요(山林經濟撮要)>

−단맛 나게 빚는 법

술 재료 : 밑술 : 찹쌀 1되, 누룩가루 5홉, 물(2~3되)

　　　　　 덧술 : 찹쌀 1말, 냉수 1복자

술 빚는 법 :

* 밑술 :

1. 찹쌀 1되를 정세하여 (물에 담가 불렸다가, 다시 씻어 건져서 물기를 뺀 후) 세말한다(고운 가루로 빻는다).

2. 솥에 물(2~3되)과 쌀가루를 넣고, 주걱으로 개어 천천히 저어주면서 매우 된죽을 쑨다.

3. 죽이 퍼지게 익었으면, 퍼내어 고루 펼쳐서 따뜻한 온기가 남을 만큼 식기를 기다린다.

4. 따뜻한 죽에 가루누룩 5홉을 넣고, 고루 버무려 술밑을 빚는다.

5. 술밑을 밑이 넓은 술독에 담아 안치고, 예의 방법대로 하여 밀봉한다.

6. 술독을 따뜻한 온돌방에 앉혀서 이불을 덮어 하루 동안 발효시킨다.

* 덧술 :
1. 이른 아침에 찹쌀 1말을 백세하여 (물에 담가 불렸다가, 다시 씻어 헹궈서 물기를 뺀 후) 시루에 안쳐 무른 고두밥을 짓는다.
2. (시루에서 한 김 나면 센 불로 뜸을 들이되) 냉수 1복자를 골고루 뿌려서 고두밥을 무르게 익힌다.
3. 고두밥이 다 쪄졌으면 퍼내지 말고 밑술 빚은 지 만 하루가 되는 시각이 되기를 기다린다(고두밥의 뜨거운 열이 어느 정도 빠져나가 따뜻한 정도까지 식는 시간을 고려해야 하므로, 아침 일찍 고두밥을 쪄야 한다).
4. 고두밥에 밑술을 한데 합하고, 고루 버무려 술밑을 빚는다.
5. 술밑을 술독에 담아 안치고, 예의 방법대로 하여 이불로 여러 겹 덮어 따뜻한 (온돌)방에 앉혀두고 4~5일 발효시킨다.
6. 덧술 빚은 지 4~5일 후에 술독을 찬 곳으로 옮겨 술독을 차게 식혀주어야 한다.

* 방문 말미에 "도합 7일 만에 쓰게 되는 셈이다. 오래 보관해도 맛이 달고 좋다."고 하였다.

七日酒(別法)
粘米一升淨洗作細末作稠粥出熱氣待頗暖用末麴五合相和納廣底之缸以衾擁埋溫堗內卽時用粘米一斗百洗蒸之而與味甘水一鐥水洒於甑米而蒸之要烈則三鐥水洒而蒸之勿出甑待明日釀本之期取調其本得納缸內溫室中多覆衣衾待四五日移置冷處則凡七日用之雖久藏味甘美.

10. 칠일주(별법) <산림경제촬요(山林經濟撮要)>
-단맛 나게 빚는 법

> 술 재료 : 밑술 : 찹쌀 1되, 누룩가루 5홉, 물(2~3되)
>
>   덧술 : 찹쌀 1말, 냉수 3복자

술 빚는 법 :

* 밑술 :

1. 찹쌀 1되를 정세하여 (물에 담가 불렸다가, 다시 씻어 건져서 물기를 뺀 후) 세말한다(고운 가루로 빻는다).
2. 솥에 물(2~3되)과 쌀가루를 넣고, 주걱으로 개어 천천히 저어주면서 매우 된 죽을 쑨다.
3. 죽이 퍼지게 익었으면, 퍼내어 고루 펼쳐서 따뜻한 온기가 남게 식기를 기다린다.
4. 따뜻한 죽에 가루누룩 5홉을 넣고, 고루 버무려 술밑을 빚는다.
5. 술밑을 밑이 넓은 술독에 담아 안치고, 예의 방법대로 하여 밀봉한다.
6. 술독을 따뜻한 온돌방에 앉혀서 이불을 덮어서 하루 동안 발효시킨다.

* 덧술 :

1. 이른 아침에 찹쌀 1말을 백세하여 (물에 담가 불렸다가, 다시 씻어 헹궈서 물기를 뺀 후) 시루에 안쳐 무른 고두밥을 짓는다.
2. (시루에서 한김 나면 센불로 뜸을 들이되) 냉수 3복자를 골고루 뿌려서 고두밥을 무르게 익힌다.
3. 고두밥이 다 쪄졌으면 퍼내지 말고 밑술 빚은 지 만 하루가 되는 시각이 되기를 기다린다(고두밥의 뜨거운 열이 어느 정도 빠져나가 따뜻한 정도까지 식는 시간을 고려하여야 하므로, 아침 일찍 고두밥을 쪄야 한다).
4. 고두밥에 밑술을 한데 합하고, 고루 버무려 술밑을 빚는다.

5. 술밑을 술독에 담아 안치고, 예의 방법대로 하여 이불로 여러 겹 덮어 따뜻한 (온돌)방에 앉혀두고 4~5일 발효시킨다.
6. 덧술 빚은 지 4~5일 후에 술독을 찬 곳으로 옮겨 술독을 차게 식혀주어야 한다.

* 주방문 말미에 "도합 7일 만에 쓰게 되는 셈이다. 오래 보관해도 맛이 달고 좋다."고 하였다.

七日酒(別法)

粘米一升淨洗作細末作稠粥出熱氣待頗暖用末麴五合相和納廣底之缸以衾擁埋溫堗內卽時用粘米一斗百洗蒸之而與味甘水一鐥水洒於甑米而蒸之要烈則三鐥水洒而蒸之勿出甑待明日釀本之期取調其本得納缸內溫室中多覆衣衾待四五日移置冷處則凡七日用之雖久藏味甘美.

11. 칠일주 <술방>

술 재료 : 멥쌀 2말, 누룩가루 3되 5홉, 끓는 물 3말 9되

술 빚는 법 :
1. 이튿날 멥쌀 2말을 백세하여 물에 담가 하룻밤(8~10시간) 불린다.
2. 불린 쌀을 다시 새 물에 씻어 헹군 뒤, 소쿠리에 밭쳐 물기를 뺀다.
3. 불린 쌀을 작말하여 시루에 안치고 떡을 녹난히(많이 익게) 찐 뒤, 차게 식혀놓는다.
4. 솥에 물 3말 9되를 팔팔 끓여 넓은 그릇에 퍼서 얼음같이 차게 식힌다.
5. 차게 식혀둔 물에 떡과 누룩가루 3되 5홉을 넣고, 고루 버무려 술밑을 빚는다.

6. 소독하여 마련해 둔 독에 술밑을 담아 안친 다음, 예의 방법대로 하여 따뜻한 곳에서 2일간 발효시킨다.
7. 술덧이 삭아 발효가 완전히 되었는지를 보아 술독을 차게 냉각시킨다.
8. 다시 밀봉하여 서늘한 곳에 두었다가 맑아지면 7일 만에 떠낸다.

칠일쥬
빅미 두 말 빅셰ᄒ여 즉말ᄒ여 녹ᄂ이 쎠 곡말 셔 되 다 솝 ᄭ린 물 서 말 아홉 되 타 항의 너허 칠일 만의 쓰ᄂ 법이라.

12. 칠일주 한 법 <술방>

> 술 재료 : 밑술 : 찹쌀 1되, 누룩 5홉, 물 3사발
>   덧술 : 찹쌀 1말, 살수물 3되(냉수)

술 빚는 법 :
* 밑술 :
1. 찹쌀 1되를 백세하여 (물에 담가 불렸다가, 다시 씻어 헹궈서) 작말한다.
2. 솥에 물 3사발을 계량하여 붓고, 불을 지펴 끓인다.
3. 쌀가루를 물솥에 담고, 주걱으로 저으면서 팔팔 끓여 죽을 쑨 다음 한 김 내어 덥게 식기를 기다린다.
4. 덥게 식힌 죽에 누룩 5홉을 넣고, 고루 버무려 술밑을 빚는다.
5. 술밑을 독에 담아 안치고, 예의 방법대로 하여 더운 방에서 발효시킨다.

* 덧술 :
1. 밑술을 안쳐 발효에 들어간 직후 찹쌀 1말을 백세하여 (8~10시간) 불린다.
2. 찹쌀을 다시 새 물에 헹군 후, 소쿠리에 밭쳐서 물기를 뺀다.

3. 찹쌀을 시루에 안쳐서 고두밥을 짓는데, 찬물 3되를 뿌려 찐 후 고두밥이 익었으면 시루에서 퍼내지 말고 덥게 식기를 기다린다.
4. 밑술을 담아 안친 시각에 고두밥을 밑술에 섞고, 고루 버무려 술밑을 빚는다.
5. 술독에 술밑을 담아 안치고, 예의 방법대로 하여 더운 방에 이불로 덮어 발효시킨다.
6. 4~5일 후에 차게 식혀 서늘한 곳에 두었다가 7일 만에 떠낸다.

칠일쥬 한 법
찹쌀 흔 되 빅셰작말흐여 듁 쑤어 흔 김 닉여 더운 김의 곰말 다 숩 타 밋 너른 항의 너코 무엇 덥허 더운 방의 두고, 즉시 찹쌀 흔 말 빅셰흐여 지어 밥 써셔 맛시 달게 흐랴흐면 물 셔 되 쑤려찌고 실우의셔 닉지 말고 어졔 슐밋흐여 너튼 씩를 기다라, 그 밋히 버무려 다시 항에 너허 더운 병의 덥허 스오일 후 옴겨 찬디 두어 모도 칠일 만의 먹으면 오릭 두어도 죠흐니라.

13. 칠일주 <양주집(釀酒集)>

> 술 재료 : 밑술 : 멥쌀 3되, 누룩 2되 5홉, 끓는 물 1말
>   덧술 : 멥쌀 2말 7되, 누룩 5홉, 진말 5홉, 끓는 물 3말 5되

술 빚는 법 :
* 밑술 :
1. 멥쌀 3되를 백세하여 (물에 담가 불렸다가, 다시 씻어 헹궈서) 작말한다.
2. 물 1말을 끓여 쌀가루와 합하고, 담을 개어 매우 차게 식기를 기다린다.
3. 담을 갠 것에 누룩 2되 5홉을 섞고, 고루 버무려 술밑을 빚는다.
4. 술독에 술밑을 담아 안치고, 예의 방법대로 하여 3일간 발효시킨다.

* 덧술 :

1. 멥쌀 2말 7되를 백세하여 (물에 담가 불렸다가, 다시 씻어 헹궈서) 시루에 안
   쳐 무르게 쪄서 고두밥을 짓는다.
2. 물 3말 5되를 끓여 고두밥에 합하고, 고루 섞어 매우 차게 식기를 기다린다.
3. 차게 식힌 고두밥에 누룩 5홉, 진말 5홉, 밑술을 한데 합하고, 고루 버무려
   술밑을 빚는다.
4. 술독에 술밑을 담아 안치고, 예의 방법대로 하여 7일간 발효시킨다.

* 주방문에 "술맛은 좋으나 7일간 익힌 것은 술맛이 좋지 않으므로, 이칠일(14
  일)여 일 발효시켜야 한다."고 하였으며, "두 달가량 술을 뜰 수 있다"고 하였
  다. 그런데 술 원료(쌀)의 양으로 볼 때 '삼두주'라고도 볼 수 있다.

七日酒

試之則味好雖七日方試釀見之則二七日慰也二月釀見. 白米 三升 百洗 ᄒ
야 ᄭ른 믈 ᄒ말이 둠 기여 ᄀ장 식거든 曲子 二升 五合 섯거 녀허다가 三日
後이 白米 二斗 七升 百洗ᄒ야 닉게 밥 쪄 ᄭ른 믈 三斗 五升예 골화 ᄀ장 ᄎ
거든 曲子 五合 眞末 五合과 밋술이 섯거다가 七日 後이 ᄡ라.

14. 칠일주 <요록(要錄)>

| 술 재료 : 밑술 : 멥쌀 10말, 누룩 1말, 끓는 물 3동이 |
| 덧술 : 멥쌀 5말 |

술 빚는 법 :

* 밑술 :

1. 멥쌀 10말을 백세하여 (물에 담가 하룻밤 불렸다가, 다시 씻어 건져서 물기

를 뺀 뒤) 세말한다.
2. 물 3동이를 팔팔 끓여 멥쌀가루에 골고루 나눠 붓고, 주걱으로 골고루 개어 술거리를 만든 다음 차게 식기를 기다린다.
3. 술거리에 누룩가루 1말을 넣고, 고루 버무려 술밑을 빚는다.
4. 술밑을 술독에 담아 안친 다음, 예의 방법대로 하여 5일간 발효시킨다.

* 덧술 :
1. 멥쌀 5말을 백세한다(물에 담가 하룻밤 불렸다가, 다시 씻어 건져서 물기를 뺀다).
2. 물솥에 시루를 올리고 불린 쌀을 안쳐서 무른 고두밥을 찐 다음, 익었으면 퍼내어 고루 펼쳐서 차게 식기를 기다린다.
3. 차게 식힌 고두밥에 밑술을 합하고, 고루 버무려 넣고 술밑을 빚는다.
4. 술독에 술밑을 담아 안친 다음, 예의 방법대로 하여 발효시켜 익기를 기다린다.
5. 술이 익으면 술자루에 담아 압착, 여과하여 마신다.

* <음식디미방>에서는 "멥쌀 3되를 백세작말하여 물 5되에 풀어서 죽을 쑤고, 차게 식혀 누룩 1되 7홉을 버무려 넣어 3일간 발효시킨 뒤, 찹쌀 2말을 고두밥 지어 차게 식혀 넣고 고루 저어 7일간 발효시킨다."고 하였다.

七日酒
白米十斗百洗細末水三盆作醋待冷麴末一斗合和納缸五日後白米五斗如前洗蒸如溫飯出前酒和入缸經日後用之.

15. 칠일주 <음식디미방>

술 재료 : 밑술 : 멥쌀 3되, 누룩가루 1되 7홉, 물 반(1/2) 동이
        덧술 : 찹쌀 2말

술 빚는 법 :

* 밑술 :

1. 멥쌀 3되를 (백세하여 물에 담가 불렸다가, 다시 씻어 헹궈서 물기를 뺀 후) 작말한다(가루로 빻는다).
2. 물 반(1/2) 동이를 팔팔 끓이고, 물이 끓는 김에 쌀가루를 고루 풀어 죽(범벅)을 쑤어놓는다.
3. 죽(범벅)을 (여러 개의 그릇에 나눠 담고 뚜껑을 덮어) 차게 식기를 기다린다.
4. 차게 식힌 죽(범벅)에 누룩 1되 7홉을 섞고, 고루 버무려 술밑을 빚는다.
5. 술밑을 술독에 담아 안치고, 예의 방법대로 하여 3일간 발효시킨다.

* 덧술 :

1. 찹쌀 2말을 (백세하여 하룻밤 불렸다가, 다시 씻어 헹궈서 물기를 뺀 후) 시루에 안쳐서 고두밥을 짓는다.
2. (고두밥이 익었으면 퍼내어 고루 펼치고, 주걱으로 헤쳐서 차게 식기를 기다린다.)
3. 고두밥에 밑술을 합하고, 고루 버무려 술밑을 빚는다.
4. 술독에 술밑을 담아 안치고, 예의 방법대로 하여 7일간 발효시킨다.

칠일쥬

빅미 서 되 작말ᄒᆞ여 믈 반 동희만 글혀 반 동희예란 ᄀᄅ 프러 죽 쉬 ᄀᆞ장 서늘케 시겨 누록 흔 되 칠 홉 섯거 둣다가 사흘 만애 ᄎᆞᆸ발 두 말 쪄 몬져 미티 섯거 둣다가 닐웬 만애 쓰라.

16. 칠일주 <음식디미방>

술 재료 : 밑술 : 멥쌀 1말, 누룩 1되, 탕수 1말
덧술 : 멥쌀 2말, 누룩 2되, 탕수 6말

술 빚는 법 :

＊ 밑술 :

1. 멥쌀 1말을 백세하여 (물에 깨끗하게 씻어 하룻밤 담가 불렸다가, 다음날 다시 씻어 건져 물기를 뺀 뒤) 작말한다(가루로 빻는다).
2. 탕수(끓는 물) 1말에 쌀가루를 합하여 죽을 쑨다(쌀가루에 끓는 물 1말을 골고루 나눠 붓고, 주걱으로 고루 저어가면서 끓여 범벅을 쑨다).
3. 죽(범벅)이 익었으면 넓은 그릇에 퍼낸다(차게 식기를 기다린다).
4. 죽(범벅)에 좋은 누룩 1되를 합하고, 고루 버무려 술밑을 빚는다.
5. 술밑을 술독에 담아 안치고, 예의 방법대로 하여 3일간 발효시킨다.

＊ 덧술 :

1. 멥쌀 2말을 백세하여 (물에 깨끗하게 씻어 하룻밤 담가 불렸다가, 다음날 다시 씻어 건져 물기를 뺀 뒤) 작말한다(가루로 빻는다).
2. 탕수(끓는 물) 6말에 쌀가루를 합하여 죽을 쑨다(끓는 물 6말에 쌀가루를 골고루 나눠 붓고, 고루 풀어서 주걱으로 저어가면서 개어 범벅을 쑨다).
3. 죽(범벅)이 익었으면 넓은 그릇 여러 개에 퍼 담고 차게 식기를 기다린다.
4. 밑술에 누룩 2되와 죽(범벅)을 한데 합하고, 고루 버무려서 술밑을 빚는다.
5. 술밑을 술독에 담아 안치고, 예의 방법대로 하여 발효시킨다.

칠일쥬

빅미 흔 말 빅셰ᄒᆞ여 작말ᄒᆞ여 탕슈 흔 말의 쥭 수어 죠흔 누록 흔 되 섯거
녀헛다가 삼일 후에 빅미 두 말 빅셰 작말 탕슈 엿 말의 쥭 수워 ᄎᆞ거든 누

록 두 되 전술의 섯거 녀흐라.

17. 칠일주방 <임원십육지(林園十六志)>

술 재료 : 밑술 : 찹쌀 1되, 누룩가루 5홉, 물(2~3되)
　　　　 덧술 : 찹쌀 1말, 살수물 1~3복자

술 빚는 법 :

* 밑술 :

1. 찹쌀 1되를 백세하여 (하룻밤 불렸다가, 다시 씻어 건져서 물기를 뺀 뒤) 고운 가루로 빻는다.

2. 쌀가루를 물(2~3되)에 개어 덩어리를 없이 하여 팔팔 끓여서 된죽을 쑨 다음, 넓은 그릇에 퍼서 뜨거운 김이 나가고 온기가 남게 식기를 기다린다.

3. 따뜻한 죽에 누룩가루 5홉을 넣고, 고루 버무려 술밑을 빚는다.

4. 바닥이 넓은 술독에 술밑을 담아 안치고, 예의 방법대로 하여 이불을 덮어서 따뜻한 온돌방에 묻어 하룻밤 동안 발효시킨다.

* 덧술 :

1. 밑술 빚는 날 찹쌀 1말을 백세하여 (하룻밤 불렸다가, 다시 씻어 건져서 물기를 뺀 후) 시루에 안쳐서 고두밥을 짓는다.

2. 고두밥을 찔 때 술을 달게 하려면 찬물 1복자를 뿌리고, 맹렬하게 하려면 3복자를 뿌려서 무르게 찐다.

3. 시루를 솥에서 떼어내지 말고 그대로 밤이 오기를 기다렸다가, 밑술 빚었던 시각에 고두밥을 밑술에 한데 섞고, 고루 버무려 술밑을 빚는다.

4. 술밑을 술독에 담아 안치고, 예의 방법대로 하여 단단히 봉하여 밑술을 두었던 따뜻한 온돌방에 이불을 씌워 4~5일간 발효시킨다.

5. 덧술을 빚은 지 4~5일 후에 술독을 서늘한 곳에 옮겨두고, 다시 2~3일이
   지나면 술이 익는다.

* 주방문에 "비록 오래 두어도 맛이 달고 좋으니라."고 하였다. <증보산림경제>
  를 인용하였다.

七日酒方
粘米一升淨洗作細末作稠粥後溫用麴五合相和勻納廣底之缸以衣衾擁埋溫
堗內另用粘米一斗百洗烝之而要甘則用水一鐥酒灑之要烈則用水三鐥灑之仍
置甑釜上經宿待昨日釀本時辰取甑內飯同前釀調勻復納缸封口依前置溫突乃
後覆之待四五日移置冷處總計七日而熟雖久藏味甘美. <增補山林經濟>.

18. 칠일주방 <임원십육지(林園十六志, 高麗大本)>
－1말 빚이

> 술 재료 : 밑술 : 멥쌀 1되, 밀누룩 1되, 맑은 물 1말
> 덧술 : 찹쌀 1말, 누룩가루 한 줌

술 빚는 법 :

* 밑술 :

1. 멥쌀 1되를 (백세하여) 물에 담가 불렸다가, 거품이 일거든 (다시 씻어 건겨
   서 물기를 뺀 뒤) 가루로 빻는다.
2. 맑은 물 1말 팔팔 끓여 쌀가루와 합하고, 주걱으로 고루 저어가면서 또 끓
   여서 희고 투명하게 죽을 쑨다.
3. 죽이 퍼지게 익었으면, 넓은 그릇에 퍼서 찬 곳에 옮겨놓고 차게 식기를 기
   다린다.

4. 차게 식은 죽에 법제한 밀누룩 1되를 이슬과 햇볕을 쪼여 절구에 넣고 가루 내어 넣고, 고루 버무려 술밑을 빚는다.

5. 술밑을 술독에 담아 안치고, 예의 방법대로 하여 밀봉하고 이불을 덮어 3일 간 발효시킨다.

* 덧술 :

1. 밑술의 맛이 달고 매우면, 찹쌀 1말을 (백세하여 하룻밤) 물에 담가 불렸다 가 거품이 일도록 기다린다.

2. 불린 쌀을 (다시 씻어 건져서 물기를 뺀 후) 시루에 안쳐서 고두밥을 짓되 무르게 찌고, 익었으면 고루 펼쳐서 차게 식기를 기다린다.

3. 밑술에 고두밥을 한데 섞고, 고루 버무려 술밑을 빚는다.

4. 술밑을 술독에 담아 안치고, 그 위에 누룩가루를 조금 뿌려준 후, 예의 방법 대로 하여 단단히 봉하고 밑술을 두었던 곳에 이불을 씌워놓는다.

5. 덧술을 빚은 지 4~5일 후에 술독을 서늘한 곳에 옮겨두고, 다시 2~3일이 지나면 술이 익는다.

* 주방문에 "만일 극한 추위를 만나면 하루가 늦어진다. 이 술 성질이 항상 빚 는 거와 같으되, 성한 더위에 오래면 맛이 문득 변하여 시어진다."고 하였다. <주식의(酒食議)>를 인용하였다.

七日酒方

欲釀一斗則先以(粳)米一升浸水 控起作屑另用淸水一斗煎作湯方其沸也以米 屑且撒且煎則其色白渾出置寒處候冷如氷然後麴一升夜露晝曝搗作屑與 前水和入缸中密封口過三日開視則其味辛甘則用糯米一斗浸水控起烝飯放冷 待熱氣晝去同前釀和勻入缸更用麴屑些少畧畧撒布其上過四日乃酴通計首尾 七日可飮若但極寒之時差緩一日性味如常釀同但盛夏經久味輒變散也. <酒 食議>.

19. 칠일주 일방 <임원십육지(林園十六志, 高麗大本)>

> 술 재료 : 밑술 : 멥쌀 3되, 섬누룩 3되, 맑은 물 1말
>   덧술 : 찹쌀 1말, 냉수 2사발(후수)

술 빚는 법 :

* 밑술 :

1. 멥쌀 3되를 (백세하여 물에 담가 불렸다가, 다시 씻어 건져서) 물기를 뺀다.
2. 맑은 물(1말)에 쌀을 넣고 솥에 끓여 죽을 쑨 다음, 넓은 그릇에 퍼서 (얼음 같이) 차게 식기를 기다린다.
3. 차게 식은 죽에 (법제한) 섬누룩 3되를 가루 내어 넣고, 고루 버무려 술밑을 빚는다.
4. 술밑을 술독에 담아 안치고, 예의 방법대로 하여 밀봉하고 따뜻한 곳에 두어 2~3일간 발효시킨다.

* 덧술 :

1. 밑술 빚은 지 2~3일이 지나면 술이 괴는 기운이 있을 것이니, 체에 걸러 누룩찌꺼기를 제거한 탁주를 만들어놓는다.
2. 찹쌀 1말을 (백세하여 물에 담가 불렸다가, 다시 씻어 건져서 물기를 뺀 후) 시루에 안쳐서 고두밥을 짓는다.
3. 고두밥을 찌고 익었으면, 삿자리에 고루 펼쳐서 차게 식기를 기다린다.
4. 고두밥을 알알이 헤쳐서 거른 밑술에 한데 섞고, 고루 버무려 술밑을 빚는다.
5. 술밑을 술독에 안치고, 예의 방법대로 단단히 봉하고 따뜻한 곳에서 발효시킨다.
6. 술 빚은 지 4~5일이면 술이 끓어오를 것이니 냉수 2사발을 붓고, 주걱으로 휘저어 두면 다음날 걸러서 마실 수 있다.

七日酒 一方

(粳)米三升熬作粥麩麪三升搗作屑和勻入缸封口置溫處過二三日 䚢有醋意篩
去滓取汁更用糯米一斗烝熟鋪冷要粒粒解散勿令粘泥同前汁和勻入缸封口置
溫處過四五日則醋矣乃以冷水二鉢攪勻翌日可飲. <饔(饎)雜志>.

20. 칠일주 <조선무쌍신식요리제법(朝鮮無雙新式料理製法)>

술 재료 : 밑술 : 찹쌀 1되, 누룩가루 5홉, 물(2~3되)
　　　　　 덧술 : 찹쌀 1말, 살수물 1~3복자

술 빚는 법 :
* 밑술 :
1. 찹쌀 1되를 백세하여 (하룻밤 불렸다가, 다시 씻어 건져서) 고운 가루로 빻
   는다.
2. 쌀가루를 물(2~3되)에 개어 덩어리 없이 하여 팔팔 끓여서 된죽을 쑨 다음,
   넓은 그릇에 퍼서 뜨거운 김이 식기를 기다린다.
3. 따뜻한 죽에 누룩가루 5홉을 넣고, 고루 버무려 술밑을 빚는다.
4. 바닥이 넓은 술독에 술밑을 담아 안치고, 예의 방법대로 하여 이불을 덮어
   따뜻한 곳에 묻어 하룻밤 동안 발효시킨다.

* 덧술 :
1. 밑술 빚는 날 찹쌀 1말을 백세하여 (하룻밤 불렸다가 다시 씻어 건져서 물기
   를 뺀 후) 시루에 안쳐서 고두밥을 짓는다.
2. 고두밥을 찔 때 술을 달게 하려면 찬물 1복자를 뿌리고, 맹렬하게 하려면 3
   복자를 뿌려서 무르게 찐다.
3. 시루를 솥에서 떼어내지 말고 그대로 밤이 오기를 기다렸다가 밑술 빚었던

시각에 고두밥을 밑술에 한데 섞고 고루 버무려 술밑을 빚는다.

4. 술밑을 술독에 담아 안치고, 예의 방법대로 하여 단단히 봉하고 밑술을 두었던 따뜻한 곳에 이불을 씌워 4~5일간 발효시킨다.

5. 덧술을 빚은 지 4~5일 후에 술독을 서늘한 곳에 옮겨두고, 다시 2~3일이 지나면 술이 익는다.

칠일주(七日酒)

찹쌀 한 되를 정이 씨서 세말하야 된죽 가티 쑤어 더운 김에 누룩가루 닷 홉을 고루 석고 바닥 넓은 항아리에 담고 입불로 더퍼 더운 방에 뭇고 찹쌀 한 말을 백 번 씨서 씻나니 달게 하랴면 물 한 복자를 쌕리고 맹렬하게 하랴면 물 세 복자를 쌕릴지니 인하야 시루로 솟우에 노코 밤을 기다려 전날 빗든 째를 당하거든 시루에 밥을 쏘다서 전날 비즌 거와 함께 버무려 다시 항아리에 드러 붓고 꼭 봉하야 젼에 노앗든 더운 방에 노코 둑겁게 더픈 지 사오일을 기다려서 서늘한 곳에 윈겨 두면 모다 니레 만에 익는 것이니 비록 오래 두어도 맛이 달고 조흐니라.

21. 칠일주 우법 <조선무쌍신식요리제법(朝鮮無雙新式料理製法)>

술 재료 : 밑술 : 멥쌀 1되, 밀누룩 1되, 물 1말
　　　　　 덧술 : 찹쌀 1말, 누룩가루 한 줌

술 빚는 법 :

* 밑술 :

1. 멥쌀 1되를 백세하여 (하룻밤 불렸다가, 다시 씻어 건져서 물기를 뺀 뒤) 고운 가루로 빻는다.

2. 맑은 물 1말 팔팔 끓이다가 쌀가루를 뿌려가면서 죽을 쑨 다음, 넓은 그릇

에 퍼서 얼음같이 차게 식기를 기다린다.

3. 차게 식은 죽에 법제한 밀누룩 1되를 가루 내어 넣고, 고루 버무려 술밑을 빚는다.

4. 술밑을 술독에 담아 안치고, 예의 방법대로 하여 밀봉하고 이불을 덮어 3일 간 발효시킨다.

* 덧술 :

1. 밑술의 맛이 달고 매우면, 찹쌀 1말을 (백세하여) 물에 담가 불렸다가 (다시 씻어 건져서 물기를 뺀 후) 시루에 안쳐서 고두밥을 짓는다.

2. 고두밥을 무르게 찌고, 익었으면 고루 펼쳐서 차게 식기를 기다린다.

3. 밑술에 고두밥을 한데 섞고, 고루 버무려 술밑을 빚는다.

4. 술밑을 술독에 담아 안치고 그 위에 누룩가루 한 줌을 뿌려준 후, 예의 방법 대로 하여 단단히 봉하고 밑술을 두었던 곳에 이불을 씌워놓는다.

5. 덧술 빚은 지 4~5일 후 술독을 서늘한 곳에 옮겨두고, 다시 2~3일 지나면 익는다.

* 주방문에 "만일 극한 추위를 만나면 하루가 늦어지나니라. 이 술 성질이 항 상 빚는 거와 같으되, 성한 더위에 오래면 맛이 문득 변하여 시어지나니라." 고 하였다.

칠일주(七日酒) 쏘

멥쌀 석 되를 쑤어 죽을 만들고 밀기울누룩 석 되를 작말하야 한데 버무려 항아리에 느코 쏙 봉하야 더운 곳에 둔 지 이삼일이 지나면 약간 괴는 뜻이 잇스리니, 체에 걸너 집을 내고 찍기는 버리고 다시 찹쌀 한 말을 쪄서 삿자 리에 퍼 너려 식거든 알알이 푸러서 붓지 안케 하야 젼에 집과 한데 섞거 다 시 항아리에 드러 붓고 쏙 봉하야 더운데 노아 둔 지 사오일이 지나면 괴나 니 이에 랭수 두 사발을 붓고 휘저엇다가 그 이튼날이면 가이 마시나니라.

22. 칠일주 우법 <조선무쌍신식요리제법(朝鮮無雙新式料理製法)>

술 재료 : 밑술 : 멥쌀 1되, 밀누룩가루 1되, 물 1말
　　　　덧술 : 찹쌀 1말, 누룩가루 약간

술 빚는 법 :

* 밑술 :

1. 멥쌀 1되를 백세하여 (하룻밤 불렸다가, 다시 씻어 건져서) 물기를 뺀 뒤 고운 가루로 빻는다.
2. 맑은 물 1말 팔팔 끓이다가 쌀가루를 뿌려가면서 희멀건 죽을 쑨 다음, 넓은 그릇에 퍼서 얼음같이 차게 식기를 기다린다.
3. 차게 식은 죽에 법제한 밀누룩 1되를 가루 내어 넣고, 고루 버무려 술밑을 빚는다.
4. 술밑을 술독에 담아 안치고, 예의 방법대로 하여 밀봉하고 이불을 덮어 3일간 발효시킨다.

* 덧술 :

1. 밑술의 맛이 달고 매우면, 찹쌀 1말을 (백세하여) 물에 담가 불렸다가 (다시 씻어 건져서 물기를 뺀 후) 시루에 안쳐서 고두밥을 짓는다.
2. 고두밥을 무르게 찌고, 익었으면 고루 펼쳐서 차게 식기를 기다린다.
3. 밑술에 고두밥을 한데 섞고, 고루 버무려 술밑을 빚는다.
4. 술밑을 술독에 담아 안치고, 그 위에 누룩가루(한 줌)를 뿌려준 후, 예의 방법대로 하여 단단히 봉하고 밑술을 두었던 곳에 이불을 씌워놓는다.
5. 덧술을 빚은 지 4~5일 후에 술독을 서늘한 곳에 옮겨두고, 다시 2~3일이 지나면 술이 익는다.

칠일주(七日酒) 쏘

한 말을 비즈랴면 먼저 멥쌀 한 되를 물에 당가 작말하야 맑은 물 한 말을 쓰릴제 쌀가루을 일변 섞리며 일변 쓰리면 빗이 희여 지나니 내여 찬 곳에 노코 어름가티 식힌 후에 밀누룩 한 되를 밤에 이슬 마치고 나제 볏 쬐엿다가 작말하야 젼에 물과 함께 석거 타서 항아리에 느코 꼭 봉한 지 사흘 만에 여러 보면 맛이 달고 매울 것이니 곳 찹쌀 한 말을 물에 당갓다가 밥 지여 활작 식혀서 젼에 비즌 것을 석거 느코 다시 누룩가루를 약간 그 우에 쑤리고 꼭 더퍼둔 지 나흘이면 이에 술이 괴나니 모다 니레면 가이 먹나니 만일 극한 치위를 맛나면 하로가 느즈러 지나니라. 이 술 성질이 항상 빗는 거와 가트되 담엇 성한 더위에 오래면 맛이 문득 변하야 시여지나니라.

23. 칠일주 우법 <조선무쌍신식요리제법(朝鮮無雙新式料理製法)>

> 술 재료 : 밑술 : 멥쌀 3되, 밀누룩가루 1되, 맑은 물 1말
> 　　　　 덧술 : 찹쌀 1말, 냉수 2사발(후수)

술 빚는 법 :

* 밑술 :

1. 멥쌀 3되를 백세하여(하룻밤 물에 담가 불렸다가, 다시 씻어 건져서 물기를 뺀 뒤) 고운 가루로 빻는다.
2. 맑은 물 1말에 쌀가루를 풀어 넣고 끓여 죽을 쑨 다음, 넓은 그릇에 퍼서 얼음같이 차게 식기를 기다린다.
3. 차게 식은 죽에 법제한 밀누룩 1되를 가루 내어 넣고, 고루 버무려 술밑을 빚는다.
4. 술밑을 술독에 담아 안치고, 예의 방법대로 하여 밀봉하고 이불을 덮어 3일간 발효시킨다.

* 덧술 :

1. 밑술 빚은 지 2~3일이 지나면 술이 괴는 기운이 있을 것이니, 체에 걸러 누룩찌꺼기를 제거한 탁주를 만든다.

2. 찹쌀 1말을 (백세하여 하룻밤 물에 담가 불렸다가, 다시 씻어 건져서 물기를 뺀 후) 시루에 안쳐서 고두밥을 짓는다.

3. 고두밥을 무르게 찌고 익었으면, 삿자리에 고루 펼쳐서 차게 식기를 기다린다.

4. 고두밥을 알알이 풀어서 거른 탁주에 한데 섞고, 고루 버무려 술밑을 빚는다.

5. 술밑을 술독에 담아 안치고, 예의 방법대로 하여 단단히 밀봉하고 따뜻한 곳에 묻어 4~5일 발효시킨다.

6. 밑술이 끓어오르면 냉수 2사발을 붓고, 주걱으로 휘저어 두면 다음날 걸러서 마실 수 있다.

칠일주(七日酒) 쏘

멥쌀 석 되를 쑤어 죽을 만들고 밀기울누룩 석 되를 작말하야 한데 버무려 항아리에 느코 쏙 봉하야 더운 곳에 둔지 이삼일이 지나면 약간 괴는 뜻이 잇스리니, 체에 걸너 집을 내고 찍기는 버리고 다시 찹쌀 한 말을 써서 삿자리에 퍼 너러 식거든 알알이 푸러서 붓지 안케 하야 전에 집과 한데 석거 다시 항아리에 드러 붓고 쏙 봉하야 더운데 노아둔 지 사오일이 지나면 괴나니 이에 랭수 두 사발을 붓고 휘저엇다가 그 이튿날이면 가이 마시나니라.

24. 칠일주방문 <주방(酒方)>*

> 술 재료 : 밑술 : 멥쌀 2말, 누룩가루 6되, 끓는 물 1말 5되
> 덧술 : 찹쌀 4말, 끓는 물 4말

술 빚는 법 :

1. 멥쌀 2말을 백세하여 (물에 담가 불렸다가 다시 씻어 말갛게 헹궈서 물기를 뺀 후) 작말한다(가루로 빻는다).
2. 물 1말 5되를 끓여서 쌀가루에 고루 퍼붓고 주걱으로 개어 죽(범벅)을 쑨 후, 넓은 그릇에 담아 차게 식기를 기다린다.
3. 범벅에 누룩가루 6되를 한데 합하고, 고루 버무려 술밑을 빚는다.
4. 술밑을 술독에 담아 안치고, 예의 방법대로 하여 (따뜻한 곳에서) 2일간 발효시켜 익기를 기다린다.

* 덧술 :
1. 찹쌀 4말을 백세하여 (물에 담가 불렸다가 다시 씻어 헹궈서 물기를 뺀 후) 시루에 안쳐 무른 고두밥을 짓는다.
2. 솥에 물 4말을 끓이다가 고두밥이 익었으면 퍼내어 넓은 그릇에 담아놓고, 끓고 있는 물 4말을 골고루 뿌려 주걱으로 고루 헤쳐서 풀어놓는다.
3. 고두밥이 물을 다 먹었으면, 그릇 여러 개에 나눠 담고 차게 식기를 기다린다.
4. 물을 먹은 고두밥에 밑술을 한데 섞고, 고루 버무려 술밑을 빚는다.
5. 술독에 술밑을 담아 안치고, 예의 방법대로 하여 7일간 발효시킨 후 맑아지기를 기다려 사용한다.

칠일듀방문
빅미 두 말 빅셰작말ᄒ야 ᄭ흔 믈 ᄒ 말 닷 되의 죽을 쒀 식거든 누룩 엿 되를 교합ᄒ여 항의 녀허 잇틀 지낸 후의 츕ᄡᆞᆯ 너 말 빅셰ᄒ야 ᄲᅧ ᄭ흔 믈 너 말을 밥의 골라 츠거든 쳐엄 비즌 항의 녀허 닐웨 마 쓰ᄂᆞ니라.

25. 칠일주법 <주식방(酒食方, 高大閨壺要覽)>

술 재료 : 밑술 : 멥쌀 2되, 누룩가루 1되, 물 1말
덧술 : 멥쌀 1말, 끓여 식힌 물 2되

술 빚는 법 :

* 밑술 :

1. 이른 아침에 멥쌀 2되를 백세한다(물에 담가 불렸다가 다시 씻어 건져서 물기를 뺀다).

2. 솥에 물 1말 불린 쌀을 넣고, 주걱으로 천천히 저어주면서 팔팔 끓여 죽을 쑨다.

3. 죽이 퍼지게 익었으면, 퍼내어 고루 펼쳐서 차게 식기를 기다린다.

4. 죽에 누룩가루 1되를 넣고, 고루 버무려 술밑을 빚는다.

5. 밑이 넓은 술독에 술밑을 담아 안치고, 예의 방법대로 하여 밀봉하여 더운 곳에 두고 발효시키되 술밑이 극히 단맛이 나면 덧술을 준비한다.

* 덧술 :

1. 멥쌀 1말을 (백세하여 물에 담가 불렸다가, 다시 씻어 헹궈서 물기를 뺀 후) 시루에 안쳐 무른 고두밥을 짓는다.

2. 물 2되를 팔팔 끓여서 차게 식혀놓는다.

3. 고두밥이 다 익었으면, 시루에서 퍼내고 고루 펼쳐서 차게 식기를 기다린다.

4. 고두밥에 밑술을 한데 합하고, 고루 버무려 술밑을 빚는다.

5. 술밑을 술독에 담아 안치고, 끓여 식힌 물로 그릇을 다 씻어 술독에 붓는다.

6. 술독은 예의 방법대로 하여, 김이 새지 않게 이불로 여러 겹 덮어 따뜻한 (온돌)방에 앉혀두고 14일간 발효시킨다.

* 주방문 말미에 "김나지 않게 봉하여 이칠일 만에 쓰느니라."고 하여 '칠일주'의 발효기간이 7일이 아닌 14일이라는 사실을 알 수 있다.

칠일쥬법

빅미 두 되를 빅셰ᄒ여 물 한 말의 죽 쑤어 식거든 국말 흔 되를 섯거 버무려 항의 봉ᄒ여 더운 ᄃᆡ 두엇다가 밋치 극히 달거든 빅미 일 두를 밥 쪄 식거든 밋ᄎᆡ 버므려 너흐되 탕슈 두어 되로 버무려 그릇슬 죄 부싀여 김나지 아니케

봉하여 이칠일 만의도 쓰느니라.

26. 칠일주 <주식방(酒食方, 高大閨壺要覽)>

술 재료 : 밑술 : 찹쌀 1되, 가루누룩 1되, 물 2식기(주발)
       덧술 : 찹쌀 1말, 섬누룩 1되, (끓여 식힌 물 4되)

술 빚는 법 :

* 밑술 :

1. 찹쌀 1되를 백세하여 (물에 담가 불렸다가 다시 씻어) 건져놓는다.

2. 솥에 물 2식기를 끓이다가 찹쌀을 넣고, 주걱으로 천천히 저어주면서 매우 된죽을 쑨다.

3. 죽이 퍼지게 익었으면 퍼낸다(차게 식기를 기다린다).

4. 죽에 가루누룩 1되를 넣고, 고루 버무려 술밑을 빚는다.

5. 술밑을 술독에 담아 안치고, 예의 방법대로 하여 밀봉한 후 더운 곳에 앉혀서 이불로 싸매어 3일간 발효시킨다.

* 덧술 :

1. 물(4되)을 (끓여서 차게 식힌 후) 섬누룩 1되를 담가 물누룩을 만들어놓는다.

2. 찹쌀 1말을 (백세하여 물에 담가 불렸다가, 다시 씻어 헹궈서 물기를 뺀 후) 시루에 안쳐 무른 고두밥을 짓는다.

3. 고두밥이 다 쪄졌으면, 퍼내고 고루 펼쳐서 차게 식기를 기다린다.

4. 누룩을 굵은체에 밭쳐 주물러 짜서 찌꺼기를 제거한 누룩물을 만들어놓는다.

5. 고두밥에 밑술과 누룩물을 한데 합하고, 고루 버무려 술밑을 빚는다.

6. 술밑을 술독에 담아 안치고, 예의 방법대로 하여 밀봉한 후 차고 따뜻한 것을 맞추어 7일간 발효시킨다.

* 주방문 말미에 "온양(따뜻하고 더운 것)을 맞추어 놓아 7일 후에 쓰라."고 하였다.

칠일듀

뎜미 흔 되를 빅셰ᄒ고 물 두 식긔로 죽 쑤어 국말 흔 되 섯거 항의 너허 잠간 더운 듸 두터이 싸 봉ᄒ여 두엇다가 사흘 만의 출쌀 흔 말 닉게 ᄶ져 치오고 섭누룩 흔 되를 물의 반날을 담가다가 출쌀밥이 식거든 술밋ᄎᆡ 석그듸 누룩물 주물너 굴은 체예 걸너 합쳐 버무려 봉ᄒ여 온양을 맛초아 노하 칠일 후의 쓰라.

27. 칠일주법 <쥬식방문>

> 술 재료 : 밑술 : 멥쌀 3되, 누룩가루 7홉, 물 1말
>   덧술 : 찹쌀 1말

술 빚는 법 :

* 밑술 :

1. 멥쌀 3되를 정히 씻어 (물에 담가 불렸다가, 다시 씻어 건져서 물기를 뺀 뒤) 가루로 빻는다.
2. 물 1말에 쌀가루를 풀어 넣고 끓여 죽을 쑨 다음, 넓은 그릇에 퍼서 차게 식기를 기다린다.
3. 차게 식은 죽에 누룩가루 7홉을 섞고, 고루 버무려 술밑을 빚는다.
4. 술밑을 술독에 담아 안치고, 예의 방법대로 하여 3일간 발효시킨다.

* 덧술 :

1. 밑술을 체에 걸러 누룩찌꺼기를 제거한 탁주를 만든다.

2. 찹쌀 1말을 정히 씻어 물에 담가 하룻밤 불렸다가 (다시 씻어 건져서 물기를 뺀 후) 시루에 안쳐서 오랫동안 고두밥을 짓는다.
3. 고두밥을 무르게 찌고 익었으면, 삿자리에 고루 펼쳐서 차게 식기를 기다린다.
4. 고두밥을 탁주에 한데 섞고, 고루 버무려 술밑을 빚는다.
5. 술밑을 술독에 담아 안치고, 예의 방법대로 하여 7일간 발효시킨다.

칠일쥬법

빅미 스 되 졍히 씨셔 쟉말ᄒ여 믈 한 말의 익게 쓔어 치운 후의 누룩가로 칠 홉 셧거 너허다가 삼일 후 찹살 한 말 졍히 씨셔 담가다가 ᄒ로밤 지닌 후의 미호 쎠 치우고 밋슐을 체예 밧타 버무려 두어다가 칠일 만의 쎠 먹난니라.

28. 칠일주법 <증보산림경제(增補山林經濟)>

> 술 재료 : 멥쌀 2말, 누룩가루 3되 5홉, 끓여 식힌 물 3말 9되

술 빚는 법 :
1. 멥쌀 2말을 백세하여 (물에 담가 불렸다가 다시 씻어 말갛게 헹궈서 물기를 뺀 후) 작말한다(가루로 빻는다).
2. 물 3말 9되를 끓여서 차게 식기를 기다린다.
3. 쌀가루를 시루에 안쳐서 떡을 찌고, 떡이 익었으면 퍼내어 주걱으로 고루 헤쳐 덩어리진 것 없이 풀어놓는다(차게 식기를 기다린다).
4. 끓여 식힌 물 3말 9되와 누룩가루 3되 5홉을 한데 합하고, 고루 버무려 술밑을 빚는다.
5. 술밑을 술독에 담아 안치고, 예의 방법대로 하여 (차고 서늘한 곳에서) 7일간 발효시켜 익기를 기다린다.

七日酒法

白米二斗百洗作末爛蒸麴末三升五合湯水三斗九升相和入缸七日後用之.

29. 칠일주 별법 <증보산림경제(增補山林經濟)>
-단맛 나게 빚는 법

> 술 재료 : 밑술 : 찹쌀 1되, 누룩가루 5홉, 물(2~3되)
> 　　　　덧술 : 찹쌀 1말, 냉수 1~3복자

술 빚는 법 :

* 밑술 :

1. 이른 아침에 찹쌀 1되를 정세하여 (물에 담가 불렸다가, 다시 씻어 건져서 물
   기를 뺀 후) 작말한다.
2. 솥에 물(2~3되)과 쌀가루를 넣고, 주걱으로 개어 천천히 저어주면서 매우
   된죽을 쑨다.
3. 죽이 퍼지게 익었으면, 퍼내어 고루 펼쳐서 (따뜻한 온기가 남게) 식기를 기
   다린다.
4. 따뜻한 죽에 누룩가루 5홉을 넣고, 고루 버무려 술밑을 빚는다.
5. 밑이 넓은 술독에 술밑을 담아 안치고, 예의 방법대로 하여 밀봉한다.
6. 따뜻한 온돌방에 술독을 앉혀서 이불을 덮어 하루 동안 발효시킨다.

* 덧술 :

1. 찹쌀 1말을 백세하여 (물에 담가 불렸다가, 다시 씻어 헹궈서 물기를 뺀 후)
   시루에 안쳐 무른 고두밥을 짓는다.
2. (시루에서 한 김 나면 센 불로 뜸을 들이되) 냉수 1~3복자를 골고루 뿌려서
   고두밥을 무르게 익힌다.

3. 고두밥이 다 쪄졌으면 퍼내지 말고 시루째 두었다가, 밑술 빚은 지 만 하루가 되는 시각이 되기를 기다린다.

4. 고두밥에 밑술을 한데 합하고, 고루 버무려 술밑을 빚는다.

5. 술밑을 술독에 담아 안치고, 예의 방법대로 하여 이불로 여러 겹 덮어 따뜻한 (온돌)방에 앉혀두고 4~5일 발효시킨다.

6. 덧술 빚은 지 4~5일 후에 술독을 찬 곳으로 옮겨 술독을 차게 식혀주어야 한다.

* 주방문 말미에 "도합 7일 만에 쓰게 되는 셈이다. 오래 보관해도 맛이 달고 좋다."고 하였다.

七日酒 別法

粘米一升淨洗作細末作稠粥出熱氣待頗暖用末麴五合相和納廣底之缸以衾擁埋溫堗內卽時用粘米一斗百洗蒸之而要味甘水一鐥酒於甑米而蒸之要烈則三鐥水洒而蒸之勿出甑待昨日釀本之時取調其本得納缸內溫室內多覆衣衾待四五日移置冷處則凡七日用之雖久藏味甘美.

30. 칠일주 <침주법(浸酒法)>
－한 말 빚이

> 술 재료 : 밑술 : 멥쌀 2되, 누룩 5홉, 탕수(끓는 물) 1사발
> 　　　　덧술 : 찹쌀 1말, 누룩 1되

술 빚는 법 :

* 밑술 :

1. 멥쌀 2되를 (백세하여 물에 담가 하룻밤 불렸다가, 다시 씻어 건져서) 가루

로 빻는다.
2. 솥에 물 1사발을 붓고 쌀가루를 합하고 고루 개어 (물을 끓이다가 뜨거워지면 반 사발을 퍼서 쌀가루에 붓고 고루 개어) 아이죽을 만든다.
3. 아이죽을 팔팔 끓여 아주 된죽을 쑤고, 그릇에 퍼 담아 뚜껑을 덮어서 차게 식기를 기다린다.
4. 식은 죽에 누룩 5홉을 합하고, 고루 버무려 술밑을 빚는다.
5. 술밑을 술독에 담아 안치고, 예의 방법대로 하여 3일간 발효시킨다.

* 덧술 :
1. 찹쌀 1말을 백세한다(물에 담가 하룻밤 불렸다가, 다시 헹궈서 물기를 빼놓는다).
2. 불린 쌀을 시루에 안치고 쪄서 고두밥을 짓고, 고두밥이 오오로(고슬고슬하게/되게) 익었으면 퍼내고, 고루 펼쳐서 차디차게 식기를 기다린다.
3. 고두밥에 누룩 1되와 밑술을 한데 섞어 합하고, 고루 버무려 술밑을 빚는다.
4. 술밑을 독에 담아 다져 안친 후, 예의 방법대로 하여 7일간 발효시킨다.

칠일쥬(七日酒)─흔 말
빅미 두 되를 ᄀᄅ 브아 탕슈 흔 사바래 쥭을 수어 치와 누룩 닷 홉애 섯거 듯더가 사홀 만의 츕뿔 흔 말를 오오로 뼈 누룩 흔 되와 젼수레 섯거 듯더가 닐웨 지나거든 쓰라.

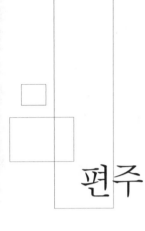

편주

'편주(扁酒)'라는 주품명 속에는 어떤 의미가 담겨 있을까? 아무리 궁리를 해 봐도 그 의미를 깨칠 수 없다. 다만 '편주'의 주방문을 읽으면서 떠올랐던 두 가지 주품명이 있었는데, <양주방>*의 '층층지주'와 경북 지방의 전승 토속주인 '김천 과하주(過夏酒)'였다.

'편주'는 매우 독특한 과정으로 이루어지는 주품으로, 그에 따른 주방문은 <역 주방문(曆酒方文)>에서 찾아볼 수 있다. '편주'와 '층층지주', '김천 과하주'는 단 양주(單釀酒)라는 사실 외에도 술 빚는 방법에서 공통점이 많다. 또한 술 빚는 과 정이 너무나 힘들다는 것도 비슷하다.

술 빚는 과정을 살펴보자. "찹쌀을 씻어 불린 지 3일째 되는 날, 물 1동이를 백 비탕으로 끓여 식히되 일체의 날물이 들어가지 않게 한다. 씻어 건진 찹쌀을 시 루에 안쳐서 질게 고두밥을 찌는데, 익었으면 퍼서 안반에 펼쳐놓는다.

차게 식혀놓은 물을 쳐가면서 고두밥을 씻어서 차디차게 식기를 기다리는데, 고두밥을 씻고 남은 물에 누룩가루 7홉을 풀어 누룩물을 만들었다가, 고두밥에 뿌려가면서 다시 치대 인절미처럼 된 술밑을 빚는다.

술독에 술밑을 담아 안치고, 쓰고 남은 누룩물을 쏟아 부은 뒤, 술독 바깥 몸뚱이를 찬물로 깨끗하게 닦아 술 냄새가 나지 않게 해준다. 이어 술독은 술체를 덮어 발효시키되, 술이 익을 때가 되면 곧 밀봉해서 이불로 싸매주고, 재차 숙성시켜 찹쌀 밥알이 떠오르면 채주한다."고 하였다.

이상의 과정이 '편주'를 빚는 방법으로 '고두밥을 씻고 남은 물에 누룩가루 7홉을 풀어 물누룩을 만들었다가 고두밥에 뿌려가면서 치대 인절미처럼 된 술밑을 빚는다.'고 하는 과정을 직접 경험해 보면, '편주'를 빚기가 얼마나 힘든 일인지를 알 수 있다.

이때의 고두밥은 찬물로 씻었기 때문에 거의 낱알 상태가 되어 있는데, 물누룩을 쳐가면서 치대는 작업이 여간 버거운 일이 아니다. 고두밥을 물로 씻는 과정이 아니면 '편주'는 '김천 과하주'와 매우 유사하다.

술을 빚는 과정이 힘든 이유로 첫째, 고두밥이 뭉쳐지지가 않을 뿐만 아니라 인절미와 같은 떡이 되려면 시간이 너무 오래 걸린다는 것이다. 편의상 절굿공이로 찧거나 떡메로 치면 좋겠지만, 고두밥이 물러질 때까지는 일일이 손으로 으깨듯 문질러서 점성이 생기게 해주어야 하는데, 그 과정이 너무나 힘들다.

아무리 이해하려 해도 납득이 잘 되지 않는 주방문을 생각하면서 술을 빚는 내내 헛웃음을 계속 지었다. '왜 이런 술 빚기를 하게 되었을까?' 하는 의문 때문이었다. 그러다 순간 깨우친 것이 있었다. 내 '급한 성격' 때문에 더 고생을 하고 있다는 깨달음이었다. 평소 습관대로 모든 일을 하루에 다 끝내 버리려는 급한 성격이 스스로를 힘들게 하고 있다는 생각에 다시 또 헛웃음이 나왔다. 식구들이나 제자들이 나의 이런 모습을 볼까 싶어 민망했다. 어찌됐든 어렵게 술 빚기를 마칠 수 있었는데, 찹쌀 1말의 고두밥에 누룩 7홉을 섞은 물누룩으로 인절미 같은 술밑을 빚는다는 건 미친 짓이나 다름없었다. 그래서 고두밥을 두세 덩이로 나눠서 하기로 했다. 그렇게 술 빚기를 마치고 나니, 절구통에 치댄 술밑(고두밥)을 넣고 다시 떡메로 쳐낸 인절미처럼 늘어지는 모습이었다.

술을 빚는 동안 계속해서 물누룩을 발라가면서 치대야 했으므로, 먼저 빚은 인절미 상태의 술밑과 두 번째 빚은 술밑, 세 번째 빚은 술밑이 서로 엉키지가 않았다. 술밑이 그릇에 달라붙지 않게 하기 위해 겉면에 발라둔 누룩물 때문이었다.

그리고 이와 같은 형태로 술독에 담아 안칠 수밖에 없었는데, 그 과정에서 떠오른 생각이 "어쩌면 이와 같은 떡의 형태 때문에 넙적할 '편(扁)' 자를 쓴 주품명을 붙이게 되었는지도 모르겠다."는 생각이 들었다.

'편주'는 고두밥을 인절미처럼 쳐서 술을 빚는 과정이 '김천 과하주'와 같은 방법으로 이루어지고, 술밑이 완성된 형태로 봐서는 <양주방>*의 '층층지주'와 비슷했다. 그러나 두 번 다시는 도전하고 싶지 않을 만큼 힘든 술로 기억되었다.

그럼에도 불구하고 술을 빚으면서 떠올랐던 생각이 맞는지 확인하고 싶어 다시 도전해 보았더니 그 예상이 맞았고, 이후 술 빚기가 훨씬 덜 힘들고 시간도 단축되었다.

한두 차례의 실험 양주 끝에 떠올랐던 생각은 고두밥을 찬물로 씻어낸 다음, 고두밥이 물기를 다 흡수하길 기다렸다가 술을 빚는다는 것이었다. 고두밥 표면에 물기가 없어지면, 고두밥을 뭉치기가 훨씬 쉽고 곧바로 떡메나 절굿공이로 칠 수가 있기 때문이다.

'편주'는 감칠맛이 뛰어난 술이다. 예상했던 시간보다 더 오랜 시간이 걸리긴 했지만 37일 만에 술을 뜰 수가 있었다. 고두밥알도 제법 떠올랐다. 알코올 도수는 비교적 낮은 편이지만, 단맛이 적으면서 매우 깨끗한 맛을 느낄 수 있었다.

'편주'를 통해서 다시금 나의 급한 성격을 다스리는 훈련을 할 수 있어 매우 기분 좋았다. 인생도 술 공부와 같다는 생각을 했다. 술 공부도 인생마냥 이렇게 배우고 익히는 과정의 연속인 것이다.

편주방 <역주방문(曆酒方文)>

술 재료 : 찹쌀 1말, 누룩가루 7홉, 백비탕 1동이(말)

술 빚는 법 :

1. 찹쌀 1말을 백세하여 (물에 백 번 씻어 매우 깨끗하게 헹군 뒤, 새 물에 담가 3일간 불렸다가 다시 씻어 말갛게 헹궈서) 물기를 빼놓는다.
2. 쌀을 불린 지 3일째 되는 날, 물 1동이를 백비탕으로 끓여 식히되 일체의 날물이 들어가지 않게 한다.
3. 씻어 건진 찹쌀은 시루에 안쳐서 질게 고두밥을 찌는데, 고두밥이 익었으면 퍼서 안반에 펼쳐놓는다.
4. 차게 식혀놓은 물을 쳐가면서 고두밥을 씻어서 차디차게 식기를 기다린다.
5. 고두밥에 뿌리고 남은 물에 누룩가루 7홉을 풀어 물누룩을 만들고, 고두밥에 뿌려가면서 치대어 인절미처럼 된 술밑을 빚는다.
6. 술독에 술밑을 담아 안치고, 쓰고 남은 물누룩을 쏟아 부은 뒤 술독 바깥 몸뚱이를 찬물로 깨끗하게 닦아 술 냄새가 나지 않게 해준다.
7. 술독은 술체를 덮어 발효시키되 술이 익을 때가 되면 곧 밀봉해서 이불로 싸매주고, 재차 숙성시켜 찹쌀 밥알이 떠오르면 채주한다.

* 주방문 말미에 "냉수로 항아리를 깨끗하게 해주어야 한다. 멸몽(蠛蠓, 초파리나 하루살이 같이 생긴 날벌레)이 생기기 쉽기 때문이다."고 하였다.

扁酒方

粘米一斗百洗浸之又以水一盆百沸猛煮而切忌生水盛置于盆三日後出浸水一斗米作飯攤置安板上而亦切忌生水取百沸水洒勻候極冷後以曲末七合同合於上百沸冷水另搗於安板上成餅調合後納于缸中限以手指第二節盛置勿褁布帒等物以篩(更更)使疏通其氣以冷水磨上過其缸可也易生蠛蠓及其熟卽褁之(緩)熟則粘米蟻上.

하삼청

우리나라에서 필자처럼 자주 술을 빚어본 사람도, 또 술을 망쳐본 사람도 아마 없을 거라고 확신한다. 특히 여름철에 술을 많이 망쳐본 사람은 더욱 없을 거라고 단언한다. 필자가 술을 망친 이유 중 하나는 술의 원리를 모른 채 막무가내로 시도한 까닭도 있지만, 여름철 술독 관리 방법을 마스터하면 어떤 계절에도 자신을 가질 수 있다는 판단에서였다. 이러한 자신감도 결국은 술을 망쳐본 경험에 의한 것이다. 따라서 필자는 '여름철 술 빚는 법' 또는 '여름철에 술을 빚기 위한 방법'을 통해 다시금 우리 술 빚는 법에 대한 공부를 많이 하게 되었고, 그만큼 다양한 경험도 쌓을 수 있었다.

필자가 망쳤던 술 가운데 몇 손가락 안에 꼽히는 술이 '하삼청(夏三淸)'이란 주품이다. '석탄주'와 함께 술 이름에 매료되어서 시도했던 주방문이었는데, '하삼청'에 소비된 쌀의 양이 12말이니 10회 정도 망친 걸로 기억한다.

'하삼청'은 <임원십육지(林園十六志)>와 <조선무쌍신식요리제법(朝鮮無雙新式料理製法)>에 등장하는 주품명으로 "이 방법은 여름철에 적합하다."고 한 데서 얕잡아보았을 뿐 아니라 단양주법(單釀酒法)이라 간편하게 여겼던 탓이 컸다.

우선 <임원십육지>와 <조선무쌍신식요리제법>에 수록된 '하삼청' 주방문은 동일하다. 술을 빚는 방법으로 "물 1말을 팔팔 끓였다가 따뜻하게 식혀서 누룩가루 3되를 섞어 풀고, 휘저어 만든 물누룩(水麴)을 술독에 담아둔다. 다음날 누룩을 베자루에 걸러 누룩찌꺼기를 제거한 물누룩(水麴)을 만들어 둔다. 멥쌀 1말을 작말한 다음 시루에 안쳐 백설기를 짓는다. 백설기가 익었으면 물누룩에 넣고, 고루 버무려 3일간 발효시키면 익는다."고 하였다.

이렇듯 간단한 주방문에 전에는 알지 못했던 비밀이 숨겨져 있으리라고는 꿈에도 생각지 못했다. 이 주방문의 함정은 첫째, "물 1말을 끓여 따뜻하게 식혀서"와 "누룩찌꺼기를 제거한 물누룩(水麴)을 만들어 둔다." 그리고 "백설기가 익었으면 물누룩에 넣고 고루 버무려"라고 한 부분이다.

여름철 따뜻하다 싶은 끓인 물의 온도가 몇 도인지, 누룩물은 어느 정도까지 주물러 짜서 누룩찌꺼기를 제거해야 하는지, 그리고 백설기는 쪄낸 즉시 섞어야 하는지, 아니면 한 김 나게 식힌 후에 사용해야 하는지, 그도 아니면 차게 식힌 후에 사용해야 하는지, 또 누룩물과 백설기는 어떤 상태가 되도록 주물러야 하는지 잘 알지 못했다.

쉽게만 여겼던 술 빚기가 점점 진흙탕 속으로 빠져드는 것 같아 좌절과 회의를 느끼기도 했지만, 수차례 실패 끝에 얻은 앎이 있었다.

그건 바로 발효 중인 술덧의 품온이 37℃를 넘게 되면 초산균의 침입이 이뤄진다는 점이다. 여름철에는 술독 안의 품온보다 술독 주변의 온도가 높은 데서 술독 안의 술덧에 영향을 미치게 되는데, 그로 인해 필요 이상으로 품온을 상승시킨다는 것이다.

단적인 예를 들면, 한여름에 빚는 경우 술독의 주변 온도가 35℃이고, 술독 안의 품온도 35℃라고 가정할 때, 발효가 어느 정도 진행되었는지 여부와는 상관없이 술독의 품온을 더 이상 상승하지 않게 해주거나 냉각시켜 주어야 한다.

그렇다면 따뜻한 물의 온도는 몇 ℃가 적당할까? 차갑지 않을 정도의 25℃ 내외가 적당하지 않을까 싶다. 또 물누룩은 밀기울 껍질만 남도록 알뜰하게 비벼서 꼭 짜야 한다. 이때 날물이 들어가지 않도록 유의하고, 백설기는 차갑지 않도록 식히는 것이 좋은데, 다소 따뜻하더라도 누룩물과 섞어서 덩어리가 없이 풀어주어야 한다. 떡이 덩어리 상태로 남아 있으면 산패하기 쉽다.

술밑을 안친 술독은 커다란 주걱이나 막대기로 수없이 휘저어서 거품이 일도록 만드는데 오래 저어줄수록 좋다. 이 시점이 발효가 일어나는 때이므로 술독은 베보자기만 씌워 놓는다. 물과 떡을 차갑게 식히지 않은 상태에서 술을 빚었으므로 발효가 빠른 시간에 일어나면서 활발해져 술덧의 품온은 상승하게 되어 있다.

따라서 술독을 밀봉하게 되면 품온의 상승에 따른 과발효가 이루어져 효모의 사멸과 함께 산패가 일어난다. 때문에 더러 "술독을 밀봉하지 말아야 한다."는 주장이 설득력을 갖는다. 발효 시 생성되는 CO_2의 배출이 용이해지면 지나친 품온의 상승은 일어나지 않기 때문이다.

그러나 밀봉하지 않은 상태의 술은 산패의 위험성은 낮지만, 알코올 도수가 낮은 술이 되기 십상이고, 잡맛이 많이 느껴질 뿐만 아니라 더욱이 여름철에는 이내 시어진다는 데 문제가 있다. 지나친 효모의 증식으로 당 소비가 많아져서 알코올 생성은 적어지며, 활발한 발효가 일어나지 않은 까닭에 느끼한 맛이 나고, 방향을 기대할 수 없어진다. 때문에 술독은 반드시 밀봉하여 혐기 상태의 발효를 유도하는 것이 바람직하다. 특히 여름철에는 주원료를 더욱 더 차게 냉각시켜서 술을 빚어야 한다.

'하삼청' 또한 밀봉하되, 술독을 서늘한 곳에 앉혀두고 발효시켜야 하며, 발효 중 품온의 상승이 32~34℃ 이내에 도달하면 곧바로 냉각을 시켜주어야 한다. 다른 계절에는 술덧의 품온을 35~37℃까지 끌어올리는 것이 바람직하다.

술독을 냉각시키는 방법으로는 독 뚜껑과 주둥이를 싸매두었던 베보자기를 벗겨서 찬바람을 쏘여주거나, 선풍기 또는 에어컨을 작동시켜 술독을 차게 식히는 방법이 있다. 여의치 않으면 술덧을 휘저어 찬 공기를 들여보내서 식혀주거나 여름철에는 찬물 속에 술독을 담가놓는 방법도 있다.

술을 빚어본 경험이 많은 사람들은, 술덧의 품온을 차게 식혀주기 위해서 술독을 열게 되면, 오히려 술덧이 뒤집히기도 하고 기포 발생이 더욱 활발해져 오래지 않아 술맛에서 신맛이 느껴지는 것을 경험했을 터이다.

그 이유인즉, 술덧의 품온을 차게 식혀주기 위해서 술독을 열게 되면, 실내의 더운 바람이 술덧에 닿게 되는데, 이때 술독의 온도는 낮아지는 것이 아니라 오히려 더 높아지거나 발효가 활발해지기 때문이다.

주지하다시피 알코올 발효는 혐기성일 때 알코올 생산이 왕성해지고, 호기성일 때 효모의 증식 활동이 활발해진다. 따라서 술독의 온도를 낮추려는 의도가 오히려 산소 공급과 함께 주변의 더운 바람으로 인해 술독의 온도가 상승하는 결과를 초래하게 된다. 이것이 여름철 술 빚기의 어려움이다.

이런 이유 때문에 술덧의 품온이 32~34℃ 이내에 도달하면 곧바로 냉각을 시켜주라고 강조하는 것이다. 술독의 온도를 낮추려는 의도가 오히려 산소 공급과 함께 주변의 더운 바람으로 인해 효모의 활동이 활발해지면서 순간적으로 2~4℃ 정도의 품온 상승을 일으키기 때문이다. 이때 상승한 온도가 효모의 사멸을 초래하므로, 후발효 중 오래지 않아 산미를 느끼게 되는 것이다.

다시 말해 술덧의 품온이 32~34℃ 이내였을 때 순간적으로 품온 상승이 일어나더라도 품온은 효모의 사멸 온도까지 올라가지 않게 되고, 발효는 활발해지기 때문에 상쾌하면서도 깨끗한 맛, 그리고 방향이 풍부한 술을 즐길 수 있게 된다.

필자는 <농정회요(農政會要)>의 '하삼청'을 통해서 술독 관리 방법을 확실히 터득하게 된 계기를 가졌다. 다만 주방문에 나와 있듯 3일간의 발효기간으로는 '하삼청'의 풍미를 제대로 느낄 수 없다는 생각이다. 그저 '맛있는 술'이라는 표현은 맞을지 모르지만, '하삼청'의 진미를 느끼려면 여름철이라도 15일 이상의 발효기간을 거쳐야 한다는 생각이다.

1. 하삼청방 <임원십육지(林園十六志)>

술 재료 : 멥쌀 1말, 누룩가루 3되, 끓여 식힌 물 1말

술 빚는 법 :
1. 물 1말을 팔팔 끓여 넓은 그릇에 퍼 담고 차게 식기를 기다렸다가, 누룩가루

3되를 불려 동당이 쳐서 물누룩을 만들어 밤재워 놓는다.

2. (다음날) 아침에 멥쌀 1말을 (백세하여 물에 담가 불렸다가, 저녁에 다시 씻어 건져서 물기를 뺀 후) 작말한다(가루로 빻는다).

3. 물누룩을 체에 거르고 주물러 짜서 누룩찌꺼기를 제거한 누룩물을 만들어 놓는다.

4. 쌀가루를 시루에 안치고 쪄서 흰무리떡이 무르게 푹 익었으면, 퍼내어 고루 펼쳐서 차게 식기를 기다린다.

5. 흰무리떡에 누룩물을 합하고, 고루 버무려 술밑을 빚는다.

6. 술밑을 술독에 담아 안치고, 예의 방법대로 하여 3일간 발효시키면 술이 익는다.

* 주방문 말미에 "이 방법은 여름철에 적합하다."고 하여 '하삼청방'은 여름에 빚는 술임을 알 수 있다. <임원십육지(林園十六志)>의 '삼일주방문'과 유사하다. <삼산방(三山方)>을 인용하였다.

夏三淸方
熟水一斗和麴末三升動盪盛缸經宿篩于布袋去滓白米一斗作末熟烝合釀三日後用之尤宜夏節. <三山方>.

2. 하삼청 <조선무쌍신식요리제법(朝鮮無雙新式料理製法)>

술 재료 : 멥쌀 1말, 누룩가루 3되, 끓여 식힌 물 1말

술 빚는 법 :

1. 물 1말을 팔팔 끓였다가 따뜻하게 식힌다.

2. 끓여 따뜻한 물에 누룩가루 3되를 섞어 풀고, 휘저어 만든 물누룩을 술독

에 담아둔다.

3. 다음날 누룩을 베자루에 걸러 누룩찌꺼기를 제거한 물누룩을 만들어둔다.

4. 멥쌀 1말을 (백세하여 하룻밤 불렸다가, 다시 씻어 건져서 물기를 뺀 다음) 작말한다.

5. 쌀가루를 시루에 안쳐 백설기를 짓는다.

6. 백설기를 (퍼서 잘게 풀어 한 김 뺀 후에) 물누룩에 넣고, 고루 버무려 술 밑을 빚는다.

7. 술독에 술밑을 담아 안치고, 예의 방법대로 하여 3일간 발효시킨다.

* 주방문 말미에 "여름철에 적합하다."고 하였다.

하삼청방(夏三淸方)

끓인 물 1말에 누룩가루 3되를 섞어 저어서 항아리에 담고 다음날 찌꺼기를 제거한다. 멥쌀 1말을 가루로 빻아 쪄서 누룩물에 넣어 술을 빚으면 3일 후 술이 익는다. 이 방법은 여름철에 적합하다. <삼산방>

하숭의 사시절주

<언서주찬방(諺書酒饌方)>은 필자가 최근 구입하여 소장하고 있는 고서(古書)로, 아직 학계에 보고되지 않은 서적이다. 책의 제목은 한문으로 쓰여 있고, "언문 글씨(한글)로 된 술과 음식방문"이라는 뜻을 담고 있다. <언서주찬방>에는 39종의 주품명과 누룩류 6종, 식초류 3종, 음식(안주)류 40여 종이 함께 수록되어 있는데, 가장 먼저 눈에 들어온 주품 중 하나가 '하숭의 사시절주'이다.

술을 빚는 사람이라면 누구라 할 것 없이 우리나라의 고온다습한 여름철이 술 빚기에 어려운 계절임을 실감함과 동시에 어떻게 하면 계절 변화에 맞춰 좋은 술을 빚을 수 있을까 하는 고민을 안고 있을 것이다. 그런데 재미있는 건 "하숭의"는 '여름철에 좋은'이란 뜻이고, "사시절주"는 '사계절 빚는 맛이 뛰어난 술'이라는 뜻이다. 그러니 "하숭의 사시절주"라는 주품명에서 이른바 모순(矛盾)을 찾을 수 있다. 여름철에는 맛이나 향기가 좋은 술을 빚기가 어렵기 때문이다. 어떻든 <언서주찬방>에 수록된 '하숭의 사시절주'의 재현 작업을 통해서 그 맛과 향기, 그리고 술 빚는 법을 찾게 되었다.

<언서주찬방>의 '하숭의 사시절주'는 두 가지 방문이 수록되어 있다. 먼저 '하숭의 사시절주'와 유사한 이름의 술로 <산가요록(山家要錄)>의 '하숭사절주'가 있다. <언서주찬방>의 '하숭의 사시절주'와 <산가요록>의 '하숭사절주'는 매우 유사한 주방문을 보여주고 있다. 동일한 주품으로 분류하고자 했으나, '하절주'와 '하절삼일주'처럼 주방문이 같으면서도 주품명이 다른 경우, 그 분류 기준을 주품명에 두었으므로 <산가요록>의 '하숭사절주'는 '사절주'와는 다른 '여름철 사절주'로 분류하였다. 또한 <언서주찬방>의 '하숭의 사시절주'는 '절주'와는 다른 '여름철의 절주'로 분류하게 되었음을 밝혀둔다. 특히 '하숭의 사시절주 또 한 법'은 <언서주찬방>의 '하일절주'와 유사하다는 점에서 '절주'의 한 가지 또는 '이법(理法)'으로 판단하였다. 실제로 <언서주찬방>의 '하숭의 사시절주'는 <산가요록>의 '하숭사절주'와는 밑술 빚는 방법이 약간 다르다. 즉 <산가요록>의 '하숭사절주'는 밑술을 빚는 방법에서 "멥쌀 1말을 세말하여 무리떡을 찌고, 물 2병을 끓여서 차게 식힌다. 무리떡이 익었으면 퍼서 식혀둔 물과 합하고 차게 식힌다."고 하여 백설기를 끓여 식힌 물과 섞어 죽 상태로 만들어 사용하는 반면, <언서주찬방>의 '하숭의 사시절주'는 "멥쌀 1말을 백세작말하여 백설기떡을 찌고, 팔팔 끓는 물 3병을 백설기떡에 섞고, 고루 풀어서 덩어리진 것이 없는 죽처럼 만들어 식기를 기다린다."고 하여 백설기와 끓는 물을 섞는다는 점에서 차이를 발견할 수 있다.

<언서주찬방>의 '하숭의 사시절주'는 밑술의 쌀 양보다 덧술의 쌀 양이 적다는 게 특징이다. 덧술의 쌀은 그 양이 밑술의 30%에 그치고, 고두밥을 쪄서 사용하는 것으로 미뤄 약간의 부드러운 감칠맛과 청주를 얻기 위한 방법일 거라 생각된다. 다시 말해 '하숭의 사시절주'는 그 특징이 밑술 빚는 법에 있다고 하겠다. 밑술 빚는 방법에서 끓는 물과 갓 쪄낸 무리떡(백설기)을 합하고 덩어리가 일절 남지 않도록 풀어놓아야 한다. 물이 뜨거우므로 떡이 잘 풀어지기는 하지만, 떡덩어리가 풀리지 않은 멍울 상태로 식게 되면 잘 삭지도 않고 독 밑에 침전되면서 골마지가 끼고 산(酸)이 올라오는 현상을 초래한다. 따라서 마치 죽 상태가 되면 곧바로 누룩과 밀가루를 섞지 말고, 죽 상태의 떡이 차갑도록 완전히 냉각되기를 기다려야 한다. 먼저 누룩과 밀가루를 한데 섞어두었다가 죽과 합하여야 밀가루가 엉키는 일이 없다.

덧술의 고두밥도 마찬가지로 서늘하게 식기를 기다렸다가 사용하는데, 빚은 술은 서늘한 곳에 두고 발효시키고, 술덧이 끓으면 즉시 찬 곳으로 옮겨서 차게 식혀주어야 술이 시어지지 않는다. 덧술의 쌀 양이 적기 때문에 술덧의 발효가 빠르고 품온의 상승이 빨라지기 때문이다.

한편 '하숭의 사시절주 또 한 방법'은 '하숭의 사시절주'와는 전혀 다른 방법이다. 백설기를 쪄서 끓는 물과 섞어 빚는 방법의 불편함에서 수월한 방법을 택한 것으로 보인다. 쌀 양보다 많은 양의 물을 사용해 죽을 쑤어 밑술의 발효를 원활하게 끌고 가려는 의도를 엿볼 수 있다.

덧술 방문은 <언서주찬방>의 '하일절주'와 <양주집(釀酒集)>의 '하시절품주', <양주방>*의 '청명향' 등에서 볼 수 있는 방법이다. 이와 같은 방문의 경우 자칫 산패를 초래할 수도 있다는 점에서 세심한 주의와 요령이 필요하다. 그 요령은 '하일절주'편에서 자세히 설명하였다.

1. 하숭의 사시절주 <언서주찬방(諺書酒饌方)>

> 술 재료 : 밑술 : 멥쌀 1말, 누룩 2되 5홉, 진말 5홉, 끓는 물 3병
> 　　　　　 덧술 : 멥쌀 또는 찹쌀 3되

술 빚는 법 :

* 밑술 :

1. 멥쌀 1말을 백세하여 (물에 담가 불렸다가, 다시 씻어 헹궈 건져서 물기를 뺀 후) 작말한다(가루로 빻는다).
2. 쌀가루를 시루에 안쳐서 백설기떡을 찌고, 솥에 물 3병을 끓이다가 떡이 익었으면 퍼내어 넓은 그릇에 담아놓는다.
3. 솥의 팔팔 끓는 물 3병을 백설기떡에 섞고, 고루 풀어서 덩어리진 것이 없게 하여 죽처럼 만들고 차게 식기를 기다린다.

4. 식은 죽(백설기떡)에 좋은 누룩 2되 5홉과 진말 5홉을 섞고, 고루 치대어 술밑을 빚는다.
5. 술밑을 술독에 담아 안치고, 예의 방법대로 하여 봄과 가을에는 5일, 여름에는 3~4일, 겨울에는 6~7일간 발효시킨다.

* 덧술 :
1. 멥쌀 또는 찹쌀 3되를 백세하여 (물에 담가 불렸다가, 다시 씻어 헹궈) 건져서 물기를 뺀다.
2. 솥에 물을 붓고 시루를 올려서 쌀을 안친 다음, 고두밥을 짓는다.
3. 고두밥이 익었으면 퍼내고, 고루 펼쳐서 가장 차게 식기를 기다린다.
4. 고두밥에 밑술을 합하고, 고루 치대어 술밑을 빚는다.
5. 술밑을 술독에 담아 안치고, 예의 방법대로 두터이 싸매어 7일간 발효시킨다.

* 주방문 말미에 "7일 만에 쓰면 청주는 3병이요, 탁주는 1동이니 맛이 이화주 같으니라."고 하였다.

하슝의 사시졀쥬─白米一斗三升 眞末五合 麴二升半 水三瓶
빅미 혼 말을 빅셰작말ᄒ야 닉게 ᄢ 글은 믈 세 병을 섯거 식거든 됴흔 누록 두 되 닷 홉과 진말 닷 홉을 섯거 독의 녀허 녀름은 사나흘이오 겨을은 여닐웨오 츈츄는 수오일 후제 빅미나 졈미나 ᄡ을 서 되를 빅셰ᄒ야 ᄢ 치와 녀흐라. 닐웬 만의 쓰면 청쥬는 세 병이오 탁쥬는 흔 동히니 마시 니화쥬 ᄀᆞ트니라.

2. 하숭의 사시절주 또 한 법 <언서주찬방(諺書酒饌方)>

술 재료 : 밑술 : 멥쌀 5되, 누룩 2되, 물(3병)
　　　　　덧술 : 멥쌀 1말, (냉수 3~4동이)

술 빚는 법 :

* 밑술 :

1. 멥쌀 5되를 백세하여 (물에 담가 불렸다가, 다시 씻어 헹궈 건져서 물기를 뺀 후) 작말한다(가루로 빻는다).

2. 솥에 물(3병)을 붓고 끓이다가 물이 뜨거워지면, 쌀가루를 풀어 넣고 팔팔 끓여서 죽을 쑨다.

3. 죽을 넓은 그릇에 퍼서 차게 식기를 기다린다.

4. 차게 식은 죽에 좋은 누룩 2되를 섞고, 고루 치대어 술밑을 빚는다.

5. 술밑을 술독에 담아 안치고, 예의 방법대로 하여 봄과 가을, 겨울에는 4~5일, 여름에는 3일간 발효시킨다.

* 덧술 :

1. 멥쌀 1말을 백 번 씻어 백세하여 (물에 담가 불렸다가, 다시 씻어 헹궈 건져서 물기를 뺀 후) 시루에 안쳐서 고두밥을 짓는다.

2. 고두밥이 익었으면 시루째 떼어 '바조' 위에 올려놓고, 찬물을 고루 많이 뿌려서 고두밥을 가장 차게 식힌다.

3. 고두밥에 물기가 빠지길 기다렸다가, 차가워졌으면 밑술을 합하고 고루 치대어 술밑을 빚는다.

4. 술밑을 술독에 담아 안치고, 예의 방법대로 하여 7일간 발효시킨다.

* 주방문 말미에 "누룩을 잘게 빻아 볕 쬐어 잡내 없앤 후에 쓰되, 독을 가장 낡은 것을 골라 연기(내) 쏘여 넣으라."고 하였다. '바조'는 술짜는 틀(酒槽)을 가리킨다.

하승의 사시졀듀 쏘 흔 법

쏘 흔 법은 빅미 흔 되를 빅셰작말ᄒᆞ야 죽 수어 식거든 됴흔 누룩 두 되를 섯 거 녀허 겨울흔 ᄉᆞ오일이오 녀름은 삼일 츈츄는 ᄉᆞ오일 만의 빅미 흔 말을 빅 번 시서 닉게 뼈 그 실를 바조 우희 노코 춘믈로 ᄀᆞ장 추도록 눌와 믈 쎅거든 젼 미틀 내여 섯거 독의 녀허 닐웨 후에 쓰라. 누록을 즐게 ᄆ아 볃 뙤야 잡내 업슨 후에 쓰되 독을 ᄀ장 니그니를 긇히야 닋 뽀여 녀흐라.

하시절품주

스토리텔링 및 술 빚는 법

연대와 저자 미상의 <양주집(釀酒集)>에 수록되어 있는 주품으로, '하시절품주(夏時節品酒)'라는 주품명이 눈길을 끌었다. '하시절품주'는 "여름철에 빚는 술로 맛과 향 등 품질이 뛰어나다."는 뜻에서 유래한 술 이름이다. '하시절품주'는 술이름 그대로 여름철에 빚는 술임에도 불구하고, 여느 주방문과는 매우 독특한 점을 발견할 수 있다.

먼저 '하시절품주'와 비슷한 이름의 여름 술로, 기록에서 찾을 수 있는 것만도 '하엽청', '하절주', '하절지주', '하일약주', '하일점주', '하일청주', '하절삼일주' 등이 있다. 이들 주품의 양주기법은 '하일약주'나 '삼일주'와 같이 죽(粥)으로 하는 경우, '하삼청방', '하절삼일주', '여름지주'와 같이 백설기로 하는 경우, '하엽청', '하일점주', '하일청주', '하시주'와 같이 원료를 고두밥으로 하는 경우로 나뉜다. 또한 이러한 분류를 통해서 여름철 술 빚기가 '백설기'와 '고두밥' 중심으로 이루어진다는 것과 이들 주방문의 경우 주로 수곡(水麴, 물누룩)과 끓인 물을 선호한다는 것을 알 수 있다.

여름철 주방문의 또 다른 특징은 단양주(單釀酒)이거나 속성주(速成酒)가 주류를 이룬다는 사실이다. 여름철은 기온이 높기 때문에 발효기간이 짧아질 수밖에 없긴 하지만, 궁극적으로는 잡균의 오염에 의한 산패를 방지하기 위해 오히려 높은 온도에서 단시간에 발효를 촉진시키는 방법을 추구한다는 공통점을 발견하게 된다.

그러나 '하시절품주'의 경우, 이양주(二釀酒)라는 사실과 함께 밑술을 구멍떡 형태로 하여 빚고, 덧술용 고두밥을 냉수로 냉각시키는 방법을 보이고 있다. 특히 고두밥을 찬물로 냉각시키는 방법을 취하고 있는 주방문으로 <양주집>의 '하시주'와 <양주방>*의 '청명향'을 들 수 있는데, 이 같은 술 빚기는 여름철 주류에서는 매우 드문 경우이다.

주방문에서 보듯 "뫼쌀 一升 ㄱ로 떠어 구무떡 비저 믈 두 복즈이 살마 ㄱ로누룩 七合을 섯거 치되 살몬 믈 식여 흔듸 너허 쳐 녀허 둣다가"라고 하여 떡 삶는 물이 그대로 사용되고, "괴거든 粘米 一斗 닉게 뼈 찬믈이 밧트되 가장 차게 밧타 밋술이 섯거다가 七日 後이 쓰라."고 하였으므로 덧술의 시기가 매우 중요하다는 것을 알 수 있다. 밑술이 끓을 때 덧술 쌀을 준비하고 곧바로 덧술을 해 넣음으로써, 덧술의 안정적인 발효를 유도하고 있음을 볼 수 있다. 덧술 고두밥을 찬물로 냉각시킬 경우 자연스럽게 초래되는 오염원에 대한 대비책과 함께 별도의 양주용수가 사용되지 않은 까닭이다. 다만, 이때 주의할 일은 고두밥을 식힐 때 사용되는 찬물은 지하수나 샘물을 뜻하는 것이지 수돗물은 아니라는 것이다. 수돗물을 사용할 경우 하루 전에 오랫동안 끓여서 차게 식혀두었다가 사용해야만 한다.

<양주집>의 '하시절품주'와 '하시주', <양주방>*의 '청명향' 등에서 보듯 술 빚을 고두밥을 찬물로 씻어 냉각하는 방법은 특별한 목적이 있다.

첫째, 술의 알코올 도수가 높고 맑은 술 빛깔을 자랑하기 위함이다. 둘째, 구멍떡으로 빚는 술의 특징인 강한 방향(芳香)을 나타내며, 부드러우면서도 콕 쏘는 듯한 맛으로 상쾌함을 주기 위함이다. 따라서 여느 여름 술과는 다른 맛과 향을 자랑한다.

<양주집>의 '하시절품주'는 매우 부드럽고 감칠맛이 좋은 술로, 쏘는 듯한 강한 향기야말로 '하시절품주'만의 돋보이는 장점이라 하겠다.

하시절품주 <양주집(釀酒集)>

술 재료 : 밑술 : 멥쌀 1되, 가루누룩 7홉, 끓는 물 2복자
　　　　덧술 : 찹쌀 1말, (냉수 2말)

술 빚는 법 :

* 밑술 :

1. 멥쌀 1되를 (백세하여 물에 담갔다가, 새 물에 다시 씻어 맑게 헹궈 건져서 물기를 뺀 후) 작말한다(가루로 빻는다)
2. 쌀가루를 뜨거운 물로 익반죽하여 구멍떡을 빚는다.
3. 물 2복자를 끓여 구멍떡을 넣고 삶아 그릇에 건져내어 차게 식기를 기다리고, 떡 삶은 물도 퍼서 차게 식힌다.
4. 구멍떡에 떡 삶은 물과 가루누룩 7홉을 섞고, 고루 치대어 술밑을 빚는다.
5. 술독에 술밑을 담아 안치고, 예의 방법대로 하여 3일간 발효시킨다.

* 덧술 :

1. 찹쌀 1말을 백세하여 물에 오래 담갔다가 (새 물에 다시 씻어 맑게 헹궈 건져서 물기를 뺀 후) 시루에 안쳐서 고두밥을 짓는다.
2. 고두밥이 익었으면 소쿠리에 퍼 담고, 찬물을 흠씬 뿌려 골고루 식히되 매우 차게 하여 물기가 빠지게 밭쳐놓는다.
3. 고두밥에 밑술을 합하고, 고루 버무려 술밑을 빚는다.
4. 술독에 술밑을 담아 안치고, 예의 방법대로 하여 (차지도 덥지도 않은 곳에 두고) 7일간 발효시킨다.

* 술이 익으면 진밥 상태가 되어 있으므로 냉수를 쳐가면서 체에 걸러 막걸리를 만들어 마신다. 여름철 양조가 용이하지 못한 점을 감안하여 주방문을 만든 것으로 여겨지며, 이 술과 비슷한 주방문으로 <양주방>*의 '청명향'을

들 수 있다.

* 밑술에서 '물 2복자를 끓여 구멍떡을 넣고 삶은 다음 건져낸다.'고 하였는데,
  이는 쌀가루를 익반죽할 물의 양과는 다른 물로 생각해야 된다.

夏時節品酒

뫼뿔 一升 フ로 삐어 구무쩍 비저 믈 두복즈이 살마 フ로누록 七合을 섯거
치되 살믄 믈 식여 흔듸 너허 쳐 녀허 둣다가 괴거든 粘米 一斗 닉게 뼈 찬믈
이 밧트되 가장 차게 밧타 믿술이 섯거다가 七日 後이 쓰라.

하일약주

<수운잡방(需雲雜方)>에 수록된 주방문의 수는 총 64가지에 이르며, 그 중 '우법(又法)', '일방(一方)', '별법(別法)' 등으로 표현되는 소위 '이법(異法)'이 등장한다. '이법'이 함께 수록된 주품명은 '사오주', '하일약주', '하일점주', '소국주', '백출주', '이화주', '벽향주', '삼오주', '포도주', '예주' 등 10개 주품명으로 '이법'은 13가지나 된다. 이와 같은 '이법'의 특징은 쌀 양이나 물의 양과 관련해 술의 양을 늘리거나 술 빚는 법을 간편하게 하고자 작성된 것이 일반적이다.

'하일약주(夏日藥酒)'는 <수운잡방>에서만 목격되는 주품명으로, '하일약주'와 '우(又) 하일약주' 두 가지 주방문을 볼 수 있다. '우 하일약주' 역시 간편하게 술 빚는 법을 취하고 있다.

본 방문이라고 할 수 있는 '하일약주'에 비해 밑술의 쌀 양을 줄여 빚고, 밀가루를 사용하는 점에서 차이가 있다. 또 덧술은 전량 찹쌀로만 빚는데 찐 떡을 만들어 사용한다는 점에서 많은 변화를 시도하고 있음을 알 수 있다.

우선 '하일약주'는 "멥쌀 3말을 백세세말한 다음 끓는 물 7사발을 골고루 합하고, 주걱으로 고루 개어 죽(범벅)을 쑨 뒤, 차게 식기를 기다린다. 차게 식은 죽(범벅)에 누룩 5되를 섞어 3일간 발효시킨다. 덧술은 멥쌀 4말과 찹쌀 1말을 각각 백세하여 시루에 안쳐 무른 고두밥을 짓는다. 다른 솥에 물 5말을 끓이다가 고두밥이 익었으면 끓는 물 5말을 고두밥에 골고루 붓는다. 고두밥이 물을 고루 다 먹었으면, 차게 식기를 기다렸다가 밑술을 합하고 고루 버무려 7일간 발효시킨다."고 하였다.

이처럼 '하일약주'의 밑술 빚는 법이 어렵고 힘들기 때문에 '우 하일약주'를 빚게 되었을 거라 확신한다. 그만큼 '하일약주'는 밑술 빚기가 정말 힘이 들기 때문이다.

필자의 경험을 예로 들면, 멥쌀 3말을 가루로 빻아 끓는 물 7사발로 범벅을 쑤자면 젖 먹던 힘까지 다 쏟아야 하고, 누룩을 섞는 데도 힘이 부친다. 물이 적기 때문이다. 심지어 그렇게 힘든 과정을 거쳐 빚었던 밑술이 발효 중 술밑이 끓으면서 술독 밖으로 넘치기 십상이고, 찬물에 술독을 담가서 냉각을 시켜도 술밑이 술독 밖으로 넘치는 걸 막을 수 없다.

이러한 문제를 극복하기 위해 갖가지 방법을 시도했다. 그 해결책으로 멥쌀은 충분히 씻어 불렸다가 여러 번 빻아서 고운 가루를 만들고 고운체에 쳐서 사용한다. 또 물은 반드시 주전자에 담아 팔팔 끓여서 불에서 내린 즉시 쌀가루에 골고루 나누어 붓고, 주걱으로 재빨리 저어주면서 덩어리를 풀어 끓는 물과 쌀가루가 고루 섞이게 한다. 범벅을 균일하게 갠 다음, 그릇 위에 뚜껑을 덮어 밀봉하여 천천히 식도록 기다리는 것이다.

이와 같은 방법은 쌀가루가 고르게 익고 충분히 뜸을 들이는 효과가 있다. 그러자면 뚜껑을 덮은 채로 하룻밤 재워 저절로 식을 때까지 기다렸다가 덧술을 하는 것이 최상의 방법이다.

또한 차게 식힌 범벅이 누룩과 고루 조화되도록 가능한 한 많이 치대는데, 이는 발효 중에 자칫 끓어 넘치거나 발효가 늦어져 잡균에 의한 오염 가능성을 예방할 수 있다.

덧술은 주방문에서 보듯 찹쌀을 백세하여 바로 고두밥을 찌라고 되어 있으나, 대략 6~8시간 정도 불렸다가, 다시 씻어 헹군 후 시루에 안치는 것이 고두밥을 무르게 잘 찔 수 있는 비결이다. 고두밥 역시 시루에서 꺼낸 즉시 팔팔 끓는 물을 부어 고르게 흡수되도록 하고, 충분히 식힌 후에 밑술과 합해서 잘 치댄 다음 안치는 것이 좋다. 더운 여름철에 빚는 술이라고는 하지만 실내 온도를 가능한 한 낮추거나 서늘한 곳에서 발효시키는 것이 술맛이 시어지지 않는 방법임을 명심해야 한다. 이상의 방법을 이해하고 나면 '우 하일약주'를 빚는 방법이 얼마나 쉬운 일인지 깨닫게 된다. 다만, 주의할 점은 덧술의 찰떡을 찌는 일이다. 주방문에 구체적으로 언급하였듯이 찹쌀가루를 한꺼번에 안치지 말고 등분하여 익어가는 것을 보아가면서 안쳐야 한다. 쌀가루를 안칠 때 시간이 늦어지고 켜가 두꺼워지면 젓가락으로 군데군데 찔러서 동전 크기의 구멍을 뚫어주어 김이 잘 올라오도록 해주는 것도 한 가지 방법이다.

이 외에도 주의할 점은 찰떡이 익기 전에 끓고 있는 물을 준비했다가 바로 섞는데, 주걱으로 찰떡을 잘게 쪼개서 물에 푹 잠기도록 해주는 일이 중요하다. 찰떡은 끓는 물에도 잘 풀어지지도 않거니와 실내에 그냥 방치하면 떡이 마르거나 굳어져서 술 빚기가 힘들 수 있으므로, 반드시 끓는 물과 합한 즉시 주걱으로 으깨서 죽처럼 만든 후, 시간이 걸리더라도 한 개의 그릇에 담아 차게 식히는 것이 바람직하다.

여름철 술은 떡이나 죽, 고두밥 등이 차게 식지 않은 상태 또는 쌀이 균일하게 익지 않은 상태에서 빚기 때문에 과발효를 초래하여 실패하는 경우가 대부분이기 때문이다.

'하일약주'는 밑술의 발효기간을 3~5일 정도, 덧술은 15~20일 정도로 길게 가져가는 게 부드럽고 향이 좋았다.

'우 하일약주'는 쌀 양에 비해 누룩의 양이 많아 발효는 빨리 잘 일어나지만, 술 빛깔이 맑지 못하고 방향보다는 누룩 냄새가 많이 나는 게 단점이므로, 누룩은 고운 가루를 빼고 사용하기 전에 법제를 많이 할 것을 권하고 싶다.

1. 하일약주 <수운잡방(需雲雜方)>

술 재료 : 밑술 : 멥쌀 3말, 누룩 5되, 끓는 물 7주발
　　　　덧술 : 멥쌀 4말, 찹쌀 1말, 끓는 물 5말

술 빚는 법 :

* 밑술 :

1. 멥쌀 3말을 백세하여 (물에 담가 불렸다가, 다시 씻어 헹궈 건져서 물기를 뺀 후) 세말한다(고운 가루를 만든다).
2. 쌀가루에 끓는 물 7주발을 골고루 합하고, 주걱으로 고루 개어 죽(범벅)을 쑨 뒤, (넓은 그릇 여러 개에 나눠 담고) 차게 식기를 기다린다.
3. 죽(범벅)에 누룩 5되를 넣고, 고루 버무려 술밑을 빚는다.
4. 술밑을 술독에 담아 안치고, 예의 방법대로 하여 3일간 발효시킨다.

* 덧술 :

1. 멥쌀 4말과 찹쌀 1말을 각각 백세하여 (물에 담가 불렸다가, 다시 씻어 헹궈 건져서 물기를 뺀 후) 시루에 안쳐 무른 고두밥을 짓는다.
2. 솥에 물 5말을 끓이다가 고두밥이 익었으면 넓고 큰 그릇에 퍼내고, 끓는 물 5말을 고두밥에 골고루 붓고 주걱으로 헤쳐 놓는다.
3. 고두밥이 물을 고루 다 먹었으면, (그릇 여러 개에 나눠 담고) 차게 식기를 기다린다.
4. 차게 식은 고두밥에 밑술을 합하고, 고루 버무려 술밑을 빚는다.
5. 술밑을 술독에 담아 안치고, 예의 방법대로 하여 7일간 발효시킨다.

夏日藥酒

白米三斗百洗細末湯水七鉢作竹待冷麴五升和釀隔三日白米四斗粘米一斗百洗全蒸湯水五斗和待冷前酒和釀經七日用之.

2. 우(又) 하일약주 <수운잡방(需雲雜方)>

> 술 재료 : 밑술 : 멥쌀 1말, 누룩 5되, 밀가루 5홉, 끓는 물(5되)
>
>   덧술 : 찹쌀 2말, 끓는 물 2말

술 빚는 법 :

* 밑술 :

1. 멥쌀 1말을 백세하여 (물에 담가 불렸다가, 다시 씻어 헹궈 건져서 물기를 뺀 후) 세말한다(고운 가루를 만든다).
2. 쌀가루를 시루에 안쳐 무른 흰무리떡을 찌고, 솥에 물(5되)을 팔팔 끓인다.
3. 떡이 익었으면 넓은 그릇에 퍼내고, 끓는 물(5되)을 쪄낸 떡에 골고루 붓고, 주걱으로 고루 개어 죽처럼 만든 다음 차게 식기를 기다린다.
4. 차게 식은 죽에 누룩 5되와 밀가루 5홉을 합하고, 고루 버무려 술밑을 빚는다.
5. 술밑을 술독에 담아 안치고, 예의 방법대로 (3~5일간) 발효시킨다.

* 덧술 :

1. 찹쌀 2말을 백세하여 (물에 담가 불렸다가, 다시 씻어 헹궈 건져서 물기를 뺀 후) 작말하여(가루로 빻아) 시루에 안쳐 무리떡을 짓는다.
2. 쌀가루를 5등분하여 시루에 안쳐 무른 흰무리떡을 찌는데, 먼저 안친 떡이 익어 가면 다시 안치는 방법으로 계속하여 안쳐서 찌고, 솥에 물 2말을 팔팔 끓인다.
3. 떡이 익었으면 넓은 그릇에 퍼내고, 끓는 물 2말을 쪄낸 떡에 골고루 붓고 주걱으로 고루 개어 죽처럼 만든 후, (그릇 여러 개에 나눠 담고) 차게 식기를 기다린다.
4. 차게 식은 죽에 밑술을 합하고, 고루 버무려 술밑을 빚는다.
5. 술밑을 술독에 담아 안치고, 예의 방법대로 발효시켜 익으면 쓴다.

又 夏日藥酒

白米一斗百洗細末熟蒸湯水作醋待冷麴五升眞末五合和釀待熟粘米二斗百洗
如前法和釀用之.

하일절주

스토리텔링 및 술 빚는 법

'절주(節酒)'가 "맛이 뛰어난 술" 또는 "맛이 좋은 술"이라는 의미를 담고 있다면, '하일절주(夏日節酒)'는 "여름철에 빚는 절주" 또는 "맛이 뛰어난 술을 여름철에 빚는 법"으로 풀이된다.

'절주'가 <산가요록(山家要錄)>을 비롯해 <김승지댁주방문(金承旨宅廚方文)>, <봉접요람>, <양주방>*, <온주법(醞酒法)>, <음식디미방>, <증보산림경제(增補山林經濟)>, <한국민속대관(韓國民俗大觀)>, <홍씨주방문> 등 여러 문헌에 수록되어 있는 걸 보면 대단한 인기를 누렸을 거라 생각되는 반면, '하일절주'는 <산가요록>과 <언서주찬방(諺書酒饌方)>에만 수록되어 있을 뿐이어서 상대적으로 널리 보급되지 못한 게 아닐까 생각된다.

<산가요록>의 '하일절주'에는 "멥쌀 1말을 하루 동안 물에 담갔다가 씻어 물을 걸러내고 푹 찐다. 찹쌀 1말을 물에 담갔다가 씻어 곱게 가루 내고 끓는 물 3사발과 섞어 죽을 쑤고 앞서 만든 밥과 합쳐 식힌다. 누룩 8홉, 밀가루 2홉을 섞어 항아리에 넣는다. 7일 후에 멥쌀 2말을 푹 쪄서 식으면 누룩 1되 6홉, 밀가루

3홉을 먼저 빚은 밑술로 고르게 덧술하여 항아리에 넣는다. 14일 후에 열어 쓴 다."고 하였다.

<산가요록>의 '하일절주'는 멥쌀고두밥과 찹쌀로 쑨 죽(범벅)을 한데 합하여 식으면 소량의 누룩과 밀가루를 섞어 밑술을 빚고, 7일 후에 멥쌀고두밥과 누룩, 밀가루를 섞어서 덧술을 빚는 방식으로 그 방법이 매우 색다르다. 밑술에 사용 되는 누룩의 양이 0.04%로 매우 적어 '무국주(無麴酒)'와 유사하다. 이 양으로는 당화는 물론 잡균에 대한 대비능력 등 밑술의 안전한 발효를 도모하기가 어렵다.

따라서 잡균의 침입과 증식에 대비하기 위해 밀가루를 사용한 것으로 보여진 다. 아무리 그렇다 한들 밀가루 사용만으로는 위험 부담이 너무 크다. 그래서 밑 술의 발효기간이 '삼칠일(21일)'이나 된다는 것을 알 수 있다.

한편, 덧술은 밑술과 같은 양의 쌀 양을 사용하고, 밑술에서와 같이 누룩과 밀 가루를 사용하는데 그 양이 밑술보다 많다. 이렇듯 덧술의 누룩 양이 많이 사용 되는 경우는 매우 드물다. 이는 밑술에 사용되는 누룩의 양이 적기 때문이며, 덧 술의 발효를 안전하게 끌고 가려는 목적에서 비롯된 것이라 하겠다. 덧술의 발효 기간이 밑술보다 짧은 '이칠일(12일)'이라는 점이 이를 뒷받침해 준다.

<언서주찬방>의 '하일절주'는 멥쌀가루로 백설기를 쪄서 한 번 익힌 후, 다시 더운 물을 섞어서 인절미처럼 찐 떡을 만듦으로써 쌀가루를 두 차례 익히는 방 법을 취하고 있다. 이는 백설기가 잘 삭지 않는다는 단점을 보완하기 위한 목적 으로 판단된다.

쌀 양과 동량의 누룩을 사용함으로써 <산가요록>과는 달리 안전한 발효를 도 모하고 있다. 밑술의 발효기간이 3일에 그치는 것이 그 이유이다.

<언서주찬방>의 '하일절주'는 덧술에 찹쌀을 사용한다는 점에서도 <산가요록> 의 '하일절주'와는 차별화된다. 찹쌀을 백 번 씻어 고두밥을 짓는데, 고두밥이 익 었으면 냉수 6되를 뿌려서 고두밥을 식히는 방법으로, 여름철인 만큼 고두밥을 확실하게 냉각시켜 밑술과 섞고 술밑을 빚는다. 3일간 발효시켜 익었으면 채주한 다. 밑술과 덧술의 발효기간이 각각 3일로 총 발효기간이 6일에 그치는 속성주 에 속한다.

<언서주찬방>의 '하일절주'의 덧술 방문은 <양주방>*의 '청명향'이나 <양주

집(釀酒集)>의 '하시절품주' 등에서 찾아볼 수 있다. 이 같은 방문의 경우 자칫 산패를 초래할 수도 있다는 점에서 세심한 주의와 요령이 필요하다. 즉, 고두밥을 시루에서 퍼내기 전에 냉각시킬 냉수가 미리 준비되어 있어야 한다.

이때 사용할 냉수는 절대 수돗물을 사용해선 안 되며, 수질이 맑고 깨끗해야 하고 온도가 낮아야 한다. 고두밥이 가장 뜨거울 때 냉수를 순간적으로 퍼부어, 고두밥 전체에 냉수가 균일하게 닿도록 하는 게 비결이다. 따라서 <산가요록>과 <언서주찬방>의 '하일절주'는 매우 기교적이고 의도적으로 작성된 주방문임을 알 수 있다. 이처럼 까다롭고 복잡한 과정 때문에 상대적으로 널리 보급되지 못 했을 거란 추측을 하게 된 것이다.

1. 하일절주 <산가요록(山家要錄)>
－쌀 4말 빚이

> 술 재료 : 밑술 : 멥쌀 1말, 찹쌀 1말, 누룩 8홉, 밀가루 2홉, 끓는 물 3사발
> 덧술 : 멥쌀 2말, 누룩 1되 6홉, 밀가루 3홉

술 빚는 법 :
* 밑술 :
1. 멥쌀 1말을 백세하여 물에 담가 하루 동안 불렸다가 (다시 씻어 건져서 물기를 뺀 뒤) 무른 고두밥을 짓는다.
2. 찹쌀 1말을 백세하여 물에 담가 불렸다가 (다시 씻어 건져서 물기를 뺀 뒤) 세말한다.
3. 쌀가루에 끓는 물 3사발을 붓고, 주걱으로 고루 개어 죽(범벅)을 쑨다.
4. 고두밥이 무르게 쪄졌으면 시루에서 퍼내고, 죽(범벅)에 고루 섞은 뒤 차게 식기를 기다린다.
5. 차게 식은 죽과 고두밥 섞은 것에 누룩 8홉과 밀가루 2홉을 넣고, 고루 버

무려 술밑을 빚는다.

6. 술밑을 술독에 담아 안치고, 예의 방법대로 21일간 발효시킨다.

* 덧술 :

1. 멥쌀 2말을 백세하여 물에 담가 불렸다가 (다시 씻어 건져서 물기를 뺀 뒤) 시루에 안쳐 고두밥을 짓는다.

2. 고두밥이 무르게 쪄졌으면 시루에서 퍼내고, 고루 펼쳐 차게 식기를 기다린다.

3. 고두밥에 밑술과 누룩 1되 6홉, 밀가루 3홉을 합하고 고루 버무려 술밑을 빚는다.

4. 술밑을 술독에 담아 안치고, 예의 방법대로 하여 14일간 발효시킨다.

夏日節酒

米三斗. 白米一斗 洗浸一日 漉水全蒸. 粘米一斗 洗浸細末. 湯水三鉢 和作粥 合前飯 待冷. 匊八合 眞末二合 和入. 三七日. 白米二斗 熟蒸待冷. 匊一升六合 眞末三合 和合前酒. 令均入缸. 二七日後 開用.

2. 하일절주 <언서주찬방(諺書酒饌方)>

술 재료 : 밑술 : 멥쌀 3되, 누룩가루 3되, 더운 물 1되 5홉
          덧술 : 찹쌀 3말, 냉수 6되

술 빚는 법 :

* 밑술 :

1. 멥쌀 3되를 여러 번 씻어 (백세하여 물에 감가 불렸다가, 다시 씻어 헹궈서 물기를 뺀 후) 가루로 빻는다.

2. 끓는 물솥에 시루를 올리고, 쌀가루를 안쳐서 백설기를 익게 쪄낸다.

3. 더운(끓는) 물 1되 5홉을 백설기에 넣고, 힘껏 치대어 인절미 같은 떡을 만든다.

4. 떡(인절미)이 차게 식기를 기다렸다가 좋은 누룩가루 3되와 합하고, 고루 치대어 술밑을 빚는다.

5. 술밑은 작은 단지나 항아리에 담아 안치고, 예의 방법대로 하여 3일간 익힌다.

* 덧술 :

1. 찹쌀 3말을 백 번 씻어 (물에 담가 불렸다가, 다시 씻어 헹궈 건져서 물기를 뺀 후) 시루에 안쳐서 무른 고두밥을 짓는다.

2. 고두밥이 익었으면 넓은 그릇에 퍼 담고, 냉수 6되를 뿌려서 고두밥을 식히는데, 덜 식었으면 고루 펼쳐서 차게 식기를 기다린다.

3. 고두밥에 밑술을 합하고, 고루 치대서 술밑을 빚는다.

4. 술밑을 술독에 담아 안치고, 예의 방법대로 하여 술독을 싸맨 후 3일간 발효시킨다. 익었으면 채주한다.

하일졀쥬一白米三升 麴三升 水 七升半 粘米三斗 與下淸明酒畧同

빅미 서 되를 여러 번 죄 시서 ᄀᄅ 디허 닉게 뼈 더운 믈 ᄒ 되 닷 홉으로 무라 셕 ᄆᆞᆯ나라 츠거든 됴흔 누록ᄀᄅ 서 되를 섯거 독의 녀허 사흘 만의 졈미 서 말을 빅 번 시서 닉게 뼈 닝슈 엿 되를 ᄲ려 츠거든 젼 술을 내여 버므려 녀허 ᄲᅡ미야 삼일 후에 쓰라.

하일점주

스토리텔링 및 술 빚는 법

    '하일점주(夏日粘酒)'는 "여름날에 찹쌀로 빚는 술" 또는 "찹쌀로 빚는 여름철 술"이라는 의미로 해석된다. '하일점주'는 <수운잡방(需雲雜方)>에서만 우법(又法) 2가지를 포함하여 3가지 주방문이 목격된다. '찹쌀술' 또는 '찹쌀로 빚는 술'이라는 의미의 '점주'와는 구별된다.

    <수운잡방>의 '하일점주' 주방문을 보면 "찹쌀 2말을 백세하여 술독에 담아 안친 다음, 물 1동이를 팔팔 끓여 찹쌀을 안친 독에 붓고 3일 후 쌀을 건져서 고두밥을 짓고, 고루 펼쳐서 차게 식기를 기다린다. 쌀 담갔던 물도 다시 끓여서 차게 식을 때 까지 둔다. 다음날 고두밥에 끓여 식힌 물과 누룩 4되를 합하고, 술밑을 빚고 7일 후에 술이 많이 익는다."고 하여 단양주법(單釀酒法)의 '하일점주' 빚는 법을 볼 수 있다.

    '우(又) 하일점주'는 "찹쌀 1말을 백세하여 소독해서 준비한 술독에 담아 안친 다음, 물 1동이를 팔팔 끓여 쌀을 안친 술독에 붓는다. 3일 후 쌀을 다시 씻어 건져서 물기를 뺀 후, 시루에 안쳐서 고두밥을 짓고 익었으면 퍼내고, 고루 펼쳐서

차게 식기를 기다린다. 고두밥을 찌던 시루밑물을 그릇에 퍼서 차게 식힌다. 4일째 되는 날, 고두밥과 끓여서 식힌 시루밑물에 누룩 1되를 섞어 고루 버무려 술밑을 빚는데, 7일간 발효시킨다."고 하였다.

쌀을 불리는 과정은 동일하나 쌀 불렸던 물이 아닌 시루밑물을 사용하고, 주원료의 양은 50%, 누룩의 양은 25% 적게 사용하는 등 물의 사용 방법 및 주원료의 배합비율이 많이 바뀌었음을 알 수 있다.

또 다른 '우 하일점주'는 "멥쌀 2되를 백세하여 물에 담가 하룻밤 재웠다가, 작말하여 깁체로 쳐 끓는 물을 골고루 붓는다. 주걱으로 고루 개어 죽(범벅)을 쑨다음, 차게 식기를 기다려 누룩 2되를 죽(범벅)에 합하고, 고루 버무려 3일간 발효시킨다. 3일 후 찹쌀 2말을 백세하여 물에 담가 하룻밤 재웠다가 시루에 안쳐 한 번 찌고, 다시 고쳐 두 번 쪄서 익었으면 퍼낸다. 고루 펼쳐서 차게 식기를 기다려 밑술과 합하고, 버무려 술밑을 빚는다. 서늘한 곳에서 발효시켜 술이 맑아지면 떠서 마신다."고 하였다.

술 빚는 횟수는 이양주법(二釀酒法)으로 바뀌었고, 밑술을 죽을 쑨다고 하였으나 그 방법은 범벅이며, 덧술의 쌀을 3차례 고쳐 찌는 등 각 주방문마다 다른 주원료의 배합비율과 변화된 과정을 엿볼 수 있다.

<수운잡방>의 '하일점주' 주방문에서도 '우법'의 경우, 시루밑물의 양이 얼마나 되는지 알 수 없고, 또 '다른 우법'의 경우에서도 밑술에 사용되는 물의 양이 나와 있지 않아 주원료의 변화에 따른 맛과 향기를 알 수 없다는 아쉬움이 남는다.

이처럼 한 가지 주품명에 따른 '우법', '별법(別法)', '일방(一方)', '우일방(又一方)'의 주방문이 등장한 이유는 본법(本法)에 의한 맛이나 향기, 알코올 도수 등에서 아쉬움을 느꼈기 때문이었을 텐데, 아마도 방법을 달리해서 빚은 '우법'에서조차도 또 다른 부족함을 느꼈던 모양이다.

하지만 예상컨대 문제의 근원은, 여름철 주변의 온도와 습도가 높아 주원료의 냉각이 잘 이뤄지지 않는다는 점과 양주용수 등의 오염균 때문으로 추정된다.

'하일점주'의 3가지 주방문에서 공통적으로 나타나듯 주원료를 '차게 식거든' 또는 '식기를 기다려'라는 표현을 사용해 강조하고 있다. 이는 주원료가 제대로 냉각되지 않으면 과발효를 초래하기 십상이고, 다른 한편으로는 죽이나 떡, 고두밥을 차게 냉각시킨다는 것이 건조된 결과로 나타나 감패를 초래하기 때문이다. 또 술 빚기에 사용한 물이 모두 '끓는 물'이거나 '끓여 식힌 물'인 까닭도 오염균에 의한 변질을 예방하기 위함이다.

그도 그럴 것이 술을 빚다 보면, 주원료의 선택이나 양주방법, 발효방법, 발효기간 등 갖가지 요인에 따라 술의 맛과 향기, 색깔, 알코올 도수 등에서 미묘한 차이를 느끼게 되는데, 어느 것 한 가지도 만족스럽지 못할 때가 많다.

그 이유를 생각하건대 술을 빚는 사람의 입맛이나 감정 상태, 그리고 술을 빚는 시기의 온도와 습도 조건이 그때그때 다르고, 특히 시간이 지날수록 술맛과 향기, 색깔, 알코올 도수 등의 인식 척도가 달라지기 때문이다. 얘긴인즉, 경륜이 쌓일수록 술을 알게 된다는 말이다. 기대치는 높아진 데 반해 주질에 대한 만족도는 더 엄격해지기 마련이다. 그 증거로 '별법'이나 '우법'의 주방문과 특정 문헌에만 등장하는 주품들이 대개 여러 문헌에 빈번히 등장하는 주품들, 즉 '소곡주', '부의주', '벽향주', '과하주', '연엽주', '삼해주', '녹파주', '하향주', '점주' 등과 같은 주품들의 맛과 향기, 색깔, 알코올 도수와 비교해 볼 때 전반적으로 미치지 못하는 면이 있다. 이는 기껏해야 몇 십 년 또는 몇 년의 경륜으로 새로운 주방문을 만들어 완성한 주품들이 선조들이 수백 년 동안 수많은 시행착오를 거치고, 문제점들을 보완해 완성한 주방문을 뛰어넘는다는 게 결코 쉬운 일이 아님을 말해 준다 하겠다.

1. 하일점주 <수운잡방(需雲雜方)>

술 재료 : 찹쌀 2말, 누룩 4되, 탕수 1동이

술 빚는 법 :
1. 찹쌀 2말을 백세한 다음, 술독에 담아 안친다.
2. 물 1동이를 팔팔 끓인 뒤, 찹쌀을 안친 독에 붓고 3일간 (덮어) 둔다.
3. 3일 후 쌀을 건져서 고두밥을 짓고, 고루 펼쳐서 차게 식기를 기다린다.

4. 쌀 담갔던 물도 다시 끓여서 차게 식을 때까지 둔다.

5. 다음날 고두밥에 끓여 식힌 물과 누룩 4되를 합하고, 고루 버무려 술밑을 빚는다.

6. 술독에 술밑을 담아 안치고, 예의 방법대로 하여 발효시키면 7일 후에 술이 많이 익는다.

夏日粘酒

粘米二斗百洗納瓮熟水一盆幷注待三日右水更湯蒸飯待冷翌日麴四升和釀七日方熟.

2. 우(又) 하일점주 <수운잡방(需雲雜方)>

술 재료 : 찹쌀 1말, 누룩 1되, 탕수 1동이

술 빚는 법 :

1. 찹쌀 1말을 백세하고, 소독하여 준비한 술독에 담아 안친다.

2. 물 1동이를 팔팔 끓여 쌀을 안친 술독에 붓는다.

3. 3일 후 쌀을 다시 씻어 건져서 물기를 뺀 후 시루에 안쳐서 고두밥을 짓고, 익었으면 퍼내 고루 펼쳐서 차게 식기를 기다린다.

4. 고두밥을 찌던 시루밑물을 그릇에 퍼서 차게 식힌다.

5. 4일째 되는 날, 고두밥과 끓여서 식힌 시루밑물에 누룩 1되를 섞고, 고루 버무려 술밑을 빚는다.

6. 술독에 술밑을 담아 안치고, 예의 방법대로 하여 7일간 발효시킨다.

* 시루밑물의 양이 얼마나 되는지 알 수 없다.

又 夏日粘酒
粘米一斗百洗納瓮熟水一斗幷納瓮過三日右米熟蒸同蒸水和麴一升和釀七日
澄淸浮蛆泛.

3. 우(又) 하일점주 <수운잡방(需雲雜方)>

술 재료 : 밑술 : 멥쌀 2되, 누룩 2되, 물(5~6되)
　　　　 덧술 : 찹쌀 2말

술 빚는 법 :
1. 멥쌀 2되를 백세하여 물에 담가 하룻밤 재웠다가 (다시 씻어 헹궈서 물기를
   뺀 후) 작말한다(가루로 빻는다).
2. 쌀가루를 깁체로 쳐서 내리고, 끓는 물(5~6되)을 골고루 부어 주걱으로 고
   루 개어 죽(범벅)을 쑨 다음, 차게 식기를 기다린다.
3. 누룩 2되를 죽(범벅)에 합하고, 고루 버무려 술밑을 빚는다.
4. 술독에 술밑을 담아 안치고, 예의 방법대로 하여 3일간 발효시킨다.

* 덧술 :
1. 3일 후 찹쌀 2말을 백세하여 물에 담가 하룻밤 재웠다가 (다시 씻어 헹궈서
   물기를 뺀 후) 시루에 안쳐 한 번 찌고, 다시 고쳐 두 번 쪄서 익었으면 퍼내
   고, 고루 펼쳐서 차게 식기를 기다린다.
2. 고두밥을 밑술과 합하고, 버무려 술밑을 빚는다.
3. 술독에 술밑을 담아 안치고, 서늘한 곳에서 발효시킨다.
4. 술이 맑아지면 떠서 마신다.

* 밑술에 사용되는 물의 양이 나와 있지 않다. 덧술의 쌀 양을 고려하여 물의

양을 산정하였다.

又 夏日粘酒

白米二升更春百洗浸一宿作末重篩湯水作醅待冷好麴二升和釀第三日粘米二
斗百洗浸一宿再蒸待冷前酒和釀置凉處待淸用之.

하일주

스토리텔링 및 술 빚는 법

우리나라와 같이 계절풍의 영향을 받는 나라는 기후 조건상 술을 빚기가 쉽지 않다는 사실을 수차례 언급한 바 있다. 그 근거로 특별히 여름철 양주법에 대해 언급한 주품명과 주방문들이 상당수 등장한다는 것을 예로 들었다.

여름철 술이라는 직접적인 주품명과 주방문을 예로 들면, '하삼청'을 비롯하여 '하숭사시절주', '하숭사절주', '하시절품주', '하시주', '하양주', '하엽주', '하월수중양법', '하일두강주', '하절이화주', '하일약주', '하일점주', '하일청주', '하일청향죽엽주', '하절삼일주', '하절주', '하절불산법' 등 수없이 많다.

<요록(要錄)>의 '하일주(夏日酒)' 역시 여름철 술이다. 그런 의미에서 여름철 술 빚는 방법에서 크게 벗어나지 않는다고 할 수 있다.

문제는 여름철이라도 술이 맑아야 하고, 동시에 향기와 맛도 좋아야 하는데, 여름철은 주변 온도와 습도가 높아 과발효로 인한 산패와 혼탁 현상을 초래하기 쉽다는 점이다. 따라서 인위적으로 발효부진을 유도해야 한다. 일반적으로 양주용수를 적게 사용하여 발효시킨 밑술을 이용함으로써 의도적으로 발효를 더디게

유도하는 방법이 있다. 또 물누룩(水麴)을 만들어두었다가 백설기를 쪄서 빚고 3일간 발효시키는 방법도 강구하기도 한다.

여름철 술 빚는 법의 전형적인 특징을 반영하고 있는 주방문을 보면, 첫째는 단양주(單釀酒)로서 백설기를 사용하여 술을 빚는다는 것이다.

둘째는 끓여서 차게 식힌 물에 가루누룩을 풀어 물누룩을 만들어 하룻밤 불려놓았다가 찌꺼기를 제거한 누룩물을 만들어 사용한다는 것이다.

셋째는 밀가루를 사용하여 잡균의 억제와 함께 적당한 산미(酸味)를 부여해 상쾌한 맛을 부여하기도 한다.

이러한 방법들은 간편하면서도 빠른 기간 내 술을 익히되 감칠맛과 함께 적당한 산미를 갖춘 탁주를 얻기 위한 방문이라 할 수 있다. 특히 체에 걸러서 탁주로 마신다는 점에서 여름철 술의 특징을 찾을 수 있다. 여름철은 높은 온도와 함께 갈증을 느끼기 쉬운데, 3일이라는 단기간에 걸친 발효를 통해 잔당으로 인한 단맛과 누룩물로 빚는 술에서 나타나는 산미가 적절하게 조화를 이뤄 백설기로 빚는 술에서 느낄 수 있는 그 감칠맛이 배가되어 자꾸만 마시고 싶어지고, 시원한 맛까지 동시에 준다는 점에서 선호되는 주방문이라 할 수 있다.

하지만 <요록>의 '하일주'는 다르다. 주방문을 보면, "백미 1말을 백 번 씻어서 곱게 가루로 만들어 끓는 물 7사발을 부어 술죽을 쑤어 식은 후에 누룩가루 4되와 밀가루 4홉을 섞어놓는다. 3일이 지난 후에 백미 3말을 백 번 씻어서 가루로 만들어 끓는 물 2말 5되와 섞어서 식은 후 앞서의 주본에 섞어 빚어놓았다가 7일 후에 사용한다."고 하였다.

<요록>의 '하일주'는 두 차례에 걸쳐서 범벅을 쑤어 빚고, 누룩과 밀가루는 밑술에만 한 차례 사용하는데, 술의 발효기간은 총 10일이어서 속성주류로 분류할 수 있다. '하일주'처럼 두 차례에 걸쳐서 범벅을 쑤어 술을 빚는 주방문은 매우 드물기도 하거니와 덧술의 발효기간이 7일이라는 점에서 자칫 산패로 이어질 수도 있다. 절대 다수의 여름철 술에서 밑술은 죽이거나 흰무리떡을 만들어 다시 끓는 물과 섞어서 죽 형태로 빚어 3일 만에 채주하는 게 주류를 이룬다. 굳이 '하일주'와 유사한 주방문을 찾는다면, <수운잡방(需雲雜方)>의 '하일약주 우방'과 <양주집(釀酒集)>의 이양주법(二釀酒法) '삼일주' 등을 들 수 있다.

'하일약주 우방'은 밑술과 덧술 모두 백설기를 쪄서 끓는 물과 섞어 다시 죽처럼 만들어 사용하는 방법이고, '삼일주'는 밑술과 덧술을 다 같이 죽으로 하는 방법이다.

그만큼 '하일주'는 독특한 방법으로 이루어진 주방문이며, '하일주'에 한 차례 더 범벅을 만들어 덧술을 한다면 '삼해주'와 같은 명주가 될 수도 있다.

<요록>의 '하일주'를 빚으려면 특히 덧술의 범벅을 쑬 때 주의해야 한다. 쌀의 양이 많은 반면 끓는 물의 양은 많지 않으므로 고루 익힐 수 있는 방법을 찾아야 한다. 그 방법은 쌀가루와 물을 등분하여 여러 그릇에 나누어 범벅을 쑤도록 하고, 완전히 차게 식혀야 한다.

'하일주'의 맛과 향기는 덧술의 범벅을 얼마만큼 고루 익히고 차게 식혀서 사용하는가에 달려 있다. 여름철이기 때문이다.

하일주 <요록(要錄)>

> 술 재료 : 밑술 : 멥쌀 1말, 누룩가루 4되, 밀가루 4홉, 끓는 물 7사발
> 덧술 : 멥쌀 3말, 끓는 물 2말 5되

술 빚는 법 :

* 밑술 :

1. 멥쌀 1말을 백세하여 (물에 담가 불렸다가, 다시 씻어 말갛게 헹궈서 물기를 뺀 후) 작말한다(가루로 빻는다).
2. 솥에 물 7사발을 팔팔 끓여 쌀가루에 골고루 합하고, 주걱으로 무수히 저어 반생반숙의 범벅을 쑤어놓는다.
3. (범벅을 담은 그릇에 뚜껑을 덮어) 범벅이 차게 식기를 기다린다.
4. 범벅에 누룩가루 4되와 밀가루 4홉을 한데 합하고, 고루 힘껏 치대어 술밑을 빚는다.

5. 술밑을 술독에 담아 안치고, 예의 방법대로 하여 3일간 발효시킨다.

* 덧술 :
1. 멥쌀 3말을 백세하여 (물에 담가 불렸다가, 다시 씻어 헹궈서 물기를 뺀 후)
   작말한다(가루로 빻는다).
2. 솥에 물 2말 5되를 팔팔 끓여 쌀가루에 골고루 합하고, 주걱으로 무수히 저
   어 반생반숙의 범벅을 쑤어놓는다.
3. (범벅을 담은 그릇에 뚜껑을 덮어) 범벅이 차게 식기를 기다린다.
4. 범벅에 밑술을 한데 합하고, 고루 힘껏 치대어 술밑을 빚는다.
5. 술밑을 술독에 담아 안치고, 예의 방법대로 하여 7일간 발효시켜 익기를 기
   다린다.

夏日酒
白米一斗百洗細末熟水七鉢作醅待冷麴四升交合三日後白米三斗百洗(全)蒸
水二斗五升和之待冷出前本合造七日後用之.

하일청주

스토리텔링 및 술 빚는 법

여름철에 맑은 술을 빚는 법이 '하일청주(夏日淸酒)'이다. 사실 '하일청주'라는 주품명에는 "여름철에는 맑은 술을 얻기가 힘들다"는 이면의 또 다른 뜻이 숨겨져 있다. 바로 그런 점에서 '하일청주'의 주방문을 주시할 필요가 있다.

'하일청주'는 두 가지 방법이 전해온다. '하일청주'의 주방문은 <수운잡방(需雲雜方)>과 <요록(要錄)>, <주찬(酒饌)>에서 찾아볼 수 있다. <수운잡방>과 <요록>에는 찹쌀로 빚는 단양주법(單釀酒法)의 동일한 주방문이 수록되어 있고, <주찬>에는 멥쌀로 빚는 이양주법(二釀酒法)의 주방문이 수록되어 있다.

<수운잡방>과 <요록>의 '하일청주' 주방문에서는 "찹쌀 3말을 백세하여 술독에 담아 안치고, 팔팔 끓는 물 2바리(동이)를 쌀에 부어 두었다가, 다음날 쌀은 건져서 고두밥을 짓는다. 쌀을 담갔던 물은 팔팔 끓여서 쪄낸 고두밥과 합하여 두었다가, 고두밥이 물을 다 먹으면 차게 식힌 후, 누룩 6되와 섞어서 발효시킨다."고 하였다.

이처럼 쌀을 불렸던 물을 양주용수로 사용하는 예의 주방문은 흔치 않다. 약간

의 차이는 있지만 <군학회등(群學會騰)>을 비롯하여 <동의보감(東醫寶鑑)>, <양주방>*, <임원십육지(林園十六志)>, <주찬>, <홍씨주방문>에 있는 단양 주법의 '백화춘'이란 주품의 주방문에서도 찾아볼 수 있다.

이와 같이 술 빚을 쌀을 끓는 물에 담가 하룻밤 불리면, 발효에 필요한 미네랄 성분 등 효모의 영양원이 다 소실되기 마련이어서 발효부진으로 나타날 뿐 아니라, 쌀은 자칫 파쇄미가 많아져 탁한 술이 될 소지가 다분한데, 굳이 이와 같은 방법을 추구하게 된 이유가 무엇일까?

주지하다시피 '하일청주'라는 주품명에서 그 해답을 찾을 수 있다. 청주(淸酒)라는 의미는 '맑은 술'이라는 뜻과 함께 '향기와 맛좋은 술'이라는 뜻도 내포하고 있다. 청주는 술이 맑아야 하고 동시에 향기와 맛도 좋아야 하는데, 여름철은 주변 온도와 습도가 높아 과발효로 인한 산패와 혼탁 현상을 초래하기 쉽다. 그래서 인위적으로 발효부진을 유도하게 된 것이다. 이게 바로 '하일청주' 주방문에 담겨진 비밀이다. 여기서 발효가 부진해진다는 것은 일반적인 주방문과 비교하여 발효가 더디다는 것으로, 이와 같은 기법을 동원하면 여름철의 양주에서 과발효를 어느 정도 예방할 수 있다는 점에서 주목할 필요가 있다.

'하향주'나 '감향주'가 여름철에도 따뜻하게 하여 발효시키는 술이라는 점에서 참고할 가치가 있듯이 말이다. 또한 발효부진에 따라 잔당이 많아지고 단맛으로 인한 술 향기가 좋아지는 이유가 되기도 한다. 물론 찹쌀 3말에 비례해 누룩 6되의 양은 20%에 해당하므로 많다고 할 수 있으나, 여름철 양조라는 사실을 감안하면 크게 문제되지 않는다. 법제를 많이 하면 청주의 의미를 충분히 살릴 수 있다.

한편, <주찬>의 '하일청주'는 "멥쌀 3되를 백세작말하여 구멍떡을 만들어 끓는 물에 삶아낸 후, 차게 식기를 기다려 누룩가루 3되와 섞고, 고루 버무려 밑술을 빚는다. 멥쌀 3말을 백세하여 고두밥을 짓는데, 고두밥이 익었으면 솥에서 시루를 떼어 쳇다리 위에 올려놓고, 생수를 계속 부어 주면서 고두밥을 차게 식혀서 밑술을 합하고, 고루 버무려 술밑을 빚는다."고 하여 <수운잡방>이나 <요록>의 주방문과는 많은 차이를 보여주고 있다.

이러한 예는 <음식디미방>을 비롯해 여러 문헌에 등장하는 '하향주'의 밑술 주방문과 동일하다고 볼 수 있다. 단지 그 양이 3배에 해당할 뿐 다른 차이가 없으며, 양주용수를 적게 사용해 발효시킨 밑술을 이용함으로써, 의도적으로 발효를 더디게 유도하는 방문이라고 할 수 있다.

또한 <주찬>의 '하일청주'는 덧술을 빚는 방법에서 <양주집>의 '하시절품주'와 <양주방>*의 '청명향'의 덧술 방문을 연상케 한다. 여름철에 맑은 청주를 얻기 위한 다양한 기교를 엿볼 수 있다 하겠다.

1. 하일청주 <수운잡방(需雲雜方)>

술 재료 : 찹쌀 3말, 누룩 2되, 끓여서 식힌(쌀 담근) 물 2바리

술 빚는 법 :

1. 찹쌀 3말을 백세한 다음, 말갛게 헹궈 건져서 술독에 담아 안친다.
2. 물 2바리를 팔팔 끓인 뒤, 찹쌀을 안친 독에 붓고 3일간 (덮어) 둔다.
3. 3일 지난 다음 쌀을 건져서 고두밥을 짓고, 쌀 담갔던 물(2말)도 다시 끓인다.
4. 고두밥이 익었으면 퍼내고, 끓는 물을 쪄낸 고두밥에 골고루 부어 고두밥이 물을 다 먹고 차게 식을 때까지 둔다.
5. 고두밥에 누룩 2되를 합하고, 고루 버무려 술밑을 빚는다.
6. 술독에 술밑을 담아 안치고, 예의 방법대로 하여 발효시켜 개미(浮蟻)가 뜨면 익었으므로 떠서 마신다.

* 주방문에 "누룩을 주머니에 넣고 싸서 담그면 오래 되어도 맛이 변하지 않는다. 술의 많고 적음을 보아가며 임의대로 빚는다."고 하였다.

夏日淸酒
粘米三斗百洗湯水一盆浸三日漉出熟蒸前水更湯和飯待冷麴六升和釀蟻浮用
之裹陳麴沈之卽雖久不變味多少任意釀之.

2. 하일청주 <요록(要錄)>

술 재료 : 찹쌀 3말, 누룩 6되, 끓는 물 2동이

술 빚는 법 :

1. 찹쌀 3말을 백세한 다음, 새 물에 말갛게 헹군 다음 술독에 담아 안친다.
2. 물 2동이를 팔팔 끓인 뒤, 찹쌀을 안친 독에 붓고 하룻밤 불려놓는다.
3. 다음날 불린 쌀을 건져서 (새 물에 다시 씻어 말갛게 건져서) 고두밥을 짓는다.
4. 쌀 담갔던 물을 팔팔 끓여서 고두밥과 합하고, 주걱으로 고루 헤쳐서 차게 식기를 기다린다.
5. 고두밥이 식었으면 누룩 6되를 합하고, 고루 버무려 술밑을 빚는다.
6. 술독에 술밑을 담아 안치고, 예의 방법대로 하여 발효시켜 술이 익어 부의(개미)가 뜨는 대로 채주하여 마신다.

* <수운잡방>에서는 찹쌀 3말에 탕수 2동이, 누룩 2되의 비율로 상법(上法)대로 술을 빚기도 한다. 이때는 쌀 불린 물을 다시 끓여 고두밥에 붓고, 고두밥이 식으면 누룩을 섞어 술을 빚는다.

夏日淸酒
粘米三斗百洗湯水二盆浸宿濾出熟蒸前浸水更(調)和飯待冷麴末六升和入瓮
待熟如浮蟻用之大少以比推之.

3. 하절청주 <주찬(酒饌)>

> 술 재료 : 밑술 : 멥쌀 3되, 누룩가루 3되
>   덧술 : 멥쌀 3말, 생수(3동이)

술 빚는 법 :

* 밑술 :

1. 멥쌀 3되를 백세하여 (물에 담가 불렸다가, 다시 씻어 헹궈 건져서 물기를 뺀 후) 작말한다.
2. 쌀가루를 끓는 물로 익반죽한 다음, 한 주먹 크기로 떼어 공병을 빚는다.
3. 팔팔 끓는 물솥에 공병(구멍떡)을 넣고 삶아 떠오르면 건져내고, 덩어리 없이 풀어 죽처럼 만든다.
4. 공병(구멍떡)이 식었으면 누룩가루 3되를 합하고, 고루 치대서 죽처럼 물러지게 매우 치댄다.
5. 술밑을 술독에 안치고, 예의 방법대로 하여 3일간 발효시킨다.

* 덧술 :

1. 멥쌀 3말을 백세하여 (물에 담가 불렸다가, 다시 씻어 헹궈 건져서 물기를 뺀 후) 시루에 안쳐 무른 고두밥을 짓는다.
2. 고두밥이 익었으면 솥에서 시루를 떼어 쳇다리 위에 올려놓고, 생수를 계속 부어 주면서 고두밥을 차게 식힌다.
3. 밑술에 고두밥을 합하고, 고루 버무려 술밑을 빚는다.
4. 술독에 술밑을 담아 안치고, 예의 방법대로 하여 발효시킨다.

夏節淸酒
白米三升百洗細末作孔餠湯沸水熟烝好曲末三升合調釀之白米三斗百洗緩烝
熟出以生水酒飯待冷合調釀待熟用.

하절주

스토리텔링 및 술 빚는 법

여름철 술 빚기에 따른 여러 가지 주방문이 자주 등장하고, 그 처방이 다양하다는 사실은 이미 여러 차례 언급하였고, 그 특징이나 술 빚는 법에 대해서도 충분히 설명하였다.

'하절주' 또한 그 연장선상에 있는 주품이다. '하절주'는 <양주방(釀酒方)>과 <음식디미방>이라는 두 문헌에 수록된 주품으로, 그 맥이 끊긴 것으로 알려져 있다. 이 두 문헌의 공통점은 17세기의 기록으로 한글 붓글씨본이라는 점이다. <양주방> 역시도 <음식디미방>과 같이 여인들에 의해 작성된 것으로 추정된다.

또한 두 문헌에 수록된 '하절주'의 주방문이 동일하다는 점이 그와 같은 추측을 뒷받침한다.

'하절주'는 여름철 술 빚는 법의 전형적인 특징을 반영하고 있는 주품이라 할 수 있다. 주방문에서 알 수 있듯이 '하절주'의 특징으로, 첫째는 단양주(單釀酒)로서 백설기를 사용해 술을 빚는다. 둘째는 끓여서 차게 식힌 물에 가루누룩을 풀어 물누룩을 만들어 하룻밤 불려놓았다가 찌꺼기를 제거한 누룩물을 만들어 사용한다. 셋째는 발효기간이 3일이며, 체에 걸러 탁주를 만들어 마신다는 것이다.

이러한 방법들은 간편하면서도 빠른 기간 내에 술을 익히되, 감칠맛과 함께 적당한 산미를 갖춘 탁주를 얻기 위한 방문이라고 할 수 있다. 특히 체에 걸러서 탁주로 마신다는 점에서 여름철 술의 특징이라 하겠다.

여름철은 높은 온도와 함께 갈증을 느끼기 쉬운데, 3일이라는 단기간에 걸친 발효를 통해 잔당으로 인한 단맛과 누룩물로 빚는 술에서 나타나는 산미가 적절하게 조화를 이뤄 백설기로 빚는 술에서 느낄 수 있는 그 감칠맛이 배가되어 자꾸만 마시고 싶어지고, 시원한 맛까지 동시에 준다는 점에서 선호되는 주방문이라 할 수 있다.

<양주방>과 <음식디미방>의 '하절주'를 빚을 때 주의할 점이 있다. 쌀가루를 시루에 안치고 찌되 설기떡이 물러지지 않게 쪄야 하고, 익었으면 고루 펼쳐서 식기 전에 잘게 풀어주어야 한다. 가능한 한 강제로 식히지 말고 자연 상태에서 방냉(放冷)하는 방법으로 설기떡이 식기를 기다렸다가 누룩을 섞어서 빚어야 한다는 것이다.

특히 여름철에는 주위 온도가 높아 주원료의 냉각이 여의치 못한 데서 과발효로 인한 산패가 초래되기 쉬워 강제 냉각을 동원하곤 하는데, 이러한 방법들이 실패의 원인이 되기도 한다.

주지하다시피 호화(糊化)시킨 떡이나 죽, 고두밥 등의 주원료를 강제로 냉각시키게 되면 호화 전의 전분 상태로 되돌아가 당화가 용이하지 않을 수 있기 때문이다. 이처럼 여름철 양주를 실패하는 주된 이유는 무엇보다 주원료의 특성을 잘 파악하지 못한 데 있다고 할 것이다.

1. 하절주법 <양주방(釀酒方)>
−한 말 빚이

> 술 재료 : 멥쌀 1말, 가루누룩 2되, 끓인 물 1말

술 빚는 법 :

1. 끓여서 차게 식힌 물 1말에 가루누룩 2되를 풀어 물누룩을 만들고, 술독에
   담아 하룻밤 불려놓는다.
2. 멥쌀 1말을 백세하여 물에 담가 하룻밤 불렸다가 (다음날 다시 씻어 헹궈 건
   져서 물기를 뺀 후) 가루로 빻아 체에 내려놓는다.
3. 다음날 누룩을 베에 밭쳐 누룩찌꺼기를 제거한 누룩물을 만들어놓는다.
4. 쌀가루를 시루에 안치고 흰무리떡을 마르게 쪄 익었으면 퍼내어 고루 헤쳐
   서 덩어리가 없게 하여 차게 식기를 기다린다.
5. 흰무리떡에 걸러둔 누룩물을 합하고, 고루 치대어 술밑을 빚는다.
6. 술밑을 독에 담아 안치고, 예의 방법대로 하여 3일간 발효시킨다.
7. 술 빚은 지 3일 후에 술밑을 가는 베에 밭쳐 탁주를 만들어 마신다.

* <음식디미방>의 '하절주'와 동일한 주방문이다.

하졀쥬법
한 말 비지. 쓸혀 치온 물 한 말의 ᄀᄅ 두 되 푸러 항의 ᄒ로밤 지나거든 뵈
예 밧하 누룩 ᄶ긔 업시ᄒ고 ᄲᆯ 한 말 븩세ᄒ야 물의 담갓다가 ᄒ로밤 지나거
든 작말ᄒ야 마르게 뻐 식은 후의 그 누룩물의 비졋다가 ᄉ흘 후의 ᄀᄂ 뵈
의 밧타 쓰면 죠ᄒ니라.

2. 하절주 <음식디미방>

술 재료 : 멥쌀 1말, 누룩가루 2되, 끓여 식힌 물 1말

술 빚는 법 :

1. 끓여 식힌 물 1말에 누룩가루 2되를 풀어 물누룩(수곡)을 만들고, 하룻밤

재워놓는다.

2. 멥쌀 1말을 백세하고 (깨끗하게 씻어 물에 담가 불렸다가, 다시 씻어 헹궈서
   물기를 뺀 후) 작말한다(가루로 빻는다).

3. 쌀가루를 시루에 안치고 찌되 설기떡을 마르게(물러지지 않게) 찌고, 익었으
   면 고루 펼쳐서 (식기 전에 잘게 뜯어) 차게 식기를 기다린다.

4. 물누룩(수곡)을 가는 베보자기에 주물러 걸러서 찌꺼기를 제거한 누룩물
   을 만들어놓는다.

5. 누룩물에 설기떡을 넣어 덩어리 없이 풀고, 고루 버무려 술밑을 빚는다.

6. 술밑을 술독에 담아 안치고, 예의 방법대로 하여 3일간 발효시킨 다음 채
   주한다.

하졀쥬

씰혀 시근 믈 흔 말의 국말 두 되 프러 밤자여 ᄀ장 ᄀ는 뵈거시 바타 즈의 ᄇ
리고 빅미 흔 말 빅셰ᄒ여 작말ᄒ여 ᄆᄅ게 쪄 식거든 그 누룩 무레 석거 녀
헛다가 삼일 닉 쓰라.

하향주

스토리텔링 및 술 빚는 법

'하향주(荷香酒)'에 대한 유래는 여러 가지가 전해지는데, 어느 것도 분명하지는 않다. 또한 언제부터 빚어졌는지도 정확하지 않다. 다만 문헌상의 기록으로 미뤄볼 때 조선시대 초기 이후부터라는 게 타당해 보인다.

'하향주'를 비롯한 '감향주', '동정춘', '집성향' 등 몇 가지 술들이 1600년대 이후 문헌에 갑자기 등장하다가 1900년대 문헌에서는 일제히 자취를 감추고, 가전되는 경우도 없다는 사실에 근거한 것이다.

'하향주'라는 술 이름에서도 알 수 있듯이 술에서 '연꽃 향기(荷香)가 난다'고 하여 붙여진 이름이다. 주지하다시피 전통주는 쌀(곡물)을 주재료로 하여 빚는 발효주로, '하향주'와 같은 주품은 누룩 외에 일체의 첨가물을 사용하지 않는데도 꽃이나 과실향기를 느낄 수가 있어 방향주(芳香酒)라고도 불린다.

'하향주'가 수록되어 있는 옛 문헌으로 최초의 기록은 한글 기록인 <언서주찬방(諺書酒饌方)>으로 여겨진다. 이후 <감저종식법(甘藷種植法)>을 비롯하여 <고사신서(攷事新書)>, <고사십이집(攷事十二集)>, <고사촬요(故事撮要)>, <군학회등

(群學會騰)>, <농정회요(農政會要)>, <민천집설(民天集說)>, <봉접요람>, <산림경제(山林經濟)>, <술방>, <양주방>*, <양주방(釀酒方)>, <역주방문(曆酒方文)>, <온주법(醞酒法)>, <요록(要錄)>, <우음제방(禹飮諸方)>, <음식디미방>, <음식방문(飮食方文)>, <의방합편(醫方合編)>, <임원십육지(林園十六志)>, <주방문(酒方文)>, <주방문조과법(造果法)>, <주찬(酒饌)>, <증보산림경제(增補山林經濟)>, <치생요람(治生要覽)>, <한국민속대관(韓國民俗大觀)>, <해동농서(海東農書)> 등 28권의 문헌에 각각 한 차례씩 등장하는 것으로 보아 '하향주'가 반가와 사대부들 사이에서 상당히 인기를 끌었을 것으로 판단되나 이를 확인할 길은 없다.

'하향주'가 반가와 사대부들 사이에서 상당히 인기를 끌었을 거라는 추측은 술 빚는 방법이나 술 빚기에 사용된 주원료의 양에 비해 수율이 극히 낮다는 사실에 근거한다.

위의 기록들에서 찾아볼 수 있는 '하향주'의 특징은 밑술을 멥쌀로 구멍떡을 빚어 삶거나 시루에 쪄낸 다음, 물을 사용하지 않고 누룩가루만을 섞어 빚는다는 것이다. 문헌에 따라서는 떡을 죽과 같이 풀어서 빚기도 하고, 그대로 식혀서 대충 빚기도 한다. 그런데 덧술은 한결같이 찹쌀을 주재료로 하여 고두밥을 지어 밑술과 섞어 발효시킨다. 문헌에 따라 술을 익히는 기간이 7~31일간으로 현저한 차이가 있다. 덧술의 발효기간이 이렇듯 다른 이유는 술맛과도 관련이 있는데, 발효기간이 길어질수록 독해지고 단맛이 적어진다.

위의 문헌 기록에 따른 '하향주'는 대개 멥쌀과 찹쌀로 두 차례에 걸쳐 술을 빚는데, 쌀의 가공방법을 비롯하여 누룩의 사용 횟수, 밑술의 누룩찌꺼기 제거 여부, 그리고 양주용수의 사용 여부 등 크게 네 가지 주방문이 있는 것으로 확인되었다.

우선, <언서주찬방>의 '하향주' 주방문을 보면, "졈미 흔 말만 비즈려 ᄒ면 몬져 빅미 서 되를 빅셰작말ᄒ야 구무쩍 비저 닉게 슬마 식거든 됴흔 누룩을 ᄀᄂ리 찌허 체로 처 흔 되를 고로 쳐셔 니화쥬 빗ᄃ시 항의 녀허 니거가거든 졈미 흔 말을 빅셰ᄒ야 닉게 뼈 므들 ᄭᆯ혀 식거든 몬져 녀흔 민술이 ᄀ장 돌거든 믈을 병 반을 골와 녀코 마시 쓰거든 두 병을 골와 녀흐되 ᄯᅩ 누룩ᄀᆞ 흔 되를 섯거 녀허 세닐웨 후제 여러보면 그 마시 긔특ᄒᆞᄂᆞ니 오직 늘믈쯰를 ᄀᆞ장 조심ᄒᆞ여야 마시 ᄀᆞ장 됴ᄂᆞ니라."고 하였다.

즉, 밑술을 빚을 때 멥쌀 3되로 구멍떡을 빚어 삶고, 여기에 누룩가루 1되를 섞어 이화주 빚듯이 치대어 익기를 기다렸다가, 밑술의 맛이 달고 쓴맛의 정도에 따라 덧술의 찹쌀 1말로 지은 고두밥에 대한 용수(用水)의 양이 달라지며, 덧술에도 누룩가루 1되가 사용된다는 것을 확인할 수 있다.

결국 최초의 '하향주'는 밑술 쌀 3되에 누룩가루 1되가 사용되고, 덧술은 찹쌀 1말과 누룩가루 1되, 끓여 식힌 물 1병 반~2병이 사용되며, <역주방문>과 <온주법>, <양주방>* 등에 영향을 미쳤을 것으로 판단된다.

한문 기록인 <고사촬요>의 '하향주' 주방문은 '멥쌀 1되를 백세작말하여 구멍떡을 빚고, 잘 익게 삶아 싸늘하게 식기를 기다린다. 차게 식힌 떡에 누룩가루 5홉을 섞어 항에 넣어 두었다가, 밑술을 빚은 지 3일째 되는 날, 찹쌀 1말을 백세하여 무른 고두밥을 짓고, 오랫동안 차게 식기를 기다렸다가 밑술과 합하고 고루 버무려서 술독에 담아 안치는 것으로 되어 있다. 방문 말미에 덧술은 "삼칠일(21일) 후면 숙성된다."고 하였으며, "일체의 객수(날물)을 금한다."고 하였다.

<고사촬요> 이후 <감저종식법>을 비롯해 <고사신서>, <고사십이집>, <농정회요>, <봉접요람>, <산림경제> 등 대다수 문헌에서는 <고사촬요>를 인용하고 있다. <민천집설>, <양주방>, <주찬>, <요록>, <음식디미방>, <음식방문>, <의방합편>, <임원십육지>, <증보산림경제>, <치생요람>, <한국민속대관>, <해동농서> 등에도 영향을 미쳤던 것으로 판단된다.

특히 근대 기록이면서 한글 활자본인 <한국민속대관>을 제외한 이들 문헌 모두에서 <고사촬요>의 주방문을 전재(全載)하고 있다. 특히 덧술 과정의 변화를 엿볼 수 있는 주방문으로는 1600년대 말엽의 <주방문>을 비롯해 <양주방>*, <양주방>, <역주방문>, <온주법>, <우음제방> 등에서는 밑술을 끓여 식힌 물과 섞고, 체에 걸러 탁주를 만들어 사용하는 다소 편리한 양주기법을 보여주고 있어 양주기법의 변화를 읽을 수 있다.

또한 <주방문조과법>에서는 범벅을 사용하고, 특히 <양주방>에서는 밑술의 쌀 양으로 멥쌀 1말이 사용되고, <술방>에서는 연꽃 10송이를 부원료로 사용하고 있어 '연화주(蓮花酒)' 주방문이라는 사실을 확인할 수 있다.

이러한 사실은 특히 한글 기록의 문헌들을 중심으로 주방문(酒方文)의 다양한 변화와 편의성 위주의 양주기법으로 나타나고 있음을 볼 수 있다. 이런 현상을 부정적으로 해석하기보단 실제 술을 빚는 사람들의 기질과 의도에 의해 변화가 나타난 것으로 이해하는 게 좋겠다.

술을 빚는 일도 개인의 취향과 형편에 따른 기술적 반영이기는 하지만, 광의적으로는 하나의 문화라는 사실을 이해할 필요가 있다. 이러한 변화와 시도가 없다면 획일화와 규격화에서 벗어나지 못하고, 침체를 면하지 못하고 만다. 더 이상의 어떠한 발전도 기대할 수 없다는 얘기이다.

어찌됐든 '하향주' 주방문의 이러한 변화는 덧술의 양주과정에서 기인한 것으로 판단된다. 밑술에 물이 사용되지 않아 덧술의 과정이 매우 힘들기 때문이며, 사용되는 쌀 양에 비해 수율이 극히 낮다는 심리적인 반영이 읽힌다. 그만큼 덧술의 과정이 힘들고 까다로우며, 성공률이 낮다는 사실에서 자연스럽게 변화를 수용한 것으로 판단된다.

'하향주'의 독특한 맛과 향, 특히 연꽃 향기를 즐기기 위해서는 밑술을 잘 빚는 것이 요령이다. 밑술은 구멍떡으로 하든 송편으로 하든 쌀의 양과 누룩, 물의 배합비율을잘 지켜야 하며, 절대로 날물이 들어가지 않도록 주의해야 한다.

또한 누룩의 양을 필요 이상으로 많이 넣게 되면, 술 빛깔이 맑지 못할 뿐만 아니라 빨리 검어지므로 유의해야 한다.

문헌에 따라서는 밑술을 죽처럼 풀어서 누룩과 섞으라고도 하고, 그대로 식혀서 빚으라고도 했는데 날씨가 추운 계절에는 특히 주의할 일이다. 발효는 일어나지만 떡이 풀어지지 않아 산미가 강해져 덧술을 하더라도 신맛이 나는 술밖에 얻을 수 없기 때문이다.

<고사촬요>의 '하향주'를 재현하면서 겪었던 필자의 경험상 그 특별한 향기에 매료되어 지금도 우리 술의 미래는 '하향주'와 같은 아름다운 방향을 살리는 데 달려 있다는 확신에 변함이 없다. 그런 이유로 필자의 연구소 심화교육과정에 '하향주'를 편성하고 있다.

특히 기초과정인 가양주반을 마친 교육생들에게 '하향주' 한 잔을 맛보여 주면,

대부분 심화과정인 연구반 등록을 마친다. 그만큼 '하향주'의 진가가 연꽃 향기에 있다는 사실을 거듭 확인하게 된다.

한편, 앞서의 방법과 다른 경북 달성군(대구광역시)의 토속주이며, 현재 무형문화재로 지정된 '달성 하향주' 역시 "연꽃 향기가 난다."고 하여 '하향주'라는 술 이름이 붙여졌으나, <언서주찬방> 등에 수록된 '하향주'와는 전혀 다른 방문으로 연꽃이 사용된 술도 아니다. 이 주품은 경북 달성지역의 유가사(楡加寺)라고 하는 절에서 빚어져 조선 광해군 때에는 '천하명주(天下銘酒)'라고 지칭될 정도로 명성이 높았다 한다.

'달성 하향주'는 약용약주(藥用藥酒)로서, 찹쌀가루로 쑨 죽이나 흰무리로 밑술을 빚고, 시루밑물에 인동초와 약축, 감국 등 약재를 넣어 덧술의 찹쌀고두밥을 짓는 데다, 그 시루밑물을 술 빚을 물로 사용하는 등 매우 독특한 술 빚기 과정을 보여주고 있다. 특히 술독을 땅에 묻어 숙성시키는 등 두 차례에 걸쳐 장기 숙성발효시킨다는 점에서 그 특징과 차이점이 있다.

1. 하향주 <감저종식법(甘藷種植法)>

> 술 재료 : 밑술 : 멥쌀 1되, 누룩가루 5홉
>   덧술 : 찹쌀 1말

술 빚는 법 :

* 밑술 :

1. 멥쌀 1되를 백세하여 (물에 담갔다가, 다시 씻어 건져서 물기를 뺀 뒤) 작말한다(가루로 빻는다).
2. (쌀가루에 뜨거운 물을 뿌리고, 익반죽하여 둥글납작한 구멍떡을 빚는다.)
3. 구멍떡을 끓는 물에 넣고 삶아 떡이 익어 물 위로 떠오르면 건져서 소독하여 물기 없는 그릇에 담고 뚜껑을 덮어서 차게 식기를 기다린다.

4. 식은 떡에 누룩가루 5홉을 합하고, 매우 힘껏 쳐서 술밑을 빚는다.
5. 술독에 술밑을 담아 안치고, 예의 방법대로 하여 3일간 발효시킨다.

* 덧술 :
1. 찹쌀 1말을 (백세하여 물에 담갔다가, 다시 씻어 건져서 물기를 뺀 뒤) 시루
   에 안쳐 고두밥을 짓는다.
2. 고두밥에 물을 뿌려서 무르게 익히고, 고두밥이 익었으면 퍼내어 고루 펼쳐
   서 오랫동안 차게 식기를 기다린다.
3. 고두밥에 밑술을 합하고, 고루 버무려 술밑을 빚는다.
4. 술밑을 술독에 담아 안치되 물기를 조심하고, 예의 방법대로 하여 21일간 발
   효·숙성시킨다.

* 덧술을 빚을 때 '날물이 들어가지 않도록 주의하라.'고 하였다.

荷香酒
白米一升作末造孔餠烹熟待冷麴末五合抖撒調和釀之第三日又以粘米一斗灑
水熟蒸良久寒之與本釀調和入甕不使有客水之氣過三七日乃熟.

2. 하향주 <고사신서(攷事新書)>

술 재료 : 밑술 : 멥쌀 1되, 누룩가루 5홉
　　　　　덧술 : 찹쌀 1말

술 빚는 법 :
* 밑술 :
1. 멥쌀 1되를 (백세하여 물에 담갔다가, 다시 씻어 건져서 물기를 뺀 뒤) 작말

한다(가루로 빻는다).

2. (쌀가루에 뜨거운 물을 뿌리고, 익반죽하여 둥글납작한 구멍떡을 빚는다.)

3. 구멍떡을 빚어 끓는 물에 넣고 삶아 (떡이 익어 물 위로 떠오르면 건져서 넓은 그릇에 담고 뚜껑을 덮어서) 차게 식기를 기다린다.

4. 식은 떡에 누룩가루 5홉을 합하고, 매우 힘껏 치대어 고루 버무려 술밑을 빚는다.

5. 술독에 술밑을 담아 안치고, 예의 방법대로 하여 3일간 발효시킨다.

* 덧술 :

1. 찹쌀 1말을 백세하여 (물에 담갔다가, 다시 씻어 건져서 물기를 뺀 뒤) 시루에 안쳐 고두밥을 짓는다.

2. (시루 안의 쌀에 물을 뿌려가면서 무르게 익히고) 고두밥이 익었으면 퍼내어 고루 펼쳐서 오랫동안 차게 식기를 기다린다.

3. 고두밥에 밑술을 합하고, 매우 힘껏 치대어 고루 버무려 술밑을 빚는다.

4. 술밑을 술독에 담아 안치고, 날물이 들어가지 않게 예의 방법대로 하여 21일간 발효·숙성시킨다.

荷香酒
白米一升作末造孔餠烹熟待冷麴末五合抖撒調和釀之第三日又以粘米一斗灑水熟蒸良久寒之與本釀調和入甕不使有客水之氣過三七日乃熟.

3. 하향주 <고사십이집(攷事十二集)>

술 재료 : 밑술 : 멥쌀 1되, 누룩가루 5홉
　　　　　 덧술 : 찹쌀 1말

술 빚는 법 :

* 밑술 :

1. 멥쌀 1되를 (백세하여 물에 담갔다가, 다시 씻어 건져서 물기를 뺀 뒤) 작말한다(가루로 빻는다).
2. (쌀가루에 뜨거운 물을 뿌리고, 익반죽하여 둥글납작한 구멍떡을 빚는다.)
3. 구멍떡을 빚어 끓는 물에 넣고 삶아 (떡이 익어 물 위로 떠오르면 건져서 넓은 그릇에 담고 뚜껑을 덮어서) 차게 식기를 기다린다.
4. 식은 떡에 누룩가루 5홉을 합하고, 매우 힘껏 치대어 고루 버무려 술밑을 빚는다.
5. 술독에 술밑을 담아 안치고, 예의 방법대로 하여 3일간 발효시킨다.

* 덧술 :

1. 찹쌀 1말을 백세하여 (물에 담갔다가, 다시 씻어 건져서 물기를 뺀 뒤) 시루에 안쳐 고두밥을 짓는다.
2. (시루 안의 쌀에 물을 뿌려가면서 무르게 익히고) 고두밥이 익었으면 퍼내어 고루 펼쳐서 오랫동안 차게 식기를 기다린다.
3. 고두밥에 밑술을 합하고, 매우 힘껏 치대어 고루 버무려 술밑을 빚는다.
4. 술밑을 술독에 담아 안치고, 날물이 들어가지 않게 예의 방법대로 하여 21일간 발효·숙성시킨다.

* 주방문에 "덧술을 빚을 때 날물이 들어가지 않도록 주의하라."고 하였다.

荷香酒

白米一升作末造孔餠烹熟待冷麴末五合抖撒調和釀之第三日又以粘米一斗灑水熟蒸良久寒之與本釀調和入甕不使有客水之氣過三七日乃熟.

4. 하향주 <고사촬요(故事撮要)>

술 재료 : 밑술 : 멥쌀 1되, 누룩가루 5홉, 물 적당량(3홉)
         덧술 : 찹쌀 1말

술 빚는 법 :
* 밑술 :
1 멥쌀 1되를 백세하여 (물에 백 번 씻어 깨끗하게 헹군 다음, 새 물에 담가 불
  렸다가 다시 씻어 말갛게 헹군 후 건져서 물기를 뺀 뒤) 작말한다(가루로 빻
  는다).
2. 솥에 물을 많이 붓고 끓이다가 물이 뜨거워지면 적당량의 물을 떠서 쌀가루
   에 섞고 치대어 구멍떡을 빚는다.
3. 끓고 있는 물솥에 구멍떡을 넣고, 잘 익게 삶아 물 위로 떠오르면 건져낸 다
   음, 소독하여 물기 없는 그릇에 담는다.
4. (구멍떡을 식기 전에 주걱으로 고루 으깨어 덩어리 없게 죽 상태로 만들어)
   싸늘하게 식기를 기다린다.
5. 차게 식힌 떡에 누룩가루 5홉을 섞어 고루 버무려 술밑을 빚는다.
6. 술밑을 술독에 담아 안친 다음 (술독 주둥이에 묻은 것을 깨끗이 닦아내고,
   베보자기를 여러 겹 씌우고 뚜껑을 덮어) 3일간 발효시킨다.

* 덧술 :
1. 밑술을 빚은 지 3일째 되는 날, 찹쌀 1말을 백세한다(물에 백 번 씻어 깨끗
   하게 헹군 다음, 새 물에 담가 불렸다가 다시 씻어 말갛게 헹구고 건져서 물
   기를 뺀다). 2. 불린 쌀을 시루에 안쳐서 무른 고두밥을 짓고, 무르게 익었으
   면 고루 펼쳐서 오랫동안 차게 식기를 기다린다.
3. 고두밥을 밑술과 합하고 고루 버무려서 술밑을 빚는다.
4. 술밑을 술독에 담아 안친 다음 (술독 주둥이에 묻은 것을 깨끗이 닦아내고,

베보자기를 여러 겹 씌우고 뚜껑을 덮어) 21일간 발효시킨다.

荷香酒
釀法白米一升作末造孔餠烹熟待其凉冷麴末五合抖撒調和盛置於器第三日又
以粘米一斗灑水熟蒸良久寒之與本釀調和入甕不使有客水之氣過三七日乃熟.

5. 하향주법 <군학회등(群學會騰)>

술 재료 : 밑술 : 멥쌀 1말, 누룩가루 5홉
　　　　덧술 : 찹쌀 1말

술 빚는 법 :
* 밑술 :
1. 멥쌀 1말을 백세하여 (물에 담갔다가, 다시 씻어 건져서 물기를 뺀 뒤) 작말
   한다(가루로 빻는다).
2. (쌀가루에 뜨거운 물을 뿌리고, 익반죽하여 둥글납작한 구멍떡을 빚는다.)
3. 구멍떡을 끓는 물에 넣고 삶아 떡이 익어 물 위로 떠오르면, 건져서 넓은 그
   릇에 담고 뚜껑을 덮어서 차게 식기를 기다린다.
4. 식은 떡에 누룩가루 5홉을 합하고, (떡을 삶은 물을 식혀서 조금씩 쳐가면
   서) 고루 버무려 술밑을 빚는다.
5. 술독에 술밑을 담아 안치고, 예의 방법대로 하여 3일간 발효시킨다.

* 덧술 :
1. 찹쌀 1말을 백세하여 (물에 담갔다가, 다시 씻어 건져서 물기를 뺀 뒤) 시루
   에 안쳐 고두밥을 짓는다.
2. 시루에 물을 뿌려가면서 무르게 익히고, 고두밥이 익었으면 퍼내고 고루 펼

쳐서 오랫동안 차게 식기를 기다린다.

3. 고두밥에 밑술을 합하고, 고루 버무려 술밑을 빚는다.

4. 술밑을 술독에 담아 안칠 때 날물기를 조심하여, 예의 방법대로 하여 21일 간 발효·숙성시킨다.

* 주방문 말미에 "누룩을 섞어 술밑을 빚을 때 떡 삶은 물을 쳐서 사용하라."고 하고, "여름이라면 술이 익은 다음 항아리를 냉수에 담가두면 상하지 않는 다. 덧술을 빚을 때 날물이 들어가지 않도록 주의하라."고 하였다.

荷香酒法

白米一升作末造孔餅烹熟待冷麴末五合抖搜調和釀之作本第三日又以粘米一斗洒水熟蒸良久寒之與本調和入甕禁客水之氣過三七日乃熟.   抖搜用烹餅水候冷若當夏月候熟浸缸冷水免壞

6. 하향주법 <농정회요(農政會要)>

술 재료 : 밑술 : 멥쌀 1되, 누룩가루 5홉
　　　　　덧술 : 찹쌀 1말

술 빚는 법 :

* 밑술 :

1. 멥쌀 1되를 백세하여 (물에 담갔다가, 다시 씻어 건져서 물기를 뺀 뒤) 작말 한다(가루로 빻는다).

2. (쌀가루에 뜨거운 물을 뿌리고, 익반죽하여 둥글납작한 구멍떡을 빚는다.)

3. 구멍떡을 끓는 물에 넣고 삶아 떡이 익어 물 위로 떠오르면, 건져서 그릇에 담고 (뚜껑을 덮어서) 차게 식기를 기다린다.

4. 식은 떡에 누룩가루 5홉을 합하고, (떡을 찐 물을 식혀서 조금씩 쳐가면서) 고루 버무려 술밑을 빚는다.
5. 술독에 술밑을 담아 안치고, 예의 방법대로 하여 3일간 발효시킨다.

* 덧술 :
1. 찹쌀 1말을 (백세하여 물에 담갔다가, 다시 씻어 건져서 물기를 뺀 뒤) 시루에 안쳐 고두밥을 짓는다.
2. 시루에 물을 뿌려가면서 무르게 익히고, 고두밥이 익었으면 퍼내어 고루 펼쳐서 오랫동안 차게 식기를 기다린다.
3. 고두밥에 밑술을 합하고, 날물을 주의하여 고루 버무려 술밑을 빚는다.
4. 술밑을 술독에 담아 안치고, 예의 방법대로 하여 21일간 발효·숙성시킨다.

* 주방문 말미에 "누룩을 섞어 술밑을 빚을 때 떡 삶은 물을 쳐서 사용하라."고 하고, "여름이라면 술이 익은 다음 항아리를 냉수에 담가두면 상하지 않는다. 덧술을 빚을 때 날물이 들어가지 않도록 주의하라."고 하였다.

荷香酒法
白米一升作末造孔餠烹熟待冷麴末五合抖搜調和釀之作本第三日又以粘米一斗酒水熟蒸良久寒之與本調和入瓮禁客水之氣過三七日乃熟.(抖搜用烹餠水候冷酒按其當夏月候熟浸缸冷水免壞.

7. 하향주 <민천집설(民天集說)>

> 술 재료 : 밑술 : 멥쌀 1되, 누룩가루 5홉
> 　　　　 덧술 : 찹쌀 1말

술 빚는 법 :

* 밑술 :

1. 멥쌀 1되를 (백세하여 물에 담갔다가, 다시 씻어 건져서 물기를 뺀 뒤) 작말한다(가루로 빻는다).

2. (쌀가루에 뜨거운 물을 뿌리고, 익반죽하여) 둥글납작한 구멍떡을 빚는다.

3. 구멍떡을 시루에 쪄서 익었으면 (소독하여 물기 없는 그릇에 담고 뚜껑을 덮어서) 차게 식기를 기다린다.

4. 식은 떡에 누룩가루 5홉을 합하고, 매우 힘껏 치대어 고루 버무려 술밑을 빚는다.

5. 술독에 술밑을 담아 안치고, 예의 방법대로 하여 3일간 발효시킨다.

* 덧술 :

1. 찹쌀 1말을 (백세하여) 물에 담갔다가 (다시 씻어 건져서 물기를 뺀 뒤) 시루에 안쳐 고두밥을 짓는다.

2. (시루 안의 쌀에 찬물을 뿌려가면서 무르게 익히고) 고두밥이 익었으면 퍼내고 고루 펼쳐서 오랫동안 차게 식기를 기다린다.

3. 고두밥에 밑술을 합하고, 매우 힘껏 치대어 고루 버무려 술밑을 빚는다.

4. 술밑을 술독에 담아 안치고, 날물이 들어가지 않게 예의 방법대로 하여 21일간 발효·숙성시킨다.

* 주방문에 밑술 빚는 법과 관련하여 "조공병(造孔餠) '증숙(蒸熟)' 후냉(後冷)"이라고 하여, "구멍떡을 만들어 '쪄서' 식은 후에"로 되어 있어, 이제까지의 팽숙(烹熟)이나 '자숙(煮熟)'과는 다른 방법임을 알 수 있다.

荷香酒

白米一升作末造孔餠烹熟候冷曲末五合抖撒調和置器中第三日又以粘米一斗洒水熟蒸良久寒之與本釀調和入甕不使有客水之氣過三七日乃熟.

8. 하양(향)주법 <봉접요람>

> 술 재료 : 밑술 : 멥쌀 1되, 좋은 가루누룩 1되
>
> 덧술 : 찹쌀 1말, 살수물 3되

술 빚는 법 :

* 밑술 :

1. 멥쌀 1되를 백세하여 (물에 담갔다가, 다시 씻어 헹궈 건져서 물기를 뺀 다음) 작말한다(가루로 빻는다).
2. 솥에 물을 붓고 끓이다가 물이 따뜻해지면 쌀가루를 익반죽하여 구멍떡을 빚는다.
3. 끓는 물솥에 구멍떡을 넣고 삶아 익어 떠오르면, 건져 소독하여 물기 없는 그릇에 퍼서 한 김 나게 식기를 기다린다.
4. 따뜻한 기운이 남게 식은 구멍떡에 좋은 누룩가루 1되를 합하고, 고루 힘껏 치대어 술밑을 빚는다.
5. 술밑을 술독에 담아 안치고, 예의 방법대로 하여 독 주둥이를 종이로 (두텁게) 덮어서 3일간 발효시켜 익기를 기다린다.

* 덧술 :

1. 찹쌀 1말을 백세하여 (물에 담가 불렸다가, 다시 씻어 헹궈 건져서 물기를 뺀 후) 시루에 안쳐서 고두밥을 무르게 짓는다.
2. 고두밥에서 한 김 나면, 찬물 3되를 고루 뿌려 뜸을 들인 후 익었으면 퍼내어 따뜻한 기운이 남게 식기를 기다린다.
3. 고두밥에 밑술을 한데 합하고, (날물기 없이 하여) 고루 힘껏 치대어 술밑을 빚는다.
4. 술밑을 술독에 담아 안치고, 예의 방법대로 하여 덮어서 발효시키면 7일 만에 익는다.

* 주방문 말미에 “더운 때는 서늘한 데 두되 많이 덮지 말고, 특별히 달게 빚으려면 살수물을 적게 뿌리고, 맵게 하려면 물 질게 뿌리고 차게(찬 곳에 두고) 하라(익힌다).”고 하였다. 목적과 용도에 따라 살수물의 양과 발효시키는 곳의 장소(온도)가 달라짐을 알 수 있다. 또 “밑술적 흰낫(말라서 하얗게 변한 고두밥) 있으면 사오납나니, 술밥도 부디 옥같이 하고 시루에 짒내 말라.”고 하였다.

하양쥬법

ᄇᆡᆨ미 ᄒᆞᆫ 되 ᄇᆡᆨ셰 작말ᄒᆞ여 ᄌᆞᆫ근 누게 굼무ᄯᅥᆨ 살마 ᄒᆞᆫ김 나거든 조흔 ᄀᆞ로누룩 ᄒᆞᆫ 되

셧거 ᄉᆡ 항의 담고 조희 덥펴 두었다가 샴일 만의 졈미 ᄒᆞᆫ 말 ᄇᆡᆨ셰ᄒᆞ여 찔 졔물 셔 되 부려 익게 ᄶᅧ ᄒᆞᆫ김 ᄌᆞᆫ근 ᄂᆡ여 더운 김의 밋티 고로고로 셧거 항의 너코 덥허 두면 칠일 만의 익ᄂᆞ니 더운 ᄢᆡ는 셔눌ᄒᆞ게 두고 만이 덥지 말ᄂᆞ ᄃᆞᆯ게 ᄒᆞ랴면 각별 덥게 두고 물 작게 ᄲᅳ리고 ᄆᆡᆸ게 ᄒᆞ랴면 물 질게 ᄲᅳ리고 ᄎᆞ게 ᄒᆞ라 밋 홀젹 흰낫 잇시면 사오납ᄂᆞ니 슐밥도 부ᄃᆡ 옥갓치 ᄒᆞ고 시로의 짐ᄂᆡ 말나.

9. 하향주 <산림경제(山林經濟)>

술 재료 : 밑술 : 멥쌀 1되, 누룩가루 5홉
덧술 : 찹쌀 1말

술 빚는 법 :

* 밑술 :

1. 멥쌀 1되를 백세하여 (물에 담갔다가, 다시 씻어 건져서 물기를 뺀 뒤) 작말한다(가루로 빻는다).
2. (쌀가루에 뜨거운 물을 뿌리고, 익반죽하여 둥글납작한 구멍떡을 빚는다.)

3. 구멍떡을 끓는 물에 넣고 삶아 떡이 익어 물 위로 떠오르면, 건져서 소독하여 물기 없는 그릇에 담고 뚜껑을 덮어서 차게 식기를 기다린다.
4. 식은 떡에 누룩가루 5홉을 합하고, 고루 힘껏 치대서 술밑을 빚는다.
5. 술독에 술밑을 담아 안치고, 예의 방법대로 하여 3일간 발효시킨다.

* 덧술 :
1. 찹쌀 1말을 백세하여 (물에 담갔다가, 다시 씻어 건져서 물기를 뺀 뒤) 시루에 안쳐 고두밥을 짓는다.
2. 고두밥에 찬물을 뿌려가면서 무르게 익히고, 고두밥이 익었으면 퍼내어 고루 펼쳐서 오랫동안 차게 식기를 기다린다.
3. 고두밥에 밑술을 합하고, 고루 힘껏 버무려 술밑을 빚는다.
4. 술밑을 술독에 담아 안치고, 예의 방법대로 하여 21개월간 발효·숙성시킨다.

* 덧술을 빚을 때 '날물이 들어가지 않도록 주의하라.'고 하였다.

荷香酒
白米一升作末 造孔餅烹熟待冷 麴末五合 抖撒調和釀之. 第三日. 又以粘米一斗 洒水熟蒸 良久寒之 與本釀調和入瓮. 不使有客水之氣. 過三七日乃熟. <攷事>.

10. 하향주 <술방>

술 재료 : 밑술 : 멥쌀 1되, 누룩가루 5홉, 떡 삶은 물 약간(1되)
          덧술 : 찹쌀 1말, 연꽃 10송이(한 미)

술 빚는 법 :

* 밑술 :

1. 멥쌀 1되를 백세작말한다.

2. 솥에 물을 넉넉하게 붓고 불을 지펴 끓인다.

3. 뜨거운 물로 쌀가루를 익반죽하여 매우 치댄 다음, 구멍떡을 빚는다.

4. 구멍떡을 끓고 있는 물솥에 넣고 삶아 떠오르면, 소독하여 물기 없는 자배기에 건져 낸다.

5. 삶아낸 구멍떡에 떡 삶았던 물(1되 정도)을 섞고 주걱으로 짓이겨서 인절미처럼 풀어놓는다.

6. 떡이 차디차게 식기를 기다렸다가 누룩가루 5홉을 섞고, 고루 힘껏 치대어 술밑을 빚는다.

7. 술밑을 독에 담아 안치고, 예의 방법대로 하여 3일간 발효시킨다.

* 덧술 :

1. 찹쌀 1말을 백세하여 시루에 안쳐서 고두밥을 찐다.

2. 시루에서 한 김 나면 찬물을 뿌려서 무르게 익히고, 익었으면 퍼서 고루 펼쳐 차게 식기를 기다린다.

3. 고두밥에 밑술을 퍼서 섞고, 고루 힘껏 버무려 술밑을 빚는다.

4. 술독에 술밑을 담아 안치되 연꽃 10송이쯤 넣고, 예의 방법대로 하여 삼칠일간(21일) 발효시킨다.

* 주방문 말미에 "여름이면 물을 채운 통에 술독을 담아두면 변하지 않는다."고 하였다.

하향쥬

빅미 일 승 작말ᄒ여 골무쩍을 민들어 살마 익혀 곡말 다 솝을 쩍 살문 물의 식혀 흔듸 반쥭ᄒ여 비져 슐밋 민드러다가 삼일 만의 참쌀 ᄒ 말 물 (뿌려)혀 익게 쪄 식혀 밋과 흔듸 셧거 독의 너흐되 년쏫 흔미 너허 숨칠일 만의 익ᄂᆞ이라. 여름이거든 익은 후의 항을 물의 처와 숭ᄒᆞ기를 면ᄒᆞ라.

11. 하향주 <양주방>*

술 재료 : 밑술 : 멥쌀 3되, 누룩가루 1되
         덧술 : 찹쌀 1말, 가루누룩 1되, 끓여 식힌 물 1병 반(2병)

술 빚는 법 :

* 밑술 :

1. 찹쌀 1말을 빚으려면 희게 쓿은 멥쌀 3되를 물에 깨끗이 씻고 또 씻어(백세하여) 물에 담가 불렸다가 (다시 씻어 헹궈 건져서 물기를 뺀 후) 작말한다.
2. 쌀가루에 뜨거운 물을 뿌려서 익반죽하여 구멍떡을 빚는다.
3. 끓는 물솥에 구멍떡을 넣고 삶은 뒤 익어서 떠오르면, 건져서 소독하여 물기 없는 그릇에 담고 차게 식기를 기다린다.
4. 차게 식은 구멍떡에 누룩가루 1되를 넣고, 고루 힘껏 버무려 술밑을 빚는다.
5. 술독에 밑술을 배꽃술 하듯이 가장자리로 돌려서 담아 안친다.
6. 술독은 예의 방법대로 하여 발효시킨다.

* 덧술 :

1. 물 1병 반 또는 2병을 끓여서 차게 식혀놓는다.
2. 찹쌀 1말을 물에 깨끗이 씻고 또 씻어(백세하여) 물에 담가 불렸다가 (다시 씻어 헹궈 건져서 물기를 뺀 후) 시루에 안쳐서 고두밥을 짓는다.
3. 밑술의 맛을 보아 그 맛이 달면 고두밥에 물 1병 반을 붓고, 쓰면 2병을 붓고, 고루 펼쳐서 차게 식기를 기다린다.
4. 고두밥과 밑술을 섞고 가루누룩 1되를 넣어 고루 버무려 술밑을 빚는다.
5. 술독에 술밑을 담아 안치고, 예의 방법대로 하여 21일간 발효시킨다.
6. 술이 익으면 용수를 박아 채주하여 마신다.

* 주방문에 "밑술의 맛을 보아 그 맛이 달면, 고두밥에 물 1병 반을 붓고, 쓰면

2병을 붓고"라고 하였다. 밑술의 상태에 따라 덧술에 사용되는 물의 양이 달라진다는 것을 알 수 있다.

하향쥬

졈미 일 두 비즈랴 ᄒ면 몬져 빅미 서 되를 빅셰작말ᄒ야 구무떡 ᄉᆞᆯ마 식거든 조혼 누록ᄀᆞ로 ᄒᆞᆫ 되를 고로 쳐 니화쥬 빗ᄃᆞ시 항의 너허 닉거든 졈미 일 두 빅셰ᄒ야 닉게 ᄶᅥ 물 ᄉᆞᆯ혀 식여 골으듸 술밋치 ᄀᆞ장 달거든 물을 병 반의 고르고 마시 ᄡᅳ거든 두 병을 골나 너ᄒᆞ듸 ᄯᅩ ᄀᆞ로누록 ᄒᆞᆫ 되를 셧거 너허 두엇다가 삼칠일 후의 녀러 보면 마시 긔특ᄒᆞ니 오직 날믈긔를 금ᄒᆞ여야 마시 변치 아니 ᄒᆞᄂᆞ니라.

12. 하향주법 <양주방(釀酒方)>
–한 말 빚이

> 술 재료 : 밑술 : 멥쌀 1말, 가루누룩 5홉
> 　　　　 덧술 : 찹쌀 1말, 끓여 식힌 물 1말

술 빚는 법 :

* 밑술 :

1. 멥쌀 1말을 백세하여 (물에 담가 불렸다가, 다시 씻어 건져서 물기를 뺀 후) 작말한다(가루로 빻는다).
2. 쌀가루를 따뜻한 물로 익반죽하여 구멍떡을 빚는다.
3. 구멍떡을 시루에 안쳐서 익게 쪄내고 (소독하여 물기 없는 그릇에 퍼서 담고 뚜껑을 덮어두었다가) 차게 식기를 기다린다.
4. 차게 식은 떡에 가루누룩 5홉을 섞고, 고루 힘껏 치대어 술밑을 빚는다.
5. 술밑을 독에 담아 안치고, 예의 방법대로 하여 3일간 발효시킨다.

* 덧술 :
1. 찹쌀 1말을 백세하여 (물에 담가 불렸다가, 다시 씻어 건져서 물기를 뺀 후)
   시루에 안쳐서 익게 찐다.
2. 물 1말을 끓여 차게 식히고, 고두밥도 익었으면 퍼내어 고루 펼쳐서 차게 식
   기를 기다린다.
3. 고두밥이 식었으면 물과 함께 밑술에 섞고, 고루 버무려 술밑을 빚는다.
4. 술밑을 독에 담아 안치고, 예의 방법대로 하여 7일간 발효시킨다.

하향쥬법

한 말 한 되 비지. 뿔 한 말 빅세작말ᄒ야 구무쩍 만다러 닉게 뼈내여 식거든
ᄀᄅ누록 닷 홉 너허 비져 둣다가 스흘 지나거든 찹뿔 한 말 빅세ᄒ야 뼈 닉
거든 쓸난 물 한 말을 식혀 그 밋한대 비져 둣다가 니릭지나거든 쓰라.

13. 하향주 <언서주찬방(諺書酒饌方)>

술 재료 : 밑술 : 멥쌀 3되, 누룩가루 1되
　　　　　덧술 : 찹쌀 1말, 누룩가루 1되, 끓여 식힌 물 1병 반(2병)

술 빚는 법 :

* 밑술 :
1. 찹쌀 1말 빚으려면 먼저 멥쌀 3되를 백세하여 (물에 담가 불렸다가, 다시 씻
   어 헹궈 건져서 물기를 뺀 후) 작말한 뒤(가루로 빻아) 자배기에 담아놓는다.
2. 쌀가루를 뜨거운 물로 익반죽하여 구멍떡을 빚는다.
3. 솥에 물을 넉넉히 붓고 끓여서 구멍떡을 넣고 삶아 떡이 익었으면(수면으로
   떠오르면) 건져서 (소독하여 물기 없는 그릇에 담고 뚜껑을 덮어) 차게 식기
   를 기다린다.

4. 좋은 누룩을 가루로 빻고 체로 쳐서 고운 가루 1되를 장만한다.

5. 구멍떡에 누룩가루 1되를 섞고, 다시 치대어 이화주 빚듯이 (떡반대기와 누룩가루를 섞고 손으로 치대기를 서너 번 하여) 술밑을 빚는다.

6. 술밑을 술독에 담아 안치고, 예의 방법대로 하여 발효시켜 술이 익어가면 덧술을 준비한다.

* 덧술 :

1. 물 1병 반~2병을 팔팔 끓여서 차게 식혀놓는다.

2. 찹쌀 1말을 백세하여 (물에 담가 불렸다가, 다시 씻어 헹궈 건져서 물기를 뺀 후) 시루에 안쳐서 고두밥을 짓는다.

3. 고두밥이 익었으면, 넓은 그릇에 퍼서 헤쳐 두고 차게 식기를 기다린다.

4. 먼저 빚은 밑술이 가장 달면, 끓여 식힌 물 1병 반(술이 쓰면 끓여 식힌 물 2병)을 고두밥에 골라 넣는다.

5. 고두밥에 밑술과 누룩가루 1되를 한데 합하고, 고루 치대서 술밑을 빚는다.

6. 술밑을 술독에 담아 안치고, 예의 방법대로 하여 21일간 발효시킨다.

하향쥬(荷香酒)一粘米一斗 白米三升 曲末一升 又一升 (水一瓶半~二瓶)
졈미 흔 말만 비즈려 ᄒᆞ면 몬져 ᄇᆡᆨ미 서 되를 ᄇᆡᆨ셰작말ᄒᆞ야 구무쩍 비저 닉게 슬마 식거든 됴흔 누록을 ᄀᆞᄂᆞ리 ᄶᅵ허 체로 처 흔 되를 고로 쳐셔 니화쥬 빗ᄃᆞ시 항의 녀허 니거 가거든 졈미 흔 말을 ᄇᆡᆨ셰ᄒᆞ야 닉게 뼈 므룰 ᄭᅳᆯ혀 식거든 몬져 녀흔 믿술이 ᄀᆞ쟝 돌거든 믈을 병 반을 골와 녀코 마시 쓰거든 두 병을 골와 녀흐되 ᄯᅩ 누록ᄀᆞᄅᆞ 흔 되를 섯거 녀허 세닐웨 후제 여러 보면 그 마시 긔특ᄒᆞᄂᆞ니 오직 늘믈ᄭᅴ를 ᄀᆞ쟝 조심ᄒᆞ여야 마시 ᄀᆞ쟝 됴ᄂᆞ니라.

14. 하향주방 <역주방문(曆酒方文)>

술 재료 : 밑술 : 멥쌀 3되, 누룩가루 3되
　　　　　덧술 : 찹쌀 1말, 끓여 식힌 물(1사발)

술 빚는 법 :

* 밑술 :

1. 멥쌀 3되를 백세하여 새 물에 담가 하룻밤 불렸다가 (다시 씻어 말갛게 헹궈서 물기를 뺀 뒤) 작말한다(가루로 빻는다).
2. 쌀가루를 넓은 그릇에 퍼 담고, 솥에 물을 넉넉히 붓고 팔팔 끓인다.
3. 솥의 물이 뜨거울 때 8홉~1되 정도를 쌀가루에 골고루 붓고, 치대어서 되지도 질지도 않은 익반죽을 만들어 (구멍)떡을 빚는다.
4. 끓는 물에 (구멍)떡을 넣고 삶아서 익어 떠오르면 건져 소독하여 물기 없는 그릇에 담아 (주걱으로 짓이겨서) 차디차게 식기를 기다린다.
5. 구멍떡에 누룩가루 3되를 합하고, 힘껏 고루 치대어서 술밑을 빚는다.
6. 술밑을 술독에 담아 안치고, (술독 주둥이에 묻은 것을 깨끗하게 씻어내고 베보자기와 뚜껑을 덮어) 하루 동안 발효시킨다.

* 덧술 :

1. 다음날 물(1사발)을 팔팔 끓여 차게 식혀놓는다.
2. 멥쌀(또는 찹쌀 1말)을 준비한다(백세하여 매우 깨끗하게 헹군 뒤, 새 물에 담가 불렸다가 다시 씻어 말갛게 헹궈서 물기를 빼놓는다).
3. 불린 멥쌀(또는 찹쌀 1말)을 시루에 안쳐서 질게 고두밥을 찌는데, 고두밥이 익었으면 (돗자리에 퍼내고 주걱으로 고루 헤쳐서) 차디차게 식기를 기다린다.
4. 밑술에 끓여 식힌 물(1사발)을 합하고, 체에 밭쳐서 막걸리를 거른 다음, 찌꺼기를 제거하여 놓는다.

5. 거른 밑술에 고두밥을 한데 합하고, 고루 버무려서 술밑을 빚는다.

6. 준비한 술독에 술밑을 담아 안친 후 밀봉하여 (따뜻한 곳에 앉혀두고) 14일 간 발효시킨다.

7. 술이 익기를 기다렸다가 다시 7일 후에 용수 박아 채주하면 맛이 더욱 좋아진다.

* 주품명에 '하향주방(夏香酒方)'이라고 하였으나, '하향주(荷香酒)의 오기인 듯하다. 또 덧술의 쌀 종류나 양이 나와 있지 않아 다른 문헌과 같이 찹쌀 1 말로 하였다.

夏香酒方

白米二升百洗浸水翌日作末作孔餠烹出極冷後以瓮末曲三升和令另按磨之及 其翌日先以水猛沸候極冷之濃作飯候極冷調勻上酒本一斗則入右水三椀同爲 篩過曩置經二七日後可用而若過三七日味方極熟(仍)味烈.

15. 하향주 <온주법(醞酒法)>

술 재료 : 밑술 : 멥쌀 1되, 누룩가루 2되,
        덧술 : 찹쌀 1말, 누룩가루 2되, (끓여 식힌 물) 1병 반~2병

술 빚는 법 :

* 밑술 :

1. 멥쌀 1되를 백세하여 (물에 담갔다가, 다시 씻어 건져서 물기를 뺀 뒤) 작말 한다(가루로 빻는다).

2. (쌀가루에 뜨거운 물을 뿌리고, 익반죽하여 둥글납작한) 구멍떡을 빚는다.

3. 구멍떡을 끓는 물에 넣고 삶아낸다(떡이 익어 물 위로 떠오르면 건져서 소독

하여 물기 없는 그릇에 담고 뚜껑을 덮어서 차게 식기를 기다린다).

4. (식은) 구멍떡에 누룩가루 2되를 합하고, 매우 힘껏 치대 고루 버무려 술밑을 빚는다.

5. 술독에 술밑을 담아 안치고, 예의 방법대로 하여 (3일간) 발효시킨다.

* 덧술 :

1. 밑술이 익을 때 맛이 들었으면, (끓여 식힌 물) 1병 반(술이 독하면 2병)을 섞어놓는다.

2. 찹쌀 1말을 (백세하여 물에 담갔다가, 다시 씻어 건져서 물기를 뺀 뒤) 시루에 안쳐 고두밥을 짓는다.

3. (시루 안의 쌀에 물을 뿌려가면서 무르게 익히고) 고두밥이 익었으면 퍼내고, 고루 펼쳐서 오랫동안 차게 식기를 기다린다.

4. 고두밥에 밑술과 누룩가루 2되를 합하고, 매우 힘껏 치대 고루 버무려 술밑을 빚는다.

5. 술밑을 술독에 담아 안치고, 날물이 들어가지 않게 예의 방법대로 하여 21일간 발효·숙성시킨다.

* '하향주' 가운데 밑술과 덧술에 누룩이 사용되는 유일한 주방문이다.

하향듀

빅미 일 승 빅셰작말ㅎ여 구멍쩍 술마 국말 일 승의 쳐 닉을 씨 마시 들면 물 병 반을 ㅎ고 쓰면 두 병의 덤미 일두 밥 쪄 치와 섯거 또 국말 일 승 여허 삼칠 후 마시 긔특ㅎ니 늘물 졀금ㅎ라.

16. 하향주 <요록(要錄)>

술 재료 : 밑술 : 멥쌀 1되, 누룩 1되, 밀가루 5홉, 끓는 물 적당량(2홉)
　　　　 덧술 : 멥쌀 1말

술 빚는 법 :

* 밑술 :

1 멥쌀 1되를 백세하여 물에 담갔다가 다시 씻어 건져 세말한 다음, 넓은 그릇
　에 담아둔다.

2. 쌀가루에 뜨거운 물 2홉 정도를 섞고 주걱으로 개었다가, 익반죽하여 구멍
　떡을 빚는다.

3. 끓는 물솥에 구멍떡을 삶아 익어서 떠오르면, 건져서 소독하여 물기 없는 그
　릇에 담고 차게 식기를 기다린다.

4. 떡에 누룩 1되, 밀가루 5홉을 한데 합하고, 고루 힘껏 버무려 술밑을 빚는다.

5. 술독에 술밑을 담아 안치고, 예의 방법대로 하여 3~4일간 발효시킨다.

* 덧술 :

1. 멥쌀 1말을 불려서 준비한다(백세하여 하룻밤 물에 불렸다가, 다시 씻어 건
　져서 물기를 뺀다).

2. 불린 쌀을 시루에 안쳐서 찌되 (냉수를 많이 뿌려서) 고두밥을 무르게 짓는
　다(고루 펼쳐서 차게 식기를 기다린다).

3. 밑술을 고두밥과 합하고, 고루 힘껏 버무려 술밑을 빚는다.

4. 술밑을 술독에 담아 안친 다음, 예의 방법대로 하여 따뜻한 곳에서 5~6일
　간 발효시킨다.

夏香酒

雖月不改米○多佳　白米一升百洗細末作孔餠烹熟待冷好麴一升眞末五合和

合納缸經三四日米一斗爛蒸出前酒和入經五六日後用之.

17. 화(하)향주 <우음제방(禹飮諸方)>

> 술 재료 : 밑술 : 멥쌀 4되, 가루누룩 1되 5홉, 물(1~2되)
>
> 덧술 : 찹쌀 2말, 끓여 식힌 물 1말 2되

술 빚는 법 :

* 밑술 :

1. 멥쌀 4되를 백세하여 (물에 담갔다가 다시 씻어 건져서 물기를 뺀 뒤) 작말한다.
2. 쌀가루를 (뜨거운 물로 익반죽하여) 둥글납작한 구멍떡을 빚는다.
3. 솥에 구멍떡을 안치고, 떡이 잠기게 물(1~2되)을 붓고 삶는다.
4. 구멍떡이 익었으면(떡을 젓가락으로 찔러보아 쌀가루가 묻어나지 않으면) 떡 삶았던 물까지 넓은 그릇에 퍼 담고, 뚜껑을 덮어서 차디차게 식기를 기다린다.
5. 식은 떡에 가루누룩 1되 5홉을 합하고, 힘껏 고루 치대어 술밑을 빚는다.
6. 술독에 술밑을 담아 안치고, 예의 방법대로 하여 3일간 발효시킨다.

* 덧술 :

1. 찹쌀 2말을 백세하여 (물에 담가 불렸다가, 다시 씻어 건져서) 고두밥을 짓는다.
2. 솥에 물 1말 2되를 끓여서 차게 식혀놓고, 고두밥도 익었으면 퍼내어 고루 펼쳐서 차게 식기를 기다린다.
3. 끓여두었던 물로 밑술을 체에 걸러 찌꺼기를 제거한 막걸리를 만든다.
4. 고두밥에 거른 막걸리를 합하고, 고루 버무려 술밑을 빚는다.

5. 술밑을 술독에 담아 안치고, 예의 방법대로 하여 찬 땅에 안쳐 두고, 21일
   간 발효·숙성시킨다.

* 주방문에 "맑은 이는 적어도 맛이 훈향하고 기특하니라. 우를 뜨고 건지는
   어름에 타 먹나니, (술독을) 찬 땅에 놓거나 흙을 파고 독을 묻어 빚으라."
   고 하였다.

화향쥬
벽미 너 되 빅셰작말ᄒ야 반쥭ᄒ야 구무쎡 밍그러 쎡이 잠기게 물을 부어 닉
게 슬마 물 죄 퍼 ᄀ장 츠거든 ᄀ로누록 되 다 습 셕거 망울 업시 쳐 항의 너
허 사흘 마늬 졈미 두 말 빅셰ᄒ여 둠가 사흘 마늬 쪄 탕슈 믜히 슬혀 ᄀ장 츠
거든 ᄒ 말의 엿 되식 잡아 술밋츨 다시 바타 밥의 고로고로 셕거 너허다가
삼칠일 마늬 쓰라. 뭵으니는 젹어도 마시 훈향ᄒ고 긔특ᄒ니라. 우흘 쓰고 건
지는 어름의 타 먹느니 츤 짜희 비즈라.

18. 하향주 <음식디미방>

술 재료 : 밑술 : 멥쌀 1되, 누룩가루 5홉, 물 적당량(3홉)
　　　　덧술 : 찹쌀 1말

술 빚는 법 :
* 밑술 :
1 멥쌀 1되를 (물에 깨끗이 씻어 물에 담가 불렸다가, 다시 씻어 건져서 물기를
   뺀 후) 작말한다(가루로 빻는다).
2. (물솥에 물을 넉넉히 붓고 끓이다가, 물이 뜨거워지면 쌀가루에 적당량의
   물을 뿌려주고 고루 치대어 반죽을 만든다.)

3. (익반죽을 한 주먹 크기로 떼어 둥글납작한) 구멍떡을 빚는다.

4. 끓는 물솥에 구멍떡을 넣고 삶아 떠오르면 건져서 소독하여 물기 없는 그릇에 담고 (식기 전에 주걱으로 으깨어 인절미처럼 풀어) 차게 식기를 기다린다.

5. 떡에 누룩 5홉을 넣고, 고루 힘껏 버무려 술밑을 빚는다.

6. 술밑을 술독에 담아 안친 다음, 예의 방법대로 하여 3일간 발효시켜 삭을 만하면 덧술을 준비한다.

* 덧술 :

1. 다음날 찹쌀 1말을 (백세하여 하룻밤 물에 불렸다가, 다시 씻어 말갛게 헹궈서 물기를 뺀 후) 시루에 안쳐서 고두밥을 짓는다.

2. 고두밥을 찔 때 찬물 많이 뿌려 (무르게) 찌고, 익었으면 퍼내어 오랫동안 고루 펼쳐 차게 식기를 기다린다.

3. 고두밥에 먼저 빚어둔 밑술을 합하고, 고루 힘껏 버무려 술밑을 빚는다.

4. 술을 빚을 때 날물(군물)이 일체 들어가지 않도록 하고, 술독에 담아 안친 후 예의 방법대로 (더운 방에서 두텁게 싸매어) 3일간 발효시킨다.

하향쥬

빅미 흔 되 작말ᄒ여 구무쩍 믄드라 닉게 슬마 시겨 누룩 다 홉 섯거 골라 그
ᄅ세 담아 사흘만 ᄒ거든 춥뿔 흔 말 믈 쑤려 닉게 쪄 오래 시겨 밋수리 섯거
독의 녀코 늘믈긔 금ᄒ면 삼일 후 쓰ᄂ니라.

19. 하양주 <음식방문(飮食方文)>

술 재료 : 밑술 : 멥쌀 1되, 누룩가루 5홉
　　　　 덧술 : 찹쌀 1말

술 빚는 법 :

* 밑술 :

1 멥쌀 1되를 (물에 깨끗이 씻어 물에 담가 불렸다가, 다시 씻어 건져서 물기를
   뺀 후) 작말한다(가루로 빻는다).

2. (물솥에 물을 넉넉히 붓고 끓이다가, 물이 뜨거워지면 쌀가루에 적당량의
   물을 뿌려주고 고루 치대어 익반죽을 만든다.)

3. (익반죽을 한 주먹 크기로 떼어 둥글납작한) 구멍떡을 빚는다.

4. 구멍떡을 끓는 물솥에 넣고 삶아 떠오르면 건져서 소독하여 물기 없는 그
   릇에 담고 (식기 전에 주걱으로 으깨어 인절미처럼 풀어) 차게 식기를 기다
   린다.

5. 떡에 누룩가루 5홉을 넣고, 고루 힘껏 버무려 술밑을 빚는다.

6. 술밑을 술독에 담아 안친 다음, 예의 방법대로 하여 3일간 발효시켜 덧술
   을 준비한다.

* 덧술 :

1. 찹쌀 1말을 백세하여 (하룻밤 물에 불렸다가, 다시 씻어 말갛게 헹궈서 물기
   를 뺀 후) 시루에 안쳐서 고두밥을 짓는다.

2. 고두밥을 찔 때 찬물을 뿌려 (무르게) 찌고, 익었으면 퍼내어 고루 펼쳐 차
   게 식기를 기다린다.

3. 고두밥에 먼저 빚어둔 밑술을 합하고, 고루 힘껏 버무려 술밑을 빚는다.

4. 술밑을 술독에 담아 안친 후, 예의 방법대로 (더운 방에서 두텁게 싸매어)
   21일간 발효시킨다.

하양주

빅미 흔 되 작말ᄒ여 구무쩍 밍그라 식은 후 곡말 오 홉 범으려 삼일 만에 졈
미 흔 말 빅셰ᄒ여 물 샌려 쪄 치와짜가 항의 너허 습칠일 후에 쓰라.

20. 하향주 <의방합편(醫方合編)>

> 술 재료 : 밑술 : 멥쌀 1되, 누룩가루 5홉, 물 적당량(3홉)
>   덧술 : 찹쌀 1말

술 빚는 법 :

* 밑술 :

1. 멥쌀 1되를 (백세하고) 작말하여 적당량의 물과 섞어 구멍떡을 빚는다.
2. 구멍떡을 끓는 물솥에 넣고 잘 익게 삶아낸다.
3. 소독하여 물기 없는 그릇에 삶은 구멍떡을 담고 (잘 풀어 덩어리 없게 죽 상태로 만들어) 차게 식기를 기다린다.
4. 차게 식힌 떡에 누룩가루 5홉을 섞어 고루 힘껏 버무려 술밑을 빚는다.
5. 술밑을 술독에 담아 안치고, 예의 방법대로 하여 3일간 발효시킨다.

* 덧술 :

1. 찹쌀 1말을 백세하여 물에 담가 불렸다가, 다시 씻어 헹궈서 고두밥을 짓는다.
2. 고두밥이 무르게 익었으면 고루 펼쳐서 차게 식기를 기다린다.
3. 고두밥은 밑술과 합하고, 고루 힘껏 버무려서 술밑을 빚는다.
4. 술밑을 새 술독에 담아 안친 다음, 예의 방법대로 하여 21일간 발효시킨다.

* 주방문의 '두수조화(抖擻調和)'는 "떡과 누룩을 합하여 떡이 뚝뚝 떨어지게 한다."는 뜻이다.

荷香酒

白米一升作末 造孔瓶烹熟待其冷 曲末五合 抖擻調和 盛置於器第三日 又 以粘米一斗酒水熟蒸 良久寒之 與本釀調和入瓮 不使有客水之氣 三七日後乃熟.

21. 하향주방 <임원십육지(林園十六志)>

> 술 재료 : 밑술 : 멥쌀 1되, 누룩가루 5홉, (떡 삶은 물)
>   덧술 : 찹쌀 1말

술 빚는 법 :

* 밑술 :

1. 멥쌀 1되를 (백세하여 물에 담갔다가, 다시 씻어 건져서 물기를 뺀 뒤) 작말한다(가루로 빻는다).
2. (쌀가루에 뜨거운 물을 뿌리고, 익반죽하여 둥글납작한 구멍떡을 빚는다.)
3. 구멍떡을 끓는 물에 넣고 삶아, 떡이 익어 물 위로 떠오르면 건져서 소독하여 물기 없는 그릇에 담고 (뚜껑을 덮어서) 차게 식기를 기다린다.
4. 식은 떡에 누룩가루 5홉을 합하고, (떡을 삶았던 물을 차게 식혀 조금씩 쳐 가면서) 고루 치대어 술밑을 빚는다.
5. 술독에 술밑을 담아 안치고, 예의 방법대로 하여 3일간 발효시킨다.

* 덧술 :

1. 찹쌀 1말을 (백세하여 물에 담갔다가, 다시 씻어 건져서 물기를 뺀 뒤) 시루에 안쳐 고두밥을 짓는다.
2. 시루에 물을 뿌려가면서 무르게 익히고, 고두밥이 익었으면 퍼내어 고루 펼쳐서 오랫동안 차게 식기를 기다린다.
3. 고두밥에 밑술을 합하고, 고루 힘껏 치대어 술밑을 빚는다.
4. 술밑을 술독에 담아 안치고, 예의 방법대로 하여 21일간 발효·숙성시킨다.

* 주방문 말미에 "떡을 오랫동안 차게 식히라."고 하고, 덧술을 빚을 때 "날물이 들어가지 않도록 주의하라."고 하였다.

荷香酒方

白米一升作末造孔餠烹熟待冷麴末五合抖撤調和釀之第三日又以粘米一斗灑
水熟烝良久寒之與本釀調和入瓮不使有客水之氣過三七日乃熟 <故事撮要>.

22. 하향주 <주방문(酒方文)>

> 술 재료 : 밑술 : 멥쌀 1되, 고운 누룩가루 9홉
>   덧술 : 찹쌀 1말

술 빚는 법 :

* 밑술 :

1. 멥쌀 1되를 백세하여 (담가 불렸다 건져서) 가루로 빻는다.
2. 쌀가루에 뜨거운 물을 쳐서 되직한 익반죽을 만든다.
3. 쌀가루 반죽은 구멍떡을 얇게 빚어 끓는 물(3되)에 삶고, 익어 떠오르면 건
   지지 말고 그대로 소독하여 물기 없는 그릇에 담아서 차게 식기를 기다린다.
4. 떡 식힌 것에 법제를 많이 하여 지극히 바랜 누룩을 가루로 빻아서 가는체
   에 쳐서 9홉을 합하고, 멍울 없이 매우 치대어 술밑을 빚는다.
5. 술독에 술밑을 담아 안치고, 예의 방법대로 하여 서늘한 데 두고 3일간 발효
   시켜 단맛이 돌면 덧술을 한다.

* 덧술 :

1. 찹쌀 1말을 백세하여 새 물에 담가 하룻밤 불려놓는다.
2. 다음날 아침 물에 담가 불렸던 찹쌀을 다시 살짝 씻어 말갛게 헹궈서 소쿠
   리에 밭쳐 물기를 뺀다.
3. 찹쌀을 시루에 안쳐 고두밥을 짓고, 밑술을 모시베에 밭쳐 걸러서 막걸리를
   만들어놓는다.

4. 고두밥이 익었으면 돗자리에 퍼내고, 주걱으로 고루 펼쳐서 차게 식기를 기다린다.

5. 고두밥에 거른 밑술을 합하고, 고루 힘껏 버무려 술밑을 빚는다.

6. 술독에 술밑을 담아 안치고, 예의 방법대로 하여 발효시키되 빚은 이튿날이라도 날이 극히 더우면 술독을 물로 씻어 식힌다. 끓여 식힌 물로 씻어 차게 식혀야 한다.

* 주방문에 '밑술과 섞이지 않고 무르게 익지 않은 날밥이 들어가거나 너무 치대어도 밥알이 뜨나니 알맞게 치대어야 한다. 술그릇이 너무 차가워도 좋지 못하고 술을 빚을 때나 술 빚은 후에도 날물기란 일절 금하라.'고 강조하였다.

하향쥬(荷香酒)

빅미 흔 되 빅세작말ᄒ여 구무쩍ᄒ여 숢마 믈의 건지디 말고 모도 퍼 식거든 ᄀ장 바뢴 누룩 지극이 뇌여 구 홉만 흔되 쳐 녀허 닉어 들거든 사홀 만의 ᄎᄲᆯ 흔 말 빅세ᄒ여 ᄒᄅ밤 자여 거치 시어 닉게 뼈 딕링ᄒ야 술미츨 모시 뵈예 바타 놀믈ᄭᅵ 일졀 말고 밥을 버므리되 아니 무든 낫 업시 프러 가며 무텨 너모 다려도 속의 밥이 뜨ᄂᆞ니 알마초 녀허 비즈되 그릇시 못 ᄎᆞ면 우희 거 날이 극히 덥거든 비즌 잇튼날이라도 그릇슬 시어도 숢믄 믈로 잠간 쳐 싯고 놀믈ᄭᅵ란 일졀 말라.

23. 하향주법 <주방문조과법(造果法)>

술 재료 : 밑술 : 찹쌀 1되, 가루누룩 1되, 끓는 물 1사발
　　　　　덧술 : 찹쌀 1말, 살수물 1사발

술 빚는 법 :

* 밑술 :

1. 찹쌀 1되를 백세하여 물에 담가 불렸다가 (다시 씻어 헹궈서) 가루로 빻는다.

2. 솥에 물 1사발을 붓고 팔팔 끓여 쌀가루에 고루 나눠 붓고, 주걱으로 고루 개어 담(범벅)을 쑨다.

3. 담(범벅)을 소독하여 물기 없는 그릇에 담고 (뚜껑을 덮어) 차게 식기를 기다린다.

4. 차게 식은 담(범벅)에 누룩을 빻은 후, 1되를 합하고 고루 치대어 술밑을 빚는다.

5. 술밑을 술독에 담아 안치고, 예의 방법대로 하여 발효시키는데 술밑이 괴어오르면 덧술을 한다.

* 덧술 :

1. 밑술이 괴어오르는 것을 봐가며 찹쌀 1말을 백세하여 물에 담가 밤재워 불렸다가 (다시 씻어 헹궈서 물기를 뺀 후) 시루에 안쳐 고두밥을 짓는다.

2. 고두밥에서 한 김 나면 고두밥에 찬물 1사발을 뿌려서 고루 뒤적여 놓고, 다시 쪄 뜸을 들여 무르익은 고두밥을 짓는다.

3. 고두밥이 익었으면 삿자리에 퍼내고, 고루 펼쳐 얼음같이 차게 식기를 기다린다.

4. 밑술을 체에 밭쳐서 누룩찌꺼기를 제거한 탁주를 만들어놓는다.

5. 차게 식은 고두밥에 밑술을 고루 버무리고, 매우 힘껏 치대어 술밑을 빚는다.

6. 술밑을 술독에 담아 안치고, 예의 방법대로 하여 14일간 발효시킨다.

하향쥬법

차쌀 한 되 백셰하야 (작말하여) 믈거혀(끓여) 믈(물) 한 사발의 담 개야 차거든 가가른 누록 한 되 쳐 녀헛다가 괴거든 가장 고로 찹쌀 한 말 죄 세석(죄 씻어서) 밥 써(쪄) 물 한 사말(발) 골라 두 번 뎌(쪄) 차거든 날물기 업시 밋술 체 한 바타 섯거 녀허다가 이칠일 우의 먹나니라.

24. 하향주 <주찬(酒饌)>

술 재료 : 밑술 : 멥쌀 1되, 가루누룩 5홉
　　　　 덧술 : 찹쌀 1말

술 빚는 법 :

* 밑술 :

1. 도정을 많이 한 멥쌀 1되를 백세하여 (물에 담가 불렸다가, 다시 씻어 건져서 물기를 뺀 후) 작말한다.
2. 쌀가루를 따뜻한 물로 익반죽한 후, 공병을 빚어 시루에 안쳐 찐다.
3. 떡이 익었으면 들어내서 소독하여 물기 없는 그릇에 담고 (한 덩어리가 되게 멍울진 것 없이 하여) 차게 식기를 기다린다.
4. (떡이 덜 풀어지면 떡 찌던 시루밑물을 차게 식혀 조금씩 쳐가면서 푼다).
5. 떡에 가루누룩 5홉을 합하고, 고루 힘껏 치대서 술밑을 빚는다.
6. 술독에 술밑을 담아 안치고, 예의 방법대로 하여 3일간 발효시킨다.

* 덧술 :

1. 찹쌀 1말을 백세하여 (물에 담가 불렸다가, 다시 씻어 건져서 물기를 뺀 후) 시루에 안치고, 찬물을 뿌려가면서 고두밥을 짓는다.
2. 고두밥이 익었으면 퍼내고, 고루 펼쳐서 차게 식기를 기다린다.
3. 고두밥에 밑술을 합하고, 고루 힘껏 버무려 술밑을 빚는다.
4. 술독에 술밑을 담아 안치고, 예의 방법대로 하여 21일간 발효시킨다.

* 날물(객수)을 들이지 않는다.

荷香酒

精白米一升作末作孔餅熟烹待冷細末曲五合合調釀 三日後粘米一斗灑水烝飯

待冷合釀而不入客水氣三七日後用之.

25. 하향주법 <증보산림경제(增補山林經濟)>

> 술 재료 : 밑술 : 멥쌀 1되, 누룩가루 5홉
>   덧술 : 찹쌀 1말

술 빚는 법 :
* 밑술 :
1. 멥쌀 1되를 백세하여 (물에 담갔다가, 다시 씻어 건져서 물기를 뺀 뒤) 작말한다(가루로 빻는다).
2. (쌀가루에 뜨거운 물을 뿌리고, 익반죽하여 둥글납작한 구멍떡을 빚는다.)
3. 구멍떡을 끓는 물에 넣고 삶아 떡이 익어 물 위로 떠오르면, 소독하여 물기 없는 그릇에 담고 뚜껑을 덮어서 차게 식기를 기다린다.
4. 식은 떡에 누룩가루 5홉을 합하고, 떡을 찐 물을 식혀서 조금씩 쳐가면서 고루 버무려 술밑을 빚는다.
5. 술독에 술밑을 담아 안치고, 예의 방법대로 하여 3일간 발효시킨다.

* 덧술 :
1. 찹쌀 1말을 백세하여 (물에 담갔다가, 다시 씻어 건져서 물기를 뺀 뒤) 시루에 안쳐 고두밥을 짓는다.
2. 시루에 물을 뿌려가면서 무르게 익히고, 고두밥이 익었으면 퍼내어 고루 펼쳐서 오랫동안 차게 식기를 기다린다.
3. 고두밥에 밑술을 합하고, 고루 힘껏 버무려 술밑을 빚는다.
4. 술밑을 술독에 담아 안치고, 예의 방법대로 하여 21일간 발효·숙성시킨다.

* 주방문 말미에 "누룩을 섞어 술밑을 빚을 때 떡 삶은 물을 쳐서 사용하라."고 하고, "여름이라면 술이 익은 다음 항아리를 냉수에 담가두면 상하지 않는 다. 덧술을 빚을 때 날물이 들어가지 않도록 주의하라."고 하였다.

荷香酒法

白米一升作末造孔餅烹熟待冷麴末五合抖搜調和釀之作本第三日又以粘米一斗洒水熟蒸良久寒之與本調和入甕禁客水之氣過三七日乃熟　抖搜用烹餅水候冷若當夏月候熟浸缸冷水免壞.

26. 하향주 <치생요람(治生要覽)>

> 술 재료 : 밑술 : 멥쌀 1되, 누룩가루 5홉, 물 적당량(3홉)
>   덧술 : 찹쌀 1말

술 빚는 법 :

* 밑술 :

1 멥쌀 1되를 백세하여 (물에 백 번 씻어 깨끗하게 헹군 다음, 새 물에 담가 불렸다가 다시 씻어 말갛게 헹궈 건져서 물기를 뺀 뒤) 가루로 빻는다.

2. (솥에 물을 많이 붓고 끓이다가) 물이 뜨거워지면 적당량의 물을 떠서 쌀가루에 섞고 치대어 구멍떡을 빚는다.

3. 끓고 있는 물솥에 구멍떡을 넣고, 잘 익게 삶아 (물 위로 떠오르면 건져낸 다음, 주걱으로 잘 으깨서 덩어리 없게 죽 상태로 만들어) 싸늘하게 식기를 기다린다.

4. 차게 식힌 떡에 누룩가루 5홉을 섞어 고루 버무려 술밑을 빚는다.

5. 술밑을 술독에 담아 안친 다음 (술독 주둥이에 묻은 것을 깨끗이 닦아내고, 베보자기를 씌우고 뚜껑을 덮어) 3일간 발효시킨다.

* 덧술 :

1. 밑술을 빚은 지 3일째 되는 날, 찹쌀 1말을 백세한다(물에 백 번 씻어 깨끗
   하게 헹군 다음, 새 물에 담가 불렸다가 다시 씻어 말갛게 헹구고 건져서 물
   기를 뺀다).
2. 불린 쌀을 시루에 안쳐서 무른 고두밥을 짓고, 무르게 익었으면 고루 펼쳐서
   오랫동안 차게 식기를 기다린다.
3. 고두밥을 밑술과 합하고 고루 버무려서 술밑을 빚는다.
4. 술밑을 술독에 담아 안친 다음, 날물이 들어가지 않게 하여 (술독 주둥이
   에 묻은 것을 깨끗이 닦아내고, 베보자기를 씌우고 뚜껑을 덮어) 21일간 발
   효시키면 익는다.

* 방문 말미에 덧술은 "삼칠일(21일) 후면 숙성된다."고 하였으며, "일체의 객수
  (날물)을 금한다."고 하였다.

荷香酒

白米一升作末造孔餅烹熟待冷曲末五合調釀三日以粘米一斗蒸飯待冷不用客
水和均三七熟.

27. 하향주 <한국민속대관(韓國民俗大觀)>

> 술 재료 : 밑술 : 멥쌀 1되, 누룩가루 5홉
>   덧술 : 찹쌀 1말

술 빚는 법 :

* 밑술 :

1. 멥쌀 1되를 (백세하여 물에 담가 불렸다가, 다시 씻어 헹궈서 물기를 뺀 후)

가루로 빻는다.

2. 솥에 물을 넉넉히 붓고 팔팔 끓인다(물이 뜨거워지면 2홉 정도를 떠서 쌀가루에 쳐서 익반죽한다).

3. 익반죽한 쌀가루를 (한 주먹씩 떼어) 물송편(구멍떡)을 빚는다.

4. 구멍떡을 끓고 있는 물솥에 넣고 삶아 (떠오르면 익었으므로 건져서) 소독하여 물기 없는 그릇에 담아 차게 식기를 기다린다.

5. 차게 식은 구멍떡에 햇볕에 법제한 누룩가루 5홉을 넣고, 고루 버무려 술밑을 빚는다.

6. 술밑을 그릇(술독)에 담아 안치고, 예의 방법대로 하여 3일간 둔다(발효시킨다).

* 덧술 :

1. 찹쌀 1말을 (백세하여 물에 담가 불렸다가, 다시 씻어 헹궈서 물기를 뺀 후) 시루에 안쳐서 고두밥을 짓는다.

2. 고두밥에 물을 넉넉히 뿌려서 무르게 찌고 익었으면, 퍼내어 고루 펼쳐서 차게 식기를 기다린다.

3. 차게 식은 고두밥에 밑술을 합하고, 고루 버무려 술밑을 빚는다.

4. 술밑을 그릇(술독)에 담아 안치고, 예의 방법대로 하여 3~7일간 발효시킨다.

하향주(荷香酒)

조선 초기에 많이 유행한 술인데, 빚어진 술이 연꽃 향기와 같다고 비유된 술이다. 백미 한 되를 가루 낸 다음, 물송편(구멍떡)을 만들고 삶아 식힌다. 거기에 누룩가루 다섯 홉을 섞어 풀고 그릇에 담아 사흘쯤 둔다. 따로 찹쌀 한 말에 물을 많이 뿌려 익게 찌고 잘 식혀서 밑술에 섞으면 3~7일로 익게 된다. 물송편을 만들어 담드는 것이 특이하며, 찹쌀은 2차 담금에서 사용하고 있다.

28. 하향주 <해동농서(海東農書)>

술 재료 : 밑술 : 멥쌀 1되, 누룩가루 5홉

　　　　　 덧술 : 찹쌀 1말

술 빚는 법 :

* 밑술 :

1. 멥쌀 1되를 백세하여 (물에 담갔다가, 다시 씻어 건져서 물기를 뺀 뒤) 작말
   한다(가루로 빻는다).
2. (쌀가루에 뜨거운 물을 뿌리고, 익반죽하여 둥글납작한 구멍떡을 빚는다.)
3. 구멍떡을 끓는 물에 넣고 삶아, 떡이 익어 물 위로 떠오르면 건져서 소독하
   여 물기 없는 그릇에 담고 뚜껑을 덮어서 차게 식기를 기다린다.
4. 식은 떡에 누룩가루 5홉을 합하고, 떡을 찐 물을 식혀서 조금씩 쳐가면서 고
   루 힘껏 치대서 술밑을 빚는다.
5. 술독에 술밑을 담아 안치고, 예의 방법대로 하여 3일간 발효시킨다.

* 덧술 :

1. 찹쌀 1말을 백세하여 (물에 담갔다가, 다시 씻어 건져서 물기를 뺀 뒤) 시루
   에 안쳐 고두밥을 짓는다.
2. 시루에 물을 뿌려가면서 무르게 익히고, 고두밥이 익었으면 퍼내고 고루 펼
   쳐서 오랫동안 차게 식기를 기다린다.
3. 고두밥에 밑술을 합하고, 고루 버무려 술밑을 빚는다.
4. 술밑을 술독에 담아 안치고, 예의 방법대로 하여 21일간 발효·숙성시킨다.

* 주방문 말미에 "누룩을 섞어 술밑을 빚을 때 떡 삶은 물을 쳐서 사용하라."고
   하고, "여름이라면 술이 익은 다음 항아리를 냉수에 담가두면 상하지 않는
   다. 덧술을 빚을 때 날물이 들어가지 않도록 주의하라."고 하였다.

荷香酒

白米一升作末 造孔餠烹熟待冷 麴末五合 抖撒調和釀之 第三日 又以粘米一
斗 洒水熟蒸 良久寒之 與本釀調和入瓮 不使有客水之氣 過三七日乃熟. <攷
事>.

합자주

'합자주(榼子酒)'는 매우 독특한 주방문을 자랑한다. <언서주찬방(諺書酒饌方)>에서만 찾아볼 수 있는 주품이다. '합자주'가 독특한 주방문을 보여주고 있다고 한 까닭은 밑술을 빚는 방법 때문이다.

'합자주'는 멥쌀 3되를 백세작말하여 끓는 물로 범벅을 쑤어 익히는데, 범벅이 식으면 누룩가루 3되와 섞어 술밑을 빚되 19개로 등분하여 개떡과 같은 떡으로 빚는다는 것이다. 술밑을 등분하여 담아 안치는 이유도 알 수 없거니와 술밑을 굳이 떡처럼 만들고 그 개수가 19개인 이유도 알 수 없기는 마찬가지이다.

이러한 궁금증과 호기심에서 '합자주'를 빚어보았는데, 주방문에서처럼 밑술의 술밑이 떡처럼 뭉쳐지지 않았다. 수차례 별의별 방법을 시도해 보았지만 성공하지 못했다.

그래서 마지막으로 시도했던 방문이 밑술의 쌀을 백세(百洗)하되, 물에 불리지 않는 것이었다. 쌀의 수분 함량을 적게 한 후에 가루로 빻아서 끓는 물로 익히면 된 범벅 상태가 될 것이라는 계산이었다.

그런데 쌀을 불리지 않은 상태에서 쌀가루를 만들고 보니 범벅이 투명하게 익지 않는 문제가 발생되었다. 다른 주방문에서처럼 투명하지도 않고, 진흙처럼 매우 끈끈한 상태가 되긴 했으나 역시 늘어지는 건 마찬가지였다.

'합자주'의 특징은 밑술의 술밑을 떡처럼 뭉쳐서 독에 담아 안치는 데 있고, 분명히 어떤 이유가 있을 거란 생각에 방법을 달리해 다시 시도해 보았다. 이번에는 불리지 않은 쌀을 가루로 빻고, 쌀가루에 끓는 물을 섞어 범벅을 쑨 후, 넓은 그릇에 담아 차가운 곳에 방치하여 저절로 차게 식도록 기다렸다가 누룩을 넣고 흙덩이 뭉치듯 대충 버무려 놓고 보니 엉성하기는 했지만 개떡 비슷한 떡을 만들 수가 있었다.

이렇게 힘든 과정을 거쳐 독에 담아 발효시키고 보니 또 다른 문제가 발생했다. 술밑이 끓어오르면서 독 밖으로 흘러넘치는 것이었다. 그 정도가 얼마나 심하던지 찬물에 담가놓고 술덧을 주걱으로 수차례 휘저어 주어도 30분도 안 되어 다시 끓어 넘치길 반복하여 결국 사용할 수 없는 지경이 되었다.

하는 수없이 술밑을 다시 빚어 술독을 큰 독으로 바꾸어 안치고 나서야 밑술을 사용할 수 있었는데, 덧술은 밑술에 비해 훨씬 수월하여 별다른 어려움 없이 진행할 수 있었다.

결국 '합자주'는 밑술이 잘 끓어 넘치기 때문에 주둥이가 넓은 통에 담아 발효시키는 술이라는 사실을 깨닫게 된 것이다. 그리고 술이 잘 끓어 넘치는 이유가 술밑을 개떡 형태의 떡으로 만들어 빚기 때문이라는 사실도 알게 되었다.

개떡 형태의 떡을 빚으려면 범벅과 누룩가루를 섞은 후 여느 술보다는 덜 치대야 하기 때문이다. 범벅은 여느 방법으로 빚은 술밑보다 더 치대주어야 하는데도, 개떡 형태의 떡이 되려면 부득이 덜 치댈 수밖에 없다. 바로 이런 이유로 술이 잘 끓어 넘치게 되므로, 아가리가 넓은 그릇을 발효 용기로 택해야 할 필요성을 느꼈을 것이다. '합자주'는 밑술의 누룩가루 양이 많아지게 된 배경이기도 하다.

그렇다면 "왜 발효 중에 잘 끓어 넘치는 개떡 형태의 술밑을 빚게 되었을까?" 하는 의문이 남게 되는데, 그 이유는 간단하다. 강한 효모의 육성을 필요로 했기 때문이다. 덧술에 사용되는 멥쌀 3말을 끓는 물 9사발과 합하여 진고두밥 형태의 술밑을 삭힐 수 있는 밑술의 제조가 목적이었던 것이다.

따라서 아가리가 넓은 형태의 술통이 필요하게 되었고, 주품명도 '합자주'라는 이름을 쓰게 되었을 거란 추측을 하게 되었다.

실제로 <언서주찬방>의 '합자주'를 빚으면서 막연하나마 주품명에 대한 이해가 되었다. '합자주'의 합(榼)은 주합(酒盒)을 비롯하여 준합(樽榼)·호합(壺榼)과 같은 술통이나 물통 따위를 가리키는 말이기도 하거니와 그릇의 아가리를 덮을 수 있는 뚜껑이나 덮개를 가리키는 말로도 사용된다.

어찌됐든 이렇게 완성된 <언서주찬방>의 '합자주'에서는 미묘한 향기를 느낄 수 있었는데, 방향이라고 하기에는 아주 미미하지만 마치 마른 꽃과 풀에서 나는 향기 같은 느낌으로 다가왔다. 수율도 비교적 높은 편으로 약간의 감미와 꽤 독한 느낌은 <수운잡방(需雲雜方)>의 '황금주' 맛이었다.

합자주 <언서주찬방(諺書酒饌方)>

> 술 재료 : 밑술 : 멥쌀 3되, 누룩가루 3되, 정화수 10사발
>   덧술 : 멥쌀 3말, 정화수 9사발

술 빚는 법 :

* 밑술 :

1. 멥쌀 3되를 백세하여 (다시 씻어 말갛게 헹궈 건져서 물기를 뺀 후) 작말하여 가는체로 쳐서 넓은 그릇에 담아놓는다.

2. 물솥에 정화수 1사발을 붓고 끓으면 쌀가루에 나눠 붓고, 주걱으로 고루 개어서 범벅을 쑨다.

3. 범벅을 담은 그릇에 담아 (뚜껑을 덮지 말고) 하룻밤 재워 차게 식기를 기다린다.

4. 범벅에 누룩가루 3되를 섞고, 누룩이 범벅에 고루 섞일 정도로 버무려 술밑을 빚는다.

5. 술밑으로 떡 8~9개를 만들어 술독에 담아 안치고, 단단히 덮어 3일간 발효시킨다.

* 덧술 :
1. 밑술 빚은 지 3일째 되는 날, 멥쌀 3말을 백세하여 (물에 담가 불렸다가, 다시 씻어 헹궈 건져서 물기를 뺀 후) 시루에 안쳐서 고두밥을 짓는다.
2. 고두밥이 익었으면 퍼내어 넓은 그릇에 퍼 담고, 쌀 1말에 정화수 3사발씩 9사발을 섞어 물이 잦아들기를 기다린다.
3. 고두밥을 (고루 펼쳐서 가장 차게 식힌 다음) 밑술과 합하고, 고루 치대어 술밑을 빚는다.
4. 술밑을 술독에 담아 안치고, 예의 방법대로 두터운 식지(食紙)로 싸매어 5일간 발효시킨 후에 쓴다.

합주쥬(榼子酒)一白米三斗三升 麴三升 水十沙鉢
빅미 서 되를 빅셰작말ᄒᆞ야 ᄀᆞᄂᆞᆫ체로 노야 글힌 믈로 섯거 밤 자거든 누록ᄀᆞᄅ 서 되를 흔듸 섯고 고로 쳐셔 쩍 열 아홉을 밍ᄃᆞ라 그르셰 녀허 ᄃᆞᆼ이 더퍼 둣다가 사흘 후제 빅미 서 말을 빅셰ᄒᆞ야 닉게 뼈 미 흔 말애 졍하슈 세 사발식 혜여 섯거 쩍의 버므려 독의 녀허 두터온 식지로 싸미야 닷새 후에 쓰라.

향로주

<양주방>*과 <양주방(釀酒方)>은 다 같이 한글로 쓴 주방문이다. '향로주'는 이 두 문헌에서만 찾아볼 수 있는 주품명이다.

처음에 <양주방>의 '향노주법'을 대했을 때 이 주품이 <산가요록(山家要錄)>과 <수운잡방(需雲雜方)>에 수록된 '향료방(香醪方)'과 같은 주품이 아닐까 하는 생각을 갖기도 했다.

그도 그럴 것이 <산가요록>과 <수운잡방>에 수록된 '향료방'의 특징은 밑술의 쌀을 3일간 침지하여 떡을 찌고, 이를 다시 끓는 물로 죽을 쑨 다음, 밀가루와 누룩가루를 사용해 술밑을 빚는다는 것이다. 그런데 더욱 특징적인 건 덧술의 쌀역시도 3일간이나 침지시켜 부식된 쌀을 고두밥 짓고, 다시 끓여 식힌 물과 누룩을 섞어 술밑을 빚는다는 점이다.

반면 <양주방>*의 '향로주'는 "희게 쓿은 멥쌀 1말을 물에 깨끗이 씻고 또 씻은 뒤, 3일간 물에 담가 불렸다가 가루로 빻아 끓는 물 1말 4되를 쌀가루에 붓고, 주걱으로 익게 개어 된 범벅을 만든다."는 점에서 차이가 있다.

<양주방>의 '향노주법'도 "멥쌀 2말 백세하여 물에 담가 하룻밤 불렸다가 가루로 빻고, 끓는 물 20사발을 고루 익게 뿌리고, 주걱으로 고루 개어 범벅을 쑨다."고 하여 <산가요록>이나 <수운잡방>의 '향료방'과는 밑술 빚는 법부터 다른 주방문임을 알 수 있다.

　　또한 <양주방>*의 '향로주'는 "희게 쓿은 멥쌀 2말을 물에 깨끗이 씻고 또 씻어 3일간 물에 담가 불렸다가 시루에 안쳐 고두밥을 짓는데, 끓는 물 1말 6되를 고두밥에 한데 섞어놓았다가" 라고 하였고, <양주방>의 '향노주법' 덧술은 "고두밥을 찔 때 찬물을 살수하여 찌고, 쪄낸 고두밥에 다시 찬물을 합하여 차게 식힌다."는 점에서 분명한 차이를 발견할 수 있다.

　　다시 말해 <양주방>*과 <양주방>의 '향로주'는 <산가요록>과 <수운잡방>에 수록된 '향료방'과는 전혀 다른 주품이며, <양주방>*과 <양주방>의 '향로주'가 서로 다른 방문이라는 사실이다.

　　<양주방>*의 '향로주' 주방문 말미에 "맛이 훈감하고 향긋하여 기특하고, 법대로 하면 너무 독하여 한 잔에 장부가 어지러워지고, 온갖 마디마디가 녹는 듯하여 사람이 상하니, 물을 짐작하여 더 넣어라. 이 술은 예사 술 빚는 법과 다르다. 겨울철에 빚는 술이다."고 하였다. 그런가 하면 <양주방>에서는 "술맛이 여느 술과 다르다."고 하여 서로 다른 의미를 부여하고 있음을 확인할 수가 있다.

　　즉 <양주방>*에서는 '향로주'가 발효주이면서도 "맛이 훈감하고 향긋하여 기특하고, 법대로 하면 너무 독하여 한 잔에 장부가 어지러워지고, 온갖 마디마디가 녹는 듯하여 사람이 상하니, 물을 더 넣으라."고 하였는데, <양주방>에서는 "술맛이 여느 술과 다르다."고 하여 맛에 대해서만 언급해 이들 '향로주'가 서로 다른 주품이라는 사실을 확인시켜 주고 있다 하겠다.

　　이렇듯 한 가지 주품을 두고 서로 다른 맛과 알코올 도수를 갖게 된 배경은 무엇일까? 그 까닭을 이해하고 숙지하는 것이 술을 빚는 사람의 공부하는 자세가 아닐까 생각한다.

　　두 문헌의 주방문을 보니 <양주방>*의 '향로주'는 쌀 양 3말에 누룩의 양은 2되 4홉으로 10% 미만이고, 밀가루의 양은 6홉, 물은 3말로 100%의 비율이다. 반면 <양주방>의 '향노주법'은 쌀 양 7말에 가루누룩 5되로 7.1%이고, 밀가루 1되,

물은 27사발(2말 7되)로 38.5%의 비율이다.

　주지하다시피 우리 술 빚는 법에서 누룩의 양에 비해 쌀의 양이 많아질수록 술의 도수는 높아지고 술맛은 부드럽게 느껴진다. 또한 쌀 양에 비해 물의 양이 많아질수록 도수는 높아지고 맛은 독하게 느껴지는 것이 일반적인 양주기술이다.

　그런가 하면 쌀을 가공하는 방법에 따라서도 알코올 도수나 술 맛에 차이가 나는데, 두 문헌의 밑술 빚는 과정은 동일하다.

　따라서 쌀과 누룩, 물의 양에 따른 비율의 차이에서 <양주방>*의 '향로주'가 더 독하고 매운맛이 나는 까닭을 알 수 있다.

　<양주방>*의 주방문에서도 "법대로 하면 너무 독하여 한 잔에 장부가 어지러워지고, 온갖 마디마디가 녹는 듯하여 사람이 상하니 물을 짐작하여 더 넣어라."고 했듯이 이 같은 사실을 짐작케 해준다. 즉, 덧술 쌀을 오래 침지시켜 빚는 까닭에 단맛이 많아 향이 좋고 부드럽기는 하나, 7일 만에 마시는 '향로주'는 미숙주라서 대취하게 된다는 것이다.

　결국 양주용수의 양을 더 늘리게 되면, 알코올 도수가 낮아지는 효과는 가져올 수 있으나 술맛은 더욱 거칠어지고 맛이 떨어질 수 있으므로, 후숙 기간을 더 길게 하여 완전발효를 시키는 것이 최선의 방법으로 판단된다.

　주방문을 보완하고자 한다면, 오히려 쌀의 양을 늘려서 술맛을 부드럽게 하는 게 바람직한 방법이라고 판단되나, 이는 술을 빚는 사람이 선택할 일이다.

1. 향로주 <양주방>*

> 술 재료 : 밑술 : 멥쌀 1말, 누룩가루 1되 4홉, 밀가루 6홉, 끓는 물 1말 4되
> 　　　　 덧술 : 멥쌀 2말, 누룩가루 1되, 끓는 물 1말 6되

술 빚는 법 :

* 밑술 :

1. 희게 쓿은 멥쌀 1말을 물에 깨끗이 씻고 또 씻은 뒤, 3일간 물에 담가 불렸다가(다시 씻어 헹궈 건져서 물기를 뺀 후) 가루로 빻는다.
2. 솥에 물 1말 4되를 (팔팔 끓여서) 쌀가루에 붓고, 주걱으로 익게 개어 된 범벅을 만든 다음 차게 식기를 기다린다.
3. 범벅에 누룩가루 1되 4홉, 밀가루 6홉을 한데 합하고, 꽤 고루고루 치대어 술밑을 빚는다.
4. 짚불 연기를 쏘여 소독한 술독에 물기를 없이 하여 술밑을 담아 안치고, 예의 방법대로 밀봉하여 7일간 발효시킨다.

* 덧술 :
1. 희게 쓿은 멥쌀 2말을 물에 깨끗이 씻고 또 씻어(백세하여) 3일간 물에 담가 불렸다가 (다시 씻어 헹궈 건져서 물기를 뺀 후) 시루에 안쳐 고두밥을 짓는다.
2. 솥에 물 1말 6되를 붓고 팔팔 끓여 고두밥이 익었으면 퍼내어 한데 섞어놓는다.
3. 고두밥이 물을 다 먹었으면 여러 그릇에 나눠 담고, 더운 기가 없이 차게 식기를 기다린다.
4. 고두밥에 누룩가루 1되와 밑술을 합하고, 꽤 고루고루 치대어 술밑을 빚는다.
5. 술밑을 술독에 담아 안친 후, 예의 방법대로 단단히 밀봉하여 7일간 발효시킨다.
6. 술이 익으면 용수를 박아 다음날 채주한다.

* 주방문에 "맛이 훈감하고 향긋하여 기특하고, 법대로 하면 너무 독하여 한 잔에 장부가 어지러워지고, 온갖 마디마디가 녹는 듯하여 사람이 상하니, 물을 짐작하여 더 넣어라. 이 술은 예사 술 빚는 법과 다르다. 겨울철에 빚는 술이다."고 하였다.

향노쥬

빅미 일 두 빅셰ᄒ야 삼일을 담가다가 작말ᄒ야 물 너 되예 닉게 기야 ᄎ거든 국말 되 서 홉 진말 뉵 홉 섯거 날물긔 업시 집뇌 뿨여 너허 항부리 봉ᄒ야다가 칠일 만의 빅미 이 두 빅셰ᄒ야 담갓다가 건져 닉게 밥 ᄶ여 ᄯᅳᆯ힌 물 말 엿 되만 골나 녀ᄅ 그ᄅ시 치와 영영 온긔 업슨 후 ᄯᅩ 국말 하고 술밋희 버므려 마이 쳐 항의 너허 둔둔이 봉ᄒ야다가 이칠일 후 드리우라. 마시 훈향ᄒ야 긔 특ᄒ고 법대로 ᄒ면 너므 세여 일븨예 장븨 어리고 골졀이 녹는듯 ᄒ야 스룸이 상ᄒᄂ니 물을 짐작ᄒ야 너흐라. 이 술법과 다르니라. 겨울에 빗는 술이니라.

2. 향노주법 <양주방(釀酒方)>

−일곱 말 닷 되 빚이

술 재료 : 밑술 : 멥쌀 2말, 가루누룩 4되, 밀가루 1되, 끓는 물 20사발

덧술 : 멥쌀 5말, 가루누룩 1되, 찬물 7사발

술 빚는 법 :

* 밑술 :

1. 멥쌀 2말 백세하여 물에 담가 하룻밤 불렸다가 (다시 씻어 건져서 물기를 뺀 후) 가루로 빻는다.

2. 넓은 그릇에 퍼 담고, 끓는 물 20사발을 고루 익게 뿌려서 주걱으로 고루 개 어 범벅을 쑨 다음, 차게 식기를 기다린다.

3. 차게 식은 범벅에 가루누룩 4되, 밀가루 1되를 섞고, 고루 버무려 술밑을 빚 는다.

4. 술밑을 독에 담아 안치고, 예의 방법대로 하여 여름은 3일, 봄·가을 5일, 겨 울 6일간 발효시킨다.

* 덧술 :

1. 멥쌀 5말을 백세하여 물에 하룻밤 담갔다가 고쳐 씻어 (헹궈 건져서 물기를 뺀 후) 시루에 안치고 고두밥을 짓는다.
2. 고두밥을 찔 때 (찬)물 3사발을 고두밥에 고루 뿌려서 반만 익게 쪄서 퍼낸다.
3. 고두밥에 찬물 4사발을 고루 뿌려주고, 다시 안쳐서 익게 찐 다음 고루 펼쳐서 차게 식기를 기다린다.
4. 고두밥에 가루누룩 1되와 함께 밑술을 섞고, 고루 버무려 술밑을 빚는다.
5. 술밑을 독에 담아 안치고, 예의 방법대로 하여 25일 정도 발효시킨다.

* 주방문 말미에 술이 익으면 "술맛이 여느 술과 다르다."고 하였다.

향됴쥬법

닐곱 말 닷 되 비지. 쏠 두 말 빅셰ᄒ야 담가 ᄒ로밤 지나거든 작말ᄒ야 ᄯᅡ난 물 스무 샤발로 그 굴릭 뿌려 섯거 둣다가 식거든 ᄀᆞ른누록 넉 되 진ᄀᆞ른 한 되 합ᄒ야 비저 둣다가 봄과 ᄀᆞ을은 닷시오 여름은 스흘이오, 겨울은 엿시 후의 쏠 단 말을 빅셰ᄒ야 담갓다가 ᄒ로밤 지나거든 고쳐 씨서 두 시로ᄂᆞᆫ 화ᄭᅥ되 ᄲᅵᆯ졔 물 세 스발식 쑬혀 반만 쯴 후의 도로 내여 도로 다 스흔 물 네 스발식 골라 도로 닉게 뼈내여 식거든 ᄀᆞ른누록 한 되와 그 밋 내여 한 대 섯거 비저 둣다가 스무닷시 지난 후의 내여 쓰면 술맛시 여내 술과 다라니라.

해일주

스토리텔링 및 술 빚는 법

　동양철학서 <주역(周易)>에서는 "무극(無極)이 일원(一圓)이 되고, 일원이 양의가 되어 사상(思想)을 낳고, 사상은 팔괘(八卦)를 낳고, 팔괘는 64괘로 이뤄진다."라며 자연계가 형성된 과정을 나타내고 있다.

　다시 말해 모든 자연계의 사물을 음과 양으로 표현하고, 동양의 기(氣)를 나타내고 있는데, 이를 세부적으로 나누고 표현한 것이 천간(天干) 10간(干)과 지간(地干)을 뜻하는 12지(十二支)이다.

　큰 의미로 양은 하늘이고, 음은 땅으로 보고, 하늘을 나타내는 10가지 기호 천간(天干)은 '갑·을·병·정·무·기·경·신·임·계(甲乙丙丁戊己庚辛壬癸)'라고 한다. 땅을 나타내는 12가지 기호 지지(地支)는 '자·축·인·묘·진·사·오·미·신·유·술·해(子丑寅卯辰巳午未申酉戌亥)'라고 한다. 이 천간 10개와 지지 12개를 순서대로 나열하면 60개가 되며, 이를 '60갑자(六十甲子)'라고 한다. 여기엔 10진법과 12진법이 들어 있어, 이 60갑자로 세상 만물을 나타낼 수 있고 해석도 가능하다고 보는 철학이다.

따라서 12간지 중 12번째 지간인 '해일(亥日)'에 빚는 술을 '해일주(亥日酒)'라고 하며, 한 번 빚는 술이면 '일해주(一亥酒)'가 되고, 세 번에 걸쳐 덧담근 술이면 '삼해주(三亥酒)'라고 한다.

해일에 빚는 주품은 여러 가지가 있지만, 특히 '삼해주'는 음력으로 12일 간격 또는 36일 간격으로 돌아오는 해일에 세 번 술을 해 넣는 만큼 고급술이라고 할 수 있다. 처음 술을 해서 안치기 시작해서 최소한 36일 이상 또는 96일 정도가 되어서야 술이 익게 되므로, 술의 맛이나 향, 색상이 뛰어난 명주(名酒)가 되었다.

그러나 '해일주'라는 주품명으로 기록된 경우는 <양주방>*이 유일하다. <양주방>*의 '해일주'는 무엇보다도 함께 수록되어 있는 '삼해주'와는 재료 배합비율만 다를 뿐 술을 빚는 과정이 동일한데도 왜 군이 '해일주'라는 주품명으로 수록되었을까 하는 의문이 있었으나 한동안은 그 답을 찾지 못했다.

또한 <양주방>*의 '해일주'는 <음식디미방>과 <홍씨주방문>에 수록된 '삼해주'와 <산림경제(山林經濟)>, <증보산림경제(增補山林經濟)> 등의 여러 문헌에 수록된 여산 지방의 삼양주법(三釀酒法) '호산춘(壺山春)' 주방문과도 매우 유사하다.

이와 같이 <양주방>*의 '해일주'가 함께 수록되어 있는 '삼해주'나 '호산춘'이라는 주품과 재료 배합비율만 다를 뿐, 술을 빚는 과정이 동일한데도 군이 '해일주'라는 주품명으로 수록되었을까 하는 의문에 대한 답을 찾지 못하다가, 지난 2012년 1월에 이르러서야 다시 '삼해주'를 재현하는 과정에서 두 주방문의 차이점을 알게 되었다.

<양주방>*의 '삼해주'는 밑술의 범벅을 쑬 때 쌀가루에 끓는 물을 합하고 개어 범벅을 만드는, 즉 일반적인 범벅을 쑤는 과정으로 주방문이 이루어져 있고, '해일주'는 <산림경제> 등의 '호산춘'의 밑술 과정에서처럼 쌀가루를 찬물에 개어 '아이죽'을 만들어 두었다가 끓는 물과 섞어 범벅을 쑤는 등 원료의 배합비율이나 방법에서 차이가 없지만 덧술에서 차이가 있다는 점이다.

이런 이유로 '해일주'가 '삼해주'라는 주품명이 아닌, '해일주'라고 불리게 되었다고 생각된다. 이는 밑술의 발효기간을 36일로 끌고 가기 위한 방편으로도 생각된다. 결국 '해일주'는 삼양주법의 '호산춘' 방문을 빌려온 것임을 알 수 있다. 방

법이나 과정이 바뀌면 '삼해주'의 특징이 사라지는 것이니 다른 명칭을 부여하는 게 타당하다는 판단이었으리라.

<양주방>*의 '해일주'는 같은 문헌에 수록된 '삼해주'보다 미품이다. 적당한 단맛과 함께 무거우면서도 부드러운 맛을 즐길 수 있다. 흡사 그 맛과 향기는 소곡주나 호산춘에 가깝고 알코올 도수도 비교적 높은 편이다.

술을 빚을 때 주의할 점은 밑술의 아이죽을 만들 때 지나치게 찬물을 사용하지 말아야 한다. 범벅을 갤 때도 끓는 물을 사용하되 한꺼번에 들이붓지 말고 조금씩 나누어 부어주면서 골고루 개어 균일한 범벅이 되도록 해야 한다. 누룩과 섞어 버무릴 때도 충분히 혼화되어야만 실패가 없으니 주의할 일이다.

최근 새로 개발된 브랜드에 대한 특허 침해 논란과 특정 브랜드를 모방한 주품명에 이르기까지 '잃어버린 양심'들이 판을 치고 있는 세상에 '삼해주'와 '해일주'의 차이를 규명하면서 다시금 술을 빚는 사람의 마음자세와 상거래에 따른 도덕성 문제에 이르기까지 많은 생각을 하게 되었다.

해일주 <양주방>*

> 술 재료 : 밑술 : 멥쌀 1말 5되, 누룩가루 2되, 밀가루 2되, 물 7되, 끓는 물 1말 8되
> 덧술 : 멥쌀 3말 5되, 끓는 물 4말 5되
> 2차 덧술 : 멥쌀 5말, 끓는 물 5말

술 빚는 법 :

* 밑술 :

1. 정월 첫 해일에 희게 쓿은 멥쌀 1말 5되를 깨끗이 씻고 또 씻어 (백세하여 물에 담가 불렸다가 다시 씻어 헹궈서 물기를 뺀 후) 고운 가루로 빻는다.

2. 찬물 7되를 쌀가루에 붓고 풀어 아이죽을 만들어놓고, 다시 1말 8되를 팔팔 끓여 아이죽과 합한 후 주걱으로 골고루 꽤 익게 개어 범벅(담)을 만든다.

3. 범벅(담)을 넓은 그릇에 나눠 담고, (식기 전에) 누룩가루 2되와 밀가루 2되를 섞어 고루 버무려 술밑을 빚는다.

4. 술독에 술밑을 담아 안치고, 예의 방법대로 하여 밀봉한 후 찬 곳(한데)에 두어 12일간 발효시킨다.

* 덧술 :

1. 둘째 해일에 희게 쓿은 멥쌀 3말 5되를 깨끗이 씻고 또 씻어 (백세하여 물에 담가 불렸다가 다시 씻어 헹궈서 물기를 뺀 후) 고운 가루로 빻는다.

2. 솥에 물 4말 5되를 팔팔 끓여 쌀가루에 붓고, 주걱으로 고루 개어 밑술과 같이 범벅을 쑨 뒤 차게 식기를 기다린다.

3. 범벅을 밑술과 함께 섞고, 고루 버무려 술밑을 빚는다.

4. 새로 마련한 술독에 술밑을 담아 안치고, 밑술 술독과 같이하여 12일간 발효시킨다.

* 2차 덧술 :

1. 셋째 해일에 희게 쓿은 멥쌀 5말을 깨끗이 씻고 또 씻어(백세하여) 물에 담가 밤재웠다가 (다시 씻어 헹궈 건져서) 물기를 뺀다.

2. 쌀을 시루에 안쳐서 고두밥을 짓고, 솥에 물 5말을 팔팔 끓인다.

3. 고두밥이 익었으면 큰 자배기에 퍼놓고, 끓는 물을 퍼부어 고루 섞어두었다가 고두밥이 물을 다 먹었으면 고루 펼쳐서 차게 식기를 기다린다.

4. 진고두밥에 덧술을 합하고, 고루 버무려 술밑을 빚는다.

5. 새 술독에 술밑을 담아 안치고, 예의 방법대로 하여 차지도 덥지도 않은 곳에 두었다가 음력 3월 15일경에 용수 박아 떠서 마신다.

* 주품명에 '해일주'라고 하였으나 <음식디미방>과 <홍씨주방문>의 '삼해주'와 술 빚는 방법이 유사하며, 여산 지방의 '호산춘' 제조 방문과도 유사하다는 것을 알 수 있다.

회일쥬

경월 초 회일의 빅미 두 말가옷 빅셰셰말ᄒ야 두 말 닷 되예 닐곱 되란 ᄎ니로 가로 플고 말 여듧 되란 ᄀ장 슬혀 ᄀ로 닉게 기야 치 닉거든 ᄀ로누록 진말 두 되식 섯거 비젓다가 둘지 회일의 빅미 서 말가옷 빅셰작말ᄒ야 빅비탕 너 말가옷 쳐엄과 갓치 ᄀ야 ᄎ거든 슐밋히 섯거 너헛다가 셋지 회일의 빅미 닷 말 빅셰ᄒ야 담가 밤재여 닉게 ᄶ여 슬힌 물 닷 말노 골나 밥이 마이 ᄎ거든 밋슐의 섯거 너허 일긔 온닝을 짜라 과히 덥게도 말고 너므 ᄎ게도 말게 두엇다가 삼월 볼음긔 드리워 쓰라.

행화춘주

    그간 필자는 한두 번 술을 빚어보고 그쳤거나, 아직 시도해 보지도 못했던 다양한 주품들에 대한 복원과 양주 실험을 계속하고 있다.

    그중 가장 매력 있게 다가오는 주품들이 몇몇 있는데, <음식디미방>의 '행화춘주'와 같은 주품들이 그렇다. '행화춘주'는 쌀과 누룩, 물로만 빚는 술인데도 "술에서 살구꽃 향이 난다."거나 "살구꽃이 필 때 빚는다."고 하여 붙여진 주품명이라는 사실에서 호기심과 함께 힘든 술 빚기에 대한 도전정신을 불러일으키기 때문이다.

    '행화춘주'와 같은 유형의 주품명이 또 있다. '하향주'를 비롯하여 '도화춘' 같은 주품도 마찬가지이다. 술 이름도 아름답거니와 술 빚는 시기가 꽃피는 계절이라는 의미라면 설렘이 있어서 좋고, 특히 술에서 나는 향기에 따른 주품명이라면 더더욱 매력적이기 때문에 그 유혹을 떨치지 못한다.

    그동안 누차 강조해 왔듯이 특히 쌀과 누룩, 물이 전부인 전통주에서 꽃향기가 난다고 하는 사실은 대단한 일이 아닐 수 없기 때문이다. 이는 우리 전통주가 세계화된 '와인'이나 '사케', '맥주'를 뛰어넘을 수 있는 기술이요, 세계인의 술로 자리 매김할 수 있는 계기가 될 것이기 때문이다.

<음식디미방>의 '행화춘주'는 이양주(二釀酒)인데도 밑술의 쌀 양이 덧술의 쌀 양보다 4배나 많다고 하는 사실에서 그 특징을 꼽을 수 있다.

대개의 주품들에서 술맛과 향기는 밑술의 쌀 양과 누룩의 양에 비례하고, 덧술의 쌀 양이 많을수록 좋은 방향(芳香)과 함께 도수 높은 술을 얻을 수 있다는 통설을 <음식디미방>의 '행화춘주'는 뒤집고 있기 때문이다.

또한 한 사람이 멥쌀 4말을 백세작말하여 끓는 물 6말로 범벅을 쑤어야 하는데, 이 작업이 그리 쉽지가 않다. 무엇보다 쌀 양이 많아질수록 범벅의 형태가 고르지 못해 자칫 실패를 초래하는 경우가 허다하기 때문이다.

<음식디미방>의 '행화춘주'와 같이 밑술의 양이 많아 한꺼번에 하기 힘들 때에는 밑술의 원료를 4등분하여 1말 분량으로 범벅을 쑤고, 범벅이 다 쑤어지면 한데 섞어 차게 식기를 기다린다. 범벅의 그릇과 똑같은 크기의 그릇을 뚜껑 대신 덮고, 그릇과 그릇이 맞닿은 부분을 비닐 랩으로 칭칭 감아 김이 새지 않도록 하여 하룻밤 재워두었다가 차디차게 식은 후에 술을 빚으면 훨씬 수월하게 해낼 수 있다. 범벅의 그릇에 뚜껑을 씌워 하룻밤 재워두면 범벅은 균일한 상태가 되고, 수분 증발도 일어나지 않고 천천히 식기 때문에 범벅이 매우 부드러워져서 누룩과 섞은 후의 혼화과정이 아주 수월해진다는 사실을 깨닫게 될 것이다.

'행화춘주'에서 특히 밑술의 범벅을 익히고 식히는 과정을 중요시하고, 그 방법을 강조하는 까닭은 다름 아니다.

첫째는 범벅의 양이 많다는 것이고, 둘째는 범벅의 호화상태를 가능한 한 고르고 많이 익게 만들어야 발효 중에 술밑이 끓어서 넘치는 일 없어 발효도 잘 일어난다는 사실 때문이다.

따라서 '행화춘주'는 밑술 과정을 확실하게 처리한 후에라야 덧술 과정을 진행할 수 있고, 덧술 과정은 밑술보다 훨씬 간편하고 수월하여 술이 끓어 넘치는 일이 없다.

다만, 덧술에 사용되는 밀가루는 차게 식은 고두밥에 뿌려서 섞은 후 밑술과 섞는 방법이 좋다. 밀가루가 덜 풀어져서 엉키는 일이 없기 때문이다.

이러한 '행화춘주'는 술을 빚어보고서야 술 이름에 담긴 의미를 찾을 수 있었다. 엷고 은은한 살구꽃 향기를 느낄 수 있어, 술 이름에 감추어진 의미를 찾을 수 있었고, 술맛이 매우 담백하다는 것을 느낄 수 있다.

그리고 덧술의 고두밥에 살수를 하여 뜸을 잘 들인 후에야 보다 부드럽고 감미로우면서 방향이 더욱 살아나는 '행화춘주'를 얻을 수 있었다.

<음식디미방>의 '행화춘주'를 빚는 과정과 주품명에 담긴 의미를 찾는 작업 역시 전통주의 보급을 위한 수단이자 목적에 귀착된다는 생각에 변함이 없다.

우리 술 이름에 담긴 의미를 찾지 못한다면, 보다 다양하고 개성 있는 술의 등장이나 기호도가 다른 현대인들의 욕구를 충족시킬 수 없다고 생각한다. 여기에 '행화춘주'의 가치가 있다고 확신한다.

행화춘주 <음식디미방>

술 재료 : 밑술 : 멥쌀 4말, 누룩가루 6되, 물 6말
　　　　 덧술 : 찹쌀 1말, 밀가루 5홉

술 빚는 법 :

* 밑술 :

1. 멥쌀 4말을 백세하여 (깨끗하게 씻어 물에 담가 불렸다가, 다시 씻어 헹궈서 물기를 뺀 후) 작말한다(가루로 빻는다).
2. 물 6말을 팔팔 끓여 멥쌀가루에 골고루 나눠 붓고 주걱으로 고루 개어 담(범벅)을 만들어, 이내 넓은 그릇 여러 개에 퍼서 차게 식기를 기다린다.
3. 차게 식힌 담에 (법제한) 누룩가루 6되를 넣고, 고루 버무려 술밑을 빚는다.
4. 술밑을 술독에 담아 안친 다음, 예의 방법대로 하여 4일간 발효시킨다.

* 덧술 :

1. 찹쌀 1말을 백세하여 (하룻밤 불렸다가, 다시 씻어 건져서 물기가 빠지면) 시루에 안쳐 고두밥을 짓는다.
2. 고두밥이 익었으면 퍼내고, 고루 펼쳐서 차게 식기를 기다린다.
3. 밑술에 밀가루 5홉을 먼저 넣고 버무렸다가, 다시 고두밥과 함께 고루 버무려 술밑을 빚는다.
4. 소독하여 준비한 술독에 술밑을 담아 안치고, 예의 방법대로 하여 7일간 발효시킨다.
5. 술이 익으면 용수를 박아 채주한다.

* 주방문 말미에 "잘 넘는 술이니, 네 말 빚으려면 술독을 열 말들이 큰 것에 빚어 넣으라."고 하였다. 이는 덧술 과정이 아닌 밑술의 발효과정에서 잘 넘는다는 것을 말함이다. 또 주품명이 '행화춘주'인데, 살구꽃이 사용되지 않는 것으로 미루어 "살구꽃 향이 난다."는 의미이거나 '살구꽃이 필 무렵에 빚는 술'로 여겨진다.

힝화츈쥬
빅미 너 말 빅셰작말ㅎ여 쓸힌 믈 엿 말애 둠 기야 식거든 국말 엿 되 섯거 큰 독의 녀헛다가 나흘 만애 춥쌀 혼 말 빅셰ㅎ여 쪄 식거든 진말 다 솝 몬져 술과 석거 녀헛다가 닐웨 후에 드리후라. 잘 넙는 수리니 너 말곳 빗거든 엿 말 비지 독의나 비즈라.

향훈주

스토리텔링 및 술 빚는 법

　우리나라의 전통 술 빚는 법에 있어 이양주(二釀酒)의 등장은 이미 고려시대 때부터 활발하게 전개되어, 조선시대에 이르러서는 주류(主類)를 이루면서 소위 전성기를 맞았다. 그 가운데 두드러진 특징 하나가 술 이름에 향(香) 자가 붙은 주품의 등장을 들 수 있다.

　이를테면 '청명향'을 비롯하여 '석탄향', '하향주', '감향주', '하일청향죽엽주', '향감주', '향설주', '향로주', '인유향방' 등 다양한 주품들이 사랑을 받아왔다.

　그러다 조선 후기에 접어들면서 일시에 사라지게 되는데, 아직 그 이유를 뚜렷하게 밝혀놓은 기록은 없다.

　그와 같은 예로 '향훈주'가 1600년대 기록인 <술방문>에 수록되어 있으나, 이 술 역시도 단절되어 세인들 사이에서 잊히고 말았다. '향훈주'가 어떤 술인가 하고 <술방문>의 주방문을 보니, 예사 술이 아닌 듯하여 다른 기록들을 살펴보았다.

　그러나 유사한 주방문은 드물었고, 현재 중요무형문화재로 지정되어 있는 '경주 교동법주'와 전남 지방의 무형문화재인 '해남 진양주'의 주방문과 흡사했다. '경주 교동법주'나 '해남 진양주'가 다 같이 궁중(宮中)에서 유래된 전통주가 반가(班家)에 전해진 술이라는 사실이 '향훈주'의 주방문과 흡사하다.

이와 같은 사실로 미루어 그 역사를 유추해 보면, '향훈주'가 대략 200~300년 전에는 반가의 술이었음을 알 수 있다. '향훈주'라는 주품명이 어떤 의미를 담고 있는지는 알 수 없다. 그저 '좋은 향초(香草)의 향기가 있는 술'쯤으로 미루어 짐작할 수 있다.

'향훈주'의 특징은 크게 두 가지를 들 수 있다. 밑술을 죽으로 빚는다는 사실로 미루어 술 빚는 방법의 전형을 담고 있다는 점, 덧술은 누룩이나 물 없이 밑술 쌀의 5배에 달하는 찹쌀로 고두밥을 지어 술을 빚으며, 온기가 있는 방에서 발효시키는데 발효 숙성 단계 중에 '후수(後水, 加水)'한 뒤 채주한다는 점이다.

밑술을 죽으로 빚는 술은 일반적인 방문으로 그다지 특별할 게 없으나, '향훈주'는 밑술의 쌀을 가루내지 않고 쌀알 그대로 죽을 쑨다는 점에서 다르다. 이러한 방법이 '경주 교동법주'나 '해남 진양주'의 주방문과 유사하다.

일반적으로 죽(粥)은 곡물을 가루로 만들어 쑤는 것으로 알고 있는 경우가 많으나, 사실은 쌀 그대로 물과 끓이는 죽이 먼저였다고 알려지고 있다. 그 역사가 가장 오래된 식사 형태였다고 하는 점에서 '향훈주'와 같은 주방문이 우리 술 빚는 법의 전형을 이루고 있다고 하겠다.

'향훈주'처럼 곡물의 형태 그대로 사용하는 죽은 가루로 만든 죽보다 훨씬 감칠맛 나는 술맛과 함께 정통 청주의 맛을 간직하고 있어 한 번 맛을 들이면 절대 잊지 못한다.

특히 '향훈주'처럼 '향' 자가 술 이름 앞에 붙은 주품들의 경우, 대개가 술을 빚는 과정은 복잡하나, 발효기간은 짧은 것으로 나타나고 있다. 이는 호화시킨 재료를 온기가 남게 또는 따뜻하게 식혀서 술을 빚거나 따뜻한 곳에서 발효시키는 예가 많기 때문이다.

'향훈주' 역시 온기가 있는 공간에서 발효시킴으로써 단시간에 당화를 촉진시켜 당도가 높아짐으로써 술의 향기가 좋아지게 하는 방법을 취하고 있다. 또한 그 양을 늘리기 위해 후수(後水)를 하는 과정으로 이루어진다는 것을 엿볼 수 있다.

덧술을 빚은 후 탕수(湯水)를 후수(後水)하는 데 있어 주의할 점은, 탕수를 반드시 차게 식혀 사용하도록 해야 숙성 중에 실패하는 일이 없다는 것과 가수(加水)를 하는 시기도 술의 발효가 거의 끝날 무렵이라야 한다는 것이다.

'향훈주'는 '경주 교동법주'와 '해남 진양주'와 비교해 맛과 향기에서 진득한 감이 떨어지긴 하나, 역시 맑고 밝은 술 빛깔과 함께 감미롭고 부드러운 맛을 자랑한다.

향훈주방문 <술방문>

> 술 재료 : 밑술 : 멥쌀 2되, 누룩 1되 5홉, 물 10사발
> 덧술 : 찹쌀 1말, 후수(끓여 식힌 물 2식기)

술 빚는 법 :

* 밑술 :

1. 멥쌀 2되를 매우 깨끗이 씻어(백세하여) 물에 담가 불린다(다시 헹궈 건져서 물기를 빼놓는다).

2. 솥에 물 10사발을 붓고 (끓이다가 따뜻해지면) 멥쌀을 합한 후 (주걱으로 천천히 저으면서) 팔팔 끓여 죽을 쑨다.

3. 죽이 무르게 익었으면, 물기 없는 넓은 그릇에 퍼서 차게 식기를 기다린다.

4. 차게 식은 죽에 바래어 준비한(법제) 누룩 1되 5홉을 합하고, 고루 버무려 술밑을 빚는다.

5. 술밑을 술독에 담아 안치고, 예의 방법대로 하여 1(2)일간 발효시킨다.

* 덧술 :

1. 찹쌀 1말을 씻어(백세하여) 물에 담가 (하룻밤 8시간 정도) 불렸다가, (다시 씻어 말갛게 헹궈서 소쿠리에 밭쳐 물기를 뺀 후) 시루에 안쳐서 고두밥을 찐다.

2. 고두밥이 무르게 익었으면, 시루에서 퍼내고 주걱으로 고루 펼쳐서 차게 식
   기를 기다린다.
3. 고두밥에 밑술을 한데 섞고, 고루 버무려 술밑을 빚는다.
4. 술밑을 술독에 담아 안치고, 예의 방법대로 밀봉하여 온기만 있는 곳에서 7
   일간 발효시킨다.
5. 물 2식기를 팔팔 끓여서 차게 식힌 후 술독에 붓고(젓지 않는다), 다시 예의
   방법대로 하여 3~4일 후에 채주하여 마신다.

향훈쥬방문이라

흔 말을 흘나면 빅미 두 되 졈미 시 되 물 열 ᄉ발 부어 쥭 수어 물끼 업시
너룬 그랏세 졍이되 온기 업시 식거든 좋은 누록을 미리 즁만하여 바릐여 그
쥭이 버무르듸 흔 말 흐랴면 되가웃식 너허 버무려두고 흐로밤 지닌 후 졈
미 흔 말 시쳐 담가다가 흐로밤 지닉여 익게 쪄 온기 없시 식거든 그 밋과 갓
치 잘 봉ᄒᆞ여 두듸 너머 더운 듸 두면 즌 닷승기가 쉬브고 온기만 인ᄂᆞ 듸 두
어 칠일 후 물을 ᄭᅡ려 온기 업시 식은 후 흔 말 닉리 두 식기식 부어 슴ᄉ일
후 씨면 좋은이라.

호산춘

스토리텔링 및 술 빚는 법

좋은 술을 가리켜 '명주(銘酒)'라고 하고, 맛있는 술을 가리켜 '춘주(春酒)'라고 한다. 춘주는 술 빚기가 세 번에 걸쳐 이뤄지는 이른바 삼양주(三釀酒)를 가리키는 말로, 고려시대 때부터 춘주가 빚어졌다는 기록을 찾아볼 수 있다. 일반적으로 빚어지는 이양주(二釀酒)에 비해 술맛이 뛰어나고 향도 기특하며, 술 빛깔도 더욱 맑은 것이 특징이다.

'호산춘(壺山春)'이라는 주품명은 춘주류에서 보듯 세 차례에 걸쳐 술을 빚는 삼양주법에서 나타나는 양주과정의 특징과 함께 특정한 지명(地名)에서 유래했다는 것이 정설이다. 전라북도의 익산 지방의 여산면을 옛날에는 '호산(壺山)'이라고 했는데, 이 지방의 특주(特酒)로 명성이 높았던 까닭에 옛 지명을 따서 '호산춘'이라고 지칭하게 되었다는 게 그 유래이다.

'호산춘'에 대한 주방문을 수록하고 있는 조선시대 양주(釀酒) 관련 문헌으로는 <감저종식법(甘藷種植法)>, <고사신서(攷事新書)>, <고사십이집(攷事十二集)>, <규중세화>, <민천집설(民天集說)>, <봉접요람>, <산림경제(山林經

濟)>, <양주(釀酒)>, <양주방>*, <우음제방(禹飮諸方)>, <음식방문(飮食方文)>, <의방합편(醫方合編)>, <임원십육지(林園十六志)>, <조선무쌍신식요리제법(朝鮮無雙新式料理製法)>, <주방(酒方, 임용기소장본)>, <주식방(酒食方, 高大閨壺要覽)>, <주찬(酒饌)>, <학음잡록(鶴陰雜錄)>, <한국민속대관(韓國民俗大觀)>, <해동농서(海東農書)>, <홍씨주방문> 등 21종에 30차례나 등장한다.

조선시대 양주 관련 및 음식 관련 옛 문헌에 호산춘이 이렇듯 많이 수록되어 있다는 사실은 호산춘의 대중성과 함께 명성을 엿볼 수 있다. 조선시대 10대 명주의 한 가지였다는 사실에서도 그 인기를 가늠해 볼 수 있음 직하다.

현대에 와서도 여산(廬山) 지방의 특산주였던 호산춘의 명성이 어떠했는지 '니산춘', '여산춘'이라고도 불리며, 서울의 '약산춘', 대전의 '노산춘', 경기의 '광릉춘'을 비롯해 '동정춘', '송계춘', '도화춘', '벽향춘', '두강춘', '회산춘', '은화춘', '행화춘', '죽엽춘', '옥지춘' 등 이양주법의 춘주류가 속속 등장했다. 결국에는 단양주법(單釀酒法)의 '봉래춘'과 '백화춘', '한산춘'에 이르기까지 술 이름 끝에 '춘(春)' 자를 붙인 다양한 춘주류(春酒類)가 생겨나기 시작했다.

특히 조선시대 중엽에는 이들 춘주류와 함께 '석탄향', '청명향', '인유향', '만전향'. '만년향', '집성향', '백탄향', '연수향주', '감향주' '하향주', '하일청향죽엽주' 등 술 이름 끝에 '향(香)' 자를 붙인 향주류(香酒類)에 이르기까지 맛과 향기를 다투는 다양한 방법의 명주들이 등장했지만, 지방의 특산주들이 더 두각을 나타내기 시작했다.

지방 특산주 가운데서도 서울의 '삼해주'를 비롯해 평양의 '벽향주', 전라도 여산의 '호산춘' 등 순곡(純穀)으로 빚은 삼양주류(三釀酒類), 대전의 '노산춘', 충청도(중원)의 '청명주' 등 순곡으로 빚은 이양주류(二釀酒類), 그리고 김제의 '송순주'와 김천의 '과하주' 등 혼양주류(混釀酒類), 황해도의 '이강고', 전라도의 죽력고, 평양의 '관서감홍로' 등 증류주류(蒸溜酒類)가 10대 명주로 손꼽혔다고 한다.

'호산춘'은 조선시대 후기로 접어들면서 술 빚는 방법과 과정에 있어 삼양주가 아닌 이양주로 간소화되는 경향을 나타냈다. 조선 중엽의 문헌인 1716년간 <산림경제>에 처음 등장하는 '호산춘'은 이후 <고사십이집>, <임원십육지> 등 대부분의 기록을 보면, 여산 지방의 삼양주법 '호산춘'의 주방문을 따르고 있다.

한 예로 최초의 '호산춘'을 수록하고 있는 <산림경제>의 '호산춘' 주방문을 보자. "모월(某月) 초하룻날 흰 쌀 1말가웃을 매 씻어 곱게 가루를 만들어 냉수 7되로 고루 버무린다. 다시 끓는 물 1말 8되를 흠뻑 뿌려 젓고 섞으면 쌀이 끈적거릴 것이니 싸늘하게 식거든 누룩가루 2되, 밀가루 2되를 고루 섞어 독에 넣어 빚는다. 13일째가 되면 또 흰쌀 2말가웃을 고루 섞어 식힌다. 누룩가루를 넣지 말고 앞서 빚은 술밑과 고루 섞어 제 이차 술밑으로 삼는다. 13일째가 되거든 흰 쌀 5되를 매 씻어 찌고 여기에 끓는 물 5말을 부어 물이 골고루 먹게 한다. 이것을 대자리에 펴서 식힌 뒤에 누룩가루 2되, 밀가루 1되를 2차 술밑과 섞어 독에 넣고 차지도 덥지도 않은 곳에 내놓는다. 덮지 않으면 술맛이 변하지 않아 두어 달 지나도 먹을 만하다."고 하였다.

첫 밑술과 덧술의 쌀가루를 끓는 물로 익히는 반생반숙법을 사용하고, 멥쌀로 지은 고두밥과 끓는 물을 한데 섞어 만든 진고두밥으로 2차 덧술을 하는데, 매번 13일 간격으로 술을 빚는다는 특징을 보이고 있다. '또 다른 방법'이라고 하여 "둘째 번 5말을 가루로 만들어 쪄서 익혀도 좋다."고 하는 별법(別法)을 함께 수록하였다.

여산 지방의 '호산춘'이 얼마나 유명했던지 <고사십이집>을 비롯하여 <감저종식법>, <고사신서>, <민천집설>, <의방합편>, <임원십육지>, <학음잡록>, <해동농서> 등의 한문 기록에는 <산림경제>의 '호산춘' 주방문을 전재하고 있다. 또한 20세기에 출간된 <조선무쌍신식요리제법>, <한국민속대관> 등 한글 활자본에도 <산림경제>의 주방문을 그대로 수용하고 있음을 알 수 있다.

특히 주로 1800년대에 저술된 문헌으로 <주찬> 외 특히 한글 붓글씨본인 <양주방>*을 비롯하여 <음식방문>, <양주증주초(拯注草)>, <주방(임용기소장본)>, <주식방(고대규곤요람)>, <홍씨주방문>, <봉접요람>, <규중세화>, <우음제방>에는 이양주법의 '호산춘'을 찾아볼 수 있다.

현재 경상북도 지정 무형문화재인 '문경 호산춘' 역시도 솔잎이 부원료로 사용되고 있긴 하지만, 이양주법이라는 점에서 '호산춘'이 1800년대 중엽에 이르러 보다 간소화된 이양주법으로 양주되기 시작했을 거란 추측을 할 수 있다.

그 배경에는 특별히 누룩의 제조기술이 한 단계 발전하였고, 찹쌀의 증산이 이루어졌다는 데서 찾을 수 있다. 누룩과 미질이 좋은 찹쌀로의 전환이 이양주법으로도 삼양주법의 '호산춘'과 유사한 주질을 발현하게 되었을 거라는 추측이 가능하다. 이와 같은 추측은 '벽향주'를 비롯하여 '소곡주', '삼해주', '두강주' 등 삼양주들이 이양주로 간소화되는 경향과 맥을 같이한다.

<산림경제>를 비롯한 여러 문헌에 등장하는 삼양주법은 밑술과 덧술을 범벅으로 하고, 2차 덧술을 고두밥에 끓는 물을 섞어 만든 진고두밥으로 하는 경우와 백설기(흰무리떡)에 끓는 물을 섞어 백설기죽으로 하는 방법 등 크게 두 가지 형태로 이어져왔으나, 이양주법으로 간소화되면서 양주기법도 다양해지게 되었다.

그 예로 <주찬>에서는 밑술을 반생반숙의 범벅과 누룩, 밀가루를 사용하여 빚고, 덧술은 진고두밥과 가루누룩을 사용하고 있는 반면, <음식방문>에서는 덧술에 진고두밥이 아닌 고두밥과 누룩가루를 사용한다. <양주방>*에서는 밑술을 범벅에 섬누룩을 사용하고, 덧술은 누룩 없이 찹쌀고두밥만으로 빚어 밑술을 걸러 막걸리를 만들어 사용하는데, <봉접요람>에서는 밑술을 죽과 섬누룩으로 한다는 점에서 <양주방>*과 차이가 있다.

<우음제방>과 <규중세화>에서는 밑술을 범벅으로 사용하는데 누룩과 밀가루가 사용되고, 덧술은 살수량을 많이 하여 매우 진고두밥을 만들며 덧술에서도 누룩과 밀가루를 사용한다.

<주식방(고대규곤요람)>에서는 찹쌀가루로 반생반숙의 범벅을 만들어 소량의 누룩가루와 섞어 밑술을 빚고, 고두밥과 끓여 식힌 물, 누룩가루를 사용해 덧술을 빚는다. <홍씨주방문>에서는 밑술을 백설기를 만들어 시루밑물과 섞어 다시 죽을 만들고 누룩가루와 밀가루를 섞어 빚는데, 덧술은 재차 고두밥과 끓는 물을 섞어 만든 진고두밥과 누룩가루, 밀가루를 섞어 빚는다. 이렇듯 문헌마다 약간씩 다른 기법을 동원하여 삼양주법 '호산춘'의 주질을 유지하려는 시도를 엿볼 수 있다.

다시 말해 <산림경제>를 비롯한 한문 기록의 문헌에 등장하는 삼양주법 '호산춘'이 90일 정도의 장기 저온발효주라는 점에서 인기를 구가했다면, 1800년대 한글 붓글씨본에 수록된 '호산춘'은 이양주법으로 간소화되면서 밑술의 양주방

법이 매우 다양해짐과 동시에 10일~22일 사이의 비교적 짧은 기간에 발효를 끝내는 등 여러 가지 변화된 경향들을 목격할 수 있다.

‘호산춘’을 빚을 때 주의할 점은 밑술 또는 덧술의 범벅을 얼마만큼 고르게(균일하게) 익히느냐에 따라 맛과 향이 달라지므로 충분히 치대서 범벅이 묽은 죽처럼 부드러워진 후 술독에 담아 접쳐야 한다는 것이다.

또한 진고두밥으로 하는 덧술 또는 2차 덧술의 경우에도 빨리 식히기 위해서 주걱으로 자주 뒤적여서는 안 되고, 충분히 차디차게 식었다고 판단되었을 때 밑술과 버무려야 한다.

삼양주의 경우, 방문 말미에 "차지도 덥지도 않은 곳에 내놓는다. 덮지 않으면 술맛이 변하지 않아 두어 달 지나도 먹을 만하다."고 한 것을 볼 수 있는데, 이는 술독의 뚜껑을 덮지 말라는 뜻이 아니라, 술독을 따뜻하지 않은 곳에 두라는 의미로 해석해야 한다.

다 익은 술을 잘못 간수하여 주변이 따뜻해지면 쉬이 변하기 때문이다. 또 술독은 반드시 뚜껑을 덮어 서늘한 곳에 두어야 한다. 술독의 뚜껑을 덮지 않으면 공기와의 접촉이 늘어나면서 산화(酸化)가 촉진되어 주질을 떨어뜨리고, 소위 ‘군내’라고 하는 ‘곰팡이 냄새’가 점차 심해지는 것을 피할 수 없기 때문이다.

어떠한 방법으로 빚든지 ‘호산춘’은 시원하면서도 콕 쏘는 맛과 풍부한 방향(芳香)이 그 특징이라고 할 수 있으며, 이러한 맛과 방향은 무엇보다 밑술의 재료 처리 상태에 따라 달라진다는 사실을 유념할 필요가 있다.

1. 호산춘 <감저종식법(甘藷種植法)>

> 술 재료 : 밑술 : 멥쌀 1말 5되, 누룩가루 2되, 밀가루 2되, 냉수 7되, 끓는 물 1말 8되
>
> 덧술 : 멥쌀 2말 5되, 끓는 물 2말 5되
>
> 2차 덧술 : 멥쌀 5말, 누룩가루 2되, 밀가루 1되, 끓는 물 5말

술 빚는 법 :

* 밑술 :

1. 모월 초하룻날 멥쌀 1말 5되를 백세하여 (물에 담가 불렸다가, 다시 씻어 건져서 물기를 뺀 뒤) 세말한 후 넓은 그릇에 담아놓는다.
2. 쌀가루에 냉수(따뜻한 물이면 더 좋다) 7되를 섞고, 다시 끓는 물 1말 8되를 고루 섞어 주걱으로 골고루 개어, 범벅을 만든 뒤에 풀같이 되면 차게 식기를 기다린다.
3. 범벅에 누룩가루 2되와 밀가루 2되를 넣고, 고루 버무려 술밑을 빚는다.
4. 술독에 술밑을 담아 안치고, 예의 방법대로 하여 13일간 발효시킨다.

* 덧술 :

1. 멥쌀 2말 5되를 백세하여 (물에 담가 불렸다가, 다시 씻어 건져서 물기를 뺀 뒤) 세말한 후 넓은 그릇에 담아놓는다.
2. 쌀가루에 끓는 물 2말 5되를 뿌려 범벅을 만들고, 차게 식기를 기다린다.
3. 범벅에 밑술을 한데 합하고, 고루 버무려 술밑을 빚는다.
4. 술독에 술밑을 담아 안치고, 예의 방법대로 하여 다시 13일간 발효시킨다.

* 2차 덧술 :

1. 멥쌀 5말을 백세하여 (하룻밤 불렸다가, 다시 씻어 건져) 시루에 안쳐 고두밥을 짓는다.
2. 물 5말을 팔팔 끓여 고두밥에 붓고, 투명하면서 밥에 윤기가 돌면 삿자리에 고루 펼쳐서 차게 식기를 기다린다.
3. 식힌 고두밥에 덧술과 누룩가루 2되, 밀가루 1되를 한데 합하고, 고루 버무려 술밑을 빚는다.
4. 술밑을 술독에 담아 안친 다음, 예의 방법대로 하여 밀봉한 후 덮지 말고 춥지도 덥지도 않은 곳에서 2~3개월간 발효시키면 술이 익는다.

壺山春

某月初一日白米一斗五升百洗細末以冷水七升調勻夏以沸湯一斗八升沃晒攪
調則米膠待其極冷麴末二升眞末二升拌勻入甕釀之去十三日又以白米二斗五
升百洗細末盛廣器以熱水二斗五升拌勻待冷勿入麴末與前本雜調爲二次酒本
至十三日白米五斗百洗蒸飯入熱水五斗調極其透潤鋪諸簞席待冷入麴末二升
眞末一升與二次前本調入甕置不寒不熱處露其甕不覆則酒味不變過二三朔
可飮.

2. 호산춘 우법 <감저종식법(甘藷種植法)>

> 술 재료 : 밑술 : 멥쌀 1말 5되, 누룩가루 2되, 밀가루 2되, 물 7되, 끓는 물 1말 8되
>
> 　　　　덧술 : 멥쌀 2말 5되, 끓는 물 2말 5되
>
> 　　　2차 덧술 : 멥쌀 5말, 누룩가루 2되, 밀가루 1되, 끓는 물 5말

술 빚는 법 :

* 밑술 :

1. 모월 초하룻날 멥쌀 1말 5되를 백세하고 (물에 담가 불렸다가, 다시 씻어 건
   져서 물기를 뺀 뒤) 세말하여 넓은 그릇에 담아놓는다.
2. 쌀가루에 냉수(따뜻한 물이면 더 좋다) 7되를 섞고, 다시 끓는 물 1말 8되
   를 고루 섞어 주걱으로 고루 개어, 범벅을 만든 뒤에 풀같이 되면 차게 식기
   를 기다린다.
3. 범벅에 누룩가루 2되와 밀가루 2되를 넣고, 고루 버무려 술밑을 빚는다.
4. 술독에 술밑을 담아 안치고, 예의 방법대로 하여 13일간 발효시킨다.

* 덧술 :

1. 멥쌀 2말 5되를 백세하여 (물에 담가 불렸다가, 다시 씻어 건져서 물기를 뺀
   뒤) 세말한 후 넓은 그릇에 담아놓는다.

2. 쌀가루에 끓는 물 2말 5되를 뿌려 범벅을 만들고, 차게 식기를 기다린다.

3. 범벅에 밑술을 한데 합하고, 고루 버무려 술밑을 빚는다.

4. 술독에 술밑을 담아 안치고, 예의 방법대로 하여 다시 13일간 발효시킨다.

* 2차 덧술 :

1. 멥쌀 5말을 백세하여 (하룻밤 불렸다가 다시 씻어 건져) 작말한다.

2. 쌀가루를 시루에 안쳐서 흰무리떡을 찐다.

3. 물 5말을 팔팔 끓여 흰무리떡에 붓고, 투명하면서 윤기가 돌면 삿자리에 고루 펼쳐서 차게 식기를 기다린다.

4. 식힌 흰무리떡에 덧술과 누룩가루 2되, 밀가루 1되를 한데 합하고, 고루 버무려 술밑을 빚는다.

5. 술밑을 술독에 담아 안친 다음, 예의 방법대로 하여 밀봉한 후 덮지 말고 춥지도 덥지도 않은 곳에서 2~3개월간 발효시키면 술이 익는다.

* 주방문 말미에 "또 다른 방법은 둘째 번 5말을 가루 만들어 쪄서 익혀도 좋다."고 하였으므로 이에 주방문을 작성하였다.

壺山春

某月初一日白米一斗五升百洗細末以冷水七升調勻夏以沸湯一斗八升沃晒攪調則米膠待其極冷麴末二升眞末二升拌勻入甕釀之去十三日又以白米二斗五升百洗細末盛廣器以熱水二斗五升拌勻待冷勿入麴末與前本雜調爲二次酒本至十三日白米五斗百洗蒸飯入熱水五斗調極其透潤鋪諸簟席待冷入麴末二升眞末一升與二次前本調入甕置不寒不熱處露其瓮不覆則酒味不變過二三朔可飮. <一法> 後次五斗作末蒸熟亦可.

3. 호산춘 <고사신서(攷事新書)>

─出 礪山, 礪山 別名 壺山

술 재료 : 밑술 : 멥쌀 1말 5되, 누룩가루 2되, 밀가루 2되, 냉수 7되, 끓는 물 1말 8되

　　　　 덧술 : 멥쌀 2말 5되, 누룩가루 2되, 끓는 물 2말 5되

　　　　 2차 덧술 : 멥쌀 5말, 누룩가루 2되, 밀가루 1되, 끓는 물 5말

술 빚는 법 :

* 밑술 :

1. 모월 초하룻날 멥쌀 1말 5되를 정히 씻어 (백세하여 물에 담가 불렸다가, 다시 씻어 건져서 물기를 뺀 뒤) 세말하여 넓은 그릇에 담아놓는다.

2. 쌀가루에 냉수(따뜻한 물이면 더 좋다) 7되를 섞고, 다시 끓는 물 1말 8되를 뿌려 설익힌 범벅을 만든 뒤에 풀같이 되면 차게 식기를 기다린다.

3. 범벅에 누룩가루 2되와 밀가루 2되를 넣고, 고루 버무려 술밑을 빚는다.

4. 술독에 술밑을 담아 안치고, 예의 방법대로 하여 13일간 발효시킨다.

* 덧술 :

1. 멥쌀 2말 5되를 백세하고 (물에 담가 불렸다가, 다시 씻어 건져서 물기를 뺀 뒤) 세말하여 넓은 그릇에 담아놓는다.

2. 쌀가루에 끓는 물 2말 5되를 뿌리면서 고루 개어 범벅을 만들고, 차게 식기를 기다린다.

3. 범벅에 누룩가루 2되와 밑술을 넣고, 고루 버무려 술밑을 빚는다.

4. 술독에 술밑을 담아 안치고, 예의 방법대로 하여 다시 13일간 발효시킨다.

* 2차 덧술 :

1. 멥쌀 5말을 백세하여 (물에 담가 불렸다가, 다시 씻어 건져) 고두밥을 짓는다.

2. 물 5말을 팔팔 끓여 쪄낸 고두밥에 붓고, 투명하면서 밥에 윤기가 돌면 삿자

리에 고루 펼쳐서 차게 식기를 기다린다.

3. 식힌 고두밥에 덧술과 누룩가루 2되, 밀가루 1되를 섞어 술밑을 빚는다.

4. 술밑을 술독에 담아 안친 다음, 예의 방법대로 하여 춥지도 덥지도 않은 곳에서 2~3개월간 발효시키면 술이 익는다.

壺山春

出 礪山 礪山別名 壺山. 某月初一日白米一斗五升百洗細末以冷水七升調勻夏以沸湯一斗八升沃晒攪調則米膠待其極冷麴末二升眞末二升拌勻入甕釀之去十三日又以白米二斗五升百洗細末盛廣器以熱水二斗五升拌勻待冷勿入麴末與前本雜調爲二次酒本至十三日白米五斗百洗蒸飯入熱水五斗調極其透潤鋪諸簟席待冷入麴末二升眞末一升與二次前本調入甕置不寒不熱處露其瓮不覆則酒味不變過二三朔可飮. (一法)後次五斗作末蒸熟亦可.

4. 호산춘 우법 <고사신서(攷事新書)>

술 재료 : 밑술 : 멥쌀 1말 5되, 누룩가루 2되, 밀가루 2되, 냉수 7되, 끓는 물 1말 8되
　　　　덧술 : 멥쌀 2말 5되, 끓는 물 2말 5되
　　　　2차 덧술 : 멥쌀 5말, 누룩가루 2되, 밀가루 1되, 끓는 물 5말

술 빚는 법 :

* 밑술 :

1. 모월 초하룻날 멥쌀 1말 5되를 백세하고 (물에 담가 불렸다가, 다시 씻어 건져서 물기를 뺀 뒤) 세말하여 넓은 그릇에 담아놓는다.

2. 쌀가루에 냉수(따뜻한 물이면 더 좋다) 7되를 섞고, 다시 끓는 물 1말 8되를 고루 섞어 주걱으로 고루 개어, 범벅을 만든 뒤에 풀같이 되면 차게 식기를 기다린다.

3. 범벅에 누룩가루 2되와 밀가루 2되를 넣고, 고루 버무려 술밑을 빚는다.
4. 술독에 술밑을 담아 안치고, 예의 방법대로 하여 13일간 발효시킨다.

* 덧술 :
1. 멥쌀 2말 5되를 백세하고 (물에 담가 불렸다가, 다시 씻어 건져서 물기를 뺀
   뒤) 세말하여 넓은 그릇에 담아놓는다.
2. 쌀가루에 끓는 물 2말 5되를 뿌려 범벅을 만들고, 차게 식기를 기다린다.
3. 범벅에 밑술을 한데 합하고, 고루 버무려 술밑을 빚는다.
4. 술독에 술밑을 담아 안치고, 예의 방법대로 하여 다시 13일간 발효시킨다.

* 2차 덧술 :
1. 멥쌀 5말을 백세하여 (하룻밤 불렸다가, 다시 씻어 건져) 작말한다.
2. 쌀가루를 시루에 안쳐서 흰무리떡을 찐다.
3. 물 5말을 팔팔 끓여 흰무리떡에 붓고, 투명하면서 윤기가 돌면 삿자리에 고
   루 펼쳐서 차게 식기를 기다린다.
4. 떡에 덧술과 누룩가루 2되, 밀가루 1되를 합하고, 고루 버무려 술밑을 빚는다.
5. 술밑을 술독에 담아 안친 다음, 예의 방법대로 하여 밀봉한 후 덮지 말고 춥
   지도 덥지도 않은 곳에서 2~3개월간 발효시키면 술이 익는다.

* 주방문 말미에 "또 다른 방법은 둘째 번 5말을 가루 만들어 쪄서 익혀도 좋다
   (一法 : 後次五斗作末蒸熟亦可)."고 하였으므로 이에 주방문을 작성하였다.

壺山春
出 礪山 礪山別名 壺山. 某月初一日白米一斗五升百洗細末以冷水七升調勻夏
以沸湯一斗八升沃晒攪調則米膠待其極冷麴末二升真末二升拌勻入甕釀之去
十三日又以白米二斗五升百洗細末盛廣器以熱水二斗五升拌勻待冷勿入麴末
與前本雜調爲二次酒本至十三日白米五斗百洗蒸飯入熱水五斗調極其透潤鋪
諸簟席待冷入麴末二升真末一升與二次前本調入甕置不寒不熱處露其瓮不覆

則酒味不變過二三朔可飮. (一法) 後次五斗作末蒸熟亦可.

5. 호산춘 <고사십이집(攷事十二集)>

−出 礪山, 礪山 別名 壺山

> 술 재료 : 밑술 : 멥쌀 1말 5되, 누룩가루 2되, 밀가루 2되, 냉수 7되, 끓는 물 1말 8되
>
> 덧술 : 멥쌀 2말 5되, 누룩가루 2되, 끓는 물 2말 5되
>
> 2차 덧술 : 멥쌀 5말, 누룩가루 2되, 밀가루 1되, 끓는 물 5말

술 빚는 법 :

* 밑술 :

1. 모월 초하룻날 멥쌀 1말 5되를 정히 씻어 (백세하고 물에 담가 불렸다가, 다시 씻어 건져서 물기를 뺀 뒤) 세말하여 넓은 그릇에 담아놓는다.
2. 쌀가루에 냉수(따뜻한 물이면 더 좋다) 7되를 섞고, 다시 끓는 물 1말 8되를 뿌려 설익힌 범벅을 만든 뒤에 풀같이 되면 차게 식기를 기다린다.
3. 범벅에 누룩가루 2되와 밀가루 2되를 넣고, 고루 버무려 술밑을 빚는다.
4. 술독에 술밑을 담아 안치고, 예의 방법대로 하여 13일간 발효시킨다.

* 덧술 :

1. 멥쌀 2말 5되를 백세하고 (물에 담가 불렸다가, 다시 씻어 건져서 물기를 뺀 뒤) 세말하여 넓은 그릇에 담아놓는다.
2. 쌀가루에 끓는 물 2말 5되를 뿌리면서 고루 개어 범벅을 만들고, 차게 식기를 기다린다.
3. 범벅에 누룩가루 2되와 밑술을 넣고, 고루 버무려 술밑을 빚는다.
4. 술독에 술밑을 담아 안치고, 예의 방법대로 하여 다시 13일간 발효시킨다.

* 2차 덧술 :

1. 멥쌀 5말을 백세하여 (물에 담가 불렸다가, 다시 씻어 건져) 고두밥을 짓는다.
2. 물 5말을 팔팔 끓여 쪄낸 고두밥에 붓고, 투명하면서 밥에 윤기가 돌면 삿자
   리에 고루 펼쳐서 차게 식기를 기다린다.
3. 식힌 고두밥에 덧술과 누룩가루 2되, 밀가루 1되를 섞어 술밑을 빚는다.
4. 술밑을 술독에 담아 안친 다음, 예의 방법대로 하여 춥지도 덥지도 않은 곳
   에서 2~3개월간 발효시키면 술이 익는다.

* <고사촬요>와 동일한 방문이다.

壺山春

出 礪山 礪山別名 壺山. 某月初一日白米一斗五升百洗細末以冷水七升調勻更
以沸湯一斗八升沃晒攪調則米膠待其極冷麴末二升眞末二升拌勻入甕釀之(至)
十三日又以白米二斗五升百洗細末盛廣器以熱水二斗五升拌勻待冷勿入麴末
與前本雜調爲二次酒本至十三日白米五斗百洗蒸飯入熱水五斗調極其透潤鋪
諸簟席待冷入麴末二升眞末一升與二次前本調入甕置不寒不熱處露其瓮不覆
則酒味不變過二三朔可飮.

6. 호산춘 일법 <고사십이집(攷事十二集)>

－出 礪山, 礪山 別名 壺山

술 재료 : 밑술 : 멥쌀 1말 5되, 누룩가루 2되, 밀가루 2되, 냉수 7되, 끓는 물 1말 8되
　　　　 덧술 : 멥쌀 2말 5되, 누룩가루 2되, 끓는 물 2말 5되
　　　　 2차 덧술 : 멥쌀 5말, 누룩가루 2되, 밀가루 1되, 끓는 물 5말

술 빚는 법 :

* 밑술 :

1. 모월 초하룻날 멥쌀 1말 5되를 정히 씻어 (백세하고 물에 담가 불렸다가, 다시 씻어 건져서 물기를 뺀 뒤) 세말하여 넓은 그릇에 담아놓는다.
2. 쌀가루에 냉수(따뜻한 물이면 더 좋다) 7되를 섞고, 다시 끓는 물 1말 8되를 뿌려 설익힌 범벅을 만든 뒤에 풀같이 되면 차게 식기를 기다린다.
3. 범벅에 누룩가루 2되와 밀가루 2되를 넣고, 고루 버무려 술밑을 빚는다.
4. 술독에 술밑을 담아 안치고, 예의 방법대로 하여 13일간 발효시킨다.

* 덧술 :

1. 멥쌀 2말 5되를 백세하고 (물에 담가 불렸다가, 다시 씻어 건져서 물기를 뺀 뒤) 세말하여 넓은 그릇에 담아놓는다.
2. 쌀가루에 끓는 물 2말 5되를 뿌리면서 고루 개어 범벅을 만들고, 차게 식기를 기다린다.
3. 범벅에 누룩가루 2되와 밑술을 넣고, 고루 버무려 술밑을 빚는다.
4. 술독에 술밑을 담아 안치고, 예의 방법대로 하여 다시 13일간 발효시킨다.

* 2차 덧술 :

1. 멥쌀 5말을 백세하여 (물에 담가 불렸다가, 다시 씻어 건져) 작말한다.
2. 물 5말을 팔팔 끓여 쌀가루에 붓고, 골고루 개어 범벅을 쑨 후 넓은 그릇 여러 개에 퍼서 차게 식기를 기다린다.
3. 차게 식힌 범벅에 덧술과 누룩가루 2되, 밀가루 1되를 섞어 술밑을 빚는다.
4. 술밑을 술독에 담아 안친 다음, 예의 방법대로 하여 춥지도 덥지도 않은 곳에서 2~3개월간 발효시키면 술이 익는다.

壺山春

出 礪山 礪山別名 壺山. 某月初一日白米一斗五升百洗細末以冷水七升調勻更
以沸湯一斗八升沃晒攪調則米膠待其極冷麴末二升真末二升拌勻入甕釀之(至)
十三日又以白米二斗五升百洗細末盛廣器以熱水二斗五升拌勻待冷勿入麴末

與前本雜調爲二次酒本至十三日白米五斗百洗蒸飯入熱水五斗調極其透潤鋪
諸簞席待冷入麴末二升眞末一升與二次前本調入甕置不寒不熱處露其瓮不覆
則酒味不變過二三朔可飮. <一法> 後次五斗作末蒸熟亦可.

7. 호산춘 <규중세화>

술 재료 : 밑술 : 멥쌀 1말, 누룩가루 1되, 밀가루 3홉, 끓는 물 2말
　　　　 덧술 : 멥쌀 2말, 가루누룩 5홉, 밀가루 5홉, 끓는 물 4말

술 빚는 법 :

* 밑술 :

1. 멥쌀 1말을 백세하여 물에 담가 하룻밤 재웠다가 다시 씻어 건져낸다(물기를 뺀 후 작말한다).

2. 솥에 물 2말을 붓고 팔팔 끓여 쌀가루에 골고루 붓고, 주걱으로 고루 개어 (반생반숙의) 죽(범벅)을 쑨다.

3. 죽(범벅)이 익었으면, 넓은 그릇에 퍼서 차게 식기를 기다린다.

4. 죽(범벅)에 누룩가루 1되, 밀가루 3홉을 한데 합하고, 고루 치대어 술밑을 빚는다.

5. 술밑을 술독에 담아 안치고 예의 방법대로 하여 12일간 발효시킨다.

* 덧술 :

1. 멥쌀 2말을 백세하여 물에 담가 하룻밤 불렸다가, 이튿날 다시 씻어 헹궈 건져낸다(물기를 뺀다).

2. 불린 쌀을 시루에 안쳐서 고두밥을 짓고, 솥에 물 4말을 끓인다.

3. 고두밥이 익었으면 넓고 큰 그릇에 퍼 담고, 끓는 물 4말을 합하여 골고루 헤쳐 놓는다(고두밥이 물을 다 먹기를 기다린다).

4. 고두밥은 그릇 여러 개에 나눠 담고, 차게 식기를 기다린다.

5. 차게 식은 고두밥에 밑술과 가루누룩 5홉과 밀가루 5홉을 한데 합하고, 고루 버무려 술밑을 빚는다.

6. 술밑을 술독에 담아 안친 뒤, 예의 방법대로 하여 일순(一巡, 10일)간 발효시킨다.

* <음식방문>의 '호산춘'과 밑술 방문이 같으나 덧술은 다르고, <양주방>*의 '호산춘'과는 원료 종류와 배합비율에서 많은 차이를 보이고 있다.

호산춘주

백미 한 말을 백세하야 하로밤 재워 물 두 말에 익게 개어 채와 가리누룩 한 되 진말 서 홉 섞어 (여허)두었다 열이레 만에 백미 000백세하야 담갔다 이튿날 다시 씻어 익게 쪄 탕수 너 말로 골라 차거든 기리누룩 닷 홉 진말 닷 홉 넣어 일순 만에 쓰라.

8. 호산춘 <민천집설(民天集說)>

술 재료 : 밑술 : 멥쌀 1말 5되, 누룩가루 2되, 밀가루 2되, 냉수 7되, 끓는 물 1말 8되
　　　　덧술 : 멥쌀 2말 5되, 누룩가루 2되, 끓는 물 2말 5되
　　　　2차 덧술 : 멥쌀 5말, 누룩가루 2되, 밀가루 1되, 끓는 물 5말

술 빚는 법 :

* 밑술 :

1. 모월 초하룻날 멥쌀 1말 5되를 정히 씻어 (백세하여 물에 담가 불렸다가, 다시 씻어 건져서 물기를 뺀 뒤) 세말하여(고운 가루로 빻아) 넓은 그릇에 담아놓는다.

2. 쌀가루에 냉수(따뜻한 물이면 더 좋다) 7되를 섞어 풀고, 다시 끓는 물 1말 8되를 뿌려 설익힌 범벅을 만든 뒤 풀같이 되면 차게 식기를 기다린다.

3. 범벅에 누룩가루 2되와 밀가루 2되를 넣고, 고루 버무려 술밑을 빚는다.

4. 술독에 술밑을 담아 안치고, 예의 방법대로 하여 13일간 발효시킨다.

* 덧술 :

1. 멥쌀 2말 5되를 백세하고 (물에 담가 불렸다가, 다시 씻어 건져서 물기를 뺀 뒤) 세말하여(고운 가루로 빻아) 넓은 그릇에 담아놓는다.

2. 쌀가루에 끓는 물 2말 5되를 뿌리면서 고루 개어 범벅을 만들고, 차게 식기를 기다린다.

3. 범벅에 누룩가루 2되와 밑술을 넣고, 고루 버무려 술밑을 빚는다.

4. 술독에 술밑을 담아 안치고, 예의 방법대로 하여 다시 13일간 발효시킨다.

* 2차 덧술 :

1. 멥쌀 5말을 백세하여 (물에 담가 불렸다가, 다시 씻어 건져서 물기를 뺀 후) 고두밥(혹은 가루로 빻아 떡을 찐다)을 짓는다.

2. 물 5말을 팔팔 끓여 쪄낸 고두밥(혹은 떡)에 붓고, 투명하면서 밥에 윤기가 돌면 삿자리에 고루 펼쳐서 차게 식기를 기다린다.

3. 식힌 고두밥에 덧술과 누룩가루 2되, 밀가루 1되를 섞어 술밑을 빚는다.

4. 술밑을 술독에 담아 안친 다음, 예의 방법대로 하여 춥지도 덥지도 않은 곳에서 2~3개월간 발효시키면 술이 익는다.

壺山春

某月初一日, 白米一斗五升. 百洗細末, 以冷水七升調勻, 更以沸湯一斗八升, 沃酒攪調, 則米膠, 待其極冷, 麴末二升, 眞末二升拌勻, 入瓮釀之, 至十三日. 又以白米二斗五升, 百洗細末盛廣器, 以熱水二斗五升, 拌勻待冷, 勿入麴末, 與前本雜調爲二次酒本, 至十三日. 白米五斗, 百洗蒸飯, 入熱水五斗, 調極其透潤, 鋪諸簟席待冷, 入麴末二升, 眞末一升與二次前本調入瓮, 置不寒不熱處,露其瓮不覆, 則酒味不變,. 過二三朔可飮.

9. 호산춘 우법 <민천집설(民天集說)>

술 재료 : 밑술 : 멥쌀 1되 5홉, 누룩가루 2홉, 밀가루 1홉, 냉수 7홉, 끓는 물 1되 8홉

　　　　덧술 : 멥쌀 2되 5홉, 끓는 물 2되 5홉

　　　　2차 덧술 : 멥쌀 5되, 누룩가루 2홉, 밀가루 1홉, 끓는 물 5되

술 빚는 법 :

* 밑술 :

1. 멥쌀 1되 5홉을 정히 씻어 (물에 담가 불렸다가, 다시 씻어 건져서 물기를 뺀 뒤) 세말하여(고운 가루로 빻아) 넓은 그릇에 담아놓는다.

2. 쌀가루에 냉수(따뜻한 물이면 더 좋다) 7홉을 섞어 풀고, 다시 끓는 물 1되 8홉을 뿌려 설익힌 범벅을 만든 뒤 풀같이 되면 차게 식기를 기다린다.

3. 범벅에 누룩가루 2홉, 밀가루 1홉을 넣고, 고루 버무려 술밑을 빚는다.

4. 술독에 술밑을 담아 안치고, 예의 방법대로 하여 13일간 발효시킨다.

* 덧술 :

1. 멥쌀 2되 5홉을 백세하고 (물에 담가 불렸다가, 다시 씻어 건져서 물기를 뺀 뒤) 세말하여(고운 가루로 빻아) 넓은 그릇에 담아놓는다.

2. 쌀가루에 끓는 물 2되 5홉을 고루 개어 범벅을 만들고, 차게 식기를 기다린다.

3. 범벅에 밑술을 넣고, 고루 버무려 술밑을 빚는다.

4. 술독에 술밑을 담아 안치고, 예의 방법대로 하여 다시 13일간 발효시킨다.

* 2차 덧술 :

1. 멥쌀 5되를 백세하여 (물에 담가 불렸다가, 다시 씻어 건져서 물기를 뺀 후) 고두밥을 짓는다(혹은 가루로 빻아 떡을 찐다).

2. 물 5되를 팔팔 끓여 쪄낸 고두밥(혹은 떡)에 붓고, 투명하면서 밥에 윤기가 돌면 삿자리에 고루 펼쳐서 차게 식기를 기다린다.

3. 식힌 고두밥에 덧술과 누룩가루 2홉, 밀가루 1홉을 섞어 술밑을 빚는다.

4. 술밑을 술독에 담아 안친 다음, 예의 방법대로 하여 춥지도 덥지도 않은 곳에서 2~3개월간 발효시키면 술이 익는다.

* 본법 '호산춘'의 양을 10%로 줄인 방문인데, 밑술에는 밀가루가 1홉으로 줄었고, 덧술에는 누룩이 사용되지 않는 점에서 차이가 있다.

壺山春 又法

米一升五合○冷水七合沸湯一升入合曲末二合眞末二合十三日後則米二升五合熱水二升五合又十三日入米五升熱水五升曲末二合眞末一合以與(雜之○○).

10. 호산춘법 <봉접요람>

술 재료 : 밑술 : 멥쌀 1되, 섬누룩 2되, 물 1말 5되
　　　　 덧술 : 찹쌀 1말

술 빚는 법 :

* 밑술 :

1. 멥쌀 1되를 백세하여 (물에 담갔다가 다시 씻어 헹궈 건져서 물기를 뺀 다음) 작말한다(가루로 빻는다).

2. 솥에 물 1말 5되를 끓이다가 쌀가루를 풀어 넣고, 주걱으로 고루 저어 멍

울 없는 풀 같은 죽을 쑨 후 (넓은 그릇에 퍼 담고) 차게 식기를 기다린다.

3. 차게 식은 죽에 섬누룩 2되를 합하고, 고루 버무려 술밑을 빚는다.

4. 술밑을 술독에 담아 안치고, 예의 방법대로 하여 3일간 발효시켜 익기를 기다린다.

* 덧술 :

1. 찹쌀 1말을 백세하여 (물에 담가 불렸다가, 다시 씻어 헹궈 건져서 물기를 뺀 후) 시루에 안쳐서 고두밥을 무르게 짓는다.

2. 고두밥이 익었으면 퍼낸다(고루 펼쳐서 차게 식기를 기다린다).

3. 밑술을 체에 걸러 누룩찌꺼기를 제거한 막걸리를 만들어놓는다.

4. 고두밥에 걸러놓은 막걸리(밑술)를 한데 합하고, 고루 버무려 술밑을 빚는다.

5. 술밑을 술독에 담아 안치고, 예의 방법대로 하여 발효시키면 7일 만에 익는다.

호산츈법

빅미 흔 되 빅셰작말ᄒ여 물 말가옷 부어 풀 쓔어 셥누룩 두 되 섯거 너허 삼일 만의 졈미 일두 빅셰ᄒ여 익게 쪄 그 밋 걸너 섯거 너허 칠일 만의 쓰면 조흐이라.

11. 호산춘 <산림경제(山林經濟)>

술 재료 : 밑술 : 멥쌀 1말 5되, 누룩가루 2되, 밀가루 2되, 냉수 7되, 끓는 물 1말 8되
　　　　덧술 : 멥쌀 2말 5되, 끓는 물 2말 5되
　　　　2차 덧술 : 멥쌀 5말, 누룩가루 2되, 밀가루 1되, 끓는 물 5말

술 빚는 법 :

* 밑술 :

1. 초하룻날 멥쌀 1말 5되를 정히 씻어 (백세하고 물에 담가 불렸다가, 다시 씻
   어 건져서 물기를 뺀 뒤) 세말하여 넓은 그릇에 담아놓는다.
2. 쌀가루에 냉수(따뜻한 물이면 더 좋다) 7되를 섞고, 다시 끓인 물 1말 8되를
   뿌려 설익힌 범벅을 만든 뒤에 풀같이 되면 차게 식기를 기다린다.
3. 범벅에 누룩가루 2되와 밀가루 2되를 넣고, 고루 버무려 술밑을 빚는다.
4. 술독에 술밑을 담아 안치고, 예의 방법대로 하여 13일간 발효시킨다.

* 덧술 :

1. 멥쌀 2말 5되를 백세하고 (물에 담가 불렸다가, 다시 씻어 건져서 물기를 뺀
   뒤) 세말하여 넓은 그릇에 담아놓는다.
2. 쌀가루에 끓는 물 2말 5되를 뿌려 범벅을 만들고, 차게 식기를 기다린다.
3. 범벅에 밑술을 넣고, 고루 버무려 술밑을 빚는다.
4. 술독에 술밑을 담아 안치고, 예의 방법대로 하여 다시 13일간 발효시킨다.

* 2차 덧술 :

1. 멥쌀 5말을 백세하여 (하룻밤 불렸다가 다시 씻어 건져) 고두밥을 짓는다.
2. 물 5말을 팔팔 끓여 고두밥에 붓고, 투명하면서 밥에 윤기가 돌면 삿자리에
   고루 펼쳐서 차게 식기를 기다린다.
3. 식힌 고두밥에 덧술과 누룩가루 2되, 밀가루 1되를 섞어 술밑을 빚는다.
4. 술밑을 술독에 담아 안친 다음, 예의 방법대로 하여 춥지도 덥지도 않은 곳
   에서 2~3개월간 발효시키면 술이 익는다.

壺山春

某月初一日, 白米一斗五升. 百洗細末, 以冷水七升調勻, 更以沸湯一斗八升, 沃
酒攪調, 則米膠, 待其極冷, 麴末二升, 眞末二升拌勻, 入瓮釀之, 至十三日. 又
以白米二斗五升, 百洗細末盛廣器, 以熱水二斗五升, 拌勻待冷, 勿入麴末, 與
前本雜調爲二次酒本, 至十三日. 白米五斗, 百洗蒸飯, 入熱水五斗, 調極其透

潤, 鋪諸簟席待冷, 入麴末二升, 眞末一升與二次前本調入瓮, 置不寒不熱處, 露其瓮不覆, 則酒味不變, 過二三朔可飮.

12. 호산춘 일법 <산림경제(山林經濟)>

술 재료 : 밑술 : 멥쌀 1말 5되, 누룩가루 2되, 밀가루 2되, 냉수 7되, 끓는 물 1말 8되

덧술 : 멥쌀 2말 5되, 끓는 물 2말 5되

2차 덧술 : 멥쌀 5말, 누룩가루 2되, 밀가루 1되, 끓는 물 5말

술 빚는 법 :

* 밑술 :

1. 모월 초하룻날 멥쌀 1말 5되를 백세하고 (물에 담가 불렸다가, 다시 씻어 건져서 물기를 뺀 뒤) 세말하여 넓은 그릇에 담아놓는다.

2. 쌀가루에 냉수(따뜻한 물이면 더 좋다) 7되를 섞고, 다시 끓는 물 1말 8되를 고루 섞어 주걱으로 고루 개어 범벅을 만든 뒤에 풀같이 되면 차게 식기를 기다린다.

3. 범벅에 누룩가루 2되와 밀가루 2되를 넣고, 고루 버무려 술밑을 빚는다.

4. 술독에 술밑을 담아 안치고, 예의 방법대로 하여 13일간 발효시킨다.

* 덧술 :

1. 멥쌀 2말 5되를 백세하고 (물에 담가 불렸다가, 다시 씻어 건져서 물기를 뺀 뒤) 세말하여 넓은 그릇에 담아놓는다.

2. 쌀가루에 끓는 물 2말 5되를 뿌려 범벅을 만들고 차게 식기를 기다린다.

3. 범벅에 누룩가루 2되, 밑술을 한데 합하고, 고루 버무려 술밑을 빚는다.

4. 술독에 술밑을 담아 안치고, 예의 방법대로 하여 다시 13일간 발효시킨다.

* 2차 덧술 :

1. 멥쌀 5말을 백세하여 (하룻밤 불렸다가 다시 씻어 건져) 작말한다.

2. 쌀가루를 시루에 안쳐서 흰무리떡을 찐다.

3. 물 5말을 팔팔 끓여 흰무리떡에 붓고, 투명하면서 윤기가 돌면 삿자리에 고루 펼쳐서 차게 식기를 기다린다.

4. 식힌 떡에 덧술과 누룩가루 2되, 밀가루 1되를 한데 합하고, 고루 버무려 술밑을 빚는다.

5. 술밑을 술독에 담아 안친 다음, 예의 방법대로 하여 밀봉한 후 덮지 말고 춥지도 덥지도 않은 곳에서 2~3개월간 발효시키면 술이 익는다.

* 주방문 말미에 "또 다른 방법은 둘째 번 5말을 가루 만들어 쪄서 익혀도 좋다."고 하였으므로 이에 주방문을 작성하였다.

壺山春 一法

某月初一日, 白米一斗五升. 百洗細末, 以冷水七升調勻, 更以沸湯一斗八升, 沃洒攪調, 則米膠, 待其極冷, 麴末二升, 眞末二升拌勻, 入瓷釀之, 至十三日. 又以白米二斗五升, 百洗細末盛廣器, 以熱水二斗五升, 拌勻待冷, 勿入麴末, 與前本雜調爲二次酒本, 至十三日. 白米五斗, 百洗蒸飯, 入熱水五斗, 調極其透潤, 鋪諸簟席待冷, 入麴末二升, 眞末一升與二次前本調入瓷, 置不寒不熱處, 露其瓷不覆, 則酒味不變.. 過二三朔可飮. 後次五斗作末蒸熟亦可. <礪山方>.

13. 호산춘 <양주(釀酒)>

술 재료 : 밑술 : 멥쌀 1말, 가루누룩 1되, 밀가루 3홉, (끓는) 물 2말

덧술 : 멥쌀 2말, 가루누룩 5홉, 끓는 물 4말

술 빚는 법 :

* 밑술 :

1. 멥쌀 1말을 백세하여 (물에 담가 밤재워 불렸다가, 다시 씻어 헹궈서 물기를 뺀 후) 작말한다(넓은 그릇에 담아놓는다).
2. (넓은 그릇에) 쌀가루와 (끓는) 물 2말을 합하고, 주걱으로 고루 익게 개어 범벅을 쑨 후 차게 식기를 기다린다.
3. 범벅에 가루누룩 1되와 밀가루 3홉을 한데 합하고, 고루 버무려 술밑을 빚는다.
4. 술밑을 술독에 담아 안치고, 예의 방법대로 하여 (3~4일간) 발효시킨다.

* 덧술 :

1. 멥쌀 2말을 백세하여 (물에 담가 밤재워 불렸다가, 다시 씻어 헹궈서) 물기를 빼놓는다.
2. 불린 쌀을 시루에 안쳐서 고두밥을 찌고, 솥에 물 4말을 팔팔 끓인다.
3. 고두밥이 익었으면 (넓은 그릇에) 퍼내고, 끓는 물 4말을 골고루 퍼붓고, 고두밥이 물을 다 먹고 차게 식기를 기다린다.
4. 고두밥이 차게 식었으면 밑술과 가루누룩 5홉을 한데 합하고, 고루 버무려 술밑을 빚는다.
5. 술밑을 술독에 담아 안치고, 예의 방법대로 하여 발효시킨다(익기를 기다린다).

호산츈

빅미 흔 말 빅셰흐야 밤재여 다시 시어 フ른 모아 물 두 말의 닉게 기여 츠거 든 フ른누룩 흔 되 진말 서 홉 교합흐야 둣다가 빅미 두 말 빅셰흐야 밤재여 다시 시어 쪄 슬힌 물 너 말 츠거든 밋술의 교합흐되 フ른누룩 닷 홉을 쏘 너흐라.

14. 호산춘 <양주방>*

술 재료 : 밑술 : 멥쌀 2되, 섬누룩 2되, 끓는 물 7사발 반

　　　　덧술 : 찹쌀 1말

술 빚는 법 :

* 밑술 :

1. 희게 쓿은 멥쌀 2되를 깨끗이 씻고 또 씻어 (백세하여 물에 담가 불렸다가, 다시 씻어 헹궈 건져서 물기를 뺀 후) 가루로 빻아 그릇에 담아놓는다.
2. 깨끗한 물 7사발 반을 솥에 붓고 팔팔 끓이다가, 멥쌀가루를 풀어 넣고 죽을 쑤듯이 슬쩍 개어 범벅을 쑨 후 꽤(차디차게) 식기를 기다린다.
3. 차게 식힌 범벅에 섬누룩 2되를 섞어 넣고, 고루 버무려 술밑을 빚는다.
4. 술독에 술밑을 담아 안치고, 예의 방법대로 하여 발효시킨다.
5. 술 빚은 지 3일 만에 보면 다 삭아서 찌꺼기만 남았을 테니 체에 밭쳐서 술 찌꺼기를 제거하여 놓는다.

* 덧술 :

1. 찹쌀 1말을 물에 깨끗이 씻고 또 씻어 (백세하여 물에 담가 불렸다가, 다시 씻어 헹궈 건져서) 물기를 뺀다.
2. 불린 찹쌀을 시루에 안쳐서 고두밥을 짓고, 고두밥이 익었으면 퍼내어 고루 펼쳐서 싸늘하도록 꽤(매우 차게) 식기를 기다린다.
3. 차게 식힌 찹쌀 고두밥에 거른 밑술을 합하고, 고루 섞고 버무려 술밑을 빚는다.
4. 술밑을 술독에 담아 안친 뒤, 예의 방법대로 하여 7일간 발효시킨다.

* 주방문 말미에 "덧술을 빚어 넣은 지 7일 후에 보면 말갛고 빛이 푸르고, 맛이 맵고 달면서도 소주보다도 더 콕 쏘게 맵다. 군물을 들이지 말고, 죽 쑬 때 자

연히 물이 끓어줄 테니 그 수량을 헤아려 조금 넣되, 반드시 끓였다가 식힌 물로 부셔라. 더운 데서 익히지 말라."고 하였다. 방문대로 빚어본 결과 7일 만에 술의 발효가 끝나지는 않았다. 여전히 매운 냄새가 많고 끓는 소리가 나는 것을 들을 수 있었다. 14~21일 후에야 발효가 끝난 것을 알 수 있었다.

호산츈

빅미 두 되를 빅셰작말ᄒ야 죠흔 물 일곱 식긔 반을 ᄭᅳ리고 그 물의 죽 쑤듯 잠간 기야 치와 섭누록 두 되 섯거 너허 두엇다가 삼일 후 보면 다 삭고 누룩 즈의만 나맛ᄂᆞ니 체예 바타 졈미 일 두 빅셰ᄒ야 담가다가 닉게 밥 쪄 마이 치와 술밋ᄒᆡ 버무려 두엇다가 니레 후 보면 ᄆᆰ아 ᄒᆞ고 빗치 프르고 마시 밉고 달아 쇼쥬로셔도 더 밍녈ᄒᆞ니라. 긱슈를 브듸 드리지 말고 그르시나 브시여 너흐랴 ᄒᆞ면 죽 쑬 ᄊᆡ ᄒᆞ연 물이 ᄭᅳᆯ허 쥬ᄂᆞᆫ 수를 혜여 죠곰 더 너흐듸 ᄭᅳᆯ혀 치운 물노 브ᄉᆞ라. 더운 듸셔 닉히지 말나.

15. 호산춘 <우음제방(禹飮諸方)>

술 재료 : 밑술 : 멥쌀 1말, 누룩가루 7홉, 밀가루 5홉, 끓는 물 1말 5되
　　　　덧술 : 멥쌀 2말, 누룩가루 1되 5홉, 밀가루 5홉, 살수물 1말, 냉수 2말

술 빚는 법 :

* 밑술 :

1. 멥쌀 1말을 백세하여 새 물에 담가 불렸다가 (다시 씻어 말갛게 헹궈서 물기를 뺀 후) 작말하여(가루로 빻아) 그릇에 담아놓는다.

2. 솥에 물 1말 5되를 팔팔 끓여 쌀가루에 붓고, 주걱으로 고루 개어 (반생반숙/범벅을 만들어 뚜껑을 덮고) 차게 식기를 기다린다.

3. 식은 범벅에 누룩가루 7홉과 밀가루 5홉을 합하고, 매우 치대어 술밑을 빚

는다.

4. 술독에 술밑을 안치고, 예의 방법대로 하여 6일간 발효시킨다.

* 덧술 :

1. 멥쌀 2말을 백세하여 새 물에 담가 불렸다가 (다시 씻어 건져서 물기를 뺀 후) 시루에 안쳐서 고두밥을 짓는다.

2. 고두밥에 물 1말을 뿌려가면서 무르게 쪄서 익었으면, 퍼내어 고루 헤쳐서 차게 식기를 기다린다.

3. 식은 고두밥에 밑술과 누룩가루 1되 5홉과 밀가루 5홉을 한데 합하고, 고루 버무려 술밑을 빚는다.

4. 술독에 술밑을 안치고, 냉수 2말을 붓고 휘저어 준 후 단단히 싸매어 14일간 발효시킨다.

* 주방문 말미에 "술이 매우 맑고 투명하게 익으면, 맛이 좋고 술이 많이 난다." 고 하고 "쌀 씻기를 하지 않으면 맛이 떫으니라."고 하였다.

호산춘

빅미 흔 말 빅셰ᄒ여 듬가 밤 지난 후 작말ᄒ야 물 말 가옷 쓸혀 기야 서늘ᄒ게 식은 후 국말 칠 홉 진말 닷 홉 너허 망울 업시 섯거 너헛다가 늑일 마녀 빅미 두 말 빅셰ᄒ야 ᄒ룻밤 듬갓다가 지애 닉게 찌되 물 흔 말 썍려 가며 쪄 서늘ᄒ게 식여 국말 되 가옷 진말 닷 홉 섯거 닝슈 두 말 부어 뒤저허 든든이 미야 두엇다가 이칠 후면 난만히 닉어 마시 됴코 술이 만흐니라. 쌀 씻기를 데ᄒ면 마시 떨우니라.

16. 호산춘 <음식방문(飲食方文)>

술 빚는 법 :

* 밑술 :

1. 멥쌀 1말을 백세하여 물에 담가 하룻밤 불렸다가 (다시 씻어 건져서 물기를 뺀 후) 작말한다(가루로 빻는다).

2. 따뜻한 솥에 물을 2말을 붓고 팔팔 끓여 쌀가루에 골고루 붓고, 주걱으로 고루 개어 범벅(반생반숙)을 쑨다.

3. 범벅이 익었으면 넓은 그릇에 퍼서 차게 식기를 기다린다.

4. 범벅에 누룩가루 1되(또는 5홉), 밀가루 3홉을 한데 합하고, 고루 치대어 술밑을 빚는다.

5. 술밑을 술독에 담아 안치고 예의 방법대로 하여 7일(혹한기에는 14일)간 발효시킨다.

* 덧술 :

1. 멥쌀 2말(또는 멥쌀 2말, 찹쌀 1말)을 백세하여 물에 담가 하룻밤 불린다(다시 씻어 헹궈 건져서 물기를 뺀다).

2. 불린 쌀을 시루에 안쳐 꽤(무르게) 쪄서 고두밥을 짓고, 싸늘하도록 꽤(매우 차게) 식힌다.

3. 차게 식힌 찹쌀고두밥에 밑술과 누룩 5홉(또는 1되)을 한데 합하고, 고루 버무려 술밑을 빚는다.

4. 술밑을 술독에 담아 안친 뒤, 예의 방법대로 하여 7일간 발효시킨다.

5. 덧술을 빚어 넣은 지 7일(혹한기에는 14일) 후에 채주하여 마신다.

*주원료의 종류와 배합비율에서 많은 차이를 보이는 매우 색다른 주방문이다.

호산츈

빅미 일 두 빅셰ᄒ여 ᄒ른밤 지나거든 다시 씨서 작말하여 ᄭᆯᄂᆞᆫ 두 말의 닉
게 기야 ᄎᆞ거든 국말 한 되 혹 다 홉 진말 셔 홉 너헛다가 칠일 만의 혹 한졀
은 이칠이라. 빅미 두 말 빅셰ᄒ여 담가다가 혹 ᄎᆞᆸ쌀 ᄒᆞᆫ 말 더 너어 이륙다고
쎠 ᄒᆞ로밤 지여 누룩 닷 곱 혹 ᄒᆞᆫ 되 셧거 밋콰 ᄒᆞᆫ듸 너헛다가 칠일 후 한졀
은 이칠일 쓰면 조흐니라.

17. 호산춘 <의방합편(醫方合編)>

> 술 재료 : 밑술 : 멥쌀 1말 5되, 누룩가루 2되, 밀가루 2되, 끓는 물 1말 8되, 냉수
> 7되
> 덧술 : 멥쌀 5말, 누룩가루 2되, 물 2말 5되
> 2차 덧술 : 멥쌀 5말, 누룩가루 2되, 밀가루 2되, 끓는 물 5말

술 빚는 법 :

* 밑술 :

1. 봄 모월 초하루에 백미 1말 5되를 백세하고 (새 물에 담가 불렸다가, 다시 씻
   어 건져서 물기를 뺀 후) 세말하여 넓은 그릇에 담아놓는다.
2. 쌀가루에 먼저 냉수 7되를 섞고, 다시 끓는 물 1말 8되를 섞어 뻑뻑하고 끈
   적거리는 진흙 같은 담(범벅)을 만든다.
3. 범벅을 2~3개 그릇에 나눠 담고, (하룻밤 재워) 차갑게 식기를 기다린다.
4. 범벅에 누룩가루 2되와 밀가루 2되를 섞고, 고루 버무려 술밑을 빚는다.
5. 술밑을 술독에 담아 안친 후, 예의 방법대로 하여 13일간 발효시킨다.

* 덧술 :

1. 멥쌀 5말을 백세한다(하룻밤 불렸다가, 다시 씻어 헹궈서 물기를 뺀다).

2. 불린 쌀을 시루에 안쳐서 고두밥을 무르게 쪄서 끓고 있는 물 2말 5되를 붓고, 고두밥이 물을 다 먹고 식기를 기다린다.

3. 물 먹인 고두밥에 누룩가루 2되와 밑술을 합하고, 고루 버무려 술밑을 빚는다.

4. 술밑을 술독에 담아 안치고, 예의 방법대로 하여 13일간 발효시킨다.

* 2차 덧술 :

1. 멥쌀 5말을 백세하여 (하룻밤 담갔다가 다시 씻어 물기 뺀 후) 쪄서 고두밥을 짓는다.

2. 물 5말을 솥에 붓고 팔팔 끓인 다음 쪄낸 고두밥에 붓고, 물이 다 스며들기를 기다렸다가 여러 개의 광주리에 나눠 담고 식기를 기다린다.

3. 물 먹인 고두밥에 덧술과 누룩가루 2되, 밀가루 1되를 합하고, 고루 버무려 술밑을 빚는다.

4. 술밑을 술독에 담아 안치고, 예의 방법대로 하여 덥지도 차지도 않은 곳에 앉혀 2~3개월간 발효시킨다.

* 주방문 말미에 "그 항아리의 뚜껑을 덮지 않으면 술맛이 변하지 않는다."고 하였다.

壺山春

某月初一日白米一斗五升白洗作細末以冷水七升調均更以沸湯一斗八升玉曬攪調則米膠待其極冷麴末二升眞末二升拌均瓮釀之至十三日又以白米二斗五升白洗細末盛廣器以熟水二斗五升拌均待冷勿入入曲末與前本雜調爲二次酒本至十三日白米五斗百洗蒸飯入熟水五斗調極透潤鋪諸簞席待冷入曲末二升眞末一升與二次前本調和入瓮置不寒不熱處露其瓮不覆則酒味不變過二三朔可飮. 一法後次五斗作末蒸亦可.

18. 호산춘 일법 <의방합편(醫方合編)>

> 술 재료 : 밑술 : 멥쌀 1말 5되, 누룩가루 2되, 밀가루 2되, 끓는 물 1말 8되, 냉수 7되
>
> 덧술 : 멥쌀 5말, 누룩가루 2되, 물 2말 5되
>
> 2차 덧술 : 멥쌀 5말, 누룩가루 2되, 밀가루 2되, 끓는 물 5말

술 빚는 법 :

* 밑술 :

1. 봄 모월 초하루에 백미 1말 5되를 백세하고 (새 물에 담가 불렸다가, 다시 씻어 건져서 물기를 뺀 후) 세말하여 넓은 그릇에 담아놓는다.
2. 쌀가루에 먼저 냉수 7되를 섞고, 다시 끓는 물 1말 8되를 섞어 빡빡하고 끈적거리는 진흙(범벅/담)같이 만든다.
3. 범벅을 2~3개 그릇에 나눠 담고, (하룻밤 재워) 차갑게 식기를 기다린다.
4. 범벅에 누룩가루 2되와 밀가루 2되를 섞고, 고루 버무려 술밑을 빚는다.
5. 술밑을 술독에 담아 안친 후, 예의 방법대로 하여 13일간 발효시킨다.

* 덧술 :

1. 멥쌀 5말을 백세하여 (하룻밤 불렸다가, 다시 씻어 헹궈서 물기를 뺀 후) 작말한다.
2. 쌀가루를 시루에 안쳐 백설기떡을 찌고, 끓고 있는 물 2말 5되를 부어 백설기떡이 물을 다 먹고 식기를 기다린다.
3. 물 먹인 백설기떡에 누룩가루 2되와 밑술을 합하고, 고루 버무려 술밑을 빚는다.
4. 술밑을 술독에 담아 안치고, 예의 방법대로 하여 13일간 발효시킨다.

* 2차 덧술 :

1. 멥쌀 5말을 백세하여 (하룻밤 담갔다가, 다시 씻어 물기 뺀 후) 작말한다.
2. 물 5말을 솥에 붓고 팔팔 끓이고, 쌀가루를 시루에 안쳐서 흰무리떡을 만든다.
3. 쪄낸 흰무리떡에 끓는 물 5말을 붓고, 물이 다 스며들기를 기다렸다가 여러 개의 그릇에 나눠 담고 차게 식기를 기다린다.
4. 물 먹인 흰무리떡에 덧술과 누룩가루 2되, 밀가루 1되를 합하고, 고루 버무려 술밑을 빚는다.
5. 술밑을 술독에 담아 안치고, 예의 방법대로 하여 덥지도 차지도 않은 곳에 앉혀 2~3개월간 발효시킨다.

* 주방문 말미에 "또 다른 방법은 둘째 번 5말을 가루 만들어 쪄서 익혀도 좋다."고 하였으므로 이에 주방문을 작성하였다.

壺山春

某月初一日白米一斗五升白洗作細末以冷水七升調均更以沸湯一斗八升玉 (灑)攪調則米膠待其極冷麴末二升眞末二升拌均瓮釀之至十三日又以白米二 斗五升白洗細末盛廣器以熟水二斗五升拌均待冷勿入入曲末與前本雜調爲二 次酒本至十三日白米五斗百洗蒸飯入熟水五斗調極透潤鋪諸簞席待冷入曲末 二升眞末一升與二次前本調和入瓮置不寒不熱處露其瓮不覆則酒味不變過 二三朔可飮. <一法> 後次五斗作末蒸亦可.

19. 호산춘방 <임원십육지(林園十六志)>

一出 礪山, 礪山 一名 壺山

> 술 재료 : 밑술 : 멥쌀 1말 5되, 누룩가루 2되, 백면(밀가루) 2되, 냉수 7되, 끓는
> 물 1말 8되
> 덧술 : 멥쌀 2말 5되, 누룩가루 2되, 끓는 물 2말 5되
> 2차 덧술 : 멥쌀 5말, 누룩가루 2되, 밀가루 1되, 끓는 물 5말

술 빚는 법 :

* 밑술 :

1. 매달 초하룻날 멥쌀 1말 5되를 백세하고 (물에 담가 불렸다가, 다시 씻어 건
   져서 물기를 뺀 뒤) 세말하여 넓은 그릇에 담아놓는다.
2. 쌀가루에 냉수(따뜻한 물이면 더 좋다) 7되를 섞고, 다시 비탕(끓인 물) 1
   말 8되를 뿌려 설익힌 범벅을 만든 뒤 풀같이 되면 차게 식기를 기다린다.
3. 범벅에 누룩가루 2되와 맥면(밀가루) 2되를 넣고, 고루 버무려 술밑을 빚
   는다.
4. 술독에 술밑을 담아 안치고, 예의 방법대로 하여 13일간 발효시킨다.

* 덧술 :

1. 멥쌀 2말 5되를 백세하고 (물에 담가 불렸다가, 다시 씻어 건져서 물기를 뺀
   뒤) 세말하여 넓은 그릇에 담아놓는다.
2. 쌀가루에 열수(끓는 물) 2말 5되를 뿌려 범벅을 만들고, 차게 식기를 기다
   린다.
3. 범벅에 누룩가루 2되와 밑술을 한데 합하고, 고루 버무려 술밑을 빚는다.
4. 술독에 술밑을 담아 안치고, 예의 방법대로 하여 다시 13일간 발효시킨다.

* 2차 덧술 :

1. 멥쌀 5말을 백세하여 (하룻밤 불렸다가, 다시 씻어 건져) 고두밥을 짓는다.
2. 열수(팔팔 끓는 물) 5말을 고두밥에 붓고, 투명하면서 밥에 윤기가 돌게 익혀 삿자리에 고루 펼쳐서 차게 식기를 기다린다.
3. 식힌 고두밥에 덧술과 누룩가루 2되, 밀가루 1되를 섞어 술밑을 빚는다.
4. 술밑을 술독에 담아 안친 다음, 예의 방법대로 하여 춥지도 덥지도 않은 곳에서 2~3개월간 발효시키면 술이 익는다.

* 여산 지방의 술로, 여산을 호산이라고 한 데서 '호산춘'이 되었다는 출전을 달았다.

壺山春方

出礪山 礪山一名 壺山. 某月初一日白米一斗五升百洗細末以冷水七升調勻更
以沸湯一斗八升沃灑攪調則米膠待其極冷麴末二升(麥)末二升拌勻入瓮釀至
十三日又以白米二斗五升百洗細末盛廣器以熱水二斗五升拌勻待冷勿入麴末
與前本雜調爲二次酒本至十三日白米五斗百洗蒸飯(一法作末烝熟)入熱水五
斗調極其透潤鋪諸簟席待冷入麴末二升(麥)末一升與二次前本調勻入瓮置不
寒不熱處露其瓮不覆則酒味不變過二三朔可飮. <山林經濟補>.

20. 호산춘 우방 <임원십육지(林園十六志)>

—出 礪山, 礪山 一名 壺山

술 재료 : 밑술 : 멥쌀 1말 5되, 누룩가루 2되, 밀가루 2되, 냉수 7되, 끓는 물 1말
8되
덧술 : 멥쌀 2말 5되, 누룩가루 2되, 끓는 물 2말 5되
2차 덧술 : 멥쌀 5말, 누룩가루 2되, 밀가루 1되, 끓는 물 5말

술 빚는 법 :

* 밑술 :

1. 매달 초하룻날 멥쌀 1말 5되를 백세하고 (물에 담가 불렸다가, 다시 씻어 건
   져서 물기를 뺀 뒤) 세말하여 넓은 그릇에 담아놓는다.
2. 쌀가루에 냉수(따뜻한 물이면 더 좋다) 7되를 섞고, 다시 비탕(끓인 물) 1
   말 8되를 뿌려 설익힌 범벅을 만든 뒤에 풀같이 되면 차게 식기를 기다린다.
3. 범벅에 누룩가루 2되와 맥면(밀가루) 2되를 넣고, 고루 버무려 술밑을 빚는다.
4. 술독에 술밑을 담아 안치고, 예의 방법대로 하여 13일간 발효시킨다.

* 덧술 :

1. 멥쌀 2말 5되를 백세하여 (물에 불렸다가, 다시 씻어 건져서) 세말한다.
2. 쌀가루를 시루에 안쳐서 흰무리떡을 찌고, 솥에 물 2말 5되를 팔팔 끓인다.
3. 흰무리떡이 익었으면 넓은 그릇에 퍼 담고, 끓는 물 2말 5되를 합하여 주걱
   으로 치대 덩어리 없는 죽을 만든 다음 그릇 여러 개에 나눠 담아 차게 식
   기를 기다린다.
4. 흰무리떡에 누룩가루 2되와 밑술을 한데 합하고, 고루 버무려 술밑을 빚는다.
5. 술독에 술밑을 담아 안치고, 예의 방법대로 하여 다시 13일간 발효시킨다.

* 2차 덧술 :

1. 멥쌀 5말을 백세하여 (물에 담가 불렸다가, 다시 씻어 건져) 고두밥을 짓는다.
2. 열수(팔팔 끓는 물) 5말을 고두밥에 붓고, 투명하면서 밥에 윤기가 돌게 익
   혀 삿자리에 고루 펼쳐 차게 식기를 기다린다.
3. 식힌 고두밥에 덧술과 누룩가루 2되, 밀가루 1되를 섞어 술밑을 빚는다.
4. 술밑을 술독에 담아 안친 다음, 예의 방법대로 하여 춥지도 덥지도 않은 곳
   에서 2~3개월간 발효시키면 술이 익는다.

* 방문에 "둘째 번 5말을 가루 만들어 쪄서 익혀도 좋다(一法 作末烝熟)."고 하
  였으므로 우방의 주방문을 작성하였다.

壺山春 又方

出礪山 礪山一名 壺山. 某月初一日白米一斗五升百洗細末以冷水七升調勻更
以沸湯一斗八升沃灑攪調則米膠待其極冷麴末二升(麥)末二升拌勻入瓷釀至
十三日又以白米二斗五升百洗細末盛廣器以熱水二斗五升拌勻待冷勿入麴末
與前本雜調爲二次酒本至十三日白米五斗百洗蒸飯. (一法 作末烝熟)入熱水
五斗調極其透潤鋪諸簞席待冷入麴末二升(麥)末一升與二次前本調勻入瓷置
不寒不熱處露其瓷不覆則酒味不變過二三朔可飮. <山林經濟補>.

21. 호산춘 <조선무쌍신식요리제법(朝鮮無雙新式料理製法)>

술 재료 : 밑술 : 멥쌀 1말 5되, 누룩가루 2되, 밀가루 2되, 냉수 7되, 끓는 물 1말
           8되
       덧술 : 멥쌀 2말 5되, 끓는 물 2말 5되
       2차 덧술 : 멥쌀 5말, 누룩가루 2되, 밀가루 1되, 끓는 물 5말

술 빚는 법 :

* 밑술 :

1. 초하룻날 멥쌀 1말 5되를 정히 씻어 (백세하고 물에 담가 불렸다가, 다시 씻
   어 건져서 물기를 뺀 뒤) 세말하여 넓은 그릇에 담아놓는다.
2. 쌀가루에 냉수(따뜻한 물이면 더 좋다) 7되를 섞고, 다시 끓인 물 1말 8되를
   뿌려 설익힌 범벅을 만든 뒤 풀같이 되면 차게 식기를 기다린다.
3. 범벅에 누룩가루 2되와 밀가루 2되를 넣고, 고루 버무려 술밑을 빚는다.
4. 술독에 술밑을 담아 안치고, 예의 방법대로 하여 13일간 발효시킨다.

* 덧술 :

1. 멥쌀 2말 5되를 백세하고 (물에 담가 불렸다가, 다시 씻어 건져서 물기를 뺀

뒤) 세말하여 넓은 그릇에 담아놓는다.

2. 쌀가루에 끓는 물 2말 5되를 뿌려 범벅을 만들고, 차게 식기를 기다린다.

3. 범벅에 밑술을 넣고, 고루 버무려 술밑을 빚는다.

4. 술독에 술밑을 담아 안치고, 예의 방법대로 하여 다시 13일간 발효시킨다.

* 2차 덧술 :

1. 멥쌀 5말을 백세하여 (하룻밤 불렸다가 다시 씻어 건져) 고두밥을 짓는다.

2. 물 5말을 팔팔 끓여 고두밥에 붓고, 투명하면서 밥에 윤기가 돌면 삿자리에 고루 펼쳐서 차게 식기를 기다린다.

3. 식힌 고두밥에 덧술과 누룩가루 2되, 밀가루 1되를 섞어 술밑을 빚는다.

4. 술밑을 술독에 담아 안친 다음, 예의 방법대로 하여 춥지도 덥지도 않은 곳에서 2~3개월간 발효시키면 술이 익는다.

* 주방문 말미에 이르기를, "술독은 차지도 덥지도 않은 곳에 독을 드러내어 두고 뚜껑을 덮지 않으면 맛이 변하지 않는다."고 하였다.

호산춘(壺山春)

아모 달이든지 초하룻날 흔쌀 한 말 닷 되를 백 번 씨서 세말하야 랭수 일곱 되를 부어 고르게 휘젓고 다시 쓸는 물 한 말 여덜 되를 붓고 휘저으면 둘 가티 되리니 식거든 누룩가루와 밀가루 각 두 되식 느코 다시 고르게 하야 독에 느지 열사흘 만에 다시 흔쌀 두 말 닷 되를 백 번 씨서 세말하야 넓은 그릇에 담고 쓸는 물 두 말 닷 되를 붓고 석거서 식거든 누룩은 느치 말고 전에 하얏든 밋과 한테 석거 독에 느어 두 번재 술밋을 만든지 열사흘 만에 쏘 흔쌀 닷 말을 백 번 씨서 밥 지여 쓸는 물 닷 말을 붓고 휘저어 삿자리에 펴노아 식혀서 누룩가루 두 되와 밀가루 한 되를 느코 전에 두 번 하엿든 밋과 모다 석거 독에 느코 칩도 덥도 아니한 곳에 두고 독은 드러내고 쑥게를 덥지 안으면 맛이 변치 안으니 두석달 만에 가이 먹나니라. 쏘 법은 닷 말을 우덥흘제 작말하야 써서 하는 것도 조타하니라.

22. 호산춘 <조선무쌍신식요리제법(朝鮮無雙新式料理製法)>

> 술 재료 : 밑술 : 멥쌀 1말 5되, 누룩가루 2되, 밀가루 2되, 냉수 7되, 끓는 물 1말
> 8되
>
> 덧술 : 멥쌀 2말 5되, 끓는 물 2말 5되
>
> 2차 덧술 : 멥쌀 5말, 누룩가루 2되, 밀가루 1되, 끓는 물 5말

술 빚는 법 :

* 밑술 :

1. 초하룻날 멥쌀 1말 5되를 정히 씻어 (백세하고 물에 담가 불렸다가, 다시 씻어 건져서 물기를 뺀 뒤) 세말하여 넓은 그릇에 담아놓는다.
2. 쌀가루에 냉수(따뜻한 물이면 더 좋다) 7되를 섞고, 다시 끓인 물 1말 8되를 뿌려 설익힌 범벅을 만든 뒤에 풀같이 되면 차게 식기를 기다린다.
3. 범벅에 누룩가루 2되와 밀가루 2되를 넣고, 고루 버무려 술밑을 빚는다.
4. 술독에 술밑을 담아 안치고, 예의 방법대로 하여 13일간 발효시킨다.

* 덧술 :

1. 멥쌀 2말 5되를 백세하고 (물에 담가 불렸다가, 다시 씻어 건져서 물기를 뺀 뒤) 세말하여 넓은 그릇에 담아놓는다.
2. 쌀가루에 끓는 물 2말 5되를 뿌려 범벅을 만들고, 차게 식기를 기다린다.
3. 범벅에 밑술을 넣고, 고루 버무려 술밑을 빚는다.
4. 술독에 술밑을 담아 안치고, 예의 방법대로 하여 다시 13일간 발효시킨다.

* 2차 덧술 :

1. 멥쌀 5말을 백세하여 (하룻밤 불렸다, 다시 씻어 건져) 물기 뺀 후 작말한다.
2. 쌀가루를 시루에 안쳐서 흰무리를 찌고, 별도의 솥에 물 5말을 팔팔 끓여 흰무리떡이 익었으면 퍼서 큰 그릇에 담고 끓는 물을 한데 합하고 헤쳐 놓는다.

3. 흰무리떡이 투명하고 윤기가 돌면, 그릇 뚜껑을 덮어 절로 차게 식기를 기
   다린다.
4. 식힌 흰무리떡에 덧술과 누룩가루 2되, 밀가루 1되를 섞어 술밑을 빚는다.
5. 술밑을 술독에 담아 안친 다음, 예의 방법대로 하여 춥지도 덥지도 않은 곳
   에서 2~3개월간 발효시키면 술이 익는다.

호산춘(壺山春)

아모 달이든지 초하룻날 흔쌀 한 말 닷 되를 백 번 씨서 세말하야 랭수 일곱
되를 부어 고르게 휘젓고 다시 쓸는 물 한 말 여덟 되를 붓고 휘저으면 둘 가
티 되리니 식거든 누룩가루와 밀가루 각 두 되식 느코 다시 고르게 하야 독
에 느지 열사흘 만에 다시 흔쌀 두 말 닷 되를 백 번 씨서 세말하야 넓은 그
릇에 담고 쓸는 물 두 말 닷 되를 붓고 석거서 식거든 누룩은 느치 말고 전
에 하얏든 밋과 한테 석거 독에 느어 두 번재 술밋을 만든지 열사흘 만에 쏘
흔쌀 닷 말을 백 번 씨서 밥 지여 쓸는 물 닷 말을 붓고 휘저어 삿자리에 펴
노아 식혀서 누룩가루 두 되와 밀가루 한 되를 느코 전에 두 번 하엿든 밋과
모다 석거 독에 느코 칩도 덥도 아니한 곳에 두고 독은 드러내고 쑥게를 덥
지 안으면 맛이 변치 안으니 두석달 만에 가이 먹나니라. 쏘 법은 닷 말을 우
덥흘제 작말하야 쩌서 하는 것도 조타하니라.

23. 호산춘주이방문 <주방(酒方, 임용기소장본)>

> 술 재료 : 밑술 : 멥쌀 2말, 흰누룩가루 2되, 끓는 물 2말
>   덧술 : 멥쌀 4말, 끓는 물 8말

술 빚는 법 :
* 밑술 :

1. 멥쌀 2말을 백세하여 (물에 담가 불렸다가, 다시 씻어 건져서 물기를 뺀 후) 작말한다(가루로 빻는다).
2. 따뜻한 솥에 물을 2말을 붓고 팔팔 끓여 쌀가루에 골고루 붓고, 주걱으로 고루 개어 범벅(반생반숙)을 쑨다.
3. 범벅이 익었으면, 넓은 그릇에 퍼서 차게 식기를 기다린다.
4. 범벅에 흰누룩가루 2되를 한데 합하고, 고루 치대어 술밑을 빚는다.
5. 술밑을 술독에 담아 안치고, 예의 방법대로 하여 7일간 발효시킨다.

* 덧술 :
1. 멥쌀 4말을 백세하여 (물에 담가 불렸다가, 다시 씻어 헹궈 건져서) 물기를 뺀다.
2. 불린 쌀을 시루에 안쳐 익게 쪄서 고두밥을 짓고, 익었으면 퍼내어 고루 펼쳐서 차디차게 식기를 기다린다.
3. 차게 식힌 찹쌀 고두밥에 끓는 물 8말을 골고루 붓고, 차게 식기를 기다린다.
4. 고두밥에 밑술을 한데 합하고, 고루 버무려 술밑을 빚는다.
5. 술밑을 술독에 담아 안친 뒤, 예의 방법대로 (밀봉하여) 7일간 발효시킨다.
6. 덧술을 빚어 넣은 지 7일 후에 개봉하여 채주하여 마신다.

* 다른 문헌의 주방문과는 전혀 다른 방법으로 이루어지는 주방문이다.

호산츈주이방문
훈 졔(一劑) ᄒᆞ랴면, 빅미(白米) 두 말(二斗)을 빅셰작말(百洗作末)하여 ᄭᅳᆯ는 물(水) 두 말(二斗)에 개여 식거든 진국말(眞麴末) 두 되(二升)만 셧거 ᄒᆞ야 너허다가 칠일(七日)만의 빅미(白米) ᄂᆞ 말(四斗)을 빅세(百洗)ᄒᆞ여 익게 쪄 식히고 ᄭᅳᆯ힌 물(水) 여듧 말(八斗) 골나 식거든 밋슐의 셧거 너허다가 칠일(七日) 지나거든 개봉하라.

24. 호산춘 <주식방(酒食方, 高大閨壺要覽)>
−3말 빗이

술 재료 : 밑술 : 찹쌀 1말, 누룩가루 7홉, 끓는 장류수 2병

　　　　　덧술 : 찹쌀 또는 멥쌀 2말, 누룩 1되 4홉, 끓여 식힌 장류수 4병

술 빚는 법 :

* 밑술 :

1. 찹쌀 1말을 백 번 찧어(깎아, 도정하여) 수를 헤아려가면서 백세하여 물에 담가 하룻밤 불렸다가, 다시 서른 번 씻어 건져서 (물기를 뺀 후) 작말한다 (가루로 빻는다).
2. 솥에 장류수(흐르는 물) 2병을 팔팔 끓여 쌀가루에 골고루 붓고, 주걱으로 고루 개어 반생반숙(범벅)을 만든다.
3. 범벅이 익었으면, 넓은 그릇에 퍼서 차게 식기를 기다린다.
4. 범벅에 누룩가루 7홉을 한데 합하고, 고루 치대어 술밑을 빚는다.
5. 술밑을 술독에 담아 안치고 예의 방법대로 하여 6일간 발효시킨다.

* 덧술 :

1. 찹쌀 또는 멥쌀 2말 정도를 많이 찧어(깎아/도정하여) 백세하여 물에 담가 하룻밤 불렸다가, 다시 서른 번 씻어 헹궈 건져서 물기를 뺀다.
2. 쌀을 시루에 안쳐 퍠(무르게) 쪄서 고두밥을 짓고, (매우 차게) 식기를 기다린다.
3. 장류수 4병을 끓여 차게 식힌 후 찹쌀고두밥과 밑술, 누룩 1되 4홉을 한데 합하고, 고루 버무려 술밑을 빚는다.
4. 매운 연기를 쏘여 소독한 큰 술독에 술밑을 담아 7할(70%) 정도 차게 안친 뒤, 예의 방법대로 하여 마루 실내에 싸매어 두고 7일간 발효시킨다.
5. 술독을 자주 저어주면 덧술을 빚어 넣은 지 7일 만에 채주하여 마시는데, 향기가 기특하다.

호산츈

통소시호여 빗는 거시니라 서 말 비즈려 호면 뎜미 흔 말 빅 번 쓸허 산 노하 가며 빅 번 씨셔 하로밤 주여 쏘 다시 셜 흔번 씨셔 건져 죽말호고 쟝뉴슈 두 병 쓸혀 너여 반만 익거든 삭여 가로누룩 칠 홉 버무려 너헛다가 엿새 만의 빅뎜미 두 말 졍ᄀᆞᆺ치 쓸허 빅 번 씨셔 하로밤 주여 쏘 셜흔 번 씨셔 닉게 쪄 시겨 쟝뉴슈 네 병 쓸혀 ᄀᆞ로누룩 두 칠 홉 밋과 버므려 미운 남언긔식 큰 독 의 너허 칠 홉 독즘 되게 호여 술 항 우히 그와 맛ᄂᆞᆫ 실우를 걸고 봉호여 두고 갓금 져으라 일에 만의 드리오라 향긔 각별호니라.

25. 호산춘 <주찬(酒饌)>

술 재료 : 밑술 : 멥쌀 1되 5홉, 섬누룩 2되, 물 1말
        덧술 : 찹쌀 1말

술 빚는 법 :

* 밑술 :

1. 멥쌀 1되 5홉을 백세하여 (물에 담가 불렸다가, 다시 씻어 헹궈 건져서 물기
   를 뺀 뒤) 작말한 다음, 넓은 그릇에 담아놓는다.
2. 솥에 물 1말을 끓이다가 물이 뜨거워지면 쌀가루를 풀어 넣고, 주걱으로 천
   천히 저어가면서 팔팔 끓는 죽을 쑨 후 넓은 그릇에 퍼서 차게 식기를 기다
   린다.
3. 죽에 섬누룩 2되를 합하고, 고루 버무려 술밑을 빚는다.
4. 술독에 술밑을 담아 안치고, 예의 방법대로 하여 3일간 발효시킨다.

* 덧술 :

1. 찹쌀 1말을 백세하여 (물에 담가 불렸다가, 다시 씻어 헹궈 건져서 물기를 뺀

뒤) 시루에 안쳐서 고두밥을 짓는다.

2. 고두밥이 익었으면 퍼내고, 고루 펼쳐서 차게 식기를 기다린다.

3. 고두밥에 밑술을 합하고, 고루 버무려 술밑을 빚는다.

4. 술독에 술밑을 담아 안치고 예의 방법대로 하여 7일간 발효시킨다.

* 주방문 말미에 "만약 오래두면 날이 갈수록 맑아진다."고 하였다.

壺山春

米一升五合百洗作末水一斗同作粥待最冷薪曲二升調釀三日後精粘米一斗熟
烝待冷後本酒無他水漉出仍調釀七日後用之若加日久則益明也.

26. 호산춘 <학음잡록(鶴陰雜錄)>

술 재료 : 밑술 : 멥쌀 1말 5되, 누룩가루 2되, 밀가루 2되, 냉수 7되, 끓는 물 1말
8되

덧술 : 멥쌀 2말 5되, 끓는 물 2말 5되

2차 덧술 : 멥쌀 5말, 누룩가루 2되, 밀가루 1되, 끓는 물 5말

술 빚는 법 :

* 밑술 :

1. 모월 초하룻날 멥쌀 1말 5되를 정히 씻어 (백세하여 물에 담가 불렸다가, 다
   시 씻어 건져서 물기를 뺀 뒤) 세말하여(고운 가루로 빻아) 넓은 그릇에 담
   아놓는다.

2. 쌀가루에 냉수(따뜻한 물이면 더 좋다) 7되를 섞고, 다시 끓는 물 1말 8되
   를 뿌려 설익힌 범벅을 만든 뒤에 풀같이 되면 매우 차게 식기를 기다린다.

3. 범벅에 누룩가루 2되와 밀가루 2되를 넣고, 고루 버무려 술밑을 빚는다.

4. 술독에 술밑을 담아 안치고, 예의 방법대로 하여 13일간 발효시킨다.

* 덧술 :
1. 멥쌀 2말 5되를 백세하고 (물에 담가 불렸다가, 다시 씻어 건져서 물기를 뺀 뒤) 세말하여 넓은 그릇에 담아놓는다.
2. 쌀가루에 끓는 물 2말 5되를 뿌려 범벅을 만들고, 차게 식기를 기다린다.
3. 범벅에 밑술을 넣고, 고루 버무려 술밑을 빚는다.
4. 술독에 술밑을 담아 안치고, 예의 방법대로 하여 다시 13일간 발효시킨다.

* 2차 덧술 :
1. 멥쌀 5말을 백세하여 (물에 담가 불렸다가, 다시 씻어 건져) 고두밥을 짓는다.
2. 물 5말을 팔팔 끓여 고두밥에 붓고, 투명하면서 밥에 윤기가 돌면 삿자리에 고루 펼쳐서 차게 식기를 기다린다.
3. 식힌 고두밥에 덧술과 누룩가루 2되, 밀가루 1되를 섞어 술밑을 빚는다.
4. 술밑을 술독에 담아 안친 다음, 예의 방법대로 하여 독을 덮지 말고 춥지도 덥지도 않은 곳에서 2~3개월간 발효시키면 술이 익는다.

* 주방문 말미에 "차지도 덥지도 않은 곳에 내놓는다. 덮지 않으면 술맛이 변하지 않아 두어 달 지나도 먹을 만하다."고 하였다.

壺山春

某月初一日白米一斗五升白洗作細末以冷水七升調均更以沸湯一斗八升玉曬攪調則米膠待其極冷麴末二升眞末二升拌均瓮釀之至十三日又以白米二斗五升白洗細末盛廣器以熟水二斗五升拌均待冷勿入入曲末與前本雜調爲二次酒本至十三日白米五斗百洗蒸飯入熟水五斗調極透潤鋪諸簟席待冷入曲末二升眞末一升與二次前本調和入瓮置不寒不熱處露其瓮不覆則酒味不變過二三朔可飮.

27. 호산춘 일법 <학음잡록(鶴陰雜錄)>

> 술 재료 : 밑술 : 멥쌀 1말 5되, 누룩가루 2되, 밀가루 2되, 냉수 7되, 끓는 물 1말
> 8되
>
> 덧술 : 멥쌀 2말 5되, 끓는 물 2말 5되
>
> 2차 덧술 : 멥쌀 5말, 누룩가루 2되, 밀가루 1되, 끓는 물 5말

술 빚는 법 :

* 밑술 :

1. 모월 초하룻날 멥쌀 1말 5되를 정히 씻어 (백세하고 물에 담가 불렸다가, 다시 씻어 건져서 물기를 뺀 뒤) 세말하여(고운 가루로 빻아) 넓은 그릇에 담아놓는다.
2. 쌀가루에 냉수(따뜻한 물이면 더 좋다) 7되를 섞고, 다시 끓는 물 1말 8되를 뿌려 설익힌 범벅을 만든 뒤에 풀같이 되면 매우 차게 식기를 기다린다.
3. 범벅에 누룩가루 2되와 밀가루 2되를 넣고, 고루 버무려 술밑을 빚는다.
4. 술독에 술밑을 담아 안치고, 예의 방법대로 하여 13일간 발효시킨다.

* 덧술 :

1. 멥쌀 2말 5되를 백세하고 (물에 담가 불렸다가, 다시 씻어 건져서 물기를 뺀 뒤) 세말하여 넓은 그릇에 담아놓는다.
2. 쌀가루에 끓는 물 2말 5되를 뿌려 범벅을 만들고, 차게 식기를 기다린다.
3. 범벅에 밑술을 넣고, 고루 버무려 술밑을 빚는다.
4. 술독에 술밑을 담아 안치고, 예의 방법대로 하여 다시 13일간 발효시킨다.

* 2차 덧술 :

1. 멥쌀 5말을 백세하여 (물에 담가 불렸다가, 다시 씻어 건져서) 작말한다.
2. 쌀가루를 시루에 안쳐서 떡을 찌고, 익었으면 넓은 그릇에 퍼 담는 즉시 끓

는 물 5말을 떡에 부어 주걱으로 헤쳐서 덩어리가 없이 풀어놓는다.

3. 떡이 투명하면서 윤기가 도는 죽처럼 되었으면 그릇 여러 개에 나눠 담고, 매우 차게 식기를 기다린다.

4. 떡(죽)에 덧술과 누룩가루 2되, 밀가루 1되를 섞고 고루 버무려 술밑을 빚는다.

5. 술밑을 술독에 담아 안친 다음, 예의 방법대로 하여 독을 덮지 말고 춥지도 덥지도 않은 곳에서 2~3개월간 발효시키면 술이 익는다.

* 주방문 말미에 "또 다른 방법은 둘째 번 5말을 가루 만들어 쪄서 익혀도 좋다."고 하였다. <의방합편>의 주방문과 동일하다.

壺山春

某月初一日白米一斗五升白洗作細末以冷水七升調均更以沸湯一斗八升玉曬攪調則米膠待其極冷麴末二升眞末二升拌均瓮釀之至十三日又以白米二斗五升白洗細末盛廣器以熟水二斗五升拌均待冷勿入入曲末與前本雜調爲二次酒本至十三日白米五斗百洗蒸飯入熟水五斗調極透潤鋪諸簞席待冷入曲末二升眞末一升與二次前本調和入瓮置不寒不熱處露其瓮不覆則酒味不變過二三朔可飮. <一法> 後次五斗作末蒸亦可.

28. 호산춘 <한국민속대관(韓國民俗大觀)>

술 재료 : 밑술 : 멥쌀 1말, 좋은 누룩가루 2되, 밀가루 2되, 냉수 7되, 끓는 물 1말 8되
　　　　 덧술 : 멥쌀 2말 5되, 누룩가루 2되, 끓는 물 2말 5되
　　　　 2차 덧술 : 멥쌀 5말, 누룩가루 2되, 밀가루 1되, 끓는 물 5말

술 빚는 법 :

* 밑술 :

1. 초하룻날에 멥쌀 1말 5되를 잘 씻어서 (백세하여 물에 담가 불렸다가, 다시 씻어 건져서 물기를 뺀 후) 가루로 빻아 큰 그릇에 담아놓는다.

2. 냉수 7되에 쌀가루를 풀어 '아이죽'을 만들고, 다시 끓는 물 1말 8되를 아이죽에 부어가면서 주걱으로 골고루 개어 범벅을 만들어 차게 식기를 기다린다.

3. 차게 식은 범벅에 누룩가루 2되와 밀가루 2되를 합하고, 고루 버무려 술밑을 빚는다.

4. 술밑을 술독에 담아 안치고, 예의 방법대로 하여 (찬 곳에서) 13일간 발효시킨다.

* 덧술 :

1. 멥쌀 2말 5되를 잘 씻고 (백세하여 물에 담가 불렸다가, 다시 씻어 건져서 물기를 뺀 후) 가루로 빻아 큰 그릇에 담아놓는다.

2. 밑술에 누룩가루 2되를 넣고 잘 풀어놓는다.

3. 끓는 물 2말 5되를 쌀가루에 골고루 나눠 부어가면서 주걱으로 개어 범벅을 만들고, 차게 식기를 기다린다.

4. 밑술에 범벅을 합하고, 고루 버무려 술밑을 빚는다.

5. 술밑을 술독에 담아 안치고, 예의 방법대로 하여 (찬 곳에 두어) 13일간 발효시킨다.

* 2차 덧술 :

1. 멥쌀 5말을 (백세하여 물에 담가 불렸다가, 다시 씻어 건져서 물기를 뺀 뒤) 시루에 안쳐서 고두밥을 짓는다.

2. 고두밥이 익었으면 퍼내고, 끓는 물 5말을 고두밥에 나눠 부어 고루 헤쳐서 두었다가 고두밥이 물을 다 먹고 윤기가 돌면 고루 펼쳐서 차게 식기를 기다린다.

3. 고두밥에 누룩가루 2되와 밀가루 1되를 합해서 섞고, 다시 덧술을 합하고 고루 버무려 술밑을 빚는다.

4. 술밑을 술독에 담아 안치고, 예의 방법대로 하여 덥지도 차지도 않은 곳에 두고 발효시켜 익기를 기다리는데 2~3개월이 두어도 변하지 않는다.

* 이 주방문의 주원료는 멥쌀이고, 3차 담금으로 되어 있다. 1차는 멥쌀로 죽을 쑤어 밑술을 만들고, 2차도 멥쌀로 죽을 쑤어 먼저 밑술의 위에 덮고, 3차는 멥쌀밥 혹은 백설기를 만들어 2차 밑술 위에 덮는다. 1, 2, 3차에 걸쳐서 누룩가루를 사용하고 있으며, 1차와 3차에만 밀가루를 넣어 매 담금 일자를 13일의 기간을 두고 빚는 것이 특색이다.

* 주방문 말미에 고급 약주류에 대해 "고려 때부터 이 종류(삼양주)의 술이 알려졌으며, 기록에도 남아 있다. 여기에 속하는 술로는 '호산춘', '약산춘', '니산춘', '잡곡주', '삼오주', '삼해주', '사마주', '벽향춘', '일년주' 등이 알려져 있다. 이 술은 전라도 여산의 특산물이었다. 조선 중엽 이후에 선을 보인 술인데, 그 제조법은 다음과 같다."고 하였다.

호산춘(壺山春)

초하룻날에 백미 한 말 닷 되를 잘 씻어서 가루를 낸다. 이 가루에 냉수 일곱 되를 섞고, 다시 끓인 물 한 말 여덟 되를 뿌려 잘 섞어 식힌다. 거기에 다시 누룩가루 두 되와 밀가루 두 되를 넣고 항아리에 담고, 13일이 지나서 백미 두 말 닷 되를 잘 씻고 가루 내어, 큰 그릇에 옮겨 끓는 물 두 말 닷 되를 넣어서 고루 섞어 식히고, 누룩가루를 먼저 밑술에 넣고 잘 저어준다.

두 번째 밑술을 빚은 지, 13일이 되면 백미 닷 말을 밥 짓고 끓는 물 닷 말을 넣어서 잘 버무려 맑고 윤기가 돌게 되면 자리에 펴 식힌 다음, 누룩가루 두 되, 밀가루 한 되를 넣어서 두 번째 밑술에 버무려 항아리에 담는다. 술항아리는 덥지도 차지도 않는 곳에 놓아두면 술맛이 변하지 않고 2~3개월을 마실 수 있다.

29. 호산춘 <해동농서(海東農書)>

술 재료 : 밑술 : 멥쌀 1말 5되, 누룩가루 2되, 밀가루 2되, 냉수 7되, 끓는 물 1말
8되

덧술 : 멥쌀 2말 5되, 누룩가루 2되, 끓는 물 2말 5되

2차 덧술 : 멥쌀 5말, 누룩가루 1되, 끓는 물 5말

술 빚는 법 :

* 밑술 :

1. 모월 초하룻날 멥쌀 1말 5되를 정히 씻어 (백세하고 물에 담가 불렸다가, 다시 씻어 건져서 물기를 뺀 뒤) 세말하여(고운 가루로 빻아) 넓은 그릇에 담아놓는다.

2. 쌀가루에 냉수(따뜻한 물이면 더 좋다) 7되를 섞어 풀고, 다시 끓는 물 1말 8되를 뿌려 설익힌 범벅을 만든 뒤 풀같이 되면 차게 식기를 기다린다.

3. 범벅에 누룩가루 2되와 밀가루 2되를 넣고, 고루 버무려 술밑을 빚는다.

4. 술독에 술밑을 담아 안치고, 예의 방법대로 하여 13일간 발효시킨다.

* 덧술 :

1. 멥쌀 2말 5되를 백세하고 (물에 담가 불렸다가, 다시 씻어 건져서 물기를 뺀 뒤) 세말하여(고운 가루로 빻아) 넓은 그릇에 담아놓는다.

2. 쌀가루에 끓는 물 2말 5되를 섞고, 고루 개어 범벅을 만들어 차게 식기를 기다린다.

3. 범벅에 누룩가루 2되와 밑술을 넣고, 고루 버무려 술밑을 빚는다.

4. 술독에 술밑을 담아 안치고, 예의 방법대로 하여 다시 13일간 발효시킨다.

* 2차 덧술 :

1. 멥쌀 5말을 백세하여 (물에 담가 불렸다가, 다시 씻어 건져서 물기를 뺀 후)

고두밥을 짓는다(혹은 가루로 빻아 떡을 찐다).

2. 물 5말을 팔팔 끓여 쪄낸 고두밥(혹은 떡)에 붓고, 투명하면서 밥에 윤기가 돌면 삿자리에 고루 펼쳐서 차게 식기를 기다린다.

3. 식힌 고두밥에 덧술과 누룩가루 1되를 섞어 술밑을 빚는다.

4. 술밑을 술독에 담아 안친 다음, 예의 방법대로 하여 춥지도 덥지도 않은 곳에서 2~3개월간 발효시키면 술이 익는다.

* 여산 지방의 방문을 수록하였다. 2차 덧술의 누룩 양이 1되이고, 진말이 들어가지 않는다.

壺山春

某月初一日白米一斗五升百洗細末以冷水七升調勻更以沸湯一斗八升沃晒攪調則米膠待其極冷麴末二升眞末二升拌勻入甕釀之至十三日又以白米二斗五升百洗細末盛廣器以熱水二斗五升拌勻待冷勿入麴末與前本雜調爲二次酒本至十三日白米五斗百洗蒸飯入熱水五斗調極其透潤鋪諸簞席待冷入麴末一升與二次前本調入甕置不寒不熱處露其甕不覆則酒味不變過二三朔可飮. <一法> 後次五斗作末蒸熟亦可. <廬山方>

30. 호산춘 일법 <해동농서(海東農書)>

술 재료 : 밑술 : 멥쌀 1말 5되, 누룩가루 2되, 밀가루 2되, 냉수 7되, 끓는 물 1말 8되

덧술 : 멥쌀 2말 5되, 누룩가루 2되, 끓는 물 2말 5되

2차 덧술 : 멥쌀 5말, 누룩가루 2되, 밀가루 1되, 끓는 물 5말

술 빚는 법 :

* 밑술 :

1. 모월 초하룻날 멥쌀 1말 5되를 정히 씻어 (백세하고 물에 담가 불렸다가, 다시 씻어 건져서 물기를 뺀 뒤) 세말하여 넓은 그릇에 담아놓는다.

2. 쌀가루에 냉수(따뜻한 물이면 더 좋다) 7되를 섞고, 다시 끓는 물 1말 8되를 뿌려 설익힌 범벅을 만든 뒤에 풀같이 되면 차게 식기를 기다린다.

3. 범벅에 누룩가루 2되와 밀가루 2되를 넣고, 고루 버무려 술밑을 빚는다.

4. 술독에 술밑을 담아 안치고, 예의 방법대로 하여 13일간 발효시킨다.

* 덧술 :

1. 멥쌀 2말 5되를 백세하고 (물에 담가 불렸다가, 다시 씻어 건져서 물기를 뺀 뒤) 세말하여 넓은 그릇에 담아놓는다.

2. 쌀가루에 끓는 물 2말 5되를 뿌리면서 고루 개어 범벅을 만들고, 차게 식기를 기다린다.

3. 범벅에 누룩가루 2되와 밑술을 넣고, 고루 버무려 술밑을 빚는다.

4. 술독에 술밑을 담아 안치고, 예의 방법대로 하여 다시 13일간 발효시킨다.

* 2차 덧술 :

1. 멥쌀 5말을 백세하여 (물에 담가 불렸다가, 다시 씻어 건져) 작말한다.

2. 물 5말을 팔팔 끓여 쌀가루에 붓고, 골고루 개어 범벅을 쑨 후 넓은 그릇 여러 개에 퍼서 차게 식기를 기다린다.

3. 차게 식힌 범벅에 덧술과 누룩가루 2되, 밀가루 1되를 섞어 술밑을 빚는다.

4. 술밑을 술독에 담아 안친 다음, 예의 방법대로 하여 춥지도 덥지도 않은 곳에서 2~3개월간 발효시키면 술이 익는다.

壺山春

出 礪山 礪山別名 壺山. 某月初一日白米一斗五升百洗細末以冷水七升調勻更
以沸湯一斗八升沃晒攪調則米膠待其極冷麴末二升眞末二升拌勻入甕釀之(至)
十三日又以白米二斗五升百洗細末盛廣器以熱水二斗五升拌勻待冷勿入麴末

與前本雜調爲二次酒本至十三日白米五斗百洗蒸飯入熱水五斗調極其透潤鋪
諸簞席待冷入麴末二升眞末一升與二次前本調入甕置不寒不熱處露其瓮不覆
則酒味不變過二三朔可飮. <一法> 後次五斗作末蒸熟亦可.

31. 호산춘 <홍씨주방문>

> 술 재료 : 밑술 : 멥쌀 3되, 누룩가루 3홉, 밀가루 1홉, 맛 곰든 물 10되
> 　　　　　덧술 : 멥쌀 1말, 누룩가루 3되, 밀가루 1홉, 끓는 물 3말, 끓여 식힌 물
> 　　　　　　　　3말

술 빚는 법 :

* 밑술 :

1. 멥쌀 3되를 백세하여 (백 번 씻어 매우 깨끗하게 하여 말갛게 헹궈 불렸다가,
　다시 씻어 건져서 물기를 뺀 다음) 작말한다(가루로 빻는다).
2. 시루에 쌀가루를 안치고 백설기를 쪄 익었으면 퍼서 넓은 그릇에 담아놓는다.
3. 맛 곰든 물(많이 끓인 물, 떡 찌던 시루밑물) 10되를 끓여 설기떡에 붓고, 개
　어(주걱으로 골고루 풀어 죽같이 만들어) 차게 식기를 기다린다.
4. 떡에 누룩가루 3홉과 밀가루 1홉을 한데 섞고, 고루 버무려 술밑을 빚는다.
5. 소독한 술독에 술밑을 담아 안치고, 예의 방법대로 하여 7일간 발효시킨다.

* 덧술 :

1. 멥쌀 1말을 백세한다(백 번 씻어 옥같이 깨끗하게 하여 말갛게 헹궈 건졌다
　가, 새 물에 하룻밤 담가 불린다).
2. 다음날 아침에 불린 쌀을 (다시 씻어 건져서 물기를 뺀 다음) 고두밥 짓는다.
3. 고두밥에 물 뿌리지 말고 센 불에서 익게 뜸을 들이고, 물 3말을 팔팔 끓이
　다가 고두밥이 익었으면 퍼내어 끓는 물과 한데 합하여 섞어놓는다.

4. 고두밥이 물을 다 먹었으면, 넓은 그릇에 나눠서 차게 식기를 기다린다.

5. 고두밥에 밑술, 누룩가루 3되, 밀가루 1홉을 합하고, 고루 버무려 술밑을 빚는다.

6. 소독한 술독에 술밑을 담아 안치고, 예의 방법대로 하여 7일간 발효시켜 익기를 기다린 다음 다시 끓여 식힌 물 3말을 부어 놓았다가 7일 후 말갛게 익으면 채주한다.

호산춘

백미 서 되 백세작말하여 익게 쪄 그릇에 쏟아 놓고 맛 곰든 물을 열 되 끓여 떡에 부어 개여 식거든 국말 서 홉, 진말 한 홉한테 썩어 불한불열한데 두었다가 칠일 만에 백미 말 백세하여 하룻밤 담가 물 주지 말고 엿밥 찌듯이 된 김만 올려 쪄 내여 그릇에 담고 물 서 말 끓여 밥에 부어 물이 다든 후 식혀 국말 서 되, 진말 홉 넣어 밑술에 버무려 넣고 또 칠일 후 물 서 말만 끓여 식혀 술에 부어 자주 보지 말고 두었다가 칠일 후 말가하거든 쓰라.

홀도주

'홀도주'는 어떤 의미의 술인지 알 수 없다. <홍씨주방문>에서만 찾아볼 수 있는 주품으로 주방문을 작성했던 홍씨 집안의 가양주로 여겨진다. 여름철에 빚어 마시는 속성주류(速成酒類)의 한 가지임을 알 수 있다.

'홀도주' 주방문에서 덧술을 하여 3일 만에 발효가 끝나는 술임을 암시하고 있다. '홀도주'의 주방문을 보면, "백미 엿 되 백세작말하여 끓인 물 두 병 개여 차거든 가루 한 되, 석임 한 되 넣어 비껴 사흘 만에 점미 넉 되 백세하여 익게 쪄 식히고 술밑을 밭타여 모러 빚은 사흘 후 쓰면 향기있고 맵나니 드리오면 경각에 다 나니라. 넘정에 가장 좋으니라. 석임 없이 조런 쉽지 아니하거든 누룩 한 줌 더 하라."고 하였다.

주방문을 보아 알 수 있는 것은 밑술의 쌀 양에 비해 덧술의 쌀 양이 적으면서도 밑술에 '석임 1되'를 사용한다는 사실이다.

주지하다시피 '석임'은 밑술을 보완하는 역할을 하기도 하지만, 빠른 시간에 술을 익히고자 하는 목적으로 석임의 주용도를 사용하고 있음을 짐작할 수 있다.

또한 '홀도주'가 여름철 술이면서 <오주연문장전산고(五洲衍文長箋散稿)>의 '경 각준순주' 주방문에 처음 나타나는 "경각(頃刻) 다 나니라"고 하여 매우 짧은 기 간(경각, 15분)에 발효가 다 끝난다는 것을 알 수 있다. 여기서 '경각(頃刻)'은 15 분을 나타내는 단위이나 그만큼 매우 짧은 시간을 의미하는 것으로, 주로 하루 나 이틀을 가리키는 것으로 풀이된다.

따라서 '홀도주'의 주발효가 2~3일이라고 한다면, 여기서의 '경각'은 주발효가 끝난 후의 1일 정도라고 볼 수 있으므로, 술의 전체적인 발효가 3일 만에 끝난다 는 것을 의미한다고 풀이할 수 있을 것 같다. 또한 석임은 덧술의 단기간 발효 목 적 이외에도 여름철에 대비하기 위한 또 한 가지의 방법으로도 사용된다는 것을 생각해 볼 수 있을 것 같다. 우리나라의 여름철은 온도가 높고 과도한 습도 때문 에 술 빚기가 어렵기 때문이다.

과도한 습도는 잡균의 왕성한 활동을 초래함으로써 잡균의 왕성한 활동과 증 식에 따른 산패 또는 과발효에 따른 변질의 주요인이 된다. 따라서 석임을 사용함 으로써 오히려 발효기간을 단축시켜 단시간에 알코올 도수를 끌어올릴 목적으 로도 사용되었다는 것이다.

'홀도주'를 통하여 배우게 된 것은 여름철 술 빚기에 따른 주의와 발효를 어떻 게 안전하게 끌고 갈 것인가에 대한 방법 모색만이 아니다. 지금 자신이 알고 있 는 몇 가지 방법과 기술이 우리 술 빚기의 모든 것이라고 확신할 수 없다는 사실 또한 확인하게 되었다.

홀도주 <홍씨주방문>

술 재료 : 밑술 : 멥쌀 6되, 누룩가루 1되, 석임 1되, 끓는 물 2병
　　　　　덧술 : 찹쌀 4되

술 빚는 법 :

* 밑술 :
1. 멥쌀 6되를 백세하여 (백 번 씻어 매우 깨끗하게 하여 말갛게 헹궈 불렸다가,
   다시 씻어 건져서 물기를 뺀 후) 작말한다(가루로 빻는다).
2. 쌀가루를 넓은 그릇에 담아놓고, 물 2병을 솥에 부어 팔팔 끓여서 쌀가루에
   골고루 퍼부은 다음 주걱으로 고루 개어 범벅을 쑨다.
3. 범벅이 투명하게 익었으면, 넓은 그릇에 퍼서 차게 식기를 기다린다.
4. 범벅에 누룩가루 1되, 석임 1되를 합하고, 고루 버무려 술밑을 빚는다.
5. 술독에 술밑을 담아 안치고, 예의 방법대로 하여 3일간 발효시킨다.

* 덧술 :
1. 찹쌀 4되를 백세한다(백 번 씻어 옥같이 깨끗하게 하여 말갛게 헹궈 건졌다
   가, 새 물을 넉넉히 하여 3일간 담가 불린다).
2. 불린 쌀을 (다시 씻어 말갛게 헹궈서 물기를 뺀 다음) 시루에 안쳐서 고두
   밥을 짓는다.
3. 고두밥이 익었으면 퍼내고, 넓게 펼쳐서 차게 식기를 기다린다.
4. 밑술을 체에 밭쳐 찌꺼기를 제거한 탁주를 만든다.
5. 고두밥에 걸러놓은 탁주를 합하고, 고루 버무려 술밑을 빚는다.
6. 술독에 술밑을 담아 안치고, 예의 방법대로 하여 3일간 발효시킨다.

* 주방문 말미에 "넘정(炎程, 무더운 여름날)의 노정(路程)에 좋다."고 하고, "석
   임 없이 빚으려거든 누룩 한 줌을 더 넣으라."고도 하였는데, 그 이유는 '홀도
   주'가 여름 술이기 때문이다.

홀도주

백미 엿 되 백세작말하여 끓인 물 두 병 개여 차거든 가루 한 되 석임 한 되
넣어 비껴 사흘 만에 점미 넉 되 백세하여 익게 쪄 식히고 술밑을 밭타여 모
러 빚은 사흘 후 쓰면 향기 있고 맵나니 드리오면 경각에 다 나니라. 넘정에
가장 좋으니라. 석임없이 조런 쉽지 아니하거든 누룩 한 줌 더하라.

홍나주

스토리텔링 및 술 빚는 법

"무슨 술 이름이 이렇지?" "술을 빚는 방법이 특별한 것도 없는데…… 특별히 빨리 익히자는 목적뿐인가?" "아니, 과연 2일 만에 술이 될까?" "이러한 주방문이 어떤 의미를 갖는다는 것인가?"

<술방문>의 '홍나주법'을 읽고 난 후 생긴 의문점들이었다.

'홍나주법'은 1700년대 말엽에 저술된 것으로 알려진 한글 붓글씨본 <술방문>에 수록된 주방문이다. 쌀 양과 같은 양의 물이 사용된다.

주방문을 보면 "쌀 1말을 백세하여 물 3말로 죽을 쑨 뒤, 차게 식으면 누룩가루 1되, 진말 5홉 섞어 술밑을 빚는다. 항에 넣었다가 3일 후에 찹쌀 2말을 백세하여 고두밥을 짓고, 차게 식기를 기다려 밑술과 술밑(고두밥)을 한데 쳐 넣으되, 이틀 만에 보면 맑은 것 같다."고 하였다. 과정이나 발효방법 등에서 그다지 특별할 건 없다.

단지 덧술을 한 지 2일이면 술이 말갛게 익는 것으로 표현되어 있는데, 찹쌀 2말로 덧술을 빚은 술이 과연 2일 만에 익을 수 있는지 의문이었다.

그리하여 먼저 <술방문>의 다른 주방문에서도 '홍나주'와 같은 주품의 경우가 있는지 조사했으나 찾지 못하다가 <산가요록(山家要錄)>을 비롯하여 <수운잡방(需雲雜方)>, <시의전서(是議全書)>, <양주방>*, <우음제방(禹飮諸方)>, <주방(酒方)>*, <침주법(浸酒法)>에서 재료 배합비율이 동일하고 술을 빚는 과정이 비교적 유사한 '녹파주'를 목격하게 되었다.

이들 문헌의 '녹파주'에서도 밑술에 사용되는 멥쌀 1말을 백세작말하여 물 3말로 죽을 쑤어 사용하는 것으로 되어 있다. 쌀의 가공방법에서 약간 차이가 있을 뿐 죽으로 빚는 술이라는 공통점을 띠고 있을 뿐 아니라 덧술 과정이 동일하다.

또한 주방문 말미의 "이틀 만에 보면 빛이 맑은 거울 같다."고 한 데서 '녹파주'와의 연관성을 찾고자 하였으나, 여러 문헌에 주품명이 다른 주방문이 존재한다는 건 두 주품의 차이는 물론이고 서로 다른 의도로 작성되고 기록된 것임은 분명하다.

다시 말하면, '홍나주'와 '녹파주'는 밑술 죽을 쑤는 방법의 차이에서 유래한 다른 주품이라는 것이다.

그렇다면 주방문 말미의 "이틀 만에 보면 빛이 맑은 거울 같다."는 언급과 '홍나주'라는 주품명과의 연관성에서 그 유래를 찾아야 하는데, 도무지 답을 구할 수가 없었다는 게 솔직한 고백이다.

어찌됐든 <술방문>의 '홍나주'는 주방문 말미의 "이틀 만에 보면 빛이 맑은 거울 같다."고 한 것과 관련해 그 특징을 찾을 수 있겠으나, 이때 술을 떠서 마실 수 있다는 뜻인 것 같지 않다는 데 문제가 있다.

술을 2일 만에 익히려면, 의도적으로 밑술의 발효가 가장 활발할 때 덧술을 해넣어야 하고, 또 고두밥은 약간의 온기를 남겨 술밑을 빚고 매우 따뜻한 곳에서 발효시켜야 가능한데, "고두밥을 쪄서 식거든"이라고 하여 발효가 완전히 끝난 상태는 아닌, 주발효가 끝난 상태의 현상을 언급한 것으로 여겨진다.

또한 '홍나주'와 같이 쌀가루가 아닌 불린 쌀을 끓여서 죽을 쑬 경우, 뜸이 잘 들지 않아 후발효가 지속되는 것을 볼 수 있다. 그로 인해 술맛의 부조화와 함께 채주 후의 재발효가 우려된다.

따라서 술을 빚어놓고 이러한 현상이 발생할 경우에는 술독 밑에 뜸이 덜 든

쌀이 침전되지 않도록 지속적으로 교반을 해주는 조치가 필요하다. 자칫 떫고 쓴 맛을 줄 수 있으므로 술이 익은 후에도 최소 7일 이상은 더 발효·숙성시켜야 맛을 보전할 수 있다.

홍나주법 <술방문>

술 재료 : 밑술 : 멥쌀 1말, 누룩가루 1되, 밀가루 5홉, 물 3말
　　　　　덧술 : 찹쌀 2말

술 빚는 법 :

＊ 밑술 :

1. 멥쌀 1말을 백세한다(물에 담가 불린 다음, 다시 헹궈 건져서 물기를 빼놓는다).

2. 솥에 물 3말을 부어 (끓이다가 따뜻해지면) 멥쌀을 합하고, (주걱으로 천천히 저으면서) 팔팔 끓여 된죽을 쑨다.

3. (죽이 무르게 익었으면, 물기 없는 넓은 그릇에 퍼서 차게 식기를 기다린다.)

4. (차게 식은) 죽에 누룩가루 1말(되)과 밀가루 5홉을 합하고, 고루 버무려 술밑을 빚는다.

5. 술밑을 술독에 담아 안치고, 예의 방법대로 하여 3일간 발효시킨다.

＊ 덧술 :

1. 찹쌀 2말을 백세하여 (물에 담가 불렸다가, 다시 씻어 말갛게 헹궈서 소쿠리에 밭쳐 물기를 뺀 후) 시루에 안쳐서 고두밥을 짓는다.

2. 고두밥이 무르게 익었으면, 시루에서 퍼내고 주걱으로 고루 펼쳐서 차게 식기를 기다린다.

3. 고두밥에 밑술을 한데 섞고, 고루 버무려 술밑을 빚는다.

4. 술밑을 술독에 담아 안치고, 예의 방법대로 (밀봉하여 따뜻한 곳에서) 2일
   간 발효시킨다.

* 주방문에는 밑술에 사용되는 누룩가루가 1말(斗)이라고 되어 있는데, 1되(升)
   의 오기인 것 같다. 또 "이틀 만에 보면 빛이 맑은 거울 같다."고 하였는데, 이
   때 떠서 마시는 술인 것 같지는 않다. 만약 누룩가루의 양이 1말이라면 더더
   욱 2일 만에 술이 익을 수 없기에 하는 말이다.

홍나쥬볍이라

빅미 흔 말 빅세ᄒ야 물 샤말 붓고 죽 쑤어 누룩가로 흔 되 진말 다셧 홉 셕
거 독의 너허 숨일 후 ᄎᆞᆸ쑬 두 말 빅세ᄒ야 익게 쪄 식거든 밋과 슐밥과 흔틱
쳐 너흐되 이틀 만의 보면 빗치 말근 거울갓타이라.

황구주

스토리텔링 및 술 빚는 법

　<홍씨주방문>은 한글 기록이다. 따라서 수록된 주품명의 의미는 주방문에서 찾을 수밖에 없다. <홍씨주방문>에는 37가지의 주품명과 주방문이 수록되어 있는데, '백수환동주'를 비롯하여 '동파삼일주', '부의주', '소곡주 별방문', '성탄향', '벽향주', '녹파주' 등의 주품명은 다른 문헌에도 수록되어 있어 그 의미를 찾는 데 큰 어려움은 없다.

　다만 <홍씨주방문>에는 다른 문헌에서는 찾기 힘든 '황구주'를 비롯해 '옥녹주', '선초향주' 등이 한글로만 쓰여 있어 그 의미를 파악하는 데 애로사항이 많다. 특히 '황구주'는 19세기 한글 기록인 <우음제방(禹飮諸方)>의 '황구주'와 혼돈할 수 있다. 필자도 처음에 주품명만 보고 <홍씨주방문>의 '황구주'를 <우음제방>의 '황구주'와 같은 주품으로 분류하기도 했다. 나중에야 운(韻)은 같지만 사실은 전혀 다르다는 걸 알았다. <홍씨주방문>의 '황구주'는 순곡청주(純穀淸酒)이고, <우음제방>의 '황구주'는 개고기(狗肉)를 사용하는 '무술주(戊戌酒)'의 한글 표기라는 사실을 말이다.

<홍씨주방문>의 '황구주'는 주방문에서 대략 어떤 의미의 술인지 짐작할 수 있는 단초를 찾을 수 있다. 주방문을 보면 "백미 두 되 백세작말하여, 물 부어 죽 쑤어 차거든, 누룩 되 닷 홉 버무려 넣었다가, 이튿날 찹쌀 한 말이나 쓸어 담갔다가, 그 이튿날 일찍 건져 익게 쪄, 식혀 밑술에 섞어 넣어 맛이 좋아 삼키기가 아깝나니라. 칠일 만에 드리워 쓰라."고 하였고, 주방문 말미에 "맛이 좋아 삼키기가 아깝나니라."고 하였다.

따라서 언뜻 '석탄향(惜呑香)'의 맛과 향기를 떠올리게 한다. 주원료인 쌀의 사용비율이나 술 빚는 과정을 보아도 '석탄주'나 '황금주'와도 유사한 주방문임을 알 수 있기 때문이다. 또 물의 양이 나와 있지는 않으나 "맛이 좋아 삼키기가 아깝나니라."고 하는 언급과 관련지어 생각하면 '석탄주' 또는 '석탄향'이 아닌가 하는 착각을 불러일으킨다.

결국 <홍씨주방문>의 '황구주'에 사용되는 물의 양을 6되 또는 1말로 산정하였는데, 그 이유는 쌀 2되를 백세작말하여 죽을 쑤려면 기본적으로 쌀 양의 3배 또는 5배, 10배를 고려할 수 있다는 사실과 함께 "맛이 좋아 삼키기가 아깝나니라."고 한 언급을 생각하면 물의 양이 3배 또는 최대 5배가 되어야 하기 때문이다.

물론 <주찬(酒饌)>의 '석탄향'이나 <임원십육지(林園十六志)>와 <음식방문(飮食方文)> 등의 '석탄향'와 비교하여 누룩의 양이 1되 5홉으로 약간 많다는 점에서 석탄향과 구분할 수 있겠으나, 이러한 한 가지 사실만으로는 단정할 수 없다.

왜냐하면 <규중세화>의 '석탄향'은 밑술에 멥쌀(5되), 가루누룩 4되, (끓는 물 1말), 덧술에 찹쌀 4말, 끓여 식힌 물 4말이 사용된 것을 볼 수 있고, <음식방문>에서는 밑술에 멥쌀 2되와 누룩가루 1되, 물(2~3되), 덧술에 찹쌀 1말과 끓여 식힌 물 1말이 사용되며, <임원십육지>에서는 밑술에 멥쌀 2말과 누룩가루 1되, 물 1말, 덧술에 찹쌀 1말이 사용되는 등 문헌마다 '석탄향'의 재료비율도 다르기 때문이다.

따라서 '황구주'를 '석탄향'으로 볼 가능성도 배제할 순 없으나, <홍씨주방문>에는 '석탄향'이라는 주품명의 주방문이 별도로 수록되어 있다. 멥쌀 2되를 백세작말하여 물 1말로 죽을 쑨 후, 누룩 1되를 섞어 밑술을 빚고, 찹쌀 1말로 고두밥을 지어 덧술을 하는 전형적인 '석탄향'의 주방문이라 하겠다.

그렇다면 문제는 '황구주'와 '석탄향'의 차이를 어떻게 구분 지을 것인가 하는 것이다. 그 비밀은 바로 밑술에 있다 하겠다. 즉, <홍씨주방문>의 '황구주'는 "이튿날 찹쌀 한 말이나 쓸어 담갔다가, 그 이튿날 일찍 건져 익게 쪄"라고 하여 밑술의 발효기간이 1일로, 밑술을 빚은 그 다음날 찹쌀을 씻어 하룻밤 불렸다가 이틀째 되는 날 덧술을 한다는 사실이다.

　반면 '석탄향'은 "백미 두 되 백세작말하여 물 한 말에 죽 쑤어 식거든 국말 한 되 섞어 빚어 동절은 칠일이오, 춘추는 오일이오, 하절은 삼일 만에 점미 한 말 백세하여 익게 지어"라고 하였다. 밑술의 발효기간을 3일~7일로 계절에 따라 다르게 가져간다는 사실을 확인할 수가 있다. 바로 이런 점에서 두 주품의 차이와 특징, 술 빚는 법을 규명할 수 있다고 하겠다. 이처럼 '황구주'와 '석탄향' 밑술의 발효기간을 통해 두 주품의 차이를 확인할 수 있다고 하는 점은 우리나라 전통주의 다양성과 함께 미묘한 차이에서 오는 주방문의 특징을 살필 수 있는 계기가 되었다.

　즉, 밑술의 발효기간이 2일에 그친다는 것은 덧술의 발효기간도 단축되어 7일이면 술이 익는다는 것을 뜻한다. 그 결과 술맛은 담백하면서도 날카로우며, 무언가 아쉬움이 남는 맛을 갖게 되는데, 이 때문에 '황구주'라는 주품명을 붙이게 되었을 거라는 추측이다. 이때의 '황구'는 '부리가 누런색을 띤 어린 새'를 뜻하는 '황구(黃口)'를 지칭하는 것으로 생각되며, 결국 '황구주'는 무언가 미숙함과 아쉬움이 남는다는 의미의 술이라고 할 수 있겠다. 그리고 그런 의미에서 연상되는 주품명이 '아황주(鵝黃酒)'가 아닌가 생각된다.

　끝으로 <홍씨주방문>의 '황구주'를 빚어보지 못하다가, 아니 솔직히 말해서 '황구주'를 빚어보고 싶을 만큼 주방문에서 특별한 매력을 느끼지 못하다가 '황구주'의 맛과 향기, 주품명에 대한 추론에 확신을 갖기 위해 실험 양주를 해보았다. 그 결과 '황금주'보다는 '방문주'에 더 가깝다는 사실과 함께, 특히 미숙주 특유의 싱겁고 담백한 맛을 느낄 수 있었다는 점에서 필자의 추론은 확신이 되었다.

황구주 <홍씨주방문>

술 재료 : 밑술 : 멥쌀 2되, 누룩 1되 5홉, 물(6되)
       덧술 : 찹쌀 1말

술 빚는 법 :

* 밑술 :

1. 멥쌀 2되를 백세하여 (백 번 씻어 매우 깨끗하게 하여 말갛게 헹궈 불렸다가, 다시 씻어 건져서 물기를 뺀 다음) 작말한다(가루로 빻는다).
2. 물(6되)을 솥에 붓고 (불을 지펴서 끓이다가 2되를 쌀가루에 풀어 아이죽을 만든 뒤 나머지 물이 끓으면), 아이죽을 넣고 팔팔 끓여 죽을 쑨다.
3. 죽이 끓어 퍼지게 익었으면, 넓은 그릇에 퍼서 차게 식기를 기다린다.
4. 죽에 누룩 1되 5홉을 섞고, 고루 버무려 술밑을 빚는다.
5. 소독한 술독에 술밑을 담아 안치고, 예의 방법대로 하여 2일간 발효시켜 술이 괴어오르기를 기다린다.

* 덧술 :

1. 찹쌀 1말을 많이 쓿고 백세한다(백 번 씻어 매우 깨끗하게 하여 말갛게 헹궈 건졌다가 하룻밤 담가 불린다).
2. 다음날 아침에 불린 쌀을 (다시 씻어 건져서 물기를 뺀 다음) 시루에 안쳐서 고두밥을 짓고, 익었으면 퍼서 고루 펼쳐 차게 식기를 기다린다.
3. 고두밥에 밑술을 합하고, 고루 버무려 술밑을 빚는다.
4. 소독한 술독에 술밑을 담아 안치고, 예의 방법대로 하여 7일간 발효시켜 술이 익기를 기다린다.

* 주품명이 '황구주'라고 하였으나, 개고기를 사용하지는 않는다. 술 이름만 '황구주'이다. '석탄향' 또는 '황금주'와 유사한 주방문으로 이루어졌으나 누룩의

양에서 차이가 있다.

황구주

백미 두 되 백세작말하여 물 부어 죽 쑤어 차거든, 누룩 되 닷 홉 버무려 넣었다가 이튿날 찹쌀 한 말이나 쓿어 담갔다가 그 이튿날 일찍 건져 익게 쪄 식혀 밑술에 섞어 넣어 맛이 좋아 삼키기가 아깝나니라. 칠일 만에 드리워 쓰라.

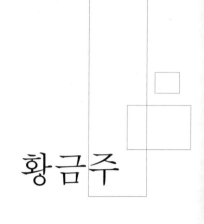

황금주

　조선시대 전기의 문인이었던 구봉령(具鳳齡, 1526~1586)의 시문집 <백담선생속집> 3권에 수록된 칠언율시(七言律詩) 가운데 "칠석일에 임금께서 술을 내리시다(七夕日 宣醞)"라는 시 작품이 있다. 시제(詩題) 밑에는 '주서 이경은, 정문중, 내한 권경중과 함께 받다(與注書李景聞鄭文仲內翰權敬仲同拜賜)'라는 부제(副題)가 달렸다.

　一葉踈桐陰未央(성근 오동잎은 아직 절반도 떨어지지 않았는데)
　佳辰寵賜並榮光(좋은 날에 은총을 내리시니 아울러 영광이네.)
　瓊餐潤帶祥雲膩(좋은 반찬이 띠를 적시니 상서로운 구름은 기름지고)
　金液濃涵瑞露香(황금액체 ; 황금주가 농염하게 익으니 상서로운 이슬도 향기롭네.)
　天上會星何足道(천상에서 만나는 별들을 어찌 말할 수 있겠는가.)
　人間乞巧不須詳(인간의 걸교도 상세하게 알 수 없네.)

微臣濫荷昇平樂(보잘 것 없는 신이 외람되이 태평성대의 즐거움을 누리게
되니)
旣醉詩成舞道長(이미 취하여 시를 짓고 오래도록 춤추네.)

시 내용 중 눈에 띄는 것이 '金液濃涵瑞露香(금액농함서로향)'이다. 이때의 '금
액농함(金液濃涵)'을 "황금주(黃金酒)가 농익었다"로 해석하는 것을 <한국세시
풍속자료집성(국립민속박물관 편)>에서 볼 수 있다.

이러한 해석이 맞다면, '황금주'는 임금이 신하들에게 내리는 '선온(宣醞)'이었
음을 알 수 있고, 궁중에서도 '황금주'가 빚어졌다는 단초가 된다. 그 사실 여부
는 차치하고라도 '황금주'는 술 빛깔이 황금색을 띤다는 데서 유래한 이름이니 금
액(金液)으로 표현될 만한 것이다.

필자는 개인적으로 "황금색의 술이야말로 한국의 술이 일본의 '사케'나 중국의
'황주'와 차별되며, 한국의 술 색깔을 가장 이상적으로 반영하고 있다."는 주장을
펴왔다. 장차 도래할지도 모르는 한국 술의 일본주화(日本酒化) 경향에 따른 가
장 근본적인 차별성을 확보하는 방법이라는 생각에서이다.

어떻든 '황금주'는 반가에서 널리 빚어졌던 주품으로 인식되고 있다. '황금주'
를 기록한 문헌의 수에서도 그 사실을 확인할 수가 있다. <산가요록(山家要錄)>
을 시작으로 <수운잡방(需雲雜方)>, <요록(要錄)>, <주찬(酒饌)> 등의 한문
기록과 <음식디미방>을 비롯하여 <온주법(醞酒法)>, <김승지댁주방문(金承旨
宅廚方文)>, <봉접요람>, <양주방>*, <홍씨주방문> 등 한글 기록에 10차례,
한글과 한문 혼용의 <양주집(釀酒集)>, <주방(임용기소장본)>에 2차례 등장
한다.

이른바 '술 빛깔이 황금처럼 밝은 노란색을 띤다.'고 하여 이름 붙여진 황금주의
가장 오래된 기록은 <산가요록>과 <음식디미방>인 만큼 이들 기록을 중심으로
주방문을 살펴보고, 다른 문헌과의 차이점 등에 대해 언급하기로 한다.

<산가요록>에 "白米二升 浸水經宿 更洗七八度細末 水一斗 作粥 待冷. 麴一
升 冬七 春秋五 夏三日 粘米一斗 熟蒸待冷 和本酒入瓮. 七日後 用之. 甘苦備具.
多少 以此推之."라고 하였다. "백미 2되를 물에 담가 밤재워 불렸다가, 다시 씻어

서 7~8회 곱게 빻아 물 1말에 죽 쑤어 식기를 기다렸다가, 누룩 1되 (섞어 빚어서 항에 담아 안치고) 겨울은 7일, 봄가을은 5일, 여름은 3일이다(익힌다). 점미 1말 쪄서 식기를 기다렸다가, 본주(밑술)와 화합하여 독에 담아 안치면 7일 후에 쓸 수 있다. 달고 쓴 맛이 있다. 많게 하고 적게 하고는 이에 비례하여 미루어 하라."고 하였다.

술 빚는 법에 있어서도 밑술은 멥쌀가루를 곱게 하여 죽을 쑤고, 식으면 누룩 2되와 섞어서 빚은 다음 발효되면 찹쌀 1말로 고두밥을 지어서 식기를 기다렸다가 밑술과 합하여 덧술을 한다고 했다.

<김승지댁주방문>과 <요록>, <주찬>에 수록된 '황금주' 또한 <산가요록>의 주방문과 동일하다. 다만 <주찬>에는 '석임(腐本)'이 사용된 것을 볼 수 있다.

한편 <산가요록>보다 220년 후의 기록인 <음식디미방>의 주방문을 보면 "백미 2되를 백세하여 물에 담갔다가 밤을 재워 작말하여 끓인 물 1말에 죽(범벅)을 쑤어 차게 (식거든) 누룩가루 1되를 섞어 넣는다. 여름이면 3일, 봄이나 가을이면 5일, 겨울이면 7일 만에 찹쌀 1말을 백세하여 찌고 식거든 밑술에 넣었다가 7일 후에 쓴다."고 하여 죽이 아닌 범벅으로 바뀐 것을 살필 수 있다.

<수운잡방>을 비롯하여 <양주방>*과 <온주법>에서도 <음식디미방>과 같은 주방문이 기록되어 있다. <양주방>*은 2배의 배합비율을, <온주법>에서는 3배의 배합비율로 빚는 방문을 수록하고 있으나, 술을 빚는 방법이 동일하고 덧술의 발효기간에서 약간의 차이만 보이고 있을 뿐이다.

따라서 이들 두 문헌의 방문에서 보듯 '황금주'는 밑술을 멥쌀 2되로 '죽'이나 '죽(범벅)'을 쑤어 빚고, 덧술을 찹쌀 1말의 비율로 고두밥을 지어 빚는 이양주(二釀酒)가 주류를 이룬다는 사실을 알 수 있다.

또한 그 차이가 밑술의 '죽'과 '죽(범벅)'이라는 쌀의 가공방법에 기인한 것이며, 계절에 따라 밑술의 발효기간이 달라진다는 사실도 알 수 있다.

이 두 가지 주방문을 바탕으로 살펴본 '황금주'의 비결은 무엇보다 밑술의 죽이나 범벅을 고르게 잘 익히는 데 있다고 하겠다. 또 술덧이 너무 끓어서 품온이 35℃ 이상 높아지지 않도록 하고, 덧술의 고두밥은 잘 익히되, 고두밥이 질거나 또는 말라서 굳어지지 않게 하며 가능한 한 차갑게 식혀서 빚어야 한다.

한편 <봉접요람>의 '황금주'는 단양주(單釀酒)이다. "점미 일두 백세하여 익게 쪄 식거든, 끓인 물 열 되 드는 한 병에 섬누룩 서 되 풀어 버무려 넣었다가, 사오 일 후에 위를 헤치면 맑게 괴나니라."고 하여 앞서의 '황금주'와는 전혀 다른 주 방문을 보여주고 있다. <홍씨주방문>에는 "백미 한 되 백세작말하여 구멍떡 빚 어 익게 삶아 채와 가장 바랜 누룩가루 깁체에 쳐 한 되를 떡에 쳐 넣었다가, 이 튿날 점미 한 말 옥같이 쓸어 담갔다가, 물 한 복자 놓아 익게 쪄 더운 김에 밑술 에 버무려 사리야 더운데 넣어 익으면 꿀같이 다나니라."고 하였다. 그리곤 주방문 머리에 "이것이 '오월 감향주'라 하나니라."고 하였으나, '감향주'와 유사하지는 않 고 따뜻해지는 때 빚는 술임을 알 수 있다.

주방문 말미에도 "적게 맵게 하라거든 두어날 후 한 데 놓아 익히고, 맛 참 달 기 하려거든 뜨신 데 놓아 익히라. 온갖 술 다 물과 밥을 섞고 식기 조심하나니 라."고 하였다. 그런가 하면 <주방(임용기소장본)>에서도 이제까지 보아온 '황금 주'와는 전혀 다른 주방문을 엿볼 수 있다. 밑술과 덧술 두 차례에 걸쳐 무르게 지 은 고두밥을 사용하는 방법이 그것이다.

주방문을 보면, "점미(粘米) 흔 되(一升) 즐게 밥 지어 진국(麯) 흔 되(一升) 쳐 비져 두어다가 삼일(三日) 만의 점미(粘米) 흔 말(一斗) 흐로밤(一夜) 담(沈)아다 가 찌되 물(水) 셰 복쥬 부어 익게 쪄 식거든 그 슐밋싀 셕거 셔늘흐게 두엇다가 칠일(七日) 만의 쓰라. 극열(極熱)의는 슐항(酒甕)을 물의 채여 두라."고 하였다. 밑술에 양주용수가 사용되지 않고, 여름철에는 수중양법을 사용한다고 한 것으 로 미루어 사시사철 빚을 수 있는 주방문임을 암시하고 있다 하겠다.

그런데 <양주집>의 '황금주'는 삼양주(三釀酒)로서, 술 빚는 법이 매우 독특 하다. 이를테면 밑술에서 멥쌀은 설기를 짓고 찹쌀은 죽을 쑤어 사용하고 있다. 이는 대전 지방에 전해 오는 '노산춘'의 주방문과 흡사하면서도, 덧술과 2차 덧술 에서는 설기를 물에 풀어 죽을 만들어 사용하고 있다는 게 차이라 하겠다.

특히 대개의 삼양주류에서는 알코올 도수가 높고 맑은 술을 얻기 위하여 2차 덧술을 고두밥으로 하는 것이 일반적인데 반해 본 방문과 같은 술 빚기는 거의 찾아보기 힘들다는 점에서 '황금주' 주방문의 특징을 찾을 수 있다.

주지하다시피 '황금주'는 술 이름이 암시하듯 밝고 맑은 황금 빛깔의 술을 얻어야 하는 것이 본 주방문의 과제이다.

따라서 그 요령은 모든 쌀가루로 빚는 밑술의 경우, 특히 고운 가루로 빻아서 고르게 익혀야 한다. <양주집>의 삼양주법 '황금주'는 특히 2차 덧술용 쌀가루를 곱게 빻아야 하고, 무른 떡이 되도록 잘 익혀야 한다.

1. 황금주법 <김승지댁주방문(金承旨宅廚方文)>

술 재료 : 밑술 : 멥쌀 2되, 누룩가루 1되, 물(1말)

　　　　　덧술 : 찹쌀 1말

술 빚는 법 :

* 밑술 :

1. 멥쌀 2되를 (백세하여 물에 담가 하룻밤 불렸다가, 다시 씻어 건져서 물기를 뺀 후) 작말한다.

2. 물 1말을 솥에 담고 끓인다(따뜻해지면 3되 정도를 쌀가루에 붓고 개어서 아이죽을 만든다).

3. 물솥의 물이 팔팔 끓으면 (아이)죽을 합하고, 주걱으로 천천히 저어주면서 팔팔 끓는 죽을 쑤고, 넓은 그릇에 퍼서 차게 식기를 기다린다.

4. 차게 식힌 죽에 누룩가루 1되를 섞고, 고루 버무려 술밑을 빚는다.

5. 술독에 술밑을 담아 안치고, 예의 방법대로 하여 봄 가을은 5일, 여름은 3일, 겨울은 7일 후에 덧술을 해 넣는다.

* 덧술 :

1. 찹쌀 1말을 (백세하여 물에 담가 불렸다가, 다시 씻어 건져서 물기를 뺀 후) 시루에 안쳐서 고두밥을 짓는다.

2. 찹쌀고두밥이 익었으면, 시루에서 퍼내고 고루 펼쳐 차게 식기를 기다린다.

3. 고두밥에 밑술을 합하고, 고루 버무려 술밑을 빚는다.
4. 술밑을 새 술독에 담아 안친 후, 예의 방법대로 하여 7일이면 술을 떠서 마실 수 있다.

* 주방문 말미에 "칠일 만에 내면 달고 매우니라."고 하였는데, 석탄주 주방문과 같다.

황금쥬법
빅미 듀 되 빅ᄒᆞ여 ᄒᆞ로밤 지와 ᄯᅩ 여라문 번 시거 ᄀᆞ로 ᄶᅵ되 믈 흔(믈로) 쥭 ᄡᅮ어 국말 일 승 셧거 듀쳑 닷시에 졈미 흔 말 빅셰ᄒᆞ여 닉게 ᄶᅧ 츠거든 너허 칠일 만의 ᄂᆡ면 ᄃᆞᆯ고 미오니라.

2. 황금주법 <봉접요람>

술 재료 : 찹쌀 1말, 섬누룩 3되, 끓여 식힌 물 10되(1병)

술 빚는 법 :
1. 찹쌀 1말을 백세하여 (물에 담가 불렸다가, 다시 씻어 헹궈 건져서 물기를 뺀 후) 시루에 안쳐서 고두밥을 짓는다.
2. 솥에 물 10되를 끓여 넓은 그릇에 퍼서 차게 식힌다.
3. 고두밥이 익었으면 퍼내어 고루 펼쳐서 차게 식기를 기다린다.
4. 끓여 식혀둔 물에 섬누룩 3되를 풀어 넣어 물누룩을 만들어놓는다.
5. 고두밥에 누룩물을 한데 합하고, 고루 버무려 술밑을 빚는다.
6. 술밑을 술독에 담아 안치고, 예의 방법대로 하여 4~5일간 발효시킨다.

황금쥬법

졈미 일두 빅셰ᄒ여 익게 쪄 식거든 싥힌 믈 열 되 드ᄂᆞᆫ 혼 병의 셥누룩 셔 되 풀어 버무려 너허다가 ᄉᆞ오일 후의 우흘 헛치면 말게 괴ᄂᆞ이라.

3. 황금주 <산가요록(山家要錄)>

-1말 2되 빚이

> 술 재료 : 밑술 : 멥쌀 2되, 누룩가루 1되, 끓인 물 1말
> 　　　　 덧술 : 찹쌀 1말

술 빚는 법 :

* 밑술 :

1. 멥쌀 2되를 (백세하여) 물에 담가 하룻밤 불렸다가, 다시 7~8차례 씻어 건져서 (물기를 뺀 후) 작말한다.
2. (물 1말을 끓이다가 뜨거워지면 5되 정도를 퍼서 쌀가루에 넣고 주걱으로 고루 개어 아이죽을 만들어놓는다.)
3. 솥의 나머지 물이 팔팔 끓으면 아이죽을 합하고, 천천히 저어주면서 죽을 쑨 뒤 퍼지게 익었으면 (넓은 그릇에 퍼서) 차게 식기를 기다린다.
4. 차게 식힌 죽에 누룩가루 1되를 섞고, 고루 버무려 술밑을 빚는다.
5. 술독에 술밑을 담아 안치고, 예의 방법대로 하여 겨울은 7일, 봄과 가을은 5일, 여름은 3일간 발효시킨다.

* 덧술 :

1. 찹쌀 1말을 (백세하여 물에 담가 불렸다가, 다시 씻어 건져서 물기를 뺀 후) 시루에 안쳐서 고두밥을 짓는다.
2. 고두밥이 익었으면, 시루에서 퍼내고 고루 펼쳐서 차게 식기를 기다린다.
3. 고두밥에 밑술을 합하고, 고루 버무려 술밑을 빚는다.

4. 술독에 술밑을 담아 안치고, 예의 방법대로 하여 7일간 발효시킨다.

* <음식디미방>의 방법과 동일하나 <수운잡방>과 <주찬>에서는 14일 후에 쓴다고 했다. 특히 <주찬>에서는 술을 잘 마시는 사람도 두세 잔 이상은 못 마시며, 그 맛이 매우 기이하다고 기록하고 있다. 주방문 말미에 "단맛과 쓴 맛이 잘 어울린다."고 하고, "양은 이 방문을 기준으로 짐작하여 맞추어 하 라."고 하였다. <고사촬요(故事撮要)>의 방문과 같다.

黃金酒
白米斗二升. 白米二升 浸水經宿 更洗七八度細末 水一斗 作粥 待冷. 匊一升 冬七 春秋五 夏三日 粘米一斗 熟蒸待冷 和本酒入瓮. 七日後 用之. 甘苦備具. 多少 以此推之.

4. 황금주 <수운잡방(需雲雜方)>

술 재료 : 밑술 : 멥쌀 2되, 누룩가루 1되, 끓인 물 1말
　　　　　덧술 : 찹쌀 1말

술 빚는 법 :
* 밑술 :
1. 멥쌀 2되를 백세하여 물에 담가 하룻밤 재운 다음, 다시 깨끗이 씻어 건져 서 작말한다(가루로 빻는다).
2. 물 1말을 팔팔 끓여 쌀가루에 골고루 붓고, 주걱으로 고루 개어 술거리(범 벅/담)을 만든 뒤 차게 식기를 기다린다.
3. 차게 식힌 술거리(범벅/담)에 누룩가루 1되를 섞고, 고루 버무려 술밑을 빚 는다.

4. 술독에 술밑을 담아 안치고, 예의 방법대로 하여 3일(봄가을 5일, 겨울 7일) 간 발효시킨다.

* 덧술 :
1. 찹쌀 1말을 백세하여 (물에 담가 불렸다가, 다시 깨끗이 씻어 건져서 물기를 뺀 후) 시루에 안쳐서 무른 고두밥을 짓는다.
2. 고두밥이 익었으면 퍼내고, 고루 펼쳐서 차게 식기를 기다린다.
3. 차게 식은 고두밥에 밑술을 붓고, 고루 버무려 술밑을 빚는다.
4. 술독에 술밑을 담아 안치고, 예의 방법대로 하여 14일간 발효시킨다.

* 주방문에 "달고도 매운 술맛이 난다."고 하였다.

黃金酒
白米二升百洗浸一宿細末水一斗作醅(或云作粥)待冷曲一升合造冬七日夏三日春秋五日後粘米一斗百洗全蒸待冷和前酒二七日後用之.

5. 황금주 <양주방>*

술 재료 : 밑술 : 멥쌀 4되, 가루누룩 2되, 끓는 물 20복자(9ℓ)
　　　　　 덧술 : 찹쌀 2말

술 빚는 법 :
* 밑술 :
1. 희게 쓿은 멥쌀 4되를 깨끗이 씻고 또 씻어 (백세하여 물에 담가 불렸다가, 다시 씻어 헹궈 건져서 물기를 뺀 후) 작말한 다음, 놋동이에 담아놓는다.
2. 물 20복자를 팔팔 끓여 쌀가루에 붓고, 주걱으로 골고루 개어서 범벅을 만

든 뒤 넓은 그릇에 퍼서 매우 차게 식기를 기다린다.

3. 범벅에 가루누룩 2되를 섞고, 고루 버무려 술밑을 빚는다.

4. 술밑을 술독에 담아 안치고, 예의 방법대로 하여 2일간 발효시킨다.

* 덧술 :

1. 희게 쓿은 찹쌀 2말을 깨끗이 씻고 또 씻어 (백세하여 물에 담가 하룻밤 불렸다가, 다시 씻어 헹궈 건져서 물기를 뺀 후) 시루에 안쳐서 고두밥을 짓는다.

2. 고두밥에서 한 김 나면 주걱으로 고루 뒤집어주고, 찬물을 뿌려서 무르게 찐다.

3. 고두밥이 익었으면 퍼내고, 고루 펼쳐서 매우 차게 식기를 기다린다.

4. 밑술을 고두밥에 쏟아 붓고, 고루 버무려 술밑을 빚는다.

5. 술밑을 술독에 담아 안치고, 예의 방법대로 하여 여름에는 7일간, 겨울에는 10일간 발효시켜 익었으면 따라서 마신다.

황금쥬

빅미 ᄉ 승을 빅셰ᄒ야 작말ᄒ고 물 스므 복즈를 마이 쓸혀 ᄀ로를 놋동희예 담고 쓸는 물을 부으며 ᄀ디 ᄀ장 닉게 기야 ᄒ엽시 치와 국말 두 되 셧거 항의 너허다가 삼일 만의 졈미 이 두 빅셰ᄒ야다가 이튼날 밥 ᄶ디 쥬걱으로 뒤고 물 ᄲᅧ려 밥이 느르지게 쪄 무한 치와 밋술의 셧거 츤디 노하두면 녀름은 칠일 겨울은 십일 만의 쓰ᄂᆞ니라.

6. 황금주 <양주집(釀酒集)>

술 재료 : 밑술 : 멥쌀 1말 5되, 찹쌀 1말 5되, 누룩 5되, 진말 2되, 물 1말 5되
　　　　　덧술 : 멥쌀 5말, 누룩 2되, 진말 2되, 물 5말
　　　　　2차 덧술 : 멥쌀 7말, 물 7말

술 빚는 법 :

* 밑술 :

1. 멥쌀 1말 5되와 찹쌀 1말 5되를 각각 백세하여 (물에 담가 2~3일간 불렸다가, 새 물에 다시 씻어 맑게 헹궈 건져서 물기를 뺀 후) 절구에 찧는다(가루로 빻는다).

2. 멥쌀가루는 시루에 안쳐 흰무리떡을 짓고, 익었으면 퍼서 차게 식기를 기다린다.

3. 솥에 물 1말 5되를 붓고 끓이다가 물이 따뜻해지면 찹쌀가루를 풀어 아이죽을 만든 뒤, 팔팔 끓여서 죽을 쑤어 넓은 그릇에 퍼서 차게 식기를 기다린다.

4. 죽에 흰무리떡과 누룩 5되와 진말 2되를 한데 섞고, 고루 버무려 술밑을 빚는다.

5. 술독에 술밑을 담아 안치고, 예의 방법대로 하여 7일간 발효시킨다.

* 덧술 :

1. 멥쌀 5말을 백세하여 (물에 담가 불렸다가, 새 물에 다시 씻어 맑게 헹궈 건져서 물기를 뺀 후) 세말한다(고운 가루로 빻는다).

2. 멥쌀가루를 시루에 안쳐 흰무리떡을 짓고, 익었으면 (끓는) 물 5말을 섞어 죽처럼 만들어 넓은 그릇 여러 개에 나눠 담고 차게 식기를 기다린다.

3. 죽에 누룩 2되와 진말 2되, 밑술을 한데 합하고, 고루 버무려 술밑을 빚는다.

4. 술독에 술밑을 담아 안치고, 예의 방법대로 하여 7일간 발효시킨다.

* 2차 덧술 :

1. 멥쌀 7말을 백세하여 (물에 담가 불렸다가, 새 물에 다시 씻어 맑게 헹궈 건져서 물기를 뺀 후) 세말한다(고운 가루로 빻는다).

2. 멥쌀가루를 시루에 안쳐 흰무리떡을 짓고, 쌀가루 1말당 물 1말씩 끓는 물 7말을 섞어 죽처럼 만들어 넓은 그릇 여러 개에 나눠 담고 차게 식기를 기다린다.

3. 차게 식힌 죽에 덧술을 한데 합하고, 고루 버무려 술밑을 빚는다.

4. 술독에 술밑을 담아 안치고, 예의 방법대로 하여 30일간 발효시킨다.

* 유일한 삼양주법(三釀酒法)으로 밑술과 덧술, 2차 덧술 3차례 전 과정을 각
  각 설기떡과 끓는 물을 섞어 죽으로 만들어 넣는 주방문은 매우 드물다.

黃金酒

白米 一斗 五升와 粘米 一斗 五升를 各; 百洗ᄒ야 믈의 二三日 둠가다가 ᄣᅥ
여 白米ᄀᆞ를ᄂᆞᆫ 닉게 ᄣᅵ고 粘米ᄀᆞ를ᄂᆞᆫ ᄣᅵ디 말고 每 一斗이 믈 ᄒᆞᆫ 말식 녀허 죽
ᄡᅮ어 식거든 曲子 五升 眞末 二升을 ᄣᅵᆫ ᄯᅥᆨ과 흔듸 섯거 듯다가 七日 지나거든
白米 五斗 百洗 細末ᄒᆞ야 닉게 ᄶᅥ ᄯᅩ 每一斗이 믈 ᄒᆞᆫ 말식 녀허 죽 ᄡᅮ어 식거
든 曲子 眞末 各 二升式 섯거ᄶᅡ가 ᄯᅩ 七日 지나거든 三巡 ᄎᆡᄂᆞᆫ 白米 七斗 百
洗 細末ᄒᆞ야 닉게 ᄯᅧ 그 믈ᄂᆞᆫ 前과 ᄀᆞ치 혜여 녀허 죽 ᄡᅮ어 식거든 曲子 업시
밋술이 섯거다가 一月만 지나거든 ᄡᅳ라.

7. 황금주 <온주법(醞酒法)>

> 술 재료 : 밑술 : 멥쌀 9되, 누룩가루 3되, 밀가루 7홉, 끓는 물 3말 9되
>   덧술 : 찹쌀 3말

술 빚는 법 :
* 밑술 :
1. 멥쌀 9되를 백세하고 (물에 담가 불렸다가, 다시 씻어 건져서) 작말하여 넓
   은 그릇에 담아놓는다.
2. 솥에 물 3말 9되를 붓고 끓여 쌀가루와 합하고, 주걱으로 고루 개어 담(범
   벅)을 쑨 다음 (그릇 여러 개에 퍼서) 차게 식기를 기다린다.
3. 담(범벅)에 누룩가루 3되와 밀가루 7홉을 한데 섞고, 고루 버무려 술밑을

빚는다.

4. 술독에 술밑을 담아 안치고, 예의 방법대로 하여 3일간 발효시킨다.

* 덧술 :

1. 찹쌀 3말을 백세하여 (물에 담가 불렸다가, 다시 씻어 건져서) 시루에 안쳐 고두밥을 짓는다.

2. 고두밥이 익었으면, 시루에서 퍼내어 고루 펼쳐서 차게 식힌다.

3. 고두밥에 밑술을 합하고, 고루 버무려 술밑을 빚는다.

4. 술독에 술밑을 담아 안치고, 예의 방법대로 하여 (21일간) 발효시킨다.

황금쥬

빅미 구승 빅셰작말ᄒ야 탕슈 서 말 구 승의 듬기여 국말 서 되 진말 칠 홉 섯 거 삼일 만의 덤미 서 말 빅셰ᄒ여 쪄 식여 더(ᄒ)라.

8. 황금주 <요록(要錄)>

술 재료 : 밑술 : 멥쌀 2되, 누룩가루 1되, 물 1말
　　　　 덧술 : 찹쌀 1말

술 빚는 법 :

* 밑술

1. 멥쌀 2되로 백세하여 (다시 씻어 건져서 물기를 뺀 후) 작말하는데 7~8번 정도 찧어 매우 고운 가루로 빻아 준비한다.

2. 물 1말에 쌀가루를 풀어 섞고, 끓여서 묽은 죽을 쑨다.

3. 죽은 (얼음같이) 차게 식힌 뒤, 누룩가루 1되를 넣고 고루 버무려 술밑을 빚는다.

4. 술독에 밑술을 담아 안치고 예의 방법대로 하여 겨울에는 7일, 봄·가을 5일, 하절에는 3일간 발효시킨다.

* 덧술

1. 흰찹쌀(白粘米, 희게 쓿은 찹쌀) 1말을 백세하여 (새 물에 다시 씻어 건져서 물기를 뺀 다음) 시루에 안쳐서 무르게 고두밥을 짓는다.
2. 고두밥이 익었으면, 고루 펼쳐서 차게 식기를 기다린다.
3. 차게 식힌 고두밥에 밑술을 합하고, 고루 버무려 술밑을 빚는다.
4. 술독에 술밑을 담아 안치고, 예의 방법대로 하여 7일간 발효시킨 다음 채주하여 마신다.

* 다른 문헌의 "석탄주(惜呑酒)"와 빚는 방법과 재료비율에서 똑같다.

黃金酒

白米二升百洗浸水經一夜更洗七八度作末以水一斗作粥待冷和精麯末一升納甕冬七日春秋五日夏三日白粘米一斗百洗熟蒸待冷和本酒納甕七日後用之.

9. 황금주 <음식디미방>

> 술 재료 : 밑술 : 멥쌀 2되, 누룩가루 1되, 탕수(끓는 물) 1말
>   덧술 : 찹쌀 1말

술 빚는 법 :

* 밑술 :

1. 멥쌀 2되를 백세하여(물에 깨끗하게 씻어) 하룻밤 담가 불렸다가, (다음날 다시 씻어 건져 물기 뺀 뒤) 작말한다(가루로 빻는다).

2. 탕수(끓는 물) 1말에 쌀가루를 합하여 죽을 쑨다(쌀가루에 끓는 물 1말을 골고루 나눠 붓고, 풀어서 주걱으로 고루 저어가면서 범벅을 쑨다).
3. 죽(범벅)이 익었으면 넓은 그릇에 퍼내고, 차게 식기를 기다린다.
4. 죽(범벅)에 누룩가루 1되를 합하고, 고루 버무려 술밑을 빚는다.
5. 술밑을 술독에 담아 안치고, 예의 방법대로 하여 여름이면 3일, 봄·가을이면 5일, 겨울이면 7일간 발효시킨다.

* 덧술 :
1. 찹쌀 1말을 백세하여 (깨끗하게 씻어 물에 담가 불렸다가, 다시 씻어 건져서 물기를 뺀 뒤) 시루에 안쳐서 고두밥을 짓는다.
2. 고두밥이 무르게 익었으면 퍼내고, 고루 펼쳐서 차게 식기를 기다린다.
3. 고두밥에 밑술을 합하고, 고루 버무려 술밑을 빚는다.
4. 술독에 술밑을 담아 안치고, 예의 방법대로 하여 발효시키는데 7일간 발효시킨다.

황금쥬
빅미 두 되 빅셰ᄒ여 믈에 ᄃᆞᆷ가 밤자여 작말ᄒ여 탕슈 ᄒᆞᆫ 말애 쥭 수워 ᄎᆞ거든 국말 ᄒᆞᆫ 되 섯거 녀헛다가 녀름이어든 사흘 츈취어든 닷쇄 동졀이어든 닐웬 만애 ᄎᆞᆸᄡᆞᆯ ᄒᆞᆫ 말 빅셰ᄒ여 ᄡᅥ 식거든 섯거 녀헛다가 칠일 후 ᄡᅳ라.

10. 황금주방문 <주방(酒方, 임용기소장본)>

술 재료 : 밑술 : 찹쌀 1되, 흰누룩가루 1되
　　　　덧술 : 찹쌀 1말, 찬물 3복자

술 빚는 법 :

* 밑술 :

1. 찹쌀 1되를 백세하여 (백 번 씻어 매우 깨끗하게 하여 말갛게 헹궈 불렸다가, 다시 씻어 건져서 물기를 뺀 다음) 시루에 안쳐 고두밥을 짓는다.
2. 고두밥은 질게 찌고, 익었으면 퍼낸다(차게 식기를 기다린다).
3. 식은 고두밥에 흰누룩가루 1되를 섞고, 매우 치대서 술밑을 빚는다.
4. 소독하여 물기 없는 술독에 술밑을 담아 안치고, 예의 방법대로 하여 3일 간 발효시킨다.

* 덧술 :

1. 찹쌀 1말을 (백세하여 말갛게 헹궈 건졌다가 새 물에 담가 불린 다음, 다시 씻어 헹궈서 물기를 뺀 후) 시루에 안쳐서 고두밥을 짓는다.
2. 고두밥에 찬물 3복자를 고루 뿌려 무르게 쪄서 익었으면 퍼내고, 넓게 펼쳐서 차게 식기를 기다린다.
3. 고두밥에 밑술을 합하고, 많이 버무리고 치대어 술밑을 빚는다.
4. 술독에 술밑을 담아 안치고, 예의 방법대로 하여 서늘한 곳에서 7일간 발효시키고, 몹시 더운 때에는 술독을 물통에 담가서 익힌다.

* 누룩을 '곡(麯)'으로 표현하는 것을 읽을 수 있고, 여름철에는 '청서주법'을 이용하는 것을 엿볼 수 있다.

황금쥬방문(黃金酒方文)

겸미(粘米) 흔 되(一升) 즐게 밥 지어 진국(麯) 흔 되(一升) 쳐 비져 두어다가 삼일(三日) 만의 겸미(粘米) 흔 말(一斗) 흐로밤(一夜) 담(沈)아다가 찌되 물(水) 셰 복쥬 부어 익게 쪄 식거든 그 슐밋싀 셕거 셔늘흐게 두엇다가 칠일(七日) 만의 쓰라. 극열(極熱)의는 슐항(酒甕)을 물의 채여 두라.

11. 황금주 <주찬(酒饌)>

술 재료 : 밑술 : 멥쌀 2되, 가루누룩 1되, 석임 1/2사발, 끓인 물 1말
　　　　덧술 : 찹쌀 1말

술 빚는 법 :

* 밑술 :

1. 멥쌀 2되를 백세하고 (물에 담가 불렸다가, 다시 씻어 헹궈서 물기를 뺀 후) 작말하여 넓은 그릇에 담아둔다.
2. 물 1말에 쌀가루를 풀어 솥에 넣고, 팔팔 끓여 넓은 그릇에 담아 차게 식기를 기다린다.
3. 죽에 가루누룩 1되와 석임 1/2사발을 섞고, 고루 치대어 술밑을 빚는다.
4. 술밑을 술독에 담아 안치고, 예의 방법대로 하여 7일(봄·가을 5일, 여름 3일) 발효시킨다.

* 덧술 :

1. 찹쌀 1말을 백세하여 (물에 담가 불렸다가, 다시 씻어 헹궈서 물기를 뺀 후) 시루에 안쳐서 고두밥을 짓는다.
2. 고두밥이 익었으면 퍼내고, 고루 펼쳐 차게 식기를 기다린다.
3. 고두밥에 밑술을 합하고, 고루 치대어 술밑을 빚는다.
4. 술독에 술밑을 담아 안치고, 예의 방법대로 하여 두 이레 발효시킨다.

* 주방문 말미에 "맛이 기이하고 오래 지나도 변하지 않는다. 술을 잘 마시는 사람도 2~3잔은 넘지 못한다."고 하였다. 주방문에 쌀가루에 냉수를 합하는 것으로 되어 있는데, '전숙대냉(煎熟待冷)'에 근거하여 죽을 쑤는 것으로 처리하였다.

黃金酒

白米二升百洗作末水一斗煎熟待冷末曲一升錫金(母酒也)半碗合釀春秋五日
夏三日冬七日後粘米一斗百洗熟烝待冷合釀本酒二七日後用之味甚奇雖過多
日味不變雖善飮之人不過二三盃.

12. 황금주 <홍씨주방문>
－별칭 5월 감향주

술 재료 : 밑술 : 멥쌀 1되, 누룩가루 1되, 물 1병
　　　　 덧술 : 찹쌀 1말, 찬물 1복자

술 빚는 법 :

＊ 밑술 :

1. 멥쌀 1되를 백세하여 (백 번 씻어 매우 깨끗하게 하여 말갛게 헹궈 불렸다가, 다시 씻어 건져서 물기를 뺀 다음) 작말한다(가루로 빻는다).

2. 솥에 물을 넉넉히 붓고 (끓이다가 뜨거운 물 6~7홉가량을 쌀가루에 뿌려 익반죽을 만든 뒤) 둥글납작한 구멍떡을 빚는다.

3. 솥의 물이 끓으면 구멍떡을 넣고 삶아 익어서 물 위로 떠오르면 건져내고, (인절미처럼 풀어) 차게 식기를 기다린다.

4. 식은 떡에 깁체에 내린 고운 누룩가루 1되를 섞고, 매우 고루 버무려 술밑을 빚는다.

5. 소독하여 물기 없는 술독에 술밑을 담아 안치고, 예의 방법대로 하여 2~3일가량 발효시킨다.

＊ 덧술 :

1. 밑술 빚은 다음날 찹쌀 1말을 백세한다(백 번 씻어 옥같이 깨끗하게 하여 말

갖게 헹궈 건졌다가, 새 물을 넉넉히 하여 하룻밤 담가 불린다).

2. 불린 쌀을 건져서 (다시 씻어 말갛게 헹궈서 물기를 뺀 다음) 시루에 안쳐
   서 고두밥을 짓는다.

3. 고두밥에 찬물 1복자를 고루 뿌려 무르게 쪄서 익었으면 퍼내고, 넓게 펼쳐
   서 차게 식기를 기다린다.

4. 고두밥에 밑술을 합하고, 많이 버무리고 치대어 술밑을 빚는다.

5. 술독에 술밑을 담아 안치고, 예의 방법대로 하여 더운 곳에 두어 발효시킨다.

* 주방문 머리에 "이것이 '오월 감향주'라 하나니라."고 하였으나, '감향주' 주방
  문과 유사하지는 않고, 따뜻해지는 때 빚는 술임을 알 수 있다. 주방문 말미
  에도 "적게 맵게 하라거든 두어날 후 한 데 놓아 익히고 맛 참 달기 하려거든
  뜨신 데 놓아 익히라. 온갖 술 다 물과 밥을 섞고 식기 조심하나니라."고 하여
  여느 '감향주' 주방문과 같은 기록을 엿볼 수 있다.

황금주

백미 한 되 백세작말하여 구멍떡 빚어 익게 삶아 채와 가장 바랜 누룩가루
깁체에 쳐 한 되를 떡에 쳐 넣었다가 이튿날 점미 한 말 옥같이 쓿어 담갔다
가 물 한 복자 놓아 익게 쪄 더운 김에 밑술에 버무려 사리야 더운데 넣어 익
으면 꿀같이 다나니라.

회산춘

스토리텔링 및 술 빚는 법

'회산춘(回山春)'이라는 주품은 <시의전서(是議全書)>와 <양주방(釀酒方)>이라는 두 문헌에 수록되어 있는 흔치 않은 주품명이다.

'회산춘'이라는 주품명을 통해서 알 수 있는 건 '회산춘' 역시 춘주(春酒)의 반열에 오른 명주였을 거라는 사실이다.

그러나 다른 춘주류와 비교했을 때 큰 장점을 발휘하지 못한 게 아닐까 생각해 보게 되었다. 어떤 기록에서도 '회산춘'에 대한 소개나 언급을 찾아볼 수 없기 때문이다. 하지만 주품명으로 미뤄볼 때 명주로서 춘주에 속했음은 분명하다고 생각된다.

아무튼 '회산춘'을 수록하고 있는 두 문헌 모두 한글 붓글씨로 쓴 기록이란 사실에서 또 다른 의미를 찾고자 한다. 물론 이와 같은 주품명이 한둘이 아니긴 하지만, 여인네들에 의해 쓰인 주방문의 특징은 가정에서 직접 술을 빚는 일을 관장하고, 그 체험적 경험에 의한 양주방법을 싣고 있다는 사실 때문이다.

'회산춘'에서 그 사실을 확인할 수 있다. <양주방>이 1700년대 후기 기록이고,

<시의전서>가 1800년대 말엽의 기록임을 감안해 시대적으로 앞선 <양주방>의 주방문을 중심으로 살펴보고, <시의전서>의 '회산춘'을 비교 분석하는 방법으로 설명하고자 한다.

<양주방>의 '회산춘법'은 멥쌀 1말을 백세하여 물에 하룻밤 담갔다가, 다음날 30번을 씻어 건져서 가루로 빻아 끓는 물 1말을 붓고, 주걱으로 고루 개어 범벅을 만든다. 범벅은 하룻밤 재워 차게 식기를 기다려 가루누룩 1되 5홉(되가웃), 밀가루 1되 5홉(되가웃)을 섞어 7일간 익힌다.

덧술은 멥쌀 2말을 백세하여 물에 하룻밤 담갔다가, 다음날 다시 30번을 씻어 헹궈 건져서 시루에 안쳐서 고두밥을 짓고, 끓는 물 2말을 한데 합하여 고루 섞어 두었다가 고두밥이 물을 다 먹었으면, 차게 식기를 기다려 밑술을 한데 섞고, 고루 버무려 술밑을 빚는다. 덧술도 7일간 발효시킨다. 주방문 말미에는 "술독을 열어보아 술이 물 같거든 냉수 약간 부어 드리워(걸러서) 쓰라."고 하였다.

이상에서 살펴보았듯이 쌀 씻기 등 가장 전형적인 술 빚기를 보여주고 있다. 또한 그 맛과 향기가 매우 뛰어나다고 하는데, '호산춘'이나 '동정춘' 등의 춘주류에는 미치지 못하다는 느낌을 받는다. 그 까닭은 알코올 도수가 낮으면서도 술맛이 지나치게 날카롭기 때문이다. 특히 달기는 한데 맛이 날카롭고 도수가 낮은 까닭에 술맛과 향기를 반감시킨 이유로 판단된다.

이처럼 '회산춘'이 널리 확산되지 못한 배경은 무엇보다 밑술을 빚는 방법에 있다고 보인다. 멥쌀 1말을 가루로 만들 경우 그 부피가 2말에 가까운데 비해 끓는 물 1말의 비율로 범벅을 쑤기가 매우 힘이 든다. 때문에 잘못하면 생쌀가루가 많이 남는 경우가 있어 실패를 초래하기 쉽다.

특히 술이 발효되면서 술독 밖으로 끓어 넘치는 현상이 비일비재하다.

이러한 이유로 덧술을 진고두밥을 만들어 사용하고 있긴 하나 밑술 양에 비해 덧술의 양이 그리 많은 편이 아닌데다, 진고두밥을 사용한 데 따른 결과로 발효기간이 짧아진 것이 그 이유로 판단된다.

아마도 이런 까닭에 '회산춘'은 대중화되지 못하고 맥이 끊긴 것으로 판단된다. 그래서 <양주방>보다 거의 100년 후에 기록된 <시의전서>에서는 쌀가루를 쪄서 흰무리떡을 만든 후에 다시 끓는 물로 익히는, 범벅보다 호화도를 더 높이는 확실한 방법을 취하고 있음을 볼 수 있다.

먼저, 끓는 물 30식기는 2말에 해당되므로 두 문헌의 밑술은 재료 배합비율에서 차이가 많다는 것을 밝혀둔다. 하지만 한 번 익힌 흰무리떡을 다시 끓는 물로 익히게 되면, 거의 죽에 가까운 상태가 되기 때문에 한 번 '설익히는' 범벅에 비하면 훨씬 술 빚기가 용이하고 발효가 원활해져 술밑이 발효되면서 술독 밖으로 끓어 넘쳐 실패를 초래하는 일이 줄어들기 마련이다.

물론 흰무리떡을 끓는 물로 한 번 더 익히는 방법보다 죽을 쑤는 방법이 호화도를 높여 발효를 원활하게 끌고 갈 수는 있겠지만, 쌀 1말을 가루로 빻아 물 1말로 죽을 쑤기란 '범벅'을 쑤는 일보다 훨씬 더 힘들다는 이유로 이 또한 기피하게 되었던 것 같다.

바로 이런 점들이 사실적인 술 빚기를 통한 경험방이라 얘기할 수 있는 근거이다. 비록 '회산춘'이 '동정춘'이나 '약산춘', '호산춘'의 명성에는 못 미쳤다 하나, 춘주의 반열에 올랐던 사실은 분명하고, 주품명에 '춘' 자를 붙이게 된 이유가 분명히 설명된다고 할 수 있겠다.

1. 회산춘 <시의전서(是議全書)>
– 두 제 빚이

> 술 재료 : 밑술 : 멥쌀 2말, 가루누룩 6되(찻되), 끓는 물 30식기
>   덧술 : 찹쌀 4말, 끓는 물 30식기

술 빚는 법 :

* 밑술 :

1. 멥쌀 2말을 정히 쓿어(매우 깨끗하게 씻어) 물에 담가 불렸다가, 다시 씻어 건져서 물기를 뺀다.
2. 불린 쌀을 작말하여 시루에 안쳐서 떡(흰무리)을 찌고, 물 30식기를 솟구치

게 팔팔 끓인다.

3. 떡(흰무리)이 익었으면 넓은 그릇에 퍼내어 끓고 있는 물을 골고루 합하고, 주걱으로 헤쳐서 덩어리 없이 풀어놓는다.

4. 물에 풀어놓은 떡(흰무리)이 차게 식기를 기다린다.

5. 차게 식은 떡(흰무리)에 가루누룩 6되(찻되)를 넣고, 고루 버무려 술밑을 빚는다.

6. 소독하여 준비한 술독에 술밑을 담아 안치고, 예의 방법대로 하여 발효시킨다.

* 덧술 :

1. 찹쌀 4말을 정히 쓿어 (매우 깨끗하게 씻어 물에 담가 불렸다가, 다시 씻어 건져서 물기를 뺀 후) 시루에 안쳐 고두밥을 짓는다.

2. 물 30식기를 팔팔 끓이고, 고두밥이 무르게 잘 지어졌으면 넓은 그릇에 퍼 담은 후 끓고 있는 물을 한데 합하고, 주걱으로 고루 헤쳐서 차게 식기를 기다린다.

3. 차게 식은 고두밥과 덧술을 합하고, 고루 버무려 술밑을 빚는다.

4. 술밑을 술독에 담아 안친 다음, 예의 방법대로 하여 발효시킨다.

5. 발효가 끝나 술이 익었으면 용수를 박아 청주를 떠내고, 술을 퍼서 술주자에 담고 압착, 여과하여 마신다.

* '한 제(一劑)'가 쌀 3말 양에 해당하므로 다른 문헌의 '한 제'와는 다르다는 것을 알 수 있다.

회산츈(回山春)

두 졔 비즈랴면 빅미 두 말 정히 쓿어 담갓다가 작말ᄒᆞ야 쩍을 쪄셔 물 삼십 식긔 고븟지게 ᄭᅳᆯ혀 미오 식켜 츳거든 가로 누룩 찻되로 엿 되 너허 ᄒᆞ엿다가 밋 다 되거든 찰쌀 너 말 정히 쓿어 지에밥 쪄 쏘 물 삼십 식긔 미오 ᄭᅳᆯ혀 지에밥에 한듸 부엇다가미오 차거든 밋과 한듸 버무려 너헛다가 된 후 웃국 ᄶᅳ

고 쥬다에 쓰면 조흐니라.

2. 회산춘법 <양주방(釀酒方)>

술 재료 : 밑술 : 멥쌀 1말, 가루누룩 1되 5홉, 밀가루 1되 5홉, 끓는 물 1말
       덧술 : 멥쌀 2말, 끓는 물 2말

술 빚는 법 :
* 밑술 :
1. 멥쌀 1말을 백세하여 물에 하룻밤 담갔다가, 다음날 30번을 씻어 (다시 헹궈) 건져서 (물기를 뺀 후) 가루로 빻아 동이에 담아놓는다.
2. 물 1말을 팔팔 끓여 쌀가루에 붓고, 주걱으로 고루 개어 범벅을 만든다.
3. 범벅은 (동이를 뚜껑을 덮고) 하룻밤 재워 차게 식기를 기다린다.
4. 범벅에 가루누룩 1되 5홉, 밀가루 1되 5홉을 섞어 고루 치대어 술밑을 빚는다.
5. 술독에 술밑을 담아 안치고, 예의 방법대로 하여 7일간 발효시킨다.

* 덧술 :
1. 멥쌀 2말을 백세하여 물에 하룻밤 담갔다가, 다음날 다시 30번을 씻어 헹궈 건져 (물기를 뺀 후) 시루에 안쳐서 고두밥을 짓는다.
2. 물 2말을 팔팔 끓여서 고두밥이 익었으면 한데 합하고, 고루 섞어두었다가 고두밥이 물을 다 먹었으면 고루 헤쳐서 차게 식기를 기다린다.
3. 고두밥에 밑술을 한데 섞고, 고루 버무려 술밑을 빚는다.
4. 술밑을 독에 담아 안치고, 예의 방법대로 하여 7일간 발효시킨다.

* 주방문 말미에 "술독을 열어보아 술이 물 같거든 냉수 약간 부어 드리워(걸러

서) 쓰라."고 하여 후수(後水)하는 법을 볼 수 있다. 후수를 할 때는 그 양을 조절하여 술맛이 다치지 않도록 하고, 특히 변질에 유념해야 한다.

회산츈법

빅미 한 말 빅세ᄒ야 담갓다가 이튼날 삼십 번을 시서 작말ᄒ야 동희에 담고 물 한 말 끌혀 그 ᄀᄅ의 부으명 긔여 식거든 ᄀᄅ누록 되 ᄀ읏 진말 되 ᄀ읏 한 대 쳐너헛다가 일헤 만의 빅미 두 말 빅세ᄒ야 담갓다가 이튼날 쳐음과 ᄀ치 ᄯ 삼십 번 시서 뼈 끌란 물 두 말 슬라 식거든 그 밋술의 너허 ᄯ 칠일 지나거든 쓰면 죠흐니라. 여러 보아 물 ᄀᆽ거든 냉수 약간 부어 드리워 쓰라.

부록

문헌별 찾아보기

주방문 수록 문헌 및 내용

1. 〈간본규합총서(刊本閨閤叢書)〉 1869년, 한글 활자본, 빙허각(憑虛閣) 이씨(李氏) 원찬(原撰)

- ◆ 주방문 (7종) : 1. 연엽주 2. 화향입주법 3. 두견주 4. 일년주 5. 약주 6. 과하주 7. 소주
- ◆ 기타 (2종) : 1. 술 빚는 길일 2. 술 신맛 구하는 법

2. 〈감저종식법(甘藷種植法)〉 1766년, 한문 필사본, 유중임(柳重臨)

- ◆ 주방문 (33종) : 1. 작주부본(作酒腐本) 2. 택수(澤水) 3. 중원인양호주법(中原人釀好酒) 4. 백로주(白露酒) 5. 소곡주(少麴酒) 6. 약산춘(藥山春) 7. 약산춘(藥山春 一方) 8. 호산춘(壺山春) 9. 호산춘(壺山春 一法) 10. 삼해주법(三亥酒法) 11. 내국향온법(內局香醞法) 12. 백자주(栢子酒) 13. 호도주(胡桃酒) 14. 도화주(桃花酒) 15. 도화주(桃花酒 一云) 16. 연엽주(蓮葉酒) 17. 경면녹파주(鏡面綠波酒) 18. 벽향주(碧香酒) 19. 하향주(荷香酒) 20. 이화주(梨花酒) 21. 청서주(淸暑酒) 22. 일일주(一日酒) 23. 삼일주(三日酒) 24. 과하주(過夏酒) 25. 과하주(過夏酒 一方) 26. 화향입주방(花香入酒方) 27. 화향입주방(花香入酒 一方) 28. 오가피주(五加皮酒) 29. 오가피주(五加皮酒 別法) 30. 무술주(戊戌酒) 31. 주중지약법(酒中漬藥法) 32. 구주불비법(救酒不沸法) 33. 구산주법(救酸酒法)
- ◆ 누룩 (1종) : 1. 조요국(造蓼麴)
- ◆ 기타 (2종) : 1. 식면후욕음주(食麵後欲飮酒) 2. 조주법(造酒法)

3. 〈고려대규합총서(高麗大閨閤叢書, 異本)〉 1800년대 초엽, 한글 활자본, 저자 미상, 고려대학교 소장본

- ◆ 주방문 (18종) : 1. 구기주 2. 오가피주 3. 화향입주방 4. 도화주 5.연엽주 6. 두견주 7. 소국주 8. 과하주 9. 백화주(자제신증) 10. 감향주 11. 송절주 12. 송순주 13. 호산춘 14. 삼일주 15. 일일주 16. 박문주 17. 녹파주 18. 오종주방문
- ◆ 기타 (11종) : 1. 각국 술 이름(諸國酒名) 2. 옛 후비(后妃)가 만든 주명(酒名) 3. 술 이름 소사

(酒小史) 4. 갱기(羹器) 5. 음론(飮論) 6. 술 빚는 길일 7. 술 못 빚는 날 8. 음주금기 9. 성주
불취 10. 단주방 11. 모든 술이 깨고 병이 들지 않는 약방문

4. 〈고사신서(攷事新書)〉 1771년, 한문 판각인쇄본, 서명응(徐命膺)

- ◆ 주방문 (50종) : 1. 백로주(百露酒) 2. 소국주(少麴酒) 3. 약산춘(藥山春) 4. 약산춘 별법(藥
  山春 別法) 5. 호산춘(壺山春) 6. 삼해주(三亥酒) 7. 향온주(香醞酒) 8. 백자주(栢子酒) 9.
  호도주양법(胡桃酒釀法) 10. 도화주(桃花酒) 11. 연엽주(蓮葉酒) 12. 녹파주(綠波酒) 13.
  벽향주(碧香酒) 14. 하향주(荷香酒) 15. 이화주(梨花酒) 16. 청서주(淸暑酒) 17. 부의주(浮
  蟻酒) 18. 청감주(淸甘酒) 19. 포도주(葡萄酒) 20. 백주(白酒) 21. 일일주(一日酒) 22. 삼일
  주(三日酒) 23. 잡곡주(雜穀酒) 24. 지주(地酒) 25. 내국홍로주(內局紅露酒) 26. 노주(露酒)
  27. 노주소독(露酒消毒) 28. 계당주(桂當酒) 29. 자주(煮酒) 30. 자주 우법(煮酒 又法) 31.
  과하주(過夏酒) 32. 과하주 우법(過夏酒 又法) 33. 밀주(密酒) 34. 밀주 우법(密酒 又法)
  35. 화향입주(花香入酒) 36. 화향입주 우법(花香入酒 又法) 37. 오가피주(五加皮酒) 38.
  오가피주 우법(五加皮酒 又法) 39. 천문동주(天門冬酒) 40. 구기자지복법(枸杞子漬服法)
  41. 구기자주 별법(枸杞子酒 別法) 42. 국화주(菊花酒) 43. 국화주 우법(菊花酒 又法) 44.
  석창포주(石菖蒲酒) 45. 백화주(百花酒) 46. 지황주(地黃酒) 47. 무술주(戊戌酒) 48. 주중
  지약법(酒中漬藥法) 49. 구주불비법(救酒不沸法) 50. 구산주법(救酸酒法)
- ◆ 누룩 (2종) : 1. 조국법(造麴法) 2. 조요국(造蓼麴)
- ◆ 기타 (2종) : 1. 식면후음주(食麵後飮酒) 2. 취하지 않는 법

5. 〈고사십이집(攷事十二集)〉 1737년경/1787년경, 한문 판각인쇄본, 서명응(徐命膺)

- ◆ 주방문 (42종) : 1. 향온주(香醞酒) 2. 백로주(百露酒) 3. 녹파주(綠波酒) 4. 녹파주 우법(綠
  波酒 又法) 5. 벽향주(碧香酒) 6. 약산춘(藥山春) 7. 약산춘 별법(藥山春 別法) 8. 소국주
  (少麴酒) 9. 부의주(浮蟻酒) 10. 자주(煮酒) 11. 자주 우법(煮酒 又法) 12. 지주(地酒) 13. 밀
  주(密酒) 14. 밀주 우법(密酒 又法) 15. 호산춘(壺山春) 16. 삼해주(三亥酒) 17. 도화주(桃花
  酒) 18. 연엽주(蓮葉酒) 19. 과하주(過夏酒) 20. 과하주 우법(過夏酒 又法) 21. 하향주(荷
  香酒) 22. 백주(白酒) 23. 이화주(梨花酒) 24. 청감주(淸甘酒) 25. 일일주(一日酒) 26. 삼일
  주(三日酒) 27. 소주양법(燒酒釀法) 28. 소주양법 우법(燒酒釀法 又法) 29. 관서감홍로(關
  西甘紅露) 30. 관서계당주 양법(關西桂糖酒 釀法) 31. 무술주(戊戌酒) 32. 송액주(松液酒)
  33. 송절주(松節酒) 34. 문장주(文章酒) 35. 문장주 우법(文章酒 又法) 36. 구기주(枸杞酒)

37. 구기주 우법(枸杞酒 又法) 38. 국화주(菊花酒) 39. 국화주 우법(菊花酒 又法) 40. 창포주(菖蒲酒) 41. 문동주(蘪冬酒) 42. 백자주(栢子酒)

◆ 기타 (1종) : 1. 식면후음주법(食麵後飮酒法)

6. 〈고사촬요(故事撮要)〉 1554/1613년, 한문 초간본, 어숙권 편·박희현 증보

◆ 주방문 (24종) : 1. 부의주(浮蟻酒) 2. 백로주(白霞酒) 3. 백로주(白霞酒, 旨酒法) 4. 하향주(荷香酒) 5. 청감주(淸甘酒) 6. 호도주(胡桃酒) 7. 백자주(栢子酒) 8. 자주(煮酒) 9. 홍로주(紅露酒) 10. 내국향온법(內局香醞法) 11. 구산주법(救酸酒法) 12. 구주법(救酒法) 13. 도화주(桃花酒) 14. 도화주 일운(桃花酒 一云) 15. 소곡주(小麯酒) 16. 약산춘(藥山春) 17. 과하주(過夏酒) 18. 청서주(淸暑酒) 19. 약주(藥酒) 20. 송순주(松荀酒) 21. 도소주(屠蘇酒) 22. 노주소독방(露酒消毒方) 23. 송엽주(松葉酒) 24. 구황주(救荒酒)

◆ 기타 (2종) : 1. 식면후음주(食麵後飮酒) 2. 이앓이 않는 법

7. 〈구황촬요(救荒撮要)〉 명종 9년, 한문 판각본, 명종 명(命)

◆ 주방문 (1종) : 1. 천금주법(千金酒法, 붉나모술비즐법)

8. 〈구황보유방(救荒補遺方)〉 현종 원년(1660년), 한문 판각본, 신속(申洬)

◆ 주방문 (2종) : 1. 적선소주방(謫仙燒酒方) 2. 적선소주 우방(謫仙燒酒 又方)

9. 〈군학회등(群學會騰, 博海通攷)〉 1800년대 중엽, 한문 판각인쇄본, 저자 미상

◆ 주방문 (35종) : 1. 작주부본법(作酒腐本法) 2. 구산주법(救酸酒法) 3. 변탁주위청주법(變濁酒爲淸酒法) 4. 수잡주법(收雜酒法) 5. 화향입주법(花香入酒法) 6. 지약주중법(漬藥酒中法) 7. 일일주법(一日酒法) 8. 일일주법 우법(一日酒法 又法) 9. 삼일주법(三日酒法) 10. 삼일주법 우법(三日酒法 又法) 11. 백자주법(栢子酒法) 12. 백자주법(栢子酒法)-한 말 빚이 13. 포도주법(葡萄酒法) 14. 상심주법(桑椹酒法) 15. 자주법(煮酒法) 16. 백화주법(百花酒法) 17. 도화주법(桃花酒法) 18. 하향주법(荷香酒法) 19. 하엽주법(荷葉酒法) 20. 연엽주법(蓮葉酒法) 21. 송순주법(松荀酒法) 22. 내국향온법(內局香醞法) 23. 벽향주법(碧香酒

法) 24. 청서주법(淸暑酒法) 25. 지주법(地酒法) 26. 밀주법(蜜酒法) 27. 취로주견봉(聚露酒堅封) 28. 노주소독법(露酒消毒法) 29. 두강주법(杜康酒法) 30. 신선고본주법(神仙固本酒法) 31. 백화춘법(白花春法) 32. 죽력고법(竹瀝膏法) 33. 이강고법(梨薑膏法) 34. 추모주법(秋麰酒法) 35. 중원인작호주법(中元人作好酒法)

- ◆ 누룩 (6종) : 1. 조곡길일 2. 조곡법 3. 조곡법 속법 4. 미곡법 5. 녹두곡법 6. 요곡법
- ◆ 기타 (4종) : 1. 조주길일 2. 매삭조곡조양길일법 3. 택수법 4. 음주예병법

10. 〈규중세화〉 기미 납월 초록, 한글 붓글씨본, 저자 미상, 완주 대한민국술박물관 소장본

- ◆ 주방문 (21종) : 1. 이퇴백 효주법 2. 칠일주 3. 삼일주 4. 삼해주법이라 5. 이적선 효주 6. 송순주방문 7. 송엽주 솔방울법 8. 호산춘주 9. 유감주 한법 10. 두견주 11. 이화주 12. 석탄향주법이라 13. 소곡주법 14. 백일주방문 15. 상방문 16. 점주법 17. 효주 18. 효주(별법) 19. 백화주법 20. 과하주법 21. 백일주법
- ◆ 누룩 (1종) : 이화곡

11. 〈규합총서(閨閤叢書)〉 1815년경, 한글 붓글씨 필사본, 빙허각(憑虛閣) 이씨(李氏)

- ◆ 주방문 (19종) : 1. 구기자술(枸杞酒) 2. 복사꽃술(桃花酒) 3. 연잎술(蓮葉酒) 4. 와송주(臥松酒) 5. 꽃향기 술에 들이는 법(花香入酒法) 6. 포도술(葡萄酒) 7. 배꽃술(梨花酒) 8. 진달래꽃술 9. 소국주(少麴酒) 10. 과하주(過夏酒) 11. 감향주(甘香酒) 12. 일일주(一日酒) 13. 삼일주(三日酒) 14. 신증 송절주(新增 松節酒) 15. 송순주(松荀酒) 16. 호산춘(壺山春) 17. 신술 고치는 법 18. 술이 더디 괴거든 19. 소주독 없애는 법
- ◆ 기타 (4종) : 1. 술 빚기 좋은 날 2. 꺼리는 날 3. 술 먹은 뒤 먹지 말아야 할 것(酒後食忌) 4. 소줏불 난 데

12. 〈김승지댁주방문(金承旨宅廚方文)〉 1860년, 한글 필사본, 김승지댁(金承旨宅) 친모(新母)

- ◆ 주방문 (23종) : 1. 사철소주 주방문 2. 소국주 3. 내주방문 4. 찹쌀청주법 5. 두견주법 6. 백

환주법 7. 녹자주방문 8. 삼월주법 9. 건조항주법 10. 소주 되날(괴는) 법 11. 황금주법 12. 적성소주법 13. 보리소주법 14. 부의주법 15. 치황주법 16. 감향주법 17. 니화주방문 18. 소자주 19. 송엽주방문 20. 절주방문 21. 도화주법 22. 청명주방문 23. 백화주방문

13. 〈농정찬요(農政纂要)〉 1817년/1877년, 한문 필사본, 저자 미상

◆ 주방문 (7종) : 1. 조주착취법(造酒搾取法) 2. 무양주법(无讓酒法) 3. 청감주법(清甘酒法) 4. 수잡주방(收雜酒方) 5. 구기자지주법(拘杞子漬酒法) 6. 치산주방(治酸酒法) 7. 채오가피주(菜五加皮酒)

◆ 기타 (2종) : 1. 조곡법(造麴法) 2. 조주길일(造酒吉日)

14. 〈농정회요(農政會要, 治膳編)〉 1830년경, 한문 필사본, 최한기

◆ 주방문 (81종) : 1. 중원인작호주법(中原人作好酒法) 2. 작주부본방(作酒腐本方) 3. 백하주법(白霞酒法) 4. 백하주 지주방(白霞酒 旨酒方) 5. 백하주 우방(白霞酒 又方) 6. 백하주 우방(白霞酒 又方) 7. 삼해주법(三亥酒法) 8. 삼해주 우방(三亥酒 又方) 9. 삼해주 우방(三亥酒 又方) 10. 도화주법(桃花酒法) 11. 도화주 우방(桃花酒 又方) 12. 연엽주법(蓮葉酒法) 13. 소곡주법(少麴酒法) 14. 소곡주 속법(少麴酒 俗法) 15. 약산춘법(藥山春法) 16. 약산춘법 우방(藥山春法 又方) 17. 경면녹파주법(鏡面綠波酒法) 18. 경면녹파주 우방(鏡面綠波酒 又方) 19. 경면녹파주 우방(鏡面綠波酒 又方) 20. 벽향주법(碧香酒法) 21. 벽향주 우방(碧香酒 又方) 22. 벽향주 별법(碧香酒 別法) 23. 부의주(浮蟻酒) 24. 지주(地酒) 25. 일일주(一日酒) 26. 일일주 일운(一日酒 一云) 27. 일일주 우방(一日酒 又方) 28. 삼일주(三日酒) 29. 삼일주 우법(三日酒 又法) 30. 칠일주법(七日酒法) 31. 칠일주법(七日酒法) 32. 사절칠일주방(四節七日酒方) 33. 잡곡주(雜穀酒) 34. 송순주방(松筍酒方) 35. 과하주(過夏酒) 36. 과하주 우방(過夏酒 又方) 37. 과하주 우방(過夏酒 又方) 38. 노주이두방(露酒二斗方) 39. 소주다출방(燒酒多出方) 40. 소맥소주법(小麥燒酒法) 41. 하향주법(荷香酒法) 42. 이화주법(梨花酒法) 43. 청감주법(清甘酒法) 44. 포도주법(葡萄酒法) 45. 포도주 우법(葡萄酒 又法) 46. 포도주 우법(葡萄酒 又法, 蜜酒) 47. 감주법(甘酒法) 48. 하엽주법(荷葉酒法) 49. 추모주법(秋麰酒法) 50. 모미주법(麰米酒法) 51. 백자주법(栢子酒法) 52. 백자주 우법(栢子酒 又法) 53. 호도주법(胡桃酒法) 54. 와송주법(臥松酒法) 55. 죽통주법(竹筒酒法) 56. 소자주법(蘇子酒法) 57. 죽력고법(竹瀝膏法) 58. 이강고법(梨薑膏法) 59. 백화주법(百花酒法) 60. 화향입주방(花香入酒方) 61. 화향입주방(花香入酒方)−주배 62. 화향입

주방(花香入酒方)-유자피 63. 주중지약법(酒中漬藥法) 64. 두강주방(杜康酒方) 65. 두강주 우방(杜康酒 又方) 66. 도원주(桃源酒) 67. 향설주(香雪酒) 68. 납주(臘酒) 69. 건창홍주(建昌紅酒) 70. 오향소주(五香燒酒) 71. 산우주(山芋酒) 72. 황정주(黃精酒) 73. 백출주(白朮酒) 74. 지황주(地黃酒) 75. 창포주(菖蒲酒) 76. 양고주(羊羔酒) 77. 천문동주(天門冬酒) 78. 송화주(松花酒) 79. 국화주(菊花酒) 80. 오가피삼투주(五加皮三透酒) 81. 하월수중양주법(夏月水中釀酒法)

◆ 누룩 (12종) : 1. 조진면곡법(造眞麵麴法) 2. 조요곡법(造蓼麴法) 3. 조녹두곡법(造菉豆麴法) 4. 조미곡법(造米麴法) 5. 백곡법(白麴法) 6. 내부비전곡방(內附秘傳麴方) 7. 연화곡(蓮花麴) 8. 조홍곡법(造紅麴法) 9. 조신곡방(造神麴方) 10. 양능곡(襄陵麴) 11. 홍백지약(紅白漬藥) 12. 동양주곡(東陽酒麴)

◆ 기타 (8종) : 1. 주(酒) 2. 주 속법(酒 俗法) 3. 노주소독방(露酒消毒方) 4. 변탁주위청주법(變濁酒爲淸酒法) 5. 수잡주법(收雜酒法) 6. 구주불비방(救酒不沸方) 7. 구산주법(救酸酒法) 8. 음주방병법(飮酒防病法)

15. 〈달생비서(達生秘書)〉 1918년, 한문 필사본, 황찬(黃瓚), 국립중앙박물관 소장본

◆ 주방문 (32종) : 1. 조하주(糟下酒) 2. 두림주(豆淋酒) 3. 총시주(蔥豉酒) 4. 포도주(葡萄酒) 5. 상심주(桑椹酒) 6. 구기주(枸杞酒) 7. 지황주(地黃酒) 8. 무술주(戊戌酒) 9. 송엽주(松葉酒) 10. 송절주(松節酒) 11. 창포주(菖蒲酒) 12. 녹두주(鹿頭酒) 13. 고아주(羔兒酒) 14. 밀주(密酒) 15. 춘주(春酒) 16. 무회주(無灰酒) 17. 병자주(餠子酒) 18. 황련주(黃連酒) 19. 국화주(菊花酒) 20. 천문동주(天門冬酒) 21. 섬라주(暹羅酒) 22. 홍국주(紅麴酒) 23. 동양주(東陽酒) 24. 금분로(金盆露) 25. 산동 추로백(山東 秋露白) 26. 소주 소병주(蘇州 小瓶酒) 27. 남경 금화주(南京 金華酒) 28. 회안 녹두주(淮安 菉豆酒) 29. 강서 마고주(江西 麻姑酒) 30. 소주(燒酒) 31. 자주(煮酒) 32. 이화주(梨花酒)

◆ 기타 (1종): 1. 조(糟)

16. 〈동의보감(東醫寶鑑, 雜方/穀部/內傷編)〉 1611년/1613년, 한문 판각인쇄본, 허준

◆ 주방문 (14종) : 1. 구기자주(拘杞子酒) 2. 지황주(地黃酒) 3. 천문동주(天門冬酒) 4. 무술주(戊戌酒) 5. 신선고본주(神仙固本酒) 6. 포도주(葡萄酒) 7. 밀주(密酒) 8. 계명주(鷄鳴酒) 9. 계명주 우방(鷄鳴酒 又方) 10. 백화춘(白花春) 11. 자주(煮酒) 12. 작주본(作酒本) 13. 조

홍소주법(造紅燒酒法) 14. 지약주법(漬藥酒法)

- ◆ 누룩 (2종) : 1. 조신국(造神麴) 2. 조반하국법(造半夏麴法)
- ◆ 기타 (9종) : 1. 주(酒) 2. 주(酒) 3. 소주독(燒酒毒) 4. 제주품(諸酒品) 5. 주상(酒傷) 6. 음주 금기(飮酒禁忌) 7. 주독변위제병(酒毒變爲諸病) 8. 주병치법(酒病治法) 9. 성주령불취(聖 酒令不醉)

17. 〈민천집설(民天集說)〉 1752년/1822년, 한문 필사본, 두암노인(斗庵老人), 편집(編 輯) 백치일인중(白痴逸人重) 교(較)

- ◆ 주방문 (50종) : 1. 작주본 2. 소곡주 3. 소곡주 별법 4. 호산춘 5. 호산춘 별법 6. 삼해주 7. 내국향온 8. 내국향온 우법 8. 내국향온 우법 10. 부의주 11. 부의주 우법 12. 청감주 13. 청 감주(양을 적게 하는 법) 14. 점감주 15. 일일주 16. 삼일주 17. 잡곡주 18. 잡곡주 우법 19. 지주 20. 칠일주 21. 칠일주 우방 22. 오칠주 23. 과하주 24. 석탄향 25. 석탄향 우방 26. 자 주 27. 홍로주 28. 백자주 29. 호도주 30. 백하주 31. 하향주 32. 화향주 33. 화향주 우법 34. 백화주 35. 국화주 36. 지황주 37. 오가피주 38. 무술주 39. 신선고본주 40. 도소주 41. 녹주두 42. 송엽주 43. 적선소주 44. 두강주 45. 소곡주 46. 방문주 47. 황감주 48. 삼오로 주 49. 구주불비법 50. 구주산법
- ◆ 누룩 (1종) : 1. 조신곡법
- ◆ 기타 (1종) : 1. 선취법

18. 〈반찬ᄒᆞᄂᆞᆫ등속(饌饍繕冊)〉 계축(癸丑) 납월(臘月) 24일 (1913년 12월 24일), 한 글 필사본, 진주 강씨 가문

- ◆ 주방문 (3종) : 1. 과(하)주 2. 연잎술 3. 약주

19. 〈방서(方書)〉 1867년, 한문 필사본, 신석근

- ◆ 주방문 (1종) : 1. 조주법

20. 〈보감록(寶鑑錄)〉 저술 연대 미상, 한글 붓글씨본, 저자 미상

◆ 주방문 (13종) : 1. 감향주 2. 감향주 우일방 3. 감향주 또 일방 4. 과하주 5. 과하주 또 6. 구기주 7. 두견주법 8. 도화주 9. 삼일주 10. 송순주 11. 송순주 일법 12. 송절주 13. 오가피주법

◆ 기타 (1종) : 1. 술 빚는 길일

21. 〈봉접요람〉 저술 연대 미상, 한글 필사본, 한산이씨, 한복려 소장본

◆ 주방문 (11종) : 1. 두견주법 2. 삼칠주법 3. 과하주법 4. 부원주법 5. 유하주법 6. 송순주법 7. 절주법 8. 석탄향법 9. 경양(액)춘법 10. 녹두누룩술법 11. 황금주법 12. 하양(향)주법 13. 번주법 14. 소곡주법 15. 호산춘법 16. 삼일주법 17. 녹파주법 18. 진상주법

◆ 누룩 (1종) : 1. 녹두누룩

22. 〈부인필지(夫人必知)〉 1915년, 한글 필사본, 빙허각(憑虛閣) 이씨(李氏) 원찬(原撰)

◆ 주방문 (13종) : 1. 구기주법 2. 도화주법 3. 연엽주법 4. 와송주법 5. 국화주법 6. 두견주법 7. 소곡주법 8. 과하주법 9. 감향주법 10. 일일주법 11. 삼일주법 12. 송절주법 13. 소주(소주독 없애는 법)

◆ 기타 (1종) : 1. 신 술 (고치는 법)

23. 〈사시찬요초(四時纂要抄)〉 성종(1469~1494년), 한문 활자본, 강희맹 편저

◆ 주방문 (2종) : 1. 조곡법(造麯法) 2. 국화주(菊花酒)

24. 〈산가요록(山家要錄)〉 1450년경, 한문 필사본, 전순의

◆ 주방문 (65종) : 1. 주방(酒方) 2. 취소주법(取燒酒法) 3. 향료 지주(香醪 旨酒) 4. 옥지춘(玉脂春) 5. 이화주(梨化酒) 6. 송화천로주(松化天露酒) 7. 삼해주(三亥酒) 8. 벽향주(碧香酒) 9. 벽향주 우법(碧香酒 又法) 10. 아황주(鴉黃酒) 11. 아황주 우법(鴉黃酒 又法) 12. 녹파주(綠波酒) 13. 유하주(流霞酒) 14. 두강주(杜康酒) 15. 죽엽주(竹葉酒) 16. 여가주(呂家酒) 17. 연화주(蓮花酒) 18. 황금주(黃金酒) 19. 진상주(進上酒) 20. 유주(乳酒) 21. 절주(節

酒) 22. 사두주(四斗酒) 23. 오두주(五斗酒) 24. 육두주(六斗酒) 25. 구두주(九斗酒) 26. 모미주(牟米酒) 27. 삼일주(三日酒) 28. 칠일주(七日酒) 29. 칠일주 우법(七日酒 又法) 30. 점주(粘酒) 31. 무국주(無麴酒) 32. 소국주(小麴酒) 33. 신박주(辛薄酒) 34. 하절삼일주(夏節三日酒) 35. 하일절주(夏日節酒) 36. 과하백주(過夏白酒) 37. 손처사하일주(孫處士夏日酒) 38. 하주불산법(夏酒不酸法) 39. 부의주(浮蟻酒) 40. 급시청주(急時淸酒) 41. 목맥주(木麥酒) 42. 맥주(麥酒) 43. 향온주조양식(香醞酒造釀式) 44. 사시주(四時酒) 45. 사절통용육두주(四節通用六斗酒) 46. 상실주(橡實酒) 47. 상실주 우용(橡實酒 又用) 48. 하숭사절주(河崇四節酒) 49. 자주(煮酒) 50. 예주(醴酒) 51. 예주 우방(醴酒 又方) 52. 예주 우방(醴酒 又方) 53. 예주 우방(醴酒 又方) 54. 예주 우방(醴酒 又方) 55. 삼미감향주(三味甘香酒) 56. 감주(甘酒) 57. 감주 우방(甘酒 又方) 58. 감주 우방(甘酒 又方) 59. 점감주(粘甘酒) 60. 점감주 우방(粘甘酒 又方) 61. 유감주 우방(乳甘酒 又方) 62. 과동감백주(過冬甘白酒) 63. 목맥소주(木麥燒酒) 64. 수주불손훼(收酒不損毀) 65. 기주법(起酒法)

- ◆ 누룩 (4종) : 1. 양국법(良麴法) 2. 양국법 우방(良麴法 又方) 3. 조국법(造麴法) 4. 조국법 우방(造麴法 又方)

25. 〈산림경제(山林經濟, 治善)〉 1715년경, 한문 활자본, 홍만선

- ◆ 주방문 (40종) : 1. 작주부본법(作酒腐本法) 2. 백로주(白露酒) 3. 소곡주(少麴酒) 4. 약산춘(藥山春) 5. 약산춘 일방(藥山春 一方) 6. 호산춘(壺山春) 7. 삼해주(三亥酒) 8. 내국향온법(內局香醞法) 9. 柏子酒釀法(백자주양법) 10. 호도주양법(胡桃酒釀法) 11. 도화주(桃花酒) 12. 연엽주(蓮葉酒) 13. 경면녹파주(鏡面綠波酒) 14. 경면녹파주 우방(鏡面綠波酒 又方) 15. 벽향주(碧香酒) 16. 하향주(荷香酒) 17. 이화주(梨花酒) 18. 청서주(淸暑酒) 19. 부의주(浮蟻酒) 20. 청감주(淸甘酒) 21. 포도주(葡萄酒) 22. 백주(白酒) 23. 일일주(一日酒) 24. 삼일주(三日酒) 25. 잡곡주(雜穀酒) 26. 지주(地酒) 27. 내국홍로주(內局紅露酒) 28. 노주이두방(露酒二斗方) 29. 노주소독방(露酒消毒方) 30. 자주(煮酒) 31. 자주 일방(煮酒 一方) 32. 과하주(過夏酒) 33. 과하주 일방(過夏酒 一方) 34. 밀주(蜜酒) 35. 밀주 일방(蜜酒 一方) 36. 화향입주법(花香入酒法) 37. 화향입주법 일방(花香入酒法 一方) 38. 주중지약법(酒中漬藥法) 39. 구주불비법(救酒不沸法) 40. 구산주법(救酸酒法)
- ◆ 누룩 (1종) : 1. 조국(造麴)
- ◆ 기타 (4종) : 2. 조주길일(造酒吉日, 술 빚기 좋은 날) 3. 술과 초, 누룩 디디기 좋은 날 4. 택수(澤水) 41. 식면후음주법(食麵後飲酒法)

26. 〈산림경제촬요(山林經濟撮要, 造酒諸方)〉1800년대 중엽, 한문 필사본, 저자 미상

- ◆ 주방문 (17종) : 1. 작주부본법(作酒腐本法) 2. 삼해주법(三亥酒法) 3. 삼해주법 우방(三亥酒 又方) 4. 도화주법(桃花酒法) 5. 소곡주법(少麯酒法) 6. 소곡주 속법(少麯酒 俗法) 7. 약산춘법(藥山春法) 8. 경면녹파주법(鏡面綠波酒法) 9. 칠일주법(七日酒法) 10. 칠일주법(七日酒法) 11. 사절칠일주법(四節七日酒法) 12. 잡곡주법(雜穀酒法) 13. 송순주법(松芛酒法) 14. 과하주법(過夏酒法) 15. 포도주법(葡萄酒法) 16. 수잡주법(受雜酒法) 17. 구산주법(救酸酒法)
- ◆ 누룩 (2종) : 1. 조미곡법(造米麯法) 2. 조국(造麯)
- ◆ 기타 (1종) : 1. 음주 후 꺼릴 것

27. 〈색경(穡經, 搜聞譜錄)〉1676년, 한문 필사본, 박세당

- ◆ 주방문 (3종) : 1. 조유하주법(造流霞酒法) 2. 유하주 우법(流霞酒 又法) 3. 조점주법(造粘酒法)
- ◆ 누룩 (1종) : 1. 조신국법(造神麯法)

28. 〈수운잡방(需雲雜方)〉1500년대 초엽, 한문 필사본, 김유

- ◆ 주방문 (63종) : 1. 삼해주(三亥酒) 2. 삼오주(三午酒) 3. 사오주(四午酒) 4. 벽향주(碧香酒) 5. 만전향주(滿殿香酒) 6. 두강주(杜康酒) 7. 벽향주(碧香酒) 8. 칠두주(七斗酒) 9. 소곡주(小麯酒) 10. 감향주(甘香酒) 11. 백자주(栢子酒) 12. 호도주(胡桃酒) 13. 상실주(橡實酒) 14. 하일약주(夏日藥酒) 15. 우 하일약주(又 夏日藥酒) 16. 하일청주(夏日淸酒) 17. 하일점주(夏日粘酒) 18. 우 하일점주(又 夏日粘酒) 19. 우 하일점주(又 夏日粘酒) 20. 소국주 우법(小麯酒 又法) 21. 진맥소주(眞麥燒酒) 22. 녹파주(綠波酒) 23. 일일주(一日酒) 24. 도인주(桃仁酒) 25. 백화주(白花酒) 26. 유하주(柳霞酒) 27. 이화주조국법(梨化酒造麯法) 28. 오두주(五斗酒) 29. 오두주(五斗酒) 30. 감향주(甘香酒) 31. 백출주(白朮酒) 32. 정향주(丁香酒) 33. 십일주(十日酒) 34. 동양주(冬陽酒) 35. 보경가주(宝卿家酒) 36. 동하주(冬夏酒) 37. 남경주(南京酒) 38. 진상주(進上酒) 39. 별주(別酒) 40. 이화주(梨花酒) 41. 우 이화주(又 梨花酒) 42. 우 벽향주(又 碧香酒) 43. 삼오주(三午酒) 44. 삼오주 일법(三午酒 一法) 45. 오정주(五精酒) 46. 송엽주(松葉酒) 47. 포두주(葡萄酒) 48. 우 포도주(又 葡萄酒) 49.

애주(艾酒) 50. 황국화주(黃菊花酒) 51. 건주법(乾酒法) 52. 지황주(地黃酒) 53. 예주(醴酒) 54. 예주 별법(醴酒 別法) 55. 황금주(黃金酒) 56. 세신주(細辛酒) 57. 아황주(鴉黃酒) 58. 도화주(桃花酒) 59. 경장주(瓊漿酒) 60. 칠두오승주(七斗五升酒) 61. 우 오두오승주(又 五斗五升酒) 62. 백화주(百花酒) 63. 향료방(香醪方)

29. 〈술 만드는 법〉 1800년대 말엽, 한글 필사본, 저자 미상

◆ 주방문 (19종) : 1. 사절주 2. 삼일주 3. 일일주 4. 사시통음주 5. 사절소곡주 6. 두견주 7. 두광주 8. 청명주 9. 오병주 10. 방문주 11. 여름지주 12. 니화주 13. 부의주 14. 송령주 15. 삼선주 16. 청감주법 17. 벽향주 18. 감주법 19. 십일주

30. 〈술방〉 저술 연대 미상, 한글 필사본, 저자 미상, 박록담 소장본

◆ 주방문 (34종) : 1. 과하주 2. 과하주 별법 3. 과하주 별법 4. 하향주 5. 이화주 6. 청감주 7. 포도주 8. 하엽주 9. 소자주 10. 백화주 11. 두강주 12. 두강주 별법 13. 죽력고 14. 이강주 15. 삼일주 16. 삼일주 별법 17. 칠일주 별법 18. 칠일주 별법 19. 사절칠일주 20. 가을보리술 21. 가을보리술 별법 22. 화향입주법 23. 유자 넣는 법 24. 술이 잘못되거나 괴지 아니할 때 25. 술이 시면 고치는 법 26. 도화주 27. 연엽주 28. 약산춘 29. 약산춘 별법 30. 경면녹파주 31. 벽향주 32. 지주 33. 송순주 34. 소곡주

31. 〈술방문〉 1801/1861년간, 한글 붓글씨 필사본, 저자 미상, 국립중앙박물관 소장

◆ 주방문 (7종) : 1. 송순주법(松荀酒法) 2. 백화주법(百花酒法) 3. 향훈주방문(香薰酒方文) 4. 진종주법(珍種酒法) 5. 석탄주법(惜呑酒法) 6. 홍나주법 7. 두견주방문(杜鵑酒方文)

32. 〈술 빚는 법〉 1800년대 말엽, 한글 필사본, 저자 미상, 국립중앙박물관 소장

◆ 주방문 (11종) : 1. 과하주방문 2. 방문주 3. 백일주방문 4.소국주방문 5. 두견주 6. 또 과하주방문 7. 송절주 8. 송순주 9. 또 방문주 10. 삼일주 11. 일일주

33. 〈승부리안주방문〉 저술 연대 미상, 한글 붓글씨본, 저자 미상

◆ 주방문 (12종) : 1. 송순주방문 2. 삼일주방문 3. 과하주방문 4. 옥지춘법 5. 석탄향주 6. 옥
정주법 7. 혼돈주법 8. 오가피주방문 9. 소자주방문 10. 백수환동법 11. 구기주법 12. 감
향주법

34. 〈시의전서(是義全書)〉 1800년대 말엽, 한글 필사본, 저자 미상, 홍정 소장

◆ 주방문 (19종) : 1. 소곡주 별방 2. 과하주 별방 3. 방문주 별방 4. 벽향주 5. 녹파주 6. 성탄
향 7. 황감주 8. 신상주 9. 두견주 10. 송순주 11. 두강주 12. 두강주 일방 13. 삼일주 14. 삼
일주 일방 15. 삼해주 16. 회산춘 17. 일년주 18. 과하주 19. 청감주

35. 〈약방〉 저술 연대 미상, 한글 붓글씨본, 저자 미상, 완주대한민국술박물관 소장

◆ 주방문 (4종) : 1. 술방문 2. 술방문 별법 3. 술방문 우법 4. 술방문 우법

36. 〈양주(釀酒)〉 저술 연대 미상, 한글 붓글씨본, 저자 미상, 전주전통술박물관 소장

◆ 주방문 (13종) : 1. 삼해주 2. 호산춘 3. 세심주 4. 부의주 5. 과하주 6. 보름주 7. 백하주 8.
감주 9. 점주 10. 절주 11. 절세주 12. 육두주 13. 오승주

37. 〈양주방〉* 1837/1800년대 말엽, 한글 필사본, 전라도 지방, 저자 미상

◆ 주방문 (83종) : 1. 두견주 2. 소국주 3. 소국주 우일방 4. 삼해주 5. 회일주 6. 청명주 7. 청명
향 8. 포도주 9. 백화주 10. 당백화주 11. 백하주 12. 백하주 일법 13. 절주 14. 시급주 15.
일일주 16. 오호주 17. 삼일주 18. 육병주 19. 오병주 20. 오병주 우일방 21. 부의주 22. 부
의주 일법 23. 부의주 일법 24. 무술주 25. 무술주 우일방 26. 삼합주 27. 조엽주 28. 합엽
주 29. 자주 30. 녹파주 31. 세심주 32. 소백주 33. 백단주 34. 벽향주 35. 죽엽주 36. 송엽
주 37. 도화주 38. 매화주 39. 층층지주 40. 황금주 41. 사절주 42. 오두주 43. 과하주 44.
선초향 45. 니화주 46. 니화주 우일방 47. 신도주 48. 방문주 49. 향노주 50. 하향주 51. 점
주 52. 감향주 53. 백수환동주 54. 경향옥액주 55. 송순주 56. 천금주 57. 출주 58. 창포주
59. 창포주 우일방 60. 창포주 우일방 61. 일두사병주 62. 서김법 63. 녹파주 우일방 64. 황
감주 65. 사시주 66. 소주만히나는 법 67. 동파주 68. 백화춘 69. 송엽주(송령주) 70. 송엽

주 71. 소자주 72. 오갑피주 73. 혼돈주 74. 구기자주 75. 옥노주 76. 만년향 77. 호산춘 78. 집성향 79. 구기자주 80. 방문주 우일방 81. 오미자주 82. 석술 83. 소소국주

◆ 누룩 (4종) : 1. 배꽃술누룩 2. 백수환동주누룩 3. 또 한 가지 배꽃술누룩 4. 경향옥액주 누룩

38. 〈양주방(釀酒方)〉 1700년대 후기, 한글 필사본, 저자 미상, 연민선생 소장본

◆ 주방문 (42종) : 1. 니화주법 2. 일해주법 3. 삼해주법 4. 청명주법 5. 별향주법(여덟 말 빚이) 6. 소국주법(엿 말 빚이) 7. 소국주법(닷 말 빚이) 8. 소국주법(너 말 빚이) 9. 소국주법(서 말 빚이) 10. 하절주법(한 말 빚이) 11. 노송주법(닷 되 빚이) 12. 백하주법(서 말 빚이) 13. 하향주법(한 말 빚이) 14. 합주법(한 말 빚이) 15. 향감주법(한 말 빚이) 16. 백점주법(두 말 빚이-여름에 쓰는 법) 17. 삼일주법(한 말 빚이-여름에 빚느니라) 18. 사절주법(한 말 빚이) 19. 백노주법(서 말 빚이) 20. 향노주법(일곱 말 닷 되 빚이) 21. 점주법(한 말 두 되 빚이) 22. 청감주법(한 말 빚이) 23. 과하주법 24. 감향주법 25. 유화주법(일곱 말 닷 되 빚이) 26. 죽엽주법(엿 말 빚이) 27. 도화주법 28. 백일주법(닷 말 빚이) 29. 작주법 30. 뉴직주법 31. 급용주법 32. 보리소주법 33. 속주법 34. 니화주의 누룩 넣는 법 35. 회산춘법 36. 사절주법 37. 가로밑 아니하고 빚는 약주법 38. 백화주법 39. 니금하는 법 40. 백일주법 41. 두견주법 42. 오병주법

◆ 누룩 (2종) : 1. 이화주 누룩법 2. 이화주의 누룩 넣는 법

39. 〈양주집(釀酒集)〉 저술 연대 미상, 한글 필사본, 저자 미상, 박록담 소장본(사본)

◆ 주방문 (40종) : 1. 소국주(小菊酒) 2. 녹파주(綠波酒) 3. 점미녹파주(粘米綠波酒) 4. 삼오주(三午酒) 5. 사오주(四午酒) 6. 삼해주(三亥酒) 7. 우 삼해주(又 三亥酒) 8. 우우 삼해주(又 又 三亥酒) 9. 과하주(過夏酒) 10. 하시절품주(夏時節品酒) 11. 하시주(夏時酒) 12. 하향주(霞香酒) 13. 벽향주(碧香酒) 14. 우 벽향주(又 碧香酒) 15. 서향주(暑香酒) 16. 감향주(甘香酒) 17. 백화주(白花酒) 18. 우 백화주(又 白花酒) 19. 우우 백화주(又 又 白花酒) 20. 죽엽주(竹葉酒) 21. 황금주(黃金酒) 22. 백오주(百五酒) 23. 백일주(百日酒) 24. 백자주(栢子酒) 25. 우 백자주(又 栢子酒) 26. 약백자주(藥栢子酒) 27. 호도주(胡桃酒) 28. 일일주(一日酒) 29. 삼일주(三日酒) 30. 칠일주(七日酒) 31. 사시주(四時酒) 32. 삼양주(三釀酒) 33. 삼두주(三斗酒) 34. 오병주(五甁酒) 35. 일두육병주(一斗六甁酒) 36. 소주(燒酒) 37. 피모소주(皮牟(麩)燒酒) 38. 모미주(牟(麩)米酒) 39. 우 모미주(又 牟(麩)米酒) 40. 우 피모소주

(又 皮牟(麩)燒酒)

40. 《언서주찬방(諺書酒饌方)》 저술 연대 미상, 한글 필사본, 저자 미상, 박록담 소장본

◆ 주방문 (38종) : 1. 백하주(白霞酒) 2. 백하주 별법(白霞酒 別法) 3. 삼해주(三亥酒) 4. 옥지주(玉脂酒) 5. 이화주(梨花酒) 6. 벽향주(碧香酒) 7. 벽향주(碧香酒) 또 별법 8. 유하주(流霞酒) 9. 유하주 우법(流霞酒 又法) 10. 두강주(杜康酒) 11. 아황주(鴉黃酒) 12. 죽엽주(竹葉酒) 13. 연화주(蓮花酒)–일명 무국주 14. 소국주(小麴酒) 15. 우 소국주(又 小麴酒) 16. 모미주(麩米酒) 17. 추모주(秋麩酒) 18. 세신주(細辛酒) 19. 향온 빚는 법(香醞釀酒法) 20. 내의원 향온 빚는 법 21. 점주(粘酒) 22. 감주(甘酒) 23. 서김 만드는 법 24. 하일절주(夏日節酒) 25. 하숭의 사시절주 26. 하숭의 사시절주(별법) 27. 하절삼일주(夏節三日酒) 28. 하일불산주(夏日不酸酒) 29. 부의주(浮蟻酒) 30. 부의주 우방(浮蟻酒 又方) 31. 하향주(荷香酒) 32. 합자주(榼子酒) 33. 삽주뿌리술 34. 소주 많이 나게 고는 법(燒酒多出法) 35. 밀소주 36. 쌀 한 말에 지주 네 병 나는 술법(米一斗旨酒四瓶出酒法) 37. 자주(煮酒) 38. 신 술 고치는 법

◆ 누룩 (3종) : 1. 누룩 만드는 법 2. 누룩 만드는 법 (또 한 법) 3. 누룩 만드는 법 (또 한 법)

41. 《역주방문(曆酒方文)》 1800년대 중엽, 한문 필사본, 저자 미상, 윤용진 소장

◆ 주방문 (43종) : 1. 세신주(細辛酒) 2. 신청주(新淸酒) 3. 소곡주방(小曲酒方) 4. 백자주방(栢子酒方) 5. 백화주방(百花酒方, 白花酒) 6. 녹파주방(綠波酒方) 7. 백파주방(白波酒方) 8. 진상주(進上酒) 9. 옥지주방(玉脂酒方) 10. 옥지주 우방(玉脂酒 又方) 11. 과하주방(過夏酒方) 12. 벽향주방(碧香酒方) 13. 삼해주방(三亥酒方) 14. 삼오주방(三午酒方) 15. 과하주방(過夏酒方) 16. 하향주방(夏香酒方) 17. 감하향주방(甘夏香酒方) 18. 편주방(扁酒方) 19. 이화주방(梨花酒方) 20. 향온주방(香醞酒方) 21. 삼일주방(三日酒方) 22. 소주방(燒酒方) 23. 추모주(秋麩酒) 24. 삼일주방(三日酒方) 25. 백화주방(百花酒方) 26. 백화주방(百花酒方) 27. 유화주방(柳花酒方) 28. 두강주방(杜康酒方) 29. 아황주방(鵝黃酒方) 30. 연화주방(蓮花酒方) 31. 오가피주방(五加皮酒方) 32. 소자주방(蘇子酒方) 33. 죽엽주방(竹葉酒方) 34. 송엽주방(松葉酒方) 35. 모소주방(牟燒酒方) 36. 모소주방 우방(牟燒酒方 又方) 37. 삼칠소곡주방(三七小曲酒方) 38. 일야주방(一夜酒方) 39. 광제주방(광제주방) 40. 백화주방(百花酒方) 41. 자주방(煮酒方) 42. 모소주방(牟燒酒方) 43. 소곡주방(小曲酒方)

42. 〈오주연문장전산고(五洲衍文長箋散稿)〉 1850년, 한문 필사본, 이규경

- ◆ 주방문 (22종) : 1. 양주(釀酒) 2. 천야홍주방(天冶紅酒方) 3. 계명주(鷄鳴酒) 4. 계명주(鷄鳴酒) 5. 구기오가피삼투주(枸杞五加皮三骰酒) 6. 장춘법주(長春法酒) 7. 제화향입주(諸花香入酒) 8. 남번소주 번명 아리걸(南番燒酒 番名 阿里乞) 9. 청명주(淸明酒) 10. 도소주(屠蘇酒) 11. 구작양주 잡주(口嚼釀酒 咂酒) 12. 비주(飛酒) 13. 준순주(浚巡酒) 14. 아랄길주 황주(阿剌吉酒 黃酒) 15. 경각화준순주(頃刻花浚巡酒) 16. 동양주(東陽酒) 17. 동양주(東陽酒) 18. 제홍국 국모(製紅麴 麴母) 19. 천리주(千里酒) 20. 비선주(飛仙酒) 21. 백수환동주(白首還童酒) 22. 청매자주(靑梅煮酒)
- ◆ 누룩 (12종) : 1. 주국(酒麴) 2. 홍국제방(紅麴諸方) 3. 단국(丹麴) 4. 법국(法麴) 5. 약국(藥麴) 6. 천리주국(千里酒麴) 7. 비선국(飛仙麴) 8. 경각화준순주국(頃刻花浚巡酒麴) 9. 백수환동주국(白首還童酒麴) 10. 백수환동주국 일법(白首還童酒麴 一法) 11. 동양주국(東陽酒麴) 12. 동양주국(東陽酒麴)
- ◆ 기타 (2종) : 1. 고인주량설(故人酒量說) 2. 주명 고·로·약 칭 '상'(酒名 膏·露·藥 稱 '霜')

43. 〈온주법(醞酒法)〉 1700년대 후기, 한글 필사본, 의성김씨 종가 소장

- ◆ 주방문 (51종) : 1. 술법 2. 서왕모유옥성향주 3. 계당주 4. 녹두주(녹되주) 5. 삼해주 6. 삼해주 우법 7. 삼해주 우법 8. 니화주 9. 니화주 또 한 법 10. 니화주 또 한 법 11. 하절니화주 12. 과하주 13. 포도주 14. 국화주 15. 지황주 16. 천문동주 17. 오가피주 18. 송엽주 19. 지주 20. 녹파주 21. 감향주 22. 사절주 23. 향감주 24. 정향극렬주 25. 적선소주 26. 청명주 27. 지주 28. 소자주 29. 감점주 30. 감점주 또 한 법 31. 감점주 또 한 법 32. 연엽주 33. 연엽주 또 한 법 34. 과하점미주 35. 구기자주 36. 오호주 37. 급주 38. 하절삼일주 39. 하향주 40. 창출주 41. 소주 많이 나는 법 42. 정향주 43. 석향주 44. 밤세향주 45. 절주 46. 신방주 47. 안정주 48. 청명불변주 49. 소국주 50. 백자주 51. 사미주
- ◆ 누룩 (3종) : 1. 니화국법 2. 니화국법 또 한 법 3. (조국법)
- ◆ 기타 (1종) : 1. (장과 술 아니하는 날)

44. 〈요록(要錄)〉 1680년경, 한문 필사본, 저자 미상, 고대 신암문고 소장

- ◆ 주방문 (29종) : 1. 이화주(梨花酒) 2. 감향주(甘香酒) 3. 향온방(香醞方) 4. 백자주(栢子酒) 5. 삼해주(三亥酒) 6. 자주(煮酒) 7. 우방 자주(又方 煮酒) 8. 벽향주(碧香酒) 9. 소국주(小

麴酒) 10. 하향주(夏香酒) 11. 하일주(夏日酒) 12. 하일청주(夏日淸酒) 13. 연해주(燕海酒) 14. 무시주(無時酒) 15. 칠일주(七日酒) 16. 일일주(一日酒) 17. 급주(急酒) 18. 죽엽주(竹葉酒) 19. 송자주(松子酒) 20. 송엽주(松葉酒) 21. 애주(艾酒) 22. 오정주(五精酒) 23. 황화주(黃花酒) 24. 황금주(黃金酒) 25. 출주(朮酒) 26. 국화주(菊花酒) 27. 인동주(忍冬酒) 28. 점주법(粘酒法) 29. 오가피주(五加皮酒)

45. 〈우음제방(禹飮諸方, 각식 술방문)〉 1890년경, 한글 필사본, 연안이씨, 동춘당가 소장본, 대전선사박물관

   ◆ 주방문 (25종) : 1. 송순주 2. 호산춘 3. 청화주 4. 청화주 5. 두견주 6. 추향주 7. 송순주 8. 삼해주 9. 소주삼해주 10. 일년주 11. 녹파주 12. 청명주 13. 화향주 14. 송화주법 15. 점감주 16. 감향주 17. 황정주 18. 황구주 19. 감향주 20. 삼칠주 21. 보리소주 22. 이화주 23. 방문주 24. 구일주 25. 백일주

46. 〈윤씨(尹氏)음식법(饌法)〉 1854년, 한글 필사본, 윤씨

   ◆ 주방문 (4종) : 1. (인동주) 2. 도인주 3. 국화주 방문 4. 송엽주 방문

47. 〈음식디미방(閨壼是議方)〉 1670년, 한글 필사본, 정부인 안동장씨, 경북대학교 도서관 소장본

   ◆ 주방문 (50종) : 1. 순향주 2. 삼해주 3. 삼해주 4. 삼해주 5. 삼해주 6. 삼오주/사오주 7. 사오주 8. 이화주법 9. 이화주법 10. 이화주법 11. 이화주법 12. 점감청주 13. 감향주 14. 송화주 15. 죽엽주 16. 유화주 17. 향온주 18. 하절삼일주 19. 삼일주 20. 사시주 21. 소곡주 22. 일일주 23. 백화주 24. 동양주 25. 절주 26. 벽향주 27. 남성주 28. 녹파주 29. 칠일주 30. 벽향주 31. 두강주 32. 절주 33. 별주 34. 행화춘주 35. 하절 36. 시급주 37. 과하주 38. 점주 39. 점감주 40. 하향주 41. 부의주 42. 약산춘 43. 황금주 44. 칠일주 45. 오가피주 46. 차주법 47. 소주 48. 밀소주 49. 찹쌀소주 50. 소주
   ◆ 누룩 (2종) : 1. 주국방문 2. 이화주 누룩법

48. 〈음식방문(飮食方文, 술방문)〉 1800년대 중엽, 한글 필사본, 저자 미상

◆ 주방문 (16종) : 1. 소곡주 2. 보혈익기주 3. 연수향춘주 4. 부의주 5. 사절주 6. 오병주 7. 황감주 8. 하향주 9. 감향주 10. 청감주 11. 이화주 12. 석탄향 13. 목욕주(닥주/저주) 14. 삼일주 15. 동과주 16. 호산춘

49. 〈음식방문니라〉 신묘년(1891년 추정, 이월), 한글 붓글씨본, 문동(文洞), 조응식가 소장본

◆ 주방문 (17종) : 1. 화향입주법 2. 두건주법 3. 소국주법 4. 감홍(향)주법 5. 송절주법 6. 송순주법 7. 송순주법 일방 8. 송순주법 또 일방 9. 과하주법 10. 삼일주법 11. 삼칠주법 12. 팔선주법 13. 삼오주법 14. 녹타주법 15. 선표향법 16. 매화주법 17. 잠(감)절주법

50. 〈음식보(飮食譜)〉 1600년대 후기~1700년대 초엽, 한글 필사본, 숙부인 진주정씨(石崖先生 夫人) 수필(手筆)

◆ 주방문 (12종) : 1. 삼해주법 2. 청명주법 3. 청명주 별법 4. 백화주법 5. 매화주법 6. 두강주법 7. 백병주 바삐 빚는 법 8. 진향주방문 9. 단점주방문 10. 과하주법 11. 오병주법 12. 소국주방문

51. 〈음식책(飮食册)〉 1838년/1898년경, 한글 필사본, 저자 미상

◆ 주방문 (6종) : 1. 약주의 지주 방문주로 담그는 법 2. 합주 하는 법 3. 송순주 하는 법 4. 감홍주 하는 법 5. 우 감주 6. 감홍로 하는 법

52. 〈의방합편(醫方合編, 釀酒方)〉 저술 연대 미상, 한문 활자본, 저자 미상, 국립중앙박물관 소장

◆ 주방문 (23종) : 1. 녹파주(綠波酒) 2. 녹파주 별법(綠波酒 別法) 3. 벽향주(碧香酒) 4. 부의주(浮蟻酒) 5. 일일주(一日酒) 6. 잡곡주(雜穀酒) 7. 화향입주법(花香入酒法) 8. 오가피주(五加皮酒) 9. 무술주(戊戌酒) 10. 노인우가 적선소주(老人尤佳 謫仙燒酒) 11. 송순주(松笋酒) 12. 소곡주(少曲酒) 13. 백하주(白霞酒) 14. 호산춘(壺山春) 15. 청감주(淸甘酒) 16. 향온법(香醞法) 17. 도소주(屠蘇酒) 18. 홍로주(紅露酒) 19. 자주법(煮酒法) 20. 백자주(柏子

酒) 21. 청감주(淸甘酒) 22. 하향주(荷香酒) 23. 노주소독방(露酒消毒方)

53. 〈이씨(李氏)음식법〉 1800년대 말, 한글 필사본, 저자 미상

◆ 주방문 (15종) : 1. 신도주 2. 송순주 3. 두견주 4. 이화주 5. 일년주 6. 소국주 7. 상원주 8. 감향주 9. 송절주 10. 오갈피주 11. 창출주 12. 무술주 13. 절통소주 14. 동파주 15. 청향주신방

54. 〈임원십육지(林園十六志, 온배지류/미료지류)〉 1827년간, 한문 필사본, 서유구, 고려대본(高麗大本)/대판본(大板本)

◆ 주방문 (230종) : 1. 봉양법(封釀法) 2. 수중양법(水中釀法) 3. 상조법(上槽法)-대판본 4. 수주법(收酒法)-대판본 5. 자주법(煮酒法)-대판본 6. 조주본방(造酒本方) 7. 조부본방(造腐本方) 8. 조부본방 일법(造腐本方 一法) ＊ 이류(酏類) : 1. 백하주방(白霞酒方) 2. 백하주 우방(白霞酒 又方) 3. 백하주 우방(白霞酒 又方) 4. 향온주방(香醞酒方) 5. 녹파주방(綠波酒方) 6. 녹파주 우방(綠波酒 又方) 7. 녹파주 일방(綠波酒 一方) 8.벽향주방(碧香酒方) 9. 벽향주 일방(碧香酒 一方) 10. 벽향주 우방(碧香酒 又方) 11. 유하주방(流霞酒方) 12. 소국주방(小麴酒方) 13. 소곡주 속법(少麴酒 俗法) 14. 부의주방(浮蟻酒方) 15. 동정춘방(洞庭春方) 16. 경액춘방(瓊液春方) 17. 죽엽춘방(竹葉春方) 18. 인유향방(麟乳香方) 19. 석탄향방(惜呑香方) 20. 벽매주방(辟霾酒方) 21. 오호주방(五壺酒方)-고려대본 22. 하향주방(荷香酒方) 23. 향설주방(香雪酒方) 24. 벽향주방 이법(碧香酒方 異法) ＊ 주류(酎類) : 1. 호산춘방(壺山春方) 2. 호산춘 우방(壺山春 又方) 3. 잡곡주방(雜穀酒方)-고려대본 4. 두강춘방(杜康春方)-고려대본 5. 무릉도원주방(武陵桃源酒方) 6. 동파주방(東坡酒方)-고려대본 ＊ 향양류(香釀類) : 1. 도화주방(桃花酒方) 2. 도화주 일운(桃花酒 一云) 3. 송로양방(松露釀方) 4. 송화주방(松花酒方)-고려대본 5. 松芛酒方(고려대본) 6. 죽엽청방(竹葉淸方) 7. 하엽청방(荷葉淸方) 8. 연엽양방(蓮葉釀方) 9. 연엽양 일방(蓮葉釀 一方) 10. 령주방(醽酒方)-고려대본 11. 국화주방(菊花酒方) 12. 만전향주방(滿殿香酒方) 13. 밀온투병향방(蜜醞透瓶香方) 14. 밀주방(蜜酒方) 15. 화향입주방(花香入酒方) 16. 화향입주 우방(花香入酒 又方) ＊ 과라양류(菓蓏釀類) : 1. 송자주방(松子酒方) 2. 송자주 우방(松子酒 又方) 3. 핵도주방(核桃酒方) 4. 상실주방(橡實酒方) 5. 산사주방(山査酒方) 6. 포도주방(葡萄酒方) 7. 포도주 일방(葡萄酒 一方) 8. 포도주 우방(葡萄酒 又方) 9. 포두주 우우방(葡萄酒 又又方) 10. 감저주방(甘藷酒方) ＊ 이양류(異釀類) : 1. 이양류(異釀類) 2. 청서주방(淸暑酒方) 3. 봉래

춘방(蓬來春方) 4. 신선벽도춘방(神仙碧桃春方) 5. 와송주방(臥松酒方) 6. 죽통주방(竹筒酒方) 7. 지주방(地酒方) 8. 포양방(抱釀方)-고려대본 * 시양류(時釀類) : 1. 약산춘방(藥山春方) 2. 약산춘 일운(藥山春 一云) 3. 삼해주방(三亥酒方) 4. 삼해주 우방(三亥酒 又方) 5. 삼해주 노주방(三亥酒 露酒方) 6. 춘주방(春酒方)-고려대본 7. 상시춘주법(常時春酒法) 8. 속미주방(粟米酒方)-고려대본 9. 법주방(法酒方)-고려대본 10. 청명주방(淸明酒方) 11. 삼구주방(三九酒方)-고려대본 12. 서미법주방(黍米法酒方)-고려대본 13. 당량주방(當梁酒方)-고려대본 14. 갱미주방(秔米酒方)-고려대본 15. 납주방(臘酒方) 16. 칠석주방(七夕酒方)-고려대본 17. 분국상락주방(笨麴桑落酒方)-고려대본 18. 동미명주방(冬米明酒方)-고려대본 * 순내양류(旬內釀類) : 1. 순내양류(旬內釀類) 2. 일일주방(一日酒方) 3. 일일주 우방(一日酒 又方) 4. 계명주방(鷄鳴酒方)-고려대본 5. 삼일주방(三日酒方) 6. 삼일주 일방(三日酒 一方) 7. 삼일주 우방(三日酒 又方) 8. 하삼청방(夏三淸方) 9. 백화춘방(白花春方) 10. 두강주방(杜康酒方)-고려대본 11. 두강주 우방(杜康酒 又方)-고려대본 12. 칠일주방(七日酒方) 13. 칠일주 속법(七日酒 俗釀)-고려대본 14. 칠일주 일방(七日酒 一方)-고려대본 15. 사절칠일주방(四節七日酒方) 16. 계명주방(鷄鳴酒方)-고려대본 17. 계명주 우법(鷄鳴酒 又法)-고려대본 * 제차류(醍醝類) : 1. 천태홍주방(天台紅酒方) 2. 건창홍주방(建昌紅酒方) 3. 하동이백주방(河東頤白酒方)-고려대본 4. 백주방(白酒方) 5. 백주 일방(白酒 一方) 6. 왜백주방(倭白酒方) * 앙료류(醞醪類) : 1. 이화주방(梨花酒方) 2. 집성향방(集聖香方) 3. 추모주방(秋麰酒方) 4. 모미주방(麰米酒方) 5. 백료주방(白醪酒方)-고려대본 6. 분국백료주방(笨麴白醪酒方) * 예류(醴類) : 1. 감주방(甘酒方) 2. 청감주방(淸甘酒方) 3. 왜예주방(倭醴酒方) 4. 왜예주 별방(倭醴酒 別方) 5. 왜미림주방(倭美淋酒方) * 소로류(燒露類) : 1. 소주총방(燒酒總方) 2. 내국홍로방(內局紅露方) 3. 노주이두방(露酒二斗方) 4. 절주방(切酒方) 5. 관서감홍로방(關西甘紅露方) 6. 관서계당주방(關西桂糖酒方) 7. 죽력고방(竹瀝膏方) 8. 이강고방(梨薑膏方) 9. 적선소주방(謫仙燒酒方) 10. 삼일로주방(三日露酒方) 11. 모미소주방(麰米燒酒方)-고려대본 12. 소맥노주방(小麥露酒方) 13. 교맥노주방(蕎麥露酒方) 14. 이모로주방(耳麰露酒方) 15. 송순주방(松芛酒方) 16. 과하주방(過夏酒方) 17. 과하주 일방(過夏酒 一方) 18. 과하주 우방(過夏酒 又方) 19. 오향소주방(五香燒酒方) 20. 포도소주방(葡萄燒酒方) 21. 감저소주방(甘藷燒酒方)-고려대본 22. 천리주방(千里酒方)-고려대본 23. 왜소주방(倭燒酒方)-고려대본 24. 소주다취로법(燒酒多取露法) 25. 소로잡법(燒露雜法) 26. 소번황주법(燒燔黃酒法) * 의주제법(醫酒諸法) : 1. 치주불배법(治酒不醅法) 2. 요산주법(拗酸酒法) 3. 해백주산법(解白酒酸法)-고려대본 4. 치주변미방(治酒變味方)-고려대본 5. 치산박주작호주방(治酸薄酒作好酒方) 6. 탁주위청주방(濁酒爲淸酒方) 7. 치다수주법(治多水酒法)-고려대본 8. 치로주화염법(治露酒火焰法)-고려대본 * 부록 약양제품(藥釀諸品) : 1. 도소주(屠蘇酒) 2. 도소주 일방(屠蘇酒 一方) 3. 장춘주(長春

酒) 4. 신선주(神仙酒) 5. 고본주(固本酒) 6. 오수주(烏鬚酒) 7. 신선고본주(神仙固本酒) 8. 준순주(俊巡酒) 9. 유학주(愈瘧酒) 10. 홍국주(紅麴酒) 11. 거승주(巨勝酒) 12. 호마주(胡麻酒) 13. 오가피주(五加皮酒) 14. 선로비주(仙露脾酒) 15. 의이인주(薏苡仁酒) 16. 천문동주(天門冬酒) 17. 백령등주(百靈藤酒) 18. 소자주(蘇子酒) 19. 백출주(白朮酒) 20. 지황주(地黃酒) 21. 우슬주(牛膝酒) 22. 당귀주(當歸酒) 23. 창포주(菖蒲酒) 24. 구기주(枸杞酒) 25. 구기주(枸杞酒) 26. 인삼주(人蔘酒) 27. 서여주(薯蕷酒) 28. 복령주(茯苓酒) 29. 국화주(菊花酒) 30. 황정주(黃精酒) 31. 상실주(桑實酒) 32. 상심주(桑椹酒) 33. 밀주(蜜酒) 34. 요주(蓼酒) 35. 강주(薑酒) 36. 장송주(長松酒) 37. 회향주(茴香酒) 38. 축사주(縮砂酒) 39. 사근주(沙根酒) 40. 인진주(茵蔯酒) 41. 청호주(靑蒿酒) 42. 백부주(百部酒) 43. 해조주(海藻酒) 44. 선묘주(仙茆酒) 45. 통초주(通草酒) 46. 남등주(南藤酒) 47. 천금주(千金酒) 48. 송액주(松液酒) 49. 송절주(松節酒) 50. 백엽주(柏葉酒) 51. 송지주(松脂酒) 52. 초백주(椒柏酒) 53. 죽엽주(竹葉酒) 54. 괴지주(槐枝酒) 55. 우방주(牛蒡酒) 56. 마인주(麻仁酒) 57. 자근주(柘根酒) 58. 화사주(花蛇酒) 59. 호골주(虎骨酒) 60. 미골주(麋骨酒) 61. 녹두주(鹿頭酒) 62. 녹용주(鹿茸酒) 63. 무회주(戊灰酒) 64. 양고주(羊羔酒) 65. 올눌제주(膃肭臍酒) 66. 백화주(百花酒) 67. 주중지약법(酒中漬藥法) * 상음잡법(觴飮雜法) : 1. 음주방병법(飮酒防病法) 2. 음주불취법(飮酒不醉法) 3. 음주즉취법(飮酒卽醉法) 4. 논화동음법(論華東飮法) 5. 논음저(論飮儲)

- ◆ 누룩 (23종) : 미료지류(味料之類)/국얼(麴蘖) : 총론(總論) 1. 맥국법(麥麴法) 2. 맥국법(麥麴法) 3. 맥국법(麥麴法) 4. 맥국법(麥麴法) 5. 맥국법(麥麴法) 6. 면국방(麪麴方) 7. 백국방(白麴方) 8. 백국방(白麴方) 9. 미국방(米麴方) 10. 미국방(米麴方) 11. 내부비전국방(內府秘傳麴方) 12. 연화국방(蓮花麴方) 13. 금경로국방(金莖露麴方) 14. 양양국방(襄陽麴方) 15. 요국방(蓼麴方) 16. 여국방(女麴方) 17. 맥완법(麥䴲法) 18. 황증방(黃蒸方) 19. 황증방(黃蒸方) 20. 황증방(黃蒸方) 21. 홍국방(紅麴方) 22. 수납조법(收臘糟法) 23. 조얼방(造蘖方)
- ◆ 주례총서(酒禮叢書) : 1. 연기(緣起) 2. 총론(總論)
- ◆ 양주잡법(釀造雜法) : 1. 논국품(論麴品) 2. 치국법(治麴法) 3. 치주재법(治酒材法) 4. 택수법(擇水法)
- ◆ 수주의기(收酒宜忌) : 1. 수주불훼법(收酒不毁法) 2. 수로주법(收露酒法) 3. 수잡주법(收雜酒法) 4. 잡기(雜忌)

55. 〈잡지(雜誌)〉 저술 연대 미상, 한문 붓글씨본, 저자 미상, 한복려 소장본

- ◆ 주방문 (1종) : 1. 구기자술

56. 〈정일당잡지(貞一堂雜識)〉 1856년, 한글 필사본, 정일당

- ◆ 주방문 (4종) : 1. 하일청향죽엽주 2. 사절소국주 3. 연일주 4. 부의주

57. 〈조선고유색사전(朝鮮固有色辭典)〉 1930년대, 일본어 활자인쇄본, 일본인 키타카와

- ◆ 주방문 (7종) : 1. 삼해주(三亥酒) 2. 약주(藥酒) 3. 탁주(濁酒) 4. 소주(燒酎) 5. 백주(白酒) 6. 과하주(過夏酒) 7. 도소주(屠蘇酒)
- ◆ 누룩 (1종) : 1. 곡자(麯子)

58. 〈조선무쌍신식요리제법(朝鮮無雙新式料理製法)〉 1936년간, 한글 활자본, 이용기

- ◆ 주방문 (85종) : 1. 술밑 만드는 법(造酒法) 2. 술 담글 때 알아둘 일 3. 곡미주(麯米酒) 4. 송순주(松筍酒) 5. 우 송순주(又 松筍酒) 6. 백로주(白露酒) 7. 우 백로주(又 白露酒) 8. 삼해주(三亥酒) 9. 우 삼해주(又 三亥酒) 10. 이화주(梨花酒) 11. 도화주(桃花酒) 12. 연엽양(蓮葉釀) 13. 호산춘(壺山春) 14. 경액춘(瓊液春) 15. 동정춘(洞庭春) 16. 봉래춘(蓬來春) 17. 송화주(松花酒) 18. 우 송화주(又 松花酒) 19. 죽엽춘(竹葉春) 20. 죽통주(竹筒酒) 21. 집성향(集成香) 22. 석탄향(惜呑香) 23. 하삼청(夏三淸) 24. 청서주(淸暑酒) 25. 자주(煮酒) 26. 매화주(梅花酒) 27. 연화주(蓮花酒) 28. 유자주(柚子酒) 29. 포도주(葡萄酒) 30. 우 포도주(又 葡萄酒) 31. 우 포도주(又 葡萄酒) 32. 우 포도주(又 葡萄酒) 33. 두견주(杜鵑酒) 34. 과하주(過夏酒) 35. 우 과하주(又 過夏酒) 36. 우 과하주(又 過夏酒) 37. 우 과하주(又 過夏酒) 38. 우 과하주(又 過夏酒) 39. 향설주(香雪酒) 40. 무릉도원주(武陵桃源酒) 41. 동파주(東坡酒) 42. 법주(法酒) 43. 송자주(松子酒) 44. 송자주(松子酒) 45. 감저주(甘藷酒) 46. 칠일주(七日酒) 47. 우 칠일주(又 七日酒) 48. 우 칠일주(又 七日酒) 49. 백료주(白醪酒) 50. 부의주(浮蟻酒) 51. 잡곡주(雜穀酒) 52. 신도주(新稻酒) 53. 백화주(百花酒) 54. 백화주(百花酒) 55. 삼알주(三日酒) 56. 우 삼일주(又 三日酒) 57. 우 삼일주(又 三日酒) 58. 혼돈주(混沌酒) 59. 청주(淸酒) 60. 탁주(濁酒) 61. 우 탁주(又 濁酒) 62. 합주(合酒) 63. 모주(母酒) 64. 감주(甘酒) 65. 임금주(林檎酒, 능금술) 66. 계피주(桂皮酒) 67. 생강주(生薑酒) 68. 소주 고는 법 69. 또 소주 고는 법 70. 또 소주 고는 법 71. 또 소주 고는 법 72. 또 소주 고는 법 73. 또 소주 고는 법 74. 소주특방(燒酒特方) 75. 우 소주특방(又 燒酒特方) 76.

출소주(秫燒酒) 77. 옥촉서소주(玉蜀黍燒酒) 78. 감홍로(甘紅露) 79. 이강고(梨薑膏) 80. 죽력고(竹瀝膏) 81. 상심소주(桑椹燒酒) 82. 상심소주(桑椹燒酒) 83. 우담소주(牛膽燒酒) 84. 상심소주(桑椹燒酒) 85. 관서감홍로(關西甘紅露)

- ◆ 누룩 (9종) : 1. 보리누룩/맥국(麥麴) 2. 밀누룩(小麥麴) 3. 밀누룩(小麥麴) 시속법(時俗法) 4. 흰누룩(白麴) 5. 쌀누룩(米麴) 6. 또 쌀누룩(米麴) 7. 내부비전국(內府秘傳麴) 8. 홍국(紅麴) 9. 누룩 만드는 법(造麴法)

- ◆ 기타 (2종) : 1. 술 담그는 날(造酒日) 2. 양주기일(釀酒忌日)

59. 〈주방(酒方)〉* 1800년대 초엽, 한글 필사본, 저자 미상, 이씨 소장본

- ◆ 주방문 (18종) : 1. 감주법 2. 청감주법 3. 일두주방문 4. 녹파주방문 5. 백화주방문 6. 박향주방문 7. 소국주방문 8. 삼일주방문 9. 칠일주방문 10. 백일주방문 11. 이화주방문 12. 과하주방문 13. 백하주방문 14. 백하주방문(또 한 법) 15. 구가주방문 16. 별소주방문 17. 보리소주방문 18. 백하주법

60. 〈주방(酒方)〉 1827년(1887년), 한글 한문 혼용필사본, 수구산부여해(壽扣山富如海), 임용기 소장본

- ◆ 주방문 (14종) : 1. 삼해주방문(三亥酒方文) 2. 두강주방문 3. 일일주방문(一日酒方文) 4. 삼합주방문(三合酒方文) 5. 구일주방문(九日酒方文) 6. 삼칠주방문(三七酒方文) 7. 별향주방문(別香酒方文) 8. 호산춘주이방문 9. 별춘주방문(別春酒方文) 10. 연엽주방문(蓮葉酒方文) 11. 도화주방문(桃花酒方文) 121. 황금주방문(黃金酒方文) 13. 녹파주방문(綠波酒方文) 14. 아소국주방문

61. 〈주방문(酒方文)〉 1600년대 말엽, 한글 필사본, 하생원, 서울대 가람문고 소장

- ◆ 주방문 (30종) : 1. 과하주(過夏酒) 2. 백화주(白花酒) 3. 삼해주(三亥酒) 4. 벽향주(碧香酒) 5. 합주(合酒) 6. 닥주(楮酒) 7. 절주(節酒) 8. 자주(煮酒) 9. 소주(燒酒) 10. 점주(粘酒) 11. 점주 우법(粘酒 又法) 12 연엽주(蓮葉酒) 13. 감주(甘酒) 14. 감주 우일법(甘酒 又一法) 15. 급청주(急淸酒) 16. 송령주(松鈴酒) 17. 급시주(急時酒) 18. 무곡주(無麴酒) 19. 이화주(梨花酒) 20. 보리주(麰酒) 21. 보리소주(麰燒酒) 22. 일일주(一日酒) 23. 서김법(酵法) 24. 단술누룩법(甘酒麴造法) 25. 술맛 그르치지 않는 법 26. 신 술 고치는 법 27. 소주 별방(燒酒

別方) 28. 일해주(一亥酒) 29. 하향주 30. 청명주(淸明酒)

62. 〈주방문조과법(造果法)〉 1925년(계해년 정월), 한글 붓글씨 필사본, 가야촌, 한복려 소장

- ◆ 주방문 (23종) : 1. 벽향주법(팔두오승 빚이) 2. 벽향주법(삼두 빚이) 3. 세신주방 4. 삼해주(열 말 비지법) 5. 니화주법 6. 단점주법(甘粘酒) 7. 딱술법(楮酒) 8. 소자주법 9. 백화주(엿 말 비지법) 10. 구도주(엿 말 비지법) 11. 구도주(엿 말 비지법) 12. 니화주법 13. 하향주법 14. 술이 시거든(救酸酒法) 15. (화향입주법) 16. (급청주법) 17. 쌀보리소주법 18. 쌀보리소주법 19. 겉보리소주법 20. 백화주법(열두 말 빚이) 21. 백화주법(열 말 빚이) 22. 합주법 23. 백화주(서 말 비지법)
- ◆ 기타 (10법) : 10법

63. 〈주방문초(酒方文抄)〉 저술 연대 미상, 한문 활자본, 저자 미상

- ◆ 주방문 (6종) : 1. 과하주법(過夏酒法) 2. 백화주법(白花酒法) 3. 백하주법(白河酒法) 4. 오병주법(五瓶酒法) 5. 청명주법(淸明酒法) 6. 하일두강주법(夏日杜康酒法)

64. 〈주식방(酒食方, 延世大閨壼要覽)〉 1896년간, 한글 필사본, 저자 미상, 연세대학교 소장본

- ◆ 주방문 (1종) : 1. 천일주법

65. 〈주식방(酒食方, 高大閨壼要覽)〉 1800년 초·중엽, 한글 필사본, 저자 미상, 고려대 신암문고 소장

- ◆ 주방문 (30종) : 1. 중원인호작주법 2. 소곡주법 3. 과하주법 4. 백일주법 5. 부의주법 6. 부럽주 7. 소주 많이 나는 법 8. 보리술법 9. 일일주법 10. 국화주법 11. 송국주법 12. 청주법(청명주법) 13. 백화주 14. 호산춘 15. 삼해주 16. 삼칠일주 17. 삼칠일주(우법) 18. 소자주 19. 사절주 20. 연엽주 21. 칠일주법 22. 벽향주 23. 벽향주법 24. 칠일주 25. 별향주 26. 노산춘 27. 과하주 28. (감주) 29. 감향주 30. 감향주 우법

66. 〈주식방문〉 저술 연대 미상, 한글 붓글씨본, 저자 미상

   ◆ 주방문 (2종) : 1. 합주방문 2. 아달두견주방문

67. 〈주식시의(酒食是儀)〉 1900년경, 한글 필사본, 저자 : 연안이씨, 동춘당가 소
   장본, 대전선사박물관

   ◆ 주방문 (8종) : 1. 구기자주법 2. 감향주법 3. 별약주법이라 4. 화향입주방 5. 두견주 6. 점
   감주 7. 감향주 8. 송순주

68. 〈주정(酒政)〉 1800년대 말엽, 한문 붓글씨본, 저자 미상

   ◆ 주방문 (9종) : 1. 소국주(小麴酒) 2. 소국주(小麴酒) 3. 아소국주(兒小麴酒) 4. 백일주(百日
   酒) 5. 두강주(杜康酒) 6. 방문주(方文酒) 7. 방문주(方文酒) 8. 방문주 소주(方文酒 燒酒)
   9. 두견주방(杜鵑酒方)

69. 〈주찬(酒饌)〉 1800년대 말엽, 한문 필사본, 저자 미상

   ◆ 주방문 (80종) : 1. 과하주(過夏酒) 2. 삼해주(三亥酒) 3. 소곡주(少麴酒) 4. 과하주(過夏酒)
   5. 과하주(過夏酒) 6. 과하주(過夏酒) 7. 소국주(小麴酒) 8. 황금주(黃金酒) 9. 일일주(一日
   酒) 10. 하절불산주(夏節不酸酒) 11. 사시절주(四時節酒) 12. 사시절주(四時節酒) 13. 이화
   주(梨花酒) 14. 백하주(白霞酒) 15. 오가피주(五加皮酒) 16. 황감주(黃柑酒) 17. 하향주(荷
   香酒) 18. 청감주(淸甘酒) 19. 절주(節酒) 20. 청주(菁酒) 21. 천금주(千金酒) 22. 소자주(蘇
   子酒) 23. 창포주(菖蒲酒) 24. 송엽주(松葉酒) 25. 송순주(松筍酒) 26. 송엽주(松葉酒) 27.
   송순주(松筍酒) 28. 두견주(杜鵑酒) 29. 도화주(桃花酒) 30. 도화주(桃花酒) 31. 도인주(桃
   仁酒) 32. 지황주(地黃酒) 33. 오향주(五香酒) 34. 삼합주(三合酒) 35. 구기주(枸杞酒) 36.
   도소주(屠蘇酒) 37. 지골주(地骨酒) 38. 육일주(六日酒) 39. 진상주(進上酒) 40. 석탄향(石
   炭香) 41. 두강주(杜康酒) 42. 선령비주(仙灵脾酒) 43. 호산춘(壺山春) 44. 녹용주(鹿茸酒)
   45. 연일주(連日酒) 46. 송계춘(松桂春) 47. 광릉춘(廣陵春) 48. 부겸주(浮兼酒) 49. 천문동
   주(天門冬酒) 50. 방문주(方文酒) 51. 도화춘(桃花春) 52. 경액춘(瓊液春) 53. 은화춘(銀花
   春) 54. 지황주(地黃酒) 55. 백화춘(白花春) 56. 별 백화주(別 白花酒) 57. 추포주(秋葡酒)
   58. 백탄향(白灘香) 59. 내국향온(內局香醞) 60. 홍로주(紅露酒) 61. 백자주(栢子酒) 62. 부

의주(浮蟻酒) 63. 낙산춘(樂(藥)山春) 64. 청서주(淸暑酒) 65. 구황주(救荒酒) 66. 신선고본주법(神仙固本酒法) 67. 적선소주(謫仙燒酒) 68. 진향주(震香酒) 69. 주방(酒方) 70. 주방별법(酒方 別法)−조소주 71. 무술주(戊戌酒) 72. 경감주(瓊甘酒) 73. 백화춘(白花春) 74. 왕감주(王甘酒) 75. 하절청주(夏節淸酒) 76. 하절이화주(夏節梨花酒) 77. 예주(醴酒) 78. 시급주(時急酒) 79. 자주법(煮酒法) 80. 작주부본법(作酒腐本法)

70. 〈쥬식방문〉 저술 연대 미상, 한문 활자본, 저자 미상

◆ 주방문 (6종) : 1. 백화춘 술방문 2. 삼해주방문(三亥酒方文) 3. 송순주법 4. 연일주법 5. 청명주방문(梅岐方文) 6. 칠일주법

71. 〈증보산림경제(增補山林經濟)〉 1767년, 한문 필사본/활자본, 유중임(柳重臨)

◆ 주방문 (77종) : 1. 작주부본방(作酒腐本方) 2. 백하주법(白霞酒法) 3. 백하주법 우방(白霞酒法 又方) 4. 백하주 우방(白霞酒 又方) 5. 백하주 우방(白霞酒 又方) 6. 삼해주법(三亥酒法) 7. 삼해주법 우방(三亥酒法 又方) 8. 삼해주 우방(三亥酒 又方) 9. 도화주법(桃花酒法) 10. 도화주법 우방(桃花酒法 又方) 11. 연화주법(蓮葉酒法) 12. 소곡주법(少麴酒法) 13. 소곡주 속법(少麴酒 俗法) 14. 별소곡주방(別少麴酒方) 15. 소곡주 별법(少麴酒 別法) 16. 비시소곡주방(非時少麴酒方) 17. 약산춘법(藥山春法) 18. 약산춘법 우방(藥山春法 又方) 19. 경면녹파주법(鏡面綠波酒法) 20. 경면녹파주법 우방(鏡面綠波酒法 又方) 21. 경면녹파주법 우방(鏡面綠波酒法 又方) 22. 방문주 별법(方文酒 別法) 23. 벽향주법(碧香酒法) 24. 벽향주법 우방(碧香酒法 又方) 25. 벽향주법 별법(碧香酒法 別法) 26. 부의주(浮蟻酒) 27. 지주(地酒) 28. 일일주(一日酒) 29. 일일주 우방(一日酒 又方) 30. 삼일주(三日酒) 31. 삼일주법 우법(三日酒法 又法) 32. 칠일주법(七日酒法) 33. 칠일주법(七日酒法) 34. 사절칠일주방(四節七日酒方) 35. 잡곡주(雜穀酒) 36. 송순주방(松筍酒方) 37. 송순주 본법(松筍酒 本法) 38. 송순주법(松筍酒法) 39. 송순주법(松筍酒法) 40. 과하주(過夏酒) 41. 과하주 우방(過夏酒 又方) 42. 과하주 우방(過夏酒 又方) 43. 노주이두방(露酒二斗方) 44. 소주다출방(燒酒多出方) 45. 소맥소주법(小麥燒酒法) 46. 노주소독방(露酒消毒方) 47. 하향주법(荷香酒法) 48. 절주방(節酒方) 49. 이화주법(梨花酒法) 50. 청감주법(淸甘酒法) 51. 포도주법(葡萄酒法) 52. 감주법(甘酒法) 53. 하엽주법(荷葉酒法) 54. 추모주법(秋麰酒法) 55. 모미주법(麰米酒法) 56. 백자주법(栢子酒法) 57. 호도주법(胡桃酒法) 58. 와송주법(臥松酒法) 59. 죽통주법(竹筒酒法) 60. 소자주법(蘇子酒法) 61. 죽력고법(竹瀝膏法) 62. 이강

고법(梨薑膏法) 63. 백화주법(百花酒法) 64. 화향입주방(花香入酒方) 65. 화향입주방(花香入酒方) 66. 화향입주방(花香入酒方) 67. 주중지약법(酒中漬藥法) 68. 두강주방(杜康酒方) 69. 두강주방 우방(杜康酒方 又方) 70. 백자주법(栢子酒法) 71. 변탁주위청주법(變濁酒爲淸酒法) 72. 수잡주법(收雜酒法) 73. 구주불비방(救酒不沸方) 74. 구산주법(救酸酒法) 75. 하월수중양주법(夏月水中釀酒法) 76. 중원인작호주법(中原人作好酒法) 77. 조주제법(造酒諸法)

- ◆ 누룩 (8종) : 1. 조곡길일(造麴吉日) 2. 조곡방(造麴方) 3. 조곡방 속법(造麴方 俗法) 4. 조진면곡법(造眞麵麴法) 5. 조요곡법(造蓼麴法) 6. 조녹두곡법(造菉豆麴法) 7. 조미곡법(造米麴法) 8. 조주길일(造酒吉日)
- ◆ 기타 (2종) : 1. 음주방병법(飮酒防病法) 2. 택수(擇水)

72. 〈치생요람(治生要覽)〉 1691년, 한문 필사본, 저자 미상

- ◆ 주방문 (15종) : 1. 내국향온 2. 홍로주 3. 청감주 4. 하향주 5. 백하주 6. 부의주 7. 송엽주 8. 도화주 9. 청서주 10. 소국주 11. 과하주 12. 약산춘 13. 구황주 14. 송순(주) 15. 천금주

73. 〈침주법(侵酒法)〉 저술 연대 미상, 한글 필사본, 저자 미상, 한복려 소장본

- ◆ 주방문 (49종) : 1. 삼일주 2. 세향주 3. 녹하주 4. 삼해주 5. 유감주 6. 세신주 7. 백화주 8. 남경주 9. 처화주(처하주) 10. 닥주(저주) 11. 구과주 12. 니화주(이화주) 13. 보리주법 14. 국화주 15. 적선소주 16. 송순주 17. 녹파주 18. 또 녹파주 19. 찹쌀녹파주(점미녹파주) 20. 부점주 21. 삼일주 22. 또 삼일주 23. 칠일주 24. 일두주 25. 산주 26. 감주 27. 하향주 28. 삼칠주 29. 니화주(이화주) 30. 또 니화주 31. 청하주 32. 송엽주 33. 애엽주 34. 소주 35. 뉴하주(유하주) 36. 뫼속주(매속주) 37. 부의주 38. 진상주 39. 향온주 40. 홍소주 41. 백자주 42. 소주 43. 보리소주 44. 삼일주 45. 무시절주 46. 육두주 47. 삼두주 48. 청감주 49. 감주
- ◆ 누룩 (1종) : 1. 누룩법

74. 〈태상지(太常志)〉 고종 10년(1873년), 한문 필사본, 이근명(李根命)

- ◆ 주방문 (2종) : 1. 양주(釀酒) 2. 울금주(鬱金酒)
- ◆ 누룩 (1종) : 1. 조국(造麴)

75. 〈학음잡록(鶴陰雜錄)〉 1800년대 말엽, 한문 필사본, 鶴陰(?)

- ◆ 주방문 (21종) : 1. 백로주 2. 백로주(지주 빚는 법) 3. 소곡주 4. 약산춘 5. 약산춘 우방 6. 호산춘 7. 호산춘 우방 8. 삼해주 9. 내국향온 10. 백자주 11. 호도주 12. 도화주 13. 도화주 우방 14. 연엽주 15. 지황주 16. 오가피주 17. 오가피주 우방 18. 무술주 19. 천문동주 20. 구기주 21. 창포주
- ◆ 누룩 (2종) : 1. 조곡법 2. 조요국
- ◆ 기타 (1종) : 3. 양주법(택수)

76. 〈한국민속대관(韓國民俗大觀)〉 1985년간, 한글 활자본, 고려대 민족문화연구소 발행

- ◆ 주방문 (41종) : 1. 이화주(梨花酒) 2. 이화주(梨花酒) 3. 이화주(梨花酒) 4. 이화주(梨花酒) 5. 하절 별법 이화주(梨花酒) 6. 약주(藥酒) 7. 백하주(白霞酒) 8. 소곡주(小麴酒) 9. 하향주(荷香酒) 10. 부의주(浮蟻酒) 11. 청명주(淸明酒) 12. 감향주(甛香酒) 13. 절주(節酒) 14. 방문주(方文酒) 15. 석탄주(惜呑酒) 16. 법주(法酒) 17. 호산춘(壺山春) 18. 송자주(松子酒) 19. 백자주(柏子酒) 20. 포도주(葡萄酒) 21. 두견주 22. 원시적 증류법(는지) 23. 고리 이용법 24. 노주(露酒) 25. 감홍로(甘紅露) 26. 이강고(梨薑膏) 27. 도소주(屠蘇酒) 28. 과하주(過夏酒) 29. 사마주(四馬酒) 30. 청명주(淸明酒) 31. 유두음(流頭飮) 32. 국화주(菊花酒) 33. 와송주(臥松酒) 34. 죽통주(竹筒酒) 35. 지주(地酒) 36. 청서주(淸暑酒) 37. 송하주(松下酒) 38. 전주(煎酒) 39. 소자주(蘇子酒) 40. 오가피주(五加皮酒) 41. 구기주(枸杞酒)
- ◆ 누룩 (1종) : 1. 생곡(生麴)

77. 〈해동농서(海東農書)〉 1799년, 한문 필사본, 서호수(徐浩修)

- ◆ 주방문 (43종) : 1. 작주부본방(作酒腐本方) 2. 백하주(白霞酒) 3. 소곡주(少麴酒) 4. 약산춘(藥山春) 5. 약산춘 우일방(藥山春 又一方) 6. 호산춘(壺山春) 7. 삼해주법(三亥酒法) 8. 내국향온법(內局香醞法) 9. 백자주양법(栢子酒釀法) 10. 호도주양법(胡桃酒釀法) 11. 도화주(桃花酒) 12. 도화주 일방(桃花酒 一方) 13. 연엽주(蓮葉酒) 14. 경면녹파주(鏡面綠波酒) 15. 경면녹파주 일방(鏡面綠波酒 一方) 16. 벽향주(碧香酒) 17. 하향주(荷香酒) 18. 이화주(梨花酒) 19. 청서주(淸暑酒) 20. 부의주(浮蟻酒) 21. 부의주 일방(浮蟻酒 一方) 22. 청감주(淸甘酒) 23. 포도주(葡萄酒) 24. 백주(白酒) 25. 삼일주(三日酒) 26. 일일주(一日酒) 27. 잡

곡주(雜穀酒) 28. 지주(地酒) 29. 내국홍로주양법(內局紅露酒釀法) 30. 노주소독방(露酒消毒方) 31. 노주이두방(露酒二斗方) 32. 자주(煮酒) 33. 자주 우법(煮酒 又法) 34. 과하주(過夏酒) 35. 과하주 우방(過夏酒 又方) 36. 밀주(密酒) 37. 밀주 우법(密酒 又法) 38. 화향입주방(花香入酒方) 39. 화향입주 우법(花香入酒 又法) 40. 주중지약법(酒中漬藥法) 41. 구주불비법(救酒不沸法) 42. 구산주법(救酸酒法) 43. 중원인양호법(中原人釀好酒)

- ◆ 누룩 (2종) : 1. 조곡길일(造麯吉日) 2. 조곡(造麯)
- ◆ 기타 (4종(: 1. 조주길일(造酒吉日) 2. 조주기일(造酒忌日) 3. 택수(擇水) 4. 식면후음주(食麵後飮酒)

78. 〈현풍곽씨언간주해〉 1602년~1650년, 한글 필사본(번역본), 곽주 가

- ◆ 주방문 (2종) : 1. 죽엽주(두엽쥬법) 2. 포도주(보도쥬법)

79. 〈홍씨주방문〉 1800년대, 한글 필사본, 저자 미상

- ◆ 주방문 (37종) : 1. 옥녹주 2. 옥녹주 별법 3. 백수환동주 4. 동파삼일주 5. 부의주 6. 황구주 7. 소곡주 별방문 8. 성탄향 9. 선초향주 10. 벽향주 11. 녹파주 12. 약주 13. 백일주 별법 14. 청명주방문 15. 절주 16. 호산춘 17. 백일주법 18. 백일주 19. 삼해주 20. 두강주 21. 일일주 22. 사월주 23. 백화춘 24. 홀도주(혼돈주) 25. 황금주 26. 사절소주법 27. 송순주법 28. 송순주 29. 과하주 30. 국화주방문 31. 도화주 32. 두견주방문(8말 빚이) 33. 두견주 추후별방문(3말 5되 빚이) 34. 두견주 추후별방문(7말 5되 빚이) 35. 백화주 36. 만전향주 37. 도화주(4말 빚이)

80. 〈활인심방(活人心方)〉 1400년대 초엽, 한문 필사본, 퇴계(退溪) 이황(李晃) 수적본(手蹟本)

- ◆ 주방문 (3종) : 1. 저령주 2. 지황주 3. 무술주

81. 〈후생록(厚生錄)〉 1767년(영조 43) 이전, 한문 활자본, 신중후(辛仲厚)

- ◆ 주방문 (7종) : 1. 일일주법(一日酒法) 2. 일일주법 우법(一日酒法 又法) 3. 삼일주(三日酒)

4. 잡곡주방(雜穀酒方) 5. 중원인작호주(中原人作好酒) 6. 적선주방(謫仙酒方) 7. 청감주방(淸甘酒方)

82. 〈조선상식문답(朝鮮常識問答, 風俗)〉 1948년간, 한글 활자본, 최남선

1. 약주란 말은 무슨 뜻입니까? 2. 조선술의 유명한 것은 무엇이 있습니까?(관서감홍로, 전주 이강고, 전라도 죽력고) 3. 누룩

83. 기타

* <동국세시기(東國歲時記)> 1849년, 홍석모

1. 정월 : 세주·도소주 2. 상원 : 이롱주(치롱주) 3. 봄철가주(과하주·소주·두견주·도화주·송순주·소주(공릉삼해주)·관서감홍로·벽향주·해서 이강주·호남 죽력고·계당주, 호서의 노산춘주, 유듀국)

* <성호사설(星湖僿說, 萬物門)> 조선 숙종대, 이익, 국립중앙도서관·규장각

1. 주(酒) 2. 주재(酒材) 3. 오재·삼주(五齊三酒) 4. 명수(明水) 5. 오곡(五穀) 6. 부백(浮白) 7. 회주(灰酒) 8. 도량(度量) 9. 주기보(酒器譜) 10. 곡명(穀名) 11. 향음주례(鄕飮酒禮)

* <조선세시기(朝鮮歲時記)> 1916년~1917년, 장지연, 매일신보

1. 신춘명주(춘주류) : 1. 도화춘 2. 이화춘 3. 두견춘 4. 송순춘 5. 소국춘
2. 과하주·소곡주류 : 1. 평양의 감홍로 2. 벽향주 3. 해서의 이강고 4. 호남 및 영남의 죽력고 5. 계당주 6. 호서의 노산춘 7. 서향로 8. 사마주

* <임하필기(林下筆記, 春明逸史)> 1871년(고종 8 탈고, 1961년 영인), 임하려(1871), 서울대학교 규장각 소장본

향음주례(鄕飮酒禮)를 행하다

* <열양세시기(列陽歲時記)> 1819년, 김매순, 광문회(光文會)에서 인간(印刊, 1927년)

  1. 정월(正月) 도소주(屠蘇), 귀밝이술(耳明酒). 2. 유월(六月) 보름 유두국(流頭麴) 3. 중추(中秋) 햅쌀술

* <경도잡지(京都雜誌)> 조선 정조대, 유득공,

  1. <풍속조(風俗條)> : 1. 주식(酒食), 2. 유상(遊賞), 3. 시포(市舖), 4. 시문(詩文)
  2. <세시(歲時)> : 1. 원일(元日), 2. 정월 보름 날, 3. 유월 보름